Dosch

LEHRBUCH DER NEURALTHERAPIE NACH HUNEKE

Lehrbuch der Neuraltherapie nach Huneke

(Procain-Therapie)

Von Dr. med. Peter Dosch

7. Auflage
Geleitwort von Dr. med. Ferdinand Huneke
Mit 2 Porträts und 98 Abbildungen und 4 Tabellen

HAUG

Karl F. Haug Verlag GmbH · Heidelberg

© 1964 Karl F. Haug Verlag, Ulm/Donau
Alle Rechte, einschließlich derjenigen der photomechanischen Wiedergabe
und des auszugsweisen Nachdruckes, vorbehalten.
2. Auflage 1966
3. Auflage 1970
4. Auflage 1973
5. Auflage 1975
6. Auflage 1976
7. Auflage 1977
Verlags-Nr. 7777
ISBN 3-7760-0367-7
Gesamtherstellung: Pfälzische Verlagsanstalt, 6740 Landau/Pfalz

Inhalt

	Seite
Bilderverzeichnis	6
Geleitwort von Dr. med. Ferdinand Huneke	10
Vorwort zur 6. Auflage	11

Teil I   Theorie und Praxis der Neuraltherapie nach HUNEKE

A. **Lehren, Theorien, Experimente, Namen und Begriffe**
1. Zeitliche Übersicht 15
2. Theoretische Grundlagen 19
3. RICKERS Relationspathologie 20
4. Die sowjetische Schule: PAWLOW, SPERANSKI, WISCHNEWSKI, BYKOW 22
5. Vom Schmerz, von der Entzündung und vom Axonreflex 28
6. Theorien über den Schmerz und die Anästhesiewirkung 30
7. Das weiche Bindegewebe und das Störfeld 40

B. **Neuraltherapie nach HUNEKE**
1. Aus der Geschichte der Neuraltherapie nach HUNEKE 51
2. Heilkunst und Schulmedizin 53
3. Psycho- und Neuraltherapie — und die Suggestion 57
4. Die Erfolge der Neuraltherapie und die Statistik 59
5. Die Versager der Neuraltherapie 61

C. **Die praktische Anwendung**
1. **Die Segmenttherapie**
   a) Die Grundlagen 65
   b) Die Untersuchung 70
   c) Zuordnung der Segmentreaktionen 76
   d) Die Segmentzonen der einzelnen Organe 78
2. **Das Störfeld** und seine Ausschaltung über das Sekundenphänomen nach HUNEKE 81
   a) Die Bedingungen für ein Sekundenphänomen (Huneke-Phänomen) ... 86
   b) Die Anamnese 89
   c) Die Störfeldsuche 91
   d) Über Test- und Provokationsmethoden 117
3. Verjüngung durch Procain? 123

Teil II   Neuraltherapie-Lexikon

Indikationsalphabet 127

Teil III   Die Technik der Neuraltherapie
1. Das Material 221
2. Zur Frage der Hautdesinfektion 222
3. Novocain (Procain), das „königliche Medikament" 224
4. Zur Frage der Dosierung 230
5. Novocain-(Procain-)Überempfindlichkeit und -Zwischenfälle ... 232
6. Ein trübes Kapitel: Die Kassenabrechnung 236
7. Wichtige Regeln für die praktische Anwendung 238
8. Die Technik von A—Z 241

Literatur-Auswahl	331
Namensregister	339
Sachregister	341

Bilderverzeichnis

1. Die Schmerzbahnen der Haut, der tieferen Teile und der Eingeweide (nach HANSEN u. v. STAA) . 28
2. Die Kalium-Natrium-Pumpe 32
3. Wirkungsunterschied zwischen Anästhesie und Neuraltherapie mit Lokalanästhetika 36
4. Das vegetative Grundsystem (Zelle-Milieu-System) nach PISCHINGER 42
5. Die Milieureaktion beim Gesunden 43
6. Die Milieureaktion beim Störfeldbelasteten 43
7. Das Auftreten der störfeldbedingten Krankheit . 43
8. Der kuti-viszerale Reflexweg (nach HANSEN und v. STAA) 67
9. Die Muskelreflexe (nach HANSEN und v. STAA) . 67
10. Segment-Reflexwege 68
11. + 12. Die Körpersegmente (HEADsche Zonen) . 78
13. Skizze zum schnellen Auffinden bestimmter Dornfortsätze 79
14. Schema über die topografischen Verhältnisse der Rückenmark-Segmente und der Nervenwurzel-Austrittsstellen in ihren Beziehungen zu den Wirbelkörpern bzw. den Dornfortsätzen 80
15. Die Schmerzdruckpunkte 96
16. Segmenttherapie bei Erkrankungen des Herzens (Vorderseite) 157
17. Segmenttherapie bei Erkrankungen des Herzens (Rückseite) 158
18. Segmenttherapie bei Erkrankungen der Lunge (Vorderseite) 174
19. Segmenttherapie bei Erkrankungen der Lunge (Rückseite) 175
20. Segmenttherapie bei Erkrankungen der Leber und Galle (Vorderseite) 188
21. Segmenttherapie bei Erkrankungen der Leber und Galle (Rückseite) 189
22. Segmenttherapie bei Erkrankungen des Magens (Vorderseite) 192
23. Segmenttherapie bei Erkrankungen des Magens (Rückseite) 193
24. Injektion in die Arteria femoralis 246
25. Injektionen an und in die A. tib. post. 246
26. Die Epidural-(Sakral-)Anästhesie 247
27. Schema der Epidural-Injektion 249
28. Injektion in das erste Foramen sacrale post. . . . 249
29. Injektion an die FRANKENHÄUSERschen Ganglien 250
30. Injektion an das Ganglion ciliare. Orientierung am knöchernen Schädel 253
31. Injektion an das Ganglion ciliare 254
32. Injektion an das Foramen ovale (Ganglion Gasseri) 255
33. Injektion an das Foramen ovale (Ganglion Gasseri). Orientierung am knöchernen Schädel 255
34. Injektion an das Ganglion sphenopalatinum. Orientierung am knöchernen Schädel 257
35. Injektion an das Ganglion sphenopalatinum . . 257
36. Schema der Lage des Ganglion stellatum vor dem ersten Rippenköpfchen 259
37. Auffinden des Einstichpunktes zur Injektion an das Ganglion stellatum nach HERGET 259
38. Injektion an das Ggl. stellatum (HERGET) 259
39. Schema der Situation der Nadel bei der Injektion an das Ganglion stellatum (nach LERICHE) 260
40. Schema zum Auffinden der Injektionsstelle für die Injektion an das Ganglion stellatum (nach LERICHE) 261
41. Injektion an das Ganglion stellatum (modifiziert nach LERICHE) 261
42. Injektion an den oberen Nierenpol (nach WISCHNEWSKI), Lage der Niere und der Injektionsnadel von der Seite gesehen 265
43. Injektion an den oberen Nierenpol (nach WISCHNEWSKI) 266
44. Injektion an den abdominalen Grenzstrang . . . 266
45. Lage des Grenzstranges im Brust- und im Lumbalbereich 267
46. Injektion in das Schultergelenk von vorn 271
47. Injektion in das Hüftgelenk 273
48. Injektion in das Hüftgelenk von der Seite oberhalb des Trochanter major 273
49. Injektion in das Sakroiliakalgelenk 273
50. Injektion in das Kniegelenk (Zeichnung) 274
51. Injektion in das Kniegelenk (Photo) 274
52. Schema zur Technik der Injektion an das Peritoneum des gynäkologischen Raumes 276
53. Injektion in den gynäkologischen Raum 276
54. Schema zur Technik der Injektion in das obere Ischiaswurzel-Gebiet zum Auffinden des Einstichpunktes 283
55. Injektion in das obere Ischiaswurzel-Gebiet . . . 283
56. Injektion in und an den Plexus sacralis (Zeichnung) 284
57. Injektion in und an den Plexus sacralis (Photo) . 284
58. Injektionspunkte am Kopf (von der Seite) 286
59. Injektionspunkte am Kopf (von vorn) 286
60. Häufige Hinterkopf-, Nacken- und Schulterpunkte 287
61. Injektion in die Magengrube (an das obere Peritoneum) 289
62. Injektion in die Nasenmuscheln 291
63. Injektion an den Nervus supraorbitalis. Orientierung am knöchernen Schädel 294
64. Injektion an den Nervus supraorbitalis 294
65. Injektion an den Nervus infraorbitalis. Orientierung am knöchernen Schädel 295
66. Injektion an den Nervus infraorbitalis 295
67. Injektion an den Nervus laryngeus superior . . . 297
68. Injektion an den Plexus cervicalis 299
69. Injektion an den Plexus brachialis 300
70. Injektion an den Nervus obturatorius 303
71. Injektion an den Nervus pudendus 304
72. Injektion in den Periduralraum 307
73. Präsakrale Infiltration nach PENDL (von ventral her gesehen) 309

74. Präsakrale Infiltration nach PENDL (von der Seite her gesehen) 309
75. Präsakrale Infiltration (Photo) 310
76. Injektion an den Processus mastoideus 311
77. Injektion an den Processus mastoideus (Orientierung am knöchernen Schädel) 311
78. Injektion in die Prostata 313
79. Die Intrakutan-Quaddel und die Injektion durch die Quaddel in die Gelose 315
80. Unterbauch-Quaddeln 316
81. Kreuzbein-Quaddeln 317
82. Injektionsstellen an der unteren Extremität 318
83. Injektion in die Schilddrüse 320
84. Injektion an die Tonsillen 321
85. Injektion in die Rachenmandel und RDH 322
86. Injektion an den Trochanter major 324
87. Injektion an die Zahnwurzel (von bukkal aus) .. 325
88. Injektion an die Zahnwurzel (an das Periost des Kieferknochens von palatinal aus) 325
89. — 97. Störfeldmöglichkeiten im Zahnbereich .. 326
98. Injektion in die Zisterne 329

Dr. med. FERDINAND HUNEKE † 2. 6. 1966

Dr. med. WALTER HUNEKE † 4. 3. 1974

Geleitwort

Dieses Buch ist ein höchst notwendiges Buch. Es füllt eine Lücke aus in der umfangreichen Literatur über die Neuraltherapie. Neuraltherapie nach Huneke, wie sie in immer größerem Kreise mit wachsenden Erfolgen betrieben wird, fordert ein Umdenken in den Fundamenten ärztlichen Denkens und die Anwendung einer Technik, die an den hohen Schulen nicht gelehrt wird. Dabei kann man heute schon ohne Überheblichkeit sagen, daß die Neuraltherapie in der Hand des Könners zur Zeit auf dieser Erde die erfolgreichste Behandlungsmethode chronischer Krankheitszustände überhaupt darstellt. Sie ist die lebensnotwendige Ergänzung zu dem meist toten Wissen, das den werdenden Ärzten auf den Universitäten aufgebürdet wird. Wissen und Können, das ist die Problematik, die auch in diesem Buche anklingt.

Krankheit ist abgewandeltes Lebendiges, und das Lebendige ist wesensmäßig über die Aussagen der exakten Forschung nicht zu erfassen. Das ist die Tragik unserer Zeit: Höchstes Wissen, aber lebensfern und darum zur Heilung von Krankheit so wenig geeignet. Es fehlt immer das letzte Wissen, auf das es ankommt. Neuraltherapie umgeht diese Unmöglichkeit. Sie geht nicht vom Wissen aus, sondern von den Aussagen des Lebendigen selbst, die es über die Erfahrungen bei tausendfältigen Heilungen vermittelt. Somit ist Neuraltherapie die notwendige, polare Ergänzung zu dem ungeheuren Wissen unserer Zeit, das zur Unfruchtbarkeit verdammt ist, solange es nicht gelingt, die Verbindung zum Lebendigen herzustellen, wie das vorbildlich in diesem Buche geschieht.

Darüber hinaus ist das Buch für mich ein beglückendes Erlebnis, insofern es zeigt, daß ein Meisterschüler meine Beobachtungen und Erkenntnisse sich völlig zu eigen gemacht hat. Neuraltherapie ist Kunst und keine Wissenschaft im engeren Sinne der exakten Forschung, wie sie heute die Welt regiert. Sie ist trotzdem lehrbar, wie dieses Buch beweist, allerdings nur für diejenigen, die lernen wollen. Darum wird auch die Neuraltherapie mit ihren Begründern nicht wieder von dieser Erde verschwinden. Mögen die vielen Neuraltherapeuten in aller Welt zum Wohle zahlloser kranker Menschen sich so in den Geist dieses Buches einleben, daß dieser Geist in ihnen wirksam wird.

Düsseldorf, den 13. 1. 1963　　　　　　　　　　　　　　　　　　Dr. med. FERDINAND HUNEKE

Vorwort zur 6. Auflage

Der Arzt hat nur eine Aufgabe,
zu heilen und wenn ihm das gelingt,
ist es ganz gleichgültig,
auf welchem Wege es ihm gelingt!
HIPPOKRATES

Die Neuraltherapie nach HUNEKE hat ihren Siegeszug vom Behandlungszimmer zweier praktischer Ärzte in die ganze Welt angetreten. Vor allem erfreut sie sich bei den in vorderster Linie stehenden Praktikern und Fachärzten aller Disziplinen wachsender Beliebtheit. Inzwischen hat sie auch in die Kliniken Einzug gehalten. J. J. BONICA, der Präsident der amerikanischen Anästhesisten-Vereinigung, stellte fest, die Nervenblockade habe in den USA in den letzten Jahren als diagnostische, prognostische, prophylaktische und therapeutische Maßnahme in bemerkenswerter Weise verstärktes Interesse und häufigere Anwendung erfahren. Wörtlich schreibt er: ,,Vielleicht ist die Anwendung der Nervenblockade als gezielte Therapie die beste klinische Maßnahme zur Behandlung von Krankheiten." Die ,,Nervenblockade als gezielte Therapie" ist aber genau das, was die Brüder HUNEKE 1928 als ,,Neuraltherapie" in die Heilkunde eingeführt haben. Daß man das in den USA noch nicht weiß, ist weniger erstaunlich, als die Tatsache, daß man selbst in Deutschland und den deutschsprachigen Nachbarländern oft nicht weiß, daß die so verbreitete und segensreiche Anwendung der Lokalanästhetika als Therapeutika auf die Brüder HUNEKE zurückgeht. Vor allem das HUNEKE-Phänomen ist außerhalb Deutschlands als erstrebenswertes therapeutisches Ziel praktisch noch unbekannt und in Deutschland bei vielen Ignoranten noch mit dem Odium einer magischen Zaubermedizin behaftet. Es ist immer wieder erstaunlich, daß die Medizin, die sonst so freigebig Namen nennt, diese Lehre, die zu den segensreichsten Großtaten der Medizin der letzten 50 Jahre gehört, so zögernd mit der Namensnennung der Begründer und Verfechter dekoriert und oft so zäh ignoriert. Dabei hat die Lehrmedizin die S e g m e n t t h e r a p i e , die einen Teil der Neuraltherapie darstellt, weitgehend übernommen. Das S e k u n d e n p h ä n o m e n n a c h HUNEKE gilt jedoch immer noch als umstritten. Das ist kein Wunder, denn die Gedankengänge, die zwangsläufig von ihm gefordert werden, haben an den Grundlagen der Medizin gerüttelt, die in Jahrhunderten aufgebaut worden sind. Aber das Sekundenphänomen (Huneke-Phänomen) ist realexistent und von jedem realisierbar. Es hat heilen gelehrt, wo wir bisher im wahrsten Sinne des Wortes ,,mit unserer Schulweisheit am Ende" waren. Darum lassen sich die von ihm ausgehenden Erkenntnisse auch nicht mehr wegdiskutieren. Da sie nicht mehr in das alte Schema passen ist es an der Zeit, das Schema zu ändern!

Die Zeit arbeitet für die Neuraltherapie nach HUNEKE. Die Forschungsergebnisse der Wiener Professoren FLEISCHHACKER, KELLNER, PISCHINGER, STACHER und deren Mitarbeiter haben inzwischen bewiesen, daß die Beobachtungen der Brüder HUNEKE keine monomanen Selbsttäuschungen waren. Die Wirkung der von ihnen empirisch gefundenen Procain-Anwendung läßt sich jetzt wissenschaftlich einwandfrei und überzeugend objektivieren. Auch das Huneke-Phänomen ist zur objektivierbaren Realität geworden und sollte nicht länger nur das umstrittene Privileg einiger weniger fanatischer ,,Außenseiter" sein.

Der Name Neuraltherapie soll nicht besagen, daß wir das Nervensystem für uns gepachtet wissen wollen. Keine chirurgische, physikalische, psychotherapeutische oder irgendwie andersgeartete Behandlung kann das Nervensystem außer acht lassen! Es soll damit nur gesagt sein, daß wir im Gegensatz zur Humoral-, Organ- und Zellulartherapie den Standpunkt und die Blickrichtung geändert haben und alle Lebensvorgänge, einschließlich Krankheit und Heilung, primär neuralbedingt sehen wollen. Wenn wir uns mit diesem Standpunkt auch bewußt einseitig orientieren, so hat er uns doch mit den Erfolgen in der Praxis in einem solchen Ausmaße recht gegeben, daß wir diesen Weg als richtig anerkennen müssen. Allerdings kennen wir auch die Grenzen unserer Therapie. Wir wissen, daß wir keine Allheilmethode betreiben und werden nie allen anderen erfolgreichen Wegen ihre Daseinsberechtigung absprechen. Nur sollte gerade in der Medizin immer nur der Erfolg ausschlaggebend sein: Was heilt, ist richtig; und wer heilt, hat recht!

Die Schulmedizin gliedert sich in die althergebrachten Disziplinen und „zerfällt" in Organzuständigkeiten: Auge, Hals-Nase-Ohr, Frauenheilkunde, Orthopädie usw., allein die innere Medizin kennt viele Organstationen: Herz, Lunge, Magen, Nieren, Blut usw. In der Sprechstunde des Praktikers erscheint aber der g a n z e Patient als Organeinheit mit Leib und Seele und klagt über Dinge, die sich selten in ein Organschema pressen lassen. Darum hat sich der Praktiker auch nicht den Blick fürs Ganze trüben lassen und greift begeistert zur Neuraltherapie als einer echten Ganzheitstherapie. Sie hat ihm die Zuständigkeit für fast alle Fachgebiete der Medizin wiedergegeben und ihn aus der „Krise in der Medizin" und allem „therapeutischen Nihilismus" erlöst. Sie befähigt ihn dazu, sich das Neurovegetativum zu Heilungen quer durch das gesamte Gebiet der Medizin dienstbar zu machen und befreit ihn von der deprimierenden Aufgabe, nur allzuoft lediglich als Wegweiser zum jeweils zuständigen Facharzt oder in die organzuständige Fachklinik tätig zu sein. Seinen Erfolgen verdanken wir, daß die Methode der Brüder HUNEKE trotz aller Widerstände auch nach 50 Jahren noch lebt. Warum sie sich nicht noch schneller durchgesetzt hat, ist einfach zu beantworten. Das *Procain* ist fast 70 Jahre alt, ein zahlreiches Schrifttum darüber liegt vor. Für den f o r s c h e n d e n W i s s e n s c h a f t l e r scheint diese Wiese abgegrast. Eine Fülle aktuellerer Aufgaben verspricht mehr persönlichen Erfolg. Die I n d u s t r i e entwickelt laufend neue Spezialitäten, die gewinnbringend über eine rege Arztwerbung an den Patienten gebracht werden sollen. Für sie ist die Propagierung eines so billigen Präparates mit so großer Indikationsbreite uninteressant. Die K l i n i k e r sind ausreichend damit beschäftigt, die neuesten Präparate im lohnenden Auftrag der Industrie zu prüfen. Sie fühlen sich verpflichtet, ihre Maßnahmen dem „jeweils neuesten Stand der Wissenschaft" anzupassen. Demselben Zwang unterliegen Lehrstuhlinhaber und die Schriftleitungen der Fachpresse. Der P r a k t i k e r kann sich seine Therapie relativ unabhängig von Reklamesog und Modeströmungen suchen. So wurde die Procaintherapie für viele zum festen Bestandteil ihrer diagnostischen und therapeutischen Maßnahmen. Die Praktiker sprechen wenig darüber, die Forscher und Kliniker können und wollen wenig darüber sprechen.

Es hat sich eingebürgert, nur von „der Neuraltherapie" zu sprechen, wenn Procain und andere Lokalanästhetika zur Therapie verwendet werden. Der Sammelbegriff „Neuraltherapie" ist von so vielen Sparten der Medizin und der Arzneimittelindustrie fast kritiklos übernommen und oft so phantastisch und verwirrend gedeutet worden, daß wir Wert auf den Zusatz „N e u r a l t h e r a p i e n a c h H u n e k e" legen müssen, wenn von einer gezielten B e h a n d l u n g m i t L o k a l a n ä s t h e t i k a die Rede ist. Dafür war er ursprünglich auch von K. R. VON ROQUES geprägt worden. Wenn er auch nicht ganz ideal ist, er ist eingeführt und es liegt kein Grund vor, ihn fallen zu lassen. Wir hören gelegentlich den Einwand, daß ähnliche E i n z e l beobachtungen über die Heilwirkung der Lokalanästhetika schon vor den Brüdern HUNEKE durch andere (SCHLEICH, SPIESS, LERICHE) gemacht worden sind. Die Erkenntnis der biologischen Gesetzmäßigkeit und weitreichenden therapeutischen Bedeutung der Procain-Wirkung ist und bleibt das Gedankengut der beiden Brüder. Sie bauten ihre jahrelangen Erfahrungen zur Methode aus und erzwangen deren Anerkennung gegen viele Widerstände. Nach den Brüdern HUNEKE haben sich eine Reihe von Ärzten um die theoretische Erklärung und wissenschaftliche Fundierung der Grundlagen dieser neuen Therapieform verdient gemacht. Sie sollten daraus nicht das Recht ableiten, die Methode der Brüder HUNEKE mit unwesentlichen Änderungen unter eigenem Namen wie „Therapeutische Lokalanästhesie", „Neurotopische Therapie und Diagnostik", „Gezielte neuroregulatorische Sympathikus-Therapie", „Regionale Schmerztherapie" und derartige Wortneuschöpfungen zu propagieren!

Es wird kaum einen Arzt geben, der nicht von den manchmal ans Wunderbare grenzenden Heilerfolgen der Procain-Therapie gehört hätte und der es nicht auch schon selbst einmal versucht hätte, meist allerdings ohne den erwarteten Erfolg. Nicht jeder, der *Procain, Scandicain, Xylocain, Xyloneural* spritzt oder eines der vielen Kombinationspräparate, die man als Neuraltherapeutika zusammenfaßt, treibt damit schon Neuraltherapie! Die Neuraltherapeutika sind nämlich sehr anspruchsvolle Mittel, die nur dann ihre wundervolle Wirkung entfalten, wenn sie an die für den jeweiligen Patienten r i c h t i g e S t e l l e gebracht werden! Der Ort der Applikation entscheidet also über Erfolg und Mißerfolg. Es gibt keine zwei gleichen Menschen, also auch keine zwei gleichen Krankheiten. Darum kann der entscheidende Ort der Injektion bei zehn Kranken mit gleicher Diagnose zehnmal verschieden sein! So einfach, wie es auf den ersten Blick aussieht: Man nehme ab sofort nur noch *Procain (= Novocain)* und heile damit fast alles, denn irgendwie geht ja sowieso alles über das Nervensystem! — so einfach ist es nun leider nicht.

Dieses Buch wurde geschrieben, um dem überlasteten Arzt von heute die Möglichkeit zu geben, sich die neuen Erfahrungen und Erkenntnisse dienstbar zu machen, ohne erst die Flut von über 10 000 Veröffentlichungen verdauen zu müssen. Es will nicht mehr sein als ein Leitfaden der theoretischen und praktischen Neuraltherapie. Die Form der dreigeteilten Nachschlagefibel wurde gewählt, damit sich jeder Interessierte im Praxis-Alltag mit ein paar Handgriffen orientieren und immer wieder neue Anregungen holen kann. Im Interesse der besseren Übersicht wurde auf allzu viele Krankengeschichten, das Nennen aller Eigennamen und vollständige Literaturhinweise weitgehend verzichtet.

Das Buch gliedert sich in drei Teile:

TEIL 1. Theorie und Praxis der Neuraltherapie nach HUNEKE.

TEIL 2. Das Indikations-Alphabet bringt einen Extrakt aus dem fast unübersehbaren Schrifttum über die gezielte Therapie mit procainhaltigen Mitteln unter primärer Berücksichtigung der empfehlenswerten Segmenttherapie. Dabei treten theoretische Erwägungen hinter praktischen Ratschlägen zurück. Dafür werden für wesentlich erachtete Grundsätze bewußt zum Teil mehrfach wiederholt. Der Indikations-Teil erhebt keinen Anspruch auf Vollständigkeit. Aus dem dort Gesagten ergibt sich in den meisten Fällen das Vorgehen bei ähnlich gelagerten anderen Krankheitsfällen.

Immer wieder muß betont werden, daß die S e g m e n t t h e r a p i e ihre Grenzen hat und daß das H u n e k e - P h ä n o m e n den beglückenden Höhepunkt unserer diagnostischen und therapeutischen Möglichkeiten darstellt. Es ist nun einmal für eine große Zahl bisher therapieresistenter Krankheiten, denen ein Störfeld zugrunde liegt, der einzig mögliche, weil kausalwirksame Weg zur Heilung!

TEIL 3. Die Hinweise für die Technik sind aus praktischen Gründen gesondert in alphabetischer Reihenfolge zusammengefaßt, um beim Nachschlagen ein schnelles Auffinden zu ermöglichen. Die Beschreibung der Technik erfolgt mit Absicht sehr ausführlich. Eine Reihe von Skizzen und Bildern sollen das Einprägen erleichtern.

Es gäbe keine Neuraltherapie nach HUNEKE, wenn das Schicksal die neuen Erkenntnisse nicht zwei ungleichen Brüdern in den Schoß gelegt hätte, die sich in ihrer verschiedenen Art so wunderbar ergänzten: Ferdinand, der vitale Kämpfer, der allen Gewalten zum Trotz unbeirrt seinen Weg ging und der immer wieder die neue Lehre mit eindringlicher Beredsamkeit in die Herzen und Hirne seiner Zuhörer und Leser trommelte, unterstützt von Walter, dem bedächtig abwägenden, tieferschürfenden Wissenschaftler, der mehr im Hintergrund blieb, die Beobachtungen fundierte und so seinem Bruder half, die Waffen für den Kampf gegen eine Welt von Feinden zu schmieden. Keiner hätte ihn so ohne den anderen bestehen können.

Ferdinand HUNEKE ist am 2. 6. 1966 im Alter von 74 Jahren an einem Lungeninfarkt verstorben. Mit ihm ist einer der ganz großen Ärzte unserer Zeit von uns gegangen. Sein Leben war ein harter Kampf, seine Anerkennung bestand fast nur in der Verehrung und Liebe seiner Anhänger, die ihm auch über den Tod hinaus die Treue halten werden. Ferdinand HUNEKE war eine faszinierende Persönlichkeit. Als Arzt aus Leidenschaft war er von der Richtigkeit seiner Ideen so durchdrungen, daß jeder Widerstand seinen Furor teutonicus weckte. Zum Leidwesen seiner Anhänger hat er viele, meist unsachlich und böswillige Angriffe überlaut und undiplomatisch direkt beantwortet. Damit hat er sich mehr Feinde geschaffen, als seiner Sache gut war. Viele seiner Gegner verfielen in den Fehler, die unbequeme Person mit der Sache zu identifizieren. Es gab aber auch bedeutende Kliniker, darunter Ferdinand HOFF, die HUNEKES Sekundenphänomen auslösen lernten und anerkannten, ohne sich dessen philosophischen Gedankengängen und Folgerungen anzuschließen. Für Patient und Arzt ist die Heilung das Entscheidende, ihre Deutung ist Aufgabe der Wissenschaft. Wenn diese sich an der Person HUNEKES und an der Verpackung seiner Ideen stößt, sollte sie deshalb den Inhalt nicht mit ablehnen. Denn wir verdanken HUNEKES Beobachtungsgabe einen echten Fortschritt. ,,Das einfache naive Schauen und Denken, das HIPPOKRATES und andere große Ärzte auszeichnete, führt in großen Grundfragen weiter, als noch so fein ausgeklügelte technische Hilfsmittel und unübersehbarer Wissenswust'' (BIER). Wir Praktiker beherrschen die Kunst, präzise zu formulieren, nicht immer so brillant, wie manche redegewandten und diskussionsgeübten Kliniker. Unebenheiten in der Ausdrucksweise sollten kein Grund sein, dem Gespräch mit uns aus dem Wege zu gehen. Wir dienen letzten Endes gleichen Zielen und ergänzen mit unseren Beobachtungen — der Reaktionen des lebendigen Körpers auf unsere Injektionen — das Tierexperiment und die Forschung in toten Bereichen.

Walter HUNEKE ist am 4. 3.1974 im Alter von 76 Jahren von uns gegangen. So ist beiden Brüdern die Anerkennung versagt geblieben, die sie verdient hätten. Die Geschichte ihrer Neuraltherapie ist ein trübes Kapitel im Buch der Medizingeschichte. Es steht dort, wo auch SEMMELWEIS, SPIESS, SCHLEICH und andere stehen, denen man sehr lange die Anerkennung versagte. Heute weiß jeder, daß sie recht hatten und die ,,Sachverständigen'', die sie verdammten, im Unrecht waren. Wir werden weiter darum kämpfen, daß dieses Unrecht an den Brüdern HUNEKE rückgängig gemacht wird und sie — wenn auch nach ihrem Tode — die verdiente Anerkennung finden. Mein Buch will mit dafür sorgen, daß ihre Idee nicht mit ihnen untergeht.

Darum widme ich dieses Lehrbuch auch meinen verehrten Freunden und Lehrern Ferdinand und Walter HUNEKE. Ihnen verdanke ich, daß sie meinem ganzen ärztlichen Denken und Handeln neuen Sinn gegeben haben. Ich möchte ohne die Heilkunst, die sie mich lehrten und die ich aus Dankbarkeit weitergebe, nicht mehr Arzt sein.

VON HERING prophezeite 1925: ,,Die weise Benutzung des vegetativen Systems wird einmal den Hauptteil der ärztlichen Kunst ausmachen.'' Die Brüder HUNEKE zeigten uns einen guten Weg, es weise zu nutzen. Es liegt an uns, ihn im Interesse der Kranken zu gehen. Allein bei den etwa 30 % aller Krankheiten, die nach unseren Erfahrungen störfeldbedingt sind, wird jeder Neuraltherapeut der besten Klinik mit der kompliziertesten Diagnostizier-Maschinerie überlegen sein — wenn er sein Handwerk versteht! Da Lokalisation und Technik unumgängliche Voraussetzungen für den Erfolg sind, möge mein Buch dem ständig wachsenden Kreis der Ärzte, die sich der Neuraltherapie nach HUNEKE zuwenden, Rat und Anregungen geben, sich darin so zu vervollkommnen, daß sie von ,,Auch-Procain-Spritzern'' zu erfolgreichen Neuraltherapeuten im Sinne der Brüder HUNEKE werden.

D-8022 Grünwald bei München, Ostern 1975   Dr. med. PETER DOSCH
Zweigstraße 2

TEIL I

THEORIE UND PRAXIS
DER NEURALTHERAPIE
NACH HUNEKE

Merksätze

① Neuraltherapie nach HUNEKE ist *Ganzheitstherapie.* Der richtig mit Neuraltherapeutika gesetzte Heilreiz wird vom Gesamtvegetativum beantwortet, auf dessen Bahnen die Wege zur Krankheit und Heilung verlaufen.

② *Segmenttherapie* nach HUNEKE bedeutet gezielte *Procain-(= Novocain-)*Anwendung *im Bereich der Erkrankung.* Immer erst tasten — dann testen! Die mit ihr erzielte *Besserung* steigert sich bei der Wiederholung bis zur Heilung. Versagt die Segmenttherapie, suche das Störfeld.

③ *Jede* chronische Krankheit *kann* störfeldbedingt sein.

④ *Jede* Stelle des Körpers *kann* zum Störfeld werden.

⑤ Die bei Bedarf wiederholte Procain-Injektion an das schuldige Störfeld heilt die störfeldbedingte Krankheit, soweit das anatomisch noch möglich ist, über das Huneke-Phänomen.

⑥ Die Bedingungen für ein *Huneke-Phänomen* (Sekundenphänomen):
   a) Alle vom Störfeld ausgelösten Fernstörungen müssen, soweit anatomisch möglich, in der Sekunde der Injektion *hundertprozentig* verschwinden.
   b) Die völlige Symptomenfreiheit muß von den Zähnen aus mindestens acht, von allen anderen Stellen aus *mindestens zwanzig Stunden* anhalten.
   c) Bei wiederauftretenden Beschwerden muß die Injektion *wiederholt* werden. Nur, wenn die Symptomenfreiheit sich jetzt an Dauer gegenüber der Erstinjektion *steigert,* sprechen wir von einem Huneke-Phänomen.

⑦ Wenn die Injektion
   a) ins *Segment* keine wesentliche *Besserung* zeigt oder
   b) in ein vermutetes *Störfeld* kein 100 %iges *Huneke-Phänomen* auslöst, sind weitere Injektionen an diese Stelle sinnlos.

⑧ Zuerst immer einfache Injektionen und kleine Procain-Mengen mit wenigen, gutsitzenden Einstichen. Die Injektionen an den Grenzstrang und die Ganglien sind unsere ultima ratio. Wer heilen will, muß auch sie beherrschen. Gib die Behandlung erst auf, wenn du *alles* versucht hast.

⑨ Alle verdächtigen Zähne sind in einer Sitzung zu testen, ebenso alle Narben. Alle Narben im Segment müssen mitgespritzt werden.

⑩ Cave!: Intraarterielle Injektionen in ein zum Gehirn führendes Gefäß und in den Liquorraum können bedrohliche Folgen auslösen.
Sichere dich und den Patienten durch Ansaugen.

Erklärung der Zeichen

— (K) — bedeutet Hinweis auf die K r a n k h e i t e n , die im Indikations-Alphabet des Teils II unter dem Stichwort abgehandelt wurden, das hinter dem H i n w e i s z e i c h e n steht.

— (T) — ist der Hinweis, unter welchem Stichwort, alphabetisch geordnet, im Teil III die T e c h n i k der angeführten Injektion nachzulesen ist.

A
LEHREN, THEORIEN, EXPERIMENTE, NAMEN UND BEGRIFFE

1. Zeitliche Übersicht

> *Die weise Benutzung des vegetativen Systems wird einmal den Hauptteil der ärztlichen Kunst ausmachen.*
>
> VON HERING, 1925

Etwa 6000 bis 2000 v. Chr.: Wenn wir der Überlieferung glauben können, sollen schon die Heilkundigen der jüngeren Steinzeit, deren Schädeltrepanationen wir bewundern, spitze Steinsplitter in die Haut der Kranken gestochen haben, um damit auf die inneren Organe einzuwirken. Sicher lag ihrem Tun ursprünglich wohl nur die Absicht zugrunde, dem Dämon Schmerz durch ein Loch im Kopf bzw. in der Haut die Möglichkeit zu geben, den Körper wieder zu verlassen. Es ist wohl anzunehmen, daß sie dabei mit ihren unverbildeten Sinnen auch echte Heilmöglichkeiten beobachteten, deren Kenntnisse sie weitergaben.

Etwa 3000 v. Chr.: In diese Zeit verlegt man den Beginn der Akupunktur, die das Erfahrungsgut vieler Generationen zu einer Lehre zusammenfaßte. Sie kennt Hautlinien und -punkte mit besonderen Beziehungen auf einzelne Organe und Organsysteme.

1848 KOLLER demonstriert die anästhesierende Wirkung des *Kokains* am Auge.

1883 Der große russische Physiologe PAWLOW begründet die Lehre vom ,,Nervismus". Er erkennt den koordinierenden Einfluß des Nervensystems auf alle Organfunktionen. Er prägte übrigens auch den Begriff ,,Ganzheitsmedizin".

1886 FRANK berichtet über die Möglichkeit, Ganglien vorübergehend mit *Kokain* zu lähmen.

1886 Der deutsche Homöopath WEIHE findet ohne jede Kenntnis der Akupunktur bei verschiedenen Krankheiten 195 immer wiederkehrende schmerzhafte Hautpunkte und weist jedem Punkt das entsprechend indizierte homöopathische Arzneimittel zu. 135 dieser Punkte liegen auf den chinesischen Akupunktur-Meridianen, ganze 105 decken sich sogar in Lage und Symptomatik mit den altüberlieferten Akupunkturpunkten.

1892 SCHLEICH trägt auf dem Chirurgenkongreß seine ,,Infiltrations-Anästhesie" mit 0,1- bis 0,2 %igen Kokain-Lösungen vor. Er endet mit den Worten: ,,. . . so daß ich mit diesem unschädlichen Mittel in der Hand aus ideellen, moralischen und strafrechtlichen Gesichtspunkten es nicht mehr erlaubt halte, die gefährliche Narkose da anzuwenden, wo dieses Mittel zureichend ist." Da erhebt sich ein Sturm der Entrüstung, jede Diskussion wird abgelehnt und dafür abgestimmt, wer von den 800 versammelten Chirurgen von der Wahrheit des Berichteten überzeugt sei. Nicht einer stimmt für SCHLEICH! Erst 10 Jahre später verschafft MIKULICZ seiner Methode die Anerkennung. — SCHLEICH infiltrierte seine Lösungen auch zur Behandlung von Lumbago, Schulterrheuma und Interkostalneuralgien und war davon überzeugt, ,,daß die multiplen Injektionen meiner Infiltrations-Lösungen die beste antineuralgische Methode darstellen, welche wir besitzen." Diese Überzeugung konnte er aber nicht auf die Ärzte seiner Zeit übertragen.

1898 HEAD: ,,Sensibilitätsstörungen der Haut bei Viszeralerkrankungen."

1902 SPIESS: ,,Die Heilwirkung der Anästhetika."

1903 CATHELIN berichtet über die Epidural-Anästhesie mit Kokainlösungen.

1905 EINHORN entdeckt das *Novocain (= Procain)*.

1906 SPIESS erkennt, daß Wunden und entzündliche Prozesse nach Anästhesieren schneller und komplikationsloser abklingen. Er folgert daraus, daß dem Schmerz beim Zustandekommen der Entzündung eine ursächliche Bedeutung zukommt. Obwohl seine Beobachtungen große therapeutische Bedeutung haben und auch der Nachprüfung standhalten, erkennt man nicht die Bedeutung seiner Arbeiten. SPIESS resigniert angesichts der Schwierigkeit, sich gegen die herrschende Entzündungstheorie durchzusetzen, die jeden nervalen Einfluß auf das Entzündungsgeschehen ablehnt. — In Deutschland verfielen seine Arbeiten der Vergessenheit, während sie auf die russische und sowjetische Medizin Einfluß nahmen (SPERANSKI, WISCHNEWSKI).

1906 WISCHNEWSKI bestätigt die entzündungslösende Wirkung des örtlich angewandten *Novocains*.

1909 SELLHEIM und LÄWEN führen die paravertebrale Anästhesie ein.

1909 CORNELIUS: „Nervenpunkt-Massage."

1910 BRAUN empfiehlt die Procain-Injektion an die Nervenaustrittspunkte bei Trigeminusneuralgien.

1912 HÄRTEL gibt die Techniken der Injektionen ans Ganglion Gasseri und in den Ischiasnerven an.

1913 LERICHE entfernt erstmals das Ganglion stellatum bei einem Morbus Raynaud.

1913 PÄSSLER führt den Begriff „Fokalerkrankung" ein. GUTZEIT und PARADE definierten später den „Fokus" als einen „bakterienhaltigen, mit toxischen Produkten angefüllten Entzündungsherd, dessen Inhalt durch einen lebenden und deshalb reaktionsfähigen, zellulären Wall von der normalen Umgebung mehr oder weniger abgeschlossen ist und deshalb zu Zeiten keine Verbindung mit dem Organismus hat, zu anderen Zeiten hingegen in das Gewebsspaltsystem auszutreten in der Lage ist." Man versuchte, die pathogene Wirkung eines so abgeschlossenen Herdes durch Streuung lebender Bakterien und Ausschwemmung von Toxinen auf dem Blutwege zu erklären, die eine Antigen-Antikörper-Reaktion auslösen.

1917 MACKENZIE berichtet über Hypertonus und Hyperalgesie im Unterhautgewebe und der Muskulatur bei viszeralen Erkrankungen.

1920 LERICHE behandelt erstmals erfolgreich eine Migräne mit einer Novocain-Umspülung der Arteria temporalis.

1924 RICKER: „Pathologie als Naturwissenschaft. Relationspathologie."

1925 Die Brüder Ferdinand und Walter HUNEKE entdecken (ohne Kenntnis der Arbeiten von SCHLEICH, SPIESS und LERICHE) die Heilwirkung der Lokalanästhetika von neuem. Sie führen die intra- und paravenöse Procain-Therapie ein und untersuchen, auf welche Krankheiten diese neue Therapieform in Verbindung mit intra- und subkutanen und intramuskulären Procain-Infiltrationen anwendbar ist.

1925 LERICHE injiziert erstmals *Novocain* zu therapeutischen Zwecken in das Ganglion stellatum und erkennt dabei die Überlegenheit der Injektion gegenüber der Sympathikus-Chirurgie. Er bezeichnet die Novocain-Injektion als „das unblutige Messer des Chirurgen".

1928 F. und W. HUNEKE berichten über „Unbekannte Fernwirkungen der Lokalanästhesie". In dieser ersten Arbeit weisen sie schon auf die Bedeutung des Injektionsortes hin, weil sich dabei über die Headschen Zonen bisher unbekannte reflexartige Fernwirkungen auslösen lassen. Sie nennen ihre Therapie zuerst „H e i l a n ä s t h e s i e" und empfehlen sie zur Behandlung verschiedenartigster Schmerzzustände und trophischer Störungen im segmentalen Bereich der Erkrankung. KIBLER schlug dafür den Namen „S e g m e n t t h e r a p i e" vor. 1928 bringt die Firma Bayer, Leverkusen, auch das von den Brüdern HUNEKE für ihre Therapie entwickelte Procain-Coffein-Präparat unter dem Namen „I m p l e t o l" in den Handel.

1928 LERICHE und FONTAINE beobachten schnellere und bessere Heilung von Frakturen nach Procain-Injektionen in den Frakturspalt.
1931 LERICHE beobachtet, daß ausgedehnte Schmerzzustände nach Procain-Infiltration von Operationsnarben „im Augenblick" verschwinden. — Leider erkannte er nicht die Tragweite dieser Beobachtung, sonst hätte er zweifellos daraus therapeutische Konsequenzen gezogen.
1935 WISCHNEWSKI veröffentlicht seine Injektionsmethode an den Grenzstrang am oberen Nierenpol.
1936 SPERANSKI: „A basis for the theory of medicine." New York.
1938 HANSEN und VON STAA: „Reflektorische und algetische Krankheitszeichen innerer Organe."
1938 VON ROQUES übersetzt A. D. SPERANSKIS „Grundlagen einer Theorie der Medizin" ins Deutsche.
1940 Ferdinand HUNEKE beobachtet das erste „S e k u n d e n p h ä n o m e n" und erkennt sofort dessen therapeutische Bedeutung. Mit genialem Weitblick schließt er daraus, daß es nervale Reizzustände (Störfelder) gibt, die außerhalb jeder segmentalen Ordnung die verschiedenartigsten Krankheiten auslösen und unterhalten können, und daß er einen Weg fand, diese Störfelder auszuschalten und damit bisher therapieresistente Krankheiten zu heilen.

Die S e g m e n t t h e r a p i e mit gezielten Procain-Injektionen u n d das Auslösen des „H u n e k e - P h ä n o m e n s" durch Auslöschen von Störfeldern fassen wir heute nach dem Vorschlag VON ROQUES unter dem Begriff „N e u r a l t h e r a p i e n a c h HUNEKE" zusammen.

In SCHLEICH, SPIESS und LERICHE sehen wir **Vorläufer** der Brüder HUNEKE. Ihre E i n z e l beobachtungen wurden damals so wenig beachtet und bald vergessen, daß sich daraus n i e e i n e e i g e n e T h e r a p i e f o r m entwickelt hätte! Es bleibt das geschichtliche Verdienst der Brüder HUNEKE, dieselben Beobachtungen unabhängig von ihnen gemacht und — was viel wichtiger ist — deren therapeutische Tragweite erkannt zu haben! Ein Leben lang haben sie konsequent versucht, die Anwendungsmöglichkeiten des *Impletols* bei möglichst vielen Krankheiten zu erforschen. Sie gaben eine Reihe neuer Injektionstechniken an und bauten geeignete Anästhesiewege in ihre Therapie ein. Sie erarbeiteten die von den Angaben der Chirurgen abweichenden Dosierungsrichtlinien und fanden bei ihren Untersuchungen neben vielen überraschenden Heilmöglichkeiten auch Gesetzmäßigkeiten, die sie der Allgemeinheit zugänglich machten. Sie sorgten in einem zähen Kampf dafür, daß ihre Lehre der Menschheit nicht wieder verloren ging, wie das bei ihren Vorläufern der Fall war. Im Gefolge der Brüder HUNEKE und durch sie angeregt, haben sich eine Reihe von Ärzten um die Grundlagenforschung und Verbreitung der Neuraltherapie verdient gemacht, unter anderen BRAEUCKER, DITTMAR, GROSS, KIBLER und SIEGEN.

1942 VEIL und STURM: „Pathologie des Stammhirns." Die Autoren sehen im Dienzephalon die maßgebliche Stelle für alle pathologischen Vorgänge.
1943 KOHLRAUSCH: „Massage muskulärer hypertonischer Zonen."
1944 OGNEW spritzt erstmals Procain in die Arteria carotis interna.
1944 BYKOW: „Großhirnrinde und innere Organe."
1946 STÖHR entdeckt das Terminalretikulum als Endformation des Vegetativums: Das vegetative Nervensystem teilt sich netzförmig immer weiter und feiner auf, bis das Endnetz der Fibrillen schließlich jede einzelne Zelle mit einem neuroplasmatischen Schleier umspinnt. Mit seiner Entdeckung gab er den empirisch und experimentell gefundenen Erkenntnissen HUNEKES, RICKERS und SPERANSKIS einen sicheren anatomischen Untergrund! Alle Fasern des unvorstellbar feinen Synzytiums würden aneinandergereiht die dreifache Entfernung von der Er-

de zum Mond ausmachen. — STÖHRS Entdeckung wurde später durch elektronenoptische Untersuchungen dahingehend erweitert, daß die letzten Nervenendigungen nicht direkt in der Zellmembran aufgehen, sondern frei in der Interzellulärflüssigkeit enden. PISCHINGER zeigte, wie die weitere Reizübertragung über das Zelle-Milieu-System vor sich geht.

„Alle Teile des Körperhaushalts bilden einen Kreis. Jeder Teil ist daher zugleich Anfang und Ende." HIPPOKRATES.

1947 W. SCHEIDT: „Das vegetative System." SCHEIDT ist der Auffassung, daß die Neurofibrillen nicht ein starres Netz von Leitungsbahnen darstellen, sondern ein bewegliches System von Molekülen, in dem sich bei Bedarf immer neue Bahnen bilden. Diese Bahnen nennt er Leitfadenringe. Über sie können sich die elektrischen Spannungsdifferenzen ausgleichen, die bei jeder Reizeinwirkung entstehen. Er vermutet, daß diese Leitfadenringe nach dem Spannungsausgleich nicht ganz zerfallen. Die Gesamtheit der dabei übrigbleibenden Reste macht das „Altschichtbild" aus, das naturgemäß bei jedem Menschen anders aussieht. Dieses Altschichtbild wäre dann die materielle Manifestation des Reizgedächtnisses. Die Bildung neuer Leitfadenringe wird von ihm wesentlich beeinflußt: Entweder wird sie erleichtert oder erschwert oder in gewisse Bahnen gelenkt.

Diese Theorie erklärt, warum der Erstschlag nur scheinbar verklingen kann, während er doch in Wirklichkeit im Hintergrund als Krankheitsbereitschaft erhalten bleibt. Die Beobachtung, daß eine Krankheit auch nach der Herdsanierung fortbestehen kann, veranlaßte SCHEIDT, die Begriffe „bakteriell bedingter F o k u s" und „nervales S t ö r u n g s f e l d" voneinander zu trennen.

Der Begriff „Störungsfeld" nach SCHEIDT gilt für jedes p r i m ä r u n d s e k u n d ä r vegetativ gestörte Gewebe. Es kann also sowohl besagen, daß das Feld gestört ist oder stört. Auch das „Irritationszentrum" von D. GROSS hat diesen irritierenden Doppelsinn, da es wieder gleicherweise irritiertes wie irritierendes Zentrum bedeuten kann. Um sich da klarer ausdrücken zu können, sprach KIBLER nicht mehr nur von hyperalgetischen Zonen (HAZ), sondern er unterschied aktives (= störendes) von passivem (= gestörtem) Störungsfeld.

Um dieser Sprachverwirrung ein Ende zu setzen, schlug W. HUNEKE vor, in Zukunft nur noch von „Störfeld" zu sprechen, wenn wir einen gestörten Gewebsbezirk meinen, der selbst stört, das heißt eine Fernstörung macht oder machen kann.

1948 WISCHNEWSKI: „Der Novocainblock als eine Methode der Einwirkung auf die Gewebetrophik."

1949 FLECKENSTEIN und HARDT: „Der Wirkungsmechanismus der Lokalanästhesie."

1949 NONNENBRUCH: „Die doppelseitigen Nierenkrankheiten. Eine neuralpathologische Betrachtung."

1949 PENDL beschreibt die präsakrale Infiltration.

1950 KIBLER: „Segment-Therapie."

1951 SELYE: Seine Arbeiten über den „Streß" zeigen, daß der Körper auf eine Reihe verschiedener Reize, Schädigungen und Belastungen, auch seelischer Natur, stets gleichbleibend in unspezifischer Weise mit dem „Adaptationssyndrom" (Alarmreaktion, Stadium des Widerstandes, Stadium der Erschöpfung) reagiert. Allerdings sieht er in dieser Reaktion lediglich eine Antwort des Hypophysen-Nebennieren-Systems. So fruchtbringend seine Forschungen auch waren, wir finden, daß SELYE nur einen Ausschnitt aus dem gesamten Krankheitsgeschehen zu isoliert und einseitig betrachtete.

1951 DICKE und LEUBE: „Massage reflektorischer Zonen im Bindegewebe."

1953 VOGLER und KRAUSS: „Periostbehandlung".

1955 GLÄSER und DALICHOW: „Segmentmassage".

1965 PISCHINGER gelingt die Objektivierung des Sekundenphänomens (Huneke-Phänomens) durch vergleichende Blutbilduntersuchungen und mit Hilfe der Jodometrie. Seine „Milieu-Theorie" basiert auf der Feststellung, daß es in der nervösen vegetativen Peripherie keine klassischen Synapsen zu den speziellen Organ-(Parenchym-)Zellen gibt, sondern daß das gesamte vegetative Grundsystem praktisch als „ubiquitäre Synapse" wirkt. Er klärte die Bereiche der humoralen Regulation auf und wies Stoffkomplexe nach, die den humoralen Regulationen zugrunde liegen. Nach seiner Lehre wurzeln sowohl der nervöse wie der humorale Regelbereich im aktiven weichen zellreichen Grundgewebe. In diesem Gewebe spielt sich auch eine eigenständige Regulation zwischen Zelle und extrazellulärem Milieu ab. Diese Erkenntnisse bilden eine wichtige Grundlage für das Verständnis neuraltherapeutischer Phänomene.

2. Theoretische Grundlagen

Was die Revision der Pathologie angeht,
so ist die Zeit einer Revolution gekommen —
sie ist gereift, sie hat zu beginnen,
und das um so mehr, als wir bei dieser Revolution
nichts weiter zu verlieren haben, als Ketten.

A. D. SPERANSKI

Das Ziel dieses Buches ist, vor allem dem Praktiker die Grundlagen für die Anwendungen und Möglichkeiten der modernen Neuraltherapie zu vermitteln. Trotz der mehr auf das Praktische gerichteten Zielsetzung kommen wir aber doch nicht ganz ohne die „graue" Theorie aus. Im Schrifttum stoßen wir zu oft auf Namen und Begriffe, die immer wiederkehren und mit denen man sich vertraut machen sollte. Unter Beschränkung auf das für uns Wichtigste wollen wir uns nicht in den Streit der Fachleute einmischen, wie weit die angeführten Versuche und die darauf basierenden Theorien auf echte Erkenntnisse und wie weit sie auf Deutungen aufgebaut sind. Wir können nicht mit unseren Patienten auf den Tag warten, an dem sich die widersprechenden Geister auf eine Meinung einigen. Der wird wohl auch nie kommen, denn das Leben wird uns nie seine letzten Geheimnisse preisgeben.

Die vielen Krankheiten, mit denen wir täglich zu tun haben, sind eine Erscheinungsform des Lebendigen, die reversibel ist, wenn man ihre Merkmale frühzeitig genug direkt angeht oder die Reaktionsweise des Organismus z. B. durch Umstimmung verändert. Dann wird das krankhaft veränderte Leben, soweit es überhaupt noch reparabel ist, zur Normalform, also zur Gesundheit, zurückgeführt. Dem in vorderster Linie kämpfenden Praktiker ist am besten mit einer wohlfundierten Lehre gedient, die die komplizierten Zusammenhänge nicht noch unübersichtlicher macht, sondern die ihm den oder die gemeinsamen Nenner zeigt, mit deren Hilfe sich die Vielfalt der Erscheinungen ordnen läßt.

Wir stützen uns auf die sogenannte Neuralpathologie, die die moderne medizinisch-naturwissenschaftliche Auffassung maßgebend beeinflußt, man kann sagen, erobert hat. Sie hat alle vorher von den Brüdern HUNEKE in der Empirie gefundenen Erkenntnisse vollauf bestätigt und theoretisch untermauert. Beweist sie doch, daß alles Geschehen, das sich im Lebendigen abspielt, primär von der Steuerung und Leitung des Nervensystems abhängt und daß der von uns so oft gebrauchte Begriff der „vegetativen Gleichgewichtsstörung" keine aus der Luft gegriffene Arbeitshypothese darstellt, sondern daß ihm recht faßbare Veränderungen an den feinsten innervierten Blutgefäßen und am Nervengewebe, von den Ganglien bis zur letzten, an der Zelle wirksamen Nervenaufzweigung, zugrunde liegen.

Für uns sind die Lehren von RICKER, PAWLOW, SPERANSKI, BYKOW und PISCHINGER nur Stufen zu der Erkenntnis, daß auf den Bahnen des im Körper allgegenwärtigen, sich bis zur letzten

Zelle aufzweigenden vegetativen Nervensystems ein voneinander abhängiges Wechselspiel von der Peripherie zur Zentrale und umgekehrt besteht und daß die vegetativen Regulierungsmechanismen, die die Automatik der Atmung, des Kreislaufs, des Stoffwechsels, des Hormon-, Wärme- und Wasserhaushaltes und vieles andere mehr steuern, auf den gleichen verzweigten Bahnen dieses „Lebensnerven" wirken und so das Leben überhaupt erst — im Zusammenwirken aller Zellen und Organe zu einer Ganzheit — ermöglichen.

Die Brüder HUNEKE haben uns klargemacht, daß die Heilwirkungen der physikalischen, balneologischen und anderer an der Peripherie angreifenden Therapien wie die Akupunktur, Ponndorf-Impfungen, Massagen und alle Hautreiz- und Umstimmungsverfahren wie z. B. die Kneippschen Anwendungen, aber auch die Kurzwellen-, Ultraschall- und Röntgentherapie und in ihren Auswirkungen selbst die Chirotherapie letzten Endes alle auf ein und derselben Grundlage basieren. Bedienen sie sich doch alle der Reflexwege des vegetativen Nervensystems, indem sie einen heilenden Reizstoß ins nervale Gefüge setzen, dessen Reizbeantwortung dann die Heilreaktion auslöst. So gesehen, sind auch diese genannten Verfahren „Neuraltherapie" im weiteren Sinne! Bei der Neuraltherapie nach HUNEKE führen wir depolarisiertem Gewebe gezielt Energie in Form eines Neuraltherapeutikums mit einem hohen Eigenpotential (*Impletol*) etwa + 290 mV) zu. Es ist naheliegend, anzunehmen, daß auch die Zufuhr elektrischer, thermischer und mechanischer Energie neben der Beseitigung stark depolarisierender Noxen im gleichen Sinne wirken und dem Organismus ebenso die Wiederherstellung normaler Potentiale ermöglichen kann.

Wir treiben mit gezielten Anästhesie-Stößen „Neuraltherapie nach HUNEKE". Wir sind uns dabei bewußt, daß auch wir unsere Heilphänomene nur der führenden Rolle verdanken, den das von uns so wirkungsvoll beeinflußbare neurovegetative System im Lebendigen spielt. Wer diese Zusammenhänge anerkennt, dem wird unser Bestreben, eine solche Vielzahl völlig verschieden aussehender Krankheiten mit ein und demselben Mittel anzugehen, nicht länger als Scheuklappen-Handlung monomaner Außenseiter erscheinen. Er wird dann auch einsehen, warum wir dem Ort der Injektion eine bedeutendere Rolle zumessen als dem Medikament selbst und der von ihm verabfolgten Menge.

3. RICKERs Relationspathologie

Die Pathologie behandelt das Gebiet der stärksten Reizeinwirkungen.
RICKER

RICKERS Tieruntersuchungen führten ihn schon im Jahre 1905 zu dem Schluß, daß der Einfluß des Nervensystems auf die feinsten Blutgefäße, die „terminale Strombahn", am Anfang allen physiologischen und pathologischen Geschehens stehen müsse. Er nannte seine Lehre Relationspathologie, weil er mit ihr nachweisen wollte, wie jede Zelle in einer abhängigen Beziehung (Relation) zum Gesamtorganismus steht und daß diese Beziehungen in der zeitlichen Reihenfolge Nerv-Blutstrombahn-Gewebe ablaufen, wobei sich diese drei Partner ständig wechselseitig beeinflussen. Die nervalen Reaktionen verlaufen schneller als die physikalisch-chemischen. Sie haben aber auslösenden und bestimmenden Einfluß auf diese. Es ist beachtlich, daß er diese Zusammenhänge fand, ohne daß ihm damals die erst später (Ph. STÖHR jr.) entdeckten anatomischen Kenntnisse von der Ausdehnung und Reichweite des vegetativen Nervensystems zur Verfügung standen.

Nach RICKER ist die Art der Strombahnänderung und die davon wieder abhängigen Veränderungen in Geweben, Säften und Zellen von der G r ö ß e des chemischen, physikalischen oder andersartigen Reizes und weniger von seiner Q u a l i t ä t abhängig. Die terminale Strombahn, bestehend aus Arteriole, Kapillare und Venula, wird, wie wir von STÖHR wissen, von dem terminalen Neuroretikulum innerviert, das also die Vasokonstriktion und -dilatation regelt.

RICKERS „Stufengesetz" besagt, daß allen lokalen Kreislaufstörungen der gleiche, lediglich graduell abgestufte gesetzmäßige Mechanismus einer gestörten Gefäßtätigkeit zugrunde liegt:
a) K l e i n e Reize führen zur Gefäßerweiterung und Beschleunigung des Blutumlaufes,
b) m i t t l e r e zur Verengung bis Ischämie, zuletzt aber durch Lähmung der Konstriktoren zur Kapillarerweiterung und Verlangsamung der Blutströmung (= Prästase),
c) s t a r k e Reize bewirken die rote Stase mit Austritt weißer und roter Blutkörperchen. In den meisten Fällen kommt es zur Nekrose oder Abszeßbildung.

Jeder pathologischen Bakterienbesiedlung muß nach RICKERS Ansicht notwendigerweise eine Durchströmungsveränderung mit neurodystrophischer Gewebsschädigung vorausgehen, die den Bakterien erst den Nährboden bereitet. Demnach machen nie die Bakterien die Krankheit, sondern erst die dazugehörige Störung im vegetativen System!

RICKER distanzierte sich entschieden von der seinerzeit geltenden Zellularpathologie VIRCHOWS ebenso, wie von der Humoralpathologie. Er lehnte alle Versuche ab, die Zelle, die Säfte, aber auch das Nervensystem isoliert in den Mittelpunkt der Betrachtungen zu stellen. Für ihn spielten sich alle entscheidenden physiologischen und pathologischen Lebensvorgänge an der zwischen Nerv und Zelle geschalteten innervierten terminalen Strombahn ab. RICKER schreibt: „Dem zellulartheoretischen Grundsatz, daß die vom Reize getroffene Zelle selbsttätig funktioniert, daß sie sich selbsttätig ernährt und vermehrt, einem Grundsatze, der eine Vernachlässigung des Verhaltens des Blutes und Nervensystems zur Folge gehabt hat, setzen wir die auf Beobachtungen gestützte und weiter auszubauende Auffassung entgegen, daß die sämtlichen mannigfaltigen Zell- und Gewebsvorgänge zum Blute, zum Strombahn- und übrigen Nervensystem in kausalen Beziehungen stehen, von denen die nervalen — der Zeit, nicht dem Range nach — die ersten sind, je nach der Art der Zell- und Gewebevorgänge verschieden verlaufen und die auch die makro- und mikroanatomischen Veränderungen hervorbringen."

Der Begriff einer „lokalen" Erkrankung kann demnach nicht mehr aufrechterhalten werden. Jeder Nadelstich beeinflußt das Zentralnervensystem und damit den ganzen Organismus. Umschriebene periphere Reize können durch Summierung unterschwelliger Reize eine Allgemeinwirkung auf die Gefäße auslösen. RICKER fand auch, daß örtliche Kreislaufstörungen auf reflektorischem Wege von jeder anderen Stelle des Körpers her ausgelöst werden können. Wenn er seine Untersuchungen auch vorwiegend auf die Auswirkung nervaler Reize auf die Peripherie konzentrierte, so übersah er dabei natürlich keinesfalls den zentral-nervalen Einfluß auf alle trophischen und dystrophischen stufengesetzlichen Vorgänge im Organismus. Für ihn war (wie für SPERANSKI) letztlich die Rolle des vegetativen Nervensystems das Entscheidende.

Jeder unphysiologische Reiz, der genügend stark und lange einwirkt, löst je nach seiner Quantität immer gleiche Anfangsreaktionen aus. Dabei überträgt sich der Reiz über das perivaskuläre Geflecht und das Terminalretikulum (STÖHR jr.) unmittelbar auf die Blutzirkulation. Leichtere Reize erzeugen eine spastische Ischämie, die sich noch in physiologischen Grenzen bewegt. Starke Alarm- und Dauerreize können dagegen schon in wenigen Minuten zur hypostatischen Hyperämie führen, einen bereits pathologischen Zustand, der durch die A u f h e b u n g j e d e r E r r e g b a r k e i t d e r V a s o k o n s t r i k t o r e n charakterisiert ist. Diese „rote Stase" leitet die Wandschädigung der feinen Gefäße ein. Sie werden brüchig und permeabel, so daß weiße und rote Blutkörperchen austreten können. Schließlich kommt es zu einem nekrotischen Gewebszerfall oder zur Abszedierung. Natürlich hat dieses stufengesetzlich ablaufende „neurozirkulatorische Syndrom" seine Auswirkungen auf das Blutbild, den Serumspiegel, die Wärmeregulation, den Säuren-Basen-Haushalt, den Wasserstoffwechsel und andere physikochemische Konstanten.

H. SIEGEN, einer der ältesten namhaften Anhänger F. HUNEKES, hat sich in Zusammenarbeit mit anderen Wissenschaftlern besonders darum verdient gemacht, zu untersuchen, was das gezielt injizierte *Procain* bei der Initialreaktion nach RICKER auf einen starken Reiz hin bewirkt. Er konnte in Tierversuchen folgendes nachweisen:

1. Daß das infiltrierte *Procain* das Gewebe gegen den Alarmreiz abschirmt, die vasomotorische Stabilität der kleinen Gefäße erheblich steigert und so **die Resistenz des Gewebes deutlich erhöht**. Das deletäre Stadium der „roten Stase", das bei unbehandelten Kontrolltieren regelmäßig auftrat, konnte unter **Procainschutz zuverlässig verhindert werden** (PLESTER).
2. **War das Stadium der Stase schon eingetreten, also schon ein fortgeschrittenes Stadium erreicht, das für den Körper sonst irreversibel ist, wurde auf** *Procain* **die Gefäßinnervation wiederhergestellt**. Die Folgen der Gefäßwandschädigung einschließlich der Nekrose konnten unterdrückt werden (GROSS, SCHNEIDER).
3. Im Shwartzman-Sanarelli-Phänomen, dem klassischen Allergie-Modell, konnte die **Nekrose**, der „deletäre allergische Gewebsschock", **verhindert** werden, wenn man vor der zweiten (i. v.) Injektion die Stelle der (i. m.) Erstinjektion mit *Procain* umspritzte. *Procain* ist demnach in der Lage, im Tierversuch den Erstschlag im Reizgedächtnis so vollständig zu löschen, daß der Zweitschlag (SPERANSKI), der sonst pathogen würde, wirkungslos bleibt. Das beweist, daß die „Antigen-Antikörper-Reaktion" nicht allein die Folge einer humoralen Sensibilisierung sein kann, sondern daß auch diese Vorgänge nervalgesteuert sind und daß man sie mit Procain-Injektionen am Primärreiz über das vegetative Nervensystem unterbinden kann (HIRSCH, KEIL, MUSCHAWEK). Wir kommen an anderer Stelle noch einmal darauf zurück.

4. Die sowjetische Schule: PAWLOW, SPERANSKI, WISCHNEWSKI, BYKOW usw.

a) I. P. PAWLOW

Quidquit fit nervaliter fit. LANGE

Der geniale russische Physiologe I. P. PAWLOW baute um 1883 die von SETSCHENOW und BOTKIN begründete Lehre vom „Nervismus" weiter aus, die besagt, daß dem Nervensystem die führende Rolle bei allen physiologischen Prozessen zukommt. Als er der Physiologie riet, sie möge in Zukunft bestrebt sein, „den Einfluß des Nervensystems auf eine möglichst große Zahl von Funktionen des Organismus zu verbreiten", wies er sie damit in eine neue, erfolgreiche Richtung. Vor ihm betrachtete die Physiologie den Organismus getrennt von seinen Umweltbedingungen und auch die gesamte psychische Tätigkeit wurde von den physiologischen Betrachtungen ausgenommen. PAWLOW erbrachte den Beweis dafür, daß nur das Nervensystem die vielen Teile des Organismus zu einem lebensfähigen Ganzen zusammenfaßt und dessen Einheit mit der Umwelt herstellt. Die sensorischen und sensiblen Nerven vermitteln uns dazu die Eindrücke aus der Umwelt. Die sinnvolle Regulation aller Lebensvorgänge erfolgt reflektorisch über die Hirnrinde und die subkortikalen Ganglien und von diesen weiter über das vegetative Nervensystem. **Jeder** biologische Vorgang kann von diesem System aus gestört, abgewandelt oder aufgehoben werden. Wir verdanken PAWLOW also neue Vorstellungen von den Funktionen des lebenden Organismus, angefangen von den Elementarfunktionen der Reizbarkeit, der Erregbarkeit und Leitfähigkeit des lebenden Gewebes bis zu den höchsten Lebensäußerungen des Organismus, seiner psychischen Tätigkeit.

Im Jahre 1904 erhielt PAWLOW den Nobelpreis für seine Arbeiten über die Physiologie der Verdauungsdrüsen. Seine Methode, die physiologischen Funktionen an weitgehend intakten und gesunden Tieren über längere Zeiträume zu studieren, führte ihn zu der Erkenntnis des inneren Mechanismus der nervalen Regulation der Verdauungstätigkeit. Seine Lehre von den bedingten Reflexen zeigt, daß die bedingt-reflektorische Tätigkeit eine Anpassung des Gesamtorganismus an die ständig wechselnden Umweltbedingungen darstellt. Die Versuche führten PAWLOW und seine Schüler schließlich auf ein forscherisches Neuland, auf die Untersuchung der Physiologie der Großhirnrinde und damit zur Theorie der höheren Nerventätigkeit, die zu einer Grundlage der modernen Medizin wurde.

„I. P. PAWLOW betrachtete die höhere Nerventätigkeit in ihrer ständigen Bewegung und Entwicklung und nahm an, daß die Grundprozesse in der Hirnrinde (Erregung und Hemmung) sich gegenseitig ständig beeinflussen. Daraus ergaben sich seine Vorstellungen über die Dynamik der Wechselbeziehungen zwischen der Großhirnrinde und den nächstgelegenen subkortikalen Zentren, über die Wechselbeziehungen zwischen dem ersten und zweiten Signalsystem der Wirklichkeit beim Menschen, über die analysierende und synthetisierende Tätigkeit der Hirnrinde, über die Irradiation und Konzentration des Erregungs- und Hemmungsprozesses, über die Prozesse der gegenseitigen Induktion sowie über die Bewegung und Entwicklung der ständig aufeinander einwirkenden und einander bedingenden Nervengrundprozesse" (BYKOW und KURZIN).

Hören wir PAWLOW selbst: „Die Theorie der Reflextätigkeit stützt sich auf die 3 Grundprinzipien der exakten wissenschaftlichen Forschung. Es ist dies:
1. das Prinzip des Determinismus, das heißt eines Anstoßes oder eines Anlasses, einer Ursache für jegliche gegebene Wirkung, jeden Effekt;
2. das Prinzip der Analyse und Synthese, das heißt der primären Zerlegung des Ganzen in seine Teile, in Einheiten und danach erneut eines allmählichen Zusammenfügens des Ganzen aus den Einheiten, den Elementen; und schließlich
3. das Prinzip der Strukturiertheit, das heißt der Anordnung der Kraftwirkung im Raum, die Verbindung der Dynamik mit der Struktur."

D e m n a c h   i s t   j e d e   F u n k t i o n, auch die des Gehirns, d u r c h   R e i z e   h e r v o r g e r u f e n. Die Großhirnrinde, das übergeordnete Organ für die Regulation der Funktionen, analysiert und synthetisiert ständig alle Reize, die auf die aufnehmenden Nervenapparate der inneren und äußeren Analysatoren treffen. Dieser Vorgang verläuft einheitlich in ständiger Wechselbeziehung und gegenseitiger Bedingtheit. Die Gehirntätigkeit verläuft also als Reflex und ist an die Zellen der Großhirnrinde gebunden. Die ständige Wechselbeziehung des Organismus mit seiner Umwelt sorgt für die laufende Weiterentwicklung der Gehirnfunktion.

b) A. D. SPERANSKIS N e u r a l p a t h o l o g i e

SPERANSKI gelang es, die kompliziertesten Probleme der Pathologie mit exakten experimentellen Analysen aufzuhellen. Gestützt auf die Ergebnisse sehr umfangreicher Tierexperimente stellte er eine Reihe wichtiger Thesen über die Beteiligung des Nervensystems an der Entstehung, Entwicklung und dem Verlauf pathologischer Vorgänge auf, die das Eindringen der Ideen des Nervismus in Pathologie und Klinik ermöglichten und förderten. Danach kontrolliert das Nervensystem alle Prozesse, die die Stoffwechselreaktionen in jeder Zelle und jedem Organ des Gesamtorganismus bestimmen. Jede Störung der normalen Funktionen des Nervensystems muß dann die Entwicklung von Störungen der trophischen Prozesse in den Zellen und Organen und damit nervaler Dystrophien zur Folge haben.

Nach SPERANSKI liegt der Angriffspunkt aller Reize grundsätzlich unmittelbar am Nervensystem. In diesem gibt es keine isoliert voneinander ablaufenden Vorgänge. Für ihn ist das ganze Nervensystem eine in sich geschlossene Einheit, die jeweils auch auf alle Reize als Ganzheit reagiert. Jede Abweichung im Nervensystem ist im wesentlichen irreversibel. In jedem Fall wirkt sie sich viel länger und vielseitiger aus, als bisher angenommen wurde. Alle Abschnitte des Nervensystems beeinflussen den Zustand sämtlicher Zellen des Organismus. Dabei bestimmen sie weitgehend die Intensität der sich in ihnen abspielenden biochemischen Reaktionen. Seine Hauptthese lautet: D i e   R e i z u n g   e i n e s   b e l i e b i g e n   A b s c h n i t t e s   d e s   p e r i p h e r e n   o d e r zentralen Nervensystems kann der Ausgangspunkt für Prozesse mit nerval-trophischem Charakter werden und funktionelle wie organische Veränderungen einleiten.

Er erklärte die Ausdehnung der Erregung im Nervensystem zum allgemeinen Prinzip im Krankheitsgeschehen: „Krankheit ist Reizbeantwortung des Organismus unter dem führenden Einfluß des Nervensystems." Alle lokalpathologischen Reaktionen treten erst im Gefolge einer Ganzheitsreaktion des Nervensystems auf. Dabei ist grundsätzlich erst einmal die Reaktion des Organismus auf die unterschiedlichsten Reize bis in die entferntesten Teile dieselbe. Der Quantität des Reizes kommt dabei immer eine größere Bedeutung zu, als der Qualität. Mit anderen Worten: Im Grunde genommen ist es gleichgültig, ob man chemische, mechanische, thermische oder bakterielle Reize anwendet. Auch die Bakterien fungieren in des Wortes ursprünglicher Bedeutung nur als „Er-reger", also wie ein Anlasser, der den Motor Nervensystem in Gang setzt. Zuerst sind die Bakterien Initiatoren des Krankheitsprozesses, später nur noch Indikatoren.

Am bekanntesten wurden die Tierversuche SPERANSKIS zur Krampferzeugung durch Gefrieren umschriebener Stellen des Großhirns und der Reizsetzung durch Druck auf den Hypothalamus mit Glasringen sowie die Reaktion auf Krotonöl-Zahnfüllungen und andere peripher gesetzte Reize. Dabei machte er eine Reihe von Beobachtungen, die für uns sehr Wesentliches aussagen:

1. **Der Reiz, der eine Krankheit auslöst, kann von jeder Stelle ausgehen.** Er kann dort zu einem „Fokus" werden, einem Herd, der nach einer gewissen Anlaufzeit eine **Umstimmung des gesamten vegetativen Nervensystems** bewirkt. Die vegetative Tonuslage ändert sich schließlich so sehr, daß nun **voneinander völlig verschiedene „neurodystrophische Prozesse"** anlaufen können, z. B. Magengeschwüre, Lungenblutungen, Zahnverfall, Hornhautgeschwüre, Haarausfall, Appendizitis, Nebenhöhleneiterungen oder skorbut- und parodontoseartige Zahnfleischveränderungen. Je stärker der Reiz, desto größer und oberflächlicher war die Zerstörung, je kleiner der Reiz, desto tiefgreifender die pathogene Wirkung. SPERANSKI versteht übrigens unter „dystrophisch" mehr als lediglich „nutritiv", nämlich die Summe aller regulierenden Impulse. Er zeigte, daß auch Reize eine ausschlaggebende Rolle ausüben, die von zentralen Schaltstellen bestimmt werden.

Das gesamte vegetative Geschehen wird danach in gesunden wie in kranken Tagen im Zwischenhirn, genauer gesagt im Hypothalamus sinnvoll koordiniert. Alle Reize werden über diese Zentrale geleitet, bevor sie auf dem Weg über den Sympathikus zurück zur Peripherie laufen. Dort verursachen sie erst im zugehörigen Segment des peripheren Reizes, später auch in dem der anderen Körperseite oder in fernliegenden Segmenten Gewebsreaktionen.

2. **In der ersten Zeit kann der Reiz von seiner Ausgangsstelle aus wieder gelöscht werden.** Damit gehen dann auch die sekundär aufgetretenen Krankheitserscheinungen wieder zurück.

3. Ist aber erst eine gewisse Reizschwelle überschritten und das Krankheitsgeschehen erst einmal richtig in Gang gesetzt, kann es „autonom" werden und nun unabhängig vom Ausgangsherd, dem „Fokus", automatisch in ständiger Wiederholung weitergehen. **Von diesem Zeitpunkt an kann man nicht mehr den Anlaß vom Geschehen trennen.** Selbst eine operative Entfernung des „Fokus", die bis dahin noch geholfen hätte, ändert nichts mehr. Das Nervensystem organisiert von nun an selbst die Krankheit. Vor SPERANSKIS Veröffentlichungen war die Bedeutung des Zeitfaktors in der Pathologie noch nie so klar herausgestellt worden. Nach der Reizung des Hypothalamus mit dem Glasring traten die neurodystrophischen Reaktionen schon nach Stunden und Tagen auf. Auch auf Injektionen von Krotonöl in die Halsganglien und auf **Zahnfüllungen** mit Krotonöl erzielte er eine ähnliche tiefgreifende Umstellung des Nervensystems. Je peripherer der Reiz gesetzt wurde, desto größer war das

Intervall zwischen Reizung und Auftreten der Krankheiten (Alveolarpyorrhöe, Keratitis, blutige Infarzierung der Lunge, des Magens oder Dickdarms usw.). Das „n e u r o d y s t r o p h i s c h e S t a n d a r d s y n d r o m" trat dann erst nach einer scheinbar symptomlosen Latenzzeit von 1 bis 3 Monaten auf. Wenn man den Z e i t f a k t o r unberücksichtigt läßt, würde man keinen Kausalzusammenhang zwischen der Krotonöl-Zahneinlage und den Monate später auftretenden Darmblutungen sehen.

4. Die Reaktion der Tiere war auf die Eingriffe völlig verschieden: Manche starben, andere heilten aus und eine Reihe blieb dauernd reaktionsfrei. SPERANSKI schloß daraus: D i e R e i z s c h w e l l e i s t k e i n k o n s t a n t e r W e r t , s o n d e r n i n d i v i d u e l l u n d z e i t l i c h v e r s c h i e d e n . E r r i c h t e t s i c h n a c h d e r v e g e t a t i v e n A u s g a n g s l a g e .

5. Die vom „Fokus" (heute trennen wir besser den bakteriellen S t r e u h e r d vom nervalen S t ö r f e l d) ausgehende „S e n s i b i l i s i e r u n g", wie wir die veränderte Erregbarkeit des vegetativen Nervensystems nennen, kann noch monate- und jahrelang im R e i z g e d ä c h t n i s des Vegetativums verankert bleiben und so in der Stille fortwirken. Jeder neue Reiz kann dann als „Z w e i t s c h l a g" wirken, der ein bisher latentes Krankheitsbild manifest werden läßt. Auch der Mechanismus des Auftretens von Rezidiven findet hier eine Erklärung: Rezidive können durch Reizung verschiedener zentraler und peripherer Nervenabschnitte ausgelöst werden, wenn im Reizgedächtnis noch Erregungsspuren eines früheren pathologischen Prozesses erhalten geblieben sind. Dann löst der Zweitschlag unter Summierung der Erregungen, die aus den Spurenreizungen stammen, eine Reaktion aus, die formal der primären Reizung entspricht.

Dazu ein Beispiel: Die Injektion einer geringen Tetanustoxin-Dosis ruft lokale Tetanussymptome in der gleichseitigen Extremität hervor. 20—25 Tage nach dem äußeren Verschwinden der pathologischen Sypmtome wird bei dem Tier eine Glaskugel in die Gegend der Sella turcica implantiert. Die dadurch erfolgte Reizung des Hypothalamus löst s o n s t einen Komplex dystrophischer Vorgänge in den verschiedensten Organen aus. H i e r kommt es aber 24 Stunden nach der Operation zu Tetanuserscheinungen, die an Intensität zunehmen und schließlich zum Tode des Tieres führen. Es stirbt also an „Tetanus" ohne erneute Virusinfektion. Demnach kommt es n i c h t a u f d e n E r r e g e r an, sondern auf die E r r e g u n g , auf die Reaktion des Nervensystems, auf den spezifischen Reiz.

6. SPERANSKI ist auch noch durch die Ergebnisse seiner — (T) — L i q u o r p u m p e bekannt geworden. Mit Hilfe dieser mechanischen unspezifischen Hirnreizung konnte er eine weitgehende zentral-nervale Umstimmung des Organismus erzwingen. Man kann damit bereits angelaufene pathologische Prozesse zeitlich oder dauernd beseitigen. Wenn der Körper die Fähigkeit verloren hat, auf den Reiz bestimmter Heilmittel (z. B. *Chinin* bei Malaria, *Salvarsan* bei Lues, *Salicylsäure* bei Rheuma) wie gewohnt zu reagieren, wird diese Fähigkeit durch den zusätzlichen Gegenreiz, den die Liquorpumpe bewirkt, wiederhergestellt. Das Medikament bleibt dasselbe, aber das Objekt, auf das der Heilreiz einwirkt, wird in seiner Reaktionsweise so verändert, daß die verlorengegangene Fähigkeit reaktiviert wird, auf bewährte Heilreize wieder normal zu reagieren.

Die Liquorpumpe durchbricht die Blut-Liquor-Schranke, die sonst verhindert, daß Heilmittel aus der Blutbahn in den Liquor gelangen. Der Deutsche REID fand für das *Impletol* mit der — (T) — zisternalen Injektion einen direkten Weg zur Umgehung der Blut-Liquor-Schranke. Ob die Hirnmassage der Liquorpumpe nicht einen wesentlichen zusätzlichen Heilreiz darstellt, könnten nur großangelegte klinische Untersuchungen klären. Es ist denkbar, daß ein autonom gewordenes Leiden nach einer oder mehreren Liquorpumpen wieder auf den Heilreiz des *Procains* am ursprünglichen Störfeld ansprechbar wird und daß dieser Paukenschlag ins Neurovegetativum eine tiefergreifende Umstim-

---

Das Zeichen — (T) — bedeutet: Näheres siehe im Technikteil III.

mung ermöglicht, als die Ponndorf-Impfung, die Fiebertherapie, Überwärmungsbäder, Kurzwellendurchflutungen und alle anderen Umstimmungsverfahren.

Die Ergebnisse, Folgerungen und Lehren von RICKER und SPERANSKI decken sich in den wesentlichsten Punkten. Die von ihnen aufgestellten Thesen, auf die sich die Neuraltherapie zum großen Teil theoretisch stützt, blieben nicht unwidersprochen. Welche Lehre in der Medizin könnte sich rühmen, ohne Widerspruch hingenommen worden zu sein? Nachdem SPERANSKI die Sowjetunion verlassen hatte, veröffentlichte er 1936 sein Buch „Grundlage einer Theorie der Medizin" in den USA in englischer Sprache. Seine Arbeiten wurden lange Zeit nicht nur im sowjetischen Schrifttum heftig kritisiert und angefochten. RITTER und REITTER haben die Versuche SPERANSKIS an Hunden im wesentlich kleineren Maßstab wiederholt. Sie sahen dabei auch die neurodystrophischen Prozesse, deuteten sie aber als Folge einer Stallinfektion mit der „Stuttgarter Hundeseuche" Leptospira canicola. Inzwischen haben aber REILLY und TARDIEU die Versuche SPERANSKIS an Meerschweinchen und Katzen wiederholt und dabei dessen Beobachtungen im vollen Ausmaß bestätigt. In dem 1960 in der Sowjetunion erschienenen Werk der Pawlow-Schüler BYKOW und KURZIN über die „Cortico-viscerale Pathologie" werden die Arbeiten SPERANSKIS wieder uneingeschränkt als wissenschaftliche Grundlagen anerkannt und zitiert. Die beiden Autoren bemängeln lediglich, daß SPERANSKI die Lehren PAWLOWS ungenügend berücksichtigt habe und lehnen die Schlußfolgerung ab, wonach das Nervensystem den pathologischen Prozeß organisiert. Nach allem Vorhergegangenen kommt das praktisch seiner Rehabilitation in der Sowjet-Wissenschaft gleich!

Aber selbst, wenn die wissenschaftlich-experimentell gesicherten Theorien von RICKER und SPERANSKI und alle Hypothesen, auf die wir uns stützen, negiert werden, bleiben noch die millionenfachen Heilungen, die der Neuraltherapie nicht mehr ihre Daseinsberechtigung streitig machen können, denn mit NIETZSCHE können wir sagen: „Auch Tatsachen sind Interpretationen!"

SPERANSKI kannte übrigens die Arbeiten von SPIESS, die in Deutschland bald wieder in Vergessenheit gerieten. Er übernahm von ihm auch das *Novocain* als Mittel der „Heilanästhesie". Er sah in der Anästhesie nur einen von vielen möglichen Nervenreizen und fand, daß er als heilender Gegenreiz um so stärker wirkte, j e s c h w ä c h e r m a n i h n d o s i e r t e .

Bei der Untersuchung der Frage, welche wichtige Rolle die nervale Rezeption in der Pathologie spielt, wies SPERANSKI nach, daß der Applikations o r t des Tetanustoxins für den Ablauf des Starrkrampfes eine große Rolle spielt. Es wirkt am meisten toxisch, wenn es direkt auf die Rezeptorenendigungen einwirkt. Interessant ist für uns seine Feststellung, daß der T e t a n u s n i c h t z u m A u s b r u c h k o m m t , w e n n m a n d a s T o x i n z u s a m m e n m i t *N o v o c a i n* e i n s p r i t z t . Er folgerte daraus, daß das *Novocain (Procain)* in der Lage ist, die Erregbarkeit der Rezeptoren herabzusetzen. Ich neige mehr zu der Ansicht, daß das Toxin durch seine starke lokale Einwirkung ein massives Störfeld setzt, indem es das Nervenpotential unphysiologisch stark und lange zusammenfallen läßt. Mit der Veränderung der Membranpotentiale in den Nervenfasern kommt es zu rhythmischen Potentialentladungen und damit zum Aussenden starker nervaler Störimpulse mit einem alarmierenden und destruierenden Kodetext. Erst die Antwort auf diesen starken nervalen Reiz mit der Fehlinformation schafft die bedrohliche Reaktion! Gebe ich gleichzeitig mit dem Toxin *Procain*, dann hält dieses das normale Potential aufrecht oder stellt es sofort wieder her, wenn es zu einer Depolarisation kommt. So kann sich kein Störsender für falsche Reizinformationen bilden und der Tetanus kann nicht zum Ausbruch kommen.

c) A. W. WISCHNEWSKI
durchschnitt bei seinen Tierversuchen den Ischiasnerv und infizierte das proximale Ende mit Eiter, oder er übte einen anderen Reiz auf den Nerv aus. Dabei erwiesen sich überraschenderweise wieder gerade die s c h w a c h e n R e i z e a l s d i e w i r k u n g s v o l l s t e n ! Nach etwa zwei Monaten traten unabhängig von der Operationswunde am gleichen, später auch am anderen

Bein Geschwüre auf. Die Entfernung des primär gereizten Nervenendes konnte auch hier den Prozeß nur am Anfang stoppen. Sobald er autonom geworden war, war er von dort aus nicht mehr zu beeinflussen. — Wenn man Einzelbeobachtungen auch nicht wahllos verallgemeinern sollte, so ergeben sich hier doch auffallende Parallelen zum Auftreten des Ekzems, der Furunkulose, der Psoriasis und einer Reihe anderer Hautkrankheiten. WISCHNEWSKI verdanken wir auch die 1948 veröffentlichte Technik der — (T) — Grenzstranginjektion in Höhe des oberen Nierenpols. Er bewies den regulierenden Einfluß dieser Anästhesie auf die Gewebstrophik, denn er konnte damit eine große Anzahl verschiedenartiger Krankheitsbilder von der Otitis media bis zur Lungengangrän heilen.

d) K. M. BYKOW
hat sich die Aufgabe gestellt, die ,,höhere Nerventätigkeit'' des Menschen zu erforschen. Er geht dabei von der Lehre PAWLOWS von den bedingten Reflexen aus, bezieht aber alle d i e vegetativen und körperlichen Veränderungen in seine neuralpathologischen Betrachtungen und Untersuchungen mit ein, die vom Psychischen her über die Affekte auslösbar sind. Damit geht er noch einen Schritt weiter als RICKER und SPERANSKI. Er begibt sich auf das Gebiet, das wir mit dem Sammelwort Psychosomatik (Leib-Seele-Problem) umreißen.

BYKOW konnte zeigen, daß es nicht möglich ist, nervale trophische Impulse von anderen regulierenden und antreibenden Impulsen zu trennen. Seiner Ansicht nach gehen die entscheidenden nervalen trophischen Impulse von der Großhirnrinde aus, während dem Dienzephalon nur eine untergeordnete Bedeutung zukommt. Das heißt, die Hirnrinde verarbeitet alle von außen und innen kommenden Reize und schaltet daraufhin nach Bedarf sinnvoll die einzelnen Organe und Organsysteme ein und aus und stimmt ihre Tätigkeit aufeinander ab. Die Reflexe, die zur Regulierung dieser Vorgänge vom Zwischenhirn ausgehen, unterliegen nach BYKOW ebenfalls der Steuerung durch die Rinde.

Die russische Schule fand auf eigenen Wegen, daß das *Novocain (Procain)* einen günstigen Einfluß auf die Beziehungen zwischen Kortex und Subkortex ausübt und daß es in der Lage ist, die Wiederherstellung der gestörten kortiko-viszeralen Dynamik zu fördern. Nach Ansicht der russischen Forscher hängt das Wesen der Procain-Einwirkung mit zwei physiologischen Momenten zusammen, ,,u n d z w a r   m i t   d e r   A u s s c h a l t u n g   d e s   N e r v e n   u n d   m i t   s e i n e r   R e i z u n g.   D a s   e r s t e   M o m e n t   k o m m t   d u r c h   d i e   U n t e r b r e c h u n g   d e r   I m p u l s e   w ä h r e n d   d e r   A n ä s t h e s i e   z u s t a n d e,   d a s   z w e i t e   d u r c h   d i e   E i n w i r k u n g   a u f   d i e   a l l g e m e i n e   t r o p h i s c h e   R e g u l a t i o n s t ä t i g k e i t   d e s   N e r v e n s y s t e m s,   d a s   d i e   N o v o c a i n i s i e r u n g   d e r   N e r v e n   a l s   e i n e n   a k t i v e n   P r o z e ß,   d. h.   a l s ,R e i z u n g', w a h r n i m m t'' (WEDENSKI).

Damit bestätigten die russischen Forscher im vollen Umfang die von den Brüdern HUNEKE gemachte Beobachtung, daß eine Anästhesie an der richtigen Stelle in der Lage ist, pathologische Reflexe und damit krankmachende Störungen im neurovegetativen System in gewünschte Bahnen zu lenken.

Die Sowjetmedizin hat aus diesen theoretischen Erkenntnissen ihrer Wissenschaftler natürlich auch ihren praktischen Nutzen gezogen. Sie treiben mit ihren lokalen Procain-Injektionen und den Injektionen an den Grenzstrang Neuraltherapie in unserem Sinne. So heben sie unter anderem ihre eindeutigen Erfolge bei der Prophylaxe und Bekämpfung des — (K) — Schocks im Zweiten Weltkrieg hervor. Sie nehmen für die beim Schock wirksam werdenden Kräfte einen komplizierten neurodystrophischen Komplex an, den man nur unvollkommen erklären könne. Das hinderte sie aber nicht daran, den Schock wirksam mit *Procain* zu bekämpfen. Sie glauben, mit einer imponierenden Statistik beweisen zu können, daß allein die in der Roten Armee vorgeschriebene Schockprophylaxe mit *Procain* einer sehr großen Anzahl von Soldaten das Leben gerettet hat.

Auch die Arbeiten der r u m ä n i s c h e n S c h u l e um Frau Professor ASLAN, die das *Procain* bekanntlich erfolgreich in der Geriatrie einsetzt, basieren zum großen Teil auf den Ergebnissen der Schüler PAWLOWS. Sie erweisen sich als wertvolle Bereicherung der Grundlagenforschung. Allerdings können wir den Schlußfolgerungen der Frau ASLAN nicht immer folgen. Doch darüber mehr im Kapitel „Verjüngung durch *Procain?*".

5. Vom Schmerz, von der Entzündung und vom Axonreflex

*Die Schmerzen sind's
die ich zu Hilfe rufe.
Denn sie sind Freunde,
Gutes raten sie.*

GOETHE, Iphigenie

Der Schmerz bewährt sich in vielen Fällen als Freund und Warner, der uns auf krankhafte Vorgänge hinweist. Darüber hinaus kann er aber auch das Krankheitsgeschehen fördern, ja oft sogar zur Krankheit selbst werden. Dann wird seine Beseitigung von kausaler Bedeutung. LERICHE nannte den Schmerz sogar eine „überflüssige Plage der Menschheit". — Das Schmerzgeschehen stellt eine Kette von physiologischen Reaktionen dar. Sie reicht von der Einwirkung des Schmerzreizes an der Peripherie mit seinen Gefäß- und Gewebsreaktionen über das Rückenmark mit seinen Schaltstationen für die Schutz- und Abwehrreflexe zum Hirnstamm, besonders dem Thalamus, wo es zum Affekt und schließlich zum Großhirn, wo es zum bewußten subjektiven Erlebnis wird.

Nach den anatomischen Gegebenheiten gibt es zwei genetisch verschiedene Arten von Schmerzentstehung:

1. Der Schmerz aus äußeren Ursachen, wenn die dafür vorhandenen Rezeptoren (wie bei Wunden, Hitze, Kälte, chemischer Reizung usw.) direkt erregt werden. Er äußert sich mehr als Dauerschmerz.

2. Der Schmerz aus inneren Ursachen hat mehr schubartigen und wechselnden Charakter. Der Reiz wird vom Entstehungsort am tiefergelegenen Organ zu dem zugehörigen Paravertebralganglion des Grenzstranges geleitet und von dort durch die Rami communicantes entweder

a) zentripetal über die Synapsen zu den schmerzleitenden Bahnen des Rückenmarks bis hinauf zum Gehirn mit dem Ende der Schmerzbahn im Thalamus bzw. der letzten Station in der Hirnrinde, wo der Schmerz zum bewußten Erlebnis wird. Oder

b) auf viszero-kutanen Reflexbahnen über den Spinalnerv zum zugehörigen Segment der Körperoberfläche.

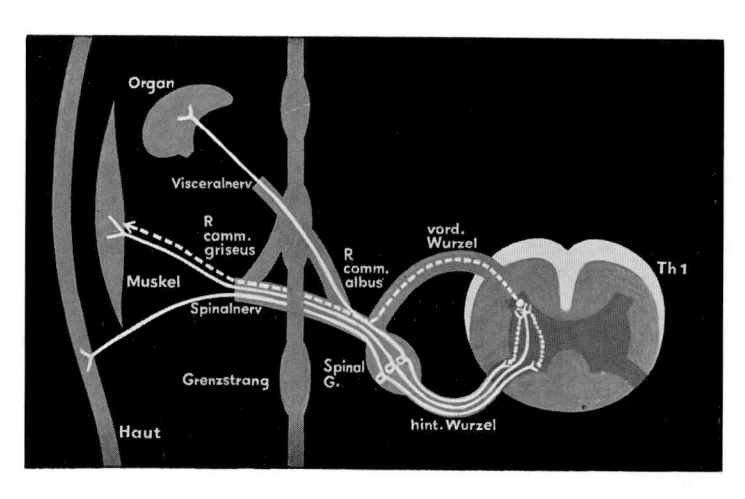

Abb. 1: Die Schmerzbahnen der Haut, der tieferen Teile und der Eingeweide (nach HANSEN und v. STAA)

Wenn ich eine vegetative sensible Faser reize, so löse ich einen Reflex aus, der die Durchblutung verändert, und zwar tritt bei k l e i n e n R e i z e n ein G e f ä ß s p a s m u s (wie bei ischämischen Muskelschmerzen) und bei s t ä r k e r e n eine D i l a t a t i o n (Entzündung) auf. Schmerz entsteht, wenn die Toleranzgrenze des Kreislauf-Sympathikus-Systems überschritten wird. KULENKAMPFF: „Es gibt nur ein System, welches als Träger dessen, was wir Schmerz nennen, in Frage kommt: Das Sympathikus-System."

Schmerzen können die motorischen und vegetativen Nervenfasern so stark erregen, daß sie mit einer Kontraktion der umgebenden Muskulatur und einem Spasmus der Gefäße antworten. Die verminderte Durchblutung setzt die Reizschwelle der sensiblen Nerven und Rezeptoren immer weiter herab, bis Schmerz — Muskelkontraktur — Blutarmut und damit Stoffwechselstörungen im Gewebe mit erhöhtem Schmerz zu einem Circulus vitiosus ineinandergreifen, der die Heilung aus eigener Kraft unmöglich macht oder doch zumindest verzögert.

SPIESS wies schon 1906 darauf hin, daß man Entzündungen aller Art durch eine Lokalanästhesie kupieren und schnell zur Heilung bringen kann. BRUCE bewies, daß der Entzündungsreflex, der nach der Reizung sensibler Nervenendigungen ausgelöst wird, weder von zentralen noch von spinalen Bahnen abhängt, sondern daß er im peripheren Nerv selbst entstehen muß. Er kam zu dem Schluß, daß sich die sensible Nervenfaser distal vom Ganglion gabelt und daß ein Schenkel zur Haut, der andere zu den Blutgefäßen geht. Der Schmerzreiz löst so bei der Entzündung auf direktem Wege die Gefäßerweiterung, Durchlässigkeit der Kapillarwände und alle anderen Vorgänge aus, die dann die klassischen Entzündungszeichen hervorrufen. Da die Entzündung ihrerseits wieder Schmerzen mit sich bringt, steigert sich dieser Vorgang unaufhörlich. Diesen Reflex, der zum geschilderten Circulus vitiosus führt, nennt man K u r z s c h l u ß - o d e r A x o n r e f l e x.

Man nimmt heute an, daß der Sympathikus bei der Entstehung und Leitung des Schmerzes und bei seiner Ausschaltung als Erlebnisphänomen die führende Rolle spielt. In diesem Zusammenhang gewinnt das terminale Neuroretikulum STÖHRS wieder besondere Bedeutung. Es zeigt uns, daß jede einzelne Organzelle von einem feinen Gespinst sympathischer und parasympathischer Fasern umsponnen wird. Dabei kommt es nach PISCHINGER nur bei der Muskelzelle zu einer direkten synaptischen Verbindung. Sonst wird der Reiz vom Physikalischen ins Chemische transferiert und kann nur so das vegetative Grundsystem passieren. Dabei kann er verändert werden. Die Zelle ist also kein isoliertes, unabhängiges Gebilde, wie es VIRCHOW sah, sondern sie ist unselbständig und nur im Zusammenhang mit den anderen Zellen lebensfähig. Da alle Teile unseres Organismus untrennbar miteinander verbunden und aufeinander angewiesen sind, führt jede Störung in einem Teil zwangsläufig auch zu Störungen im gesamten vegetativen Gefüge. Die alle Zellen unseres Körpers verbindende und so unvorstellbar sinnvoll einende und lenkende Idee, die Leib und Seele zusammenfaßt, bedient sich des Neurovegetativums als Instrument, das das Wunder des Lebens erst möglich macht. Das Lebendige ist aber Gesetzen untertan, die für die Wissenschaft nie vollständig meßbar und faßbar sein können. Schmerz und Krankheit sind aber abgewandeltes Lebendiges.

Wird der Schmerz durch das Einschalten der Psyche dann unbewußt und ungewollt in den Mittelpunkt des Interesses gerückt, kann er nur potenziert und im Psychischen fixiert werden. Die Angst vor dem Schmerz ist am Schluß vom Schmerz selbst gar nicht mehr zu trennen. Schmerzen sind immer etwas sehr Relatives. Ich sagte einer Patientin in der Hypnose, sie habe keinerlei Gefühl mehr im Leib. Sie glaubte es, und der Chirurg konnte ihr, ohne jede zusätzliche Betäubung, schmerzlos den entzündeten Wurmfortsatz entfernen. Der nächtliche Zahnschmerz läßt uns zu Narren werden. Im Wartezimmer des Zahnarztes schrumpft er dann frühmorgens zu einer Winzigkeit zusammen, die uns fast beschämt. Nachts stand der Schmerz im Mittelpunkt des Interesses, das ließ ihn riesengroß werden. Die Ablenkung und die Aussicht auf die nahe Hilfe reduzieren ihn zu seiner wahren, erträglichen Größe.

Es ist eine der vornehmsten und schönsten Aufgaben des Arztes, Schmerzen zu lindern und zu beseitigen. Wer das gut kann, ist ein guter Arzt! Für den Neuraltherapeuten ist es nicht allzu schwer, die ganze pathogenetische Kette am Schmerz zu durchbrechen und damit den Heilungsvorgang einzuleiten. Das gilt auch für all die vielen Fälle, wo der Schmerz über seine Funktion als Warner hinausgehende Reaktionen auslöst, wie beispielsweise bei der Trigeminusneuralgie, oder die schmerzvolle Ruhigstellung von Extremitäten nach Verletzungen über die sinnvolle Zeit hinaus. In allen diesen Fällen ist die gezielte Anästhesie am Ort des Funktionsausfalles ein wesentlicher Bestandteil der Therapie und im Hinblick auf das seelische Geschehen auch Psychoprophylaxe und -therapie, ohne daß man für diese Tatsache den Begriff Suggestion bemühen muß. Es ist ein Faktum, daß der (normalisierende und das vegetative Gleichgewicht wiederherstellende) neuraltherapeutische Effekt den der örtlichen Betäubung, zeitlich gesehen, beträchtlich überdauert und heilende Auswirkungen zeigt, die sich von der rein medikamentösen Seite her nicht erklären lassen.

Die Schmerzbekämpfung steht zwar sehr häufig im Vordergrund unserer Bemühungen, sie ist aber durchaus nicht das Hauptanliegen der Neuraltherapie. Es hieße ihre Bedeutung verkennen, wenn man annähme, daß sich unsere Heilmöglichkeiten mit der Bekämpfung von Schmerzen erschöpften. Der Schmerz ist doch nur eine der vielen Möglichkeiten, mit denen sich die gestörte Körperfunktion äußern kann, allerdings eine sehr häufige und eindrucksvolle. Für uns ist der Schmerz ein guter Indikator, beweist er uns doch mit seinem Verschwinden die Richtigkeit unserer Bemühungen und die Möglichkeit, tatsächlich regulierend am gestörten Neurovegetativum einzugreifen.

6. Theorien über den Schmerz und die Anästhesiewirkung

Die Lebensvorgänge verlaufen sicher gesetzmäßig, aber unsere Erkenntnismittel sind nicht fähig, diese Gesetzmäßigkeit zu erkennen.
MUCH

Die Nervenzelle besteht im wesentlichen aus einem Zellkörper mit Zellkern und faserartigen Fortsätzen (einem Axon und mehreren Dendriten). Früher nahm man an, die Zelle würde nur von außen ernährt und die Nervenfasern hätten lediglich die Funktion von Elektrokabeln. Die moderne Neurobiologie hat dieses Bild revidiert. Wir wissen heute, daß die Nervenzelle einen sehr dynamischen winzigen Computer darstellt, der nicht nur Informationen übermittelt, sondern alle Körperfunktionen koordiniert und dabei Erfahrungen sammelt, die er in seinem Reizgedächtnis speichert. Die Nervenzelle ist ein aktives Bauelement, das Stoffe produzieren und transportieren kann und sich notfalls sogar selbst repariert. Sie wählt aus dem Angebot sorgfältig nur die Stoffe aus, die sie zu ihrer eigenen Versorgung benötigt. Daraus produziert sie in ihrem Zellkörper laufend selbst das Material, das sie zu ihrer Erhaltung und Funktion braucht. Es beträgt das 3—4fache Volumen des eigenen Zellkörpers. Daraus kann man schließen, daß die Nervenzelle beim Erregungsprozeß einem Verschleiß unterliegt, der ständig neu ersetzt werden muß. Ein permanenter neuraler Materialstrom bringt die Nervenfaser-Membran und die gesamte Neuroplasmasäule mit allen darin enthaltenen Organellen (Mitochondrien, Tubuli, Filamente) mit einer Geschwindigkeit von 1—3 mm pro Tag vom Zellkörper bis in die Faserendbereiche (vegetatives Grundsystem oder Synapsen). Daneben gibt es aber noch einen wesentlich schnelleren Versorgungsstrom mit 40—70 mm pro Tag für partikelgebundene Neuroplasma-Komponenten, unter anderem Transmittersubstanzen, Mucopolysaccharide und Phospholipide. Diese beiden Versorgungsbahnen mit verschiedener Geschwindigkeit garantieren, daß alle benötigten chemischen Bausteine termingerecht an ihren Bestimmungsort gelangen. So auch die Transmittersubstanzen (z. B. Noradrenalin), die beim Erregungsprozeß in das Zelle-Milieusystem bzw. in den Synapsen-Spaltraum abgegeben werden. Die elektrische Erregung kann nur nach Zwischenschalten chemischer Prozesse sicher von einer Zelle zur anderen weitergegeben werden. Die Nervenzelle ist also kein stabiles Gebilde, sondern einem ständigen Wandel unterworfen. Dabei kann ihr Stoffwechsel auch von außen beeinflußt werden. Vom Antibiotikum *Actidion* weiß man, daß es den langsamen Transportstrom, vom Alkaloid *Colchicin,* daß es den schnellen zum Erliegen bringt. Von den Lokalanästhetika stört das *Procain* n i c h t den wichtigen Baustein-Transport in den Axonen. *Lidocain (Xylocain)* wirkt dagegen (ebenso, wie das Rauschgift *Meskalin*) hemmend auf den Nachschub ein! Das hat zweifellos auch negative Auswirkungen auf die funktionelle Aktivität an den Synapsen (KREUTZBERG).

Die peripheren vegetativen Fibrillen unseres Körpers sind unvorstellbar fein, sie haben nur eine Stärke von 0,002 bis 0,01 Millimeter. Was in diesen feinsten Leitungsbahnen vorgeht, wissen wir bis heute nur in Umrissen: Sie sind innen negativ und außen positiv elektrisch geladen. Dazwischen liegt eine normalerweise einwandfrei isolierende Grenzmembran. Man glaubt zu wissen, daß die Grenzflächen der Nervenfasern im Ruhezustand abgedichtet sind und daß sich dann die Natrium-, Kalium- und Wasserstoffionen im Gleichgewicht befinden. Das Grenzflächenpotential ist dann hoch. Die Kaliumionen-Konzentration ist im Zellinneren etwa 20- bis 40mal höher, als die im extrazellulären Raum. Dieses Konzentrationsgefälle ist die Ursache des hohen elektrischen Membranpotentials, das bei Nerven- und Muskelfasern 40—90 mV beträgt. So gesehen ist die Zelle eine Art Kaliumbatterie, die nur arbeitet, wenn sie laufend Kaliumionen aufnehmen kann. Der Sauerstoff-Stoffwechsel, die Glykolyse und die Umsetzung von energiereichem Phosphat ist auch wieder an den Austausch elektrischer Ladungen von Ionen und Kolloiden gebunden und dient größtenteils dazu, Kalium aufzunehmen, damit die hohe Kaliumkonzentration im Zellinneren aufrechterhalten werden kann. Im Ruhezustand halten sich Kaliumionenabgabe und Rückresorption die Waage.

Die membranartige Nervenzellwand hat die Eigenschaft eines Siebes mit kybernetisch regelbarer Maschenweite. Das heißt, sie hat eine elektrisch regelbare Durchlässigkeit für Ionen verschiedener Größe. Wird der Nerv von einem physiologischen oder gar schädigenden unphysiologischen (chemischen, mechanischen, thermischen oder elektrischen) Reiz getroffen, lockern sich die Grenzflächen auf und werden erhöht durchlässig. Als Folge davon treten Kaliumionen aus der Faser aus und Natriumionen dringen in sie ein. Die Nervenzelle verdankt aber ihren elektrischen Ladungszustand der unterschiedlichen Ionenkonzentration zwischen ihrem Innen- und Außenraum. Mit dem Kaliumverlust gleicht sich die Ionenkonzentration aus. Das heißt: Das Grenzflächenpotential bricht zusammen und der Nerv entlädt sich. So kommt es zur Depolarisation. Jede Senkung des Membranpotentials löst aber in einem schmerzleitenden Nerven Schmerzen aus und damit Impulse, die dem Rückenmark, dem Hirnstamm und dem Großhirn zugeleitet werden. D e r S c h m e r z s i n n r e g i s t r i e r t u n d k o n t r o l l i e r t a l s o d e n e l e k t r i s c h e n L a d u n g s z u s t a n d d e r Z e l l g r e n z f l ä c h e n und meldet alle Potentialverluste durch Schädigung der Zellmembran oder durch eine Störung im oxydativen Zellstoffwechsel. Beides greift ineinander: Das elektrische Ruhepotential der Nervenfaser kann nur aufrechterhalten und das durch Erregung zusammengefallene Potential wieder aufgebaut werden, wenn genügend Sauerstoff vorhanden ist. Alle Gewebsprodukte, die bei der Schmerzentstehung als chemische Zwischenglieder in Betracht gezogen wurden (H-Ionen, Histamin, Serotonin, Ca-entionisierende Säuren) haben eine gemeinsame Eigenschaft: Sie wirken alle depolarisierend. Man kann daher sagen: W a s d e p o l a r i s i e r t, e r z e u g t a u c h S c h m e r z e n !

Nach FLECKENSTEIN und HARDT wirkt das *Procain (Novocain)* bei diesen elektrophysiologischen und biochemischen Vorgängen beim lokalen Schmerzgeschehen als echter A n t a g o n i s t. Alle S c h m e r z r e i z e steigern die Durchlässigkeit der Membranen und führen zu einem Kaliumionen-Verlust der Zellen und damit zur Depolarisation. Als Reaktion folgt die E n t z ü n d u n g. Die L o k a l a n a e s t h e t i k a wirken schon **in geringerer Konzentration, als sie zu einer Lokalanästhesie benötigt werden**, genau entgegengesetzt: Sie schützen die Grenzflächenmembran vor der elektrostatischen Depolarisation, denn sie dichten die Membran ab und hindern die Kaliumwolke daran, wie sonst bei der Erregung des Nerven aus der Faser auszutreten. So stabilisieren sie die Membranpotentiale und schützen sie gegen alle depolarisierenden Noxen. Ebenso wichtig ist, daß die Zelle durch die ,,Nervenblockade" des *Procains,* die wie eine chemische Ruhigstellung wirkt, in die Lage versetzt wird, das durch die pathologische Erregung verlorene elektrische Potential aus eigener Kraft wieder aufzuladen (Repolarisation). Mit dem Schmerz verschwindet auch die reaktive Entzündung. In der Repolarisation und dem Schutz vor der Depolarisation mit Hilfe des *Procains (Novocains)* haben wir eine einleuchtende und ausreichende Erklärung für die unbestreitbaren umfangreichen therapeutischen Möglichkeiten des *Procains.*

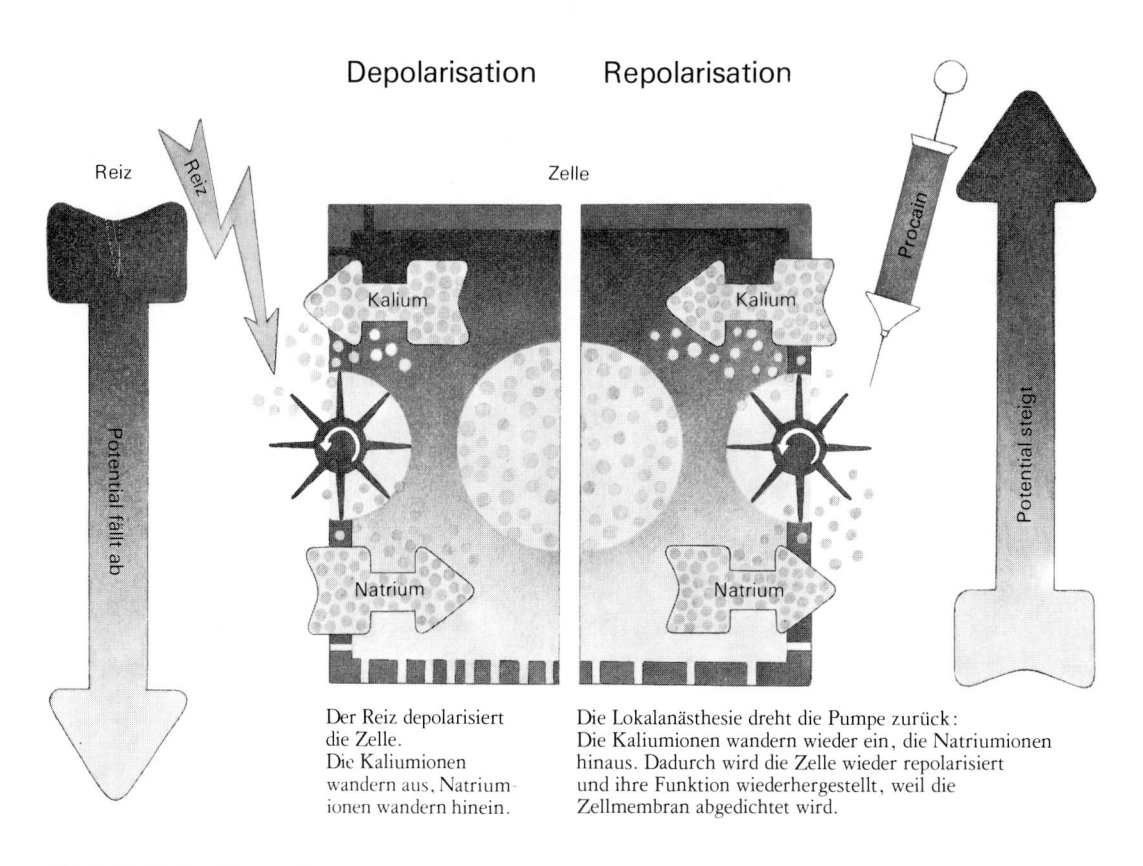

Abb. 2: Die Kalium-Natrium-Pumpe

Die beiden Autoren kamen außerdem zu dem Ergebnis, daß auch schmerzerzeugende Stoffe eine Unterbrechung der Nervenleitung bewirken können und daß dann das *Procain* in geringen Dosen in der Lage ist, die gestörte Nervenleitung wiederherzustellen. FLECKENSTEIN schloß aus diesen scheinbar sich widersprechenden Ergebnissen, daß das *Procain (Novocain)* je nach der vegetativen Ausgangslage nach beiden Richtungen wirken und so je nach Bedarf Fehlleistungen ausgleichen kann.

,,Während normalerweise dem Zentralnervensystem modulierende Erregungswellen zugehen, die sich durch das Zusammenwirken sämtlicher peripherer Rezeptionsorgane gegenseitig zu einem harmonischen Gesamtbild von der Außenwelt ergänzen, führt die Depolarisation durch Schmerzreize vermutlich zu unmodulierten Erregungssalven, die vom normalen Typ abweichen und einen Mißton in dieser Harmonie bedeuten." So formuliert FLECKENSTEIN das, was wir Neuraltherapeuten unter Störfeldwirkung verstehen. Er untersuchte zwar nur die Vorgänge bei der Schmerzbildung und Schmerzleitung. Aber wir glauben, daß die von ihm gefundenen Ergebnisse ohne weiteres auf alle „Schadensreize" erweitert werden können, die auf dem sogenannten nozizeptiven System ablaufen. Man nimmt heute an, daß diese Schadensreize vor allem auf den marklosen C-Fasern, aber auch über die markhaltigen A-Delta-Fasern geleitet werden.

Der Begriff „P r o c a i n - B l o c k a d e" hat sich in der Medizin so eingebürgert, daß wir einen Moment bei ihm verweilen müssen. Er besagt etwa, daß die Procain-Injektion gleichsam eine Barrikade zwischen Schaltstelle und terminalem Neuroretikulum setzt, die den nervalen Reaktionsmechanismus unterbricht. Dadurch würden die organfremden zentralgesteuerten Reize, die das Krankheitsgeschehen einleiten und unterhalten, abgeschaltet. Das Segment wäre dann nerval von der Zentrale isoliert und nur noch seiner autonomen peripheren Steuerung überlassen. Dadurch würden die entgleisten Reflexabläufe, die sekundär das Lokalgeschehen beherrschen, auf normale Bahnen gelenkt und damit würde auch eine neue Ausgangslage geschaffen.

Dagegen ist einzuwenden, daß dann nach Aufhören der Anästhesie auch die zentrale beherrschende Fehlsteuerung wieder einsetzt und das von ihr abhängige periphere Geschehen wieder am alten Ausgangspunkt anknüpfen würde. Damit müßte bald wieder alles beim alten sein. Das ist aber nicht so, die Heilwirkung hält — allerdings nur vom richtigen Ort der Injektion aus, der gar nicht an bestimmte Nervenbahnen gebunden ist — Tage, Wochen und manchmal in vollem Umfang bis zum Rest des Lebens an. Der neuraltherapeutische Reiz, der, wie wir sahen, unter der zur Anästhesie benötigten Menge liegt, ist aber gar nicht an ein Anästhetikum gebunden! Wie wir wissen, ist er auch mit *Natrium bicarbonicum, Ameisensäure, Plenosol,* mit Luft, ja allein schon durch den Nadeleinstich an der richtigen Stelle auslösbar. Allerdings mit unterschiedlicher Reizqualität. In unseren Augen handelt es sich bei dem **neuraltherapeutischen Effekt um eine unspezifische Reiztherapie**, b e i d e r d i e R e i z s c h w e l l e n a c h **Entblockieren** d e r N e r v e n l e i t u n g d u r c h d i e n u n w i e d e r f r e i w e r d e n d e n S e l b s t h e i l u n g s k r ä f t e s o h e r a u f g e s e t z t w i r d , d a ß d i e v o r h e r k r a n k h e i t s a u s l ö s e n d e n R e i z e u n t e r s c h w e l l i g b l e i b e n .

Auch F. HUNEKE wandte sich gegen die Vorstellung, daß das *Procain* lediglich eine N e r v e n b l o c k a d e auslösen soll, weil man damit die zu erzielenden Heilerfolge nicht erklären könne. Die Neuraltherapien im weiteren Sinne, wie die Akupunktur, die gezielte Massage, die manuelle Wirbelsäulentherapie und andere Heilverfahren könnten doch ganz ähnliche Heilphänomene auslösen, wie die Neuraltherapie mit gezielten Procain-Injektionen. Darum wollte er nicht glauben, daß alle diese Heilungen durch irgendeine Nerven u n t e r b r e c h u n g zustande kommen sollten. Er war davon überzeugt, daß es sich dabei nur um Heil r e i z e handeln könne, die die Nervenfunktion e n t b l o c k i e r e n und reaktivieren.

Nach seiner Ansicht durchsticht die Injektions- bzw. Akupunktur-Nadel bei jedem Einstich in die Haut tausende elektrisch geladener vegetativer Fibrillen und damit auch ihre Isolierschicht. So setzte sie im elektrischen Gefüge des Neurovegetativums einen Kurzschluß. Die Injektion von *Procain* verstärke diesen Kurzschluß noch, weil sie ebenfalls in der Lage wäre, die N e r v e n i s o l i e r u n g a u f z u h e b e n . Die elektrostatische Energie könne nun in das umgebende Gewebe abfließen, wobei sich pathogene Potentialdifferenzen ausglichen. Der Nerv wäre also vorübergehend stromlos und damit biologisch gesehen tot. Dieser Kurzschluß wirke als R e i z -Stoß ins gesamte neurovegetative System und würde von ihm auch in seiner Gesamtheit beantwortet. Erfolge er an der Stelle, an der bildlich gesehen die Grundsteine verschoben sind, die das Schiefstehen des ganzen Gebäudes verursachen, so könnten die aus dem Gefüge geratenen Bausteine in Sekundenschnelle wieder an die Stellen rücken, die ihnen nach der Idee des Baumeisters zuständen. Die richtig lokalisierte Procain-Injektion blockiere nichts. Sie beeinflusse weit über den Ort der Injektion hinaus die Funktionseinheit des neurovegetativen Systems im Sinne einer funktionellen Umstimmung. Daher müsse er die irreführende Bezeichnung „Nervenblockade" ablehnen. Außerdem enthielten die komplizierten Untersuchungsmethoden, die zu dem Begriff der Blockade geführt hätten, so viele Fehlermöglichkeiten, daß man nicht berechtigt sei, daraus einen solchen Schluß abzuleiten. Selbst wenn man alle Meßergebnisse der Forschung aus dem Bereich der toten Bausteine als richtig unterstelle, reichten sie nicht aus, die ganzheitlichen Heilungsvorgänge zu erfassen und zu klären, die sich seiner Ansicht nach im arationalen Bereich des Lebendigen abspielten. Diese neovitalistische Einstellung F. HUNEKES ist einer der Gründe, warum er in Kreisen der materialistisch eingestellten Schulmedizin auf Ablehnung stieß. Man muß sich aber keineswegs zu HUNEKES Weltanschauung bekennen, um seine Lehre erfolgreich anzuwenden!

FLECKENSTEIN, HARDT und auch EICHHOLTZ sehen also in der Anästhesiewirkung eine Abdichtung der Zellmembranen und eine Erhöhung der Membranpotentiale, HUNEKE gerade umgekehrt eine Erhöhung der Membranpermeabilität und ein Zusammenbrechen der elektrischen Potentiale. Professor WISCHNEWSKI schrieb mir 1965 aus Moskau zu diesem Thema einen Brief, aus dem ich zitiere: „Auf Grund der neuesten neurophysiologischen Forschungen ist bekanntgeworden, daß tatsächlich in den Nervenfasern am Ort der Novocaininjektion eine Sperre für die Durchgängigkeit des Nervenreizes auftritt. Das Membranpotential der Nervenfasern wird dabei keinesfalls verringert, im Gegenteil, es vergrößert sich. Die in unserem Institut eigens zu diesem Zweck durchgeführten Untersuchungen mit isolierten Nervenfasern haben gezeigt, daß das *Novocain* die Ionenpermeabilität der Membranen verringert, d. h. stabilisierende und durchaus keine lockernde Wirkung auf diese Fasern ausübt. Der Durchstich der Nervenfasern durch die Nadel bewirkt eine Entpolarisierung der Membrane lediglich lokal, unmittelbar in der Nähe des Stiches, aber bereits in einer Entfernung von 2 mm von diesem Punkt blieb das Membranpotential der Nervenfaser erhalten."

Dazu ist zu sagen, daß ein Kurzschluß in zwei Millimeter Umkreis um eine ein Millimeter dicke Nadel bei einem Fibrillen-Durchmesser von 0,002—0,01 Millimeter tatsächlich jedesmal viele Tausende von Nervenfasern betrifft und daß demnach die Vorstellung HUNEKES für diesen Fall bestätigt würde!

Trotz dieser wichtigen Teilergebnisse sind wir heute noch nicht in der Lage, genau anzugeben, was tatsächlich im *nicht isolierten* Nerven in seiner normalen Verflechtung und Verbindung nach überallhin vor sich geht, wenn erst der Stich und dann das *Procain* auf ihn einwirken. Wir wissen noch zu wenig und wollen lieber bescheiden sagen: Ignoramus.

Aber soviel steht wohl fest: Der Ausdruck „Novocain-Blockade" ist schlecht gewählt! Schließlich wird der neuraltherapeutische Effekt nicht durch die procainbedingte temporäre Unterbrechung der Nervenleitung erzielt, sondern meiner Meinung nach doch erst durch die (auf den richtig lokalisierten Stich- R e i z hin erfolgende, durch *Procain* begünstigte) W i e d e r a u f l a d u n g der vorher reizgeschädigten, inaktiven, stromlosen Nervenfaser! Mit der Wiederherstellung des physiologischen Potentials von etwa 50 Millivolt werden die Permeabilitätsstörungen in Teilen des Neurovegetativums beseitigt, in denen *wir* die „Blockade" erblicken. Wenn die Ordnung in allen Stufen des neurovegetativen Systems wiederhergestellt ist, bedeutet das: Alle vasalen, humoralen, hormonalen, ja selbst psychischen und andersgearteten Sekundärstörungen werden zur Normallage (Gesundheit) zurückgeführt. Der normalisierende R e i z , der an der gestörten und an der störenden Stelle ansetzt, ist das Ausschlaggebende. Ob der Reiz durch die Akupunktur, eine gezielte Massage, Kneippsche Güsse, andere Hautreize, Bestrahlungen oder durch *Procain* gesetzt wird, ist dann nur in den Auswirkungen graduell verschieden. Allerdings nimmt der Procain-Heilreiz eine dominierende Sonderstellung ein, was Sicherheit der Anwendung bei Schnelligkeit und Umfang der Wirkung anbelangt.

Meine Arbeitshypothese:

Die heute gültige Vorstellung von der Wirkung der Procain-,,Blockade" sieht etwa so aus: Während der temporären Unterbrechung der Nervenleitung werden auch alle auf diesem Wege übermittelten pathologischen Reflexe unterbrochen. Durch Ausschalten des sensorischen Nervenanteils kann ich Schmerzen, Parästhesien, Juckreiz und andere sensorische Phänomene unterbrechen und dabei verhindern, daß sekundär auf dem efferenten Schenkel abnorme Reflexmechanismen ablaufen. Unterbreche ich den somatischen motorischen Nerv, kann ich Spasmen in der Skelettmuskulatur lösen. Schalte ich autonome Bahnen, besonders den Sympathikus aus, beseitige ich eine pathologische autonome Aktivität, die von einem pathologischen Zustand im Segment oder von einem Herd ausgehen kann.

Das reicht aber meines Erachtens nach nicht aus, um die Procain-Wirkung bei der Neuraltherapie zu erklären. Dann müßten doch alle genannten pathologischen Reflexe sofort nach Abklingen der Anästhesiewirkung in alter Form und Stärke wieder wirksam werden. Bei richtig gezielter Einwirkung des *Procains* auf pathologisch vorgeschädigtes Segmentgewebe oder auf Störfelder übertrifft der therapeutische Effekt immer bei weitem den zeitlich begrenzten anästhetischen. Daraus ist zu schließen, daß die Anästhesie von pathologisch gestörtem Gewebe in der Lage sein muß, eine nachhaltige Änderung der Nervenfunktion zum Normalen hin einzuleiten. Es muß also einen grundlegenden Unterschied zwischen einer einfachen Anästhesie und der neuraltherapeutischen Wirkung geben.

Eine L o k a l a n ä s t h e s i e wird durch ,,Anelektrotonika" hervorgerufen, das sind Mittel, die genauso wirken, als ob wir dem betreffenden Gewebe einen Anodenstrom zuführen würden. Bringe ich auf eine g e s u n d e normalgeladene Zelle mit ihren 40—90 mV noch mehr positive Ladung *(mit Impletol +290 mV!)*, wird die Zellmembran hyperpolarisiert und damit temporär unerregbar. Es entsteht ein ,,Anodenblock". Davon leitet sich der Begriff ,,Procain-Blockade" ab, der das Verständnis für die Vorgänge bei der Neuraltherapie so anhaltend blockiert hat.

Bei der N e u r a l t h e r a p i e n a c h HUNEKE stehen aber gar nicht die ,,Heilanästhesie" und die ,,Nervenblockade" im Vordergrund. Hier geschieht grundsätzlich etwas, das über die lokale Anästhesie weit hinausgeht und das nur eintritt, wenn die Anästhesie auf k r a n k e s, pathologisch verändertes Gewebe trifft, das sich in einem anomalen Zustand einer Dauer-Depolarisation befindet. Hier füllen wir das verlorene Potential mit unseren ca. 290 mV auf die normalen 40—90 mV wieder auf und stabilisieren die Zellmembran darüber hinaus noch, das heißt, wir schützen sie vor erneuter zu schneller und zu weitgehender Entladung. Damit stellen wir einmal die normalen bioelektrischen und zum anderen die davon abhängigen normalen physiologischen Verhältnisse wieder her. Dazu gehört auch, daß die Zelle wieder an den normalen Informationsaustausch angeschlossen wird, auf die sie als Teil des Ganzen angewiesen ist. Wenn die Zellschädigung mit ihren Folgen beseitigt wird, normalisiert sich der vorher gestörte Erregungsablauf und die vegetative (nervale, humorale, hormonale und zelluläre) Regulationsfunktion wird, soweit möglich, in allen Funktionskreisen wiederhergestellt. Die Procaintherapie bewirkt mit anderen Worten eine e l e k t r o b i o l o g i s c h e R e h a b i l i t a t i o n. Sie wirkt erst nur lokal, nach Umstimmung des Zelle-Milieu-Systems (PISCHINGER) auch auf den ganzen Organismus. HUNEKE sprach von Anfang an von einer ,,Veränderung der energetischen Struktur des Vegetativums". Ich möchte weiter gehen und sagen: ,,Wiederherstellung der normalen Struktur des Vegetativums, soweit das noch möglich ist."

Der richtige Ort der Injektion ist darum so entscheidend, weil dieser neuraltherapeutische, neurovegetativ-normalisierende Effekt nur auftreten kann, wenn die Injektion vorgeschädigtes Gewebe trifft, das sich aus eigener Kraft nicht repolarisieren kann. Procain schafft bei der L o k a l a n ä s t h e s i e einen Anodenblock, bei der N e u r a l t h e r a p i e beseitigt es aber eine vorher schon bestehende Nerven-,,Blockade". Dieser grundlegende Unterschied begründet die Forderung, den überlebten Begriff einer ,,Procain-Blockade" wenn überhaupt, dann nur noch für den Zustand

Gibt es einen Wirkungsunterschied zwischen Anästhesie und Neuraltherapie mit Lokalanästhetika?

Ja, einen sehr wesentlichen:
Anästhesie:
Die *normalgeladene* Zelle hat ein Grenzmembran-Potential von 40 — 90 Millivolt:

290 mV
vom Lokalanästhetikum

Das Lokalanästhetikum bringt ein hohes Eigenpotential mit von etwa 290 Millivolt und hyperpolarisiert die Zelle. Dadurch wird sie unempfindlich. Es entsteht ein Anoden-„Block". Davon leitet sich der Begriff „Blockade" ab, der das Verständnis für die Neuraltherapie so lange blockiert hat.

Nach Abklingen der Anästhesie hat die Zelle wieder ihr altes Potential, es ist alles wie vorher.

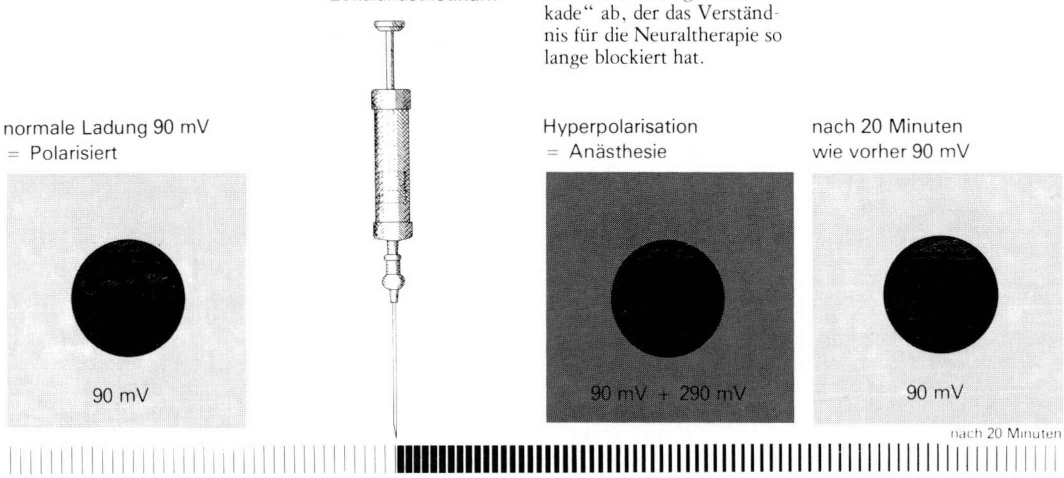

normale Ladung 90 mV
= Polarisiert

90 mV

Hyperpolarisation
= Anästhesie

90 mV + 290 mV

nach 20 Minuten wie vorher 90 mV

90 mV

nach 20 Minuten

Der Unterschied zwischen LOKALANÄSTHESIE:

Die normalgeladene Zelle links wird durch das Lokalanästhetikum hyperpolarisiert (= Anodenblock). Nach Abklingen der Anästhesie ist alles wie vorher.

und NEURALTHERAPIE n. H.:

Die depolarisierte Zelle links mit Störfeldwirkung wird durch das Lokalanästhetikum repolarisiert und stabilisiert. Nach Abklingen der Anästhesie hat sich gegenüber vorher sehr viel geändert.

Neuraltherapie:
Die *depolarisierte* Zelle hat ihr Grenzmembran-Potential durch einen überstarken Reiz verloren und kann es aus eigener Kraft nicht mehr aufbauen.

+ 290 mV vom Lokalanästhetikum

Durch das Lokalanästhetikum mit seinen 290 mV wird die Zelle repolarisiert und stabilisiert.

Nach Abklingen der Anästhesiewirkung behält sie das wiedergewonnene Potential noch eine Zeitlang, womit sich auch die Funktionen normalisieren. Meist sind wiederholte Injektionen nötig. Die Zelle lernt dabei immer besser, selbst wieder das normale Potential von 90 mV aufzubauen und zu halten.

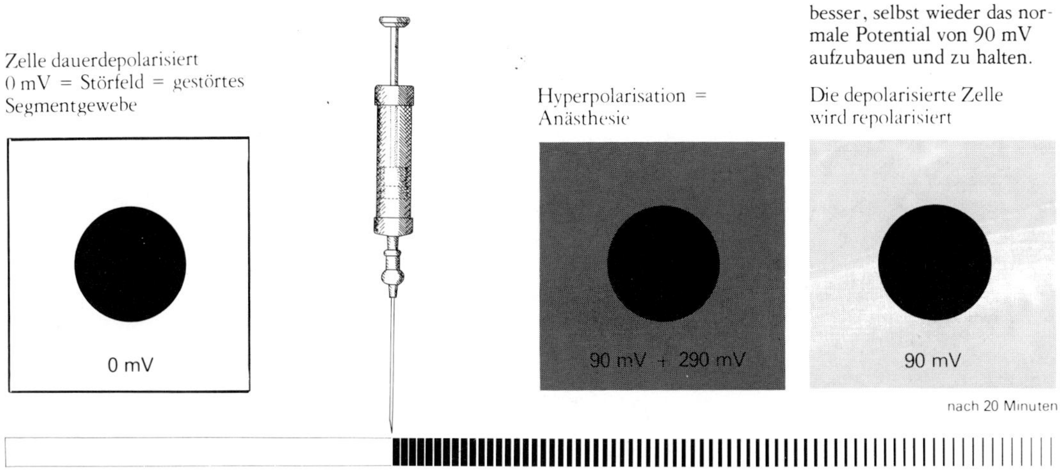

Zelle dauerdepolarisiert
0 mV = Störfeld = gestörtes Segmentgewebe

0 mV

Hyperpolarisation = Anästhesie

90 mV + 290 mV

Die depolarisierte Zelle wird repolarisiert

90 mV

nach 20 Minuten

Abb. 3: Wirkungsunterschied zwischen Anästhesie und Neuraltherapie mit Lokalanästhetika

der Lokalanästhesie zu verwenden. — Die Notwendigkeit, unsere Injektionen nach Abklingen der positiven Wirkung zu wiederholen, läßt den Schluß zu, daß die Zelle das zugeführte Potential zuerst nur eine gewisse Zeit halten kann. Mit jeder Wiederholung lernt sie dann besser, das erforderliche Potential selbst wieder aufzubauen und zu halten.

In nerval gestörtem Segmentgewebe und besonders im „Störfeld" haben wir also Zonen mit extremer Dauer-Depolarisation als Folge starker Reize oder anhaltender Reizsummation vor uns, die im Moment für den Körper nicht abbaufähig, also irreversibel sind. In diesem Zustand verhält sich die Zelle refraktär, sie beantwortet keine von außen kommenden Reize mehr und entzieht sich der laufenden Informationsübermittlung und teilweise auch der übergeordneten kortikalen Gesamtinformation. Trotzdem verhalten sich diese Zonen nicht stumm. Aus ihnen werden Salven unregelmäßiger Erregungsfrequenzen abgefeuert (THOMPSON, KIMBALL), die meines Erachtens nach die Eigenschaft haben, zu stören, wobei sie die erregungshemmenden und selektierenden Relais der Synapsen d u r c h s c h l a g e n. Normalerweise haben die Synapsen doch die Aufgabe, unterschwellige Einzelreize abzufiltern und nicht weiterzuleiten. Durch ihre Ventilfunktion wird eine gewisse Vorwahl unter den Reizimpulsen getroffen. D a s A u s f a l l e n d i e s e r S y n a p s e n f u n k t i o n f ü h r t z u e i n e r R e i z ü b e r s c h w e m m u n g. Die Störwellen aus gestörtem Gewebe oder Störfeldern übermitteln wahrscheinlich je nachdem, wie weit sie reichen, im Segment oder in höheren Zentren auch falsche Informationen. Als Folge kommt es zu Regulationsstörungen und im Enderfolg zu einer Störung im Gesamtmilieu des Organismus (PISCHINGER). Bleiben schwächere Störungen nur im Bereich der weitgehend autonomen Regelkreise mit neurovegetativen Regulationsfunktionen nur im Segmentbereich wirksam, entsteht beim Überschreiten einer Toleranzgrenze eine s e g m e n t g e b u n d e n e K r a n k h e i t, die wir mit gezielten Procain-Injektionen in die jeweils gestörten Segmentanteile behandeln müssen. Werden aber zerebrale Zentren durch noch stärkere, alle Synapsen durchschlagende und so ungefiltert eintreffende Erregungswellen gestört, entsteht eine F e r n s t ö r u n g s k r a n k h e i t. Aus naheliegenden Gründen tritt eine solche dort in Erscheinung, wo das Milieu ererbt oder erworben schwacher und daher störanfälliger Organe, Gewebe oder Regelkreise besonders leicht durch zusätzliche Regulationsbehinderungen aus dem gesunden Gleichgewicht geworfen werden. Eine solche Krankheit kann nur durch das Auslöschen des Störsenders im Störfeld über das Huneke-Phänomen oder durch operative Entfernung des Störherdes geheilt werden. Die Stärke und Dauer des pathogenen Potentialgefälles gegenüber der Norm und die Störanfälligkeit der Gewebe und Organe bestimmen also meiner Meinung nach, ob und wo eine funktionelle oder organische Krankheit auftritt, ob sie im Segment verankert bleibt, sich im gleichen Körperviertel oder der Körperhälfte ausbreitet oder ob sie jede uns erkennbare areale Zuordnung überspringt und irgendwo im Körper manifest wird.

Schwerpunkte im Krankheitsgeschehen und der entgegengesetzten therapeutischen Procain-Wirkung sehe ich also in:

1. einerseits in den reizbedingten Vorgängen am Zellgrenzmembran-Potential, das heißt Depolarisation durch überwertige Reize und andererseits bei der Therapie in der Repolarisation mit Hilfe des *Procains.*

    Durchlöchert man experimentell eine Zellmembran, kann der Ionenaustausch dieser Zelle vom umgebenden Milieu nicht mehr kontrolliert werden. Die benachbarten Zellen brechen dann sofort ihren (Membranleitungs-)Kontakt zu dieser „kranken" Zelle ab. Sie isolieren sich gleichsam, um sich gegen deren schädliche Einflüsse zu schützen. *Procain* kann sich als grenzflächenaktive Substanz an den Grenzflächen anlagern, diese abdichten und repolarisieren. Damit wird der Kontakt zu der Zelle wiederhergestellt.

2. der dadurch ausgelösten Reizbildung und der Reizleitung auf den Bahnen des neurovegetativen Systems und der dabei erfolgenden negativen bzw. positiven Einwirkung auf die Regulationsmechanismen dieses Systems. Das Leben ist an bioelektrische Vorgänge gebunden. Sympathikus und

Parasympathikus lösen sich zwar zuletzt in einem gemeinsamen Grundplexus auf und endigen im mesenchymalen Bindegewebe. Die e l e k t r i s c h e n Impulse werden dann mit Hilfe besonderer c h e m i s c h e r Überträgersubstanzen (Noradrenalin, Azetylcholin usw.) auf spezielle Rezeptoren übertragen. Aber auch das unterliegt zweifellos der bioelektrischen, nervalen Regie und Steuerung.

3. dem reizbedingten Ausfall der selektierenden Relais- und Ventilwirkung der Synapsen und der nachfolgenden Reizüberflutung und schließlich Erschöpfung bis hinauf zur Formatio reticularis und wieder entgegengesetzt: Der Restaurierung der Synapsen-Funktion und Beseitigung pathologischer Ephapsen mit Hilfe des *Procains*. Es bringt Energie in die Kraftwerke der Synapsen und befähigt sie, verlorengegangene Funktionen in der Energieverteilung wieder aufzunehmen. Die kybernetische Verflechtung physikalischer und chemischer Reaktionen in den Synapsen und im Zelle-Milieu-System (PISCHINGER) bedeutet eine raffinierte Maßnahme des Organismus zur Doppelsicherung regulatorischer Funktionen in der Peripherie mit dem Ziel, das bioelektrische Potential aufrechtzuerhalten. In diese lebenswichtigen Vorgänge können wir uns aktiv einschalten.

Was WEDELL für den verletzten Nerven fand, sollte auch für das Störfeld mit den reizgeschädigten, depolarisierten Zellen zutreffen: Er wies bei Ableitung von Nervenreaktionsströmen proximal der Verletzung Erregungssalven nach, die sich durch eine besondere Durchschlagskraft und Ausbreitungstendenz auszeichneten. Für uns ist besonders interessant, daß sich im Bereich verletzter Nerven auch pathologische Synapsen, sogenannte E p h a p s e n, bilden können. Sie haben alle Eigenschaften, die wir für eine Störfeldtätigkeit voraussetzen. Sie können nämlich zu einer pathologischen Erregungsübertragung zwischen den sonst so gut isolierten Nervenfasern führen. Es kommt also mit anderen Worten außerhalb der normalen Synapsen zu einem Kurzschließen von Nervenleitungen und der Übertragung von Informationen und unmodulierten Reizimpulsen auf falsche Leitungen. Ein solches ephaptisches Reizüberspringen an Verletzungsstellen ist für marklose (ARVANITAKI, JASPER und MONNIER, KATZ und SCHMIDT), aber auch von markhaltigen auf marklose vegetative Fasern (GRANIT und Mitarbeiter) experimentell nachgewiesen.

Die starken Verletzungsentladungen werden offenbar an der Ephapse von den empfindlicheren A- und B-Fasern auf die gerade gegen *Procain* empfindlicheren C-Fasern abgedrängt. Sie lösen dann im Hinterhorn-Komplex des Rückenmarkes einen Reizzustand aus, indem sie zu einer primitiven rhythmischen Erregungstätigkeit führen. Hier, wo sich Hemmung, Bahnung und Summation abspielen, können immer mehr Funktionssysteme in den pathologischen Reizzustand einbezogen werden. So findet auch die Reizausbreitung, die uns bei längerdauernden Störfeldkrankheiten immer wieder begegnet, eine plausible Erklärung. ERBSLÖH schreibt: „Dem entspricht eine stufenweise aufsteigende Verlagerung des Schwerpunktes der abnormen Erregungsbildung vom Niveau des peripheren Schadensortes in die Schaltzellapparate des Rückenmarks und weiter bis in die intermediären Neuronensysteme im Gebiet des Thalamus. Die körperabschnittsweise, halbseitige oder bilateral generalisierte Hyperpathie scheint schließlich unabhängig vom rarefizierenden Prozeß als dem ursprünglichen Fokus weiterbestehen zu können."

Uns zeigt die Praxis, daß wir im Huneke-Phänomen solche pathogenen Kurzschluß-Synapsen (Ephapsen) beseitigen können. Damit auch alle von ihnen verschuldeten Fehlinformationen und Reizzustände mit den Fernstörungen im gesamten vegetativen Grundsystem.

4. einerseits in der Störanfälligkeit, andererseits in der Resistenzsteigerung und Reaktivierung von Zellen, Geweben und Organen und deren voneinander abhängigen Funktionen.

Diese Theorie von der Entstehung vieler Krankheiten baut auf den Erfolgen der Praxis auf und läßt sich überraschend oft auf neue Gebiete ausdehnen: So sehe ich in der Wirkung n e u r o t r o p e r T o x i n e eine reine Störfeld-Wirkung. Die von der primären Eintrittsstelle ausgehenden Störimpulse werden nerval fortgeleitet, durchschlagen alle Synapsen und reizen überstark zerebrale Zentren. Für mich ist die „Giftwirkung" hauptsächlich eine Folge der überschießenden Reizantwort. Die Heilungen von — (K) — Schlangenbissen und — (K) — Tetanus auf rechtzeitige Behandlung der Eintrittspforte mit *Procain* scheinen mir recht zu geben. — SIEGEN zeigte uns, daß man mit *Procain* am Primärreiz zuverlässig den a l l e r g i s c h e n Gewebstod im Shwartzman-Sanarelli-Modell verhindern kann, daß auch die Antigen-Antikörper-Reaktion nervalgesteuert abläuft und daß dabei mitbeteiligte Störimpulse mit *Procain* am nervalen Störfeld gelöscht werden können. Das Problem der Organ-Transplantationen wurde chirurgisch-technisch gelöst. Nur verhindert das Engagement der zellulären, humero-hormonellen und neurovegetativen Abwehrmechanismen gegen das individualfremde Transplantat immer noch den erhofften Erfolg. Die zu einseitig humero-seral ausgerichtete Immuntherapie hat das anaphylaktische Geschehen nicht in den Griff bekommen können. Für SIEGEN bildet das verpflanzte Organ ein klassisches Störfeld mit negativem Einfluß auf die immunologischen Abläufe, die ja immer auch eine teilweise sogar dominierende nervale Komponente haben. Diese ist mit der richtig lokalisierten Procain-Injektion entscheidend beeinflußbar. Nur unter Berücksichtigung der Gesetzmäßigkeiten, die uns das Huneke-Phänomen lehrte, kann nach SIEGEN eine immunologische Angleichung von Spender- und Empfänger-Organismus erreicht werden, die die Voraussetzung für dauerhaft funktionstüchtige Transplantate ist. — Daß eine Procain-Injektion nie vereitert, beweist mir, daß das procaingeschützte, wieder normal aufgeladene Gewebe einfach keine I n f e k t i o n und — (K) — E n t z ü n d u n g zuläßt. — Ich bin ebenso überzeugt, daß sich noch erweisen wird, daß auch das Abgleiten in die Gewebs-Autarkie bei der — (K) — K r e b s entstehung immer nur störfeldbegünstigt zustande kommen kann.

Mit dieser Arbeitshypothese erklärt sich auch die breite Indikationsskala der Procain-Therapie: Wir können sie überall dort einsetzen, wo pathologische Potentialdifferenzen über neurovegetative Dysregulationen zu Krankheiten führten. Ein weites Feld mit vielen diagnostischen und therapeutischen Möglichkeiten, aber natürlich auch mit Grenzen. Diese Überlegungen sind das Ergebnis von Erfahrungen und Experimenten, die für uns teilweise ein Umdenken erfordern. F. HUNEKE nannte sein erstes Buch „Krankheit und Heilung — anders gesehen". Er meinte damit deren Betrachtung unter neuralmedizinischen Aspekten, die uns ja tatsächlich auch neue Wege in der Therapie eröffnet hat.

Meine Theorie kann durch eine Beobachtung von DESCOMPS untermauert werden: DESCOMPS anästhesierte bei 830 Allergikern mit erstaunlichem Erfolg das Ggl. cervicale sup. und die Regio retrostyloidea und überprüfte die Reaktionen im EEG. Er fand, daß bei $^2/_3$ der allergisch reagierenden Patienten im Zustand der Ruhe bei geschlossenen Augen keine Alphawellen auftraten, daß sie sich also ständig in einem Zustand erhöhter Erregung und des Hellwachseins befanden. Nach Anästhesie des oberen sympathischen Halsganglions traten sofort wieder Alphawellen auf, was als Zeichen der zentralen Entspannung und einer verringerten kortikalen Aktivität zu werten ist. Das läßt den Schluß zu, daß der Formatio reticularis und der Hirnrinde nach der Anästhesie des genannten — (T) — Grenzstrang-Ganglions nicht mehr eine Überzahl afferenter vegetativer und sensorischer Reize zugeführt wurden, die sie vorher irritierten und überlasteten. Die Formatio reticularis hat ja die Aufgabe, alle von der Peripherie ankommenden Erregungen und Informationen zu sichten und zu ordnen und daraufhin die Regulationsmechanismen so zu koordinieren, daß sich der Organismus laufend der jeweiligen inneren und äußeren Milieusituation anpassen kann. Ist diese wichtige Kontrollstelle durch ein Zuviel an ungefiltert einlaufenden Informationen überfordert, können Störungen in den Abstimmungen der verschiedenen neurovegetativen Regulationen eintreten. Statt zu dämpfen, kann sie dann wie ein Verstärker wirken. Daß eine richtig lokalisierte Anästhesie hilft, diese Entgleisungen schnell wieder einzuregulieren, wies DESCOMPS an eindrucksvollen hormonalen, humoralen und nervalen Reaktionen nach.

7. Das weiche Bindegewebe und das Störfeld

> *Exakte Wissenschaft und ärztliche Kunst stehen sich nicht feindselig gegenüber, der ausschließliche Sieg wird keiner von ihnen beschieden sein. Das Ideal bleibt ihre harmonische Verbindung.*
>
> DONZELLINI

In den letzten Jahren hat sich in Wien unter Beteiligung des Neuraltherapeuten F. HOPFER ein Forscherteam zusammengefunden, das sich unter anderem die Aufgabe gestellt hat, die Phänomene der Akupunktur und der Neuraltherapie nach HUNEKE wissenschaftlich zu ergründen und zu deuten.

Professor PISCHINGER vertritt die Ansicht, daß die Bedeutung des Neurovegetativums beim Herdgeschehen (SCHEIDT, SIEGMUND) auf Kosten des humoralen „Zelle-Milieu-Systems" (PISCHINGER) überschätzt wird. Der Physiologe versteht unter „vegetativ" nur die Wirkung des autonomen Nervensystems auf die unwillkürlichen Muskeln und Drüsen. Selbst, wenn man mit F. HOFF die mittelbare Beeinflussung des endokrinen Systems und alle anderen regulatorischen Leistungen mit einbezöge, reiche das nicht aus, das Herdgeschehen restlos zu erklären.

Unter „Herd" will PISCHINGER chronisch veränderte Gewebsbezirke verstanden wissen, die Fernstörungen allgemeiner und lokaler Art verursachen. Alle Krankheiten — außer den infektiös-septischen — können seiner Ansicht nach durch „Herde" verursacht oder ihre Heilung durch sie verhindert werden. Gegen diese Definition haben wir nur zwei Einwendungen: Einmal nehmen wir an, daß auch die — (K) — Infektionen und die — (K) — Sepsis nur auf Grund störfeldbedingter oder zumindest störfeldbegünstigter Potentialverschiebungen angehen und ablaufen können. Zweitens halten wir PISCHINGERS Ausdehnen des Begriffes „Herd" auch auf das „Störfeld" für geeignet, Verwirrungen zu stiften. W. SCHEIDT wollte den Begriff „Herd" nur noch auf diejenigen örtlich beschränkten subakuten Entzündungsprozesse angewendet wissen, die als Erregungs s t r e u herde einwandfrei nachzuweisen sind. Er schlug vor, von einem „Störungsfeld" zu sprechen, wenn ein Gebiet (primär oder sekundär!) vegetativ gestört wird. Da das Wort aber doppelsinnig ist und nicht zwischen störendem und gestörtem Feld unterscheiden kann, schlug W. HUNEKE vor, nur noch den Begriff „Störfeld" zu benutzen, wenn ein pathologisch veränderter Gewebsbezirk a u f n e r v a l e m W e g e stört, also eine Fernstörungskrankheit macht. Wir verwenden bewußt nur noch den Begriff Störfeld für das wesentlich häufiger vorkommende neurale pathogene Geschehen, um der nun einmal eingeschliffenen Gedankenverbindung einer Abhängigkeit des „Herdes" von Bakterien und Toxinen auszuweichen. Zähne und Tonsillen können zum Beispiel zu einem bakteriellen Fokus werden, der auf dem Blutweg „streuen" kann. Zweifellos werden sie aber wesentlich häufiger auf nervalem Wege zu Störfeldern, wenn sie im Sinne einer Krankheitsursache aktiv werden. Bei der äußerlich meist völlig „reizlos" erscheinenden, tatsächlich aber fernstörenden Narbe haben wir mit Sicherheit nie einen bakteriell streuenden Herd, dafür aber ein nervales Störfeld vor uns. Nach ESSEN trifft der Herdbegriff streng genommen nur für das akute rheumatische Fieber und die akute diffuse hämorrhagische Glomerulonephritis zu. — Der Pathologe SIEGMUND setzte am Kaninchenohr eine umschriebene Erfrierung. Das löste am Ort der Läsion, aber auch an entfernten Körperstellen Permeabilitäts-Veränderungen und Störungen der Trophik aus, die ihrerseits wieder zur Ursache für Krankheitsvorgänge werden konnten. Da hierfür weder Bakterien, noch Toxine oder Allergene verantwortlich gemacht werden konnten, mußte der Fokusbegriff neu überdacht werden. Die Deutsche Arbeitsgemeinschaft für Herdforschung formulierte den Herdbegriff 1960 nun so:

„Unter einem Fokus sind alle abwegigen lokalen Veränderungen im Organismus zu verstehen, welche über ihre nächste Umgebung hinaus pathologische Fernwirkungen auszulösen vermögen." Das ist ein Einschwenken auf unsere Auffassung, weil damit auch das vegetative Nervensystem als Übertragungsweg mit einbezogen wird. Uns wäre allerdings um der Klarheit willen lieber, wenn man weiterhin den „Herd" als Streuherd im alten Sinne vom „Störfeld" als nervalem Reizzentrum abtrennen würde, um nomenklaturbedingten Mißverständnissen vorzubeugen. So muß vor jedem Gespräch erst geklärt werden, was der andere unter „Herd" verstanden wissen will. Für ALTMANN bleibt auch 1973 noch die Sensibilisierung das Kernstück der Fokallehre: „Herd ist, was sensibilisierungsfähige Stoffe hervorbringt." SIEGEN bewies uns aber mit der Möglichkeit, das Shwartzman-Sanarelli-Phänomen mit *Procain* zu unterdrücken, daß auch die Sensibilisierungs-Vorgänge einer nervalen Steuerung unterliegen.

Der Herd im Sinne PISCHINGERS hat zwei Möglichkeiten, sich störend auf den Organismus auszuwirken: Den n e r v a l e n und den h u m o r a l e n Weg. PISCHINGER lehnt das Neurovegetativum als den a l l e i n i g e n Träger des Herdgeschehens ab. Wenn man die vegetativen Nerven nach der Peripherie hin verfolgt, verlieren sich die postganglionären Fasern in einem weitmaschigen Netz synzitial verbundener Zellen, dem sogenannten Leitplasmodium. In diesem Netz, das man als die vegetativ nervöse Endformation bezeichnet, gibt es keine Differenzierung zwischen sympathischen und parasympathischen Anteilen mehr. Noch erstaunlicher ist, daß man trotz vieler Bemühungen keine direkten Verbindungen zwischen dieser Endformation und den Organzellen nachweisen konnte, auch nicht mit Hilfe der Elektronenmikroskopie. Dafür umgibt das unspezifische weiche „a k t i v e" Bindegewebe (aus embryonalem Mesenchym, RHS, Lymphgewebe und lockerem interstitiellem Gewebe bestehend; auch Grundgewebe oder interstitielles Grundsystem genannt) in Verbindung mit der I n t e r z e l l u l a r f l ü s s i g k e i t alle Organzellen. B e i d e z u s a m m e n b i l d e n d a s s o g e n a n n t e „M i l i e u". Es findet sich im ganzen Körper verteilt und ist zwischen spezifischer Organzelle, Kapillare und vegetativem Endnetz zwischengeschaltet. Dabei ist es aber alles andere, als nur ein stummes Füllmaterial. Vielmehr erfüllt es sehr wesentliche regulatorische Aufgaben in bioelektrischen Bereichen, die für die Funktionen des Gesamtorganismus, aber auch für die Störfeldwirkung und die neuraltherapeutische Heilwirkung große Bedeutung haben.

In diesem „Zelle-Milieu-System" spielen sich nach PISCHINGER primär alle Regulationen ab, die das Leben ermöglichen. Als Träger des Sauerstoff-, Wasser- und Ionen-Haushaltes schafft das vegetative Grundsystem die Energie und alle anderen lebensnotwendigen Bedingungen für die Organzelle. Alle von außen kommenden Reize müssen erst das Grundgewebe passieren, bevor sie die Organzelle erreichen. Die vegetativen Fasern haben, wie wir hörten, keine synaptischen Verbindungen zu den Parenchymzellen. Um auf sie einzuwirken, bilden sie Mediatstoffe (zum Beispiel *Azetylcholin, Katecholamine*), die immer erst die interzelluläre Flüssigkeit passieren müssen. Dabei können sie von ihr kontrolliert und durch Depolarisation und Repolarisation des Milieus beeinflußt werden. Zelle und umgebendes Milieu stehen miteinander in einer regulierenden Wechselwirkung, das heißt, sie reagieren auf physikochemische Änderungen, die sie ihrerseits beeinflussen können (KELLNER). Die nervalen, humoralen, hormonalen und zellulären Regulationskreise wirken im Sinne eines vermaschten Regelsystems ineinander, um den Energiestoffwechsel mit dem oxyreduktiven Potential (Depolarisation und Repolarisation) im Mittelpunkt sicherzustellen. Wenn die lokale Regulationskraft durch eine starke Belastung in einem Punkt des Systems überfordert ist, reagieren die anderen Regelkreise entsprechend mit. Das energetische Potential und das physikochemische Milieu, von dem alle Lebensfunktionen abhängen, müssen unbedingt erhalten bleiben. — Das aktive Bindegewebe ist nach PISCHINGER auch der Sitz einer jeden Entzündung, auch des Herdes und des Störfeldes und ebenso der Ort, wo es sich unmittelbar regulationsstörend und -behindernd auswirkt. Ist das Milieu gestört, leidet zwangsläufig die Funktion des Organs darunter. Solche Gewebsverändrungen sind gleichbedeutend mit Veränderungen im Gewebspotential, die ihrerseits das ganze indifferente vegetative System in Mitleidenschaft ziehen. Injiziert man in ein Depolarisationszentrum das hochoxydative *Impletol,* das ein Potential von etwa + 290 mV aufweist, so wird das Vegetativum normalisiert. So kann man gleichermaßen die weitreichenden Störfeldmöglichkeiten, wie die ebenso weitreichende Impletolwirkung in entgegengesetzter Richtung erklären.

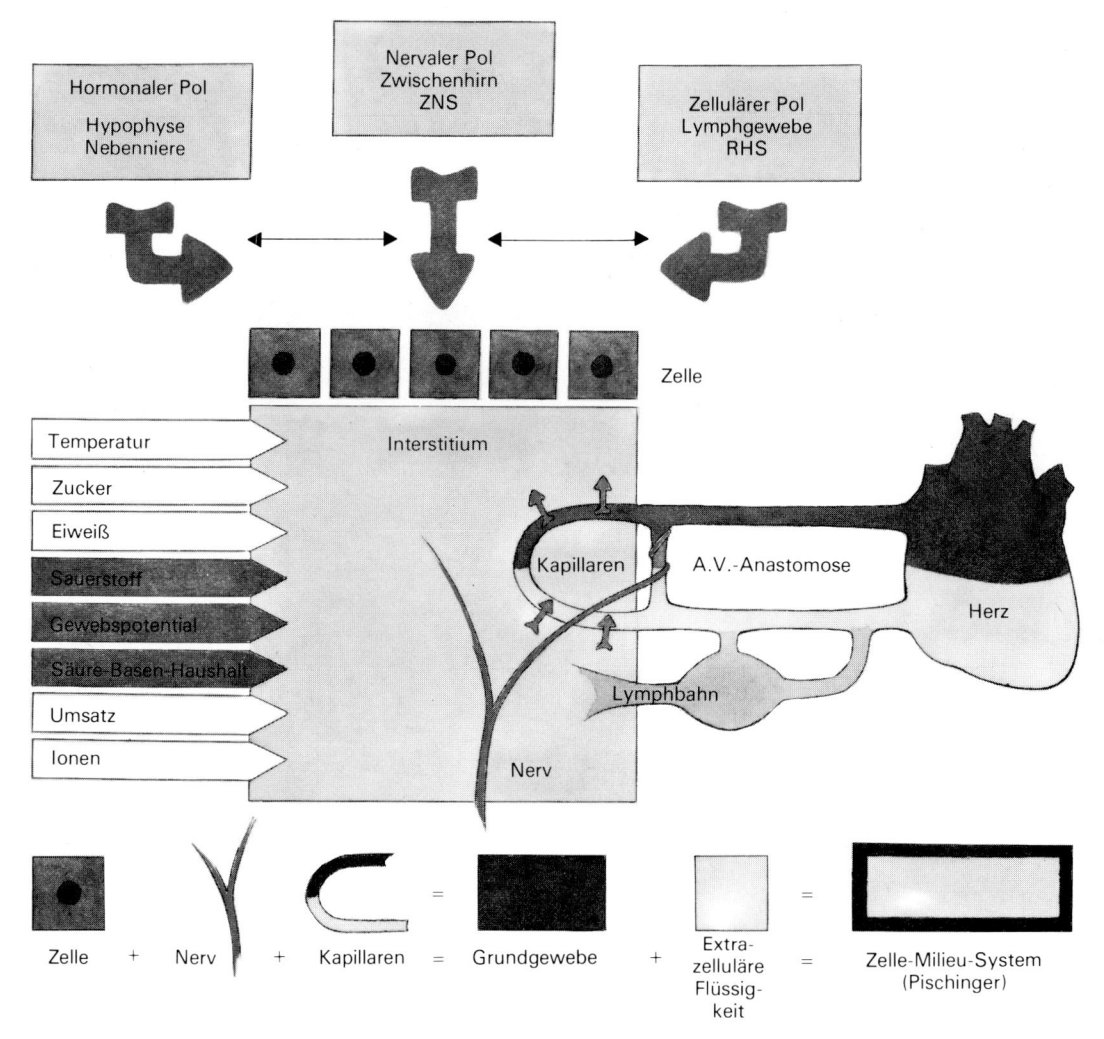

Abb. 4: Das vegetative Grundsystem (Zelle-Milieu-System) nach PISCHINGER: Die Beziehungen des Grundsystems (Bindegewebszelle + Nerv + Kapillare + extrazelluläre Flüssigkeit) zu den Parenchymzellen, zu Blut- und Lymphsystem werden schematisch dargestellt. Ebenso seine Stellung im gesamten Organismus mit den Beziehungen zu den bekanntesten zentralen Regulationspolen (hormonaler, nervaler und zellulärer Pol). Das Grundregulationssystem stellt ein kybernetisches bioelektrisch-energetisches System dar, in dessen Mittelpunkt das oxyreduktive Potential steht. Von ihm hängt der Sauerstoff- und Säure-Basenhaushalt ab und erst davon alle weiteren bekannten Funktionen.

Wenn die Funktionen des weichen Bindegewebes durch Herde oder Störfelder behindert werden, wird das Abwehrsystem dauernd belastet und die Abwehrlage des Organismus dadurch laufend verschlechtert. Solange das noch irgendwie kompensiert werden kann, ist der Körper nach außen hin noch gesund. Wenn der negative Einfluß des Herdes beziehungsweise Störfeldes auf das vegetative Grundsystem und damit auf den Gesamtorganismus aber erst einmal die Toleranzgrenze überschreitet, werden Beschwerden oder objektive pathologische Veränderungen erst gebahnt und schließlich bedingt. Ist die Toleranzgrenze eines Organs durch früher durchgemachte Erkrankungen oder ererbte Organdisposition schon vorher verringert, treten an ihm naturgemäß die krankhaften Erscheinungen um so eher auf. Das erklärt die Tatsache, daß ein und dasselbe Störfeld, zum Beispiel chronisch entzündete Tonsillen, einmal noch keine, ein andermal nur funktionelle und dann wieder so schwerwiegende organische Störungen und Veränderungen an den verschiedensten Organen auslösen kann.

Jede Zelle und jedes Organ benötigt zum normalen Arbeiten sein bestimmtes oxyreduktives oder besser gesagt energetisches Eigenpotential. Die Potentiale beeinflussen das vegetative Bindegewebe und das Blut, aber auch sich gegenseitig. Aus einer Skizze (nach STACHER) ist die Hypothese der Reaktion des Milieus auf einen Reiz bei gesunden (Abb. 5) und herd- bzw. störfeldbelasteten (Abb. 6 und 7) Personen zu ersehen.

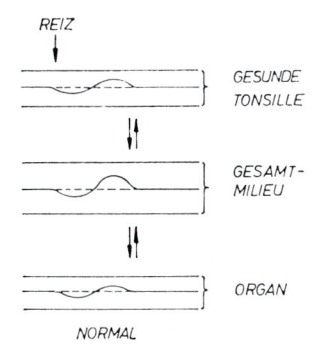

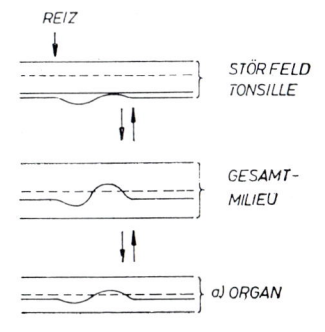

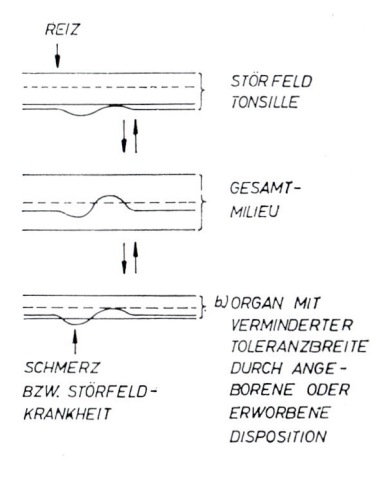

Abb. 5: Oben sieht man als Beispiel eine gesunde Tonsille, in der Mitte das Gesamtmilieu und unten irgendein Organ. Die Grenzen bedeuten die normale Regulations- bzw. Toleranzbreite, in deren Bereich keine Schädigung auftritt. Die Summe aller endogenen energetischen Einflüsse, gleichgültig woher sie stammen, ergibt das meßbare Potential. Im Idealfall steht es in der Mitte der Regulationsbreite (gestrichelte Linie). Wird der Organismus durch einen exogenen Reiz (zum Beispiel starken Witterungsumschlag) getroffen, ändert sich das Gesamtmilieu und die Gegenregulation setzt ein. Wenn diese abgeklungen ist, ist der vorherige Zustand wiederhergestellt. Das Milieu der Organe macht diese Schwankungen mit.

Abb. 6: Die chronisch entzündete Tonsille mit Störfeld- bzw. Herdcharakter ist in ihrer Regulation blockiert, ihr Milieu liegt außerhalb der normalen Toleranzgrenze. Sie kann von außen kommende Reize (zum Beispiel Viren oder Bakterien) nicht mehr abwehren. Das Gesamtmilieu wird dadurch mitverändert, entsprechend seinem eigenen Beharrungsvermögen zwar weniger; es liegt aber dann auch nicht mehr auf dem idealen Mittel: Der Organismus wird durch die Aufgabe, die negative Störwirkung der Tonsillen laufend auszugleichen, belastet. Auch bei dem Organ (a) ist das Milieu infolge der Tonsillen-Störfeldwirkung nicht mehr im Idealzustand. Wird der so vorbelastete Organismus durch einen Reiz getroffen, treten die gleichen Schwankungen auf, wie bei Abb. 5, nur spielt sich hier alles viel näher an der Toleranzgrenze ab als beim Normalen.

Abb. 7: Ist das Organ noch zusätzlich durch ererbte Disposition oder durch Vorkrankheiten in seiner Toleranzbreite vermindert, wird die Grenze überschritten und die funktionelle oder organische störfeldbedingte Krankheit tritt in Erscheinung.

<u>Zusammenfassung:</u> Störfeld beziehungsweise Herd bewirken eine Änderung des Milieus und damit der Reaktionslage einzelner Organe wie des Gesamtorganismus. Bei entsprechender ererbter oder erworbener Organdisposition resultiert daraus die störfeld- beziehungsweise herdbedingte Krankheit.

Störfeldbedingte Änderungen im vegetativen Grundsystem lassen sich an — (K) — Blutbildveränderungen ablesen. Das Blutbild ist immer ein zuverlässiger Spiegel der gesamten Milieusituation. Meist finden wir bei Störfeld- oder Herdeinwirkung eine Granulozytopenie mit relativer Lymphozytose. Nach Beseitigung des Störfeldes im Huneke-Phänomen oder nach der Herdsanierung bilden sich alle pathologischen Blutbildveränderungen überraschend schnell wieder zurück. So konnte PISCHINGER das Huneke-Phänomen einwandfrei objektivieren. Er machte in F. HUNEKES Praxis Blutausstriche von Patienten vor und nach Auslösen eines Sekunden-Phänomens. Die nervale Heilreaktion läuft dabei ja blitzartig ab. Bis die humorale Reaktion nach der tiefgreifenden Umstimmung und Wiederherstellung des normalen elektrischen Potentials des Blutes ablesbar wird, vergehen auch nur 7—10 Minuten! Dann lassen sich je nach der Ausgangs- und Reaktionslage signifikante Änderungen in den Regulationsbereichen der weißen Blutzellen nachweisen. So strebten in einem Falle die Neutrophilen den Normwerten zu. Das Ansteigen der Monozyten zeigte das Mitreagieren des retikulo-histiozytären Systems. Die Lymphozytenzahlen blieben unverändert, aber die Reizformen nahmen zugunsten kleiner gesunder Lymphozyten ab. PISCHINGER schreibt über das Huneke-Phänomen: „Die Normalisierung der Grundfunktion mit dem bioelektrischen (oxyreduktiven) Potential im Mittelpunkt und allen seinen Folgen im Blut und Gewebe muß auch zur Restitution der spezifischen, eventuell organgebundenen Funktionen an den erkrankten Puncta majoris reactionis führen, natürlich soweit dies anatomisch möglich ist." — Die Bedenken der Schulmedizin, es könnte sich beim Sekunden-Phänomen lediglich um eine Suggestivwirkung handeln, sind durch die Ergebnisse der Forschungen PISCHINGERS weitgehend gegenstandslos geworden. Der von HUNEKE immer wieder geforderte objektive Beweis scheint durch PISCHINGER erbracht worden zu sein. Damit kann die Anerkennung des Huneke-Phänomens jetzt nur noch eine Frage der Zeit sein.

Bei den Blutbild-Untersuchungen fiel auf, daß schon der geringfügige Reiz des Nadelstiches zur Blutentnahme durch Haut und Venenwand genügte, um bei den Patienten ganz verschiedene Blutbildreaktionen auszulösen: Einmal kam es zu starken Leukozytenreaktionen, dann wieder zu keinen oder gar entgegengesetzten Blutbildbewegungen. Um die erst überschießende Reaktion und das nachfolgende Auspendeln im korrigierten Milieu zu erfassen, wurden immer die Werte von drei Blutentnahmen (nach 0,60 und 180 Minuten) miteinander verglichen. Um einen gleichbleibenden Reiz zu setzen und deutlichere Blutbildveränderungen zu erhalten, gingen PISCHINGER und KELLNER dazu über, nach der ersten Blutentnahme subkutan beiderseits je 0,5 ml *Elpimed* zu injizieren.

Der Elpimed-Test (KELLNER, PERGER, PISCHINGER, STACHER): *Elpimed* ist ein wasserlöslicher, eiweiß- und fettfreier Extrakt aus dem Serum gezielt vorbehandelter Pferde. Es enthält in hochmolekularen, ungesättigten Fettsäuren native Wirkstoffe von hoher biologischer Aktivität. Es sind Stoffe, die Sauerstoff, Wasserstoff und elementares Jod anlagern können. Mit anderen Worten: Sie sind oxydierbar und reduzierbar und besitzen ein meßbares Potential. Im Blut gesunder Menschen und Tiere sind sie in konstanter Form enthalten, bei Kranken mit reduzierter Abwehrkraft jedoch deutlich vermindert. Wie wir hörten, hängen Reaktionsfähigkeit und Abwehrbereitschaft des Körpers vom Zustand seines Mesenchyms ab, das der Organzelle überall vorgeschaltet ist. *Elpimed* intensiviert das weiche Bindegewebe und aktiviert die undifferenzierten Organfunktionen und damit die nervalen, humoralen und zellulären Bereiche des Regulationssystems. Die endogene Zellatmung wird durch ihren oxyreduktiven Charakter nachweisbar erhöht, das heißt, die lebenswichtige Regulierung des Sauerstoff-Stoffwechsels in Zellen und Geweben wird angeregt. Die Steigerung der Abwehrkraft des gesamten Organismus drückt sich im Blutbild in einem Monozytenanstieg und Lymphozytenabsturz aus. Die Aktivierung kann so weit gehen, daß eine allgemeine Blockierung der Abwehrregulation durchbrochen und die Regulationslage des Vegetativums wiederhergestellt werden kann.

Jede Belastung, die eine gewisse Toleranzgrenze überschreitet, löst im vegetativen Abwehrsystem als Abwehrmaßnahme eine Schockreaktion aus. Dabei ist gleichgültig, ob es sich um einen überwertigen chemischen, physikalischen, bakteriellen oder psychischen Reiz handelt. SELYE betrachtete die dabei auftretenden unspezifischen Reaktionen von der hormonellen Seite her (Adaptionssyndrom), F. HOFF von der vegetativ-nervalen Seite (System der vegetativen Gesamtumschaltung). Danach reagiert das Vegetativum auf jede Überlastung nach SELYE in der Alarmreaktion erst mit einer Schock- und dann mit einer Gegenschockphase. Nach F. HOFF mit einer 1. (sympathikotonen) und 2. (parasympathikotonen) Phase der Gesamtumschaltung. Die Schockphase löst im Blut einen Eosinophilensturz um rund 50 % aus, das Kalzium und Cholesterin sinken bis zur oder unter die normale Grenze, während das Magnesium ansteigt. *Elpimed* wirkt gerade entgegengesetzt und somit wie ein körpereigener Antischockstoff (PERGER). Es erhöht den Ca- und Cholesterin- und senkt den Mg-Spiegel. Mit ihm kann man also die Gegenschockphase, beziehungsweise die 2. Phase der vegetativen Gesamtumschaltung, medikamentös auslösen. Das kann vor allem dann von Nutzen sein, wenn sich der Schockzustand nach Aufhören der auslösenden Wirkung nicht wieder von selbst zurückbildet.

Es war kein Zweifel, daß die unterschiedlichen Reaktionen auf den Nadelstich und den Elpimed-Test mit der Abwehrlage und Reaktionsfähigkeit des Untersuchten zusammenhängen mußten und daß damit eine Möglichkeit erschlossen war, die Reaktionslage des Patienten aus den Blutbildveränderungen zu erfassen. Beim Testen wird ein Mehrreiz gesetzt, der beim vorbelasteten Organismus eine Reaktion auslöst, die das zelluläre System, das Gefäßsystem und das Vegetativum einzeln oder gemeinsam zu einer Aussage zwingen. Am Anfang der Blutbilduntersuchungen gab es eine Reihe unerklärlicher Werte, die erst verständlich wurden, als BERGSMANN darauf aufmerksam machte, daß die Leukozytenwerte aus der rechten und linken Fingerbeere bei einseitigen Lungenprozessen Seitendifferenzen bis zu 3 000 Zellen aufweisen können. Störfeld- und Herderkrankungen treten häufig nur einseitig auf und führen dann zu einer h u m o r a l e n A s y m m e t r i e. BERGSMANN behandelte einen Patienten mit einem therapieresistenten Reizhusten und erzielte nach einer Tonsilleninjektion mit *Impletol* ein Huneke-Phänomen. Vor dieser Behandlung differierten die Leukozyten aus dem Blut der Fingerbeeren um 3 000 Zellen zwischen links und rechts, 135 Minuten danach war die zelluläre Asymmetrie ausgeglichen! Eine Kontrolle nach 24 Stunden erbrachte einen normalen Befund. — Demnach spielt sich die Dysregulation zuerst im Milieu am Ort der Erkrankung ab, dann im zugehörigen Segment beziehungsweise Körperquadranten und bei noch stärkerer Wirkung auf der gleichen Körperhälfte. Nur starke Störfelder, die von der Peripherie nicht mehr ausgeglichen werden können, führen zu einer Regulationsstarre im ganzen Körper und einer vegetativen Gesamtumschaltung im Sinne von F. HOFF. Bei einseitiger Regulationsstarre finden wir auf der Störfeldseite oft eine degenerative hyperergische und auf der Gegenseite als Ausgleich eine überschießende entzündliche oder allergische hyperergische Reaktion.

D. GROSS kam aufgrund experimenteller und klinischer Untersuchungen zu demselben Ergebnis: „Im gesunden Organismus besteht eine funktionelle Symmetrie, zum Beispiel der arteriellen Vasomotorik, aber auch der Hauttemperatur, der Schweißsekretion, der Trophik usw. Diese funktionelle Symmetrie kann von der Peripherie her über das Nervensystem zum Beispiel durch ein Trauma oder dessen Folgen, durch eine Narbe oder eine chronische Entzündung, anhaltend gestört werden. Die Anästhesie am ‚Reiz- und Irritationszentrum', am Ausgangspunkt der Störung, kann den Organismus in die Lage versetzen, seine funktionelle Symmetrie und damit die physiologische Norm seiner gestörten Funktionen wiederherzustellen." (Irritationszentrum = Störfeld.)

Die Jodometrie (PISCHINGER, KELLNER): Das einwandfreie Funktionieren der bioelektrischen Vorgänge ist an das Vorhandensein von Synapsen gebunden. Diese bestimmen, ob und in welcher Richtung Reize weitergeleitet werden. Nach PISCHINGER stellt das weiche aktive Bindegewebe eine ubiquitäre Synapse für vegetative Impulse dar. Die interzelluläre Flüssigkeit enthält vegetative Transmittersubstanzen. Es sind dreifach konjugierte ungesättigte Fettsäuren (Triene), die in der Lage sind, den vegetativen Zentren Änderungen im interstitiellen Milieu mitzuteilen. Die Trienmoleküle werden durch jede Milieuänderung mitbeeinflußt. Reizsituationen aktivieren sie offensichtlich. Bei normaler Belastung schwanken sie um individuell verschieden breite Mittelwerte. Bei akuten Erkrankungen und akuten Schüben chronischer Krankheiten kommt es zu erheblichen Ausschlägen um die Mittelwerte. Chronische Reize lassen die Kurve dagegen abflachen, im Extrem bis zur völligen Reaktionsstarre.

Auch der künstlich gesetzte Reiz aktiviert die Triene. Wie stark die Reaktion auf den Reiz ist, kann mit der Jodometrie kurvenmäßig erfaßt werden. Denn die Triene binden an ihren freien Valenzen auch molekulares Jod. Ihre Bindungskapazität kann also eine objektive Auskunft darüber geben, wie es jeweils um die Regulationsmöglichkeiten des Organismus bestellt ist.

D i e T e c h n i k : Zuerst stellt man aus dem Nüchternserum einen (eiweißfreien) Alkoholextrakt her. Dann bestimmt man mittels Titration, wieviel elementares Jod, in Eisessig gelöst, durch die Stoffe des Extraktes in ionales Jod umgewandelt beziehungsweise gebunden wird. Wenn man nun bilateral je 5 ml Blut entnimmt und wieder zwei weitere Blutproben nach 1 und 3 Stunden und die drei ermittelten Jodverbrauchswerte miteinander vergleicht, erhält man von jeder Seite drei meist voneinander verschiedene Werte. Der erste Wert schwankt dabei tageweise, was wohl auf die veränderliche Wetterbelastung zurückzuführen ist. Die Schwankungen in den zweiten und dritten Werten sind die Reizantwort des Interstitiums auf die in der Venenwand liegende Kanüle, die mit dem vegetativen Geflecht direkt in Berührung kommt. Die Mikrowunde zerstört und verdrängt Gewebe, wobei eine sehr große Zahl vegetativer Fibrillen in Mitleidenschaft gezogen wird. Sofort antwortet das gesamte Neurovegetativum auf diesen Reiz, etwas später werden dann das zelluläre und humorale System mit in das ausgleichende Regulierungsgeschehen einbezogen. Das Neurovegetativum gibt gleichsam den dafür zuständigen und dazu befähigten Zellen und Geweben den Auftrag, den Reiz mit energieliefernden Prozessen zu kompensieren.

Die Kurve der Jodverbrauchswerte gibt uns einen guten Einblick in die Reaktionslage des Organismus bei Belastung und deren Kompensation. Das Geschehen spielt sich ja nach PISCHINGER im Unspezifischen ab, im Grundsystem, wie er es nennt. Jede Belastung, ob chemisch, mechanisch, elektrisch, thermisch, akustisch, optisch usw. bewirkt immer wieder dieselbe Reaktion im Zellmilieu. Das Blutplasma ist das Zellmilieu für Erythrozyten und Leukozyten. In den redoxaktiven Bestandteilen des eiweißfreien Serums erfassen wir mit der Jodometrie gerade d i e Serumbestandteile, die bei der Reaktion auf Belastungen im vorgelagerten Interstitium die größten Veränderungen erfahren. Die humoral-vegetativen Grundreaktionen bewegen sich wie gesagt immer zwischen Depolarisation und Repolarisation. Wie sich dieser Wechsel vollzieht, scheint uns den Charakter der vegetativen Reaktionslage und Reaktionsweise widerzuspiegeln. Mit der Jodometrie gab uns PISCHINGER eine einfache und billige Methode, Potentialveränderungen zu messen, die der Messung mit dem Potentiometer ebenbürtig ist.

Die Jodometrie-Kurve zeigt bei jedem Patienten systematische Abweichungen von der Normalkurve nach oben oder unten. Die Normalkurve entspricht in etwa dem Kurvenverlauf bei der Streßreaktion nach SELYE. Je schwächer der Patient auf die Stichbelastung der Blutentnahme reagiert, desto stärker sind seine Regulations- und Abwehrfunktionen blockiert. Elpimed-Test und Jodometrie geben der Klinik die Möglichkeit, dem Körper einige ganz wesentliche Aussagen abzufordern. Man kann erst einmal feststellen, ob ein akutes oder chronisches Geschehen vorliegt, ob die Reaktion zeitlich mehr oder weniger verzögert abläuft und wie es um die Reaktionsbreite des Patienten steht, das heißt, ob eine überschießende, normale oder unterschwellige Reaktion oder gar eine totale Regulationsstarre (wie zum Beispiel beim Malignom) vorliegt. Durch Vergleich zwischen herdbelasteten und gesunden Partien kann der Sitz eines Störfeldes oder Herdes eingeengt werden: Haben wir beispielsweise ein Störfeld an der Appendix, zeigt der Elpimed-Test auf der gestörten und störenden rechten Seite neben der Asymmetrie des Basiswertes und des gesamten Reaktionsablaufes eine eingeschränkte Regulationsbreite, die aus dem Vergleich der (bei den 6 Blutentnahmen gewonnenen) Jodverbrauchswerte ablesbar ist. Die gesunde linke Seite zeigt dann einen normalen oder sogar übersteigerten Reaktionsablauf. In geeigneten Fällen kann man so den Sitz des Störfeldes durch weitere Blutentnahmen aus verschiedenen Körperquadranten ermitteln helfen. Weiter zeigt uns der Test, ob die Neuraltherapie oder eine Herdsanierung einen objektiven Erfolg hatte oder ob und wie lange noch eine Nachbehandlung erforderlich ist. Nach einem Huneke-Phänomen vergehen oft nur 30 Minuten, bis sich die Jodverbrauchswerte, die zellulären Blutbildveränderungen und die humorale Asymmetrie normalisieren, womit nicht nur dem überzeugten Neuraltherapeuten objektiv mit dem Beseitigen eines belastenden Reizzustandes eine Rückkehr zu normalen bioelektrischen Verhältnissen bewiesen wird!

Die Untersuchungen des Wiener Teams (FLEISCHHACKER, HOPFER, KELLNER, PISCHINGER, STACHER) bestätigten und erklärten darüber hinaus einige Beobachtungen, die wir in der Praxis der Neuraltherapie nach HUNEKE schon früher gemacht hatten:

1. Auch die physiologische Kochsalzlösung bewirkt nach der Injektion eine Reaktion im Blut, allerdings bei weitem keine so tiefgreifende, wie vergleichsweise das *Impletol*. Das RES reagiert beim Kochsalz nicht mit, auch das Potential und die Jodverbrauchswerte verändern sich nicht. Die Kochsalzlösung hat auch kein bestimmtes Potential, während das *Impletol* mit seinen +290 mV eine große oxydative Wirkung entfaltet! KRACMAR bestätigte mit Hilfe der „Vegetativen Elektro-Polarimetrie", daß die Polarisationskapazität des *Impletols* wesentlich größer ist, als die der physiologischen Kochsalzlösung. Vom elektrochemischen Standpunkt aus bedeutet dies einen erhöhten Ionengehalt und damit eine stärkere oxydative Wirkung.

2. Bei vergleichenden Untersuchungen der Reaktion auf die Impletol-Injektion einmal in den gynäkologischen Raum durch die Bauchdecken hindurch und dann transvaginal in den Frankenhäuserschen Plexus zeigten die Laboratoriumswerte deutliche Differenzen, die uns darauf hinweisen, daß es nicht gleichgültig ist, an welchem Teil des Regulationssystems unsere Injektionstherapie ansetzt.

3. Herdprovokationsmethoden (wie *Spenglersan, Subtivaccin* usw.) versagen, solange eine Reaktionsstarre besteht. Ein Ausbleiben der Reaktion auf eine Provokation besagt also nicht, daß kein Herd beziehungsweise Störfeld vorliegen kann. Erst wenn der Elpimed-Test die Wiederherstellung der Reaktionsfähigkeit anzeigt, ist die Provokation mit besseren Erfolgsaussichten zu wiederholen.

4. Nach der Behandlung mit *Prednison* und *Phenylbutazon* tritt eine Verminderung der Abwehrfunktion bis zur völligen Regulationsstarre ein! Andere „Regulationsblocker" sind alle Psychopharmaka, die Antibiotika und Chemotherapeutika (PISCHINGER). Jede massive Antibiotika- und Sulfonamidtherapie schwächt also die Immunsysteme. Der Mißbrauch, der mit diesen im Notfall so segensreichen Medikamenten schon zur Prophylaxe und bei banalen Infekten getrieben wird, macht die Menschheit nur immer anfälliger gegen Krankheiten und immer abhängiger von Medikamenten.

5. Das Huneke-Phänomen kann eine Regulationsstarre durchbrechen. Die vorher zu hohen Jodverbrauchswerte normalisieren sich dann in kürzester Zeit. Auch umstimmende Maßnahmen (Reizkörpertherapie, Ponndorf-Impfungen, Kantharidenpflaster, Aderlässe, abwechselnde Anwendung von *Insulin* und *Elpimed* usw.) können die Regulationsstarre abbauen. Die Jodometrie kann uns wieder zeigen, wann die therapieresistente Schockphase überwunden ist.

6. Eine H e r d b e s e i t i g u n g muß nicht zwangsläufig zur Heilung führen. Der Organismus kann besonders nach langer Herdeinwirkung in seinen Grundfunktionen so gestört sein, daß er die Blockierung nicht mehr aus eigener Kraft durchbrechen kann. Dann muß eine umstimmende Nachbehandlung einsetzen. Deren Erfolg ist wieder an der Jodometrie ablesbar. Wahrscheinlich ist die reversible Regulationsstarre PISCHINGERS mit dem Begriff der Autonomie SPERANSKIS identisch.

RICKER und SPERANSKI sahen in vasalen und nervalen Faktoren das leitende Prinzip aller physiologischer und pathologischer Vorgänge. SELYE stellte das endokrine System in den Mittelpunkt seiner Betrachtungen, wobei er es im wesentlichen als autonom und somit isoliert betrachtete. PISCHINGER glaubt, im Humoralen den Schlüssel zu den Lebens- und Kranheitsvorgängen gefunden zu haben. Alle nehmen einen Sektor des Ganzen unter das Vergrößerungsglas ihres Fachwissens und speziellen Interesses. Wir verdanken ihnen allen sehr wesentliche neue Erkenntnisse und Fortschritte. Vergessen wir aber bei allem Anerkennen der Teilergebnisse nicht, daß das Ganze mehr ist, als die Summe seiner Teile und daß der Mensch ein kybernetisches System ist, bei dem alle Teile nur durch ihr Zusammenwirken und in gegenseitiger Abhängigkeit dem Ganzen dienen.

Für PAWLOW und seine Schüler ist die Großhirnrinde das leitende Organ, das alle Funktionen im Organismus reguliert und funktionelle Wechselbeziehungen zu den inneren Organen unterhält. Krankheit ist für sie eine generelle Reaktion des Organismus als Ganzes auf die Einwirkung eines pathogenen Reizes, der das Gleichgewicht im Organismus und in seinen Beziehungen zur Umwelt in Unordnung bringt. Das Krankheitsbild ist Folge der Antwort auf die Reizschädigung und die dadurch ausgelösten Abwehrmaßnahmen. Dem Nervensystem kommt sowohl bei der Entstehung, wie beim Verlauf und dem Ausgang der Krankheit die führende Rolle zu.

„Nach I. P. PAWLOW stellen die außergewöhnlichen Reize, welche die Entstehungsursache für eine Krankheit sind, spezifische Reize für jene Abwehrvorrichtungen dar, die zum Kampf gegen die entsprechenden krankmachenden Ursachen bestimmt sind. Die Schutzfunktionen des Organismus können nicht, wie dies einige Autoren tun, der Funktion des ‚reticulo-endothelialen Systems' oder eines ‚physiologischen Bindegewebssystems' zugeschrieben werden, denn dieses Gewebe ist wie jedes andere im ganzheitlichen Organismus des Menschen und der höheren Tiere eng an reflektorische Mechanismen gebunden und hängt wie alle übrigen Gewebe hinsichtlich seiner Aktivität von den Einflüssen der zentral-nervalen Apparate ab." (BYKOW und KURZIN.).

W. HUNEKE hat zu den von Prof. PISCHINGER aufgeworfenen Gedanken wie folgt Stellung genommen: „Wir sind dankbar, daß PISCHINGER und sein Wiener Kreis durch die Forschungsergebnisse über das Zelle-Milieu-System beziehungsweise das vegetative Grundsystem die biologischen Urphänomene der Neuraltherapie, insbesondere das Sekundenphänomen meines Bruders FERDINAND nun auch wissenschaftlich exakt objektivieren und beweisen konnte. PISCHINGER hat uns gezeigt, was sich zwischen gezieltem neuraltherapeutischem Eingriff und Heilerfolg in diesem vegetativen Regulationssystem — meßbar — vollzieht.

Die langjährige neuraltherapeutische Praxis läßt uns aber in dem ‚vermaschten' System der vegetativen Gesamtregulation den nervalen Faktor als vorrangig erscheinen. In ein und demselben Falle ist zum Beispiel die chronische Otitis media über das Störfeld Appendektomienarbe entstanden und heilbar, die Migräne über das Störfeld gynäkologischer Raum und die Kniearthrose über das Störfeld Fingeramputationsnarbe oder Tonsillen. Es bestehen dann also bei ein und demselben Falle verschiedene Zuordnungen zwischen Störfeldern und ihren Fernstörungserkrankungen, die sich meines Erachtens nur über das Neurale und seine Ordnung erklären lassen, also über neurale Strukturen, meist wohl unter Einschaltung zentraler Schaltstellen, natürlich unter Mit- beziehungsweise Zwischenschaltung des Zelle-Milieu-Systems beziehungsweise des Grundsystems (PISCHINGER).

Für mich geht die lokalisierende und manifestierende Wirkung des Störfeldes auf die einzelnen Organe und ihre therapeutische Beeinflussung also — übergeordnet über das Geschehen im Zelle-Milieu-System — über die neurale Ordnung vor sich."

Die Elektronenmikroskopie hat unser Wissen über die reizleitenden und reiztransferierenden Systeme in der Peripherie erweitert. Wir wissen, daß es neben den schon bekannten Funktions- und Steuersystemen im Rückenmark und Stammhirn auch in der Peripherie völlig gleichrangige biokybernetische Systeme gibt. Die Begriffe Zentrale und Peripherie sind dadurch umgewertet worden. Unser sich kybernetisch selbst erhaltendes Leben ist an Bildung, Änderung und Aufrechterhaltung bioelektrischer Potentiale gebunden. Die gesamte neurovegetative Regulation in Zentrale und Peripherie, im Neuralen und Humoralen dient letztlich der Hauptaufgabe aller Regulation, diesem bioelektrischen Potential.

B
NEURALTHERAPIE NACH HUNEKE

1. Aus der Geschichte der Neuraltherapie nach HUNEKE

Was ist das Schwerste von allem?
Was dir das Leichteste dünkt:
Mit den Augen zu schauen,
was vor den Augen dir liegt.

GOETHE

Vor 300 Jahren beobachtete NEWTON, wie ein Apfel vom Baume fiel, einen durchaus alltäglichen Vorgang. Aber das Genie sah mehr dahinter, und die Gedanken, die es sich machte, führten bekanntlich zu den Schwerkraftgesetzen. Auf seinen Erkenntnissen fußen zum Teil heute noch die Physik und die Astronomie. — James WATT sah, wie der Dampf den Deckel eines Teekessels zum Tanzen brachte und erfand daraufhin die Dampfmaschine. Mit dieser Erfindung brach für die Menschheit eine neue Epoche an. Sicher kann man dazu sagen, daß die Zeit einfach reif war für diese Revolution und daß der Apfel und der Deckel nur der letzte Anstoß dazu waren, die Gedanken, die in der Luft lagen, zu Ende zu denken.

Auch die Geschichte der modernen Neuraltherapie beginnt mit einem solchen Zufall — wenn man ein Ereignis, das ein neues Blatt in der Geschichte der Medizin aufschlägt, noch als Zufall betrachten will. Die Brüder Ferdinand und Walter HUNEKE haben dreimal in ihrem Leben etwas wesentlich Neues beobachtet. Dinge, die vor ihnen andere Ärzte auch schon erlebt haben mögen, ohne allerdings etwas Besonderes d a h i n t e r zu sehen! Das gilt besonders für das von F. HUNEKE beschriebene Sekundenphänomen (Huneke-Phänomen). Wie viele Zahnärzte mögen vor ihm beim Zahnziehen plötzlich verschiedene Krankheiten verschwinden gesehen haben, ohne dann weiterzudenken? Selbst LERICHE beschrieb schon 10 Jahre vor HUNEKE, er habe nach einer Narbenanästhesie fernabliegende Schmerzen verschwinden sehen, ohne dieser Beobachtung Nachdruck zu verleihen und daraus therapeutische Folgerungen zu ziehen.

Das erste Mal sahen die Brüder etwas Besonderes, als sie im Jahre 1925 die Migräne ihrer Schwester plötzlich verschwinden sahen, die vorher vielen, vielen Behandlungsversuchen getrotzt hatten. Ein älterer Kollege hatte Ferdinand geraten, es doch einmal mit dem Rheumamittel *Atophanyl* zu versuchen. Beim nächsten Anfall spritzte er es intravenös und erlebte zu seiner Überraschung, daß sich die Migräne vor seinen Augen mit allen Begleiterscheinungen, einschließlich einer erheblichen Depression, in ein Nichts auflöste. Daß hier keine einfache Schmerzbetäubung vorlag und noch weniger eine Suggestivwirkung, sondern eine echte Heilung, lag auf der Hand. In Zusammenarbeit mit seinem Bruder Walter wurde bald die Ursache dieser verblüffenden Wirkung festgestellt: *Atophanyl* wurde in zwei verschiedenen Fertigungen hergestellt, einmal für intravenöse Injektionen ohne und einmal für schmerzlose intramuskuläre Injektionen mit einem Procainzusatz. F. HUNEKE hatte übersehen, daß bei dem intramuskulär anzuwendenden, procainhaltigen Präparat ein Hinweis aufgedruckt war, der vor seiner intravenösen Anwendung warnte. Fürchtete man doch, daß das intravenös verabfolgte *Procain* eine tödliche Hirnlähmung zur Folge haben könnte. Gerade dieser Procainzusatz war es aber (wie Walter bei Vergleichsinjektionen mit dem reinen Präparat feststellte), der den Heilerfolg erzielt hatte. Der Irrtum hatte also gezeigt, daß *Procain* außer zur örtlichen Betäubung auch als Heilmittel verwendet werden kann. Wie viele Ärzte verwenden heute täglich erfolgreich *Procain* zur Therapie, ohne sich darüber klar zu sein oder gar wahrhaben zu wollen, daß sie diese wesentliche Bereicherung ihrer Therapie den Brüdern HUNEKE verdanken?

Das zweite Mal sahen die Brüder HUNEKE unabhängig voneinander etwas Neues: Zuerst fand Walter, daß er gelegentlich schlagartig Kopfschmerzen, Schwindel, Hörstörungen, Schlaflosigkeit und Jackson-Epilepsien durch einfache intramuskuläre Injektionen in den Deltamuskel am Oberarm beseitigen konnte. Ferdinand spritzte einmal bei einer Kopfschmerzpatientin mit schlechten Venen *Procain* neben die Vene und erzielte damit den gleichen Erfolg, wie sonst mit der intravenösen Injektion. Also, sagten sie sich, konnte das *Procain* nicht allein über die Blutbahn-Resorption wirken. Die Schnelligkeit der Reaktionen auch bei Injektionen außerhalb der Venen ließ beide schon zeitig an elektrische Vorgänge denken, die auf den vegetativen Nervenbahnen ablaufen. Die Ergebnisse ihrer gemeinsamen Untersuchungen veröffentlichen die Brüder 1928 unter dem Titel ,,Unbekannte Fernwirkungen der Lokalanästhesie". Sie setzten *Procain* noch etwas *Coffein* bei, um es ungefährlicher zu machen. Sie bewiesen mit diesem Zusatz einen guten Griff. Neben der besseren Verträglichkeit wurde die Heilwirkung des ,,I m p l e t o l s '', das die Firma Bayer, Leverkusen, unter diesem Namen herausbrachte, noch vergrößert.

Von 1925 bis 1940 trieben die Brüder HUNEKE unter der Bezeichnung H e i l a n ä s t h e s i e, was wir heute treffender als S e g m e n t t h e r a p i e bezeichnen. Das heißt, sie wendeten das *Impletol* mit guten Erfolgen zur Behandlung von Schmerzzuständen und anderen Krankheitserscheinungen am O r t d e r E r k r a n k u n g an. Sie versuchten rein symptomatisch, von der Körperoberfläche über die Reflexzonen und die segmental zugeordneten Nerven aus, Dysfunktionen im Synergismus des vegetativen Systems auszubalancieren. Das gelang ihnen häufig, zum Beispiel bei Rheuma, Ischias, Lumbago, Gelenkentzündungen, Schwerhörigkeit, Ekzemen, Angina pectoris, Asthma, Otitis media, Erkrankungen des Magens, der Leber und der Gallenblase und vielen anderen mehr. Bei dieser Behandlung verläuft die Heilung auf Wegen, die die Heilkunde schon von jeher mit Wärme- und Kälteanwendungen, Massagen, Hautreizverfahren und der Akupunktur beschritten hat. Nur beweist das *Impletol* immer wieder, daß es einen besonders wirkungsvollen und weitreichenden Heilreiz bewirken kann.

Das dritte Mal sah F. HUNEKE im Jahre 1940 etwas umwälzend Neues, das die bisherigen Anschauungen über die Entstehung vieler Krankheiten direkt in Frage stellt: Eine Frau kam mit einer Kapselarthritis des rechten Schultergelenkes, die bisher allen Therapieversuchen widerstanden hatte. Aus der geltenden Vorstellung heraus, daß ein ,,F o k u s" auf dem Blutwege Bakterien und Toxine ausstreue, die diese schmerzhaften Leiden verursachten, hatte man ihr bereits die Mehrzahl der Zähne und die Tonsillen entfernt. Nun wollte man ihr sogar noch den linken Unterschenkel amputieren, weil man jetzt an dieser Stelle den Fokus vermutete. Die Patientin hatte dort als Kind vor 35 Jahren eine Osteomyelitis durchgemacht. — HUNEKE spritzte ihr *Impletol* intravenös auf der kranken Seite, umquaddelte das Gelenk, spritzte peri- und intraartikulär und an das Ganglion stellatum. All das hatte in ähnlichen Fällen schon geholfen. Hier versagte es, und HUNEKE mußte die Frau ungeheilt entlassen.

Glücklicherweise kam sie nach einigen Wochen noch einmal wieder, weil sich die Umgebung der alten Osteomyelitisnarbe am linken Unterschenkel so sehr entzündet hatte, daß ihr das Beschwerden machte. Nur diese Entzündung über der Tibia wollte HUNEKE jetzt mit Quaddeln behandeln. Da erlebte er — praktisch im doppelten Blindversuch — sein erstes S e k u n d e n p h ä n o m e n : Plötzlich waren die Schmerzen an der Schulter auf der anderen Körperseite restlos verschwunden und die Kranke konnte den Arm wieder schmerzfrei bewegen. Nach dieser einen Behandlung der Schienbeinnarbe war das Schultergelenk mit Dauerwirkung geheilt. HUNEKE schrieb darüber:

,,Das Erlebnis war so eindringlich, daß für mich kein Zweifel bestand, daß ich hier eine grundsätzliche Neuerkenntnis vor mir hatte, daß ich einer bis dahin unbekannten Gesetzmäßigkeit im Bereich des Fokusgeschehens auf der Spur war."

Damit war erwiesen, daß ein ,,n e r v a l e s S t ö r f e l d" die auslösende Ursache für eine Krankheit sein kann, die a n e n t f e r n t e r K ö r p e r s t e l l e auftritt. Auch, daß in einem solchen Fall nicht wie bei einem Fokus Bakterien und Toxine am Werke sind. Wie hätten die sonst in Sekundenschnelle verschwinden können? Viel einleuchtender erscheint da die Erklärung, daß in unserem Falle die chronische Entzündung an der Tibia wie ein Störsender gewirkt hat, der auf nervalem Wege störende und letzten Endes pathogene Reizimpulse ausgestrahlt hat, die am Empfangsorgan Schultergelenk eine chronische Entzündung ausgelöst und unterhalten hatten. Die Impletol-Spritze an das Störfeld schaltete dann mit dem Störsender gleichzeitig alle von ihm verursachten Krankheitserscheinungen blitzartig und hundertprozentig ab. Das gestörte Ordnungsprinzip im Körper war mit diesem Stoß ins neurovegetative System an der richtigen Stelle, der wie ein Appell an das Organ der Ganzheit wirkte, wiederhergestellt worden.

Bei Kenntnis dieser Zusammenhänge wird einem auch bald klar, warum so viele Krankheiten therapieresistent verlaufen müssen. Nehmen wir einmal als Beispiel die Cholezystopathie: Wir wissen alle, daß mindestens ein Drittel aller Gallenkranken nach technisch vollendeter Operation bald wieder die alten Beschwerden bekommt, die dann meist als Verwachsungsbeschwerden gedeutet werden. Wenn die Krankheitsursache für die Cholezystopathie gar nicht an der Gallenblase, sondern an einem Störfeld beispielsweise im gynäkologischen Raum liegt, bleibt der Störsender bei der Operation unbehelligt und kann weiter die krankmachende Fernstörung verursachen. Dann schwelt eben das Leiden trotz aller ärztlichen Bemühungen unaufhaltsam fort, bis es schließlich die Leber, den Magen und alle benachbarten Organe in den Krankheitsprozeß mit einbezogen hat. In einem solchen Falle kann der Oberbauch erst dann zur Ruhe kommen, wenn die Impletolspritze das Störfeld, in unserem Falle die chronisch entzündeten Organe im kleinen Becken, als Ursache ausschaltet. Die vielen Sekundenphänomen-Heilungen bisher unheilbarer Fälle sind der beste Beweis für die prinzipielle Richtigkeit der These HUNEKES. Sinngemäß gilt das eben Gesagte für die Mehrzahl aller chronischen Leiden, für Magengeschwüre wie für Leberleiden, für Unterleibsleiden wie für das gesamte rheumatisch-neuralgische Krankheitsgeschehen, überhaupt für organische wie funktionelle Störungen aller Art.

HUNEKE hat das zu seinen Lehrsätzen zusammengefaßt:
1. J e d e chronische Krankheit k a n n störfeldbedingt sein!
2. J e d e Stelle des Körpers kann zum Störfeld werden!
3. Die Impletolinjektion an das schuldige Störfeld heilt die störfeldbedingten Krankheiten, soweit das anatomisch möglich ist, über das Sekundenphänomen (Huneke-Phänomen)!

2. Heilkunst und Schulmedizin

Exakte Forschung führt zwangsläufig zum Materialismus, aber Heilkunst führt ebenso zwangsläufig zur Überwindung desselben.
BAVINK

Praktisch führt derartige idealistische Kritik an der naturwissenschaftlichen Medizin in der Konsequenz zu schierem Empirismus und Praktizismus, theoretisch zu Unwissenschaftlichkeit und Mystizismus.
LÖTHER

Wir sind alle Kinder der Alma mater und von ihr im streng wissenschaftlichen Denken erzogen worden. Die Schulmedizin hat uns das Rüstzeug zum Helfen vermittelt und uns viele Erkenntnisse mitgegeben, die wir ihrem Forschen bis ins letzte Detail verdanken. Um lehren zu können, muß sie versuchen, das Ganze zu zerlegen und die Teile meßbar und faßbar, also objektivierbar, zu machen. Sie bemüht sich in anerkennenswerter Weise, durch Summierung vieler Teilergebnisse zum Ganzen zu kommen. Aber „das Ganze ist mehr, als die Summe seiner Teile", sagt LAOTSE, und Ferdinand HUNEKE ergänzte: „Gemessen am Lebendigen ist alle Wissenschaft Peripherie. Krankheit ist aber abgewandeltes Lebendiges und daher mit den toten Teilforschungsmethoden einer exakten Denkrichtung wesensmäßig nicht voll zu erfassen." Das Lebendige ist bipolar. Die toten Teile und die elektrische Struktur des Neurovegetativums sind exakt meßbar und rational faßbar. Die ihm innewohnende ganzheitliche Richtkraft ist nicht — oder noch nicht — meßbar. Sie offenbart sich aber in den Heilphänomenen der Neuraltherapie, vor allem im Huneke-Phänomen. Solange sich diese reale Kraft unserer Ratio entzieht, kann die Medizin nicht Wissenschaft im Sinne der Mathematik oder anderer naturwissenschaftlicher Disziplinen werden.

Ursprünglich verstand man unter Wissenschaft die geordnete Gesamtheit allen Wissens. Dieser universale Begriff wurde im 19. Jahrhundert zugunsten der mathematisch-naturwissenschaftlichen Methode aufgegeben. Das mechanistische und materialistische Denken drängte sich immer mehr in den ärztlichen Sektor ein. Der Fortschritt auf allen Gebieten und der Triumph der Technik schienen direkt zu fordern, daß sich auch das ärztliche Denken und Handeln auf das exakte Denken umstellen müßte, um mit dem Fortschritt mitzuhalten. Nur was meßbar, faßbar und erklärbar ist, galt als reale Grundlage. Die Anbetung des exakt Objektivierbaren, machte schließlich den Arzt zu einem Techniker, der die Diagnostik-Maschinerie mehr oder weniger vollendet beherrscht. Für ihn steht die Krankheit im Mittelpunkt, nicht mehr der kranke Mensch. Seinem Bemühen sind und bleiben allerdings die Grenzen dort gesetzt, wo die Vorgänge im Lebendigen nicht mehr meßbar, faßbar und exakt begreifbar sind.

Das Wissen um die Teile ist zweifellos notwendig. Es gibt der exakten Forschung aber nicht das Recht, für sich und ihre toten Teilerkenntnisse die a l l e i n i g e Gültigkeit zu beanspruchen. Zuviel totes Wissen kann zu leicht den Blick fürs lebendige Ganze trüben. Prof. HEILMEYER sagte auf dem Deutschen Internistenkongreß 1963: „D a n k d e r E r r u n g e n s c h a f t e n u n s e r e r m o d e r n e n M e d i z i n s i n d w i r h e u t e i n d e r g l ü c k l i c h e n L a g e , e t w a d i e H ä l f t e a l l e r K r a n k h e i t e n d i a g n o s t i z i e r e n u n d d a v o n d i e H ä l f t e h e i l e n z u k ö n n e n." — „Wissen ist Macht!" meinte BACON. Ist unser schulmedizinisches Wissen von heute dann zu 75 % Ohnmacht? — Ich bin sehr unglücklich darüber, daß ich mit der rationellen, materialistischen Medizin von heute mit all ihrem immensen Wissen und dem imponierenden personellen, finanziellen und technischen Aufwand bestenfalls nur 25 % aller Krankheiten heilen kann. Was soll ich als Praktiker dann mit den restlichen 75 % machen, denen die Lehrmedizin eingestandenermaßen nicht helfen kann? Sie sitzen alle wieder in meinem Wartezimmer, wenn sie den Kreislauf zum Facharzt, ins Krankenhaus, zur Universitäts-Fachklinik, zur Heilkur und dann wieder zu mir zurück vollendet haben! Bestenfalls mit dem Ergebnis, daß ihr Leid nun mit einer amtlichen, wohlklingenden Diagnose dekoriert wurde. Prof. JORES schrieb 1961 in „Medizin in der Krise unserer Zeit": „Die erschütternde Feststellung, daß es in der heutigen Medizin für die meisten Kranken keine wirklich kausale Behandlung gibt, läßt nur den einen Schluß zu, daß in dieser Medizin ein grundsätzlicher Fehler stecken muß."

Für uns Neuraltherapeuten steckt dieser Fehler schon in den dringend reformbedürftigen Grundlagen der Schulmedizin! Mit ihrer zu engen Bindung an nur exakt objektivierbare Grundlagen hat sie sich Fesseln angelegt. Sie ist damit zu einer E r k l ä r u n g s m e d i z i n mit begrenztem Zuständigkeitsbereich erstarrt. Kausales Behandeln im Sinne der Naturwissenschaften setzt restloses Erklären im Sinne von Ursache und Wirkung voraus. Dazu muß sie das Ganze in seine Teile zerlegen. Die Vorgänge im Lebendigen lassen sich aber nur zu einem unwesentlichen Teil meßbar und objektivierbar machen. Krankheit und Heilung sind Vorgänge im unteilbaren Lebendigen und somit mit den Methoden der Schule nur zu einem Bruchteil zu erfassen. Das im Körper allgegenwärtige neurovegetative System, das alle Teile erst zu einem lebendigen Ganzen zusammenfaßt, ist für uns der Mittelpunkt unseres Interesses und unserer Bemühungen. Es ist der Träger des Lebens und auf seinen Bahnen verlaufen alle Wege zur Krankheit und zurück zur Heilung. Gerade dieses System wurde zum Stiefkind der Schulmedizin, weil es sich nicht zerstückeln, objektivieren und in eine Retorte füllen läßt! Die Erfahrungsheilkunde ist mit ihren Außenseitermethoden — zu denen die Neuraltherapie nach HUNEKE teilweise immer noch gezählt wird — eine echte Ganzheits- und B e o b a c h t u n g s m e d i z i n. So registriert und verarbeitet unsere Neuraltherapie die Antwort des Gesamtvegetativums auf den Procain-(Novocain-)Reiz, der, an der richtigen Stelle gesetzt, zum Heilreiz wird. Ob der sich in jedem Falle objektivieren läßt, ist dabei unsere sekundäre Sorge. Diese Feststellung entspringt nicht einer defensiven Gereiztheit, sie soll nur sachlich unseren Standpunkt von der Therapie her gesehen abgrenzen.

Der junge Arzt, der von der Universität in die Praxis geht, tut es zuerst mit dem Hochgefühl, nun annähernd alles diagnostizieren und somit auch therapieren zu können. Mehr oder weniger bald werden ihm dann die eng gesteckten Grenzen bewußt. Die meisten Kollegen resignieren und geben sich mit dem Erreichbaren zufrieden. Sie verordnen das jeweils Neueste, das die werbende Industrie empfiehlt und sind sicher, das Empfohlene hinter dem breiten Rücken der Chemie-Konzerne bequem und gefahrlos rezeptieren zu können. Der richtige Arzt, der den Erfolg beim Patienten zu seiner inneren Befriedigung sucht, wird aber mit zunehmender Erfahrung das therapeutische Unvermögen, mit dem er der überwiegenden Mehrzahl aller Krankheiten hilflos gegenübersteht, als bedrückend und unbefriedigend empfinden. So sucht er nach Wegen, von denen er sich mehr Erfolg verspricht und wendet sich zwangsweise Methoden zu, die die Universität nicht lehrte. So wird er zum Teil zu einem Außenseiter. Er muß deswegen nicht gleich zu einem Sektierer entarten, der mit blindem Fanatismus mystischen Gedankengängen nachjagt und braucht dabei nicht unbedingt den wissenschaftlichen Boden unter seinen Füßen zu verlieren. „Gute Ärzte haben von jeher das angewandt, was auf Grund wirklicher Erfahrung zum Wohl des Ganzen diente. Ganz unabhängig von der Möglichkeit einer wissenschaftlichen Erklärung" (L. VON KREHL). Die praktisch tätigen Ärzte würden begrüßen, wenn die forschenden und lehrenden Mediziner die empirischen Beobachtungen mehr in ihr Programm mit einbezögen. Praktische Erfahrungen in der Medizin sind Ergebnisse von Experimenten im Lebendigen und jede Forschung beginnt mit der Beobachtung und dem Experiment. Der Dermatologe UNNA sagte einmal: „Die Wissenschaft möge die Lücken unserer theoretischen Erkenntnisse überbrücken, um den Vorteil, den die Praxis über diese hat, einzuholen." Die Schulmedizin hat den Praktiker HUNEKE viele Jahrzehnte lang immer wieder nur aufgefordert, er solle seine Behauptungen erst beweisen, bevor man sie nachprüfen und eventuell anerkennen könne. Das kam praktisch einer Ablehnung der Empirie gleich. Ein praktischer Arzt kann die dazu nötigen Grundlagen nicht erarbeiten und so den Beweis nicht führen. Bei allem Verständnis für die Skepsis gegenüber Methoden mit verdächtig breiter Indikation müssen wir fragen, warum die Schule dann nicht folgerichtig unter anderem zum Beispiel auf die Psychotherapie und Physiotherapie verzichtet. Auch sie sind doch nur ganzheitsmedizinische Empirie und nicht immer ausreichend exakt objektivierbar.

Der Materialist VIRCHOW schrieb einmal: „Diese Versuche, unter vollem Segeldruck einer ‚r a t i o n e l l e n' Pathologie und T h e r a p i e zuzusteuern, wobei man unter ‚rationell' dasjenige versteht, was die Erscheinungen vernünftig erklärt, gleichen dem Unternehmen des Ikarus." Wenige Zeilen später spricht er von einer Reform, „welche damit endigen wird, den e m p i r i s c h e n   S t a n d p u n k t   i n   d e r   T h e r a p i e gegen den bisherigen rationellen oder physiologischen einzutauschen. Erst von diesem Augenblick an wird die T h e r a p i e anfangen, sich nach Art einer Naturwissenschaft zu entwickeln, denn alle Naturwissenschaft beginnt mit der empirischen Beobachtung."

Es bleibt das Verdienst der Brüder HUNEKE, unsere Ärztegeneration durch ihre Lehre vom Sekundenphänomen v o m   D e t a i l   z u m   G a n z e n   z u r ü c k g e f ü h r t zu haben, indem sie uns bewiesen, daß es ein übergeordnetes, dirigierendes und ordnendes Prinzip in uns gibt, das weder meßbar noch faßbar ist, uns aber doch heilen hilft, wenn wir es anzusprechen verstehen. Wenn wir Heil k u n s t im Sinne HUNEKES treiben wollen, müssen wir zu dem wissenschaftlichen auch noch das künstlerische Denken lernen. Die Technisierung und Spezialisierung der modernen Medizin hatten den Hausarzt vorübergehend in die Rolle des ersten Nothelfers und Beraters, vor allem aber Vermittlers zu den Fachärzten absinken lassen. Im Zuge der allgemeinen Rückkehr zur Ganzheitsbetrachtung und -therapie hat vor allem die Neuraltherapie nach HUNEKE dem praktischen Arzt und den Ärzten in den peripheren ambulanten und stationären Einrichtungen geholfen, ihren verantwortungsvollen Platz im Mittelpunkt des ärztlichen Wirkens zurückzuerobern. Seitdem sie selbst wieder therapeutisch erfolgreicher geworden sind, ist ihre Stellung auch in den Augen der Kranken aufgewertet worden. Wir können HUNEKE dafür danken, indem wir seine Lehre bewußt und unverfälscht weitertragen.

Die Vertreter der Schulmedizin haben den Praktiker F. HUNEKE erst als Phantasten verlacht, als er mit seinem Bruder von den überraschenden Heilungen berichtete und sie gar als elektrische Phänomene gedeutet wissen wollte. Heute weiß jeder, daß das Leben nicht nur an Materie gebunden ist, sondern auch an elektrische Energie. Inzwischen wissen wir auch, wie selten eine direkte Beziehung zwischen Ursache und Wirkung im Krankheitsgeschehen aufgeklärt werden kann und wieviel häufiger eine komplizierte Wechselwirkungs-Kausalität vorliegt, bei der Ursache und Wirkung durch eine Vielzahl ineinander verzahnter Regelmechanismen gar nicht mehr voneinander isoliert werden können. „Ferdinand HUNEKE machte eine kybernetische Entdeckung weit, sehr weit im vorkybernetischen Zeitalter." (MINK). Der Kampf gegen ihn wurde nicht immer sachlich geführt. Seine überschießenden Reaktionen darauf waren oft nicht geeignet, Brücken zu schlagen. Darin glich er seinem Vorgänger C. L. SCHLEICH. Wäre F. HUNEKE nicht so von seiner Sendung durchdrungen gewesen, hätte er kaum die Kraft aufgebracht, den Kampf gegen soviel Widerstand durchzuhalten. Inzwischen ist der eine Teil seiner Neuraltherapie, die Segmenttherapie, „hoffähig" geworden. Seit sich die Gedankengänge der Neuralpathologie immer mehr durchsetzen und die Elektrophysiologen bestätigen konnten, daß das elektrische Potential vor und nach einer Procain-Injektion meßbar verändert ist, ist die Kritik sachlicher geworden. Immer mehr frühere Gegner und abwartende Skeptiker müssen sich davon überzeugen, daß auch das Huneke-Phänomen eine Realität ist. Der Zeigerausschlag an einem Meßinstrument hat für sie offenbar mehr Überzeugungskraft, als alle praktischen Erfahrungen und das Heer der durch sie Geheilten. F. HUNEKE hat es gerade noch erlebt, daß auch sein Sekundenphänomen einwandfrei wissenschaftlich objektiviert werden konnte (BERGSMANN, FLEISCHHACKER, HOPFER, KELLNER, PISCHINGER, SIEGEN, STACHER) und daß dadurch auch dieser Teil seiner Methode für alle Ärzte diskutabel und praktikabel wurde.

Als die wenigen Nachprüfungen der Gegner, die mit der Zielsetzung des Gegenbeweises unternommen waren und die nie nach den Regeln HUNEKES durchgeführt wurden und naturgemäß nichts ergaben, hielt H. SCHOELER, einer unserer Freunde, einem namhaften Vertreter der Gegenpartei den fröhlichen Satz vor, der in PRAGERS Lehrbuch: „Erkennung von Krankheiten" steht: „Klavierspielen gibt es nicht. Ich habe es mehrfach versucht, und es ist mir nicht gelungen."

Dabei ist Klavierspielen doch so einfach: Man braucht bekanntlich „nur" im richtigen Moment die richtige Taste zu drücken! — Wir wissen alle, daß es nicht so einfach ist. Die Tonarten und die Fingertechnik sind zwar lehrbar. Zu den technischen Grundlagen muß aber noch etwas kommen, um das Spiel zur künstlerischen Vollendung reifen zu lassen: Es muß Seele haben, sonst wirkt es unbelebt und schal. Wir sprechen von der Intuition, die den Künstler vom Handwerker unterscheidet.

Ebenso ist es mit unserer Heilkunst. Technik und Grundregeln sind bis zu einem gewissen Grad lehrbar. Auch hier muß das *Procain* nur an die richtige Stelle gespritzt werden. Nur haben wir es nicht mit einem Instrument zu tun, das immer gleichbleibt und das den gleichen Ton von sich gibt, wenn wir dieselbe Taste bedienen. Wir haben es jedesmal wieder mit einem anderen Menschen zu tun, den es in dieser Zusammensetzung nur einmal gibt! Bei dem alles in Fluß ist und der sich fortwährend ändert: Jede Gemütserregung, jeder andere Reiz in Form von Kälte, Wärme, Strahlen, Giften, Lärm, Verletzungen usw. zwingen seine Regulierungsmechanismen ununterbrochen, die entstehenden Spannungsdifferenzen auszugleichen und in ungefährliche Bahnen zu lenken. Wenn ich in diesen Menschen eine Nadel steche, dann setze ich außer dem Alarmstoß, den der Schmerz auslöst, noch einen Kurzschluß im Neurovegetativum, der von dem gesamten Geflecht, das die kaum vorstellbare Länge von zwölf Erdumfängen hat, auf einmal registriert und sofort beantwortet wird! Wenn ich die Nadel wieder herausziehe, steht elektrobiologisch gesehen ein anderer Mensch vor mir.

So betrachtet könnte man mutlos werden bei dem Unterfangen, ein Buch über die Neuraltherapie als Leitfaden zu schreiben. Wenn Kunst nur zu einem gewissen Grade lehrbar ist und zum Künstler noch das gehört, was wir mit Intuition bezeichnen, wäre der Erfolg von Dingen mitbestimmt, die nicht zu lehren sind. — Es war schon immer und in vielen Dingen so, daß es der eine kann und der andere nie lernt. Aber hier ist es genauso wie beim Erlernen eines Instrumentes: Anfangen muß man einmal und wenn auch gerade der Anfang so schwer ist! Ohne Erarbeiten der technischen und theoretischen Grundlagen wird sich auch das größte Talent nur selten behaupten. Und wer verlangt schon, daß nur mehr die Virtuosen Klavier spielen sollen?

Ich kenne viele Kollegen, die nur mit Injektionen an die Mandeln und in Narben und mit einer primitiven Segmenttherapie nach dem „Davos"-Motto: „Da, wo's weh tut, spritze ich hin", gewisse Erfolge erzielen, auf die sie stolz sind und die sie vorher nicht erzielten, und die meinen, nun schon Neuraltherapeuten zu sein. Man kann aber noch viel mehr und besser heilen, wenn man diese Waffe noch besser beherrscht und wenn man sich nicht zu schnell mit sich und dem Erreichten zufriedengibt. Jeder Arzt hat von der Berufung her, die gerade seinem Beruf zugrunde liegen sollte, die Verpflichtung, sich zu bemühen, sein Können immer mehr zu vervollkommnen. Ob man es bis zum Heilkünstler bringt, ist dann gar nicht so wichtig. Unser erstes Gebot heißt:

Du sollst helfen, und das nach bestem Können, Wissen und Gewissen!

3. Psycho- und Neuraltherapie — und die Suggestion

> *Das ist der größte Fehler bei der*
> *Behandlung von Krankheiten,*
> *daß es Ärzte für den Körper*
> *und Ärzte für die Seele gibt,*
> *wo beides doch nicht getrennt*
> *werden kann.*
>
> PLATO

Wir müssen von einer erfolgversprechenden kausalen Behandlung verlangen, daß sie dem Einfluß des Neurovegetativums auf die Pathogenese Rechnung trägt. Das Neurovegetativum ist uns aber auf zwei Wegen zugänglich:
1. der o r g a n i s c h e Anteil mit der Neuraltherapie im weitesten Sinne (Massage, Hautreizverfahren, Balneologie, Bestrahlungstherapie, Chirotherapie, Kneippsche Anwendungen, Akupunktur usw., besonders aber mit der gezielten Procain-Therapie).
2. Der p s y c h i s c h e Teil mit der Psychotherapie.

Neural- und Psychotherapie sind so gesehen therapeutische Geschwister, beide greifen direkt am Neurovegetativum an und können es ausgleichend beeinflussen. Daher ergänzen sie sich, ersetzen können sie sich nur gelegentlich, denn beide haben ihre eigenen Zuständigkeitsbereiche. So ist erwiesen, daß das *Procain* bei allen psychogenen Erkrankungen restlos versagt. Das gilt so weit, daß das Versagen der Neuraltherapie den Verdacht auf ein psychogenes Geschehen erhärten und psychotherapeutische Verfahren nahelegen kann. Das sollten die Gegner zur Kenntnis nehmen, die unsere Methode ohne unvoreingenommene und technisch einwandfreie kritische Nachprüfung von vornherein ablehnen und die keine schlechtere Erklärung für die überraschenden Heilphänomene finden als die in diesem Zusammenhang abgegriffenen Worte Suggestion oder Magie. Man bekommt den Eindruck, daß hinter dieser Einstellung etwas gewollt Degradierendes steht. Oder die Logik Palmströms: ,,— weil nicht sein kann, was nicht sein darf!'' (Ch. MORGENSTERN). Da war HIPPO-KRATES wesentlich toleranter, als er sagte: ,,Der Arzt hat nur eine Aufgabe, zu heilen, und wenn ihm das gelingt, ist es ganz gleichgültig, auf welchem Wege es ihm gelingt.''

Keine ärztliche Maßnahme kann die Suggestion ausschalten, auch die unsere nicht. Wenn ich einem Angina-pectoris-Kranken mit einer intravenösen Procain-Injektion und ein paar richtig gesetzten Intrakutanquaddeln den Schmerz nehme, der ihn vernichten zu wollen schien, dann nehme ich ihm mit dem Schmerz auch die Todesangst. Und weil ich das bei jedem neuen Anfall wieder erreichen kann, baue ich bei ihm auch die Erwartungsangst mit ab, die den nächsten Anfall vom Psychischen her vorbereitet. Wenn das Suggestion ist, dann will ich sie mir gern dienstbar machen! Deswegen ist doch mein Tun nicht als Suggestion abzuwerten. Daß wir von der kausalen Wirksamkeit unserer Therapie durchdrungen sind, wird gern als Beweis suggestiven Vorgehens angeführt. Der Glaube an die Richtigkeit des eigenen Handelns ist der beste Assistent. Nicht mehr — und nicht weniger! Die Schule muß alles objektivieren, es messen und zu erfassen suchen. Ist das Leben aber faßbar? Und ist das Unfaßbare deswegen irreal?

Für den Praktiker, für den dieses Buch geschrieben ist, gibt es nicht das Problem, lediglich die Symptome zu sammeln und daraus eine wissenschaftliche Diagnose zusammenzustellen, an Hand derer man in dem derzeit gültigen Lehrbuch das ,,Man nehme'' nachschlagen kann, das bei dieser Diagnose helfen soll. Für uns ist jeder kranke Mensch ein einmaliges, nie vorher dagewesenes Problem, das es zu lösen gilt. Und dieser Mensch besteht aus Leib, Seele und Geist!

Die Psyche hat engste Verbindungen zum Neurovegetativum, man kann sagen: Das Neurovegetativum ist das Instrument der Seele, der Mittler zwischen Geist und Körper, das Organ der Reizbeantwortung und damit der ,,Lebensnerv''. Wenn uns das vegetative und damit auch das seelische Gleichgewicht unseres Patienten am Herzen liegt, müssen wir versuchen, auch seine seelische Fehlspannung zu beseitigen und in ihm die Hoffnung auf Heilung zu erwecken. Ein seelisches Gleichgewicht ist eine gute Krankheitsprophylaxe, die Angst vor der Krankheit ruft sie oft herbei. Wir müssen die Tatsache berücksichtigen, daß 30 % unserer Kranken psychogen krank sind oder daß zumindest die Psyche eine wesentlich mitbestimmende Rolle spielt. Das gesprochene und geschriebene Wort, das nach PAWLOW ,,für den Menschen ein genauso realer bedingter Reiz wie alle übrigen ist, die er mit dem Tier gemeinsam hat, aber auch ein so umfassender, wie kein anderer'', erzeugt über Gedanken im Unterbewußtsein eine Vorstellung. Ist sie intensiv und nachhaltig genug, wird sie zum Glauben. Jede Vorstellung hat die Tendenz, sich zu verwirklichen; der Glaube aber ,,kann Berge versetzen'' — in positivem, wie in negativem Sinne!

Ist der Patient durch seinen Glauben krank geworden, dann hilft nur die Psychotherapie mit dem heilenden Gegenreiz Wort. Sei es mit einer aufklärenden Aussprache mit dem Arzt des Vertrauens, mit der ärztlich geleiteten aktiven Autosuggestion z. B. in Form des autogenen Trainings oder passiv mit der Hypnose. Dann wird bei den psychogenen Kranken das falsche Bild im Unterbewußtsein, auf dem ,,Krankheit'' steht, durch das richtige Bild ,,Gesundheit'' ersetzt und so das gestörte Gleichgewicht wiederhergestellt. Wenn der Kranke nur ,,vielleicht'' denkt, bedeutet das quoad sanationem psychogener Störungen ,,nein''. Wenn er sich ,,zusammen-nimmt'', verkrampft er. Er soll sich aber gerade loslassen, seelisch und körperlich ,,ent-spannen'' und an Stelle des Willens lieber den Glauben an die Heilung setzen. Auf diesen Weg müssen wir ihn führen. Das Gefühl ist durch Gedanken beeinflußbar. Wer sein Leid in den Mittelpunkt stellt, sich bemitleidet oder gar aufgibt, der wird immer tiefer im Morast negativer Empfindungen versinken. Wer dagegen zuversichtlich bewußt viel Gutes denkt, der erlebt, daß dann das Gefühl des Wohlbefindens als Echo aus dem Unterbewußtsein reflektiert wird. Das Denken kann über das Neurovegetativum helfen und schaden, also müssen wir uns auch seine Kraft nutzbar machen.

In der Regel werden wir es allerdings selten mit reinen psychogenen, sondern mehr mit Mischformen zu tun haben, wo ein organisches Geschehen mit einer zusätzlichen psychischen Belastung gekoppelt ist. Eine organische Krankheit kann seelisch bedingt sein und jede seelische organisch. Jeder biologische Vorgang kann von der Psyche (westliche Nomenklatur) bzw. dem Großhirn (sowjetische Nomenklatur) verstärkt oder abgeschwächt werden. Es ist keine leichte, aber trotzdem notwendige Aufgabe für den Arzt, herauszufinden, zu welchen Anteilen das Neurovegetativum von der Psyche und wie weit es vom Organon her gestört ist. Die Behandlung muß sich danach richten und anteilmäßig beide Komponenten berücksichtigen.

Mehr Mut zum Wort! Das Wort als Medizin ist in unserer Zeit weitgehend durch das chemische Präparat verdrängt worden, der direkte Einfluß des Arztes durch die Arzneimittelreklame und die „Aufklärung" in der Öffentlichkeit. Wir sollten das Wunder der Heilung nicht dem ärztlichen Nimbus und der Magie der Arznei überlassen, wir müssen uns darum bemühen! Dazu ist immer nur d e r Weg der richtige, der zur Heilung führt.

Schon vor 50 Jahren meinte Erwin LIEK im Anschluß an eine Kritik an der damals modernen und daher übertrieben geübten Sympathikuschirurgie: „Bei den genannten Methoden wirkt der Stoß ins vegetative Nervensystem, sagen wir ruhig: der Stoß in die Seele. Wenn ich aber weiß, daß das Wort genügt, um den Sympathikus zu erregen (der das Spiel der Blutgefäße lenkt und wahrscheinlich auch jede Schmerzempfindung leitet), genügt, um einen Menschen erblassen bzw. erröten, das Herz schneller oder langsamer schlagen zu lassen, den Stoffwechsel, die Atmung, die Tätigkeit der Verdauungsdrüsen, die Muskulatur des Darmkanals zu beeinflussen, ja, was soll denn da das Messer? Ist es nicht ärztlicher, das einfachste und ungefährlichste Verfahren zu wählen?"

Er meinte damit nur die Psychotherapie, die Beeinflussung des Neurovegetativums mit dem Wort. Die andere einfache und ungefährliche Methode, den Sympathikus in einer anderen Ebene und mit einem anderen weitreichenden Heilreiz regulierend zu beeinflussen, die Neuraltherapie, konnte er damals in diesem Zusammenhang noch nicht berücksichtigen. Aber der von ihm in der gleichen Arbeit erwähnte Chirurg LERICHE verzichtete später weitgehend auf die blutigen Eingriffe am Sympathikus zugunsten der Procain-Injektion, die er sogar als das „k o n s e r v a t i v e M e s s e r d e s C h i r u r g e n" bezeichnete.

4. Die Erfolge der Neuraltherapie und die Statistik

Ein guter Arzt bedarf keiner Posaune.
SPRICHWORT

Die Z u s t ä n d i g k e i t der Neuraltherapie mit procainhaltigen Mitteln ist bei akuten und chronischen Krankheiten auf den ersten Blick verblüffend weitreichend. Warum es so ist, wird klarer, wenn wir die Möglichkeiten übersehen, die uns allgemein zur Verfügung stehen, um Krankheiten therapeutisch zu beeinflussen:

1. Maßnahmen, die d i r e k t auf das kranke Organ wirken:
   a) Echte o r g a n s p e z i f i s c h e M i t t e l gibt es nur wenige:
   b) Häufiger sind die am Organ angreifenden u n s p e z i f i s c h e n M e t h o d e n. Dazu zählen wir die Segmenttherapie der Neuraltherapie nach HUNEKE.
2. Maßnahmen, die im Sinne der Regulationstherapie nach F. HOFF die R e g u l a t i o n s f ä h i g k e i t d e s G e s a m t o r g a n i s m u s beeinflussen:
   a) Die Regulation beziehungsweise Gewebsreaktion f ö r d e r n d e Mittel. Dazu gehört neben der Reizkörpertherapie auch wieder die Regulationstherapie genannt, die wir mit der Segmenttherapie der Neuraltherapie nach HUNEKE treiben.
   b) Regulations h e m m e n d e und die Erregung dämpfende Mittel wie Antiphlogistika, Antihistaminika, neurotrope Pharmaka. Auch dazu gehört die Segmenttherapie nach HUNEKE, die ja je nach vegetativer Ausgangslage eine regulationsfördernde oder -hemmende Wirkung entfaltet.

3. Am S t ö r f e l d beziehungsweise bakteriellen H e r d angreifende Mittel:
   a) Das Huneke-Phänomen,
   b) Die operative Entfernung.

Die E r f o l g e der Neuraltherapie hängen aber, wie wir bereits sahen, nicht so sehr vom gegebenen Mittel ab, sondern vielmehr vom richtigen Ort der Injektion. Versager sind daher nicht immer der Methode zuzuschreiben! Eine gründliche Anamnese, eine gute Voruntersuchung, anatomische Kenntnisse, Beherrschen der Technik, Erfahrung, Fingerspitzengefühl im wörtlichen wie im übertragenen Sinne, sind neben der erforderlichen Geduld von seiten des Arztes wie des Patienten Grundlagen für den Erfolg. Vielleicht wäre es klug, nicht von der künstlerischen Intuition zu sprechen, die gerade bei der Heilkunst auch eine Rolle spielt. RATSCHOW fand bei seinen nüchternen exakt-wissenschaftlichen Untersuchungen, daß die Ärzte aus Leidenschaft mehr Sekundenphänomene erzielten als die technisch-kühlen Routiniers. Wir nehmen dieses Ergebnis nicht als Kompliment, sondern als Verpflichtung.

Man muß sich ganz auf den Patienten einstellen, mit einer aktiven Liebe zum leidenden Mitmenschen. Dann kommt der Kontakt am besten zustande. Jenes unmeßbare Etwas, das mit zum Erfolg gehört, das wir mit Intuition, Fingerspitzengefühl für das „Gewußt wo" oder mit sechstem Sinn umschreiben. Ein übermüdeter oder seelisch unausgeglichener Kollege sollte nicht allzu viele Erfolge erwarten. Es gibt eben hierbei einen Faktor, der nicht objektivierbar, aber doch sehr real ist. „Auch die Naturwissenschaft kann nicht ohne eine Dosis Metaphysik auskommen", sagt Max PLANCK. — Pessimisten, Humorlosen und krankhaft Geltungsbedürftigen sollte man das Arztsein verbieten. Sie schaffen mehr Kranke, als sie heilen können.

Die Frage nach der H ä u f i g k e i t d e s H u n e k e - P h ä n o m e n s ist eine Frage nach dem Erfolg des einzelnen Behandlers. RATSCHOW gab 8 % Sekundenheilungen an, die Ergebnisse der Brüder HUNEKE liegen bedeutend höher. Sie und ihre erfolgreichen Schüler schätzen, daß n i c h t w e n i g e r a l s 30 % (eher mehr!) a l l e r c h r o n i s c h e n K r a n k h e i t e n s t ö r f e l d b e d i n g t sind. Eine größere Sammelstatistik der Behandlungserfolge von 25 Neuraltherapeuten, die 639 Fälle der sonst therapeutisch so ungünstigen — (K) — Trigeminus-Neuralgie nach unseren Richtlinien behandelt hatten, ergab folgendes Bild:

Von den 639 Fällen wurden 34 % geheilt, 37 % wesentlich gebessert, 14 % gebessert und nur 15 % blieben unbeeinflußt.

Bei 42 % (267 Fälle) erwies sich ein Störfeld als alleinige Ursache oder soweit als komplizierend mitbeteiligt, daß die Segmenttherapie erst nach Neutralisation des Störfeldes zur wesentlichen Besserung führen konnte. Vor allem bei den mit nervenverstümmelnden Eingriffen vergeblich Vorbehandelten war eine hundertprozentige Heilung nicht immer zu erzielen. Allein dieses Beispiel zeigt, daß viele Neuralgien vorher unbeeinflußbar bleiben mußten, weil bei ihnen die Störquellen unberücksichtigt geblieben waren. Dasselbe wird für einen Teil a l l e r bisher therapieresistenter Krankheitsfälle gelten. Es lohnt sich also, sich mit einer so wirkungsvollen Methode vertraut zu machen.

Die Schüler der Brüder HUNEKE, die sich genau an die Therapievorschriften ihrer Vorbilder halten, haben das in keiner Weise bereut. Sie haben wegen ihrer Erfolge bei bisher unheilbaren Krankheitsfällen, die sich schnell herumsprechen, überall den Ruf von Wundertätern, zu denen die Schwerkranken oft von weither pilgern. Wir wissen, daß damit eine gewisse Vorwahl getroffen ist. Die mit den Methoden der Schulmedizin Geheilten und Heilbaren scheiden weitgehend aus. Da wir den psychogen Kranken mit unseren Spritzen auch nicht helfen können, bleiben fast nur noch die übrig, die ihr Leiden einem Störfeld verdanken (oder bei denen eine gekonnte Segmenttherapie beste Aussichten hat). So liegt die Zahl der Sekundenphänomene in der Praxis namhafter Neuraltherapeuten sicher höher, als in der Allgemeinpraxis.

Vor den Erfolg haben die Götter auch bei der Neuraltherapie den Schweiß gesetzt. Nur wer das ganze Rüstzeug der Praxis und Theorie beherrscht und anzuwenden versteht, treibt Neuraltherapie.

Man muß a l l e Register ziehen können und muß wirklich a l l e Möglichkeiten vom Segment aus erschöpfen und a l l e denkbaren Störfelder aufspüren und richtig testen, bevor man einen Fall aus der Hand geben darf.

Ich behandelte einen Kollegen mit pektanginösen Beschwerden und stellte ihn tagelang auf den Kopf. Als ich keinen Erfolg hatte, empfahl ich ihm das autogene Training, weil ich eine psychogene Störung vermutete. Er ging zu Ferdinand HUNEKE. Der hörte sich seinen Bericht über meine Bemühungen an. Dann sah er sich die Zähne an, stellte einen verlagerten Weisheitszahn fest und löste mit der traumwandlerischen Sicherheit, die bei ihm immer wieder verblüffte, ein Sekundenphänomen aus. Bei mir würde derselbe Patient als Neuraltherapie-Versager, bei HUNEKE auf der positiven Seite gebucht werden müssen. Aus dem Bewußtsein der eigenen Unzulänglichkeit sollten wir nach denen, die es weniger gut können, als wir, nicht mit zu großen Steinen werfen.

Daraus geht schon hervor, daß es keine befriedigende Statistik über die neuraltherapeutischen Erfolge geben kann, die die Wirksamkeit der Methode unter Beweis stellen sollten. Neben dem bekannt zweifelhaften Wert einer jeden Erfolgsstatistik könnte sie in unserem Falle nichts über die Methode selbst, sondern nur etwas über die Gewissenhaftigkeit, Erfahrung und den Grad des Könnens aussagen, den der Berichterstatter in dieser Heilkunst erreicht hat. Jeder einzelne Fall ist immer wieder ein einmaliges Problem, das von uns gelöst werden will. Es gibt keine zwei gleichen Menschen, also auch keine zwei gleichen Krankheiten. Zu jeder Krankheit gehört ein leidender Mensch, gequält an Leib und Seele. Sein einmaliges Gesamtproblem gilt es zu lösen, es gilt, ihn zu erlösen! Jede Heilung ist ein Sieg, jedes Versagen eine Niederlage, die uns traurig machen sollte.

Die Technik der Neuraltherapie ist ohne unüberwindliche Schwierigkeiten für jeden erlernbar. J e d e r Anfang ist schwer. Wer in schweren Fällen, die der üblichen Behandlung trotzen, nicht weiter nur hilflos Überweiser zum Fachkollegen bleiben will, muß sich dieses Neuland mit seinen breiten diagnostischen und therapeutischen Möglichkeiten erschließen. Es wird ihn sicher nach anfänglichen Rückschlägen, die ihn immer wieder versucht sein lassen, die Flinte wieder ins Korn zu werfen, bald mit den ersten Erfolgen immer weiter von der bisherigen therapeutischen Resignation fortführen. An deren Stelle wird ein beglückender Auftrieb treten, und bald wird er feststellen, daß er nun auf allen Fachsektoren auch dann noch Heilungen erzielen kann, wo er bisher mit seiner Kunst am Ende war.

5. Die Versager der Neuraltherapie

Ein rechter Arzt lernt jeden Tag und jede Stunde, und am meisten fördern ihn die Mißerfolge.
KLUSSMANN

1. Neuraltherapeutische Maßnahmen können naturgemäß nur auf Störungen Einfluß nehmen, die neuralbedingt sind oder bei denen zumindest ein neuraler Faktor entscheidend mitspielt. Jede Krankheit k a n n im Segment neural blockiert bzw. störfeldbedingt sein — sie m u ß es aber nicht sein!
2. Die Neuraltherapie ist (bis auf erwähnte Ausnahmen) f e h l i n d i z i e r t bei:
   a) **Geisteskrankheiten.**
   b) **Psychogenen Krankheiten,** auch e c h t e n N e u r o s e n und N e u r a s t h e n i e n.
   c) Echten **Mangelkrankheiten,** wie z. B. Avitaminosen, Hormonmangel bei Fehlen inkretorischer Drüsen oder anderer Körper-Bausteine. Wir rechnen auch die Herzglykoside zu dieser Gruppe.

d) **Erbkrankheiten,** wie erbliche Blindheit oder Taubheit. Bei der genuinen Epilepsie können wir die Schwere und Häufigkeit der Anfälle manchmal mildern, die Ergebnisse bei der Behandlung der traumatischen Epilepsie sind dagegen ganz vorzüglich.
e) **Fortgeschrittene Infektionskrankheiten**, wie z. B. die Tuberkulose im Endstadium.
f) **Krebs.** Die Neuraltherapie allein kann den Krebs nicht heilen! Die Schmerzen und die immer vorhandenen Begleitentzündungen können wir aber gut beeinflussen. — Das Krebsproblem ist nach neueren Erkenntnissen vorwiegend ein mikrobiologisches Energieproblem. Daher ist es sinnvoll, die Neuraltherapie mit *Procain* als Basistherapie jeder Krebsbehandlung einzubauen. Mehr darüber im Teil II unter — (K) — Krebs.
g) **Narbig verheilten Endzuständen,** wie z. B. der Schrumpfniere oder der Leberzirrhose im fortgeschrittenen Stadium. In anderen Fällen (z. B. Arthrosis deformans) gelingt es uns, dem Organismus trotz weitgehender Degeneration und weitreichenden Veränderungen zu helfen, daß er in die Lage versetzt wird, eine symptomarme oder -freie Defektheilung zu erzielen.

3. Nicht jeder Versager ist der Methode zur Last zu legen. Betrachtet man allein die Schwierigkeit, alle möglichen Störfelder anamnestisch zu erfassen, wird verständlich, daß schon dadurch leicht eins übersehen werden kann. Aber „nur die Sache ist verloren, die man aufgibt!". Oft wird die Ausdauer von seiten des Patienten und des Arztes noch nach vielen Fehlschlägen belohnt.

4. Die Versuche SPERANSKIS zeigen, daß ein Teil der Krankheiten nach einer gewissen, individuell verschiedenen Zeit a u t o n o m wird. So kann eine ursprünglich tonsillogene Polyarthritis plötzlich von ihrem Ursprungsort unabhängig werden und ihren eigenen Gesetzen nachgehen. Von diesem Zeitpunkt an versagt die Tonsillektomie ebenso wie unsere Injektion an die Mandelpole. Vorher hätte der Eingriff am Ausgangsort noch geholfen, wenn die Autonomie einsetzt, kommt er zu spät.

Wir haben keinen Indikator dafür, der uns anzeigt, ob und wann ein Leiden autonom wird. Weder Alter des Patienten noch Dauer oder Schwere des Leidens, noch der Allgemeinzustand haben damit etwas zu tun. Wir müssen den Körper mit den Testinjektionen selbst fragen, ob seine Regulierungsmechanismen zur Zeit überhaupt in der Lage sind, auf unsere Injektionen zu reagieren. Man kann also z. B. der schwersten Polyarthritis mit Kontrakturen und Ankylosen nie ansehen, ob unsere Behandlung ansprechen wird oder nicht. Darum ist ein Behandlungsversuch in jedem Fall mit allen uns zur Verfügung stehenden Mitteln angebracht. Selbst wenn wir kein Huneke-Phänomen mehr auslösen können, gibt uns die Segmenttherapie oft noch genug therapeutisch aussichtsreiche Möglichkeiten.

Bei ungünstiger Reaktionslage des Körpers, besonders, wenn eine „Regulationsstarre" vorliegt (z. B. nach *Prednison* oder *Phenylbutazon*), kann es richtig und notwendig sein, zuerst alle regulationsbehindernden Medikamente abzusetzen. Dann ist an eine operative Störfeldbeseitigung zu denken, wenn der Procain-Test keine (Zähne!) oder keine ausreichende Reaktion auslöste, z. B. bei einer chronischen Appendizitis oder Narben, deren Testen kein v o l l s t ä n d i g e s Huneke-Phänomen ergab. Vor allem ist es ratsam, die Zähne gründlich sanieren und entstören zu lassen. Wissen wir doch, daß der Zahntest 25—30 % Versager aufweist. Danach müssen wir versuchen, die Regulationsmechanismen mit einer tiefgreifenden Umstimmung aus der festgefahrenen Situation zu lösen. Eine Serie von Eigenblut- oder Elpimed-Injektionen, Ponndorf- und Vakzine-Impfungen, eine Kneipp- oder Fastenkur oder andere biologische Reiz- und Entschlackungsmaßnahmen mit Ableitung über Haut, Verdauungsorgane und Nieren oder Aderlässe können uns dazu verhelfen. Nach Absetzen der Regulationsblocker (z. B. *Prednison, Phenylbutazon*) und nach Durchbrechen der Regulationsstarre antwortet der Organismus in der Regel mit einer massiven Gegenregulation. Der Patient muß vorher wissen, daß diese „Verschlechterung" von uns erwünscht ist und von ihm mit unserer Hilfe überwunden werden muß, sonst verliert er das Vertrauen zu uns und bleibt weg. Diese Phase zeigt uns, daß die reaktionsstarre chronische Krankheit nun in ein akutes Stadium zurückgeführt wird, das unserer Therapie zugänglicher ist. Jetzt erst kann ein erneuter Angriff auf das Leiden mit der Regulationstherapie, die uns HUNEKE vermittelte, erfolgreich sein.

5. O p e r a t i v e   E i n g r i f f e   a m   S y m p a t h i k u s hinterlassen einen irreversiblen Zustand, der die Aussichten der Neuraltherapie wesentlich herabsetzen oder zunichte machen kann. RICKER vertrat die Ansicht, daß eine Nervendurchtrennung nicht nur einen Teil der Reflexbahnen ausschaltet, sondern außerdem noch einen beständigen störenden Reiz hinterläßt. SPERANSKI wies darauf hin, daß die Sympathikusoperationen zu d e n Schädigungen gehören, die regelmäßig als „Zweitschlag" wirken und den bis dahin widerstandsfähigen Körper dann neurodystrophisch reagieren lassen. LERICHE, der große Meister der Sympathikuschirurgie, erkannte die Überlegenheit der Procain-Injektion gegenüber der Operation und empfahl die Procain-Behandlung als „das unblutige Messer des Chirurgen". Wir bedauern täglich, daß diese Erkenntnis nicht zum Allgemeingut aller Chirurgen und Gynäkologen geworden ist!

6. R e n t e n n e u r o t i k e r sind aussichtslose Behandlungsobjekte. Wenn das Rentenbegehren erst einmal die Psyche beherrscht, ist die Heilung nicht mehr eingeplant und beinahe unerwünscht. In abgeschwächter Form gilt das für den Arbeitnehmer, der zuerst nur einmal krankgeschrieben zu werden wünscht. — M o r p h i n i s t e n und andere Betäubungsmittel-Abhängige sind ebenfalls wenig geeignete Objekte für uns. Auch, wenn sie sich nach außen hin verständig geben und immer wieder versichern, daß sie das Mittel gern wegließen, wenn man ihnen erst einmal ihre Schmerzen nimmt. Im Unterbewußtsein kann der Wunsch nach der Droge stärker sein, als der zur Schau getragene Genesungswille. So beweisen sie dann sich und ihrer Umgebung, daß die Neuraltherapie bei ihnen auch versagt hat und sie ihr Mittel weiter nehmen müssen. Um so mehr freuen wir uns über jeden, den wir von seinen starkwirkenden Medikamenten befreien können. — Bei völligem Versagen der neuraltherapeutischen Bemühungen denke man auch an eine l a r v i e r t e D e p r e s s i o n. Derartige Überlegungen gehören aber an den Schluß, nicht an den Anfang unserer Behandlung und sollten nie dazu verführen, zu schnell aufzugeben.

7. Die R ö n t g e n - T i e f e n b e s t r a h l u n g zur Behandlung von Gelenk- und Hautleiden stellt einerseits in unseren Augen auch einen Stoß ins elektrische Gefüge dar, der als Segmenttherapie, nur bei segmentgebundenen Erkrankungen, schon einmal zum Ziele führen kann, bei störfeldbedingten dagegen zum Scheitern verurteilt ist. Auf der anderen Seite wirkt sich jede lokale Röntgenbestrahlung blockierend auf die Funktionen des weichen Bindegewebes und damit auf den Zellstoffwechsel aus. Diese tiefgreifenden Schädigungen am Neurovegetativum können die Möglichkeiten einer erfolgreichen neuraltherapeutischen Behandlung für lange Zeit, manchmal für immer, verhindern. Außerdem können strahlengeschädigte Bezirke natürlich ihrerseits wieder zu Störfeldern für neue Sekundärkrankheiten werden.

Darum fordern wir, daß die unschädliche P r o c a i n - T h e r a p i e immer vor der geplanten R ö n t g e n b e s t r a h l u n g rangieren sollte.

8. Eine längere C o r t i s o n - oder P r e d n i s o n - Behandlung in der Vorgeschichte sehen wir ebenfalls ungern. Die Glukokortikoide zerstören die Thymozyten und Lymphozyten in ihren Bildungsstätten. Dadurch können sie ihre Funktion nicht mehr ausüben. Der Ablauf der gesamten unspezifischen Infektabwehr bleibt auf halbem Wege stecken. Die Kortikosteroide und Pyrazolone bewirken zwar auf Kosten der Schädigung des Grundsystems, daß das schmerzreiche akut-entzündliche Stadium in eine schmerzärmere und nach außen hin symptomlosere, dafür aber chronisch-progrediente Verlaufsform überführt wird. Das Leiden selbst schwelt weiter, es belastet laufend das Milieusystem und führt in ein therapieresistentes jahrelanges Siechtum über. — Jede längere Hormonzufuhr von außen läßt die Eigenproduktion absinken. Beim *Cortison* droht (neben einer Reihe nicht unbedenklicher Schädigungen) eine Nebenniereninsuffizienz bzw. -atrophie, die die Aussichten für die Wiederherstellung des inneren Gleichgewichtes mit *Procain (Novocain)* sehr verschlechtern kann. *Cortison*

löst eine vegetative Schockphase aus. Als Schutzreaktion dagegen antwortet der Organismus mit der Hemmung einer Reihe von Lebensfunktionen. In dieser Phase ist er für zusätzliche negative, aber auch positive Einflüsse schwer ansprechbar. Das gilt auch für unsere biologisch aktivierende Neuraltherapie. Erst, wenn das Adaptationsstadium erreicht wird, scheint die Noxe überwunden. Die Rückkehr zu normalen Reaktionen kann man aus der Erholung des Mineralhaushaltes und mit der Jodometrie ablesen (PISCHINGER). In der Regel nimmt es Wochen bis Monate in Anspruch, bis das neurovegetative System für unsere Therapie wieder ansprechbar wird. Wir werden das *Cortison* schrittweise absetzen und versuchen, die körpereigene Cortison-Produktion durch Anregung der Nebennieren mit *Synacthen-Depot* wieder in Gang zu setzen, soweit das noch möglich ist. Darüber hinaus können Elpimed-Injektionen helfen, den Cortison-Schaden schneller zu überwinden. Der ordnenden Kraft des Huneke-Phänomens (Sekundenphänomens) gelingt es allerdings oft schon vorher, den hemmenden ,,Cortisonblock'' mit allen seinen negativen Auswirkungen zu durchbrechen. Als weitere ,,Regulationsblocker'' kennen wir das *Phenylbutazon* und die Psychopharmaka: Weckamine, Thymoleptika (Antidepressiva), Tranquilizer, Neuroleptika, Sedativa und Hypnotika, die heute von so vielen Menschen gedankenlos eingenommen werden. Auch die Chemotherapeutika und Antibiotika gehören hierher.

Sinngemäß gilt das für a l l e M e d i k a m e n t e u n d M a ß n a h m e n, d i e d a s v e g e t a t i v e S y s t e m a u f d i e D a u e r s c h ä d i g e n u n d d a m i t s c h w e r r e a g i e r b a r m a c h e n.

C
DIE PRAKTISCHE ANWENDUNG

1. Die Segmenttherapie

Der Herr mag uns unsere Sünden vergeben,
das Nervensystem tut es nie.

INDISCHE WEISHEIT

a) Die Grundlagen

Wir unterteilen bekanntlich das gesamte Nervensystem in:

1. Das w i l l k ü r l i c h e zerebrospinale Nervensystem mit seinen Hauptzentralstellen im Gehirn und Rückenmark. Die aus motorischen und sensiblen Fasern gemischten Nerven verlassen das Rückenmark paarig links und rechts zwischen zwei Wirbelkörpern. Sie entspringen aber nicht dort, wo sie hervortreten. Besonders im Lumbal- und Sakralgebiet verlaufen sie erst eine Strecke im Wirbelkanal, ehe sie diesen verlassen. Die Nervenpaare entstehen abschnittsweise, segmentär.

Nach den Austrittsstellen aus der Wirbelsäule unterscheiden wir 30 Segmente:

8 Zervikal- oder Halssegmente, die den Dermatomen C 1—8 entsprechen,

12 Thorakal-(= Dorsal-) oder Brustsegmente Th 1—12 (= D 1—12),

5 Lumbal- oder Lendensegmente = L 1—5,

5 Sakral- oder Kreuzbeinsegmente = S 1—5.

Ein Teil der Segmentnerven vereinigt sich in einen Plexus, bevor sie zum Erfolgsorgan laufen. So entstehen größere Nerven, deren Herkunft anatomisch nicht mehr bestimmbar ist.

2. Das v e g e t a t i v e , autonome, unwillkürliche Nervensystem mit Sympathikus und Parasympathikus.

a) S y m p a t h i k u s : Er besteht aus einem linken und rechten G r e n z s t r a n g. Beide verlaufen ventral neben der Wirbelsäule. Der Grenzstrang besteht aus 22—25 G a n g l i e n, die durch Nervenstränge untereinander verbunden sind. Außer im Hals- und Lendenteil gibt es gleich viele Ganglien wie Segmentnerven. Die Ganglien haben aber auch Querverbindungen zu den Rückenmarksabschnitten in gleicher Höhe, dabei gehen auch Fasern zu den darüber- und daruntergelegenen Grenzstrangganglien.

b) P a r a s y m p a t h i k u s : Der V a g u s - Nerv kommt aus dem Stammhirn, andere Teile des Parasympathikus benutzen die Rückenmarksnerven als Leitungsbahnen. Sympathikus und Parasympathikus versorgen die gleichen Gebiete.

Die Trennung von willkürlichem und vegetativem Nervensystem hat mehr theoretische, als praktische Bedeutung. Beide Systeme stehen in engster Verbindung und Verflechtung miteinander. Dabei arbeitet das vegetative System, das die inneren Organe innerviert, keineswegs autonom, sondern in Abhängigkeit von den höchsten Abschnitten des Zentralnervensystems. Eine Gegenüberstellung beider Systeme ist also unberechtigt und widerspricht den Vorstellungen, die wir heute vom Nervensystem als einem kybernetischen System haben, das die Tätigkeit des g a n z h e i t l i c h e n Organismus ermöglicht und reguliert. Die ganze komplizierte Automatik der Verdauung, der Atmung, des Kreislaufs, des Stoffwechsels, des Wasser-, Hormon- und Wärmehaushaltes, ja aller zellulären Prozesse verläuft unter dem dirigierenden Einfluß der Großhirnrinde, in der wir das höchste Organ der Regulierung aller Funktionen des Gesamtorganismus zu sehen haben (BYKOW).

NONNENBRUCH schreibt in seinem Buch: „Die doppelseitigen Nierenkrankheiten": „Das vegetative Nervensystem ist ein Ganzes, ein großes Synzytium, das im Zentralnervensystem und in den Ganglien zu Konglomeraten zusammengeballt ist und sich in der Peripherie in das terminale Neuroretikulum aufteilt, das mit den Zellen der gesamten Blutstrombahn und der Erfolgsorgane in enge plasmatische Verbindungen tritt (SUNDER-PLASSMANN). Das hormonale System steht in einer anatomisch und funktionell engen Verbindung mit ihm. Das terminale Neuroretikulum ist eine vegetative Endformation, die afferente, efferente, sekretorische und — wie wir heute sagen können — trophische Elemente in einer gemeinsamen plasmatischen Leitbahn beherbergt. Histologisch lassen sich diese nicht trennen. Dieses ganze Harmonium kann in den verschiedensten Tönen klingen und zusammenklingen. Auf vorgeschriebenen und individuell besonders gebahnten Wegen breitet sich die Erregung aus und führt da und dort zu faßbaren Einzel- und Kollektivreaktionen verschiedenster Art, die im gleichen Segment liegen, aber auch überspringen können auf andere angeschlossene oder fernliegende Gebiete. Ähnliche Reize können dabei ganz verschieden und verschiedene ähnlich beantwortet werden. Im Zwischenhirn ist die Zentrale für die vegetativen Vorgänge. Sie bekommt ihre Reize durch das Blut, durch Stoffe, die in ihr selbst entstehen, sowie durch nervöse Einflüsse, die ihr von jeder Stelle des Nervensystems zugehen. Bahnung und Rhythmus sind charakteristisch für den Ablauf dieser Reaktionen. Das terminale Neuroretikulum ist wie ein peripheres Gehirn. Es hält mannigfachste Eindrücke von größter Reichhaltigkeit fest und kann aus einem inneren Rhythmus heraus oder auf spezifische und unspezifische Reize hin immer wieder zu gebahnten spezifischen und unspezifischen Reaktionen führen."

3. Die Membranleitung. Neben der elektrischen Weiterleitung in den Neuriten des vegetativen und zentralen Nervensystems existiert auch in der Peripherie ein biokybernetisches Steuersystem. Es besteht einmal aus dem bereits besprochenen „Zelle-Milieu-System" (PISCHINGER) und zum anderen aus dem „Reizleitungssystem der ladungstragenden Grenzflächen" (Membranleitung). LÖWENSTEIN und KANNO bewiesen mit ihren Experimenten, daß die Zellen nicht — wie bis dahin angenommen — durch ihre Membranen gegeneinander isoliert und elektrostatisch abgedichtet sind. Der zugeführte elektrische Strom ging bei verschiedenartigen Gewebszellen fast unverändert auch auf die Nachbarzellen über. PISCHINGER und STOCKINGER wiesen an der Zahnpulpa nach, daß die Reizleitung auch beim Bindegewebe über die Membranleitung erfolgt. Mit der Entdeckung dieses Reizleitungssystems scheint bewiesen, daß jede Zelle des Körpers im lebendigen Organismus indirekt ständig mit jeder anderen gesunden Zelle in Verbindung steht. Jede Zelle weiß also jederzeit, was in den anderen Zellen des Gesamtverbandes vor sich geht. Nur depolarisierte und in dem Zusammenhang gesehen „kranke" Zellen sind von dieser Gesamtinformation ausgeschaltet. Sie bilden eine Lücke im interzellulären Kommunikationssystem. Unsere Aufgabe ist es, diese mit der procainbedingten Repolarisation zu schließen.

Unter „Neurovegetativum" wollen wir weniger einen anatomischen, als einen funktionellen Begriff verstanden wissen, der das gesamte kontrolliert bedingt-reflektorisch arbeitende neuro-humorale Regulationssystem umfaßt.

SCHEIDT stellte fest, daß es bei C 8, L 2 und S 2, den sogenannten „Übergangssegmenten", zu einer gehäuften und besonders engen Verbindung zwischen den beiden sympathischen Grenzsträngen, dem zerebrospinalen Nervensystem und den vegetativen Bahnen von und zu den inneren Organen kommt. Der innige Kontakt und die Bündelung von spinalen und vegetativen Nervenelementen in diesen Abschnitten deutet darauf hin, daß wir es hier mit besonders wichtigen Relaisstellen zu tun haben. Wir wissen ja, daß naßkalte Füße nur zu oft Anginen oder Blasen-Nierenaffektionen zur Folge haben. Alle Segmentnerven und die entsprechenden vegetativen Ganglien haben unter vorherrschender Kontrolle der zentralen Schaltstellen ein eng begrenztes, räumlich beieinanderliegendes Versorgungsgebiet im Bereich der Haut und Unterhaut, des Bindegewebes, der Gefäße, Muskeln, Knochen und inneren Organe.

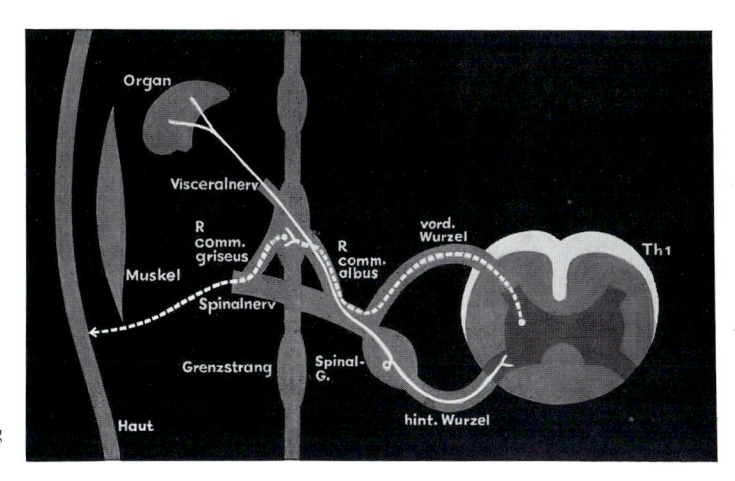

Abb. 8: Der kuti-viszerale Reflexweg (nach HANSEN und v. STAA)

Die Segmentdiagnostik und -therapie bauen sich auf der Erkenntnis auf, daß alle diese Teile eines Segments, die von den gleichen Nerven versorgt werden, auf alle Vorgänge innerhalb des Segments reflektorisch als Einheit antworten. Unphysiologische Reize, die von den Regulationsmechanismen nicht mehr ausbalanciert und abgefangen werden können, stören die Funktion so ausgiebig, daß eine Krankheit entsteht. Die Störimpulse bleiben aber nicht immer isoliert und auf ein Organ bzw. Organsystem lokalisiert. Sie werden vielmehr auf Nervenbahnen fortgeleitet. Einmal gehen sie als Meldung von der Peripherie zur Zentrale, die auf demselben Rückwege ihre Befehle sendet. Zum anderen gehen die Reizströme von der Peripherie über das Rückenmark zum segmentzugehörigen Organ und umgekehrt (kuti-viszeraler Reflex) oder vom Organ über das Rückenmark zu anderen Organen (viszero-viszeraler Reflex). In diese vegetativen Wechselbeziehungen ist das gesamte Endokrinium eingebaut. Das ganze neuro-humorale Funktionsgefüge ist so eng ineinander verzahnt, daß eine Störung in einem Teilgebiet sofort eine Umstellung und Reaktion der gesamten Funktionseinheit nach sich zieht. Es erkrankt also nie ein Organ, sondern immer der ganze Mensch! Jeder Reiz trifft die Gesamtheit und wird von ihr beantwortet.

HEAD und MACKENZIE beobachteten, daß bei der Erkrankung innerer Organe immer wieder Veränderungen in bestimmten Haut- bzw. Unterhaut-Segmenten auftauchten. Sie folgerten daraus, daß eine nervale Wechselwirkung zwischen den inneren Organen und den dazugehörenden Körperoberflächen bestehen muß!

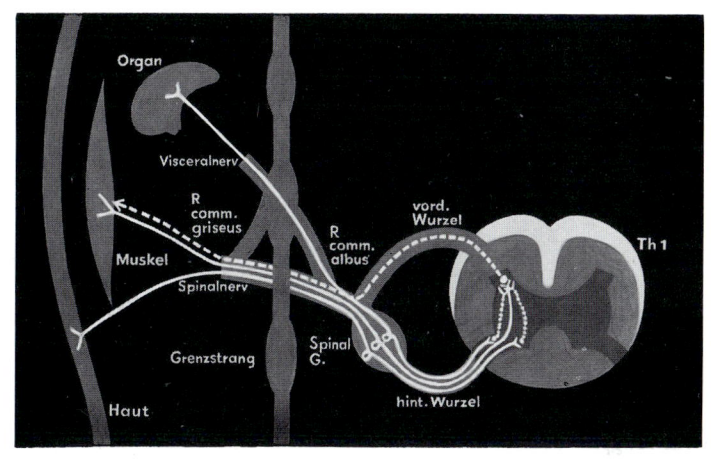

Abb. 9: Die Muskelreflexe (nach HANSEN und v. STAA). Die Reizung der Vorderhornzelle kann, wie die Zeichnung zeigt, auf mehreren Wegen erfolgen: —— Afferente Bahnen: Spinalganglion — hintere Wurzel — Schaltzellen des organzugehörigen Segmentes. - - - - Efferente Bahnen: Motorische Vorderhornzelle — Muskeln.

In der Haut bilden sich die von HEAD gefundenen hypersensiblen bis hyperalgetischen Zonen, aber auch Durchblutungsstörungen und umschriebene Gebiete mit Hyperhidrosis. Diese Hautzonen nennt man Dermatome.

Das Bindegewebe zeigt als Reizantwort oberflächliche Spannungsveränderungen, Einziehungen, Eindellungen, Quellungen und Piloarrektionen.

In der Muskulatur fand MACKENZIE hyperalgetische Zonen mit Muskelhypertonie und -hypertrophie, die man in der Tiefe als Verspannungen fühlen kann und die bei längerem Bestehen in Hypotonie bis Atrophie der Muskeln übergehen können.

Die Veränderungen am Periost und Knochen führen zu Hyperalgesien am Periost, zu Periostschwellungen und eventuell Knochenhypertrophien bzw. -atrophien und demzufolge bei fortgeschrittenen Fällen zu Haltungs- und Bewegungsanomalien.

Nach DITTMAR antwortet auf einen Reiz innerhalb der Segmenteinheit das ganze ,,Neuro-angio-myo-sklero-Dermatom".

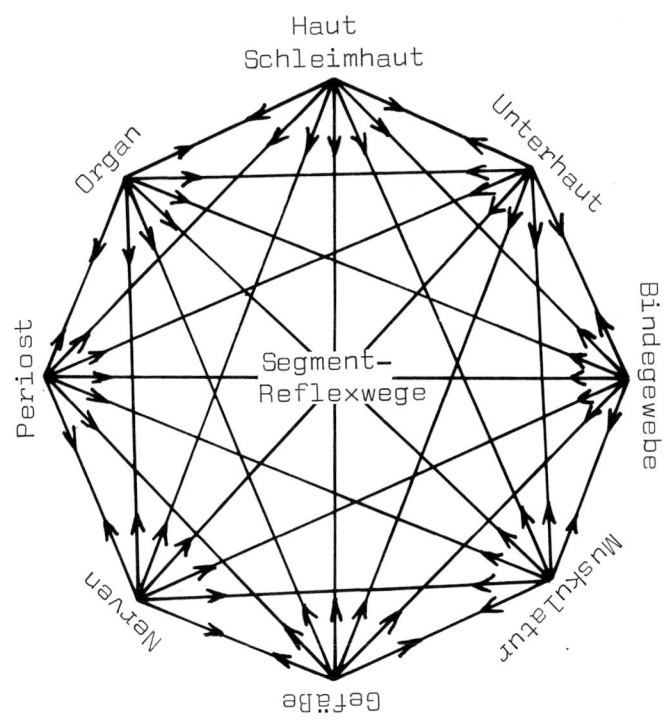

Abb. 10: **Segment-Reflexwege**

Haut: Kuti-viszeraler Reflexweg. HEAD (PONNDORF, Canthariden, KNEIPP, Akupunktur, Quaddeltherapie usw.)
Unterhaut: LEUBE-DICKE (Massage)
Bindegewebe: PREUSSER, KÖTSCHAU (Gelosen). PISCHINGER: Veg. Grundsystem.
Muskulatur: MACKENZIE (Hartspann, Massage, Injektionen)
Gefäße, Durchblutung: RICKER, SCHWAMM (Relationspathologie, Infrarot)
Nerven, Ganglien: SPERANSKI, HUNEKE (Neuralpathologie, -therapie)
Periost: VOGLER, KRAUSS (osteo-viszeraler Reflexweg)
Organ-Organ: Viszero-viszeraler Reflexweg

Jedes Gewebe steht mit jedem anderen in Wechselwirkungsbeziehungen. Die Neuraltherapie wirkt bei entsprechender Lokalisation des Procains auf alle Komponenten ein.

Es ist ein uraltes Erfahrungsgut der Heilkunst, daß man die Reflexverbindungen von der Körperoberfläche zum erkrankten Organ benutzen kann, um heilend auf die inneren Organe einzuwirken. Die 5000 Jahre alte chinesische Akupunktur geht diesen Weg ebenso wie die gesamte Reiztherapie mit Zugpflastern, Moxa, Blutegeln, Schröpfköpfen, Massagen, Bestrahlungen aller Art, überhaupt jede Kälte- und Wärmeanwendung. Ebenso die moderne Neuraltherapie, wenn sie mit gezielten Injektionen im Segmentbereich der Erkrankung angreift. Den Namen „Segmenttherapie" verdanken wir übrigens KIBLER, der durch die Arbeiten der Brüder HUNEKE dazu angeregt wurde, systematisch alle hyperalgetischen Segmentreaktionen mit *Procain (=Novocain)* oder *Segmentan* (1,29 %ige Natr.-bicarb.-Lösung) zu behandeln.

Die reflektorischen Beziehungen vom Organ zur Haut und umgekehrt lassen sich im Tierversuch überzeugend objektivieren. Ebenso die Möglichkeit, sich mit Procain-Injektionen therapeutisch in diese Wechselwirkung einzuschalten. Der österreichische Tierarzt KOTHBAUER sagte sich: Wenn ein erkranktes Organ auf kuti-viszeralen nervalen Wegen im zugehörigen Segment auf der Haut Schmerzpunkte erzeugt, müßten diese auch durch artefizielle Reizung des Organs reproduzierbar sein. Er brachte in den Uterus oder in das Ovar gesunder Kühe ohne Schmerzpunkte eine geringe Menge verschiedener stark reizender Lösungen. Wenige Sekunden danach rötete sich der jeweils korrespondierende Hautpunkt stark und reagierte hochgradig schmerzhaft auf schwache elektrische Reize, die vorher unterschwellig geblieben waren. Das heißt: Der elektrische Hautwiderstand dieses Punktes auf der Haut war durch die Organreizung in der Tiefe deutlich herabgesetzt worden! Die Hyperalgesie hielt unbehandelt mehrere Tage bis zu drei Wochen an, ebenso lange, wie die Folgen der chemischen Reizung am Uterus oder Ovar. Die Injektion von *Procain* in die hyperalgetischen Punkte löschten dagegen sofort den peripheren Reizzustand an der Haut und ließen das krankgemachte Organ ebenso schnell wieder gesunden.

Sehen wir uns das eben Gesagte an einem Beispiel aus der Praxis an: Der Organschmerz einer Gallenblasenentzündung führt, wie wir alle wissen, reflektorisch zu neuralen Störungen in den zugehörigen Headschen und Mackenzieschen Zonen. Diese machen sich als Haut- und Muskelschmerzen und -spasmen und als Durchblutungsstörungen mit ihren Auswirkungen auf den Stoffwechsel bemerkbar. Die sekundär in der Peripherie ausgelösten Schmerzen haben aber wieder negative Rückwirkungen auf das Organgeschehen in der Tiefe. Der so geschaffene Circulus vitiosus sich reflektorisch immer weiter steigernder Störimpulse kann durch eine Anästhesie der veränderten Haut, des Unterhautgewebes, der Muskulatur, des Periosts, der zuführenden Nerven oder am zugehörigen Grenzstrang unterbunden werden. — Dieser Reflexweg gibt uns eine Möglichkeit, schnell und ungefährlich ein entzündliches „akutes Abdomen" differentialdiagnostisch von Kolikschmerzen abzugrenzen. Man setzt 1—3 große Hautreizquaddeln nach DICK mit *Aqua bidest.* streng intrakutan in die vom Patienten angegebene Zone stärkster Schmerzen. Bei Gallenkoliken wird diese meist unter dem Rippenbogen angegeben, bei Nierenkoliken in der Flanke und im Unterbauch. Die spastischen Kolikschmerzen verschwinden auf die schmerzhaften Aqua bidest.-Quaddeln sofort, während entzündliche Prozesse im Bauchraum, die dann klinischer Behandlung bedürfen, unbeeinflußt bleiben. Diese Maßnahmen stören die weitere Diagnostik nicht, während ja die verschleiernden Gaben von Opiaten und anderen zentral wirkenden Analgetika streng kontraindiziert sind.

Bei der Cholezystopathie spritzen wir ein Lokalanästhetikum in die Magengrube, über der Gallenblase und den Schmerzausstrahlungszonen über der rechten Schulter und medial neben dem rechten Schulterblatt und alle Narben in diesen Gebieten. Bei allen Oberbaucherkrankungen hat sich daneben die tiefe Injektion von einem Milliliter des Neuraltherapeutikums prä- bis intraperitoneal in die Magengrube, etwa 3 Querfinger unterhalb des Processus xiphoideus, bewährt. Dann geben wir immer etwas *Procain* an den Nervenaustrittspunkt des rechten N. supraorbitalis, vorausgesetzt, daß er druckempfindlich ist. RATSCHOW bestätigte, daß er bei einem Drittel aller Gallenblasenentzündungen hyperalgetisch ist und daß man bei diesen Fällen alle Schmerzen fast ausnahmslos mit einer Impletol-Injektion an den Nervenaustrittspunkt unter der rechten Augenbraue kupieren kann. Finden wir außerdem beim Abtasten der Körperoberfläche noch tiefer gelegene Schmerzpunkte und Veränderungen des Tonus im Bindegewebe oder beispielsweise in der Muskulatur neben der Wirbelsäule, so sondiert man dort durch eine Hautquaddel in die Tiefe, bis der Patient die richtige Schicht mit seiner Schmerzäußerung angibt, und infiltriert nun mit etwas *Procain*. Sind die Wirbel selbst druck- und klopfschmerzhaft, spritzt man das Mittel ans Periost, wenn bei vorherigem Ansaugen weder Blut noch Liquor aspiriert wurden. Bei Koliken ist die eleganteste Behandlung die paravertebrale Anästhesie der rechtsseitigen Nerven von Th 9—11. Ganz besonders bewährt sich aber immer wieder bei allen segmentgebundenen Erkrankungen im Leber-, Magen-, Gallensektor die Injektion von etwa 2 Milliliter *Procain* an den rechten oberen Grenzstrang, genauer gesagt, an den oberen Nierenpol (nach WISCHNEWSKI). Mit ihr verschwindet meist auch die begleitende chronische Obstipation (falls sie nicht psychogen und auch nicht störfeldbedingt ist) — notfalls nach genügender Wiederholung der Injektion. In solchen chronischen Fällen ziehen wir auch noch gern die umstimmende intravenöse Procain-Injektion hinzu.

Die Auswahl, Kombination und Reihenfolge aus diesem großen Angebot neuraltherapeutischer Angriffsmöglichkeiten richten sich nach dem vorliegenden Fall, seiner Anamnese und den Ergebnissen der Voruntersuchung. Mit zunehmender Erfahrung wird man diese Möglichkeiten bei Bedarf zweckmäßig kombinieren. Das ist dann keine Polypragmasie im üblen Sinne, sondern nur ein Hinwirken aus mehreren Richtungen auf das Ziel, die pathologische Gesamtumstellung im Neurovegetativum möglichst schnell und gründlich rückgängig zu machen. Wir hören später noch mehr darüber.

Bei unserem Beispiel können natürlich auch heiße Kompressen, Kurzwellenbestrahlungen und andere Maßnahmen am Ort der Krankheitserscheinungen, einschließlich der Operation, helfen. Aber alle internen und chirurgischen Maßnahmen sind langwieriger und oft gefährlicher als die schnellwirkende und obendrein gefahrlose Neuraltherapie mit *Procain*.

> *Vor die Therapie haben die Götter die Diagnose gesetzt . . . aber jede Diagnose bleibt ein Geschwätz, solange sie nicht therapeutisch weiterhilft.*
> VOLHARD

b) Die Untersuchung

Viele Ärzte, die erstmals aktiv mit unserer Neuraltherapie in Berührung kommen, werden besonders durch unsere veränderte Einstellung zur D i a g n o s e im herkömmlichen Sinne irritiert oder gar schockiert. Es befriedigt uns nicht mehr, lediglich Symptomenbilder zu einem Begriff zusammenzufassen und diesem dann den Rang einer Diagnose zuzuerkennen. Noch weniger, mit dieser Diagnose dann am Ende unserer Bemühungen zu sein, wozu wir dann leider nur allzuoft verurteilt sind. Wenn wir ehrlich sind, müssen wir eingestehen, daß es der naturwissenschaftlichen Medizin bisher nur in wenigen Fällen gelang, die Pathogenese der Krankheiten wirklich exakt aufzuklären und uns ein sicher wirkendes Mittel in die Hand zu geben wie zum Beispiel das *Insulin* für den Diabetes, das *Vitamin B 12* für die Perniziosa oder die Hormone, Chemotherapeutika und Antibiotika. Wir sollten den Großtaten der Medizin, auf die wir mit Recht stolz sind, immer das weite Gebiet gegenüberstellen, das noch im Dunkeln vor uns liegt. Dann werden wir bescheidener werden.

Wir kennen drei Sorten von Diagnosen: Die echten, die unechten und die falschen. — Von einer e c h t e n Diagnose erwarten wir, was schon PARACELSUS von ihr gefordert hat und was das Wort verspricht: Durch und durch bis auf den Grund der Krankheit sehen und ihre Ur-Sache erkennen, weil nur deren Beseitigung eine wesentliche Voraussetzung der Heilung ist. Mit dem Huneke-Phänomen stellen wir z. B. eine echte Diagnose.

Die Diagnose im herkömmlichen Sinne kann uns oft nur als orientierendes Hilfsmittel dienen, weil sie meist eine u n e c h t e D i a g n o s e ist. In der Hälfte der Fälle begnügt sie sich damit, lediglich Erscheinungsbilder zu einem beschreibenden Wortbegriff zusammenzufassen, der uns nicht weiterhilft. Wir wollen aber wissen, woher die Krankheit kommt, nicht, was für einen Namen wir ihr geben sollen.

Von der falschen Diagnose sagt man, daß sie erst vom Pathologen aufgeklärt wird. Nehmen wir doch einmal eine Handvoll Diagnosen völlig verschieden aussehender Krankheitsbilder, die wir auch verschiedenen Fachdisziplinen der Medizin zuordnen müßten: Periarthritis humeroscapularis, Retinitis angiospastica, Morbus Ménière, Herpes zoster, Epikondylitis, Schwerhörigkeit, Trigeminusneuralgie, Stenokardie, Sudeck, Zervikalsyndrom, Brachialgia paraesthetica nocturna und die Dupuytrensche Kontraktur. Alle diese Symptomenbilder haben bisher als selbständige „Diagnosen" ein Eigenleben geführt. Heute wissen wir, daß alle genannten Krankheiten ihre Ursache in Veränderungen an der Halswirbelsäule und einer Irritation des Halssympathikus haben können. Folgerichtig ist dann der gemeinsame Weg zu ihrer Heilung die Beseitigung der Ursache mit neuraltherapeutischen oder chirotherapeutischen Maßnahmen bzw. eine kombinierte Sympathikus-Wirbelsäulenbehandlung. Ihre Selbständigkeit weiter aufrechterhalten hieße beinahe, sie der kausalen Therapie entziehen!

Daran ändert die Tatsache nichts, daß die genannten Krankheiten auch das Endresultat anderer Entstehungsmechanismen sein können. Letzten Endes führt der Weg zur Krankheit unserer Ansicht nach immer über das neurovegetative System. Wir wissen sehr wohl, daß der Sympathikus zusätzlich oder ausschließlich durch viele andere Faktoren irritiert werden kann. Die Störungen im Halsbereich, die so viele verschiedene Krankheitsbilder hervorrufen können, müssen auch nicht lokalbedingt sein. Zum Beispiel können sie einmal auf nervalem Wege von einer unscheinbaren Appendektomienarbe verursacht sein. Das beweist dann die therapeutisch-diagnostische Procain-Injektion mit dem Huneke-Phänomen (Sekundenphänomen). Dann heißt die echte Diagnose im neuraltherapeutischen Sinne: Zervikalsyndrom oder Trigeminusneuralgie usw., störfeldbedingt durch eine Appendektomienarbe.

Trotzdem darf und soll die exakte Diagnostik im herkömmlichen Sinne auch vor Anwendung der Neuraltherapie nicht in den Hintergrund treten. Selbstverständlich untersuchen wir auch die Reflexe, das Blutbild, die Senkung und den Urin usw., um uns ein möglichst umfassendes Bild von der augenblicklichen Gesamtsituation unseres Patienten zu verschaffen. Wir wollen natürlich die Kranken, die für unsere Therapie auf alle Fälle ungeeignet sind, vorher aussortieren und dürfen möglichst auch kein Karzinom, keine Lues, keine Tuberkulose, keinen Diabetes, keine Perniziosa und dergleichen übersehen. Da kein Arzt mehr das gesamte Gebiet der Medizin überblicken kann, sind wir dabei auf eine gute Zusammenarbeit mit den Spezialisten angewiesen. Dafür, daß sie unserem Treiben oft mit wenig wohlwollender Skepsis zusehen, behalten wir uns vor, ihre Ergebnisse und Therapievorschläge gelegentlich nicht als unumstößliches Gesetz anzuerkennen.

Wir halten es auch für falsch, kritiklos mit der Spritze in der Hand sofort auf jeden Kopfschmerz loszugehen und dabei einen Hirntumor zu übersehen! Aber für ebenso falsch und mit dem ärztlichen Verantwortungsbewußtsein schwer vereinbar, einem chronisch Kopfschmerzkranken entweder immer wieder nur Tabletten zu verschreiben oder ihn allzuschnell und routinemäßig zu punktieren, die Ventrikel mit Luft zu füllen und eine Reihe von EEGs anzulegen, anstatt vorher die so segensreichen und einfachen Procain-Injektionen intravenös und unter die Kopfschwarte zu versuchen!

Der Patient kommt mit der Vorstellung zu uns Ärzten, wir brauchten bei ihm nach einer „gründlichen" Untersuchung (mit möglichst teuren Geräten) nur die „richtige" Diagnose zu stellen, um ihn schnell heilen zu können. Wir wissen, daß das mit den herkömmlichen Mitteln kaum bei einem Drittel aller Krankheiten zutrifft. Wir Neuraltherapeuten stellen die Diagnose ex juvatibus und behandeln keine Symptome und Diagnosen, sondern den ganzen kranken Menschen. Dazu versuchen wir, den Weg, der zu seiner Krankheit führte, bis zum Ursprung zurückzuverfolgen und dann blockierte Weichen im neurovegetativen System wieder gangbar zu machen, soweit es uns möglich ist. Für uns gibt es nur Einzelfälle und wir kennen keine individuellere Behandlung, als unsere Neuraltherapie. Voraussetzungen sind neben der üblichen Diagnostik vor allem eine ätiologiebezogene Anamnese im Hinblick auf Segmentstörungen oder Störfelder und eine gründliche Inspektion und Palpation. Das alles kostet Zeit. Außerdem sind wir auf die aktive Mitarbeit unseres Patienten angewiesen. Er muß uns die Reaktion auf unsere Injektionen präzise angeben. Unklare oder gar falsche Angaben können uns fehlleiten. Er muß unbedingt wissen, was wir von ihm wissen wollen und wie wir den Weg zu seiner erfolgreichen Behandlung sehen. Die dazu erforderlichen neuralpathologischen Grundkenntnisse müssen wir ihm erst vermitteln. Da das in der übervollen Sprechstunde nicht ausreichend möglich ist, habe ich eine Aufklärungs-Broschüre für die Patienten verfaßt, die unter dem Titel „Wissenswertes über die Neuraltherapie nach Dr. Huneke" im Karl F. Haug Verlag, Heidelberg, erschienen ist. Sie erleichtert die notwendige Zusammenarbeit mit den Patienten erheblich.

Nun zu den eigentlichen Untersuchungen, die wir unseren Injektionen vorausschicken:

Die Haut: Um den funktionellen Zustand der Haut zu beurteilen, stehen uns eine ganze Reihe von Untersuchungsmethoden zur Verfügung:

1. Die Inspektion und Palpation
2. Die Sensibilitätsprüfung
3. Die Messung des Hautwiderstandes gegen Gleich- oder Wechselstrom und die Messung von Kapazität und Feldstärke
4. Die Messung oder Schätzung der Intensität des Dermographismus
5. Die Messung von Intensität und Wellenlänge der Infrarotabstrahlung
6. Schätzung der Intensität des Erythems nach einer bestimmten Strahlendosis
7. Ermittlung der Zellzahl im Exsudat von Kantharidenblasen
8. Beurteilung des Zustandes der Endstrombahn im Kapillarmikroskop
9. Vergleich der Leukozytenzahl aus dem untersuchten Hautabschnitt mit der aus gesunden Hautpartien (BERGSMANN).

Es handelt sich immer um Vergleichsmethoden. Alle stellen uns vor die problematische Entscheidung, einen bestimmten Hautbezirk zum Vergleich als „normal" zu bezeichnen. Für einen Teil der Methoden sind komplizierte und teuere Apparaturen erforderlich.

Für den Praktiker sind Inspektion und Palpation bei einiger Übung ebenso einfache wie ausreichend sichere Untersuchungsmethoden. Für die gezielte Segmenttherapie interessiert uns erst einmal der Turgor der Haut und da vor allem alle sicht- und fühlbaren örtlich begrenzten Veränderungen. Die erhöhten Gewebsspannungen können als Einziehungen, flächige Eindellungen und manchmal als teigige Schwellungen und Verquellungen in Erscheinung treten. Die Verschieblichkeit der Haut gegenüber dem Unterhautgewebe kann örtlich so herabgesetzt sein, daß man beim zarten Abtasten das Gefühl hat, als würde die Haut von innen festgehalten. Wir können diese Veränderungen zum Teil schon bei der bloßen Inspektion im direkten und indirekten Licht erkennen. Dann müssen wir noch auf das Vorhandensein und die Lage von Durchblutungsanomalien achten, z. B. auf Dermographismus, Cutis marmorata, Erythema fugax, örtlich begrenzte Temperaturabweichungen, „Gänsehaut" usw. Ihre Lagen in den Headschen Zonen lassen oft wichtige Schlüsse auf beginnende, im Gang befindliche oder abklingende Veränderungen in den zugeordneten Organen zu. Ihre Beseitigung mit Hilfe der Neuraltherapie kann den Verlauf dieses Krankheitsgeschehens ausschlaggebend beeinflussen.

Jede Narbe im sensibilitätsgestörten Segment ist für uns mindestens ebenso wichtig, auch wenn sie noch so alt, klein und reizlos ist! Um so mehr interessieren uns Narben nach Verwundungen, nach langdauernden Eiterungen, ebenso Fremdkörper in der Tiefe des Gewebes (Splitter, Geschosse, Knochendraht, -nagel). — Manche Patienten machen uns auf linsenförmige, harte Erhebungen in der Haut (meist der unteren Extremitäten) von etwa 1—2 mm Durchmesser aufmerksam, die sie als hyperästhetische Punkte empfinden. Vermutlich handelt es sich um gewucherte Nervenendplatten. Fingernagel-Druck dorthin kann oft an abgelegener Stelle einen Schmerz auslösen. Ich selbst habe am linken Oberschenkel einen solchen Punkt, der übrigens nicht auf einem Akupunktur-Meridian liegt. Wenn ich dort kratze, löse ich an der 9. Rippe in der vorderen Axillarlinie einen Schmerz aus, der sonst nur nach örtlichem Druck spürbar ist. Natürlich behandeln wir solche Punkte mit einer intrakutanen Quaddel, bis sie reizlos geworden sind.

Die H y p e r ä s t h e s i e d e r H a u t p r ü f e n wir mit einem Wattebausch oder einem Pinsel, die H y p e r a l g e s i e mit einer Nadel oder durch Abrollen mit einem Rädchen, wie es die Hausfrauen zum Durchpressen von Schnittmustervorlagen verwenden. Eine andere Möglichkeit ist folgende: Man faßt eine 16 cm lange, dünne Nadel am Konusteil locker zwischen Daumen und Zeigefinger und läßt den spitzen Teil der Nadel flach federnd-peitschend (also parallel zur Haut) mehrere Male auf die Haut fallen. Über hyperalgetischen Zonen gibt der Patient dann ein Brennen, Stechen oder Kitzeln an. Wenn wir zum Beispiel im Kieferwinkel eine solche Zone ausmachen, können wir darauf schließen, daß sich dort in der Tiefe eine chronisch gereizte Tonsille befindet. Diese Probe mit der Nadel ist auch über den Zähnen, den Nebenhöhlen und besonders über der Appendix und Gallenblase anwendbar. Die Hypersensibilität einzelner Bezirke braucht dem Patienten gar nicht bewußt zu sein. Wir müssen vor jeder Injektion gründlich schauen, tasten und drücken und alle empfindlichen und schmerzhaften Punkte gewissenhaft aufspüren. Dabei werden wir überrascht sein, wieviel wir finden, was dem Kranken bisher noch gar nicht bewußt geworden ist!

Bindegewebe und Muskulatur: Die M a c k e n z i e s c h e n Z o n e n liegen im Bindegewebe und den tieferen Schichten. Man prüft sie, indem man die gut eingeölte Haut zwischen Daumen und Zeigefinger anhebt und dabei leicht drückt und kneift. Ebenso kann man Muskelfalten zwischen Daumen und Fingern abrollen lassen oder die Muskulatur durch Perkussion prüfen. Wir wenden für unsere Diagnostik auch die von LEUBE und DICKE angegebene Methode an, mit der man verspanntes und hyperalgetisches Gewebe in den reflektorischen Bindegewebszonen auffinden kann: Man übt auf das Gewebe einen Zugreiz aus, indem man die Fingerkuppe des 3. oder 4. Fingers mit unterschiedlichem Druck langsam in Richtung der Spaltlinien der Haut durchstreicht. Gesundes Gewebe wölbt sich dabei gleichmäßig vor dem Finger und setzt ihm kaum Widerstand entgegen. Bei erhöhter Spannung spürt man je nach Lage einen mehr oder weniger tiefgehenden Widerstand. Haut und Unterhaut lassen sich dann nicht mehr ohne weiteres verschieben. Bei tiefem, aber trotzdem noch weichem Fingerdruck kann man so auch die verspannte Muskulatur („Hartspann") und die im Bindegewebe sitzenden Gelosen erfassen. Nach PREUSSER sind Gelosen „das diagnostisch objektivierbare Substrat sowohl neuraler als auch humoraler und durch ihre Reflexbeziehungen auch hormonaler und zellulärer Vorgänge im Organismus". Er sieht in ihnen eine Verschlackung des Mesenchymgewebes infolge ungesunder Lebensweise, die sehr wohl in der Lage ist, die vegetativen Anpassungsfunktionen zu stören und zu behindern. Beim Durchstreichen von segmentär beeinflußtem Gewebe gibt der Kranke einen eigentümlichen dumpfen Druck oder ein unangenehmes Schneiden an. Es ist aber gar nicht einmal nötig, daß wir einen ausgesprochenen Schmerz auslösen. Allein schon die Angabe, daß das Gewebe z. B. in der Tiefe neben den Dornfortsätzen „nicht unempfindlich" ist, muß uns aufhorchen und weitersuchen lassen. Bei der Untersuchung beachten wir besonders die Partien beiderseits der Wirbelsäule vom Hinterhaupt bis zum Steißbein, auch die Gegend der Hüften und Oberschenkel. Besonders gründlich müssen wir zwischen den Schulterblättern und darüber im Nacken- und Schulterbereich suchen. Es ist selten, daß man dort einmal nichts findet.

Das Periost und der Knochen: VOGLER und KRAUSS lehrten uns, auch das Periost zu untersuchen und zu behandeln. Sie fanden z. B. bei Magen- und Gallenleiden und bei Herzerkrankungen im zugehörigen Segment schmerzende seichte Dellen am Rippenbogen, Unregelmäßigkeiten des Reliefs, umschriebene Atrophien und Konsistenzveränderungen oder leistenartige Verdickungen an Rippen und dem Brustbein. Durch eine rhythmisch ausgeübte punktförmige Druckmassage dieser Knochenhaut- und Knochenveränderungen können sie über das „trophische osteo-viszerale Reflexsystem" auch die segmental zugeordneten inneren Organsysteme und deren physiologisches und pathologisches Geschehen nachhaltig therapeutisch beeinflussen. — Wenn man sich selbst einmal gründlich abtastet, wird man am Mastoid oder am Hinterkopf, den Schläfen, den Klavikeln, dem Sternum, an den unteren Rippenbögen, der Symphyse, am Steißbein oder den Schienbeinen usw. an umschriebener Stelle einen hellen Schmerz mit unangenehmen Begleitempfindungen auslösen können. Für Hypochonder eine wahre Fundgrube! Der Schmerz weist uns auf Segmentreaktionen hin, die wir mit einer gutsitzenden Procain-Injektion in günstigere Bahnen leiten können. — VOGLER nennt als Gegenindikation für seine Periostmassage alle akut entzündlichen Prozesse. Außerdem warnt er vor der Massage des Schädels, besonders der Nervenaustrittspunkte und auch der Dornfortsätze der Wirbel!

Wir haben uns seine Erfahrungen für unsere Therapie zunutze gemacht. Allerdings kennen wir weder Gegenindikationen, noch zu meidende Punkte für Procain-Injektionen an das Periost! Gerade die Nervenaustrittspunkte am Schädel und die Dornfortsätze werden von uns bevorzugt. Wir gehen überhaupt gern bei allen Injektionen mit an das benachbarte Periost. Dabei vermeiden wir möglichst subperiostale Injektionen, weil sie mehrere Tage nachschmerzen können. Die Nahtstelle nach einem verheilten Knochenbruch finden wir nicht selten als Störfeld, gelegentlich auch die Knochenhaut nach abgelaufener Periostitis. Unsere Periostbehandlung erfordert keine Spezialkenntnisse und keine manuelle Geschicklichkeit. Sie erfordert viel weniger Zeit, als die Massage und wirkt obendrein schneller und nachhaltiger.

Die Wirbelsäule prüfen wir auf ihre Empfindlichkeit durch Beklopfen der einzelnen Dornfortsätze mit einem Reflexhammer. So finden wir zum Beispiel bei bestehenden oder abklingenden Herzstörungen häufig eine Klopfempfindlichkeit vom 1.—5. Brustwirbel und eine Druckempfindlichkeit der entsprechenden Interkostalnerven. Ein kranker Magen kann den 6.—8., des Pankreas den 7.—10. Brustwirbel klopfempfindlich werden lassen. Empfindliche Lumbalwirbel 3—5 deuten auf Störungen in den Beinen hin, das empfindliche Os sacrum auf Prozesse im kleinen Becken. Natürlich sichern wir uns mit einer Röntgenaufnahme vor Metastasen, Wirbeltuberkulose und dergleichen. Der Knochen gibt uns mit seinem nervenreichen Periost viele Ansatzpunkte, die viel zuwenig ausgenutzt werden! Procain-Injektionen an die schmerzenden Wirbelkörper und ihre Dorn- und Querfortsätze können oft ein direktes Angehen der Nervenwurzeln ersparen!

Es ist eine unbedingte Notwendigkeit für uns, alle bei der Untersuchung gefundenen pathologisch veränderten Zonen der Haut, des Unterhautgewebes, der Muskeln und des Periosts mit einem Hautschreibstift anzuzeichnen, um sie dann bei der Behandlung nicht zu vergessen. An Hand einer Segmenttafel vergleichen wir dann die Segment- und Organzugehörigkeit der gefundenen Anomalien. Die Zeit, die auch der überlastete Praktiker für die sorgfältige Bestimmung hyperalgetischer Zonen- und Punkte, Hautadhäsionen, Gelosen usw. aufbringt, macht sich immer bezahlt. Man erspart sich und nicht zuletzt dem Patienten dadurch von vornherein sinnlose Injektionen. Ergeben sich zu viele Schmerzpunkte, suche man die schmerzhaften „Maximalpunkte" heraus. Aus dem Sitz der Schmerzpunkte und -zonen kann man nicht selten die — quasi gewebsfixierte — Anamnese ablesen. Mir hat sich sehr bewährt, die Patienten ihre Hauptschmerzpunkte schon zu Hause vor der Behandlung mit einem winzigen Eckchen Heftpflaster anzeichnen zu lassen. Konzentriert man sich dann besonders auf diese in Ruhe und unbeeinflußt markierten Punkte, spart man Zeit und Arbeit. Man wird so schneller auf die für die Segmentbehandlung wesentlichen Ansatzpunkte geführt. Nicht selten hört man von den Patienten nach der Behandlung von Maximalpunkten, der Schmerz sei nun in eine benachbarte Zone gewandert. Natürlich ist das so zu werten, daß der kleinere Schmerz erst jetzt fühlbar wird, wo ihn der größere nicht mehr übertönt. Es ist unsere Aufgabe, diese Punkte und Zonen nun auch noch schmerzfrei zu machen.

HEAD beschränkte sich auf Dermatome, MACKENZIE auf Myotome, LEUBE und DICKE wollen besonders das Bindegewebe ansprechen. VOGLER und KRAUSS setzen ihre Massage am Periost an. Wir Neuraltherapeuten suchen das pathologisch veränderte Gewebe in a l l e n Etagen auf, sie sind uns alle gleich wichtig. Denn auf den Reiz antwortet, wie wir sahen, das g a n z e Segment mit a l l e n seinen Teilen, wenn auch nicht immer schlagartig und mit allen seinen Anteilen gleichstark. Außer den genannten Schichten können natürlich auch isolierte N e r v e n - u n d G e f ä ß anteile, der S e h n e n b a n d-Apparat um ein Gelenk, die P l e u r a oder das P e r i t o n e u m mitbeteiligt sein. Dann müssen wir sie behandeln, um zum Ziel zu kommen.

Aus dem Gesagten geht schon hervor, daß wir dem Ort der Injektion und speziell auch der Tiefe, in der wir das procainhaltige Mittel applizieren, eine besondere Rolle zusprechen. Die H a u t nimmt dabei allerdings als besonders nervenreiche Schutzschicht des Körpers eine S o n d e r s t e l l u n g ein. Die Intrakutanquaddel hat eine unwahrscheinlich weitreichende Tiefenwirkung, die in den meisten Fällen ausreichend ist. Sie wirkt polyvalent einmal auf die zentralen Regulatoren und außerdem über die terminale Strombahn auf die Peripherie. Wer noch dazulernt, durch die Quaddel in die tieferen Schichten zu sondieren und die veränderten direkt aufzusuchen, der wird sicher noch eher zum Erfolg kommen. Nach der gutsitzenden Injektion lösen sich die lokalen Gewebsveränderungen auf und die Durchblutung und Schmerzempfindlichkeit normalisieren sich. Bleiben Reste oder bilden sich die Veränderungen wieder, muß erneut injiziert werden. Mit den pathologischen Veränderungen in der Peripherie pflegt sich auch der Organbefund zu bessern. Die Wiederherstellung der Norm erstreckt sich dabei offensichtlich auch in Bereiche, über deren Beziehungen und Bedeutung wir uns noch nicht im klaren sind. Wahrscheinlich geht das sogar so weit, daß die Nachwirkung des krankhaften Vorganges im Reizgedächtnis gelöscht wird.

Ein Beispiel aus dem Alltag mag das näher erläutern: Jeder Waldbrand beginnt einmal mit einer winzigen Flamme, deren Verlöschen ein Kinderspiel gewesen wäre. Umschriebene oder flächenförmig begrenzte Schmerzen in der Haut und den darunterliegenden Partien, die uns als banales „Rheuma" wenig imponieren, können unter Umständen Vorboten schwerer Organstörungen sein. Darum nehmen wir auch solche harmlos erscheinende Beschwerden ernst und untersuchen und behandeln sie besonders gründlich.

Die Segmentdiagnostik und -therapie sind bisher wenig erforschtes Neuland, und eine exakte Klärung der Zusammenhänge zwischen Segmentzone und Organ ist uns meist noch gar nicht möglich. Wir haben uns als Schüler der exakten Schulmedizin angewöhnt, a l l e s ergründen zu wollen. Aber wie selten und unvollständig ist das möglich? Wir wissen aber aus der Erfahrung, daß Schmerzen und lokale Gewebsveränderungen Hinweise auf Krankheiten sein können, mit denen sie in unmittelbarem Zusammenhang stehen. Sie melden uns, ganz allgemein gesagt, daß die Regulierungsmechanismen des Körpers überlastet sind. Es mag unwissenschaftlich, aber ärztlich gesehen richtig sein, wenn wir als Praktiker das Ergründen der letzten Ursache zurückstellen und dem Körper durch Beseitigen der lokalen Störungen helfen, die damit verbundenen anderen Störungen auszubalancieren, krankmachende Reflexvorgänge zu durchbrechen und die innere Ordnung wiederherzustellen. Damit treiben wir eine wertvolle Prophylaxe, deren Tragweite im Einzelfall gar nicht zu überblicken ist.

Nach einem Waldbrand bleiben an der Peripherie glimmende Herde zurück, die wir gut unter Kontrolle halten müssen, damit der Brand nicht wieder auflodert. Genau so hinterlassen abklingende Organkrankheiten je nach Schwere der Erkrankung noch bis zu acht Wochen ihre Zeichen in den Segmentzonen. Diese gestörten Stellen können wieder von sich aus das zugeordnete Organ so stören, daß sie die Krankheit jederzeit von der Peripherie aus wieder in Gang setzen können. Mit dem Auslöschen dieser bedeutungsvollen Warnzeichen beschleunigen wir die Ausheilung und verhindern Rezidive. Die Heilungen mit *Procain* lassen, wie bereits erwähnt, den Schluß zu, daß das Engramm sogar im Reizgedächtnis gelöscht wird. Dadurch wird verhindert, daß ein späterer „Zweitschlag" (SPERANSKI) sich verhängnisvoll auswirkt. — Wir beseitigen nur periphere Störungen, das ordnende Prinzip in uns stellt die Ordnung wieder her.

Die Gewebsveränderungen, mit denen wir uns eben beschäftigten, können auftreten, sie müssen es aber nicht. Woran das liegt, wissen wir nicht. Sie sind dann nicht etwa nicht vorhanden. Oft kann man sie mit besonders feinen Untersuchungsmethoden noch nachweisen. Nur gibt es dabei noch keine Methode, die sich für die allgemeine Praxis eignet. Wir erhoffen eine solche Methode, die auch das scheinbar stumme Segment zur Aussage zwingt, von den Elektrophysiologen, die dieses zukunftsreiche Gebiet bereits zu erobern begonnen haben. Die Intensität der Segmentreaktion ist individuell verschieden, sie kann innerhalb des Segments verschieden stark sein und sich im Verlauf einer Krankheit in Qualität und Quantität verändern. Krank ist aber immer der gesamte Organismus! Art, Ort, Umfang, Zeit, Verlauf und Ausgang einer Krankheit sind individuell verschieden und sicher auch von ererbten und erworbenen Anlagen, Konstitution, Disposition und anderen Faktoren abhängig.

Der Vollständigkeit halber muß im Kapitel über die Untersuchung noch betont werden, daß wir auch in jeder Testinjektion an eine störfeldverdächtige Stelle eine Untersuchung sehen. Die gekonnte Procain-Anwendung hat eine überragende differentialdiagnostische Bedeutung, die sehr oft allen herkömmlichen klinischen Untersuchungsmethoden in Hinblick auf das Heilen überlegen ist. Ermöglicht uns doch der negative Ausfall einer Testinjektion, eine annähernd verbindliche Aussage darüber zu machen, daß die befragte Stelle als Ursache der Krankheit ausscheidet. So können wir den gesuchten Herd einkreisen, bis wir eine echte Diagnose stellen können, eine, die uns in die Lage versetzt, kausal angreifend zu heilen.

*Die innere Medizin kann ihrem Namen
nur Ehre machen, wenn sie
am Äußeren das Innere versteht.*

c) Zuordnung der Segmentreaktionen
VON WEIZSÄCKER

Es wäre schön, wenn man die auf der Haut und darunter gefundenen Schmerzpunkte und Gefäßveränderungen nur mit einer Segmenttafel zu vergleichen brauchte, um daraus m i t S i c h e r - h e i t den Sitz der Krankheit abzulesen. Wenn bei jeder Krankheit auch der ganze Mensch erkrankt, so ist doch nicht bestritten, daß sich viele Krankheiten bevorzugt an einem Organ oder an umschriebener Stelle äußern. Leider ist die Lokalisierung nicht so ohne weiteres möglich. Die Segmentdiagnostik ist ein junges Gebiet. Sie kann und will nur den Hinweis dafür geben, an welcher Stelle das Räderwerk in Unordnung geraten ist. Sie kann dagegen nicht aussagen, um was für eine Krankheit es sich handelt, und genauso wenig die Ursache der Störung melden. Fest steht eben nur, daß auf einen Reiz hin alle funktionell und anatomisch zusammengehörenden Teile des Körpersegments antworten. Aber bisher fehlt noch die Möglichkeit, das Ausbreitungsgebiet aller Segementanteile exakt zu bestimmen.

Daß die Segmentbegrenzungen noch nicht genau festgelegt werden konnten, stört uns weniger, weil ja alle Organe sowieso innerhalb mehrerer Segmente liegen. Störender ist schon, wie weit die von den verschiedenen Autoren angegebenen Segmentschemata voneinander abweichen. Das liegt daran, daß der eine die Sensibilität prüft, der andere die Schmerzüberempfindlichkeit und hier einmal das Ausfalls-, das andere Mal das Ausbreitungsgebiet. Dazu kommt, daß der Mensch nun einmal keine Schablone ist. Die Segmente überlappen sich auch, was wiederum Abweichungen erklärt. Eine weitere Schwierigkeit ergibt sich daraus, daß die Segmentreaktion ja nicht nur auf den vegetativen Bereich beschränkt bleibt, sondern daß sie zwischen Grenzstrang und Rückenmark auf das andere Nervensystem überspringen kann. Oder sie breitet sich im Rückenmark nach oben aus. In beiden Fällen erfolgt die Reaktion in ein oder zwei zusätzlichen Segmenten.

Im allgemeinen treten die Segmentreaktionen nur e i n s e i t i g auf der Körperhälfte auf, in der sich auch das auslösende Organ befindet. Diese „Seitenregel" wird nur selten durchbrochen. Bei länger dauernden Schmerzen ist es allerdings möglich, daß der Schmerz in entsprechender Höhe auf die andere Seite überspringt. HEAD erklärte das damit, daß das Organ zwar die meisten Fasern von einer, aber auch einen gewissen Anteil von der anderen Seite des Rückenmarks bezieht. Daß der

Schmerz sich immer mehr ausbreitet, je länger er anhält, weiß jeder, der einmal mehrere Tage lang Zahnschmerzen gehabt hat. Dann hat er erlebt, wie zuletzt der ganze Kopf, der Nacken und schließlich auch Gebiete weh tun, die anscheinend in gar keiner Beziehung zum Zahnbereich stehen. Bei dieser scheinbaren Schmerzausbreitung spielen zweifellos oft auch psychische Momente mit. Eine echte Ausbreitung in andere Segmente kommt wohl nur bei Komplikationen und im fortgeschrittenen Krankheitsstadium vor. HANSEN rät, nicht an Einzelsymptomen hängen zu bleiben und sich auch nicht verwirren zu lassen, „das Syndrom, als Ganzes gesehen, ist immer einseitig, mögen auch Einzelzeichen nach der anderen Seite übergehen".

Die nachfolgende Tabelle wurde nach den Angaben mehrerer Autoren aufgestellt (CLARA, DITTMAR, FÖRSTER, HANSEN, HEAD, MARTIN, VON STAA u. a.). In der ersten Rubrik ist das Organ angegeben, in der zweiten der Schwerpunkt der Segmenterscheinungen und in der dritten, in welchen Bereichen überhaupt mit Reaktionen gerechnet werden kann.

Organ:	Schwerpunkt:	Gesamtbereich:
Herz	C 3 — 4 li., Th 1 — 6 li.	C 3 — Th 8, Trigeminus vorwiegend li.
Lungen, Bronchien	C 3 — 4 Th 3 — 5 li. bzw. re.	C 3 — 8 Th 1 — 9 li. bzw. re.
Oesophagus	Th 5	Th 5 — 8
Magen	C 3 — 4 li., Th 2, 7 — 9 li.	C 3 — 4 li., Th 5 — 9 vorwiegend li.
Dünndarm	Th 9 — 11	C 3 — 4 Th 5 — 12
Colon asc. und desc.	Th 11 — L 1 re. bzw. li.	C 3 — 4 Th 10 — L 3 re. bzw. li.
Leber, Gallenblase	C 3 — 4 re., Th 6 — 10 re. Trigeminus I. re.	C 3 — 4 re., Th 5 — 11 re. Trigeminus I. re.
Pankreas	C 3 — 4 li., Th 8 li.	C 3 — 4 li., Th 7 — 10 li.
Milz	Th 8 — 9 li.	C 3 — 4 li., Th 7 — 11 li.
Niere und Ureter	li. bzw. re. Th 10 — 12, L 1	C 3 — 4 Th 8 — L 4
Harnblase	beiderseits Th 12 — L 3, S 2	beiderseits Th 10 — L 5, S 1 — 4
Uterus, Adnexe bzw. Hoden, Nebenhoden	beiderseits Th 11 — L 3	beiderseits Th 10 — L 3
Rektum	beiderseits Th 10 — L 3	beiderseits Th 10 — L 3, S 2

Tab. 1: Die inneren Organe und der Bereich ihrer Segmenterscheinungen

Beim Betrachten der Tabelle fällt uns auf, wie oft das Gebiet von C 3 (N a c k e n u n d H a l s) und C 4 (S c h u l t e r n) genannt ist. Die organspezifischen Schmerzen werden in vielen Fällen auch auf das Innervationsgebiet des Nervus phrenicus übertragen, und zwar:

L i n k s : Von der linken Lunge, Herz, Aorta, Magen, Pankreas, Milz, Jejunum, Colon descendens, linkem Ureter und linker Niere.

R e c h t s : Von der rechten Lunge, Duodenum, Ileum, Zoekum, Colon ascendens, Leber, Gallenblase, rechtem Ureter und rechter Niere.

Nicht jeder Schulterschmerz ist also ein harmloses Rheuma! Dazu kommt, daß in dieser Gegend auch noch häufig Veränderungen an der Halswirbelsäule und eine Irritation des Halssympathikus mitspielen. Was kann uns also ein Schulterschmerz schon sagen? Kaum mehr, als daß irgendwo etwas nicht in Ordnung ist. Das Was werden wir nicht immer ergründen können. Aber oft genügen ein paar Quaddeln, um diesen Warner zum Schweigen zu bringen. Gelingt es uns, damit auf den kutiviszeralen Wegen die gestörte Ordnung wiederherzustellen, dürfen wir unser Gewissen wieder beruhigen.

d) Die Segmentzonen der einzelnen Organe

Die HEADschen Zonen im Zahnbereich:

1. und 2. Oberkiefer-Frontzahn:	Naso-Frontalbereich und Augen,
Eckzahn und 1. Praemolar:	Naso-Labialfalte,
2. Praemolar: *zweihöckrigen Backenzähne*	Schläfengegend,
1. Molarzahn: *Mahlzähne*	Maxillarzone der Wange,
2. Molarzahn:	Mandibularzone der Wange direkt vor dem Ohr.

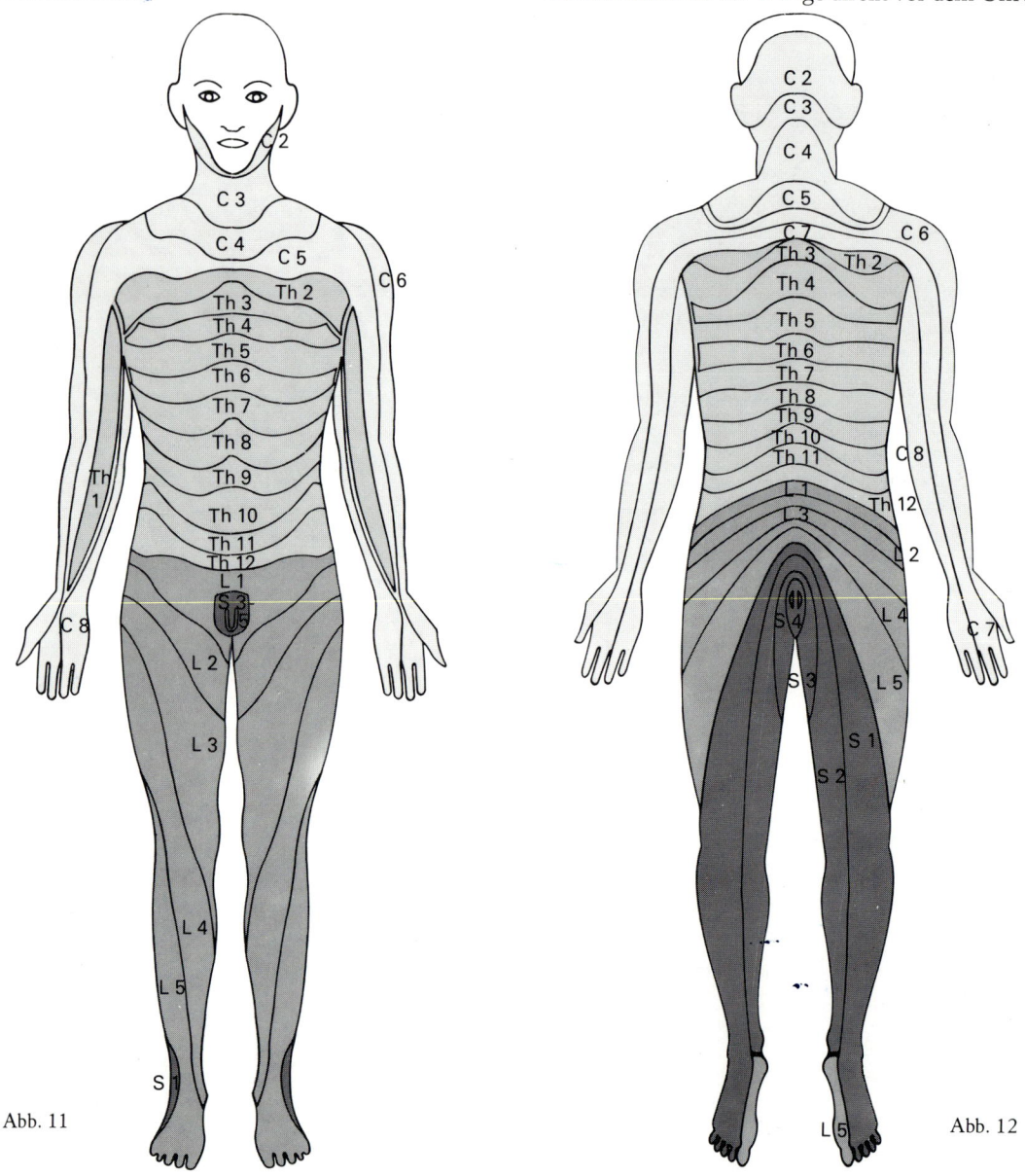

Abb. 11

Abb. 12

Abb. 11 und 12: Die Körpersegmente (HEADsche Zonen) werden nach den Rückenmarksabschnitten (-segmenten) bezeichnet, von denen sie versorgt werden. Entsprechend den Nervenaustrittsstellen an der Wirbelsäule sprechen wir von: 8 Hals- oder Zervikalsegmenten C 1 — C 8, 12 Brust-, Thorakal- bzw. Dorsalsegmenten Th 1 — Th 12 (= D 1 — D 12), 5 Lenden- oder Lumbalsegmenten = L 1 — L 5, 5 Kreuzbein- oder Sakralsegmenten = S 1 — S 5. Haut, Segmentgewebe und innere Organe, die vom gleichen Rückenmarkabschnitt nerval versorgt werden, bilden eine funktionelle Einheit, bei der jeder Teil den anderen reflektorisch mitbeeinflußt.

Unterkiefer: 1.—4. Zahn: Kinnbereich,
5.—7. Zahn: Ohr, äußerer Gehörgang, Kieferwinkel,
Untere Weisheitszähne: Kehlkopfgegend.

Die Zähne 1—5 im Oberkiefer stören häufig im Schulter-Armbereich, die Molaren des Ober- und Unterkiefers gern in der Lendengegend.

Segmentschema der Rückennerven (siehe Seite 80, Abb. 14)

Wenn das Segment im lebendigen Geschehen streng genommen auch nur eine Fiktion darstellt, so müssen wir doch die anatomischen Verhältnisse genau kennen, um in vielen Fällen, z. B. bei Verletzungen des Rückenmarks, bei Lähmungen und Sensibilitätsstörungen die Lage und Ausdehnung eines Krankheitsherdes bestimmen zu können. Ebenso müssen wir vor jeder — (T) — Paravertebralanästhesie die Topografie berücksichtigen.

Für die topografischen Beziehungen zwischen Wirbelsäule und Rückenmark gilt die CHIPAULTsche Regel:

Man zähle beim Erwachsenen zur Ordnungszahl des Dornfortsatzes
    in der Halsgegend: 1,
    im Gebiet der oberen Brustwirbel: 2,
    vom 6.—11. Brustwirbel: 3,
dann erhält man die Ordnungszahl der in gleicher Höhe entspringenden Nervenwurzeln.

Das 1. Lendensegment liegt in der vorderen Hälfte des 11. Brustwirbels, die übrigen vier Lendensegmente verteilen sich auf das Gebiet des 11. und 12. Brustwirbels. Die Sakralsegmente lokalisieren sich auf den Bereich des 1. Lendenwirbels.

Das Rückenmark reicht bis zum 2.—3. Lumbalwirbel. Von da ab gehen die Cauda equina und das Filum terminale. Der Duralsack reicht bis zum 2.—3. Sakralwirbel, der Epiduralraum bis zum Hiatus sacralis. Die Kenntnis dieser Grenzen wird uns später bei der Injektionstechnik zustatten kommen.

Zum schnellen Auffinden bestimmter Dornfortsätze präge man sich folgende Punkte ein:

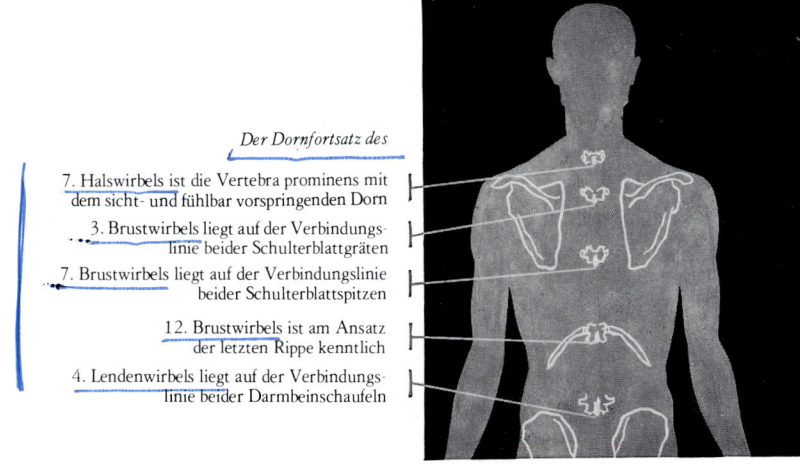

Der Dornfortsatz des

7. Halswirbels ist die Vertebra prominens mit dem sicht- und fühlbar vorspringenden Dorn
3. Brustwirbels liegt auf der Verbindungslinie beider Schulterblattgräten
7. Brustwirbels liegt auf der Verbindungslinie beider Schulterblattspitzen
12. Brustwirbels ist am Ansatz der letzten Rippe kenntlich
4. Lendenwirbels liegt auf der Verbindungslinie beider Darmbeinschaufeln

Abb. 13: Skizze zum schnellen Auffinden bestimmter Dornfortsätze

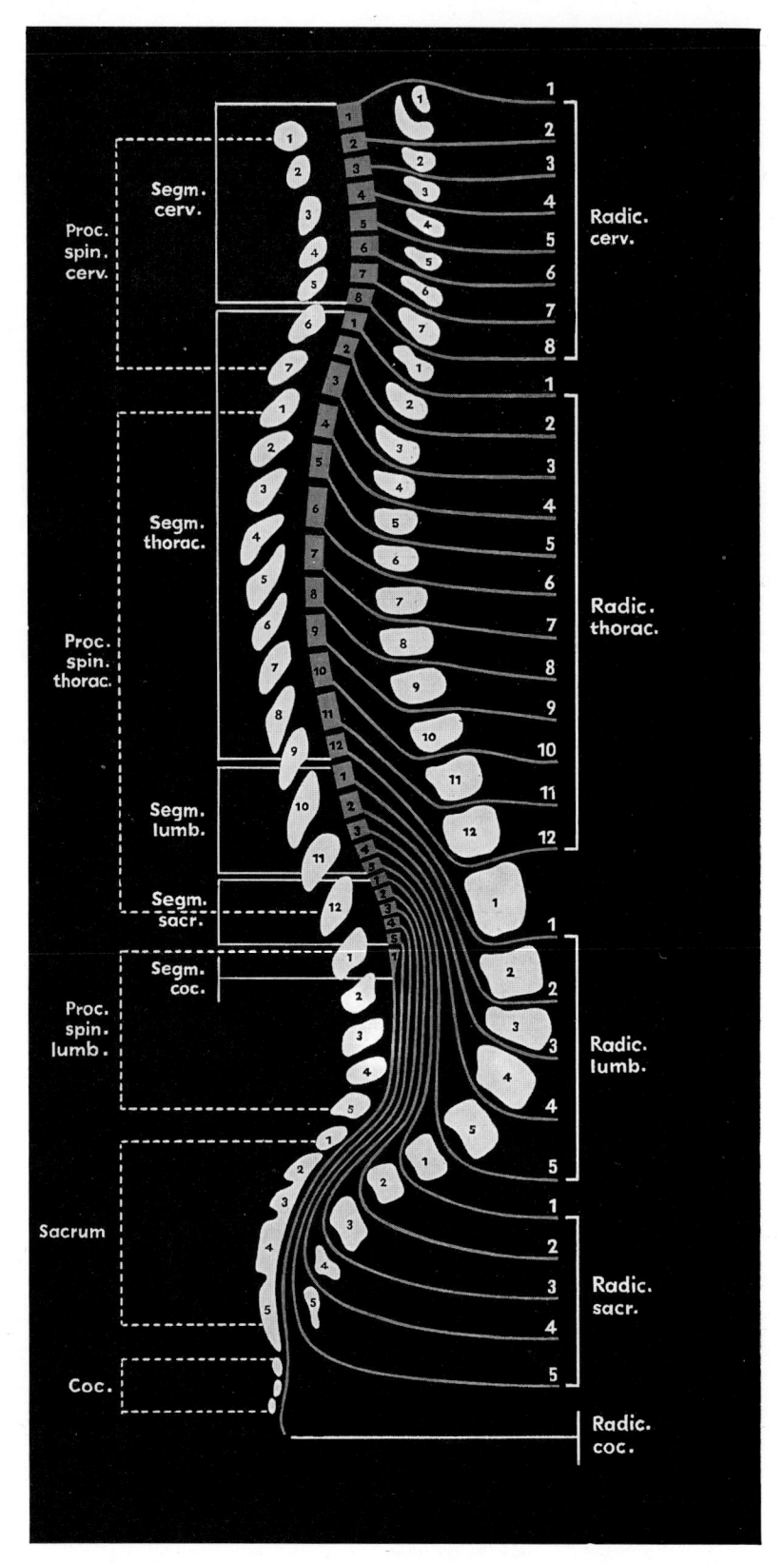

Abb. 14: Schema über die topografischen Verhältnisse der Rückenmark-Segmente und der Nervenwurzel-Austrittsstellen in ihren Beziehungen zu den Wirbelkörpern bzw. den Dornfortsätzen.

2. Das Störfeld und seine Ausschaltung über das Sekundenphänomen nach HUNEKE

Jede neue Erkenntnis muß zwei Hürden überwinden: Das Vorurteil der »Fachleute« und die Beharrlichkeit eingeschliffener Denksysteme.

Alle unsere Bemühungen im Segment müssen aber versagen, wenn das Krankheitsgeschehen gar nicht oder nicht mehr im Segment verankert ist! Darum müssen wir immer und immer wieder daran denken, wenn unsere gewohnte Therapie nicht anschlägt, daß eine Fernstörung außerhalb jeder segmentalen Ordnung jede chronische Krankheit verursachen oder begünstigen kann. Nach unseren Erfahrungen macht das mindestens 30 % aller Krankheitsfälle aus!

HUNEKE zeigte uns, daß überstarke pathogene Reize von Störfeldern (=Irritationszentren) ausgehen können, die jede segmentale Ordnung sprengen und überall im Körper Krankheiten auslösen können. Sie sind nie mit Maßnahmen im Bereich der Erkrankung, auch nicht mit der Operation erfaßbar, sondern nur über das Sekundenphänomen zu heilen! Ihr Reflexbogen reicht dabei offenbar bis in die vegetativen Zentren im Gehirn. Während die zu sehr symptom- und organgebundene Therapie von heute oft nur darauf angewiesen ist, die symptomatischen Endausläufer des Krankheitsgeschehens zu erfassen und soweit möglich zu beseitigen, greift das Huneke-Phänomen schon am ursächlichen Beginn der pathogenetischen Kette normalisierend ein. Das ist auch der Grund für die vielen unwahrscheinlichen, durch sonst nichts zu erzielenden Heilungen, die von den Neuraltherapeuten immer wieder beteuert und — von den Gegnern ebenso hartnäckig nicht geglaubt werden.

Wir müssen das Störfeld also immer wieder suchen! Chronische Entzündungen, Residuen abgelaufener Entzündungsvorgänge und Narben können auf das Neurovegetativum einen so starken Dauerreiz ausüben, daß es laufend gestört wird. Ein solcher Reiz kann von toten oder beherdeten Zähnen ausgehen, von den Mandeln, von Narben an der Haut, den Schleimhäuten und am Knochen. Die Prostata, der gynäkologische Raum, die Leber, Gallenblase, der Magen, die Appendix und jeder andere Reizzustand im Bauchraum und an jeder anderen Stelle, kurz gesagt:

Jede Stelle unseres Körpers kann zu einem Störfeld werden!

Ein Störfeld ist meiner Ansicht nach ein pathologisch vorgeschädigtes Gewebe, das sich infolge eines überstarken oder überlang einwirkenden Reizes oder einer Summe nicht abzubauender Reize im Zustand einer unphysiologischen Dauererregung befindet. Die dadurch entstandene chronische Depolarisationszone sendet Serien von Erregungssalven aus. Die kybernetischen Wechselbeziehungen zwischen Peripherie und Zentrale sind auf normale Informations- und Befehlsübermittlung angewiesen, die nur auf den Bahnen eines intakten Gesamtvegetativums erfolgen können. Der Nerv arbeitet nach dem ,,Alles-oder-Nichts-Gesetz". Alle Signale müssen also in einer Sprache ausgedrückt werden, die nur über die beiden ,,Buchstaben" 1 und 0, die sogenannten Dualzahlen, verfügt. Eine Sprache, die das Elektronengehirn auch nur versteht. Diese Kode-Sprache zur Signalübermittlung beruht auf einer ständig wechselnden Änderung der Impulsfrequenzen. Die von einem Störfeld ausgehenden Impulse sind immer sinn- und ziellos und müssen sich chaotisch auswirken. Vermitteln sie doch falsche Informationen, die die Regulationsmechanismen fehlleiten und verhängnisvoll stören können. Offenbar stellen dabei Loca minoris resistentiae bzw. majoris reactionis auf Grund ererbter oder erworbener Resistenzminderungen Empfänger auch solcher unphysiologischen Impulsfrequenzen dar. Man kann das mit einem alten Radioapparat mit geringer Trennschärfe vergleichen, der auch mehrere Stationen gleichzeitig empfängt und keinen klaren Ton liefert. Beim Radio bestimmen Stärke des Senders, Antennenleistung und Güte, das heißt Trennschärfe des Gerätes, die klare Wiedergabe des Tones. In dem uns mit *Procain* zugänglichen Teil des Krankheitsgeschehens spielen die Stärke des Störsenders, die Disposition und die Abwehrkraft der Regulationsmechanismen eine ähnliche Rolle. Die Stärke des pathogenen Potentialgefälles und die Anfälligkeit des ererbt oder erworben vorgeschädigten Gewebes oder Organes bestimmen also meiner Ansicht nach, ob und wo eine funktionelle oder organische Krankheit auftritt, ob diese im Segment verankert bleibt, sich im gleichen Körperviertel oder der Körperhälfte ausbreitet oder ob sie jede für uns sichtbare areale Zuordnung überspringt und irgendwo im Körper manifest wird. Unsere Aufgabe bleibt also, die krankmachende Störung zu suchen und abzuschalten, in der Regel entweder im Segment o d e r im Störfeld.

Im Huneke-Phänomen schalten wir einen starken Störsender ab. Nach PISCHINGER besitzt das *Impletol* ein hohes Potential von +290 mV. Bringen wir diese in eine Depolarisationszone, können wir das Defizit schnell und nachhaltig auf die erforderlichen 50—90 mV wiederaufladen. Das bedeutet nichts anders, als daß wir die krankmachende Dauererregung im Störfeld beseitigen, alle bisher blockierten Reglersysteme wieder in den Stromkreis einschalten und die normale Funktion in bisher gestörten Ebenen wiederherstellen.

Jede chronische Krankheit kann störfeldbedingt sein!

Die Ausnahmen von dieser Regel wurden bereits im Kapitel: ,,Die Versager der Neuraltherapie'' abgehandelt.

Diese Erkenntnisse sind nicht das Produkt theoretischer Erwägungen, sondern praktischer Erfahrungen. HUNEKE zeigte uns über die neuen pathogenetischen Erkenntnisse hinaus den Weg, die störfeldbedingten Krankheiten auch zu heilen.

Wenn wir *Procain* in ein derartiges krankheitsauslösendes und -unterhaltendes Störfeld spritzen, erlischt die Krankheit mit allen ihren Auswirkungen in Sekundenschnelle, soweit das anatomisch noch möglich ist. Eine knöcherne Gelenkversteifung kann bei einer Polyarthritis nicht im Sekundenphänomen behoben werden. Aber die Schmerzen, die Entzündung, Durchblutungsstörungen, hormonale Verschiebungen und die vielen Begleiterscheinungen können sofort abgestellt werden. Das gibt und d i a g n o s t i s c h gesehen die Möglichkeit, mit einfachen Mitteln ohne kostspielige und zeitraubende Untersuchungen oder gar eingreifende Operationen nachzuprüfen, ob ein kausaler Zusammenhang zwischen einem vermuteten Krankheitsherd und den krankhaften Fernstörungen besteht. Finden wir einen solchen Zusammenhang, haben wir t h e r a p e u t i s c h die Möglichkeit, diese Krankheit gegebenenfalls nach jeweiliger Wiederholung der Injektion an gleicher Stelle bei wiederauftretenden Beschwerden mit immer größerer Wirkung auszuheilen. Am überzeugendsten und einfachsten zu beurteilen ist dabei das Auslöschen von Schmerzen. Grundsätzlich gilt das aber auch für jedes andere Symptom.

Die Lehre F. HUNEKES vom Störfeld als häufiger pathogener Ursache und der Möglichkeit, es mit gezielten Procain-Injektionen zu beseitigen, wirft einige Fragen auf, die nach dem heutigen Stand der Grundlagen-Forschung kurz beantwortet werden sollen:

1. Was veranlaßt ein bisher gesundes, in biologischer Ordnung lebendes Gewebe, ein eigenes Reizzentrum zu bilden, das die Funktionen des Organismus so grundlegend stören kann?

   Antwort: Entzündungen, traumatische Gewebsläsionen mit und ohne sichtbarer Narbenbildung und degenerative Prozesse können zu örtlich umschriebenen pathologischen Veränderungen führen, die pathogene Störimpulse aussenden. Sie können es, müssen es aber nicht. Jedes p o t e n t i e l l e Störfeld kann durch eine intakte körpereigene Abwehr zurzeit inaktiv sein. So kann z. B. ein Mensch mit mehreren Zahngranulomen, Narben und Granatsplittern durchaus gesund sein. Sinkt aber seine Abwehr, steigt die Wahrscheinlichkeit, daß das Störfeld pathogen a k t i v wird. Diese Wende kann jede außerordentliche Belastung herbeiführen: Wetterumschlag, Klimawechsel, Menstruation, Klimakterium, Infekte, Diätfehler, Streßsituationen wie Unfälle, Operationen oder Zahnwurzelbehandlungen, schwere Erkrankungen und psychische Belastungen oder mehrere derartige Komponenten im Zusammenwirken. Auch iatrogene Faktoren kommen in Frage wie längere oder hochdosierte Verordnung von Regulationsblockern (wie *Cortison*, Antibiotika und Chemotherapeutika, Psychopharmaka) oder Zahnwurzel-Behandlungen. Jedes potentielle Störfeld ist wie eine Zeitzünderbombe, die jederzeit hochgehen kann, wenn der Zünder frei wird. Jede als Zweitschlag empfundene Belastung kann die Regulationsbreite des schon vorbelasteten Mesenchyms so weit einengen, daß das Störfeld plötzlich aktiv wird.

An einem solchen Störfeld sind folgende Veränderungen nachweisbar:

a) Pathologisch-anatomisch: Abnormer Gewebsaufbau, lymphozytär-plasmazelluläre oder leukozytäre Infiltrate, Fremdkörper, Nekrosen, Eisenablagerungen u. v. a. m. (KELLNER, STACHER).

b) Chemisch: Änderungen in chemisch-biologischen Konstanten, die durch verschiedene histologische Fermentreaktionen nachweisbar sind (KELLNER, STACHER).

c) Physikalisch: Von der Norm abweichende Widerstands- und Potential-Messungen in Störfeldern (HOPFER, KELLNER, SCHOELER, STACHER u. a.). Charakteristische Veränderung der Infrarot-Abstrahlung (SCHWAMM) und oszillografisch nachweisbare einseitige Störung der Vasomotorik (GROSS).

2. Auf welchem Wege werden die Störfeld-Impulse übertragen?

A n t w o r t : Es steht außer Zweifel, daß die normalen und pathologischen Impulse im Organismus auf den Bahnen des Neurovegetativums übertragen werden. Zu letzterem zählen wir alle nervalen, humoralen, hormonalen und zellulären Regelkreise (Regulationsmechanismen) in ihrem Zusammenwirken. Das Gesamtvegetativum stellt die Verbindung und den Informationsaustausch zwischen allen Zellen her. Auf ihm verlaufen auch die Wege zur Krankheit und Heilung.

3. Wie kommt es zu den pathologischen Veränderungen am Erfolgsorgan?

A n t w o r t : Nach PISCHINGER belasten Störfelder den Gesamtorganismus. Er sieht im weichen Bindegewebe und dessen Milieu das vegetative Grundsystem des Organismus. Eine Änderung des Organmilieus durch ein Störfeld oder einen Herd wirkt auf nervalem und humoralem Weg über dieses Grundsystem erst unspezifisch auf das Gesamtmilieu und so auch auf die anderen Organe. Wenn dann zusätzliche Noxen nicht mehr durch die Regulierungsmechanismen ausgeglichen und abgewehrt werden können, treten Krankheiten bevorzugt an ererbt schwachen oder erworbenen vorgeschädigten Organen oder Geweben auf. Jede Störfeld-Belastung der humoralen vegetativen Grundregulation stört mehr oder weniger auch das oxyreduktive Potential (Polarisation und Depolarisation) und damit den lebenswichtigen Sauerstoff- bzw. Energiestoffwechsel. Die oxyreduktive Beschaffenheit des Blutes und die Reaktionslage und Reaktionsweise des Organismus sind mit der Jodometrie meßbar.

4. Was geht beim Huneke-Phänomen vor sich?

A n t w o r t : Bei der Procain-Einwirkung geht folgendes vor sich:

a) Voraussetzung für jede Entzündung und viele andere pathologische Vorgänge ist eine Änderung des Zellgrenzmembran-Potentials (EICHHOLTZ). *Impletol* hat ein hohes Eigenpotential von etwa +290 mV (PISCHINGER). *Procain* repolarisiert und stabilisiert die durch Reizeinwirkung depolarisierte Zellgrenzmembran (FLECKENSTEIN). Mit der Wiederherstellung des Zellgrenzmembran-Potential im Huneke-Phänomen wird offensichtlich ein pathogener Circulus vitiosus unterbrochen (EICHHOLTZ).

b) Die nach RICKER stufengesetzlich verlaufende Reizantwort des Organismus überträgt sich auf nervalem Wege über das perivaskuläre Geflecht und das Terminalreticulum (STÖHR) unmittelbar auf die Blutzirkulation und das Gewebe. SIEGEN bewies, daß das gezielt angewandte

Procain die reizgestörte perivaskuläre Innervation wiederherstellen und alle pathologischen Reizauswirkungen am Blutstrom-Endnetz und Gewebe verhindern kann.

c) Humorale Sensibilisierungsvorgänge, die sonst beim klassischen Allergie-Modell (SHWARTZ-MAN-SANARELLI) als „Antigen-Antikörper-Reaktion" einen allergischen Gewebsschock (Nekrose) auslösen, können mit *Procain* am primären Reizherd unterdrückt werden (SIEGEN). Damit ist bewiesen, daß auch diese Vorgänge nerval gesteuert werden und nerval zu stoppen sind.

d) Die vor dem Huneke-Phänomen von der Norm abweichenden Widerstände und Potentialdifferenzen gleichen sich sofort nach der Procain-Injektion ins Störfeld aus (HOPFER, KELLNER, STACHER, SCHOELER). Die Infrarotdiagnostik (SCHWAMM) zeigt, daß sich auch die Durchblutung in vorher gestörten Bezirken normalisiert. Mit Hilfe des Oszillografen läßt sich objektiv nachweisen, wie sich die störfeldbedingte funktionelle Asymmetrie der Vasomotorik wieder zur normalen Symmetrie zurückbildet (GROSS).

e) Nach Erlöschen des Störfeld-Reizes normalisieren sich die vegetativen Grundfunktionen im Zelle-Milieu-System PISCHINGERS. Damit gehen auch alle störfeldbedingten Blutbildveränderungen zur Norm zurück (FLEISCHHACKER, PISCHINGER). Eine störfeldbedingte Asymmetrie in der Blutbeschaffenheit zwischen beiden Körperhälften wird ausgeglichen (BERGSMANN). Mit der RC-Messung (KRACMAR, MARESCH u. a.) und der Biotonometrie (RILLING) kann man die Normalisierung der vegetativen Reaktionskurve objektiv erfassen. Die vorher zu hohen Jodverbrauchswerte bei der Jodometrie gehen zurück und zeigen damit, daß sich auch das oxyreduktive Potential wieder normalisiert. PISCHINGER schreibt: „Wir injizieren also mit Impletol ein oxydierendes Prinzip und greifen so in die wichtigste Funktion des Gewebes, nämlich die Zellatmung ein." Jede Maßnahme, die aber in irgendeiner Form Energie in das Grundgewebe hineinträgt, setzt vegetative Funktionen in Bewegung, besonders deren grundlegende Hauptfunktion, die Polarisierung und Depolarisierung des Grundgewebes. Alle anderen vegetativen Leistungen wie Sauerstoff-, Ionen-, Mineral-, Wasser-, Leukozytenhaushalt usw. werden letztlich vom Gewebs- und Zellpotential bestimmt. KELLNER zeigte im einzelnen, wie Kalzium-, Natrium- und andere Elektrolytwerte im Serum bald nach Auslösen des Huneke-Phänomens bzw. der Herdbereinigung zur Norm zurückgeführt werden.

Der österreichische Pulmologe O. BERGSMANN untersuchte, was sich in seinem Fachbereich nach Ausschalten eines Störfeldes oder Herdes nachweisbar in den erfaßbaren Regulationsbereichen ändert. Störfeld und Herd bedingen eine Labilität der Regelsysteme, die das Angehen der Krankheit, hier z. B. der Lungentuberkulose begünstigt. Nach der Störfeld-Anästhesie ist diese Labilität nicht mehr nachweisbar. Mit anderen Worten: D a s S e k u n d e n - P h ä n o m e n s t a b i l i s i e r t d i e R e g u l a t i o n. Pathogene Rückkoppelungen werden unterbrochen, die Istwerte werden den Sollwerten angeglichen und die Ökonomie wird wiederhergestellt. Banale Reize, die zuvor die Lungenerkrankung als extrapulmonale Noxen mitverursacht hatten, bleiben nun unterschwellig. Die chronische Krankheit kann in ein therapiefähiges Stadium übergeführt werden.

Das Störfeld ist ein Dauerreiz, der die Gesamtregulation labil macht. Die Störfeldkrankheit entsteht durch pathologische Verarbeitung von Zusatzreizen im Sinne der überschießenden Reaktion. Das Huneke-Phänomen ist eine Komplexreaktion, die durch Ausschalten des primären Störfeldes und der damit verbundenen Stabilisierung der Regulation zum Schwinden der Krankheitssymptome führt.

Folgende Reaktionen und ihr Nachweis ließen diesen Schluß zu:
1. Die Herdausschaltung mit *Procain* führt im Sekunden-Phänomen zur Beseitigung der Regulations-Labilität in Bereichen der W ä r m e r e g u l a t i o n. Die vorher beste-

hende Hyperreaktion der Vasomotorik und die auf *Procain* einsetzende Normalisierung läßt sich mit der Infrarotkamera überzeugend sichtbar machen.

2. Mit dem Impulsdermograf kann man objektivieren, daß die B i o e l e k t r i k d e r H a u t im störfeldbelasteten Quadranten erheblich gestört ist. Die Anästhesie des Störfeldes stellt die normale bioelektrische Regulation wieder her. Die Tatsache, daß Widerstand und Kapazität im störfeldbelasteten Körperabschnitt extrem verändert sind, läßt auf eine Labilität der Gesamtregulation schließen.

3. Die T u b e r k u l i n - E m p f i n d l i c h k e i t der Haut (und wahrscheinlich auch des ganzen Organismus) wird durch ein Störfeld deutlich gesteigert. Vor dem Huneke-Phänomen zeigen die Regelsysteme, die auf die toxischen Produkte der Antigen-Antikörper-Reaktion antworten, eine Labilität. Danach stabilisieren sich die bei der Entzündung beteiligten Systeme und die Empfindlichkeit wird abgebaut.

4. Die L a b i l i t ä t d e r G e f ä ß w a n d kann man im Bereich der peripheren Gefäße mit dem Rheogramm nachweisen. Die Regulation am Gefäßsystem erwies sich als unstabil, wenn Störfeld und Lungenprozeß zusammenwirkten. Das Ausschalten des Störfeldreizes stellt die Stabilität wieder her.

5. Der T u r g o r d e s B i n d e g e w e b e s , also der Stoffwechsel im Gewebe, ändert sich schlagartig mit dem Erlöschen des Störfeldes. Das Abklingen der Erregung und der damit verbundenen Labilität läßt sich noch nicht zahlenmäßig, aber jederzeit leicht nachprüfbar mit der Palpation von Haut und Gelosen nachweisen.

6. Mit den Schmerzen ist reflektorisch der M u s k e l t o n u s erhöht. Die Dyspnoe der Lungenkranken beruht auf einer Übererregbarkeit des Zwerchfells und der Atemhilfsmuskulatur. Die Veränderung der Zwerchfellamplitude nach dem Huneke-Phänomen läßt sich an Röntgenbildern meßbar deutlich machen. Die Interkostalmuskulatur kann man mit Hilfe der Oberflächen-Myografie messen. Auch hier kann man wieder sehen, daß ein Störfeld die Labilität der Tonus-Regulierung aufrechterhalten kann. Das Sekunden-Phänomen läßt den Hypertonus verschwinden.

7. Normalerweise sorgt ein Bewegungskomplex für eine optimale Thoraxdehnung bei minimalem Kräfteeinsatz. Das läßt sich unschwer durch Messung des Muskeltonus und mit Hilfe von Inspektion und Palpation feststellen. Der Dyspnoische muß für seine unökonomische F e h l a t m u n g mehr Energie aufbringen. Mit dem Huneke-Phänomen werden die Turgor- und Tonuserhöhung und offenbar mitbeteiligte zentrale Dysregulationen beseitigt. Die Noxen, die die mangelhaften Atembewegungen bedingten, werden damit also abgebaut.

8. Das Spirogramm mit Atemkapazität kann zeigen, wie sich die A t e m r u h e l a g e nach dem Sekunden-Phänomen in Richtung Exspirium verschiebt. Das spricht für eine ökonomisierende Gesamtumstellung des Lungen-Thoraxkomplexes.

9. Daß Herd und Störfeld zu einer S e i t e n d i f f e r e n z d e r L e u k o z y t e n führen können, wurde schon gesagt. BERGSMANN nimmt an, daß eine der Ursachen dafür in der Asymmetrie der B l u t - D u r c h s t r ö m u n g liegt, die beim Huneke-Phänomen beseitigt wird. Er sieht diese Vorgänge unter dem Aspekt der Rückkoppelung zwischen zentraler Regulation und segmentalem Regelkomplex und wieder als Ausdruck einer Labilität der Gesamtregulation.

10. Die pulsgerechte Ergometrie zeigt, daß die a l l g e m e i n e L e i s t u n g s f ä h i g k e i t der Patienten nach Störfeldbereinigung bis zu 50 % ansteigen kann. Das kann nur die Folge der Ökonomisierung verschiedener Regelsysteme sein.

Auch BERGSMANN ist der Meinung, daß sich die störfeldbedingte Behinderung der Regelkreise ebenso bei allen anderen Fachdisziplinen nachweisen läßt.

Das sind alles zusammengenommen keine Indizien mehr, die sich einfach ignorieren lassen. Das ist eine lückenlose Beweiskette, wie sie von anderen wissenschaftlichen Schulmethoden, wie z. B. der Physiotherapie oder Psychotherapie nicht annähernd erbracht werden können.

Wir haben damit die **Objektivierbarkeit des Huneke-Phänomens** einwandfrei nachgewiesen.

5. Schließlich wollen wir noch die Frage nach Indikation und Grenzen dieser Therapieform stellen und beantworten.

Das Phänomen kann nur auftreten:
 a) Wenn das Leiden überhaupt durch ein Störfeld ausgelöst wird.
 b) Wenn die gezielte Procain-Injektion oder die Operation das Störfeld treffen und ausschalten.
 c) Wenn das Geschehen noch vom Störfeld abhängig und noch nicht „autonom" geworden ist (SPERANSKI).
 d) Wenn das Neurovegetativum intakt und ansprechbar ist. Das ist nicht (oder nur bedingt) der Fall, wenn eine „Regulationsstarre" (PISCHINGER) eingetreten ist, wie z. B. durch Regulationsblocker wie *Prednison* oder *Phenylbutazon*. Das kann mit der Jodometrie objektiviert werden. Dann muß die therapieresistente Krankheit durch Provokations- und Umstimmungs-Verfahren in ein akutes Stadium zurückverwandelt werden.

a) Die Bedingungen für ein Sekundenphänomen (Huneke-Phänomen)

F. HUNEKE hat für sein Sekundenphänomen Bedingungen aufgestellt, die auch heute noch als bindend gelten müssen:

1. Bei der Injektion von Impletol oder einem anderen Neuraltherapeutikum in ein schuldiges Störfeld müssen alle von ihm ausgelösten Fernstörungen in der gleichen Sekunde hundertprozentig verschwinden, soweit das anatomisch noch möglich ist.

Die Hundertprozentigkeit ist eine conditio sine qua non! Bleibt auch nur ein geringer Rest von Beschwerden, dann handelt es sich eben nicht um ein Huneke-Phänomen.

Bei einem kleinen Teil der Fälle tritt die volle Beschwerdefreiheit erst nach einem zeitlichen Intervall von einer bis mehreren Stunden ein. Das sollte nicht dazu führen, das „Sekunden"-Phänomen an sich durch Wortneubildungen wie „Spätphänomen" oder „Verzögerungsphänomen" einzuschränken. Die nervale Umschaltung tritt in jedem Fall, auch in dem anscheinend verzögert ablaufenden, i n d e r S e k u n d e ein, in der das schuldige Störfeld erlischt. Das humorale und hormonale System hinken dem nervalen Geschehen nur zeitlich nach, so daß es eine Zeit dauern kann, bis die Umstellung zur Norm auch diese Bereiche spürbar erfaßt und dem Patienten das Erlöschen aller Symptome subjektiv bewußt wird. — Noch viel seltener kann der Huneke-Test (z. B. der Zähne) den Stoffwechsel im angesprochenen Störfeld aktivieren. Dann wirkt die Testinjektion wie eine der anderen Provokationsmethoden (Spenglersan, Subtivaccin), die wir gelegentlich anwenden. Neben einer Lokalreaktion kann dabei auch das Grundleiden verschlechtert werden. Wir ändern dann die Reaktionsweise des Organismus durch umstimmende Verfahren, wiederholen die Injektionen oder erwägen eine operative Störfeldbeseitigung. — Diese beiden Abweichungen von der Regel sind sehr selten und werden nur der Vollständigkeit halber erwähnt.

2. Die völlige Symptomenfreiheit muß von den Zähnen aus mindestens acht, von allen anderen Stellen aus mindestens zwanzig Stunden anhalten.

Diese Zahlen sind das Ergebnis über 30jähriger Erfahrungen. Wir haben keinen Grund, sie zu ändern. Oft genügt schon eine einzige Injektion, um ein Störfeld für immer auszuschalten.

3. Treten die alten Symptome wieder auf, muß an die gleiche Stelle gespritzt werden. Die Zeit der hundertprozentigen Wirkung darf bei der Wiederholung keinesfalls kürzer werden, sie muß sich gegenüber dem ersten Mal sogar noch steigern!

Wie vielen Kranken blieb die Heilung versagt, weil der Arzt diese **Wiederholungsregel** nicht kannte und zu zeitig aufgab! Ihre Beachtung schützt uns vor einer falschen Beurteilung der Situation durch eine Suggestivwirkung, die wir ja nie ausschalten können. Wir wissen, daß sich die Suggestivwirkung bei der Wiederholung abzuschwächen pflegt. Beim echten S e k u n d e n p h ä n o m e n muß sie sich dagegen im Hinblick auf Dauer und Intensität noch s t e i g e r n !

Die „H e i l u n g in der Sekunde", die die Sensationspresse ihren wundergläubigen Lesern so gern auftischt, gibt es schon einmal gelegentlich. Aber leider selten und durchaus nicht in der Regel und auf Anhieb. Wir müssen uns um das „Wunder der Heilung" schon bemühen und uns dabei den Bedingungen unterwerfen, die die Mutter Natur uns auferlegt. Wir sind schon damit zufrieden, wenn uns jede Wiederholung der Behandlung am Erfolgsort dem ersehnten Ziel näher und immer näher bringt.

Erst, wenn diese drei Bedingungen voll erfüllt sind, darf man von einem Sekundenphänomen sprechen!

Dann führen auch weitere Injektionen an das erkannte Störfeld, falls sie erforderlich werden, zur Heilung.

F. HUNEKE vertrat die These, d a ß e i n S t ö r f e l d z w a r m e h r e r e K r a n k h e i t e n v e r u r s a c h e n k a n n , d a ß j e d e K r a n k h e i t a b e r n u r v o n e i n e m S t ö r f e l d aus dirigiert wird. Er räumte Erst- und Zweitschlag ein, blieb aber dabei, daß bei jeder Krankheit nur e i n Störfeld aktiv ist.

Zweifellos hat aber auch diese Regel vereinzelte Ausnahmen. So gibt es Fälle, wo beispielsweise ein Tonsillentest nur eine weitgehende Besserung hervorruft und erst die zusätzliche Injektion in den gynäkologischen Raum das Huneke-Phänomen vollständig werden läßt. Wenn man bei der Wiederholung in umgekehrter Reihenfolge spritzt, findet man dasselbe bestätigt. In diesen Ausnahmefällen haben also sowohl die Tonsillen, wie das Genitale im Zusammenwirken z. B. das Hüftgelenk krankwerden lassen.

Wir sehen, daß das *Procain (Novocain)* kein Heilmittel schlechthin ist, sondern daß es ein neues weitreichendes Heilprinzip beinhaltet, das uns bisher unbekannte Zusammenhänge klären hilft. Es verlangt allerdings ein Umlernen und Umdenken von uns. Das Mittel, das die neue Heilkunst begründete, ist nun mal nicht narrensicher, wie die Mittel der „pragmatischen Medizin" (JORES). Es hilft nur dem, der mit ihm umzugehen gelernt hat, der die Theorie und Technik wirklich beherrscht und der sich vor allem für das kybernetisch-ganzheitliche Denken in der Medizin entschieden hat. Den wird es dann allerdings in die Lage versetzen, sich die beherrschende Rolle des neurovegetativen Systems im Leben zu Heilungen nutzbar zu machen.

Im angelsächsischen Schrifttum spricht man vom flash-phenomenon, dem „Blitz-Phänomen". Diese Bezeichnung ist besser als unser „Sekunden-Phänomen", weil sie dem elektrischen Charakter des Geschehens besser Rechnung trägt. In der deutschsprachigen Literatur sollte man nur noch vom „Huneke-Phänomen" sprechen.

Bei einem Teil der Ärzte gilt dieses Phänomen immer noch als umstritten. Vor allem bei denen, die es theoretisch für unmöglich halten und praktisch noch keines gesehen haben. Die es ignorieren zu müssen glauben, weil es von der hohen Schule noch nicht sanktioniert wurde und weil es nun einmal nicht in ihr eingeschliffenes Denksystem passen will. Das Beharrungsvermögen alter Auffassungen ist groß: „Irrlehren in der Wissenschaft brauchen 50 Jahre, weil nicht nur die alten Professoren, sondern auch ihre Schüler aussterben müssen" (Max PLANCK). Wer sich erst einmal von der Existenz des Huneke-Phänomens und seinen Möglichkeiten überzeugt hat, den läßt es nicht mehr los und der wird es nicht mehr missen wollen. Das Erlebnis eines Huneke-Phänomens verändert die Einstellung des bisher orthodox erzogenen Mediziners zur Systematisierung der Krankheiten nach althergebrachten anatomischen und pathophysiologischen Regeln nachhaltig. Die oft dramatische Wiederherstellung des Normalzustandes realisiert darüber hinaus alle Wünsche, die sich der Arzt von seinem Handeln erhofft. Die Kraft des Erlebnisses sprengt zwangsläufig anerzogene Hemmungen in seinem Vorstellungsvermögen, denn die Diskrepanz zwischen seinen bisherigen Erfahrungen und der jetzt erlebten Realität zwingt ihn, neue Vorstellungskomplexe zu bilden und das bisher Unvorstellbare in seine Erfahrungswelt einzubauen. Der Kreis fortschrittlicher Professoren und Ärzte, die das Huneke-Phänomen erlebt haben und sich zu ihm bekennen, erweitert sich von Jahr zu Jahr. Vor allem, seit es den Wiener Professoren KELLNER und PISCHINGER gelungen ist, das Huneke-Phänomen mit Hilfe von Blutbildveränderungen und der Jodometrie einwandfrei zu objektivieren.

Professor NONNENBRUCH stellte sich in seiner Monographie: Die „doppelseitigen Nierenerkrankungen" als erster Wissenschaftler unmißverständlich hinter F. HUNEKE und sein Phänomen: „Es ist leicht, derartige Beobachtungen überheblich abzulehnen in alter kausal-mechanistischer Bindung. Ich habe diese Dinge genauer verfolgt, vielfach bestätigt und verstehen gelernt. Da erscheint einem das, was unsere Schulweisheit heute tut, oft kümmerlich und kläglich und oft genug unverantwortlich und unsittlich. Es gibt eine vom Menschen unabhängige vernünftige Weltordnung, deren Wesen niemals direkt erkennbar ist, sondern nur indirekt erfaßt bzw. geahnt werden kann. Ihr stehen wir bei jedem Lebensprozeß gegenüber, und der Heilkünstler hat sie genutzt, ohne sich darüber klar zu sein."

Professor Ferdinand HOFF überzeugte sich in HUNEKES Düsseldorfer Praxis von der Realexistenz des Sekundenphänomens, ohne sich allerdings HUNEKES theoretischer Deutung anzuschließen. In seinem Lehrbuch: „Behandlung innerer Krankheiten" schrieb er darüber: „In diesem Zusammenhang spielt auch das ‚Sekundenphänomen' von F. HUNEKE eine wichtige Rolle. HUNEKE hat gezeigt, daß lokale Impletol-Injektionen an einen Störungsherd, z. B. an einen beherdeten Zahn, bzw. an einer chronisch entzündeten Mandel oder einer alten Narbe in manchen Fällen in der gleichen Sekunde zu einem völligen Verschwinden langdauernder Schmerzen an einer fernen Körperstelle, etwa an einem Kniegelenk, an einem Schultergelenk oder im Bereich eines schmerzhaften Nervs führen können. Diese Beseitigung des Schmerzes kann mehrere Tage anhalten und bei Wiederholung der Impletol-Injektion an dem betreffenden Störungsfeld kann auch eine Dauerheilung eintreten. Diese Angaben sind so erstaunlich, daß sie zunächst auf große Skepsis und vielfach auch auf Ablehnung gestoßen sind. Ich möchte aber ausdrücklich feststellen, daß ich mich in jetzt schon ziemlich vielen Fällen von der Realität dieses Sekunden-Phänomens überzeugt habe. — Das hier zugrunde liegende Prinzip scheint mir aber von großer Bedeutung zu sein, gerade deswegen, weil es zunächst durch unser gewohntes theoretisches Denken nicht ohne weiteres erklärlich ist. Gerade neue Tatsachen, die zunächst durch die bestehende Theorie nicht erklärlich sind, sind für den Fortschritt der Wissenschaft von Bedeutung."

Auch Professor KÖTSCHAU sprach sich in seinem bekannten Buch: „Medizin am Scheideweg" für das Huneke-Phänomen aus: „Jeder wirkliche Arzt hat schon einmal, vielleicht auch schon dutzendemal das Sekunden-Phänomen erlebt, wobei der innere Arzt (PARACELSUS) oder die ‚spezifischen Energien' in einem unanalysierbaren ‚Vonselbst' eine Heilung vollzogen, deren Unanalysierbarkeit den qualitativen und quantitativen Umfang des tatsächlich vor sich gehenden Heilgeschehens verdeckt. Der Arzt stellt das Verschwinden der Symptome fest, der Patient fühlt sich schmerz- und beschwerdefrei, und so registriert man den Zustand der Gesundheit. Was sich aber wirklich ereignet hat, weiß niemand. Das ist an sich nichts Absonderliches. Denn den Heilvorgang hat noch niemals ein Arzt analysieren können. Er hat stets nur die vollzogene Heilung konstatieren können, ohne zu wissen, wie sie zustande gekommen ist. Die heute noch gebräuchlichen Vorstellungen im Sinne des physikalisch-chemischen Contrarium sind denkbar naive und primitive. Wenn es eine solche physikalisch-chemisch vollziehbare passive Heilung gäbe, dann müßte sie sich auch am toten Organismus demonstrieren lassen. Die unabdingbare Voraussetzung jeder echten Heilung ist aber das Aktiv-Lebendigsein. Damit entfällt die Analysierbarkeit im Sinne der Naturwissenschaft. Die Vorstellung, daß man nur eine ‚Diagnose' zu stellen brauche, um die Heilung per Contrarium in der Hand zu halten, ist also unrichtig. Denn der analysierbare Heilvorgang hat mit der heute üblichen

Diagnostik keinerlei kausale Verbindung. Das gilt im doppelten Sinne. Wenn, wie wir gezeigt haben, nicht einmal der Reiz zur Reaktion in einer linear-kausalen Beziehung steht, dann gilt, daß der ermittelte diagnostische Befund nicht einmal die Funktion des Reizes ausübt, sondern vom Einflußgebiet des Heilgeschehens vollständig abgegrenzt ist. Es besteht also weder eine linear-kausale noch eine ganzheits-kausale Beziehung der heutigen Befunddiagnostik zum Heilgeschehen.

Anders liegen die Dinge beim Sekundenphänomen. Hier kennen wir zwar linear-kausal gesehen auch keine Zusammenhänge, aber wir wissen ganzheits-kausal gesehen, daß die richtig gesetzte Procain-Spritze eine sofort auftretende ganzheitliche Reaktion auslöst. Hier besteht also ein echter Kausalzusammenhang, freilich ein ganzheits-kausaler. Die Diagnostik dieses Geschehens ist keine befunddiagnostische, sondern eine heildiagnostische. Nicht das Erkennen steht im Mittelpunkt, sondern das zweck- und sinnvolle Tun, nämlich das Auslösen der Heilreaktion. — Wenn HUNEKE ein echtes Sekundenphänomen auslöst, hat er mit dem ‚Gewußt-wo' eine zentrale Diagnose gestellt."

b) Die Anamnese

N e u r a l t h e r a p i e   b e d e u t e t   G a n z h e i t s t h e r a p i e. Wenn jede Stelle des Körpers zu einem Störfeld und damit zur Causa für irgendeine Krankheit werden kann, müssen wir, soweit es möglich ist, jede Stelle des Körpers fragen, ob sie als krankmachende Ursache in Frage kommt. Um das einmalige Problem zu lösen, das uns jeder neue Kranke aufgibt, müssen wir versuchen, mit einer möglichst intensiven Anamnese und gründlichen Voruntersuchung alle Punkte zu erfassen, die uns helfen können, die Ursache einzukreisen und unsere Injektionen an der richtigen Stelle ansetzen zu lassen. Das Erheben der Vorgeschichte und die Genauigkeit der gemachten Angaben über Schmerzen, überstandene Krankheiten, Verletzungen und Operationen können für die Heilung von ausschlaggebender Bedeutung sein. Wir müssen dem Patienten mit gezielten Fragen das entlocken, was wir wissen müssen. Lassen wir ihn vorher einige Minuten sein Schicksal erzählen. Für den Kranken ist das Therapie, und er gewinnt Vertrauen zu dem Arzt. Der hat dabei eine gute Möglichkeit, zu beobachten und die gesamte Persönlichkeit des Kranken zu erfassen und sich darauf einzustellen. Der Erfolg des Neuraltherapeuten hängt also zum wesentlichen Teil auch davon ab, wie geschickt er fragen und wie geduldig und aufmerksam er seinen Patienten zuhören kann.

Die besten Voraussetzungen, ein guter Neuraltherapeut zu werden, bringt der praktische Arzt, noch mehr der Hausarzt im guten alten Sinne mit sich! Er überblickt die Vorgeschichte seines Patienten, seine Umwelt, den Arbeitsplatz, die Lebensgewohnheiten, den seelischen Status und seine individuellen Reaktionen. Er kennt so praktisch den ganzen Menschen mit seiner psychischen und neuralen Ausgangslage.

Wer im Kranken nur den Lieferanten von Urin, Blut, Serum, Stuhl und Temperaturkurven sieht, deren Untersuchungsergebnisse zu Statistiken zu verarbeiten sind, lasse besser die Finger von der Neuraltherapie. Uns bedeutet das nicht faßbare Leben mehr, als kalte Zahlen. Während der naturwissenschaftlich eingestellte Arzt davon überzeugt zu sein scheint, daß er selbst die gestörte Ordnung wiederherstellen kann, wissen wir, daß wir nur dem ordnenden Prinzip in uns dienen.

Es empfiehlt sich, die Angaben in der zeitlichen Reihenfolge von der Geburt an aufzuschreiben und den Beginn der jetzt im Vordergrund stehenden Krankheitserscheinungen zeitlich mit einzureihen und besonders hervorzuheben. Oft ergibt sich allein daraus schon, ob das jetzt im Vordergrund stehende Krankheits-Geschehen im Anschluß an ein anderes Geschehen seinen Anfang nahm, das uns auf das Störfeld lenkt.

Das Gelenkrheuma, das im Gefolge einer schweren Angina begann, wird uns natürlich zuerst an die Tonsillen denken lassen. Die Asthmatikerin, die angab, sie habe ihr Leiden im Wochenbett bekommen, verlor es nach zwei Injektionen in den gynäkologischen Raum für immer. Bleiben wir gleich beim Asthma, um zu zeigen, wie wenig diese ,,Diagnose'' für uns bedeuten kann, weil sie uns therapeutisch nicht weiter hilft. Ein Rentner, der während seiner Anfälle alle zehn Minuten Wasser lassen mußte, wurde von seinem Asthma durch eine Serie von Injektionen in die Prostata geheilt. Ein junger Mann, der das Leiden aus dem Krieg mit nach Hause gebracht hatte, verdankte es einem Neurom nach Hand-Schußbruch. Ein Kind von zehn Jahren, bei dem mit drei Jahren eine Tonsillotomie und eine Entfernung der Rachenmandel vorgenommen war, gesundete von seinem Asthma, als ich *Impletol* an die Mandelpole und die Narbe am Rachendach spritzte. Viermal Asthma, vier äußerlich gleiche und dabei wesensmäßig doch so verschiedene Krankheiten, die jedesmal therapeutisch anders angegangen werden mußten.

Leider ist es nicht immer so einfach. Das soll ein weiterer Asthmafall zeigen. Ein Handwerker war vor fünf Jahren wegen eines Malignoms kehlkopfexstirpiert worden. Im Anschluß daran bildete sich ein so starkes Asthma aus, daß er die Arbeit aufgeben mußte. Die Behandlung bei einer ganzen Reihe von Spezialisten verlief ergebnislos. Man fahndete vor allem vergeblich nach Bronchial- und Lungenmetastasen. Auch die Procain-Behandlung im Segment mit intravenösen Injektionen, Brust- und Rückenquaddeln und Behandlung der Operationsnarbe, selbst Stellatuminjektionen konnten seinen Zustand nur wenig ändern. Tag und Nacht hielt der quälende Reizhusten an. Der Röntgenstatus der Zähne zeigte eine Retentionszyste. Der Procain-Test dorthin ergab ein Huneke-Phänomen mit einer für alle Beteiligten kaum faßbaren Hundertprozentigkeit. Der nach der operativen Entfernung der Zyste erzielte Dauererfolg ermöglichte dem selbständigen Handwerker die Wiedereröffnung seines Geschäftes.

Diese Krankengeschichte zeigt uns die praktische Bedeutung der Lehre SPERANSKIS vom Z w e i t s c h l a g . Für jeden Neuraltherapeuten lag nahe, das Auftreten des Asthmas nach der Kehlkopfoperation mit dieser in Zusammenhang zu bringen. Die Heilung beweist aber, daß die Zyste schon v o r der Operation ein l a t e n t e s S t ö r f e l d gebildet hatte, von dem noch keine faßbaren Fernstörungen ausgingen. Die Kehlkopf-Operation wirkte mit ihrer Erschütterung der Ganzheit des Organismus als Zweitschlag, der das latente Störfeld manifest werden und die Krankheit ausbrechen ließ. Eine Fraktur, eine Angina, eine Wunde usw., ja selbst eine seelische Erschütterung hätten ebenso das volle Maß zum Überlaufen bringen können. — Die eigentliche Ur-Sache der Krankheit war also hier nicht die Operation, sie war nur der krankheitsauslösende Zweitschlag. Die Zyste hatte die Regulationsmechanismen schon vorher blockiert. Nur die Procain-Injektion oder die Zystenoperation waren in der Lage, diese Blockade zu durchbrechen und damit die nervale Weiche auf ,,Heilung'' zu stellen.

Unsere gezielte Anamnese muß also darauf gerichtet sein, womöglich zu klären, auf welche Belastung das Neurovegetativum am nachhaltigsten reagiert hat, wonach die Kraft der Regulation nachgelassen hat, nach welcher Krankheit der Leistungsknick bzw. die jetzt im Vordergrund stehende Erkrankung begonnen hat. Das wird durchaus nicht immer möglich sein. Dann muß man eben alle Möglichkeiten der Segmenttherapie ausschöpfen. Bringt das nicht weiter, heißt es nur noch: ,,Suchet, so werdet ihr finden!''

Im Hinblick auf ein Störfeld müssen wir den Patienten beim Erheben der Anamnese besonders nach folgenden Vorkrankheiten fragen:

Tonsillen: Diphtherie, Scharlach, gehäufte Anginen, Mandelabszesse, Tonsillotomie, Tonsillektomie, adenoide Wucherungen, retronasale Anginen, Rachenmandelentfernungen, Fremdkörpergefühl im Hals, Foetor ex ore?

Zähne: Zur Beurteilung ist ein Röntgenstatus erforderlich, am besten mit Vitalitätsprüfung! J e d e r wurzeltote oder beherdete Zahn kann Störfeld sein, auch wenn er keinerlei Erscheinungen macht! Wurzelresektionen, Zahnfisteln, Zahntaschen, Stiftzähne, Wurzelreste, Zysten, verlagerte Zähne, gelegentlich ,,muckernde'' Zähne, Zahnfleischerkrankungen, Stomatitiden?

Narben: Operationen, Verwundungen: Wo liegen noch Granatsplitter bzw. Geschosse? Verletzungen, Furunkel, Karbunkel, langdauernde Eiterungen, Abszesse, Fisteln, Unterschenkelgeschwüre,

Spritzenabszesse oder -infiltrate, Stichverletzungen, Schönheitsoperationen, Dammrisse? Hat der Patient als Zangenkind Verletzungen bei der Entbindung erlitten? Besonders nach Narben an Händen, Knien und Füßen suchen. Notfalls den völlig entkleideten Patienten gründlich betrachten, auch unter den Fußsohlen. Jeder Mensch hat Narben, auch die kleinste kann wichtig sein! Vor allem gilt das für die Narben im Kopf- und Halsbereich.

Ohren: Mittelohreiterungen, Mittelohr-Totaloperation, häufig Gehörgangsfurunkel, Parazentese, Verletzungen, Erfrierungen, Schwerhörigkeit?

Nase, Nebenhöhlen: Kiefer- und andere Nebenhöhlenaffektionen, chronischer, eventuell einseitiger Schnupfen, Heuschnupfen, Ozaena, ständig verlegte Nase, Nasenpolypen, Septumverbiegungen oder -operationen, Supraorbitalneuralgien?

Thorax: Tuberkulöse Prozesse, Pneumonien, Pleuritiden, Pleuraschwarten? Endo-, Myo- oder Perikarditis? Thoraxprellungen, die noch druck- und klopfempfindlich sind (Sternum, Xiphoid).

Abdomen: Hepatitis, Cholezystitis, Ulcus ventriculi et duodeni, Ruhr, Cholera, Typhus, Pankreatitis, Säuglingsdyspepsie, Blinddarmreizungen, chronischer Durchfall, chronische Verstopfung, Operationen im Bauchraum, Nierensteine, Nierenentzündungen?

Unterleib:
F r a u e n : Gonorrhö, Unterleibsentzündungen, Fluor, Dysmenorrhö, Blutungsanomalien, Aborte (fieberhafte?), Abrasionen, schwere Geburten, z. B. Zangenentbindungen, Steißlagen, Dammriß oder -schnitt. Operationen?

M ä n n e r : Geschlechtskrankheiten, Hoden- oder Nebenhodenerkrankungen, Prostatitis, Prostatahypertrophie, Miktionsbeschwerden, unspezifische Urethritis? Wie oft nachts Wasserlassen?

Knochen: Frakturen (Schlüsselbein, Rippen), schmerzhafte Steißbeinprellungen, Periosterkrankungen, Osteomyelitis, Morbus Scheuermann und andere aseptische Knochennekrosen, Rippenresektionen, Finger- und Zehenoperationen (Hallux valgus)?

Haut, Unterhaut: Chronisch schmerzende oder juckende Stellen soll der Patient schon zu Hause mit kleinen Heftpflaster-Dreiecken markieren. Ekthyma und andere Hauteiterungen, Ulcera cruris, schmerzende Varizen, alte Thrombosenstellen, rezidivierende Hautentzündungen, z. B. Neurodermitis, Arterienunterbindungen (Mensuren: Temporalis)?

Fremdkörper: Granatsplitter, abgebrochene Nadeln, Glas, Sandkörner, Knochennagelungen? Wurden im Mund-Zahn-Bereich verschiedene Metalle verarbeitet? Herzschrittmacher?

Beim Erheben der Anamnese muß der Patient auch gefragt werden, ob er zur Zeit unter der Wirkung von **Langzeit-Antikoagulantien** *(Marcumar, Dicumarol, Cumadin, Sintrom)* steht. Bei Quickwerten von unter 45 % (—70 %) ist von Injektionen in die Tiefe Abstand zu nehmen. Siehe auch Seite 232: Procain Überempfindlichkeit und -Zwischenfälle. — Dann müssen wir wissen, ob er zur Zeit **Glukokortikoide** *(Prednison, Cortison, Cortisol)* nimmt bzw. bis wann er diese Regulationsblocker bekam, die die Wirksamkeit unserer Maßnahmen für Wochen und Monate hemmen oder (bei Regulationsstarre) zur Zeit unmöglich machen können. — Fragen wir schließlich auch, ob der Patient Allergiker ist und gegen welche Medikamente eine **Allergie** besteht. Eventuell müssen wir bei Allergikern die Procain-Unverträglichkeit austesten: Rötet sich die Konjunktiva nach Einbringen eines Tropfens unserer Procain-Lösung innerhalb einer Minute oder rötet sich die Haut innerhalb von 15 Minuten nach Setzen einer Quaddel, verwenden wir 1%iges *Xylocain (Xyloneural)* oder 1%iges *Scandicain*.

c) Die Störfeldsuche

Die meisten Störfelder finden wir im Kopfbereich!
Erklärt wird diese Tatsache durch die Nähe der Kopfherde zu den vegetativen Zentren. An erster Stelle rangiert dabei das

Tonsillen

Störfeld Tonsillen. Die Inspektion allein kann auch dem geübtesten Auge nicht sagen, ob die Gaumenmandeln im Sinne der Pathogenese verantwortlich zu machen sind oder nicht! Wir wissen alle aus Erfahrung, wie oft chronisch vereiterte oder tief zerklüftete hypertrophische Mandeln auf fachärztlichen Rat ohne jedes positive Ergebnis schon entfernt worden sind und dessenungeachtet täglich noch entfernt werden. Dabei haben große Statistiken mehrerer Universitätskliniken gezeigt, daß nur bei der Hälfte der Operierten Heilungen erzielt wurden und daß die Tonsillektomierten genau so oft rezidivieren wie die Unbehandelten. HOFF bezeichnete darum auch die Ergebnisse der operativen Fokussanierung als ,,erschütternd schlecht''! Trotzdem scheidet sich das Lager der Ärzte immer noch in Befürworter und Gegner der Tonsillektomie.

Dabei hat doch jeder Arzt im Tonsillentest nach HUNEKE eine einfache Möglichkeit, selbst mit an Sicherheit grenzender Wahrscheinlichkeit nachzuweisen, ob die Tonsillen wirklich ursächlich am Krankheitsgeschehen beteiligt sind. Nähme er sie wahr, könnte er seinem Patienten bei negativem Ausfall einen Eingriff ersparen, der dann doch nur nutzlos wäre. Nach dem Grundsatz: Nil nocere! sind wir sogar verpflichtet, diesen Test v o r jeder Mandeloperation zu befragen. Die Praxis zeigt täglich jedem Neuraltherapeuten, wie oft die Narben nach einer Mandelausschälung zu Störfeldern und damit zur Ursache für andere Krankheiten werden. Auf der anderen Seite ist es selten, daß die Mandeloperation (nach einem negativ verlaufenen, technisch richtig ausgeführten Test!) doch noch deren Störfeldcharakter bewiesen hat. Das kommt immer mal wieder vor und wird laut und nachhaltig registriert. Aber solche vereinzelten Versager sind doch noch lange kein Grund, diesen Test, der immerhin geholfen hat, ein Heer von Kranken zu heilen, gleich als unzuverlässig abzulehnen!

Hören wir von einem Kranken, daß er früher einmal eine D i p h t h e r i e, einen S c h a r l a c h, gehäuft A n g i n e n oder gar M a n d e l a b s z e s s e durchgemacht hat, so ist das für uns Grund genug, das Mandelgewebe mit unserer Testinjektion zu untersuchen. Bei Landwirten, Gärtnern, Maurern und anderen Berufstätigen, die vorwiegend im Freien arbeiten, sollte man die Mandeln ungefragt auf alle Fälle testen. Sie pflegen Halsentzündungen nur selten als Krankheiten zu registrieren. Die T o n s i l l o t o m i e ist nach unseren Erfahrungen nie in der Lage, ein Tonsillen-Störfeld zu beseitigen, eher schafft sie eins! Die T o n s i l l e k t o m i e - N a r b e n   s i n d   s o   h ä u f i g   S t ö r f e l d, daß die folgende Forderung gerechtfertigt erscheint:

J e d e r   c h r o n i s c h   K r a n k e,   d e r   f r ü h e r   e i n m a l   t o n s i l l e k t o m i e r t   w u r d e,   d a r f   e r s t   a u s   d e r   B e h a n d l u n g   e n t l a s s e n   w e r d e n,   w e n n   s e i n e   T o n s i l l e k t o m i e - N a r b e n   m i t   e i n e r   N o v o c a i n - I n j e k t i o n   a u f   i h r e n   S t ö r f e l d c h a r a k t e r   h i n   u n t e r s u c h t   w o r d e n   s i n d, auch wenn die Vorgeschichte nicht in diese Richtung weist. Dabei ist gleichgültig, wie alt der Patient ist, wie alt sein Leiden und wie dessen wissenschaftliche Bezeichnung ist.

Das gilt natürlich auch für die R a c h e n m a n d e l ! Auch deren Entfernung hinterläßt eine Narbe, die stören kann. Die Gegend der Tonsilla pharyngea ist wegen ihrer entwicklungsgeschichtlich bedingten und örtlich gegebenen Beziehungen zum Hypophysen-Vorderlappen bedeutungsvoll. Natürlich kann und soll sie entsprechend getestet werden, vor allem bei Mundatmern und hohem Gaumen.

Nach SOLLMANN stört die r e c h t e   T o n s i l l e (bzw. die Tonsillektomienarbe rechts) auffallend oft bei der chronischen Polyarthritis und auf die Gelenke der r e c h t e n   S e i t e : Schulter (Periarthritis humeroscapularis), Torticollis rheum., Epikondylitis, Finger-, Mittelfuß- und Zehengelenke, mittlere und untere Wirbelsäule (Morbus Scheuermann, Morbus Bechterew, Fehlhaltungen), Hüftgelenk, Kniegelenk, Kreuz-Lendenschmerz, Iliosakral-Insuffizienz. Außerdem soll sie Erkrankungen in der Hohlhand (Ekzeme, Dupuytrensche Kontraktur), der Thymusdrüse, am Lymphsystem, im Gallenblasenbereich und in der Nabelgegend auslösen.

Die linke Tonsille bzw. deren Operationsnarbe beeinträchtigt gern das Gelenksystem der linken Seite wie Schulter, Knie, Epikondylus, Finger, Mittelfuß, Zehen, Handgelenk und Hohlhand. Ferner das Herz, beide Nieren und Nebennieren. Viele Hypertonieformen sollen nach SOLLMANN auf diesem Wege entstehen.

Solche Beobachtungen sind wertvoll und sollten nachgeprüft und ergänzt werden. Ob sie allerdings dazu führen können, ein ,,kraniokaudales Regelsystem" aufzudecken, möchte ich bezweifeln. Sicher ist das ,,Repertoire" der Tonsillen als Störfeld mit den genannten Krankheiten noch nicht erschöpft. Meiner Ansicht nach müssen mindestens zwei Faktoren zusammenkommen, um eine störfeldbedingte Krankheit auszulösen: Einmal die Eskalation einer Gewebserkrankung zu einem aktiven Störfeld und zweitens ein ererbt oder erworben vorgeschädigtes Organ bzw. System, das der Störfeldeinwirkung bevorzugt erliegt. Da Störfeldbildung und gestörtes Organ immer individuell verschieden sein werden, besteht eine reiche Kombinationsmöglichkeit. SOLLMANN selbst wollte nur auf eventuelle Zusammenhänge hinweisen, aber kein neues Dogma aufstellen. — Ebenso werten wir den Hinweis von ADLER, daß sich bei Störfeldern an den Tonsillen immer deutliche Schmerz-Druckpunkte an der Halswirbelsäule vom 4. Halswirbel bis zum oberen Trapeziusrand herab finden. Wir wissen, daß der Trapezmuskel auch bei Störfeldern im Brust- und Bauchraum gern mit Gelosen gespickt ist. Ob sie mit den Tonsillen zusammenhängen, können wir leicht mit einer Testinjektion prüfen. Alle bindegewebigen Gelose-Knoten im Segment schmelzen wie Butter an der Sonne, wenn wir ein Huneke-Phänomen ausgelöst haben. Darum sollten wir sie bei der Untersuchung immer ertasten und ihr Verhalten nach dem Testen beobachten und schriftlich fixieren. Nur so bekommen wir System in unsere Zusammengehörigkeits-Diagnostik.

Die Indikation zur Tonsillektomie stellen wir bei nachgewiesenem Störfeld keinesfalls generell, sondern sehr zögernd nur individuell von Fall zu Fall als ultima ratio. Wir sind ja nicht der Ansicht der alten Fokuslehre, daß wir mit den kranken Tonsillen einen Bakteriensumpf ausrotten müßten, der Bakterien und Toxine ausstreut und damit Schaden anrichtet. Wir sehen uns vielmehr vor die Aufgabe gestellt, eine von den Mandeln auf nervalem Wege ausgelöste Veränderung im neurovegetativen System rückgängig zu machen. In unseren Augen stellt die Tonsillektomie einen irreversiblen Eingriff am Sympathikus und an einem wichtigen Ausscheidungs- und Schutzorgan dar. Unsere Injektion ist ein unblutiger Eingriff im gleichen Sympathikusbereich, der aber den Vorteil hat, daß wir ihn jederzeit mit mindestens ebensogroßen Erfolgsaussichten wiederholen können. In der überwiegenden Mehrzahl der Fälle gelingt es uns nämlich durch genügende Wiederholung der Injektionen, die Tonsillen zu entstören und damit alle tonsillogenen nervalen Fernstörungen mit Dauerwirkung zu beseitigen. Steigert sich das Ergebnis unserer konservativen Bemühungen einmal nicht befriedigend, bleibt uns die Operation immer noch.

Wenn wir nach reiflicher Überlegung einmal zur Tonsillektomie raten, lassen wir auf alle Fälle vorher eine gründliche Zahnsanierung durchführen. Einmal würden die Wunden in dem (auf dem Lymphweg) chronisch gereizten Rachen schlecht heilen. Was aber noch schlimmer ist: Die pathogenen Reizimpulse aus dem Zahn-Kiefer-Bereich können alle unsere Bemühungen an den Tonsillen vor und nach der Operation zum Scheitern bringen. Ihre erhaltene Aktivität würde sonst die Tonsillektomie-Narben mit größter Wahrscheinlichkeit zu Störfeldnarben werden lassen.

Um dem vorzubeugen, bestellen wir den Patienten nach der Operation, um dann die frischen Narben mit Procain-Injektionen (2- bis 3mal in Abständen von 8 Tagen) störfrei zu machen. Damit treiben wir eine Prophylaxe gegen die Entstehung eventueller weiterer Fernstörungskrankheiten. Wir haben ja von SPERANSKI gelernt, daß jede Operation als Zweitschlag wirken kann, der eine latente Krankheit manifest werden lassen kann. Von HUNEKE lernten wir, diese verderbenbringenden

Schläge wieder aus dem Reizgedächtnis, das wohl auch im Neurovegetativum liegt, auszulöschen. Die Technik der Injektionen an die Gaumen- und Rachenmandeln ist im Teil III nachzulesen.

Fall 1: Gastwirtin E. W., 40 Jahre alt. Seit 12 Jahren primär chronische Polyarthritis, die trotz mehrmaliger Krankenhausbehandlung, jährlicher Rheumakuren und laufender Behandlung mit Spritzen, Tabletten, Einreibungen und Massagen langsam, aber unaufhaltsam fortschreitet. Sie kann nicht mehr lange stehen, nur kurze Strecken laufen; die verdickten, deformierten und teilversteiften Hand-, Finger-, Knie- und Fußgelenke behindern jede Arbeit.

Aus der Vorgeschichte: Als Kind Diphtherie, einmal Mandelabszeß, danach Tonsillektomie. — Nach einer Injektion in die Mandelnarben Huneke-Phänomen. Vier Wochen später wird eine Nachbehandlung erforderlich. Jetzt seit über zehn Jahren Schmerzfreiheit und ein ,,Wohlbefinden, wie es vorher unbekannt" war. Alle teilversteiften Gelenke sind inzwischen ohne jede Nachbehandlung bis auf geringe Reste wieder normal geformt und fast voll beweglich geworden. Die vorher blockierten Selbstheilungskräfte haben meisterhaft verstanden, die gestörte ,,Idee der Form" wiederherzustellen.

Die Zähne als Störfeld. Wenn man hört, daß d i e Z ä h n e z u s a m m e n m i t d e n T o n s i l l e n d i e m e i s t e n S t ö r f e l d e r stellen, wird man dazu angehalten, diesem wichtigen Gebiet in Zukunft mehr Aufmerksamkeit zu widmen. Das Attest eines Zahnarztes, die Zähne schieden als ,,Fokus" aus, weil sich im Röntgenbild keine Granulome nachweisen ließen, oder gar dasselbe Urteil lediglich auf Grund einer bloßen Inspektion sind unbefriedigend und wertlos!

Die Schwierigkeit bei der Beurteilung des Mund- und Zahnbereichs beginnt für den Neuraltherapeuten schon bei seiner Abhängigkeit vom zahnärztlichen Gutachten. Leider sind sich die Zahnärzte nicht immer im klaren darüber, welche Veränderungen überhaupt als Ursache für Störfelderkrankungen in Frage kommen. Es lohnt sich für den Nichtzahnarzt, sich so intensiv mit diesem komplizierten und in seiner Bedeutung im Krankheitsgeschehen wichtigen Gebiet zu beschäftigen, daß er weitgehend vom Urteil des Zahnarztes unabhängig wird und selbst die notwendigen Entscheidungen treffen kann.

Dazu benötigen wir einen kompletten Röntgenstatus des bezahnten und des nichtbezahnten Kieferbereichs. Dieser kann uns erst einmal weitgehend die Frage nach den n e r v t o t e n Z ä h n e n klären. Ist eine Füllmasse im Pulpenkavum oder im Wurzelbereich zu sehen, dann ist der Zahn devital. Ebenso tief kariöse Zähne, Stiftzähne und verfärbte Zähne. Die Verfärbung ist Folge einer Eiweißfäulnis im Inneren des Zahnes. Oft macht uns der Schatten einer Metallkrone, der die Füllung überdeckt, die Beurteilung unmöglich. Es ist ratsam, auch diese Zähne mit als verdächtig einzustufen. Der Zahn kann allein durch das Beschleifen oder durch thermische, chemische oder traumatische Reize nervtot sein, ohne daß eine Wurzelbehandlung vorgenommen wurde. Um das zu klären, müssen wir den Zahnarzt um eine Vitalitätsprobe bitten oder die Vitalität selbst mit einem dafür geeigneten Gerät messen (z. B. Testator).

Manche Zahnärzte halten immer noch an der veralteten Vorstellung fest, daß nur der im Röntgenbild sichtbare apikale Herd je nach Größe mehr oder weniger ,,streut" und nur auf dem Blutwege Fernerkrankungen entstehen lassen kann und daß ein devitaler Zahn, der periapikal unverdächtig ist, auch unschuldig sein muß. Diese Einstellung ist aber falsch! Das im Dentin enthaltene Eiweiß ist nach einer Devitalisation des Zahnes dem Verfall ausgesetzt. Die dabei entstehenden Zerfallsprodukte wie z. B. Merkaptan können einen erheblichen nervalen Reiz bewirken. Das Dentin ist von feinen, parallel verlaufenden Kanälchen durchzogen, in denen sich alle Elemente des weichen Bindegewebes finden: Vegetative Endfasern, Kapillar- und Lymphgefäße. In diesem ubiquitären Grundgewebe spielt sich nach PISCHINGER jede Entzündung ab — und auch die Störfeldbildung. Der ,,nervtote" Zahn ist über seine Querverbindungen vom Zahninneren durch das Dentin und Zement hindurch stoffwechselmäßig weiter mit dem übrigen Organismus verbunden. Der ,,tote" Zahn ist also biologisch gesehen gar nicht tot und kein isolierter Fremdkörper. Sonst würde er wie ein Knochensequester ausgestoßen. Das G r a n u l o m stellt als Endzustand eines chronisch entzündlichen Prozesses bereits einen S e k u n d ä r h e r d dar. Der Primärherd im Wurzelkanal stellt sich röntgenologisch

Zähne

gar nicht dar. Er kann über die geschilderten Querverbindungen lange vor Ausbildung des Granuloms zum aktiven Störfeld geworden sein! Das Granulom ist lediglich das Produkt einer Abwehrmaßnahme des reaktionsfähigen Organismus gegen die Entzündungsstoffe des zerfallenden intradentalen Eiweißes. Es zeigt uns nicht mehr an, als daß der Zahn wurzeltot ist, aber keinesfalls, daß er nun erst besonders stark „beherdet" ist. Es gibt granulombehaftete Zähne, die dem Körper im Moment keinen nachweisbaren Schaden zufügen, weil sie zur Zeit bei guter Abwehrlage des Organismus lediglich ein inaktives, potentielles Störfeld darstellen. Der gewissenhafte Zahnarzt entfernt jedes Granulom, weil er weiß, daß derartige abgekapselte Herde und momentan stumme Störfelder einer tickenden Zeitzünderbombe gleichen, die jederzeit hochgehen kann, wenn die Abwehrkraft durch äußere oder innere Belastungen absinkt. Beim nervtoten Zahn ohne Granulom wendet er dieselben Überlegungen nur ungern an. Er klammert sich gleichsam an jeden Klammerzahn. Seltsamerweise ist die Bereitschaft des Zahnarztes zur Extraktion der devitalen Zähne oft noch sehr gering. Wann werden wir gar erst soweit sein, daß sich diese Erkenntnisse auch auf die krankheitsbahnende „zahnkonservierende Wurzelkanalbehandlung" ausdehnen wird?

Mit den beherdeten und toten Zähnen ist das Gebiet aber leider nocht nicht erschöpft. Auch röntgenologisch kaum nachweisbare e n t z ü n d l i c h e V e r ä n d e r u n g e n in der Umgebung der Wurzelspitzen, o s t e o m y e l i t i s c h e H e r d e , alle v e r l a g e r t e n oder als Brückenpfeiler ü b e r l a s t e t e n Z ä h n e und radikuläre, paradentale oder follikuläre Z y s t e n kommen als Ausgangspunkt nervaler Fernstörungen in Frage. Dann noch die G i n g i v i t i s , S t o m a t i t i s und die P a r o d o n t o s e n . Die pathologischen Z a h n f l e i s c h t a s c h e n -Vertiefungen, vor allem die mit Taschensekretion, verdienen als Quelle eines chronischen Reizzustandes ebenso unsere Beachtung, wie die E n t z ü n d u n g e n am Rande von Kronen oder überstehenden Füllungen. Selbst eine vor Jahren überstandene Stomatitis, die keinerlei erkennbare Veränderungen zurückließ, kann ein latentes Störfeld hinterlassen haben, das dann später durch irgendeinen Zweitschlag aktiv wird.

Einen besonderen Hinweis verdient die „R e s t o s t i t i s", die bei der Störfeldsuche immer größere Bedeutung gewinnt. Früher war die Abwehrkraft der Patienten noch so intakt, daß der Kiefer nach einer Zahnextraktion fast immer von allein ausheilte. Heute scheint die Abwehrmöglichkeit durch die Umwelt- und Inweltverschmutzung schon allgemein herabgesetzt zu sein. Sie wird noch weiter eingeengt, wenn routinemäßig eine „Prophylaxe mit Antibiotika" angewandt wird. Auch sie hilft mit, daß bei der Hälfte aller Patienten schwer diagnostizierbare Restostitiden und damit neue potentielle Störfelder entstehen. Es handelt sich dabei um eine persistierende chronische Entzündung im knöchernen Kieferbereich, die sich nach Extraktion devitaler Zähne oder um zurückgelassene W u r z e l r e s t e oder F r e m d k ö r p e r herum bilden kann. Ihre Beurteilung im Röntgenbild ist nicht immer einfach und erfordert eine gewisse Erfahrung. Die Veränderungen sind unscharf begrenzt, gering verschattet und meist nur durch ihre verwaschene Knochenstruktur erkennbar. Die darüberliegende Schleimhaut kann livide verfärbt und der Knochen druckempfindlich sein. Liegt die Restostitis oberflächlich, kann man bei der Anästhesie mit der Kanülenspitze in den weichen Knochen einbrechen. Bei der unbedingt erforderlichen Operation wird der Knochen breit eröffnet und das matschige, bisweilen vereiterte Gewebe mit dem scharfen Löffel und der Fräse bis zum gesunden Knochen entfernt. Der Prozeß erweist sich dabei oft als ausgedehnter, als nach dem Röntgenbild zu erwarten war. HOPFER fand bei über einem Viertel seiner Patienten Restostitiden. Diese waren im hohen Prozentsatz Ursache für Fernerkrankungen. SOLLMANN machte auf pathologische Veränderungen im retromolaren Raum aufmerksam, die eine ähnliche Störfeldwirkung auslösen können.

Der spanische Stomatologe ADLER wies mich auf die verhängnisvolle Störfeld-Rolle hin, die nicht nur die verlagerten, sondern auch unbehandelte, „gesunde" Weisheitszähne spielen können. Bei der physiologischen Kieferatrophie im fortschreitenden Alter schrumpfen ja die Zähne, die von der

Stomatitis

Krone zur Wurzel wachsen, nicht mit. Sie nähern sich im Unterkiefer immer mehr dem aufsteigenden Ast und üben in den meisten Fällen einen Druck und damit eine Irritation auf den Mandibularkanal aus. Fast alle, besonders die schiefstehenden, haben tiefe marginale Taschen, von denen ein chronischer bakterieller und entzündlicher Reiz auf die Tonsillen und die zervikalen Lymphdrüsen ausgeht. Sie bilden seiner Ansicht nach so oft Störfelder, daß man sie eher ,,Unglückszähne'' statt ,,Weisheitszähne'' nennen sollte. ADLER entfernt diese nerval und bakteriell störenden Zähne immer mit guten Erfolgen. Seiner Erfahrung nach bedingen sie besonders gern Irritationen der Halswirbelsäule (— (K) — Zervikalsyndrom). Sie sind aber auch die Ursache für viele andere Krankheiten (bis zu ,,psychischen Krisen''). Nach ADLER findet man bei Störfeldern im Oberkieferbereich immer typische Schmerz-Druckpunkte beiderseits der Querfortsätze des zweiten Halswirbels, wobei man auch eine Seitendiagnostik heraustasten kann. Man kann nicht sagen, welcher Zahn stört, aber auf welcher Seite er sitzt. Unterkiefer-Störfelder rufen Druckpunkte neben den Querfortsätzen der dritten Halswirbel hervor. Diese ,,Adler-Punkte'' eignen sich gut zur ersten groben Orientierung.

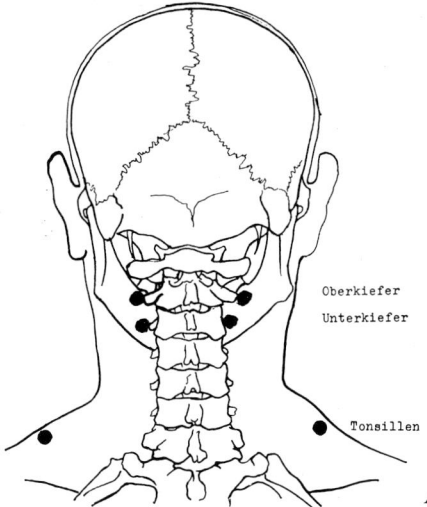

Abb. 15: Die Schmerzdruckpunkte*)

V e r s c h i e d e n e   M e t a l l e in einer Lösung bilden bekanntlich ein galvanisches Element. Wie viele Gebisse werden aber ohne Bedenken unter Verwendung mehrerer Metallsorten (Gold, Silberamalgam, Stahl usw.) kunstvoll ,,erhalten''? Wenn wir hören, daß die Spannung, die durch ein solches Element erzeugt wird, bis zu 800 mV und mehr betragen kann, und damit wesentlich größer sein kann, als die Spannung, die wir im EEG oder EKG (1 mV) aufschreiben, liegt nahe, daß auch solche unbiologische Fremdenergie zu Störspannungen und bei dazu Disponierten zur Quelle von Krankheiten werden kann. — Bei Wurzelfüllungen, Füllungen und Kronen oder gar bei Implantaten im Kieferknochen werden darüber hinaus viele Fremdstoffe in Form von Metallen und Nichtmetallen verarbeitet, die über viele Jahre hinaus als ,,Depot-Antigene'' (ALTMANN) belassen werden. Metalle und Metall-Legierungen zeigen oft Korrosions-Erscheinungen, bei denen die freiwerdenden Metallionen auch weitab allergische Reaktionen auslösen können. Selbst bei Verwendung von modernen Kunststoffen ist man nicht vor allergisierenden Nebenwirkungen sicher. Dabei können immer kleinste Quanten größte Folgen haben.

Dann müssen noch Unregelmäßigkeiten in der Zahnstellung, vor allem der sogenannte ,,Engstand'' beachtet werden. Auch er kann, w i e   j e d e r   u n p h y s i o l o g i s c h e   Z u - s t a n d, zu Fernstörungen führen. Eine frühzeitige kieferorthopädische Behandlung wirkt also

---

*) Abb. 223 aus: ADLER, Dr. med. Ernesto: **Erkrankungen durch Störfelder im Trigeminusbereich.** 287 Seiten, 227 Abbildungen, davon 11 vierfarbig, Kunstdruckpapier, Snolin mit zweifarbigem Umschlag, DM 100,—, Verlag für Medizin Dr. Ewald Fischer, Heidelberg 1973.

neben dem kosmetischen Erfolg noch vorbeugend. STACHER schilderte zu diesem Thema folgenden Fall: Ein Facharzt für Innere Medizin bekam jedesmal nach dem Genuß unbedeutender Mengen Alkohol heftige Trigeminus-Neuralgie-Anfälle, die als Folgen einer Alkohol-Allergie angesehen wurden. Die Anfälle verschwanden sofort, als der Zahnarzt auf Anraten des Neuraltherapeuten skeptisch und widerstrebend den falschen Aufbiß bei einem sonst unverdächtigen überkronten Zahn korrigierte. Die Heilung bewies, daß die statisch bedingte Irritation des Kiefers hier die Alleinschuld an der so tiefgreifend veränderten Reaktionslage trug.

Selbst ein zahnloser Kiefer gibt uns keine Gewähr dafür, daß sich dort nicht ein Störfeld verbirgt. Außer der erwähnten Restostitis, den Wurzelresten und Fremdkörpern können allein schon die N a r b e n stören, die die Zahnextraktionen hinterlassen haben. Wir sind also gar nicht für einen übertriebenen Exodontismus, wie er eine Zeitlang in Amerika geübt wurde. Wir denken immer daran, daß jede zu massive Zahnsanierung die Gefahr eines Zweitschlages in sich trägt. Sie will also überlegt sein und muß gewissenhaft und gekonnt durchgeführt werden.

Wir sind für eine g e z i e l t e S a n i e r u n g, das heißt, wir testen die verdächtigen Stellen und sanieren nach dem Auslösen des Huneke-Phänomens. Wenn nur einzelne Zähne in Frage kommen, ist es nicht weiter schwer, den oder die Störenfriede herauszufinden. Wichtig ist aber, zu wissen, daß a l l e t o t e n u n d k r a n k e n Z ä h n e u n d i h r H a l t e a p p a r a t i n i h r e r G e s a m t h e i t a l s e i n g e m e i n s a m e s S t ö r f e l d fungieren können. Darum müssen immer a l l e v e r d ä c h t i g e n Z ä h n e i n e i n e r S i t z u n g g e t e s t e t werden! Aus dem Gesagten geht hervor, daß es dabei besser ist, lieber einen nicht ganz einwandfrei erscheinenden Zahn zuviel, als einen zuwenig mit einer Injektion zu untersuchen. Und wenn fünfzehn tote, beherdete oder anders verdächtige Zähne vorhanden sind, müssen sie alle fünfzehn hintereinander getestet werden! Man muß dabei in Kauf nehmen, daß es danach unserem Patienten etwas „groggy" zumute ist. Das Ziel rechtfertigt solche Opfer. Der Kranke bringt sie gern, wenn der Arzt ihm klar macht, daß sein Wiedergesunden davon abhängen kann.

Die Zähne und ihr Halteapparat sind oft so schwer zu beurteilen, daß wir auf eine gute Zusammenarbeit mit einem erfahrenen Zahnarzt angewiesen sind. Allerdings brauchen wir dazu einen, der diesen Problemen gegenüber aufgeschlossen ist, der weiß, was wir von ihm wissen wollen und der mit uns anhand der Röntgenbilder, des Ergebnisses des Elektro-Herd-Testes und der Vitalitätsprobe sein weiteres Vorgehen zum Wohle des Kranken bespricht.

Von einem Z a h n - S e k u n d e n p h ä n o m e n dürfen wir erst sprechen, wenn die Beseitigung aller Krankheitssymptome nach dem Test eine vollkommene ist, dieser Zustand m i n d e s t e n s a c h t S t u n d e n anhält, und die zuerst erreichte Zeit bei der Wiederholung noch überboten wird. Bei etwa einem Viertel der Patienten versagt der Huneke-Zahntest. Dann bringt also die Sanierung (trotz vorherigen negativen Testes) die Krankheit doch noch zum Verschwinden. Den Zahntest mit Neuraltherapeutika deshalb gleich als unsicher abzulehnen, geht entschieden zu weit. Ihr Nutzen ist, an den Versagern gemessen, noch riesengroß! Weil uns der Zahntest — besonders bei verlagerten Zähnen — im Stich lassen kann, raten wir den Patienten nach Fehlschlagen der Segmenttherapie und aller Testversuche, sich das Gebiß nach unseren strengen Forderungen sanieren zu lassen. Das hat mehrfach noch zu Heilungen geführt, die vorher nicht gelingen wollten.

Jeder Badearzt fordert die Zahnsanierung vor Kurbeginn, weil er aus Erfahrung weiß, wie oft Zahnherde den Kurerfolg vereiteln. Die mit der Zahnsanierung verbundene Entlastung des neurovegetativen Systems kann allein schon zur Heilung ausreichen. Tut sie es nicht, kann es sinnvoll sein, nach einer Erholungsphase von Wochen bis einigen Monaten nach erfolgter Sanierung und Absetzen aller Regulationsblocker (z. B. *Cortison, Phenylbutazon*) erneut mit unseren neuraltherapeutischen Bemühungen zu beginnen. Oft reagiert der Organismus erst jetzt auf unsere Injektionen. Das gleiche können wir übrigens auch nach einer Sanierung der Darmflora erleben.

Was soll nun mit den als Störenfriede erkannten Zähnen geschehen? Bei lebensbedrohlichen Krankheitsbildern, wie zum Beispiel einer Angina pectoris oder einer Polyarthritis, werden wir auf die Entfernung der kranken Zähne drängen. Die beste Lösung stellt für uns die Zahnextraktion mit anschließender Ausräumung des apikalen ostitischen Herdes dar. Die Wurzelspitzenresektion ist zwar gebißerhaltend, gibt uns aber kaum die Gewißheit, daß von der Zahnfleisch- und Knochennarbe aus nicht weiter ein Reizzustand mit Fernwirkung aufrechterhalten wird. Der resezierte Zahn hat ja mit seinem weichen Bindegewebe über die Querverbindungen durch den Zement auch weiter eine direkte Verbindung mit dem übrigen Organismus, den er so auch weiterhin stören kann. Nur bei weniger schwerwiegenden Krankheiten und wichtigen Zähnen wie Brückenpfeilern oder Klammerzähnen kann man (analog den Tonsillen) versuchen, das nervale Störfeld durch wiederholte Injektionen abzubauen und auszuschalten. Die Wirkung muß auch dabei mit jeder Behandlung länger anhalten und sich bald bis zur Heilung steigern. Sonst entschließe man sich doch besser zur Extraktion.

In Kalach, der Königstadt zwischen Ninive und Assur, fand man auf Keilschrifttafeln einen Briefwechsel zwischen dem Assyrerkönig ASARHADDON (680—669 v. Chr.) und seinem Arzt ARADNANA. Der König schilderte dem Leibarzt seine Polyarthritis-Beschwerden: „Ich bin verzehrt vom Fieber, das in meinen Gliedern glüht." Der wußte schon vor über 2 500 Jahren etwas über die Störfeldwirkung kranker Zähne und ordnete rigoros an: „Er, dessen Kopf, Hände und Füße entzündet sind, verdankt diese Krankheit dem schlechten Zustand seiner Zähne. Die Zähne meines Herrn müssen entfernt werden, durch sie ist sein Inneres entzündet. Die Schmerzen werden sofort verschwinden, sein Zustand wird dann zufriedenstellend sein." — Voilà!

Wir sind, wie gesagt, gegen jeden wilden Exodontismus! Wir wissen aber, daß mancher Zahnarzt mit seinen Versuchen, möglichst viele Zähne durch Wurzelbehandlungen (vor allem als Brückenpfeiler) zu erhalten, immunologisch, toxisch-allergisch und nerval gesehen Herde und Störfelder setzt, die gesundheitliche Schäden im Gesamtorganismus seines Patienten zur Folge haben, die in keinem Verhältnis zum vermeintlichen Nutzen stehen. Wir wünschen daher, daß alle Stomatologen noch mehr g a n z h e i t l i c h - ä r z t l i c h denken und handeln und nie ihre Aufgabe darin sehen, als verantwortungslose Zahnmechaniker eine Gebißerhaltung u m j e d e n P r e i s anzustreben. Den Preis zahlt nämlich immer unser Patient mit seiner Gesundheit! Eine Zahnprothese ist uns bei ihm lieber, als ein Glasauge, eine Beinprothese, ein Anus praeter, ein Hörapparat oder ein Krückstock. Der Zahnarzt sollte sich bei jeder Gangränbehandlung und Wurzelfüllung klar darüber sein, daß er damit eine große Verantwortung für die Gesundheit des Patienten übernimmt und mit jedem Eingriff dessen ferneres Schicksal mitbestimmt. Im Zweifelsfall wird er sich dann immer für den Patienten und gegen den Zahn entscheiden. Der Fachzahnarzt ist seiner Bedeutung im Krankheitsgeschehen nach durchaus kein „Schmalspur-Mediziner" sondern ein wertvoller Bundesgenosse. Dazu bedarf es einer gleichberechtigten Zusammenarbeit, die sich für uns und die Kranken immer bezahlt macht!

Übersicht über die odontogenen Herd- und Störfeldmöglichkeiten

1. Unvollständig abgefüllter Wurzelkanal
2. Undicht abgefüllter Wurzelkanal
3. Komplette und dichte Wurzelfüllung
4. Erweiterter Periodontalspalt
5. Alveolarkompakta nicht durchwegs verfolgbar
6. Alveolarkompakta auffallend verstärkt
7. Diffuser periapikaler Herd
8. Abgegrenzter periapikaler Herd
9. Zysten

10. Fausse route mit leerem Restkanal (seitliche Aufhellung)
11. Überstehende Füllung mit interdentalem Knochenabbau
12. Septumdystrophie ohne erkennbare Ursache (Gingivitis?)
13. Septumveränderungen im Sinne einer Parodontose mit horizontaler oder vertikaler Atrophie
14. Interradikuläre Septumprozesse (Anatomie der Bifurkation)
15. Wurzelrest im Antrum
16. Fremdkörpereinschluß submukös oder in der Knochenspongiosa (Amalgam, Zement, Guttaperchadichte)
17. Wurzelrest in der zahnlosen Kieferleiste
18. Restostitiden
19. Ostitis um Milchzahnwurzel
20. Milchzahnrest
21. Zahnkeim
22. Retinierter oder halbretinierter Zahn
23. Gekippter Zahn
24. Zahnluxation
25. Zahnfraktur
26. Dentitio difficilis
27. Wurzelspitzenresektion
28. Rezidiv nach Resektion
29. Mortalamputation (Interdentaler Herd ohne sichtbare Rö-Veränderung oder periapikaler Herd)
30. Wurzelresorption bei lebendem Zahn
31. Zahn mit reduzierter Vitalität
32. Paradentopathien
33. Störspannungen durch verschiedene Mundmetalle

Die Internationale Gesellschaft für Elektroakupunktur, 731 Plochingen, hat eine Tabelle ,,Zahn-Mund-Kieferbefund und seine energetischen Beziehungen zum übrigen Organismus" herausgegeben (R. VOLL, F. KRAMER), die ich zur Orientierung meiner Leser auf der folgenden Seite zum Abdruck bringe.

Fassen wir unser Vorgehen noch einmal zusammen: Die Inspektion der Zähne und ihre röntgenologische Untersuchung gehören an den Anfang unserer Behandlung. Der Zahnarzt wird von sich aus Wurzelreste und Zahngranulome entfernen. Das Testen aller verbleibenden Störfeldmöglichkeiten im Zahnbereich rangiert in der Regel am Ende unserer Bemühungen. Vorher versuchen wir, mögliche Zahn-Störfelder mit Hilfe elektrischer Test- und anderer Provokationsmethoden (— (K) — S. 117) aufzuklären. Erzielen wir dann ein Huneke-Phänomen, werden Patient und Zahnarzt leicht für die gründliche Sanierung zu gewinnen sein. Ergibt unsere Behandlung einschließlich des Zahntests keinen Erfolg und handelt es sich um schwere Erkrankungen, drängen wir wie gesagt auch im Hinblick auf die Versager des Testes auf eine vollständige Zahnsanierung.

Dabei kann es nützlich sein, wenn wir die Prämedikation und alle medikamentösen Abschirmungsmaßnahmen mit dem Zahnarzt zu besprechen. Es sollte immer versucht werden, auf Antibiotika als Regulationsblocker zu verzichten und sie durch biologische Mittel (z. B. *Tardolyt, Exberitox*) zu ersetzen, soweit und solange es zu verantworten ist. Nach etwa vier Wochen, also nach Abheilen der Wunden und abgeschlossener prothetischer Versorgung, muß der Hausarzt unbedingt noch für etwa drei Monate eine desensibilisierende und abwehrsteigernde Nachbehandlung durchführen. Dabei helfen wir dem Organismus, die Regulationsstarre wieder abzubauen. Nur so wird er für einen erneuten neuraltherapeutischen Behandlungsversuch ansprechbar. Wenn wir dann unser Glück noch einmal versuchen, sollten wir die neu gesetzten Zahnnarben nicht vergessen.

SINNESORGANE	Innenohr	Kieferhöhle	Siebbein-zellen	Auge	Stirnhöhle	Stirnhöhle	Auge	Siebbein-zellen	Kieferhöhle	Innenohr
GELENKE	Schulter Ellbogen	Kiefer	Schulter Ellbogen	Knie hinten		Knie hinten		Schulter Ellbogen	Kiefer	Schulter Ellbogen
	Hand ulnar Fuß plantar Zehen u. 1*	Knie vorn	Hand radial Fuß Großzehe	Hüfte	Kreuzsteißbein	Kreuzsteißbein	Hüfte	Hand radial Fuß Großzehe	Knie vorn	Hand ulnar Fuß plant. Zehen u. 1*
				Fuß		Fuß				
RÜCKENMARK-SEGMENTE	Th1 C8 Th7 Th6 Th5 S3 S2 S1	Th 12 Th 11 L1	C7 C6 C5 Th4 Th3 Th2 L5 L4	Th 8 Th 9 Th 10	L3 L2 Co S5 S4	L2 L3 S4 S5 Co	Th 8 Th 9 Th 10	C5 C6 C7 Th2 Th3 Th4 L4 L5	Th 11 Th 12 L1	C8 Th1 Th5 Th6 Th7 S1S2S3
WIRBEL	B1 H7 B6 B5 S2 S1	B12 B11 L1	H7 H6 H5 B4 B3 L5 L4	B9 B10	L3 L2 Co S5 S4 S3	L2 L3 S3 S4 S5 Co	B9 B10	H5 H6 H7 B3 B4 L4 L5	B11 B12 L1	H7 B1 B5 B6 S1 S2
ORGANE	Herz rechts	Pancreas	Lunge rechts	Leber rechts	Niere rechts	Niere links	Leber links	Lunge links	Milz	Herz links
	Duodenum	Magen rechts	Dickdarm rechts	Gallen blase	Blase rechts urogenitales Gebiet	Blase links urogenitales Gebiet	Gallen gänge links	Dickdarm links	Magen links	Jejunum Ileum links
ENDOKRINE DRÜSEN	Hypophysen-Vorderlappen	Neben-schild-drüse	Schild-drüse	Thymus	Hypophysen-Hinterlappen	Epiphyse	Epiphyse	Hypophysen-Hinterlappen	Thymus	Schild-drüse	Neben-schild-drüse	Hypo-physen-Vorderl.
SONSTIGES	Zentrales Nervensyst. Psyche	Mammadrüse rechts								Mammadrüse links	Z.N.S. Psyche
Zahn	8	7	6	5 (V)	4 (IV)	3 (III)	2 (II)	1 (I)	1 (I)	2 (II)	3 (III)	4 (IV)	5 (V)	6	7	8
SONSTIGES	Energie-haushalt		Mammadrüse rechts						Mammadrüse links		Energie-haushalt
ENDOKRINE DR GEWEBSSYSTEME	periphere Nerven	Arte-rien	Venen	Lymph-gefäße	Keimdrüse	Nebenniere	Nebenniere	Keimdrüse	Lymph-gefäße	Venen	Arte-rien	periph. Nerven-system
ORGANE	Ileum rechts Ileocoecales Gebiet	Dickdarm rechts		Magen rechts Pylorus	Gallen blase	Blase rechts urogenitales Gebiet	Blase links urogenitales Gebiet	Gallen gänge links	Magen links		Dickdarm links	Jejunum Ileum links
	Herz rechts	Lunge rechts		Pancreas	Leber rechts	Niere rechts	Niere links	Leber links	Milz		Lunge links	Herz links
WIRBEL	B1 H7 B6 B5 S2 S1	H7 H6 H5 B4 B3 L5 L4		B12 B11 L1	B9 B10	L3 L2 Co S5 S4 S3	L2 L3 S3 S4 S5 Co	B9 B10	B11 B12 L1		H5 H6 H7 B3 B4 L4 L5	H7 B1 B5 B6 S1 S2
RÜCKENMARK-SEGMENTE	Th1 C8 Th7 Th6 Th5 S 3 S2 S1	C7 C6 C5 Th4 Th3 Th2 L5 L4		Th 12 Th 11 L1	Th 8 Th 9 Th 10	L3 L2 Co S5 S4	L2 L3 S4 S5 Co	Th 8 Th 9 Th 10	Th 11 Th 12 L1		C5 C6 C7 Th2 Th3 Th4 L4 L5	C8 Th1 Th5 Th6 Th7 S1S2S3
GELENKE	Schulter – Ellbogen			Knie vorn		Knie hinten	Knie hinten		Knie vorn		Schulter – Ellbogen
	Hand ulnar Fuß plantar Zehen u. 1*	Hand radial Fuß Großzehe		Kiefer	Hüfte	Kreuzsteißbein	Kreuzsteißbein	Hüfte	Kiefer		Hand radial Fuß Großzehe	Hand ulnar Fuß plant Zehen u. 1*
					Fuß		Fuß					
SINNESORGANE	Ohr	Siebbein-zellen		Kieferhöhle	Auge	Stirnhöhle	Stirnhöhle	Auge	Kieferhöhle		Siebbeinzellen	Ohr

Tab. 2: Die Zähne und ihre Beziehungen zum Organismus   1* = Kreuz-Darmbeingelenk

Fall 2: Ehefrau L. K., 46 Jahre alt. Seit Jahren Kniearthrosis mit mäßigen Beschwerden. Plötzlich aufflakkernde „rheumatische" Kniearthritis, die das Knie innerhalb von Stunden so unförmig und schmerzhaft anschwellen läßt, daß sie nicht mehr die Treppe zu ihrem Schlafzimmer steigen kann. — Auf Segmenttherapie (Umquaddelung des Gelenks) keine wesentliche Besserung. Nach Befragen gibt sie an, daß ihr ein Eckzahn im Oberkiefer, an dem die Klammer einer wackelnden Prothese hängt, manchmal etwas weh tut. Eine Injektion an diesen überbeanspruchten, sonst bis auf eine kleine Schleimhauttasche unverdächtigen Zahn ergibt sofort Schmerzfreiheit im Knie. Die Frau kann kurz darauf die Treppe hinaufsteigen. Nach zwei Tagen ist das Knie ohne jede Schonung oder andere Behandlung wieder abgeschwollen und normal konfiguriert. In den nächsten drei Jahren muß dieser Zahn bei neuen Kniebeschwerden viermal nachbehandelt werden. Jedesmal wieder dieselbe schlagartige Reaktion. Weil es sich um kein lebensbedrohliches Krankheitsbild handelt und der Prozeß so leicht unter Kontrolle gehalten werden kann, wird die Tasche vom Zahnarzt behandelt und der Zahn belassen. Er kann so als Haltepfeiler für den Zahnersatz erhalten werden.

Ohren **Das Störfeld Ohren.** Auch das Mittelohr kann als Störsender wirken und krankmachende Reize aussenden, die das Neurovegetativum in seiner Reaktionsweise so entscheidend verändern, daß dann an irgendeiner Stelle des Organismus eine störfeldbedingte Krankheit entstehen kann. Das geschieht erst, wenn die sonst so wachsamen Regulationsmechanismen blockiert sind. Ob das Ohr nach einer früher durchgemachten oder noch floriden chronischen Otitis media (oder externa) Krankheitsherd für eine solche Fernstörungskrankheit ist, klärt wieder nur eine ganz einfache Testinjektion:

Wir setzen erst über dem Processus mastoideus eine Procain-Quaddel und geben dann durch sie hindurch bis an das Periost des Mastoids einen halben Milliliter *Procain.*

Mittelohr-Totaloperationen hinterlassen meist eine tiefeingezogene Narbe. Sie ist unbedingt zu testen! Dazu genügen wenige vorsichtig oberflächlich in die Narbe gesetzte Intrakutanquaddeln. Eine tiefere Injektion mit größeren Mengen kann einen unangenehmen Drehschwindel auslösen. In diesem Fall ist es ratsamer, die Narbe noch zu umspritzen, also weitere Injektionen rings um die straffgespannte Narbe zu setzen.

Fall 3: Ingenieur R. F., 51 Jahre alt. Schwerste „vegetative Dystonie" mit „vegetativen Krisen" und anfallsweise auftretende Parästhesien in beiden Armen und Beinen. Dabei so starke Kreislauf- und Gleichgewichtsstörungen, daß er im Anfall nicht mehr ohne Unterstützung gehen und stehen kann. Dabei Leichenblässe, Erbrechen, Angstzustände, Schweißausbrüche und feinschlägiger Fingertremor, aber seltsamerweise nie Ohrensausen. — Psychotherapie, mehrere klinisch-neurologische Behandlungen, Kuren in Sanatorien und Kneippkurorten, laufende Einnahme starkwirkender Sedativa und eine (falsche) „Neuraltherapie" sogar mit einer Serie von nicht weniger als 25 Stellatum-„Blockaden" und vieles andere mehr waren ergebnislos verlaufen. Das Versagen der Schulmedizin wurde damit quittiert, daß man ihm nun den Stempel eines Psychopathen und Neurotikers aufdrücken wollte.

Jedesmal nach einer einzigen Quaddel über dem Mittelpunkt einer tiefen empfindlichen Mittelohroperationsnarbe schlagartiges Verschwinden aller Symptome. Die Gesichtszüge entspannen sich sofort, die normale Durchblutung setzt wieder ein und die Parästhesien verschwinden. Diese Injektion war erst alle paar Tage, dann in größer werdenden Abständen erst nach Wochen erforderlich. Jetzt erscheint er alle vier bis fünf Monate nach psychischer oder physischer Überforderung im Anfall.

Die Heilwirkung wird sich im weiteren Verlauf bis zur völligen Ausheilung steigern. Ohne diese Behandlung wäre der Mann längst arbeitsunfähig. Jede andere Behandlung würde in diesem Fall versagen, weil sie nicht die Ursache des Leidens, das Störfeld Ohr, erfassen würde. Statt der alten Verlegenheitsdiagnose „vegetative Dystonie" heißt seine Krankheit jetzt: Durchblutungs- und Gefühlsstörungen, ausgelöst vom Störfeld Ohr.

Ein Wort noch zu der Serie von Injektionen an das Ganglion stellatum, die als Segmenttherapie sogar angezeigt waren, offenbar aber am Störfeld Ohr nicht eine so große Wirkung entfalten konnten, wie die Injektion in die Operationsnarbe. In der Neuraltherapie gilt die Regel:

Wenn e i n e Injektion ins Segment keine wesentliche Besserung zeigt bzw. die Injektion in ein vermutetes Störfeld kein Huneke-Phänomen auslöst, das die genannten Bedingungen erfüllt, sind alle weiteren Injektionen an dieser Stelle sinn- und aussichtslos!

Störfeld Nasennebenhöhlen und Siebbein und die Reflexzonen der Nase. Die Nebenhöhlen-Störfelder sind uns sowohl in diagnostischer wie in therapeutischer Hinsicht wesentlich schwerer zugänglich. Man kann das besonders nervenreiche submuköse Gewebe der unteren und mittleren Nasenmuschel nach Einstellen im Nasenspekulum mit langer dünner Nadel infiltieren und damit die Ausläufer des mittleren Trigeminusastes erfassen. Die vegetativen Fasern des Trigeminus erstrecken sich mit ihrem unteren Anteil bis zur Medulla oblongata mit ihren wichtigen Schaltstellen für Herz, Atmung und Vasomotoren und mit dem oberen Teil bis in das für unsere Betrachtungen so wichtige Zwischenhirn. Wenn man sich klarmacht, daß hier die gesamt-vegetativen Regulationen ihre Zentralstelle haben, wird die Bedeutung der Nase und darüber hinaus aller Kopfherde für jede nur denkbare neurovegetative Störung klar. SOLLMANN glaubt, einige besonders häufig auftretenden Beziehungen von Nebenhöhlen-Störfeldern zu folgenden Krankheiten beobachtet zu haben: Danach hat die r e c h t e K i e f e r h ö h l e innige Beziehungen zu allen a l l e r g i s c h e n Erkrankungen der äußeren H a u t wie Ekzemneigung, Urtikaria und Hautjucken. Außerdem zu Hyperthyreose und vom Rücken zum Sternum ausstrahlende dolchartige Schmerzen. Die l i n k e K i e f e r h ö h l e soll mehr für a l l e r g i s c h e Erkrankungen der S c h l e i m h ä u t e verantwortlich sein: Asthma bronchiale, chronische Bronchitis, Heuschnupfen, dazu Neigung zu Schleimhautentzün-

Nase

dungen: Meningitis, Peritonitis, Orchitis, Glaukom. Außerdem soll sie die Varizenbildung am linken Bein begünstigen. Die Stirnhöhle macht SOLLMANN außer für den Stirnkopfschmerz noch für Harnblasenerkrankungen verantwortlich. — Nach ADLER finden sich bei Störfeldern im oberen Nasenraum und den Nasen-Nebenhöhlen immer diagnostisch verwertbare Schmerz-Druckpunkte am unteren Okzipitalrand.

Über die Reflexzonen der Nase ist schon viel diskutiert worden und das letzte Wort darüber ist auch sicher noch nicht gesprochen. Zur kritischen Nachprüfung der angegebenen Zonen fehlen uns neuere Angaben. Zweifellos handelt es sich aber um ein wenig erforschtes Gebiet, das eine weitere Beobachtung und Untersuchung verdient. FLIESS vermutete auf Grund seiner Beobachtungen über die Schmerzempfindung, daß sich ein Teil des entwicklungsgeschichtlich-segmentären Aufbaus des menschlichen Körpers als Abbild auf der Nasenschleimhaut widerspiegele.

Für die Schmerzleitung vom erkrankten Organ zum Gehirn nahm er zwei Wege an:
a) Vom gereizten Organnerven direkt zum Gehirn,
b) über das zugehörige Rückenmarksegment zu einer Art Relais in der Nase.

Dort würden sich auf den Reiz hin „neuralgische" Veränderungen ausbilden, die er in hyperalgetischen Punkten oder zyanotischen Verfärbungen und Schwellungen mit erhöhter Blutungsneigung gefunden zu haben glaubt. Er fand sie an beiden unteren Nasenmuscheln, den Tubercula septi und am Vorderteil der linken mittleren Muschel. Nach seiner Theorie kommt es erst sekundär von diesen gereizten Nasenstellen her auf dem Wege über die ihnen entwicklungsgeschichtlich entsprechenden Rückenmarksegmente zur Ausbildung der Headschen Zonen, also zu einer reflektorischen Hyperalgesie der Haut in d e n Gebieten, die ihre sensiblen Fasern aus demselben Rückenmarksegment beziehen wie das erkrankte Organ. Die übergeordnete Relaisfunktion der Nase bei der Ausbildung der Headschen Zonen meint er durch die interessante Feststellung bewiesen zu haben, daß man die reflexbedingten Schmerzen in den Headschen Zonen, z. B. bei der Cholezystitis oder Appendizitis, durch Anästhesierung der „neuralgischen" Nasenschleimhaut-Veränderungen mit Sicherheit zum Verstummen bringen kann! Umgekehrt sollten auch primäre Erkrankungen der Nasenschleimhaut in den untergeordneten HEADschen Zonen des Körpers Fernschmerzen auslösen, ohne daß das entsprechende Organ erkrankt ist. Auch diese Schmerzen sind nach FLIESS durch die Anästhesie der Nasenschleimhaut heilbar.

Eine Wechselwirkung zwischen Nase und Genitalsphäre scheint erwiesen zu sein. Man kann das bei der Dysmenorrhö nachprüfen: Eine mechanisch bedingte Dysmenorrhö klingt normalerweise mit Beginn der Menstruationsblutung ab. Hält der Schmerz darüber hinaus an, kann eine nasal bedingte Form vorliegen, die mit einem — (T) — Nasenspray oder einer Anästhesie mit einem Wattebausch kupiert wird, der mit einem Schleimhaut-Anästhetikum wie 2 %iger Pantocain-Lösung getränkt ist. Dabei kann der Leibschmerz durch Anästhesie der unteren Nasenmuschel, der Kreuzschmerz vom Tuberculum septi aus verlöscht werden. Früher hat man diese Stellen verätzt oder kauterisiert, um Dauerheilungen zu erzielen. S e i t w i r w i s s e n, d a ß j e d e n e u e N a r b e e i n S t ö r f e l d b e d e u t e n k a n n, e n t s c h l i e ß e n w i r u n s n u r z ö g e r n d u n d n o t g e d r u n g e n z u a l l e n n a r b e n s e t z e n d e n E i n g r i f f e n, zumal die Praxis uns lehrt, daß auch eine wiederholte gezielte Anästhesie zur Ausheilung führt.

Der Franzose LEPRINCE legte vier Schleimhautfelder mit folgenden Organbeziehungen fest:
1. Eine U r o g e n i t a l z o n e am vorderen Drittel der unteren Nasenmuschel,
2. Eine S o l a r p l e x u s z o n e am mittleren Teil der unteren Nasenmuschel,
3. Eine Z e r v i k a l z o n e am hinteren Drittel der unteren Nasenmuschel und
4. Eine L u n g e n z o n e am Vorderteil der mittleren Nasenmuschel (siehe Abb. 62).

Wir räumen ein, daß Art und Stärke des Reizes und der Ort des Ansetzens auch hier eine besondere Bedeutung haben können. Trotzdem suchen wir selten die genannten Zonen selbst auf. Wir begnügen uns damit, die Nasenschleimhaut als Ganzes durch Besprayen mit 2 %iger Pantocainlösung anzusprechen. Die regelmäßige Reflexantwort des Körpers, besonders des hormonalen Systems, auf diese einfache Maßnahme ist eine beachtliche: Der Blutzuckerspiegel steigt an, es gibt eine erhebliche Ausschüttung von Adrenalin und 17-Ketosteroiden und einen Sturz der Eosinophilen!

Ein anderer Weg, mit Injektionen an die Nebenhöhlen heranzukommen, sind Injektionen an das Ganglion sphenopalatinum und ans Tuber maxillae. Die Technik ist im Teil III beschrieben. — Bei Stirnhöhlen- und Siebbeinzellen-Herden finden wir häufig den Austrittspunkt des Nervus supraorbitalis druckempfindlich. Eine Injektion dorthin oder an das Periost der Nasenwurzel kann heilende Reaktionen in den darunterliegenden Hohlräumen einleiten und so Zusammenhänge klären.

Der Austrittspunkt des rechten N. supraorbitalis hat übrigens enge Beziehungen zum Leber-Gallen-Sektor. RATSCHOW konnte bestätigen, daß er als hyperalgetischer Punkt bei einem Drittel aller Cholezystopathien zu finden ist und daß dann eine Procain-Injektion an diesen Punkt schlagartig alle Kolikschmerzen und Begleiterscheinungen zuverlässig kupiert.

Auch die Nervenpunkte des N. infraorbitalis müssen abgetastet und bei Druckempfindlichkeit getestet werden. Gar nicht so selten setzt nach einer derartigen Behandlung ein stürmischer Katarrh ein, der die Nebenhöhlen gründlich entleert und reinigt. In anderen Fällen werden wir auf die Mitarbeit des Hals-Nasen-Ohren-Facharztes angewiesen sein. Seine Spülungen anhand des Röntgenbildes mit anschließender Instillation eines Lokalanästhetikums werden oft noch bessere Ergebnisse erzielen.

Hören wir, daß unser Patient eine Kieferhöhlenoperation durchgemacht hat, müssen wir selbstverständlich die Narbe in der Oberkieferschleimhaut infiltrieren und dann durch die Narbe nach oben zu bis ans Periost der Kieferhöhle injizieren, denn auch dort ist ja eine Knochennarbe.

Drei Viertel aller Kieferhöhlen-Erkrankungen stehen im direkten Zusammenhang mit kranken Zähnen! Eine Zahnsanierung ist Voraussetzung für das Ausheilen der Nebenhöhlen. Das Beseitigen des Nebenhöhlen-Störfeldes kann langwierig sein und eine Serie von Injektionen an das Periost erfordern. Zeigt das Röntgenbild Empyeme mit polypöser Schleimhautentartung, werden wir natürlich den Fachkollegen um Mitbehandlung bitten.

Fall 4: Selbstbeobachtung. 1945 öffnete der Zahnarzt bei einer Wurzelspitzenresektion versehentlich die rechte Kieferhöhle. Danach akute Entzündung mit Schüttelfrost und hohen Temperaturen. Dann drei Jahre Latenz. 1949 erst Hepatitis ohne Bettruhe, dann anschließend neuer Kieferhöhlenschub, nach etwa 40 Spülungen Operation. In den darauffolgenden Jahren entwickelt sich ein mehr rechtsseitig auftretender Kopfschmerz mit Supraorbitalneuralgien rechts, der sich schließlich bis zu heftigen Migräneanfällen steigert. *Procain* in die rechte Kubitalvene und unter die Kopfschwarte blieb ohne Wirkung. Nach einigen Injektionen an den druckempfindlichen N. supraorbitalis rechts verschwinden die Neuralgien und Migräneanfälle. Jetzt meldet sich der Nerv nur am Tage nach einem Alkoholabusus und zeigt mir damit die Überlastung der entgiftenden Leber an. Er beruhigt sich aber sofort, wenn er etwas *Procain* bekommt — und damit auch mein schlechtes Gewissen. Er macht sich aber ebenso nach Erkältungen und körperlicher wie geistiger Überanstrengung bemerkbar. Das beweist mir, daß ein hyperalgetischer Punkt vom tiefergelegenen, hier sogar weitabgelegenen Organ Leber, von der Peripherie durch Erkältung und bei Überarbeitung von der Zentrale aus irritiert werden und sich melden kann, wenn die Regulierungsmechanismen überlastet sind.

Das Störfeld Narben. N a c h   d e n   T o n s i l l e n   u n d   Z ä h n e n   r a n g i e r e n   d i e   N a r b e n   a l s   h ä u f i g s t e   S t ö r f e l d e r. Jede noch so unscheinbare Narbe aus frühester Kindheit, gleichgültig ob primär oder sekundär verheilt, kann z. B. im Alter die Ursache für eine therapieresistente lebensbedrohliche Angina pectoris, ein schweres Gelenkrheuma, einen Bandscheibenschaden, eine Schwerhörigkeit, ein Glaukom, eine Ischias, ein Asthma oder irgendeine andere schwere Krankheit sein! Die als „reizlos" deklarierte Narbe kann demnach ganz erheblich neural reizen. Warum dabei die eine Narbe zum Störfeld wird und die andere nicht, wissen wir noch nicht mit Sicherheit. Auf den ersten Blick will uns nicht so recht einleuchten, daß eine kleine Narbe oft so tiefgreifende Veränderungen machen soll. STACHER fand bei elektrischen Widerstandsmessungen an Störfeld-Narben einen abnorm hohen Widerstand gegenüber der normalen Haut, die an

Narben

einzelnen Stellen bis zum Zehnfachen betrug. Nach SCHOELER hat j e d e s Narbengewebe einen weit höheren Widerstand als das angrenzende unverletzte Hautgewebe. Wenn Narben einen gleichen oder niedrigeren Widerstand als die normale Umgebung haben, ist das für sie anomal, ebenso wie der von STACHER geschilderte abnorm hohe Widerstand. Narben und pathologisch veränderte Hautareale, die gegenüber normalen Flächen einen stark erniedrigten oder stark erhöhten Widerstand aufweisen, sind störfeldverdächtig und für die Neuraltherapie als Angriffspunkte von Bedeutung. Es kommt also prinzipiell auf die Differenz gegenüber der Norm (von 40 bis 150 kOhm) an.

Wie sich kleine Ursachen zu großen Wirkungen potenzieren können, zeigten uns KELLNER und PISCHINGER. Die histologischen Untersuchungen KELLNERS deuten darauf hin, daß besonders nicht normal geheilte Narben Störfelder bilden können. Das gilt auch für die Fremdkörper-Granulome, die sich um Talkumkristalle bilden, die von den gepuderten Handschuhen der Chirurgen stammen. Um die unlöslichen Silikatkristalle legen sich Riesenzellen und bilden lymphozytär-plasmazelluläre Infiltrate. Auf welchem Wege so mikroskopisch kleine Fremdkörper den demgegenüber doch riesenhaften Menschen krankmachen, lernten wir von PISCHINGER: Die ständige, im Fall der Talkumkristalle für den Körper nicht abbaufähige Belastung, ruft im Grundsystem Veränderungen hervor, die die gesamte Regulation folgenschwer behindern und lähmen können. — Für Metallfremdkörper gilt, daß jedes Elektronen leitende Metall im Körper nach Möglichkeit vermieden werden sollte, weil es indirekt elektrolytisch stört und Störspannungen erzeugen kann.

Bei der Störfeldsuche müssen zuerst wieder alle Narben im K o p f b e r e i c h erfaßt und ausgeschaltet werden. Dann fahnde man gewissenhaft, am besten am entblößten Körper nach alten Verletzungen, Verwundungen und Operationsnarben aller Art. Schmerzende, juckende, wetterfühlige oder sich gelegentlich entzündende Narben oder chronisch veränderte Hautflächen sind besonders störfeldverdächtig! Normalerweise ist die Narbe unempfindlich. Es gibt einen g r o b m e c h a n i s c h e n   V o r t e s t, der uns veränderte und daher verdächtige Narben leichter finden läßt: Lösen wir beim Sticheln einer Narbe mit einer Nadel oder beim Zwicken zwischen den Fingernägeln oder Kneten und Rollen des abgehobenen Narbenstranges zwischen Daumen und Zeigefinger eine Mißempfindung oder Schmerzen aus, so ist der empfindliche Teil der Narbe als verdächtig zuerst zu behandeln. Man kann so dem Kranken Einstiche in neutrale Narben ersparen. Allerdings sind die meßtechnischen Narbenprüfungen relativ zuverlässiger (siehe Kapitel: Über Test- und Provokationsmethoden). Auch völlig reizlose Karbunkelnarben im Nacken, Narben alter Gelegenheitswunden an Händen, Knien und Füßen, Dammrißnarben, Ohrringlöcher, die lange geeitert haben, Druckstellen beim Hallux valgus, ja selbst schmerzende Hühneraugen müssen ernst genommen werden. Man verlasse sich dabei immer mehr auf die eigenen Augen als auf die Angaben der Patienten, die sogar Zehenamputationen, Rippenresektionen, Liftingnarben und große Spritzenabszesse anzugeben vergessen. Von jeder übersehenen Narbe kann das weitere Schicksal des Patienten abhängen!

Der Begriff Narbe muß dabei möglichst weit gefaßt werden. Huneke-Phänomen-Heilungen haben bewiesen, daß auch die Knochen-Nahtstelle nach einer unkomplizierten, noch mehr natürlich nach einer komplizierten Fraktur im Sinne der Störfeldbildung eine Narbe darstellt. Im Zweifelsfall muß uns das Röntgenbild helfen, die richtige Stelle für unsere Injektion zu finden. — Eine Rheumakranke hatte vor Jahren einen komplizierten doppelseitigen Knöchelbruch erlitten. Die Testinjektion an die Narbe und durch sie bis an den Knochen ergab nur etwa 80 % Besserung. Der Rest der Beschwerden verschwand erst, als ich auf der anderen Knöchelseite an das Periost der alten Frakturstelle spritzte.

Ein Infiltrat, das nach einer intramuskulären Injektion im Glutaeus zurückbleibt, ist eine Narbe! Die Dupuytrensche Kontraktur ist eine Narbenschrumpfung auf Grund eines chronischen Reizzustandes, sie erwies sich mir schon mehrfach als Störfeld. Auch die Restzustände nach Thrombophlebitiden sind für uns Narben. Braune oder blaurot überpigmentierte Stellen an den Unterschenkeln nach langdauernden Eiterungen (Ulcus cruris, Ekthyma) müssen ebenfalls mit einer Testinjektion auf ihre krankmachende Wirkung hin untersucht werden. An die Narben nach Tonsillektomie, Zahnextraktionen, Kieferhöhlen- und Mittelohroperationen sei nochmals erinnert. Impfnarben können (selten) auch Störfeld sein. Bei Mensurnarben teste man besonders die mit Knochen- und Schlagaderbeteiligung gewissenhaft.

HOPFER und SCHMIDT machten darauf aufmerksam, daß Narben, die auf Akupunkturpunkten oder -meridianen liegen, besonders häufig in den diesen Punkten und Linien zugeordneten Organen Fernstörungen verursachen sollen. Ich referiere das lediglich und bitte um Nachprüfung. Wir müssen uns gerade in der Neuraltherapie davor hüten, Einzelbeobachtungen und selbst eine Serie gleichartiger Beobachtungen zu verallgemeinern und aus ihnen sofort eine biologische Gesetzmäßigkeit ableiten zu wollen. Bei Finger- und Zehenamputationen habe ich die Angaben z. B. nicht bestätigen können. Da müßten bei fehlendem

Daumen — die Lunge	Großzeh — Pankreas und Leber
Zeigefinger — der Dickdarm	2. Zeh — der Magen
Mittelfinger — der Kreislauf	
Ringfinger — das endokrine System	4. Zeh — Gallenblase
Kleinfinger — Dünndarm und Herz	Kleinzeh — Niere und Blase

oder der jeweils zugehörige Meridian gestört sein. Das trifft aber nur gelegentlich zu, durchaus nicht gesetzmäßig. Wir sind besser beraten, in jedem Patienten einen Einzelfall zu sehen, der alle häufigen Erfahrungsregeln über den Haufen werfen kann.

Daß auch Metallsplitter im Körper stören können, liegt auf der Hand. Bei einem Mann mit einem Magenulkus erlebte ich ein Huneke-Phänomen von einer Granatsplitter-Unterarmnarbe aus. Die Wiederholung der Injektion auch bis an den Knochen, in dem der Splitter steckte, steigerte das Ergebnis nicht zufriedenstellend, es mußte zu oft nachgespritzt werden. Das war sofort anders, nachdem der Chirurg auf meine Bitte hin den Splitter aus dem Radius herausgemeißelt hatte. Nach einer prophylaktischen Nachbehandlung der frischen Operationsnarbe hat er nun seit neun Jahren Ruhe von seiten des Magens, obwohl er keine Diät mehr einhält. Die Neuraltherapie ist immer wieder beglückendes Neuland. Jeder Fall ist anders, es gibt keine Schablone, die immer wieder paßt.

Die Störfeldmöglichkeiten, die uns die Narben aller Art bieten, sind umfangreich. Sie müssen wirklich restlos ausgeschöpft werden. Da es den Anschein hat, als könnten (analog den Zähnen) **mehrere bzw. alle vorhandenen Narben zusammen e i n Störfeld** bilden, müssen sie a l l e i n e i n e r S i t z u n g abgespritzt werden.

F. HOFF schreibt in seinem Buch: ,,Behandlung innerer Krankheiten'': ,,Besonders möchte ich auch bestätigen, worauf auch NONNENBRUCH und GROSS hingewiesen haben, daß alte, vor Jahren schlecht verheilte Narben als Störungsfeld wirksam sein können. Wir haben z. B. Kranke gesehen, die seit vielen Monaten mit allen Mitteln der Herztherapie wegen schwerer stenokardischer Anfälle oder wegen Rhythmusstörungen des Herzens behandelt waren, oder auch Kranke mit ‚rheumatischen Beschwerden' des Schultergelenks und starken Bewegungseinschränkungen, welche nach Einspritzung von *Impletol* an alte Narben, z. B. an Narben nach Rippenresektion, wegen Pleuraempyems oder nach Schußverletzungen am Rumpf, sogar nach Haut- und Weichteilverletzungen an einem Bein, völlig beschwerdefrei wurden und nach Wiederholung dieser einfachen Maßnahme auch beschwerdefrei blieben.''

Fall 5: Rentner F. K., 63 Jahre alt. Malum coxae links mit weitgehender Zerstörung des Gelenks und starken Veränderungen am Knochen, dazu Kniearthrosis beiderseits. — Aus der Vorgeschichte ergibt sich eine ganze Reihe von Störfeldmöglichkeiten. Als die Segmenttherapie mit 2 ml *Impletol* ans Periost des Trochanter major und die Umquaddelung der Kniegelenke mit je 5 Intrakutanquaddeln keine wesentliche Besserung erzielt hatte, wurde mit der Störfeldsuche begonnen. — Nach Testen einer Sehnenpanaritiumnarbe gibt der Patient an: Links waren die Schmerzen einen Tag, rechts vier Tage ganz verschwunden. Die zweite und dritte Behandlung dieser Narbe ergaben kein besseres Resultat. Also wurde in diesem Falle die Forderung HUNEKES für ein Sekundenphänomen, daß sich die Wirkung bei der Wiederholung noch steigern muß, nicht erfüllt. Der Verdacht lag aber nahe, daß noch eine oder mehrere weitere Narben zusammen mit der an der Hand getesteten das gesuchte Störfeld bildeten.

Also muß weitergesucht werden! Am entkleideten Patienten werden die Impfnarben, kleinste Furunkel- und selbst Rasiernarben erfolglos getestet. Da entdeckte ich an der rechten Fußsohle eine 3 cm lange derbe Narbe, an die er gar nicht mehr gedacht hatte, weil sie schon aus früher Kindheit stammte. — Der Mann hatte schon eine ganze Reihe von Nadelstichen erdulden müssen. Es ist absurd, anzunehmen, daß gerade die nächsten in die Fußnarbe eine stärkere suggestive Wirkung ausgelöst haben sollten als alle vorhergegangenen. Aber da sagte er spontan: ,,Komisch, jetzt ist auf einmal alles weg, mir ist so leicht zumute!'' Erst jetzt war ein echtes Huneke-Phänomen erzielt worden. Das heißt, die knöchern bedingte Teilversteifung der Hüfte ist geblieben, auch die Röntgenbilder sind natürlich unverändert schlecht. Aber er hat jetzt keinerlei Schmerzen mehr, er kann im Bett liegen und sich im Schlaf umdrehen, ohne vor Schmerzen aufzuwachen. Das sich bisher fortschreitend verschlechternde Krankheitsgeschehen ist zum Stillstand gekommen und wird sich sogar noch weitgehend rückläufig gestalten. Sollten die Schmerzen einmal wiederkommen, genügt eine Injektion an die beiden Narben am Fuß und Finger. Die Wirkung wird sich dann steigern, bis keine Injektionen mehr nötig werden, weil das Störfeld dann erloschen ist und die Fernstörungskrankheit im Rahmen der verbliebenen Möglichkeiten zu einer Defektheilung gebracht wurde.

Wir lernen aus diesem Fall: Wenn die Injektion an Narben eine deutliche Besserung erzielt, die aber nicht die Bedingungen des Huneke-Phänomens voll erfüllt, muß weiter nach störenden Narben gesucht werden, die dann in ihrer Gesamtheit als e i n Störfeld Narben wirken.

Ein weiterer lehrreicher Fall:

Fall 6: Angestellter W. U., 55 Jahre alt. Seit vielen Jahren Cholezystopathie und chronische Obstipation. Er läuft von Arzt zu Arzt. Bricht auch die Neuraltherapie ab, weil die ersten Behandlungen nicht gleich zum Erfolg führen. Schließlich läßt er sich auf fachärztlichen Rat hin operieren. Die Gallenblase wird entfernt, entzündliche Verwachsungen werden gelöst. Kurz nach der Operation noch im Krankenhaus neue Koliken, die nun bezeichnenderweise als psychogen bedingt oder als Verwachsungsbeschwerden gedeutet werden.

Er bittet um erneute Procain-Behandlung. Beim weiteren Testen wird eine linsengroße, kaum sichtbare Narbe und ihre handtellergroße überpigmentierte Umgebung am Unterschenkel gespritzt, die nach einer lange eiternden Wunde in der Kriegsgefangenschaft zurückgeblieben war: Huneke-Phänomen! Seit zwölf Jahren keine Beschwerden mehr, er ißt alle Speisen und hat regelmäßig Stuhlgang. Er ist wieder voll arbeitsfähig und frequentiert nun nicht mehr die Fachärzte aller Richtungen. — Die eingreifende Operation erwies sich rückblickend als nicht indiziert. Denn in seinem Fall lag die Causa am Unterschenkel und nicht in der Gallenblase. 30—40 % aller Gallenoperierten rezidivieren aus ebendemselben Grund. Die Operation an der Stelle des Funktionsausfalles kann eben nichts einbringen, wenn hinter dem Ausfall ein Störfeld an ganz anderer Stelle steckt!

Wie weit der Begriff ,,Narbe'' gefaßt werden muß, soll die Schilderung einer besonders beglückenden Heilung zeigen, über die unter dem Titel: ,,Heilung einer organischen Lähmung über das Sekundenphänomen'' in der Münchener Medizinischen Wochenschrift (Nr. 44/1956) ausführlich berichtet wurde.

Fall 7: Tierarzt Dr. H. S., 31 Jahre alt. Als der Patient zu mir gebracht wurde, war er seit zwei Jahren schlaff an beiden Beinen gelähmt, erst anfallsweise, dann ständig. Die Reflexe waren im Anfall jedesmal erloschen. Laufende maximale Behandlung in zwei Universitätskliniken hatte keine Änderung gebracht. Schließlich wurde er mit der Diagnose ,,hereditäre paroxysmale Lähmungen (Goldflam)'' als unheilbar ent- und damit seinem Schicksal überlassen.

Die Vorgeschichte ergab: Viel Anginen, einmal Mandelabszeß, über 20 Granatsplitter in beiden Beinen — und die Angabe, daß die ersten Lähmungen acht Tage nach einem Stich mit einer infizierten Punktionskanüle in eine Fingerbeere aufgetreten seien. Ein Obergutachten hatte mit päpstlicher Unfehlbarkeit entschieden, daß diese für einen Tierarzt alltägliche Verletzung keinesfalls die Ursache der Lähmung sein könne. Die Anerkennung als Berufskrankheit war daraufhin endgültig abgelehnt worden.

Ich hatte noch nie etwas von einer Goldflamschen Erkrankung gehört, aber dafür hatte ich von meinem Freund und Lehrer HUNEKE gelernt, daß j e d e chronische Krankheit störfeldbedingt sein kann. Die Testinjektion an die chronisch entzündeten Mandeln ergab keine Reaktion. Aber wenige Tropfen *Procain* an die betreffende Fingerbeere, der makroskopisch keine Veränderung anzusehen war, ließen die Lähmung innerhalb weniger Minuten restlos und mit Dauerwirkung verschwinden. Seine Frau war Krankengymnastin und hatte ihn aufopfernd täglich behandelt, so daß die Muskulatur nicht völlig atrophiert war. Hätte er diesen Kanülenstich nicht erwähnt, wäre er sicher bis an sein Lebensende an den Rollstuhl gefesselt geblieben. So arbeitet er nun wieder seit 1956 unbehindert und ohne Rezidiv.

Es ist naheliegend, daß er nachprüfte, ob sich dieses neue Heilprinzip nicht auch beim Tier anwenden läßt. Er hat inzwischen eine Reihe interessanter Segmentheilungen und Sekundenphänomene veröffentlicht. Von den letzteren seien zwei herausgegriffen: Ein seit Wochen an der Hinterhand gelähmter Schäferhund, der schon viele Spritzen bekommen hatte, sprang nach der Jecoffin- (= Impletol-)Injektion in eine Kopfnarbe geheilt vom Tisch. — Bei einem Pferd verlöschte eine Schlundlähmung in der Sekunde, wo er *Jecoffin* in eine Fistelnarbe am Schlundgrund spritzte. Das Pferd, das schon sechs Tage nicht mehr fressen konnte, fraß mit Heißhunger und konnte so gerade noch gerettet werden. — KOTHBAUER berichtete, wie eine therapieresistente chronische Mastitis bei einer Kuh sofort ausheilte, nachdem er eine handtellergroße Narbe im Beckenbereich nach Stacheldrahtverletzung unterspritzt hatte. In einem anderen Fall verschwand eine hartnäckige Indigestion mit tagelangen Fieberanfällen umgehend nach einer Procain-Behandlung einer empfindlichen Kaiserschnittnarbe. Die Verdauungsstörung einer anderen Kuh wurde innerhalb weniger Stunden behoben, als er eine schmerzhafte Fremdkörper-Operationsnarbe als Störfeld mit *Procain* ausschaltete.

Solche Heilungen müßten doch auch die Skeptiker dahingehend belehren, daß das Heilgeschehen beim Huneke-Phänomen nicht an seelische, sondern an organische Vorgänge gebunden ist und daß der immer wiederkehrende Einwand, es handele sich lediglich um Suggestivheilungen, nicht länger aufrechterhalten werden kann. Beim Tier gibt es keine eingebildeten bzw. psychogenen Erkrankungen und daher auch keine Suggestion im menschlichen Sinne!

Der Fall Dr. S. zeigt uns, daß wirklich j e d e Stelle des Körpers, selbst nach einem Nadelstich, zu einem Störfeld werden kann. Die vielen Stiche, die wir bei der Neuraltherapie setzen müssen, werden natürlich nie zu Störfeldern, weil wir jede wirklich gesetzte Störung sofort mit der anschließenden Procain-Injektion wieder verlöschen. Wenn wir uns in diesem Zusammenhang daran erinnern, daß sich das Serumexanthem durch eine Anästhesie der Einstichstelle der Seruminjektion kupieren läßt, und hören, daß die Procain-Umspritzung einer frischen Schlangenbißwunde die beste Behandlung darstellt, eröffnen sich uns neue interessante Zusammenhänge der Allergie- und Toxinwirkung unter neuraler Regie.

Das Störfeld Amputationsnarbe. Der Amputationsnarbe widme ich ein eigenes Kapitel, weil ihre Bedeutung als Krankheitsursache zu häufig unterschätzt wird. Selbstverständlich geht aus dem vorigen Kapitel schon hervor, daß allein jede Narbe in der Haut Störfeldcharakter annehmen kann. Nach einer Gliedamputation haben wir aber an einer Stelle gleich eine Haut-, eine Knochen-, eine Gefäß- und eine Nervennarbe! Jeder weiß, daß z. B. Oberschenkelamputierte überdurchschnittlich häufig an Magengeschwüren, Herzstörungen, Schweißausbrüchen, Adipositas und anderen vegetativen und hormonellen Störungen leiden. Aber wer zieht schon die naheliegenden Konsequenzen aus diesem Wissen?

Amputationsnarben

Wir testen die G l i e d m a ß e n - A m p u t a t i o n s stelle folgendermaßen. Erst sprengt man die Narbe auf, indem man mit einer Injektionsspritze Luft unter die Oberfläche preßt und gibt dann durch die liegenbleibende Nadel *Procain* nach. Die kleine Narbe, durch die eventuell ein Drain aus der Wundtiefe nach außen führte, darf nicht vergessen werden. Dann spritzt man direkt an den Knochenstumpf und vor allem an das zu ertastende Neurom. Wenn der Patient sagt: „Überall dürfen Sie hinstechen, nur hier nicht!" — dann zeigt er auf die Stelle, an die unbedingt gespritzt werden muß! Der Stumpf muß dabei durch den Patienten und eine Hilfsperson gut fixiert werden, weil er sonst bei der schmerzhaften Injektion wegzuckt und dabei die Nadel abbrechen könnte. Nach Abklingen des Injektionsschmerzes wird der Amputierte oft spontan angeben, daß er sich auf einmal so leicht fühlt und daß auch seine anderen Beschwerden mit verschwunden sind. Bei wiederauftretenden Beschwerden wird er sich dieser schmerzhaften Prozedur gern wieder unterziehen.

Amputationsstellen von F i n g e r n und Z e h e n sind entsprechend gründlich zu behandeln. Trägt der Patient ein G l a s a u g e, so läßt man es herausnehmen, damit man mit feiner Nadel etwas *Procain* an die E n u k l e a t i o n s s t e l l e spritzen kann. Wenn man nur eine oberflächliche Quaddel in die Schleimhaut des Stumpfes setzt, kann nichts Negatives passieren. Ich konnte so über das Huneke-Phänomen ein Glaukom heilen, das nun auch das verbliebene Auge bedrohte, eine Polyarthritis und in einem Fall gleichzeitig ein Magenulkus und eine Schwerhörigkeit. — (K) — Amputations-Stumpfschmerzen, — (K) — Kausalgie.

Fall 8: Der 39jährige Bäckermeister R. T. bekam nach seiner Heimkehr aus der Kriegsgefangenschaft ein so schweres Bäckerasthma mit einer isolierten Allergie gegen Roggenmehl, daß er daran war, seinen Beruf aufzugeben. Kam er mit Roggenmehl in Berührung, gab es erst eine Rhinitis vasomotorica, dann einen Asthmaanfall und häufig anschließend Bronchopneumonien, die ihn wochenlang ans Bett fesselten. Es gab in Ost und West kaum mehr ein Asthmamittel, das er nicht versucht hatte. Auch ein Behandlungsversuch mit Hypnose schlug fehl.

Die Segmenttherapie mit *Impletol* intravenös und Quaddeln neben dem Brustbein und am Rücken beiderseits der Wirbelsäule, die beim Asthma bei genügender Wiederholung oft so schön hilft, versagte bei ihm. Testinjektionen an die Mandeln, Zähne und Narben gaben kein Huneke-Phänomen. Nur bei der Narbe der rechten Hand, wo er im Krieg drei Finger verloren hatte, gab er eine gewisse Besserung an. Das entsprach aber nicht den Bedingungen, die wir an ein Huneke-Phänomen stellen müssen. Mit anderen Worten, das Asthma war von der Narbe aus nicht für mindestens zwanzig Stunden hundertprozentig weg. Erst, als ich an ein empfindliches Neurom in der Tiefe und an die Knochennarbe spritzte, gab er an, nun sei der Ring um die Brust gesprengt und er könne wieder frei durchatmen. Am nächsten Tag schnupfte er vor meinen Augen Roggenmehl in die Nase auf, ohne daß ihm das noch etwas tat! Wo war die Allergie geblieben? Jede chronische Krankheit kann störfeldbedingt sein, auch das Asthma und die Allergie. Ich mußte nach einem Jahr noch einmal nachspritzen. Im Urlaub hatte ein (Zweit-)Schlag in die Nierengegend mit einem Ball neben einer Nierenblutung einen lebensbedrohlichen Status asthmaticus ausgelöst. Der Patient bat in der Klinik mehrmals um eine Impletol-Injektion an den Fingerstumpf. Man lehnte das als Unsinn glattweg ab. Erst als er moribund war, entließ man ihn gegen Revers nach Hause. — Nach der oben geschilderten Injektion war das Asthma weg, sechs Injektionen an den abdominalen Grenzstrang beseitigen die 2 ‰ Eiweiß, mit denen er entlassen worden war. In den letzten 17 Jahren ist er gesund geblieben.

Leber, Gallenblase, Magen

Das Störfeld Leber-, Gallenblasen- und Magensektor. Im Lebendigen gibt es keine scharfen Grenzen, sondern immer nur fließende Übergänge. Leber, Gallenblase, Magen, Bauchspeicheldrüse und Darm bilden eine funktionelle Einheit. Erkrankt ein Organ, werden auch die anderen früher oder später auf viszero-viszeralen Reflexbahnen erst nur funktionell, später organisch nachweisbar miterkranken.

Um es noch einmal klar herauszustellen: Auch jede Krankheit im Verdauungssektor kann von irgendeiner Stelle des Körpers, zum Beispiel von den Mandeln, Zähnen oder einer Narbe (Fall 6, S. 106), her ausgelöst, also ferngestört sein. Andererseits kann das Oberbauchsegment aber auch primär das Störfeld für andere Krankheiten darstellen. Im ersten Fall spritzt man an die Mandeln, Zähne bzw. Narben, im zweiten an den abdominalen Grenzstrang und in die Magengrube. Wenn dieses Wissen Allgemeingut der Ärzte wäre, stünde es besser ums Heilen, und viele nutzlose Operationen könnten vermieden werden!

Finden wir in der Vorgeschichte ein Leber-Gallenleiden, besonders eine Hepatitis oder eine rezidivierende Cholezystitis, Ulcera ventriculi et duodeni, eine Pankreatitis, Ruhr, Cholera, Typhus, Colitis, chronische Verstopfung oder chronischen Durchfall, so kann das ein Hinweis auf ein Störfeld im — (K) — Oberbauch sein. Wir klären es durch eine Injektion an den abdominalen Grenzstrang in Höhe des oberen Nierenpols (siehe Teil Technik unter — (T) — Grenzstrang). Diese von WISCHNEWSKI angegebene Injektion hat sich als Segmenttherapie bei allen Erkrankungen der Leber, Gallenblase, des Magens, des Pankreas und des Darmes, wie z. B. bei der chronischen Obstipation, so bewährt, daß wir sie nicht mehr missen möchten. Dieselbe Injektion gibt uns wie gesagt auch Aufklärung darüber, ob ein chronischer Reizzustand in dieser Gegend, der wohlgemerkt keinerlei örtliche

Beschwerden zu machen braucht, die Ursache für eine Krankheit an anderer Stelle darstellt, sagen wir beispielsweise eine durch die Segmenttherapie und andere Maßnahmen unbeeinflußbare Kniearthrosis, eine Migräne, ein Herz- oder Bronchialasthma, eine Psoriasis oder ein Ekzem. Jeder Neuraltherapeut weiß, daß die Leber im Störfeldgeschehen mit Sicherheit eine größere Rolle spielt, als ihr die Schulmedizin zubilligt. Wir sehen in der Leber nicht nur ein Organ der Entgiftung, Glykogenspeicherung und Gallensekretion. Aus den Heilphänomenen, die wir vom abdominalen Grenzstrang her auslösen, können wir nur schließen, daß ihr auch eine vegetativ steuernde Funktion zukommen muß!

Das Störfeld Appendix. Eine ,,muckernde'' Appendix kann ein klassisches Störfeld darstellen und ebenfalls alle denkbaren neurovegetativen Gleichgewichtsstörungen hervorrufen.

Appendix

Um sie zu testen, setzen wir eine Quaddel über dem McBurneyschen Punkt und gehen dann durch sie hindurch mit 1—2 ml *Procain* infiltrierend in die Tiefe bis in die Gegend des Peritoneums. Wir können getrost auch intraperitoneal geraten. Was soll dabei schon passieren? Abgesehen davon, daß Gefäße, Nerven und selbst der Darm bei infiltrierendem Vorgehen vor der Nadel ausweichen, würde auch nichts geschehen, wenn wir den Darm anstechen, was beim liegenden Patienten mit der 4 cm langen Nadel praktisch kaum möglich ist. Gemessen an einer Appendektomie oder Darmresektion würde das nur eine banale Schädigung setzen, mit der der Körper spielend fertig wird.

Wenn die chronische Appendizitis Störfeld ist, verschwinden nach dieser Testung alle Fernstörungen schlagartig und 100 %ig für mindestens 20 Stunden. Wiederholungen müssen den Anfangserfolg jedesmal weiter ausbauen. Gelingt das den nachfolgenden Injektionen nicht in befriedigender Weise, werden wir (analog den Tonsillen und Zähnen) zur operativen Entfernung der chronisch veränderten Appendix raten.

Daß die Narbe nach einer Appendektomie, vor allem nach einer perforierten Appendix mit Peritonitis, weiter den Störfeldcharakter übernehmen und aufrechterhalten kann, wenn der kranke Wurmfortsatz längst entfernt ist, sei nur nebenbei aufgefrischt. Beim Erheben der Anamnese und beim Testen müssen wir berücksichtigen, daß der Wurmfortsatz schon jahrelang Störfeld gewesen sein kann, bevor er akut wurde und entfernt werden mußte. Wir testen diese Narbe also auch, wenn der Beginn der Krankheit v o r der Operation lag!

Die chinesische Volksmedizin faßt auch die akute Appendizitis nur als Teilerscheinung einer Erkrankung des vegetativen Nervensystems, genauer gesagt, als Störung in der Energieverteilung auf, die keiner örtlichen Behandlung bedarf. Man operiert dort nicht, sondern beseitigt die lokalen Entzündungserscheinungen mit der Akupunktur und einem per os gegebenen Pflanzenextrakt.

Mehrere Neuraltherapeuten haben diese Beobachtungen bestätigen können. Impletol-Injektionen über der Appendix und bis ans Peritoneum ließen die abdominalen Erscheinungen schnell abklingen. Auch eine Quaddel über dem Akupunkturpunkt am rechten Fibulaköpfchen (auf dem M. tibialis ant., etwa 2 1/2 Querfinger unterhalb des Winkels zwischen Tibia und Fibula), der dann druckempfindlich ist, erwies sich dabei als äußerst wirkungsvoll. Trotzdem wird dieser Punkt in der modernen Medizin mehr zusätzliche diagnostische, als therapeutische Bedeutung gewinnen.

Fall 9: Der Torwart einer Fußballmannschaft, H. W., zog sich beim Konditionstraining mit der Hantel eine Verletzung im Bereich der Lendenwirbelsäule zu. Der als ,,Bandscheibenschaden'' deklarierte stechende Schmerz machte jeden Sport unmöglich, weil er die Beweglichkeit der Wirbelsäule erheblich einengte. Dem Sportstar angemessen wurde er von einer namhaften Klinik zur anderen weitergereicht. Als man schließlich operieren wollte, kam er heimlich zu mir. Er befürchtete, die Operation könnte das Ende seiner sportlichen Laufbahn bedeuten.

Die Behandlung im Bereich der Lendenwirbelsäule in Form von Quaddeln, intramuskulären Infiltrationen und Injektionen an die Wirbelkörper und an den Grenzstrang in Schmerzhöhe brachte keine anhaltende Besserung. Also mußte ich nach einem Störfeld suchen. Seine Angabe, der Blinddarm ,,muckere'' schon seit der Schulzeit, veranlaßte mich, über dem McBurney zwei Quaddeln zu setzen und durch eine hindurch bis zum Peritoneum hinab zu infiltrieren: Der Schmerz im Rücken war augenblicklich weg, und er konnte sich schmerzfrei nach allen

Seiten hin bewegen. Nach der Appendektomie kam er wieder, es seien bei extremer Belastung immer noch etwa 20 % der alten Schmerzen vorhanden. Die verschwanden dann mit Dauerwirkung nach einer Procain-Behandlung der frischen Operationsnarbe. Jetzt steht er wieder im Tor und ich hatte oft das Vergnügen, mich im Fernsehen zu überzeugen, wie beweglich und aktiv er nun wieder ist.

KRETZSCHMAR, ein begeisterter Anhänger HUNEKES in den USA, schrieb mir einmal, daß es ihm ausgerechnet bei einem Lehrstuhlinhaber, Professor für Chirurgie, gelang, eine Polyarthritis via Huneke-Phänomen mit ein paar Quaddeln über dem McBurney zu heilen.

Das Störfeld gynäkologischer Raum. Bei Frauen erweist sich der gynäkologische Raum recht oft als Sitz eines Störfeldes. Das ist nicht weiter verwunderlich, ist er doch d e r Locus minoris resistentiae bzw. Locus majoris reactionis des weiblichen Organismus. Es gibt kaum eine Frau, die nicht mehrmals in ihrem Leben wegen ihres Unterleibes ärztliche Hilfe in Anspruch nehmen mußte, und eine Frau über 50 Jahre ohne Operation im Genitalbereich gehört leider beinahe schon zu den Seltenheiten. Dabei bleibt dem kritischen Betrachter die sich immer wieder aufdrängende Frage unbeantwortet, ob eine größere Zurückhaltung mit dem Messer bei diesem zugestanden kritischen Gebiet nicht ärztlicher wäre.

Es ist fast verwunderlich, daß uns die so anfälligen gynäkologischen Organe nicht noch viel öfter als Störfeld für chronische Krankheiten an anderer Stelle begegnen. Ein langdauernder Fluor, Periodenstörungen, Aborte (vor allem fieberhafte), Ausschabungen, schwere Entbindungen, Fieber im Wochenbett, Adnexerkrankungen, eine Gonorrhö und alle operativen Eingriffe am Genitale in der Vorgeschichte können ein Hinweis auf einen krankmachenden chronischen Reizzustand im kleinen Becken sein. Auch, wenn unsere Patientinnen keinerlei Beschwerden mehr haben und die Erkrankung schon lange zurückliegt. Das gilt wohlgemerkt auch dann, wenn der Tastbefund dem Arzt nichts darüber aussagt. Unsere Untersuchungsmethoden sind viel zu grob, um diese Vorgänge im Lebendigen erfassen zu können. Klarheit kann uns auch hier wieder nur die Testinjektion ans Peritoneum des gynäkologischen Raumes geben.

Wie oft hören wir von den Frauen, bei denen wir mit einer derartigen Injektion ein Huneke-Phänomen auslösen, die erstaunte Feststellung, daß sie doch schon von einer ganzen Reihe oft namhafter Gynäkologen mehrmals untersucht worden seien und daß diese dabei „nie etwas gefunden" hätten. Das Störfeld kann man nicht sehen und die bioelektrischen Vorgänge natürlich auch nicht fühlen. Wenn die Gynäkologen nicht lernen, die Testinjektionen und Behandlungsmethoden mit *Procain* in ihr diagnostisches und therapeutisches Repertoire aufzunehmen, werden sie jedem Praktiker unterlegen sein, der diese Untersuchung und Behandlung mit der Spritze durchführt!

Die Technik der Injektionen in den — (T) — gynäkologischen Raum, einmal durch die Bauchdecken oder von der Vagina aus an den — (T) — Frankenhäuserschen Plexus und die — (T) — intramurale Injektion in den Uterus bietet nur im Anfang geringe Schwierigkeiten. Sie sind leicht erlernbar, ungefährlich und jeder Frau zumutbar.

Fall 10: 33 Jahre alte Hausfrau E. K. Mit 23 Jahren war bei ihr nach der zweiten Gallenkolik (also vorschriftsmäßig im Sinn der Chirurgen, in jungen Jahren und zu Beginn des Leidens) die steinhaltige Gallenblase entfernt worden. Nun kommt sie mit einem Rezidiv mit heftigen Koliken.

Die Anamnese ergibt eine Hepatitis vor 16 Jahren während der ersten Schwangerschaft. 5 Jahre später nach einem Abort die erste Kolik. Im darauffolgenden Jahr Operation. Nun mit einer neuen Schwangerschaft erneute Koliken. — Ein Zusammenhang zwischen dem Genitale und den Erkrankungen im Leber-Gallen-Sektor drängt sich doch dabei förmlich auf! Die Procain-Injektion in den gynäkologischen Raum beseitigt prompt alle Gallenbeschwerden mit allen Begleiterscheinungen, dazu noch Kreuzschmerzen und eine Brachialgia paraesthetica nocturna. Jetzt kann sie wieder fette Speisen vertragen und benötigt keine Medikamente mehr.

Die für diesen Fall richtige Diagnose lautet: Postcholezystektomiesyndrom, ausgelöst durch ein Störfeld im gynäkologischen Raum.

Wenn wir in Zukunft jede Anamnese so aus neuraltherapeutischem Blickwinkel erheben, wird sich oft allein schon daraus der einzig richtige Ort für unsere Injektionen anbieten!

Fall 11: Die Hausfrau E. O. wurde 1955 im schweren Status asthmaticus zu mir gebracht. Sie hatte ihr Asthma vor 9 Jahren im Wochenbett bekommen. Obwohl sie alle vorbehandelnden Ärzte auf diese Tatsache aufmerksam gemacht hatte, erhielt sie von ihnen immer wieder nur Asthmolytika. Mehrere Facharztuntersuchungen hatten ein gesundes Genitale ergeben.

Ich gab ihr ohne ihr Wissen eine Testinjektion in den gynäkologischen Raum. Sie nahm an, sie bekäme diesmal ihr gewohntes Asthmamittel unter die Bauchhaut gespritzt: Huneke-Phänomen! „Was war das? Mir ist auf einmal so leicht, so schnell und gut hat die Spritze doch noch nie gewirkt!" Zwei derartige Behandlungen des Unterleibes ließen neben dem Asthma noch eine Reihe von Störungen verschwinden, die ebenso therapieresistent gewesen waren, aber hinter dem starken Asthma in der Bedeutung zurücktraten: Einen chronischen Kopfschmerz, chronische Obstipation, Dysmenorrhö, Agrypnie, Unverträglichkeit von Rohkost, Überempfindlichkeit der Augen gegen grelles Licht und eine hochgradige nervöse Reizbarkeit. Soviel Schaden kann ein einziges Störfeld bei einem Menschen anrichten, und so umfassend kann die Neuraltherapie mit Lokalanästhetika heilen! Kein Wunder, daß die Frau nun angibt, sie sei nach der Behandlung ein völlig anderer Mensch geworden.

Diese Heilung hält bereits 12 Jahre vor. Die vorher invalide Frau geht nun wieder arbeiten. Sie arbeitet sogar unter Formaldehyddämpfen, ohne einen Asthmaanfall zu bekommen. Nur einmal hatte sie die Schleimhäute überreizt. Die Injektion durch die Bauchdecke genügte nicht allein, die Folgen ganz zu beseitigen. Erst eine zusätzliche transvaginale Injektion an die Frankenhäuserschen Ganglien stellte das Gleichgewicht wieder her.

Man muß eine so plötzliche Wiederherstellung des Gleichgewichts im Gesamtvegetativum erst einmal selbst erlebt haben, um das glauben zu können. Jedes Huneke-Phänomen gibt einem wieder einen ehrfurchterregenden Einblick in die Geheimnisse des Lebendigen.

Fall 12: Bäuerin F. K., 43 Jahre alt. Sie litt seit 13 Jahren an heftigen Beschwerden im Oberbauch, die der Behandlung einer kaum mehr übersehbaren Zahl mehr oder weniger prominenter Heilkundiger getrotzt hatten. Bei jedem neuen Arzt wurde sie erst einmal geröntgt und der Magen ausgehebert. Weil Berge von Röntgenaufnahmen nichts Pathologisches zeigten, einigte man sich auf die Diagnose „Magenneurose". Seitdem begegnete sie überall nur einem Achselzucken und der wenig beruhigenden Feststellung, das seien bei ihr „nur die Nerven".

Auch ich war geneigt, an ein psychogenes Geschehen zu glauben, als acht Behandlungen im Segment und das Testen aller verdächtigen Stellen keinen Einfluß auf die Beschwerden zeigten. Den gynäkologischen Raum hatte ich nicht getestet, weil sie Virgo war und die Frage nach Fluor oder durchgemachten Unterleibserkrankungen jedesmal energisch verneint hatte. Nur, um nichts auszulassen, gab ich ihr schließlich doch noch eine Injektion in den Unterleib. Zu meiner Überraschung verschwanden da blitzschnell die so hartnäckigen Beschwerden im Oberbauch. Also war ex juvantibus erwiesen, daß hier die gesuchte Ursache liegen mußte. Jetzt erinnerte sich die Frau, daß sie vor 25 Jahren einen Tag lang im kalten Hochwasser stehen mußte, um die bedrohte Heuernte zu bergen. Danach war die Periode erst ein halbes Jahr ganz ausgeblieben, um dann nur allmählich und sehr schmerzhaft wiederzukommen. Diese Unterkühlung in jungen Jahren hatte also einen Reizzustand im Unterleib hinterlassen, der erst viele Jahre später so unangenehme Beschwerden im Oberbauch auslöste. Diese sogenannte Neurose war zweifellos nur durch das Ausschalten des nervalen Störfeldes — und durch sonst nichts — heilbar!

Der letzte Fall zeigt, wie schwer es sein kann, den richtigen Ort für die Injektion zu finden. Das entscheidende „Gewußt, wo!" wird leider mit dem Neuraltherapeutikum nicht mitgeliefert. Nicht jeder Mißerfolg geht auf das Konto der Methode. Wer das einsieht, wird sich nicht länger darüber wundern, daß wir es ablehnen, Erfolgsstatistiken einzelner Neuraltherapeuten zu veröffentlichen. Sie könnten jeweils nur über den Berichtenden etwas aussagen, nichts aber über die Methode selbst.

Das Störfeld Prostata. Beim Mann kann die Prostata eine entsprechende Rolle spielen wie der gynäkologische Raum bei der Frau. Sie kann beispielsweise die Kausa für ein Glaukom, eine Angina pectoris, Ischias, Polyarthritis oder ein Malum coxae senile sein. Wir werden die Vorsteherdrüse vor allem dann in dieser Richtung untersuchen, wenn eine früher durchgemachte Gonorrhö, Hodenentzündungen oder Miktionsbeschwerden mit und ohne Prostatahypertrophie bzw. Prostatitis oder eine chronische unspezifische Urethritis dort einen Krankheitsherd vermuten lassen.

Prostata

Nebenbei bemerkt heilen die Prostatahypertrophie und die Prostatitis in der Mehrzahl der Fälle nach wöchentlich wiederholten Injektionen von 1 bis 2 ml *Procain* in jeden Drüsenlappen nach durchschnittlich 10 Behandlungen ohne Operation aus. Erstaunlich ist dabei immer wieder, wie weit man damit auch eine krankhaft vorzeitige Alterung rückläufig gestalten kann.

Fall 13: Goldschmied K. S., 53 Jahre alt. Erhielt wegen einer Prostatahypertrophie Injektionen in die Prostata. Nach der dritten Behandlung erzählt er unaufgefordert, daß seine Leistungsfähigkeit und Schaffensfreude nun wieder wie früher wären. Durchblutungsstörungen der unteren Extremitäten, die ihn zum intermittierenden Hinken gezwungen hätten, träten kaum mehr auf, und er habe sogar den Eindruck, daß sein Augenlicht wesentlich besser geworden sei. Er brauche jetzt zum Arbeiten keine Brille mehr.

Wirbelsäule

Das Störfeld Wirbelsäule. Die Wirbelsäule ist für uns nicht nur ein passives Stützgewebe, sondern praktisch auch ein Organ, das vielen aus den Segmenten kommenden Reizen ausgesetzt ist, das dadurch gestört wird und das so selbst zum störenden Organ werden kann.

Im Kapitel über die Narben wurde schon darauf hingewiesen, daß gegebenenfalls auch jede alte Fraktur auf ihren Störfeldcharakter hin untersucht werden muß. Wirbelfrakturen und die gar nicht so seltenen Quer- und Dornfortsatzabrisse testet man, indem man möglichst in der Nähe der Frakturstelle an das Periost spritzt. Das Röntgenbild bewahrt einen davor, ins Ungewisse zu schießen.

Noch häufiger begegnet uns eine Wirbelkörper-Verschiebung aus der Normallage als Ursache nervaler Störfelder. Dazu muß keinesfalls immer ein Trauma vorhergegangen sein. Wir wissen heute, daß von jedem Punkt der Peripherie und der Tiefe nervale Dysregulationen ausgehen können, die auch an weit abgelegenen Stellen, zum Beispiel der Wirbelsäule, sekundär Durchblutungsstörungen und degenerative Prozesse verursachen, so daß auch das Gefüge des Wirbelapparates krankhaft verändert werden kann. Jede Verschiebung der Wirbelkörper, gleich welcher Ursache, beeinträchtigt aber zwangsläufig wieder die Blut- und Lymphgefäße, die Spinalwurzeln und die benachbarten vegetativen Fasern, besonders den Grenzstrang des Sympathikus. Das erzeugt unter anderem auch eine Ischämie des betroffenen Gewebes. Dadurch gibt es vermehrte Schmerzen — und so ist der Circulus vitiosus geschlossen. Die Dauer-Muskelkontraktur fixiert schließlich die Wirbelverschiebung und damit das schmerzhafte Leiden. Wie wir sahen, kann aber jede Nervenläsion als Störfeld wirken und Fernstörungen auslösen. Wir durchbrechen als Neuraltherapeuten den Teufelskreis durch Ausschalten des Schmerzes mit Intrakutanquaddeln und tiefergreifenden Infiltrationen in das verkrampfte Muskelgewebe, nötigenfalls auch an die Nerven und an den Wirbel selbst. Nun kann sich die reaktive Muskelkontraktur wieder lösen, die gedrosselte Blutzufuhr wird wieder frei. Der verkantete Wirbel kann wieder in seine ursprüngliche Lage zurück, und die Ursache nerval bedingter Fernstörungen kann damit behoben sein. Es ist naheliegend, daß es um so besser und gründlicher geht, je eher wir eingreifen. REISCHAUER lehnte die Chirotherapie als überflüssig ab. Unser Ziel könne doch nicht sein, die Stellung der Wirbel zueinander zu korrigieren, um das Röntgenbild zu normalisieren. Viel wichtiger sei die Wiederherstellung der Funktion. Und die erreiche man am besten, wenn man den Kranken mit *Procain* schmerzfrei macht und ihn dann bewegen läßt. So stelle sich die gestörte Funktion auf physiologischem Wege am ehesten wieder her.

Die Chirotherapeuten können mit ihren ruckartigen Repositionsgriffen ebenfalls die Kontraktur überwinden und die fehlfixierte Wirbellage korrigieren und (z. B. beim Bandscheiben-Vorfall, der Blockierung eines Wirbelgelenkes oder beim Abrutschen der Gelenkfortsätze) alle mechanisch-statischen Veränderungen und ihre Folgen weitgehend beseitigen, also die Verspannungen im Muskel- und Bandapparat und die trophischen und anderen lokalen und fortgeleiteten Störungen. Mit der Wiederherstellung normaler anatomischer Verhältnisse kommt es nach Fortfall des mechanischen Reizes auf die komprimierten bzw. gedehnten vegetativen Fasern oft zu echten Huneke-Phänomenen, wenn die Chirotherapeuten diesen durchaus zutreffenden Begriff für ihre oft erstaunlichen Heilungen auch nicht zu gebrauchen pflegen. In unseren Augen treiben sie auch Neuraltherapie im weiteren Sinne.

Ihren Bemühungen wird aber auf die Dauer gesehen nur ein Teilerfolg beschieden sein, wenn der nervale Reizzustand auch nach der Wirbelreposition noch weiter bestehen bleibt und die von hier ausgehenden Fernstörungen weiter aufrechterhalten werden. Hier vollendet die Neuraltherapie nach HUNEKE das Werk, denn ihre direkt am Spinalnerv und am Grenzstrang angreifenden Injektionen sind in der Lage, die übriggebliebenen irritativen Störungen im Sympathikusbereich mit allen Fernwirkungen zu löschen. Eine Kombination von Chirotherapie und Neuraltherapie nach HUNEKE ist in jedem therapieresistenten Fall erstrebenswert. So kann beispielsweise eine Injektion in den gestörten und fernstörenden gynäkologischen Raum unmittelbar danach eine manuelle Adjustierung der Halswirbelsäule ermöglichen, die vorher nicht gelingen wollte. Unsere schmerzausschaltenden lokalen Segmentinjektionen werden die Muskulatur in jedem Falle so entspannen, daß das chirotherapeutische Einrichten erleichtert und oft erst ermöglicht wird. Eine Grenzstranginjektion nach der Reposition wird in vielen Fällen den Erfolg erst vollständig machen. Wie wir wissen, gibt es auch ein osteoviszerales Reflexsystem (VOGLER, KRAUSS). Wir machen es uns zunutze, indem wir ein Neuraltherapeutikum an das nervenreiche Periost spritzen, besonders, wenn es sich beim Untersuchen druck- und klopfempfindlich erweist. So injizieren z. B. die manuellen Therapeuten 0,5—1,0 ml *Impletol* an die Atlas-Querfortsätze vor und unterhalb vom Mastoid, wenn sich nach der Manipulation dort noch ein persistierender Atlasschmerz zeigt (LEWIT). — Die Wirbelsäule kann in ihrer Gesamtheit ein Störfeld darstellen, wenn sie insgesamt vorgeschädigt wurde. So durch einen Morbus Scheuermann in der Jugend, durch multiple Läsionen als Folge unphysiologischer Arbeitsbedingungen, durch Hochleistungssport oder sonstige Überbeanspruchung. Wenn ein Verdacht in dieser Richtung besteht, setze man über jedem Querfortsatz der Hals-, Brust- und Lendenwirbelkörper paravertebral Quaddeln und gebe etwas *Procain* an alle Querfortsätze. Zusätzlich auch einige Injektionen an Kreuz- und Steißbein. Das geschieht am zweckmäßigsten in mehreren Sitzungen in Abständen von 3—4 Tagen, wobei man überlappend jeweils 6—7 Wirbelkörper angeht. Das heißt, bei der nachfolgenden Behandlung sind die letzten beiden Wirbel noch einmal mitzuspritzen.

Ein Wort noch zu der so leichtfertig gestellten Modediagnose „Spondylosis und Bandscheibenschaden", mit der heutzutage selbst simple muskulär-bedingte Kreuzschmerzen amtlich dekoriert werden. Gibt es eigentlich bei einem Menschen über vierzig Jahren überhaupt noch ein „normales" Röntgenbild der Wirbelsäule? Kann nicht jeder Betrachter etwas in diese Momentaufnahme aus dem Lebendigen hineingeheimnissen? Gewöhnlich tut er das auch — und zwar zu reichlich. Wir schätzen, daß nur wenige Prozent der unter der Diagnose „Bandscheibenschaden" Laufenden wirklich einen Prolaps der Zwischenwirbelscheibe aufweisen. Auch hier kann sich der Einfluß des Arztes positiv und negativ auswirken. Wenn er auf Knochenzacken im Röntgenbild deutet, sie als die Ursache der Rückenschmerzen bezeichnet und dabei von irreversiblen Alters- und Abnutzungsfolgen spricht, drückt er der Krankheit gleichzeitig das Prädikat „unheilbar" auf und fixiert sie damit im Psychischen. Das ist aber eine Belastung, der nur wenige Kranke gewachsen sind. Der Deuter von Röntgenbildern halte sich in praesentia aegroti immer vor Augen, wie viele iatrogene Erkrankungen auf das Konto so unüberlegter Äußerungen kommen mögen. Wenn wir einem solchen Besitzer vieler Röntgenbilder, eines Stützkorsetts und einer so schönen Diagnose dann beispielsweise *Impletol* ins Störfeld Tonsillektomienarben spritzen und sehen, wie er nach dem Huneke-Phänomen wieder wie früher bei durchgedrückten Knien mit den Fingerspitzen den Fußboden berühren kann, wird unser Glaube an die Unfehlbarkeit der Röntgenbilder und ihrer Ausleger erheblich erschüttert. Wenn das öfter passiert, bleibt von dem Glauben nicht mehr viel übrig.

Dem Röntgenbild darf keine größere Bedeutung beigemessen werden als die eines unserer vielen Hilfsmittel. Wir haben die Aufgabe, die g e s t ö r t e F u n k t i o n u n d d a s v e g e t a t i v e G l e i c h g e w i c h t w i e d e r h e r z u s t e l l e n. Dazu müssen wir die Selbstheilungskräfte des Körpers mobilisieren, zu deren Möglichkeiten wir mehr Vertrauen haben sollten. Jeder Arzt, der ein Stützkorsett verschreibt, sollte sein Gewissen erforschen, ob er alle anderen Möglichkeiten erschöpft hat, bevor er sich dazu hergibt, von nun an die stützende Muskulatur abzubauen. Eine durch Gymnastik und Massage gekräftigte Rückenmuskulatur ist immer wertvoller, und eine Injektion in den gynäkologischen Raum, die zwei Drittel aller Frauen-Kreuzschmerzen beseitigt, ist billiger — und ärztlicher!

Zerebrum **Das Störfeld Zerebrum.** Der 1961 verstorbene deutsche Neurologe REID sagte sich: Wenn das *Impletol* am Wesen der Entzündung angreift und alle Residuen abgelaufener Entzündungsvorgänge zu Störfeldern werden können, müßten besonders die Enzephalitiden zu solchen krankheitsauslösenden Ursachen führen, die dann mit *Impletol* heilbar sein müßten. Es gab nur noch keine Möglichkeit, das *Impletol* direkt an das Gehirn heranzubringen.

Der Wiener Professor MANDL hatte zwar *Procain (Novocain)* durch ein Bohrloch in das Stirnhirn gespritzt, um damit quasi eine unblutige Leukotomie zu erreichen. Aber sein Verfahren war doch etwas zu umständlich für die Praxis. Immerhin hatte er damit bei der Hälfte aller Schmerzzustände bei peripheren Karzinomen die Schmerzen beseitigen oder wesentlich mildern können, ohne dabei die psychischen Veränderungen und Ausfallserscheinungen auszulösen, die man sonst nach der neurochirurgischen Leukotomie zu sehen pflegte.

REID kannte die Arbeiten von Lina S. STERN, Mitglied der Akademie der Wissenschaften der UdSSR, die 1948 über „die direkte chemische Beeinflussung der Nervenzentren" durch Einbringen von bestimmten Medikamenten (aber nicht *Procain*) in die Zisterne (Cisterna cerebellomedullaris) berichtet hatte. Auf Grund der theoretischen Begründung ihrer Methode und der damit erzielten praktischen Ergebnisse kam REID zu dem Schluß, daß die Injektion von nur einem Milliliter mit Liquor verdünntem *Impletol* durchaus nicht, wie allgemein angenommen wurde, tödlich verlaufen müsse. Er wagte die — (T) — zisternale Impletol-Injektion und konnte damit ans Wunderbare grenzende Heilungen erzielen. Es gelang ihm, eine Reihe bisher therapieresistenter postenzephalitischer und in gewissem Umfang auch entzündlich-degenerativer Gehirnprozesse günstig zu beeinflussen. Damit bewies er, daß es auch ein zentrales Störfeld gibt, das sich als Folge (vorwiegend grippaler) katarrhalischer, also virusbedingter lokalisierter Enzephalitiden oder einer chronisch latenten Enzephalomyelitis ausbilden kann. Ein solches Störfeld kann für eine ganze Reihe dienzephaler und mesenzephaler vegetativer Fehlregulationen verantwortlich gemacht werden. Diese können einmal von sich aus krankheitsbestimmend sein, andererseits aber auch die Ursache dafür sein, daß andere Krankheitsvorgänge therapieresistent werden.

Eine solche „zentrale Belastung" kann naturgemäß vielgesichtige Ausfallserscheinungen nach sich ziehen, die kaum auf andere Therapieversuche ansprechen. Die Patienten können in der Regel in der Vorgeschichte genau den Zeitpunkt des durchgemachten grippalen oder katarrhalischen enzephalitischen Prozesses angeben. Sie erinnern sich an die „schwere Kopfgrippe" mit hohem Fieber und unerträglichen Kopfschmerzen. Es ist dabei gar nicht nötig, daß der behandelnde Arzt damals die entzündliche Mitbeteiligung des Gehirns registriert hat. Der Kranke gibt an, daß nach dieser Krankheit Schlafstörungen, schleichende Kopfschmerzen, Unruhe, manchmal auch Schwindel zurückgeblieben seien. Sie spürten von diesem Zeitpunkt an einen deutlichen Leistungsknick mit Neigung zu reizbaren oder depressiven Verstimmungen bis zu Suizidgedanken und ein Nachlassen der Konzentrationsfähigkeit und Arbeitsfreude. Dazu können H a l b s e i t e n s t ö r u n g e n in Form von Arm-, Bein- oder Kreuzschmerzen kommen, die meist als „Rheuma" bagatellisiert werden. Zeigt dann die Röntgenaufnahme gar noch die zufällig ebenfalls vorhandenen Zeichen einer Osteochondrosis, dann ist die Fehldiagnose „Bandscheibenschaden" so naheliegend, daß der Arme nun eine ganze Zeit nicht mehr vom Orthopäden, Chirotherapeuten, Masseur, von der Glissonschlinge und vom Stützkorsett loskommt. Die eigentliche Ursache bleibt aber von all dem unberührt, und der Patient muß hartnäckig immer weiter klagen. Dann droht ihm natürlich, daß er in die Gruppe der

Neurotiker, Hypochonder und Neurastheniker oder gar Simulanten eingereiht wird und so beim Psychotherapeuten landet, der aber naturgemäß auch nur wenig Freude an ihm haben kann. Allmählich wird der Kranke verbittert und verliert den Kontakt zur Familie und zur Umwelt. Dabei empfindet er selbst die Veränderung, die mit ihm vorgeht und leidet darunter.

REID fand als mögliche Symptome einer zentralen Belastung durch ein Gehirn-Störfeld:

1. Depression,
2. Neurasthenie, vegetative Dystonie, nervöse Erschöpfung,
3. Chronischen Kopfschmerz mit und ohne Schwindel,
4. Schulter-Arm- oder Lumbalsyndrom auf dem Boden einer Osteochondrose,
5. Arthralgien, Arthrosis deformans,
6. Angina pectoris vasomotorica,
7. Asthma bronchiale,
8. Trigeminus-Neuralgie,
9. Torticollis spasticus,
10. Kreislaufstörungen,
11. Brachialgia paraesthethica nocturna,
12. Schwerhörigkeit,
13. Schlaflosigkeit,
14. Neurose, Simulation und vieles andere mehr.

Natürlich können mehrere derartige Symptome bei einem Fall gleichzeitig vorhanden sein.

Wenn man diesen sonst hoffnungslosen Kranken helfen will, muß man das Wesen ihrer Krankheit erkennen. Darum muß man in Fällen, bei denen die Segmenttherapie versagte und auch kein anderes Störfeld zu finden war, nachprüfen, ob nicht ein zentrales Störfeld als Enzephalitisfolge vorliegen könnte. — Dieser neue Weg, Schwerkranken zu helfen, bedeutet für den Arzt die Verpflichtung, sich ernsthaft und intensiv mit der Methode vertraut zu machen. Wer sich scheut, die Injektion vorzunehmen, sollte wenigstens von dieser Möglichkeit und den Indikationen wissen, die leicht zugänglichen Voruntersuchungen durchführen und seine Patienten dieser aussichtsreichen Therapie zuführen.

Glücklicherweise sind wir bei der zentralen Belastung nicht allein auf die Angaben des Patienten angewiesen. Es gibt dafür objektive Zeichen in Form pathologischer Reflexe. Wir verlangen den Nachweis dieser Reflexanomalien vor jeder Injektion in die Zisterne, um unliebsame Zwischenfälle auszuschalten und die Erfolgsquote möglichst hochzuschrauben.

Von den bekannten Reflexen sind positiv:
a) Romberg,
b) Konvergenzschwäche,
c) Dysmetrie (Finger-Nasenspitzentest).

Dazu kommen weniger bekannte, die im Technik-Teil genauer beschrieben werden:
e) Schnauzenreflex nach WARTENBERG,
f) Blickwende-Phänomen nach REID,
g) WARTENBERGS Head-retractor-Reflex.

Daneben können noch weitere Reflexe pathologisch reagieren, z. B. Ausfall der Bauchdeckenreflexe bei erhaltenen Bauchmuskelreflexen usw. Sind gleichzeitig mehrere dieser Reflexe verändert, liegt eine zentrale Belastung vor und die Procain-Injektion in die Zisterne ist erfolgversprechend. Man kann dann mit ihr echte Huneke-Phänomene auslösen.

Fälle: Ich habe diese Injektion bisher etwa 50mal ambulant vorgenommen, weil mir keine Möglichkeit gegeben war, sie stationär ausführen zu lassen und der Fall es erforderte. Zwischenfälle habe ich nicht gesehen. — Bei einem Handwerker war nach dem dritten Schädelbruch ein unbeeinflußbarer einseitiger Kopfschmerz zurückgeblieben. Daneben kam es zu einschneidenden Wesensveränderungen, die ihn arbeitsunfähig und im Umgang unleidlich werden ließen. Man konnte bei ihm direkt von einer gesamten Dekompensation sprechen. Die erste Zisterneninjektion ergab nach einer starken Reaktion eine kaum faßbare völlige Wiederherstellung der Persönlichkeit. Auf sein Drängen hin habe ich den Eingriff bei nachlassender Wirkung in einem Jahr fünfmal wiederholt! Jetzt ist er wieder überdurchschnittlich belastungsfähig und voll arbeitsfähig. Aus dem Hypochonder ist ein ansteckend wirkender Optimist geworden, Kopfschmerzen kennt er nicht mehr.

Bei einem anderen Patienten bestanden nach einem Herpes zoster im Gesicht eine einseitige Blindheit und einseitige Taubheit, beides auf der rechten Seite. Drei Tage nach der Zisterneninjektion stellte er ein annähernd normales Gehör fest, das Audiogramm konnte die Heilung eindeutig objektivieren. Auch die Sehkraft hat sich bis fast zu der Stärke wieder erholt, die vor der Erkrankung bestanden hat.

DRUSCHKY (Bad Rappenau), der eine große Erfahrung auf diesem Gebiet besitzt, erlebte eine einmalig gebliebene Sekundenphänomen-Heilung eines Apoplektikers. Seit über zwei Jahren bestand eine Hemiplegie und ein totaler Ausfall des Sprachzentrums. Nach der Injektion in die Zisterne stellte sich innerhalb von zwei Stunden die Beweglichkeit des Armes und Beines wieder her, so daß er mit dem bisher gebrauchsunfähigen Arm wieder essen und daß er wieder normal laufen konnte. Innerhalb von acht Stunden konnte er wieder normal sprechen. Man kann sich das nicht vorstellen. Trotzdem gibt es so etwas, wenn auch leider nicht in jedem Fall. Aber jede Heilung ist der Mühe wert und wiegt eine Reihe Versager auf!

Andere Störfelder

Andere Störfeldmöglichkeiten. Es muß noch einmal nachdrücklich betont werden, daß wir keinesfalls der monomanen Ansicht sind, d a ß j e d e K r a n k h e i t s t ö r f e l d b e d i n g t s e i n m u ß, sondern nur, daß es sein k a n n und daß etwa ein D r i t t e l a l l e r c h r o n i s c h e n K r a n k h e i t e n wirklich auch s t ö r f e l d b e d i n g t i s t! Daran sollte jeder Arzt denken, wenn seine sonst bewährte Therapie versagt.

Leider gelingt es uns nicht immer, das auslösende Störfeld zu finden. Mit den eben besprochenen häufig nachweisbaren Störfeldern sind keineswegs alle Möglichkeiten erschöpft. Das Gesagte soll kein starres Schema darstellen, nach dem man der Reihe nach durchgeht. Es soll dem neu an dieses Gebiet Herantretenden nur einen Leitfaden in die Hand geben, der ihn in die vielen Möglichkeiten hineinführt.

Eine Hautwunde hinterläßt eine sichtbare Narbe, die die Erinnerung an das damalige Geschehen lebendig erhält. Sicher gibt es außer den als Störfeldmöglichkeiten genannten überschwelligen Reizen noch viele andere, die das vegetative System noch lange erregen und so weiterwirken, wenn der primäre Reiz längst ausgesetzt hat. Der Mensch ist vergeßlich, sein Neurovegetativum vergißt nichts! So kann der Periostreiz einer Steißbeinprellung, die wir schon lange vergessen haben, im Reizgedächtnis des Neurovegetativums noch aktiv sein und nachwirken. Bei einer Knöcheldistorsion werden neben Bändern und Sehnen viele Nervenendigungen verletzt. Ein sich immer wieder entzündendes Auge, eine Nebenhodenentzündung in jungen Jahren, eine Mastitis, die nicht geschnitten wurde, ein Spritzeninfiltrat oder ein abgekapselter Abszeß in der Gesäßmuskulatur, die röntgenbestrahlte Haut nach einer Karzinomoperation, eine Exostose nach einer Verletzung, eine chronische Lymphadenitis oder eine Gelenkmaus können ebenso als Störfeld fungieren! Natürlich auch Bronchiektasen, Pleuraschwarten, die Narbe nach einem Infarkt, eine Parodontose oder eine durchgemachte Thrombophlebitis. Wir kennen auch ein Störfeld Darm. Gelegentlich ist es uns therapeutisch mit Injektionen an den abdominalen Grenzstrang zugänglich, in anderen Fällen muß erst die Dysbakterie medikamentös und diätetisch beseitigt werden, damit z. B. ein vorher unbeeinflußbares Ekzem ausheilen kann. Es gibt auch ein Störfeld Lunge, das sich in der Pulmo nach abgelaufenen tuberkulösen Prozessen, Pleuritiden oder Pneumonien bilden kann. Wir erreichen es mit Quaddeln über dem zugehörigen Thoraxraum und Infiltrationen an und zwischen die benachbarten Rippen. Ebenso kann eine überstandene Endo-, Myo- oder Perikarditis das Herz zum Störfeld werden lassen.

Zugegeben: Ein Meer von Möglichkeiten. Dabei erhebt diese Liste noch keinen Anspruch auf Vollständigkeit. Wenn die K o p f h e r d e m i t M a n d e l n, Z ä h n e n, N a r b e n u n d N a s e n n e b e n h ö h l e n auch den H a u p t a n t e i l stellen, so haben immer wieder

Heilungen bewiesen, daß wir HUNEKES Lehrsatz: „Jede Stelle des Körpers kann zum Störfeld werden!", wörtlich nehmen müssen und daß auch der zweite Satz: „J e d e chronische Krankheit k a n n störfeldbedingt sein!" (bis auf wenige Ausnahmen), ein Gesetz darstellt, das uns das Leben lehrte! Wer daran denkt, wird den Wert einer peinlich genauen Anamnese und Untersuchung für eine erfolgreiche Neuraltherapie erkennen. Wer erst einmal neuraltherapeutisch denken gelernt hat, findet den Weg zu den selteneren Störfeldern und ihrer Behandlung allein. Letztere ergibt sich aus der Lage. Das Periost des Steißbeins z. B. ist leicht zugänglich. Beim Auge spritzen wir retrobulbär in die Nähe des — (T) — Ganglion ciliare. Die Technik aller Injektionen ist alphabetisch geordnet im Teil III nachzulesen. Nur wer sie alle beherrscht und beweist, daß er sie auch zweckmäßig anzuwenden versteht, sollte sich als Neuraltherapeut bezeichnen. Wer das Glück hat, selbst ein echtes Sekunden-(Huneke-)Phänomen auszulösen und damit eine Krankheit zu heilen, an der alle vor ihm Behandelnden versagt hatten, wird von diesem beglückenden Erlebnis mehr überzeugt sein, als es alle Worte vermögen.

Fassen wir zusammen: Chronische Entzündungen, Residuen abgelaufener Verletzungen und Entzündungsvorgänge, pathologisch verändertes Gewebe wie Narben aller Art können zu Störfeldern werden und die Reaktionsweise des vegetativen Nervensystems verändern. Diese Störfelder senden dann auf dem Wege über das im Körper allgegenwärtige Neurovegetativum krankmachende Impulse aus, die sich an jeder Stelle des Organismus unter dem Bild irgendeiner chronischen Krankheit manifestieren können. Sei es als rheumatisch-neuralgisches Krankheitsbild, als Organkrankheit oder als funktionelles Krankheitsgeschehen. Trifft die Procain-Injektion ein solches Störfeld, so verlischt die Krankheit im Huneke-Phänomen. Bei richtiger Anwendung der Regeln der Neuraltherapie nach HUNEKE ist es möglich, solche Fernstörungskrankheiten auszuheilen, soweit es anatomisch noch möglich ist. So können wir eine kausalwirksame Ganzheitstherapie treiben. Die Lehre von einem krankheitsauslösenden Störfeld außerhalb jeder segmentalen Ordnung fordert von uns, daß wir uns endlich von allem überholten organ- und segmentgebundenen Denken und Handeln freimachen. Der Erfolg wird dieses Umdenken belohnen!

d) Über Test- und Provokationsmethoden

Nach einer gewissenhaft erhobenen Anamnese werden wir oft einer Fülle von **potentiellen Störfeldern** gegenüberstehen. Wo sollen wir anfangen? Wenn wir den Patienten nicht einfach schematisch „durchspritzen" wollen, müssen wir versuchen, aus den vielen Möglichkeiten die **aktiven** Störfelder und vor allem das in unserem Falle ursächlich **schuldige** herauszufinden. In der Regel werden sich uns von vornherein eine Reihe besonders störfeldverdächtiger Ansatzpunkte aufdrängen, die uns die Entscheidung leicht machen, auf welche wir zuerst eingehen sollen. Mit zunehmender Erfahrung werden wir dabei immer treffsicherer werden. Es kommt aber immer wieder einmal vor, daß wir eine Reihe wahrscheinlicher Punkte ohne positives Testergebnis angehen. Der Patient von heute, der erwartet, daß ihn der Arzt mit möglichst vielen Apparaten untersucht, wird in unseren Injektionen nicht immer gleich die differentialdiagnostische Untersuchung erkennen, um die es sich ja tatsächlich handelt. Vor allem dann nicht, wenn er eine Reihe von ergebnislosen Testinjektionen über sich ergehen lassen mußte. Daß wir uns dabei auf sein Gedächtnis und seine Angaben verlassen haben und er uns damit irregeführt haben kann, wird er noch weniger einsehen wollen.

Wenn wir an diesem Punkt angelangt sind, werden wir zu Methoden greifen, die uns oft helfen können, zur Zeit „stumme" von den mehr aktiven Störfeldern zu trennen. So können wir eine Bestandsaufnahme machen, sie wertmäßig einstufen und eine gewisse Vorwahl für eine gezieltere Neuraltherapie treffen. Bei der Einschaltung von Provokationsmethoden können sich auch ganz neue Gesichtspunkte ergeben, wenn dabei vergessene und unbekannt gebliebene Erkrankungen und Verletzungen von früher objektiv aufgedeckt und so Lücken in der Anamnese geschlossen werden können.

Die störfeld- und herdbezüglichen Test- und Provokationsmethoden stellen für den Organismus eine chemische oder physikalische Zusatzbelastung dar, die das nervale, das vaskuläre, das myeloisch-lymphatische System und die zellulären Anteile des Bindegewebes einzeln oder zusammen ansprechen. Der Organismus muß diesen Fremdreiz kompensieren. Dazu muß er eine energetische Leistung aufbringen, um die Fremdenergie zu vernichten. Damit, wie er das tut, gibt er uns Auskunft über seine derzeitigen Möglichkeiten, zu regulieren und zu reagieren. Der gesunde Organismus antwortet auf die Zusatzbelastung des Testes gar nicht, er kann sie ohne weiteres ausgleichen. Der durch Störfelder oder bakterielle Herde vorbelastete Organismus steht aber schon unter einer permanenten, für ihn nicht abbaufähigen Belastung. Wird die T e s t belastung, die immer abbaufähig sein muß, daraufgepfropft, wird das Gleichgewicht gestört und es dauert eine Zeit, bis es ihm gelingt, die Testsubstanz zu verändern oder zu vernichten. Die P r o v o k a t i o n setzt einen Reiz, den der herdbelastete Organismus bei der Regulationsstarre nicht mehr, bei eingeschränkter Regulationsbreite nicht voll kompensieren kann. Hier kann es als Antwort neben allgemeinen auch zu lokalen Reaktionen kommen, so daß ein Störfeld oder ein Herd aktiviert werden kann. So kann eine bisher stumme, nervtote Zahnwurzel zu schmerzen beginnen oder eine vorher äußerlich reizlose Narbe oder Knochenbruchstelle jucken oder schmerzen. Auch anders morphologisch verändertes Gewebe kann sich melden (Apendix, Gallenblase, Adnexe, Prostata usw.) und so auf eine pathogene Vorschädigung hinweisen, die dem Patienten oft erst dann wieder bewußt wird.

Leider sind diese Methoden nicht immer völlig zuverlässig. PISCHINGER wies mit der Jodometrie nach, daß sich der Organismus (z. B. nach *Cortison* oder *Phenylbutazon*) im Zustand einer Regulationsstarre befinden kann, in dem er den Provokationsreiz unbeantwortet läßt. Wir müssen uns also darüber klar sein, daß die Methoden uns bestenfalls nur sagen können, ob und wo lokale pathologische Veränderungen vorhanden sind. S i e k ö n n e n u n s k e i n e s f a l l s d a r ü b e r A u f k l ä r u n g g e b e n , o b d i e s e V e r ä n d e r u n g e n a u c h F e r n s t ö r u n g e n i m S i n n e e i n e s S t ö r f e l d e s b e w i r k e n o d e r n i c h t . D i e s e n Z u s a m m e n h a n g k a n n w i e d e r n u r d i e S t ö r f e l d a u s s c h a l t u n g m i t d e m H u n e k e - P h ä n o m e n k l ä r e n !

Die anschließend aufgeführten Methoden sind ein Hilfsmittel, das uns manchmal weiterbringt, mehr nicht. Viele haben vorwiegend klinisches Interesse, der Praktiker wird meist ohne sie auskommen und die eine oder andere in unklaren oder therapieresistenten Fällen als Unterstützung heranziehen. Bei Bedarf werden wir also einige folgender Möglichkeiten kombinieren, um ein möglichst umfassendes Bild über die augenblickliche Störfeld-Situation zu bekommen:

1. Zuerst können wir drei b i o l o g i s c h e P r o b e n befragen, ob wir überhaupt mit einem aktiven Störfeld oder einem Herd rechnen können:

    a) Der G r o ß z e h e n - T e s t n a c h MERCKELBACH: Im Rahmen der Voruntersuchung wird die Großzehe des liegenden Patienten ohne Vorankündigung plötzlich, aber nicht zu grob, plantarwärts flektiert. Wenn der Patient Schmerzen äußert und das Bein reflexartig im Knie- und Hüftgelenk anzieht, ist der Test positiv, und der Verdacht auf das Vorliegen eines Störfeldes oder Herdes gegeben. Nach Löschen des Störfeldes im Huneke-Phänomen oder durch Operation bleibt der Test negativ.

    b) Der K a p i l l a r - T e s t n a c h GOTSCH: Auf der eingefetteten Haut wird an drei verschiedenen Stellen ein Unterdruck von 200 mm Hg erzeugt. Mehr als 12 Petechien pro Bezirk sprechen für das Vorliegen eines Herdes (herdbedingte Verminderung der Kapillarresistenz).

    c) Der H i s t a m i n - B i n d e h a u t - T e s t n a c h REMKY: Histamin 1 : 1000 bis 1 : 500 000 in den Konjunktivalsack gebracht, erzeugt eine Hyperämie der Konjunktivalgefäße, wenn eine Herdkrankheit vorliegt. Bei einseitigen Kopfherden ist die Probe nur auf der Herdseite positiv.

2. Provokationsteste:

Sie stellen Belastungsproben des Neurovegetativums mit Reizkörpern dar, die den Körper zu massiven Gegenregulationen zwingen. Durch die Milieuänderung wird der Stoffwechsel im Störfeld aktiviert. Die örtliche Abwehrreaktion verursacht Schmerzen. So werden dem Patienten sonst stumme Störfelder subjektiv fühlbar gemacht. Tritt gleichzeitig eine Reaktion im Grundleiden ein, ist der Verdacht naheliegend, daß das sich meldende Störfeld und die Krankheit in einem ursächlichen Zusammenhang stehen. — HOPFER rät, nach mehrtägigem Intervall wenigstens zwei der nachfolgend aufgeführten Provokationen anzuwenden. Der Patient muß informiert werden, worauf er danach achten soll. Wir lassen ihn aufschreiben, was er nach der Provokation auch an schwachen und kurzdauernden Beschwerden an den Zähnen, Mandeln, Nebenhöhlen oder an Gallenblase, Blinddarm, Blase, Adnexen, Prostata, Pericard, Pleura, alten Frakturstellen und Verletzungen usw. empfindet. Er soll auch allgemeine Symtome wie Temperatursteigerungen, Übelkeit und Mattigkeit vermerken und vor allem auch, ob sich das Grundleiden danach verschlechtert hat, weil auch das für uns aufschlußreich ist. Leider sind wir hierbei wieder auf die nicht immer zuverlässigen Angaben der Patienten angewiesen.

a) Der Spengler-Test mit Spenglersan-Kolloid: Nach Einreiben des Antigen-Antikörpergemisches „D" oder „Dx" morgens in die Ellenbeuge zeigen sich im Verlaufe des Tages Schmerzen im reaktivierten Herd.

b) Der Bewegungs-Test: Bei Vorhandensein eines aktiven Herdes steigen nach anstrengender Körperbelastung (Treppensteigen, Kniebeugen u. dgl.) die Körpertemperatur und die Blutsenkung an. Bei der BSR ist der 2-Stunden-Wert meist mehr als doppelt so groß, wie der 1-Stunden-Wert.

c) Der Bottyan-Test mit Bottyan-Antigen: Auch hier meldet sich der Herd mit Schmerzen. 70 % positive Reaktionen, wegen der Gefahr der Herdaktivierung besser der Klinik vorbehalten.

d) Der Esberitox-Test nach OLTMANNS: Nach *Esberitox* peroral (Anfangsdosis 30—50 Tropfen, dann stündlich 10 Tropfen einen Tag lang) kommt es ebenfalls zu Schmerzreaktionen im gestörten Bereich.

e) Der Penizillin-Test nach FENNER: Ebenfalls Schmerzreaktionen im Herdgebiet nach Injektionen von kleinen Dosen *Penizillin* (300 000 E).

f) Der Pyrifer-Test nach SCHELLONG: Nach intravenöser Pyrifer-Injektion kommt es an gestörten (und evtl. störenden) Organen zu schmerzhaften Reaktionen. Wegen der Fieberreaktion der Klinik vorbehalten.

g) Der Röntgen-Test nach PAPE: Die Belastung mit einer diagnostischen Röntgenbestrahlung von 1 bis 20 r bewirkt bei einer Herderkrankung Blutbildveränderungen.

h) Subtivakzin und Antisepton 800 eignen sich ebenfalls zur Provokation.

i) Der Huneke-Test mit *Procain* unterscheidet sich von den bisher genannten immunbiologischen und provokatorischen Testmethoden grundlegend! Wie wir noch sehen werden, können unsere Injektionen zwar auch als zusätzliche vegetative Belastung und als Provokation empfunden und beantwortet werden. In der Regel wird aber das Neurovegetativum nicht belastet, sondern entlastet, wenn wir ein aktives Störfeld anspritzen. So sehr, daß dann im Huneke-Phänomen alle Regulationsmechanismen und Selbstheilungskräfte entblockiert und reaktiviert werden. Während die anderen Tests nur zeigen können, wo sich potentielle Störfelder befinden, klärt der Huneke-Test, welches von diesen auch aktiv ist und ob ein entzündlicher, bakterieller Herd im Sinne der Fokuslehre auch gleichzeitig ein aktives n e u r a l e s S t ö r f e l d im Sinne W. HUNEKES ist. Nur so können wir diagnostisch-therapeutisch kausale Zusammenhänge zwischen Störfeld und Fernstörungskrankheit klären.

Allerdings gibt es auch Fälle, bei denen die neuraltherapeutischen Testinjektionen als echte Provokation wirken und flüchtige Reaktionen am gesuchten Störfeld auslösen. Wenn der Patient darüber aufgeklärt wird und darauf achtet, kann er uns entscheidende Hinweise für den richtigen Ansatzpunkt geben. Bei einem Patienten erlebte ich das gleich zweimal:

Fall 14: Schneidermeister J. K. aus München, 45 Jahre alt. Er lief seit 10 Jahren von Arzt zu Arzt und klagte so hartnäckig über Beschwerden, die in kein Symptombild paßten, daß er schon als ,,paranoische Persönlichkeit" bezeichnet worden war. Er gab anfallsweise in der Lebergegend auftretende Schmerzen an und — jetzt kommt das Ungewöhnliche wörtlich: — ,,Schmerzen, die bis ins Gesicht ausstrahlen und dort ein unerträgliches Gefühl auslösen, als ob einer mein Zahnfleisch nach oben zieht und gleichzeitig die Zähne nach vorn preßt und dabei auseinanderzieht." Da diese Beschwerden ein Jahr nach einer Gallenoperation aufgetreten waren, wurden die Oberbauchbeschwerden erst als ,,Postcholezystektomiesyndrom" deklariert. Als laufend durchgeführte Leberfunktionsproben immer wieder einmal irgendwelche ,,Abweichungen von der Norm" ergaben, brachten ihm diese schließlich auch noch die ,,klinisch gesicherte Diagnose Hepatopathie" ein. Die Sensationen im Oberkieferbereich blieben aber trotz aller Diät und laufender Untersuchung und Behandlung von Zahnärzten, Kieferchirurgen und Neurologen unbeeinflußt. Man dachte an eine atypische Trigeminusneuralgie, konnte diese jedoch auch nicht beeinflussen. Was alles untersucht, versucht, diagnostiziert und — honoriert wurde, ist ein ebenso peinliches wie trauriges Kapitel, das Seiten füllen würde.

Die neuraltherapeutisch gezielte Anamnese ergab: Als Kind Scharlach, 1942 Mandelabszeß, 1944 Hepatitis und multiple Granatsplitter-Narben am linken Oberschenkel, linken Ellenbogen und linker Schulter, 1956 Kieferhöhlenoperation, 1958 Gallenblasen-Entfernung (ein Jahr später Beginn der Oberbauch- und Kieferbeschwerden). 1969 Tonsilektomie und dabei der mich elektrisierende Zusatz: ,,Danach waren meine Oberbauchbeschwerden fast drei Monate weg."

Diese Angabe veranlaßte mich natürlich, zuerst die Tonsillektomie-Narben zu testen. Danach waren (nur!) die Oberbauchbeschwerden im Sinne des Huneke-Phänomens für 24 Stunden 100 %ig verschwunden, um dann angeblich verstärkt wieder aufzutreten. Diese Angabe hören wir öfters, daß der Schmerz als besonders stark e m p f u n d e n wird, wenn er nach Aufhören der neuraltherapeuthischen Wirkung (die die Anästhesie weit überdauert!) wieder einsetzt. Das darf uns natürlich nicht davon abhalten, den Widerstand des Patienten gegen eine Wiederholung zu brechen und die Testinjektion an gleicher Stelle zu wiederholen. Zwei Tage später entzündete sich die gar nicht gespritzte Gallennarbe hochrot und an einer Stelle bildete sich eine Blase, die aufplatzte und aus der sich eine seröse Flüssigkeit entleerte. Ich deutete diese Reaktion als Provokationsfolge, bei der die Oberbauchgegend einschließlich der Narbe zum Mitreagieren veranlaßt wurde. Eventuell hatte der Körper nun vom Operationshandschuh des Chirurgen stammende Silikatkristalle (Talkum) in Form der Selbsthilfe abgestoßen.

Das Mitreagieren der Gallennarbe nach Testen der TE-Narben zeigt die Richtigkeit der Forderung der Brüder HUNEKE, daß möglichst alle Narben zusammen in einer Sitzung getestet werden sollten, da sie alle ein gemeinsames Störfeld bilden könnten. — Die zweite Procain-Behandlung diesmal der TE-, Gallen- und mehrerer Oberschenkelnarben hatte wieder eine überraschende Folge: Am linken Oberschenkel wurden unter Druckgefühl drei Granatsplitter tastbar. Bei Berührung dieser Gegend wurden jedesmal spontan die ominösen Oberkiefer-Beschwerden ausgelöst. Bei der Entfernung der drei Splitter löste die Berührung nur des mittleren einen so starken Krampf im Zahnbereich aus, daß er aufschrie und bat, ich solle aufhören. Da hatte ich den Störenfried aber schon gepackt. Ich entfernte ihn, ohne daß er es bemerkte. Da nahm er plötzlich die Hände vom Gesicht und sagte: ,,Jetzt ist es auf einmal ganz weg!" Jenes unbeschreibliche ,,Es", das Störfeld, das ihn 10 Jahre gequält und verzweifelt von Arzt zu Arzt gehetzt hatte. Das bisher keiner in die Zwangsjacke einer ,,Diagnose" hatte pressen und von dem ihn keiner hatte befreien können. Die ,,unmögliche Krankheit" war geheilt!

Ich berichte den Fall nur, weil er lehrreich ist, nicht, um ein neues ,,Oberkiefer-Syndrom nach DOSCH" zu inaugurieren. Die ,,Diagnose" ist eben nicht immer ,,ullae therapiae fundamentum"! Es schmälert den Wert der ,,natur"-wissenschaftlichen Diagnostik nicht im geringsten, wenn ich feststelle, daß es sehr viele echte organische und funktionelle Krankheiten gibt (nach HEILMEYER 75 %!), die wir mit den klinischen Methoden von heute nicht erfassen können. Die Huneke-Therapie geht bei ihnen andere Wege, indem sie mit ihren Procain-Injektionen eine Z u s a m - m e n h a n g s - D i a g n o s t i k treibt. Statt nur Symptome zum Begriff einer u n e c h -

ten Diagnose zusammenzufassen, stellen wir ex juvantibus eine echte, die die Ursache des Leidens aufdeckt. Sie heißt in unserem Fall: Oberbauchbeschwerden rechts, störfeldbedingt zuerst von den Tonsillen, später von den Tonsillektomie-Narben und damit gekoppelt anfallsweise Schmerzen im Bereich des zweiten Trigeminus-Astes beiderseits, letztere störfeldbedingt von einem Granatsplitter im linken Oberschenkel (der nebenbei bemerkt nicht auf einem Akupunktur-Meridian lag). Hier haben also eindeutig zwei Störfelder im Zusammenwirken ein scheinbar einheitliches Krankheitsbild vorgetäuscht. Die Frage, warum auf einmal gerade der eine Granatsplitter störte, der sich erst 15 Jahre stumm verhalten hatte, wann und wodurch er von einem potentiellen zu einem aktiven Störfeld umfunktioniert wurde, kann ich nicht beantworten. Was uns nicht daran hindern sollte, therapeutische Lehren aus dem Fall J. K. zu ziehen. Er zeigt, wie wichtig die Mitarbeit eines aufgeklärten und intelligenten Patienten sein kann und wie wichtig es ist, ihn darauf hinzuweisen, daß sich nach einer Injektions-Untersuchung Störfelder „melden" können und daß er das beachten und uns berichten muß.

Wenn die Provokationen kein Ergebnis zeigen, ist damit, wie gesagt, noch nicht bewiesen, daß kein Störfeld vorliegt. Der Organismus kann sich refraktär verhalten, solange er im Zustand einer Regulationsstarre verharrt. Ob und wie lange er das tut, kann mit Hilfe des Elpimed-Testes und der Jodometrie (KELLNER, PISCHINGER) objektiviert werden. Andererseits besteht auch die Möglichkeit, daß auch unsere Provokationen als ein Reiz wirken, der die Starre durchbricht und das therapieresistente chronische Stadium in ein behandelbares akutes umwandelt. Der Arzt muß dann seinem Patienten klarmachen, daß die vermeintliche Verschlechterung seines Leidens eine erwünschte Wende bedeutet. Da wir auch Fälle kennen, in denen die Provokationen ohne Echo blieben, die gezielte Procain-Injektion aber doch noch ein Huneke-Phänomen erzwang, würde ich den Procain-Test immer an die Spitze aller diagnostischen und therapeutischen Bemühungen setzen. Wer zu schnell aufgibt, bringt sich selbst um die Erfolge!

3. Elektrische Meß- und Provokationsmethoden:

Aus der Vielzahl der im Handel befindlichen Geräte seien herausgegriffen:

a) Das EHT-(Elektro-Herd-Test) Gerät nach STANDEL: Beim EHT-Gerät wird der Patient an einen niedergespannten schwachen Gleichstrom angeschlossen. Als Anode dient ein angefeuchteter Haarpinsel. Mit ihm werden die Hautpartien bestrichen, die den in der Tiefe liegenden Organen segmental zugeordnet sind. Besteht dort ein latenter Reizzustand, entsteht auf der zugeordneten Hautfläche eine Rötung oder eine hyperalgetische Zone ohne Rötung. Ein empfehlenswertes Gerät, das nach dem von STANDEL gefundenen Prinzip arbeitet, ist der *Testator* (Fa. Mela, München). Mit ihm kann man dreierlei messen:

1. Elektro-Herdtest: Wenn an Zähnen, Nasen-Nebenhöhlen, Tonsillen, aber auch Gallenblase, Appendix oder Adnexen infektionsbedingte Störungen bestehen, ist der Hautwiderstand in den zugehörigen Headschen Zonen herabgesetzt. Die Stromstärke wird an neutraler Stelle so eingestellt, daß der Strom gerade verspürt, aber nicht als schmerzhaft empfunden wird. Die Stromstärke steigt über den Zonen mit vermindertem Hautwiderstand so an, daß diese Zonen durch Hyperalgesie fühlbar und durch ein Hauterythem sichtbar werden.

Gebührenordnung: Befunderhebung am Nervensystem durch elektrische Untersuchungsmethoden: GOÄ: 745, E-Adgo: 632, P-Adgo: 331.

2. Vitalitätsprüfung: Die Mikroströme sind so auf die Widerstandsverhältnisse der Mundhöhle abgestimmt, daß damit nur die vitale Pulpa erregt wird, während alle anderen vitalen Gewebe nicht darauf ansprechen. Das erlaubt eine abgestufte Pulpendiagnostik zwischen vital und avital auch an überkronten Zähnen. Außerdem kann eine Pulpitis als entzündliche Übererregbarkeit diagnostiziert werden.

Gebührenordnung: Vitalitätsprüfung der Zähne: GOZ: Z 8a;

eines Zahnes: GOZ: Z 8b.

3. Potentialtest: Verschiedene Metalle in einer Lösung bilden ein Element. Bei Verwendung verschiedener Metalle im Mundbereich (Gold, Silberamalgam, Stahl usw.) können pathogene Störspannungen bis 500 mV und mehr entstehen. Die Demonstration der Potentialdifferenzen wird Arzt und Patient oft von der Notwendigkeit überzeugen, daß eine Umstellung auf nur ein Metall im Mund biologisch sinnvoll ist.

b) Das Foco-Spot-Gerät nach WOLKEWITZ: Es handelt sich um ein Röhrenvoltmeter mit Instrumentenanzeige und gekoppeltem Kontrollton. Man kann das Gerät an einen EKG-Schreiber anschließen und die Messungen im ,,Focogramm'' fixieren. Es werden keine absoluten Werte gemessen, sondern nur relative Änderungen gegenüber den momentanen Mittelwerten. Dadurch werden Umwelteinflüsse und alle Änderungen, die sich aus der augenblicklichen vegetativen Lage des Patienten ergeben, ausgeschaltet. Man mißt erst den Widerstand, dann die Potentialdifferenzen über derselben Körperpartie. Weichen beide von der Norm ab, ist der Störfeld-Verdacht berechtigt und dorthin *Impletol* oder dergleichen zu spritzen. Bei ausgedehnten Narben und Narbenflächen lassen sich meßtechnisch in der Narbe feinste Störpunkte objektivieren und mit Procain-Quaddeln entstören. Ohne Meßmöglichkeit muß man die ganze Narbenausdehnung mit Injektionen erfassen. Nachmessungen zeigen, daß sich der Widerstand nach der Procain-Behandlung sofort normalisiert, nach einigen Tagen aber wieder die alten Werte annehmen kann. Das beweist die Richtigkeit der ,,Wiederholungsregel'', die die Brüder HUNEKE empirisch fanden: Man muß ein Störfeld meist mehrmals mit *Procain* behandeln, damit die Meßwerte für die Dauer normal bleiben.

c) Der Nervenpunkt-Detektor nach KINDLING: Das Gerät mißt und zeigt Veränderungen an Hautwiderständen und ermöglicht das Ausmessen von Narben, Störfeldern, Reflexzonen, Akupunktur- und Weihe-Punkten und Differentialmessungen.

d) Die Infrarot-Diagnostik nach SCHWAMM: Bei dieser rein rezeptiven Methode wird keine Fremdenergie zugeführt, sondern nur die Infrarot-Abstrahlung des Körpers gemessen. Der Meßkopf wird dazu in einem Abstand von 5 cm freischwebend über die Haut geführt. Die Faktoren Hautfeuchtigkeit, Fremdstrom, Elektrodendruck und Meßzeit, die elektrische Messungen fehlerhaft beeinflussen können, spielen hier keine Rolle, da kein direkter Kontakt mit der Haut erfolgt. Nach der ersten Messung einer Reihe bestimmter Punkte wird als vegetative Belastung ein Kältereiz gesetzt und eine zweite Messung derselben Punkte vorgenommen. Alle Meßergebnisse können elektronisch kurvenmäßig auf Koordinaten-Rollenpapier registriert werden. Ein Vergleich beider Kurven gibt Auskunft über das Reaktionsvermögen des Vegetativums, über kutiviszerale Reflexabläufe, die periphere Durchblutung und entzündliche Vorgänge. Uns interessieren vor allem reaktionsarme oder reaktionsstarre Punkte, also Punkte, die auf den Kältereiz nicht mit einer Regulation antworten, weil deren Aufdeckung für unsere Störfeld-Diagnostik wichtig ist. Wenn sich regionale thermische Asymmetrien zwischen beiden Körperhälften nach unserer Procain-Behandlung ausgleichen, haben wir die Gewißheit, ein potentielles Störfeld ausgeschaltet zu haben. Die Infrarot-Diagnostik gibt uns also auch die Möglichkeit, den neuraltherapeutischen Erfolg zu objektivieren. Ob das potentielle auch ein aktives Störfeld mit Einwirkung auf die zur Debatte stehende Krankheit darstellt, kann nur die Zusammenhangs-Diagnostik zeigen, die wir mit der Procain-Injektion ins Störfeld treiben. Nur das Huneke-Phänomen deckt diese pathogenen Beziehungen auf. — Eine Weiterentwicklung des Bolometer-Gerätes von SCHWAMM stellt die Thermovision mit Hilfe der Infrarot-Kamera dar. Sie demonstriert anschaulich, wie störfeldbedingte Dysregulationen im arteriovenösen Endstrombereich der Peripherie als zu schwach oder zu stark durchblutete Bereiche in Erscheinung treten können. Man kann zusehen, wie sich nach der Störfeldbeseitigung die gesamte Wärmeregulation auch an weitentfernter Stelle normalisiert. Auch mit diesem Nachweis kann man das Huneke-Phänomen objektivieren.

Im allgemeinen beschränkt man sich bei der elektrischen Störfeldsuche auf Widerstands- bzw. Leitfähigkeitsmessungen. Kapazitätsmessungen sind von untergeordneter Bedeutung und Potentialmessungen unzuverlässig, weil zu viele unübersehbare Imponderabilien verändernd mitwirken (Hautfeuchtigkeit, Ruheströme, Aktionsströme usw.). Auch bei Widerstandsmessungen darf der Patient nicht transpirieren. Relativ zuverlässig ist die Widerstandsmessung bei der Untersuchung von Narben auf ihre Störfeldmöglichkeit. Für die Beurteilung von Segmentreaktionen ist eine Streubreite durch Fehlermöglichkeiten einzukalkulieren, die eine gewisse Erfahrung voraussetzt. Zum besseren Verständnis wollen wir uns das Verhalten der Widerstände normaler und pathologisch veränderter Haut nebeneinander betrachten:

P h y s i o l o g i s c h e s   V e r h a l t e n : Intakte Haut hat einen Widerstand von etwa 150—500 kilo-Ohm. In der Haut gibt es allerdings Reaktionspunkte mit normalerweise 40—60 kilo-Ohm. Für die Narbenuntersuchungen spielen sie keine wesentliche Rolle. Der elektrische Widerstand der Narben ist normalerweise um 120—500 kilo-Ohm höher, als der der umgebenden normalen Haut. Diese Widerstandsdifferenz ist eine relative Größe, die vom individuellen Grundwiderstand der normalen Haut abhängt. Normal durchblutete Haut hat die oben genannten Widerstandswerte, Hyperthyreotiker mit ihrer konstitutionell stärker durchfeuchteten Haut haben niedrigere, Hypothyreotiker mit trockener Haut entsprechend höhere Grundwerte. Bei einer neutralen Narbe mißt man in allen Teilen etwa gleichhohe Widerstandswerte.

P a t h o l o g i s c h e s   V e r h a l t e n   b e i m   S t ö r f e l d : Wenn sich innerhalb einer Narbe Widerstandsdifferenzen nachweisen lassen oder gar Punkte mit stark überhöhtem (600—1500 kilo-Ohm) oder sehr erniedrigtem (unter 40 kilo-Ohm, manchmal bis zu Kurzschlußwerten) Widerstand, haben wir in diesen Punkten mit größter Wahrscheinlichkeit das Störfeld gefunden. In die Stelle des stärksten Widerstandsunterschiedes müssen wir also die Quaddel setzen, um ein Huneke-Phänomen auszulösen.

H. SCHOELER prüfte Narben folgendermaßen meßtechnisch auf ihren Störfeldcharakter: Der Patient bekommt eine blanke Zylinder-Elektrode in die Hand. Als Suchelektrode dient eine blanke Kugelelektrode von etwa drei Millimeter Durchmesser. Den erforderlichen Sinus- oder sinusiodalen Strom von etwa 6000—9000 Hertz liefert ein Elektro-Testgerät (z. B. N e r v o t e s t , N e u r o p r o n t). Nach Herausmessen des stärksten Widerstandgefälles macht Sch. noch als Gegenprobe eine anodische Provokation mit Testgeräten wie EHT., Nervotest oder N e u r o t o n . Der zu Untersuchende hält eine feuchte, indifferente Elektrode als Kathode in der Hand. Die Anode ist mit einem Testpinsel versehen. Rötet sich die Narbe oder schmerzt sie auf die Stromeinwirkung von etwa 2 mA, ist ihre Störfeldeigenschaft fast sicher. Um das Störfeld auszuschalten, genügt die Injektion von wenigen Tropfen *Impletol, Procain* oder *Formicain* lediglich in die geröteten Narbenteile.

Leider gibt uns eine Narbe mit negativem Meßbefund nicht unbedingte Gewißheit, daß sie störfeldfrei ist. In seltenen Fällen kann die Procain-Infiltration in die Tiefe der Narbe mit einem Huneke-Phänomen zeigen, daß dort doch pathogene Spannungsdifferenzen bestanden haben müssen, die sich nicht bis an die Narbenoberfläche meßbar auswirkten.

3. Verjüngung durch Procain?

Am gefährlichsten sind die Krankheiten, bei denen man keine Schmerzen spürt. Die schlimmste Krankheit ist, ausgenommen die Dummheit, das Alter.

PENZOLDT

Altern ist Schicksal. Aber v o r z e i t i g e s u n d u n k o o r d i n i e r t e s Altern mit den vielfältigen Beschwerden, die das Greisenalter so beschwerlich machen können, ist einer Krankheit gleichzusetzen und als Krankheit zu behandeln!

Das alternde Gewebe verändert sich, es verliert an Wasser, und es setzen sich Schlacken ab, die Adern und Zellen verkalken und verkrusten. Je mehr sie das tun, desto mehr verschlechtert sich die Durchblutung und damit der Stoffwechsel. Das vermindert naturgemäß die Leistungsfähigkeit und die Abwehrkraft. So stellen sich zwangsläufig immer mehr Folgekrankheiten und Ausfallserscheinungen ein: Die Haut wird welk, die Augen werden schlechter, das Gehör, Gedächtnis und die Konzentration lassen nach. Das Herz arbeitet nicht mehr so gut, die Gelenke werden steifer und das Gehen immer beschwerlicher. Auch der Schlaf und der Appetit lassen nach. Verdrießlich hockt der Alte am Ofen und sehnt sein und damit das Ende seiner Beschwerden herbei. Wie ist da der rüstige Alte beneidenswert, für den ein Alter in Frische noch lebenswert ist. — Warum eigentlich einmal ein gesegnetes und ein andermal ein so beschwerliches Alter mit frühzeitigem Verfall?

Tierversuche haben uns gezeigt, daß die laufende Gabe von kleinsten Mengen Nervengift und ständige Nervenreize von außen im Gewebe zu Umbauvorgängen und Verkalkungen führen, wie wir sie sonst nur als Altersveränderungen kennen. Das moderne Leben überflutet uns doch aber förmlich mit Nervengiften und -reizen aller Art: Atom- und Röntgenstrahlen, Genußgifte, verpestete Luft, verseuchtes Wasser, mit Chemikalien versetzte Nahrungsmittel, Lärm und der raubtierhafte Kampf ums Dasein mit Krieg und Nachkriegselend, Angst, Hunger, Aufregungen und dem pausenlosen Gehetze. Wenn zusätzlich noch Störfelder im Körper mithelfen, das vegetative Nervensystem dauernd aus dem Gleichgewicht zu bringen, kann das erträgliche Maß leicht überschritten werden. Die Selbstheilungskräfte des Körpers sind dann nicht mehr in der Lage, den Ausbruch einer Krankheit oder aber das Eintreten vorzeitigen Alterns zu verhindern.

Also spielt das vegetative Nervensystem beim Altern genauso eine wichtige Rolle wie bei der Krankheit. Was liegt da näher, als dagegen eine Behandlung anzusetzen, die das ständig überreizte Nervensystem entspannt, die inneren Gleichgewichtsstörungen beseitigt und so auch die unnatürlichen Altersveränderungen aufhält oder sogar rückgängig macht? Eine solche Behandlung haben wir in der Neuraltherapie kennengelernt. Walter HUNEKE war zuerst aufgefallen, daß gerade ältere Leute so oft nach der Behandlung spontan feststellten: „Ich fühle mich jetzt zehn bis zwanzig Jahre jünger!" Im Laufe der Impletol-Behandlung besserten sich nicht nur ihre Haltung und das Aussehen, auch das Seh- und Hörvermögen und die körperliche wie geistige Leistungsfähigkeit nahmen auffallend zu. Sie wurden in jeder Hinsicht beweglicher und fühlten sich oft nach wenigen Behandlungen wieder jugendlich frisch. Er veröffentlichte diese Beobachtung 1952 in seinem Buch „Impletoltherapie" (Hippokrates-Verlag, Stuttgart). Darin heißt es wörtlich, daß in zahlreichen Fällen „eine richtige, etwa alle paar Monate wiederholte Impletolbehandlung deutlich verjüngend und damit lebensverlängernd gewirkt hat".

Leider fand dieser für die Geriatrie so überaus wichtige Hinweis damals keine besondere Beachtung. Vielleicht war in dem Buch über zuviel Erstaunliches berichtet worden. Man hat sich erst wieder daran erinnert, als die Veröffentlichungen der rumänischen Schule unter Frau Prof. Dr. ASLAN über ihre Verjüngungserfolge mit *Procain* in der ganzen Welt sensationelles Interesse erregten. Offenbar mußte die Verjüngungswirkung, die mit einem deutschen Medikament erzielt werden kann, erst vom Ausland bestätigt werden, bis die deutsche Wissenschaft daran glaubte und die Beobachtung W. HUNEKES gelten ließ. Frau ASLAN schreibt die verjüngende Wirkung einem vitaminähnlichen „Stoff H3" zu, den sie im *Procain* entdeckt zu haben glaubt. Sie empfiehlt die regelmäßigen Injektionen großer Procainmengen. Man gibt bei der ASLAN-Kur dreimal wöchentlich 5 ml 2 %iges *Procain* intramuskulär. Eine Behandlungsserie umfaßt 12 derartiger Injektionen, dann werden vor der nächsten Serie 10 Tage Pause eingeschaltet. Im Jahr müssen 5—8 derartiger Serien verabfolgt werden! Die geschäftstüchtige pharmazeutische Industrie stellt jetzt Kapseln und Dragees mit *Procain* her, die über lange Zeiträume per os genommen werden müssen und verdient Millionen an dem medikamentösen „Jungbrunnen".

Diesen hohen Dosierungen und der Deutung der Wirkung können wir uns nicht anschließen. Wir bauen auf den 50jährigen Erfahrungen der Brüder HUNEKE auf und sind nach wie vor davon überzeugt, daß hier kein neuentdecktes Vitamin wirkt, sondern die Überflutung mit *Procain* und daß der Ort der Injektion für den Erfolg entscheidender ist als die Menge. Der Heilreiz wird von uns mit g e z i e l t e n Injektionen ins neurovegetative System mit viel weniger Behandlungen und viel geringeren Arzneimengen wirkungsvoller gesetzt. Am wichtigsten ist das Aufsuchen und Ausschalten von Störfeldern! (Vgl. Fall 13, Seite 112.)

Bei der Arteriosklerose der Hirngefäße kombinieren wir die — (T) — intravenöse Procain-Injektion mit solchen unter die — (T) — Kopfschwarte und eventuell auch an das — (T) — Ggl. stellatum. Steht eine Koronarsklerose im Vordergrund, spritzen wir auch hier wieder in Verbindung mit der intravenösen Injektion — (T) — Quaddeln neben das Sternum. Bei Miktionsbeschwerden der alten Herren können einige Injektionen in die — (T) — Prostata als willkommene Nebenerscheinung neben der Besserung der Beschwerden noch eine deutlich verjüngende Wirkung auslösen. Bei Frauen gilt das sinngemäß für den — (T) — gynäkologischen Raum. Beim Altershochdruck bessert sich das Allgemeinbefinden oft erstaunlich, ohne daß dazu nennenswerte Blutdrucksenkungen parallel gehen müssen. Die im Alter verlangsamte Blutumlaufgeschwindigkeit bessert sich unter der Procain-Behandlung nachweisbar, die Albuminwerte nehmen wieder zu, während die Globulinwerte fallen. Die Muskelkraft wird erhöht. Allgemein gesagt ist die gezielte Procain-Behandlung des Alters in der Lage, subjektiv und objektiv eine bessere physische und psychische Leistungsfähigkeit zu erzielen. Auch hier gibt es wieder viele Möglichkeiten. Sie richtig auszuwählen und zweckmäßig anzuwenden, muß bedacht und gekonnt sein. Mehr bei W. HUNEKE/B. KERN: ,,Verjüngung mit Impletol" (Hippokrates-Verlag, Stuttgart).

> *Prüft alles und das Gute behaltet — das ist und bleibt das erste Ziel in allen Wissenschaften und in der Medizin besonders.*
>
> HUFELAND

Die Neuraltherapie ist eine Heil-K u n s t. Sie läßt sich nicht in Dogmen und starre Regeln pressen. Aber in jeder Kunst gibt es Grundregeln, die man beherrschen muß.

Auf den ersten Blick erscheint es vermessen, eine so große Anzahl verschiedenartiger Krankheiten mit nur einem Mittel bessern und heilen zu wollen. Aber allen Krankheiten ist es letzten Endes gemeinsam, daß sie auf den im Körper allgegenwärtigen Wegen des vegetativen Nervensystems entstehen, an dessen Funktion unser Leben gebunden ist. Jede bleibende Gleichgewichtsstörung in diesem fein ausgewogenen energetischen System ist gleichbedeutend mit Krankheit. An dieser entscheidenden Stelle setzt die Neuraltherapie ausgleichend und regulierend an.

Dieses Buch soll in erster Linie dem in der Praxis stehenden Arzt als Nachschlagewerk dienen. Es enthält einen Extrakt aus dem zahlreichen Schrifttum und eigenen Erfahrungen und vermittelt dem überlasteten Kollegen unserer Zeit die 50jährigen Erfahrungen der Brüder HUNEKE und ihrer Schüler. Hier kann er sich kurz orientieren, was die moderne Neuraltherapie bei den besprochenen Krankheitsbildern als erfolgversprechend empfiehlt. Natürlich können die Besprechungen nur Hinweise enthalten. Kein Fall gleicht dem anderen, es gibt so viele Krankheiten, wie es Kranke gibt. Wir sind kritisch genug, zu wissen, daß die Neuraltherapie zwar eine sehr weitreichende und wirkungsvolle, aber durchaus keine Allheilmethode ist. Wir versuchen keinesfalls, den Kopf eines Bandwurms durch eine gezielte Procain-Injektion zu zerschmettern. Da nehmen wir auch ein Bandwurmmittel!

Wer in dem Alphabet blättert, wird bald das Wesentliche erkennen, aus welcher Einstellung heraus wir an die Krankheiten herangehen und welche Hilfsmittel uns dazu zur Verfügung stehen. Jede einzelne der erwähnten und im Teil III — (T) — Technik ausführlich beschriebenen Injektionen kann schon allein zum Ziele führen, oft ist eine Kombination mehrerer Segmentinjektionen ratsam. E s h i l f t a b e r i m m e r n u r e n t w e d e r d i e S e g m e n t t h e r a p i e — o d e r d i e I n j e k t i o n i n d a s S t ö r f e l d. Eine einmalige Behandlung kann und wird oft genügen, um die Heilung einzuleiten. Bei akuten Erkrankungen gilt die Regel, daß die Behandlung bei abklingender Wirkung zu wiederholen ist. Bei chronischen Erkrankungen testen bzw. behandeln wir bis zum Eintritt der Wirkung normalerweise einmal wöchentlich. Wenn nicht ausdrücklich vermerkt, beziehen sich alle Injektionsarten und Mengen auf 1—2 %ige Procainpräparate oder adrenalinfreie 0,5—1 %ige Xylocain- oder Scandicainlösungen, wie sie meist in den Neuraltherapeutika (siehe Seite 226, unten) vorliegen.

Hinter **jedem** Stichwort könnte stehen: W e n n d i e B e h a n d l u n g i m B e r e i c h d e r E r k r a n k u n g b z w. i h r e m S e g m e n t n i c h t z u m Z i e l e f ü h r t, m u ß n a c h e i n e m S t ö r f e l d g e s u c h t w e r d e n! Erst, wenn das gründlich und gewissenhaft geschehen ist, darf man sein ärztliches Gewissen entlasten und bei diesem Fall die Neuraltherapie abschließen.

TEIL II

NEURALTHERAPIE-LEXIKON

Indikations-Alphabet

Merksätze

① Neuraltherapie nach HUNEKE ist *Ganzheitstherapie*. Der richtig mit Neuraltherapeutika gesetzte Heilreiz wird vom Gesamtvegetativum beantwortet, auf dessen Bahnen die Wege zur Krankheit und Heilung verlaufen.

② *Segmenttherapie* nach HUNEKE bedeutet gezielte *Procain-*(= *Novocain-*)Anwendung *im Bereich der Erkrankung*. Immer erst tasten — dann testen! Die mit ihr erzielte *Besserung* steigert sich bei der Wiederholung bis zur Heilung. Versagt die Segmenttherapie, suche das Störfeld.

③ *Jede* chronische Krankheit *kann* störfeldbedingt sein.

④ *Jede* Stelle des Körpers *kann* zum Störfeld werden.

⑤ Die bei Bedarf wiederholte Procain-Injektion an das schuldige Störfeld heilt die störfeldbedingte Krankheit, soweit das anatomisch noch möglich ist, über das Huneke-Phänomen.

⑥ Die Bedingungen für ein *Huneke-Phänomen* (Sekundenphänomen):
  a) Alle vom Störfeld ausgelösten Fernstörungen müssen, soweit anatomisch möglich, in der Sekunde der Injektion *hundertprozentig* verschwinden.
  b) Die völlige Symptomenfreiheit muß von den Zähnen aus mindestens acht, von allen anderen Stellen aus *mindestens zwanzig Stunden* anhalten.
  c) Bei wiederauftretenden Beschwerden muß die Injektion *wiederholt* werden. Nur, wenn die Symptomenfreiheit sich jetzt an Dauer gegenüber der Erstinjektion *steigert,* sprechen wir von einem Huneke-Phänomen.

⑦ Wenn die Injektion
  a) ins *Segment* keine wesentliche *Besserung* zeigt oder
  b) in ein vermutetes *Störfeld* kein 100 %iges *Huneke-Phänomen* auslöst, sind weitere Injektionen an diese Stelle sinnlos.

⑧ Zuerst immer einfache Injektionen und kleine Procain-Mengen mit wenigen, gutsitzenden Einstichen. Die Injektionen an den Grenzstrang und die Ganglien sind unsere ultima ratio. Wer heilen will, muß auch sie beherrschen. Gib die Behandlung erst auf, wenn du *alles* versucht hast.

⑨ Alle verdächtigen Zähne sind in einer Sitzung zu testen, ebenso alle Narben. Alle Narben im Segment müssen mitgespritzt werden.

⑩ Cave!: Intraarterielle Injektionen in ein zum Gehirn führendes Gefäß und in den Liquorraum können bedrohliche Folgen auslösen.
Sichere dich und den Patienten durch Ansaugen.

Erklärung der Zeichen

— (K) — bedeutet Hinweis auf die K r a n k h e i t e n , die im Indikations-Alphabet des Teils II unter dem Stichwort abgehandelt wurden, das hinter dem H i n w e i s z e i c h e n steht.

— (T) — ist der Hinweis, unter welchem Stichwort, alphabetisch geordnet, im Teil III die T e c h n i k der angeführten Injektion nachzulesen ist.

Indikationsalphabet

*Einzelfälle — Regeln —
Kunst — Einzelfall.
Das ist der große Kreis.*
MUCH

Um es nochmals zu unterstreichen: Die Neuraltherapie mit *Procain* ist — auch in unseren Augen! — k e i n omnipotentes Heilverfahren, sondern nur wesentliche Bereicherung unserer Therapie! Im Zeitalter der Spezialisierung haben wir uns darauf eingestellt, die Möglichkeiten der neurovegetativen Regulation mit Hilfe des *Procains* auszuschöpfen, wo und wie weit es nur immer möglich ist. Naturgemäß ist das bei der Vielzahl der Erscheinungsformen vegetativer Dysregulationen häufig möglich. Einmal stehen Schmerzen im Vordergrund, ein andermal Störungen der inneren und äußeren Sekretion oder der Durchblutung, dann wieder Störungen in der Blutzusammensetzung oder Dyskinesien der glatten und quergestreiften Muskulatur. All diese Dysregulationen bis Dystrophien können die vielen Krankheitsbilder (vom Abort bis Zwölffingerdarmgeschwür) auslösen. So gesehen ist das Indikationsverzeichnis n i c h t zu weit gespannt. Nur der Unkundige wird allein von der Indikationsbreite auf eine therapeutische Monomanie schließen! — Oft wird die gezielte Procain-Behandlung nach HUNEKE mit ihrer neurovegetativen Regulationstherapie allein ausreichen, die Krankheit im Idealfall zur Norm zurückzuführen. In anderen Fällen (z. B. Pneumonie, Krebs, Tuberkulose) kann sie neben bewährten Mitteln und Methoden eine wesentliche unterstützende Rolle spielen. — Für alle genannten Anwendungen liegen Erfolgsveröffentlichungen vor, in den meisten Fällen auch eine eigene 25jährige Erfahrung.

Abnutzungserkrankungen: Siehe Kapitel „Verjüngung durch Procain?", S. 123. — (K) — Altersbeschwerden. — (K) — Gelenkerkrankungen usw

Abort: Bei der hormonellen Umstellung und Belastung durch die Schwangerschaft können Anpassungsschwierigkeiten und Dysregulationen der Abstimmung zwischen vegetativer Erregungslage und Hormonausschüttung (Hypophysen-, Ovarial- und Schilddrüsenhormone) auftreten. Jede hormonelle Fehlsteuerung von Ovar und Thyreoidea sowohl im Sinne der Hypo- wie Hyperfunktion kann aber zu psychischen wie somatischen Spannungszuständen und im Enderfolg zu Fehlgeburten führen. Hier kann die Neuraltherapie unabhängig von der vegetativen Ausgangslage die Istwerte den Sollwerten angleichen helfen und neben der Eutonie des Uterus und der Gefäße eine willkommene psychische Entspannung erreichen.

a) d r o h e n d e r : Neben den üblichen Maßnahmen Herabsetzung der Irritabilität des Uterusmuskels mit der gezielten Segmentbehandlung: — (K) — gynäkologische Erkrankungen. Da aber auch die Angst vor dem Abort den Tonus des graviden Uterus steigert, geben wir zur vegetativen Entspannung noch neuraltherapeutische Injektionen in die — (T) — Schilddrüse.

b) h a b i t u e l l e r : Behandlung vor und während der Schwangerschaft: — (K) — gynäkologische Erkrankungen. Der Uterus von vegetativ übererregbaren Frauen befindet sich während der gesamten Gravidität in einem wehenbereiten Zustand. Daher empfiehlt MINK die vegetativ dämpfende Injektion eines Neuraltherapeutikums in die — (T) — Schilddrüse etwa einmal wöchentlich bis zum Ende des 6. Schwangerschaftsmonats. Die dadurch ruhiger gewordenen Frauen reagieren besser auf kleine Progesterongaben zur Korrektur der Bruttemperatur und auf hohe Progesteronmengen zur Behebung einer Blutung.

c) f e b r i l e r : BECKE gibt beim fieberhaften Abort vor dem Ausräumen 1 ml *Procain* intravenös und infiltriert den — (T) — gynäkologischen Raum und den — (T) — Frankenhäuserschen Plexus. Er lehnt die Gabe von Sulfonamiden und Antibiotika ab, weil dadurch nur Endotoxine frei würden. Unter Procainschutz sind die Patientinnen innerhalb weniger Stunden entfiebert und fühlen sich wohl, die Nierenfunktion bleibt ungestört. Notfalls werden die Injektionen nach 4—5 Stunden noch einmal wiederholt. Der Ausbildung eines Shwartzman-Sanarelli-Phänomens kann so vorgebeugt werden.

Abszeß: Möglichst schon bei Beginn um- und unterspritzen. Dann geht die — (K) — Entzündung rasch zurück und der Abszeß heilt ab.

Achillodynie: — (K) — Tendovaginitis

Aderhauterkrankungen: — (K) — Augenerkrankungen

Adhäsionsbeschwerden: Postoperative Adhäsionsbeschwerden nach Appendektomie, Cholezystektomie, Magenoperationen, gynäkologischen Eingriffen u. dgl. sind relativ selten und werden sicher viel zu häufig diagnostiziert! Das Weiterbestehen bzw. erneute Auftreten von Beschwerden nach technisch einwandfreier Operation wird nur allzuoft ein Hinweis darauf sein, daß die eingreifende Lokalbehandlung im Segment einfach fehlindiziert war, weil ein Störfeld an ganz anderer Stelle diese Fernstörung verursacht. Derartige ,,Verwachsungsbeschwerden" sind dann natürlich auch nie durch Nachoperationen an gleicher Stelle, sondern nur durch das Ausschalten der Ursache über das Huneke-Phänomen heilbar. — (K) — Operationsfolgen.

Verwachsungen nach Bauchoperationen entstehen als Folgen bakterieller oder abakterieller fibrinöser Entzündungen des Peritoneums nach Austrocknung und mechanischer, thermischer, bakterieller und chemischer Reizung während der Operation. Zu einer Disposition, Verwachsungen zu bilden, kommt sicher auch eine individuell unterschiedliche Veranlagung, diese zu empfinden und darunter zu leiden. Starken Adhäsionsbeschwerden ohne Adhäsionen stehen Fälle von starken Adhäsionen ohne Beschwerden gegenüber. — SIEGEN wies nach, daß das *Procain* in der Lage ist, die prämorbide Stase der Stromendbahn (RICKER) — die nach Reizung des Peritoneums zu Fibrinausschwitzungen führt — rückgängig zu machen. Dabei ist es gleichgültig, ob das *Procain* lokal, intra- oder paravaskulär oder periganglionär appliziert wird. Im Falle der fibrinösen Verwachsungen bedeutet das neben der Schmerzfreiheit eine Rückbildung der Entzündungserscheinungen und Rückführen der Prästase in eine heilsame fibrinolytische fluxionäre Hyperämie. Das natürlich, bevor sich die Fibrinbeläge in gefäßarmes und daher wenig ansprechbares schrumpfendes Narbengewebe umgewandelt haben.

Bei Beschwerden nach Operationen werden wir erst in die — (T) — Narbe und durch diese in die Tiefe bis an das Peritoneum infiltrieren. Oder wir setzten dort, wo der Patient das Dermatom als schmerzhaft verändert angibt, eine Hautquaddel und suchen dann in die Tiefe sondierend das oft nur an umschriebener Stelle schmerzhafte parietale Peritoneum auf, um es mit wenig *Procain* zu behandeln. Nach mehreren derartigen Injektionen ins schmerzhafte Segment können wir oft tasten, wie sich in der Tiefe auch ältere Verhärtungen und Verwachsungsstränge zurückbilden. Die Patienten empfinden die reaktive Hyperämie nach der Injektion als wohlige Wärme, gelegentlich auch als vorübergehende Schmerzverstärkung, die dann nach 1—2 Tagen einer deutlichen Besserung aller Beschwerden im Bauchraum — oder im ganzen Körper — weicht. Genügt das nicht, wird oft die Segmenttherapie mit Injektionen an den abdominalen — (T) — Grenzstrang bzw. an den — (T) — gynäkologischen Raum oder die — (T) — Frankenhäuserschen Ganglien zum Ziele führen. — Bleiben unsere Bemühungen im Segmentbereich ergebnislos, müssen wir v o r j e d e r N a c h o p e r a t i o n nach allen in Frage kommenden Störfeldmöglichkeiten d u r c h t e s t e n !

Adipositas: a) A d i p o s i t a s d o l o r o s a (Dercumsche Krankheit): — (T) — Quaddeln und subkutane Injektionen lokal

b) A. n a c h E n t b i n d u n g : Injektionen an den — (T) — gynäkologischen Raum oder an die — (T) — Frankenhäuserschen Ganglien, eventuell kombiniert mit Injektionen in die — (T) — Schilddrüse

c) Bei d i e n z e p h a l - h y p o p h y s ä r e r U r s a c h e : Wiederholt 1 ml — (T) — intravenös, je 0,5 ml beiderseits unter die — (T) — Kopfschwarte, bei ungenügender Wirkung Injektionen an das — (T) — Ganglion stellatum oder an die — (T) — Tonsilla pharyngea

Adnexerkrankungen: — (K) — gynäkologische Erkrankungen

Aftererkrankungen: — (K) — Analerkrankungen

Agrypnie: — (K) — Schlaflosigkeit

Akne: — (K) — Hauterkrankungen

Akrodermatitis: — (K) — Hauterkrankungen, — (K) — Neurozirkulatorische Störungen

Akroparästhesien, Akrozyanosen: — (K) — Neurozirkulatorische Störungen, — (K) — Karpaltunnel-Syndrom.

Allergische Erkrankungen: Die erste Phase der „Sensibilisierung" ist in der Hauptsache spezifisch humoraler Natur, natürlich unter Beteiligung des vegetativen Nervensystems. Die „allergische Reaktion" selbst ist aber sicher entscheidend nerval gesteuert und die ihr zugrunde liegende Störung im Neurovegetativum durch einen neuraltherapeutischen Stoß ins System an der richtigen Stelle reversibel. H. SIEGEN hat das in sehr aufschlußreichen Tierversuchen nachgewiesen: Spritzt man einem Kaninchen etwa 0,5 ml eines Filtrates bestimmter Bakterienstämme intrakutan ein, so passiert außer einer vorübergehenden Lokalreaktion nichts. Erst eine zweite Injektion des gleichen Filtrats nach etwa 24 Stunden, diesmal in die Ohrvene appliziert, führt zu einer stürmisch verlaufenden Nekrosebildung im Bereich der Erstinjektion. Innerhalb weniger Stunden stoßen sich ganze Teile der Haut und des Unterhaut-Zellgewebes ab (Shwartzman-Sanarelli-Phänomen). SIEGEN wies nach, daß dieser deletäre allergische Gewebsschock ausbleibt, wenn man den primären Filtratherd mit *Procain* umspritzt, auch wenn dies nur wenige Sekunden vor der sonst schockauslösenden intravenösen Zweitinjektion des Filtrates geschieht. Diese einwandfreie Unterbindung der allergischen Reaktion ist im Tierversuch mit keinem anderen Verfahren möglich. Damit scheint bewiesen, daß der eigentliche Auslösungsfaktor des allergischen Schocks nicht, wie bisher angenommen, auf einer Antigen-Antikörper-Reaktion beruht, sondern daß hier nerval gesteuerte Vorgänge wirksam sind, die wir mit dem repolarisierenden *Procain* regulieren können.

Behandlung: Als Soforthilfe und zur Umstimmung — (T) — intravenöse Injektionen. Bei Serumexanthem Umspritzen der Einstichstelle der Seruminjektion und dort auch — (T) — intramuskuläre Infiltration. Besonders wirkungsvoll sind Injektionen an den — (T) — Grenzstrang und die Ganglien. Bei chronischen Fällen Störfeldsuche! — (K) — Asthma, — (K) — Hauterkrankungen, — (K) — Heuschnupfen. Siehe auch Fall 8, Seite 108, im Kapitel: „Die Zähne als Störfeld" wird von einer Trigeminusneuralgie als Folge einer „Alkohol-Allergie" berichtet. Die Korrektur eines falschen Aufbisses beseitigte in diesem Fall neben der Neuralgie auch die abnorme Reaktionslage des Patienten, die als „Allergie" in Erscheinung getreten war.

Alopezia: A. areata et diffusa. Der Haarausfall ist oft Ausdruck einer Zweitkrankheit oder Begleitsymptom einer anderen Krankheit. Oft ergibt sich der Ansatzpunkt aus einer gründlichen Anamnese. Sicher spielen bei der A. auch erbbedingte, rassische und hormonale Faktoren eine Rolle. Wenn Vater und Sohn eine Glatze haben, ist das kein Beweis für ein Erbleiden. Die Praxis zeigt, daß der Haarausfall in der Mehrzahl eine Störfeldfolge ist. Warum soll die Neigung zu Mandelerkrankungen oder Zahngranulombildung nicht familiär bedingt sein? Warum sollte dann nicht der Haarboden erst sekundär als ererbter Locus minoris resistentiae besonders leicht erkranken? Wir kennen Familien, bei denen ein schwacher Magen, eine reizbare Galle oder die Migräne auffallend gehäuft auftreten. Nicht als Erbleiden, sondern auf Grund eines ererbt schwächeren Organs. Ein Behandlungsversuch ist immer gerechtfertigt. Das Alter spielt dabei keine Rolle. Die Ergebnisse der Frau ASLAN zeigten, daß bei den mit *Procain* behandelten Greisen sehr oft neue Haare und dann sogar dunkle nachwuchsen. Von der *Paraaminobenzoesäure*, dem einen Spaltprodukt des *Procains*, ist ja bekannt, daß es als haarwuchsförderndes Mittel wirkt und einen Faktor gegen das Ergrauen enthält. ASLAN wies nach, daß das ungespaltene *Procain* in dieser Richtung noch stärker wirkt. Die Behandlung erfordert Geduld und Ausdauer: Etwa einmal wöchentlich *Procain* — (T) — intravenös und Injektionen unter die erkrankte Kopfschwarte, bei totalem

Ausfall über den Kopf verteilt. Eventuell dazu Injektionen an das — (T) — Ganglion stellatum. Bei vergrößerter Schilddrüse und Verdacht auf Überfunktion Injektionen in die — (T) — Schilddrüse. Versagt das, dann Störfeldsuche. Ein intelligenter Patient kann durch Vergleich der Wirkung verschiedener Testinjektionen angeben, wann die richtige Stelle gefunden ist.

Altersbeschwerden, Alterskrankheiten: Vergleiche das Kapitel: Verjüngung durch Procain?, Seite 123. Verjüngen kann das *Procain* nicht. Aber vorzeitiges Altern und unphysiologische Abnutzungserscheinungen aller Art sind eine Krankheit, die wie jede andere chronische Krankheit behandelt werden muß. — ASLAN, MARX u. a. zeigten, daß schon das ungezielt verabfolgte *Procain* die Sexualhormondrüsen von Mann und Frau und die Nebennieren nachweisbar stimuliert und daß so den degenerativen Involutionserscheinungen der Geschlechtsorgane Einhalt geboten wird. Mit der procainbedingten Revitalisierung konnten regelmäßig die Altersveränderungen der — (K) — Haut günstig beeinflußt werden. Wir geben prinzipiell 1 ml *Procain* — (T) — intravenös als Basisbehandlung und — (T) — Quaddeln und tiefere Injektionen im Segment der Hauptbeschwerden, z. B. bei Arteriosklerose des Gehirns unter die — (T) — Kopfschwarte, beim Altersemphysem über Brust und Rücken, bei Aortensklerose parasternal oder bei Miktionsbeschwerden in die — (T) — Prostata. Mit Injektionen an das — (T) — Ganglion stellatum erreichen wir eine aktive Gefäßerweiterung im Gehirn, eine Lösung von Gefäßkrämpfen und eine verbesserte Sauerstoffversorgung. Damit wird der Verfall abgestoppt. Die Dystrophien können, soweit sie noch reversibel sind, beseitigt werden. Damit schwinden die Beschwerden, die Leistungsfähigkeit steigert sich. Altersgangrän: — (K) — Neurozirkulatorische Störungen. — Auch hier versagt die bestgemeinte Segmenttherapie, wenn ein Störfeld den vorzeitigen Verfall bedingt.

Amaurose: Transitorische oder toxische A., z. B. nach *Streptomycin, Arsen,* bei Eklampsie. Als Sofort- und Basisbehandlung 1 ml *Procain* — (T) — intravenös zur Beseitigung der Gefäßspasmen, bei Bedarf halbstündlich wiederholen, dazu Injektionen ans — (T) — Ganglion stellatum. — (K) — Augenerkrankungen.

Amenorrhöe: Bei dienzephaler bzw. hypophysärer Grundlage zu — (T) — intravenösen Injektionen noch solche unter die — (T) — Kopfschwarte, auch in die — (T) — Tonsilla pharyngea und ans — (T) — Ganglion stellatum. Alle anderen Formen — (K) — Gynäkologische Erkrankungen. Auch an Unterfunktion der — (K) — Schilddrüse denken!

Amputations-Stumpfschmerzen: Injektionen in die — (T) — Narbe, auch an die ehemalige Drainagestelle. Genügt das nicht, weitere Injektionen an den Knochen- und vor allem an den Nervenstumpf. Dabei muß der Amputationsstumpf durch eine Hilfsperson fixiert werden! Bei Armamputation auch Injektionen in das gleichseitige — (T) — Ganglion stellatum und in den Plexus brachialis (— (T) — Nerven, zuführende), bei Amputation der unteren Extremität an den lumbalen — (T) — Grenzstrang oder in den — (T) — Ischiasplexus, in und an die — (T) — Arteria femoralis und den lateral vor ihr gelegenen N. femoralis (siehe Abb. 47). — Versagt die Segmentbehandlung, suchen wir auch in diesem Fall nach einem Störfeld. Es kann durchaus sein, daß der Schmerz nach einer Injektion an die Tonsillen oder eine Narbe verlischt, der vom Segment aus unbeeinflußbar war. Dann hat die Amputation als Zweitschlag gewirkt und ein latentes Störfeld manifest werden lassen.

Anämie: — (K) — Blutbildveränderungen

Analerkrankungen: Analekzem, -fissuren, -pruritus, -rhagaden. Die Behandlung mit intra- und subkutanen Anästhesie-Injektionen ist schmerzhaft, aber dafür auch äußerst wirkungsvoll! Wiederholung bei neueintretenden Beschwerden. In veralteten Fällen sind mehrere Behandlungen nötig, nicht zu zeitig Behandlung abbrechen! Bei Fissuren: Nach Sphinkterdehnung im Rausch Unterspritzen der Fissur mit feinster Nadel. Notfalls auch — (T) — Epiduralanästhesie und Infiltration der Gegend um die Steißbeinspitze.

Anaphylaktischer Schock: — (K) — Schock, — (K) — allergische Erkrankungen
Angiitis obliterans: — (K) — Neurozirkulatorische Störungen
Angina lacunaris: — (K) — Mandelentzündung
Angina pectoris: — (K) — Herzerkrankungen
Anosmie: — (T) — intravenös, — (T) — Kopfschwarte, — (T) — Nasenspray. Störfeld? — (K) — Nasenerkrankungen.
Anoxie: z. B. CO-Vergiftung: Halbstündlich, bei Lebensgefahr evtl. vorsichtig in kürzeren Abständen 1 ml *Procain* o. dgl. — (T) — intravenös.
Anurie: Neben — (T) — intravenösen Injektionen noch 2—5 ml *Procain* an den abdominalen — (T) — Grenzstrang. — (K) — Nierenerkrankungen. Eklamptische Anurie — (K) — Eklampsie, — (K) — Harnverhaltung.
Aortenerkrankungen: Behandlung wie — (K) — Herzerkrankungen. Die Aortenlues spricht auf die Standardbehandlung mit 1 ml *Procain* — (T) — intravenös und einigen — (T) — Quaddeln beiderseits vom Sternalrand in der Regel sehr gut an! Die Narbe bleibt natürlich, die Begleitentzündung, die das quälende Krankheitsbild verursacht, heilt ab.
Aphasie: — (K) — Apoplexie
Apoplexie: Die Funktion des Gehirns ist weitgehend vom Zustand des Gefäßsystems abhängig. Die B l u t u n g (bei der Hirnembolie der G e f ä ß v e r s c h l u ß) bedingt nur zum Teil die Ausfallserscheinungen. Der Gefäßschock, der durch die Strombehinderung über die Gefäßnerven ausgelöst wird, zieht das betroffene Hirngebiet noch mehr in Mitleidenschaft. Für die Folgezeit kommt erschwerend hinzu, daß die Abbauprodukte der hämorrhagischen Nekrosen nicht abtransportiert, sondern in den Ganglienzellen gespeichert werden, was die Zellfunktion bis zum Ausfall behindern kann. — Unsere Aufgabe liegt darin, den Begleitspasmus der Gefäße zu lösen und den entstandenen Schaden durch eine verbesserte Durchblutung des ausgefallenen und des geschädigten Gefäßabschnittes weitgehend zu reduzieren.

Das — (T) — intravenös verabfolgte *Procain* erhöht unter anderem die Kapillarresistenz und erweitert die Gefäße. — (T) — Quaddeln über den Scheitelbeinen und Injektionen unter die — (T) — Kopfschwarte bis ans Periost, die wir zusätzlich geben, haben eine nerval-ausgleichende Wirkung auf das darunterliegende Organ.

Am wirkungsvollsten bekämpft aber eine Injektion an das herdgleichseitige — (T) — Ganglion stellatum den verhängnisvollen Gefäßspasmus und die Stase (also bei Hemiplegie rechts an das linke Ganglion st.). Das Schwinden des Hirnödems auf die Anästhesie hin spricht für eine Normalisierung der Endothelschranke. Mit dem günstigen Einfluß auf die motorischen und vasomotorischen Funktionen erreicht man bei wöchentlicher Wiederholung der Kombination: i.v. — Kopfschwarte — Ggl. stellatum, eine deutliche Besserung der geistigen und körperlichen Beweglichkeit und eine psychische Auflockerung. Am schnellsten schwinden der Heulzwang und die Wetterfühligkeit. Durch die herdseitige Stellatum-Anästhesie nimmt der spastische Tonus auf der Seite der Parese für Stunden deutlich ab. Man sollte das für die Bewegungstherapie nutzen. — Diese Behandlung ist natürlich um so wirkungsvoller, je eher sie beginnt, womöglich unmittelbar nach der Apoplexie. Wenn sich die Erfolgsaussichten auch mit zunehmendem Intervall zwischen Erkrankung und Behandlungsbeginn verringern, so sollte auch bei alten Fällen ein Versuch mit etwa zehn Behandlungen gemacht werden. Damit treiben wir gleichzeitig die beste Prophylaxe gegen einen neuen Schlaganfall. Wochen bis Jahre nach Apoplexien kann ein zentraler Schmerz auftreten. Dieser kausalgiforme Thalamusschmerz tritt umschrieben im Gesicht oder an den gelähmten Extremitäten auf. Er zeigt uns, daß eine Mangeldurchblutung in den Bereichen aufgetreten ist, die das Schmerzgefühl vermitteln. Eine Stellatum-Anästhesie auf der Seite des Insults, also auf der Gegenseite der Schmerzen, beseitigt diese zuverlässig jederzeit bei Wiederauftreten. — Die gleiche Behandlung wenden wir beim a p o p l e k t i s c h e n I n -

sult durch Blutleere im Gehirn an. — MANDL berichtete, daß die Stellatum-Anästhesie die Sterblichkeit an zerebralen Apoplexien um rund 50 % herabsetzt! Nach einem Bericht der Surgical Society of California verschwanden die Lähmungserscheinungen bei 55 % der so behandelten Fälle. In dem Bericht heißt es wörtlich: „Die Erfolge sind erstaunlich und unglaublich." — NAMBIAR empfielt bei Hemiplegien die klinische Behandlung mit Procain-Injektionen in die — (T) — Arteria carotis. BOGOLEPOW führte 1973 bei 67 Personen, die akut an zerebralen Gefäßinsulten (ischämisch oder hämorrhagisch) verstorben waren, morphologische, histologische und chemische Untersuchungen des Karotissinus und der von der A. carotis interna versorgten Gehirnabschnitte durch. Er fand bei allen ausgeprägte Reiz- und Dystrophiezeichen in diesen Bereichen, ebenso an den Zervikal- und Vagus-Ganglien. Als therapeutische Konsequenz empfahl er Procain-Injektionen an den Sinus der — (T) — Arteria carotis. Bei ischämischen Insulten bevorzugt er die Injektion auf der Gegenseite.

Die Gehfähigkeit der Apoplektiker läßt sich bei der Nachbehandlung verbessern, indem man den Muskelspasmus mit Injektionen von 1 ml *Procain* in die Patellarsehne, evtl. auch Achillessehne und die Sehnen der Großzehen-Extensoren herabsetzt. Die Kontraktur der gelähmten Hand löst sich während der Injektion von Intrakutanquaddeln über den Fingergelenken der Streckseite, leider nicht immer mit bleibender Wirkung. Man überzeuge sich selbst von dieser unwahrscheinlich klingenden Tatsache, die wieder einmal die weitreichende Wirkung der Quaddeltherapie unterstreicht.

Appendizitis: Die Entzündung des Wurmfortsatzes ist die Folge einer Strombahnveränderung der Appendix, für die der Reiz in den allermeisten Fällen außerhalb des Wurmfortsatzes liegt. Darum sehen wir in der Appendizitis auch nur eine Teilerscheinung einer örtlich begrenzten pathologischen Energiestörung im vegetativen Nervensystem. Die chinesische Volksmedizin behandelt sie erfolgreich konservativ mit der Akupunktur und einem per os gegebenen Pflanzenextrakt. — Bei der (akuten bis) subakuten Appendizitis spritzen wir (außer bei den hochakuten Fällen, die wir dem Chirurgen zuführen!) 1—3 — (T) — Quaddeln über dem McBurneyschen Punkt und gehen durch sie infiltrierend mit 1—2 ml *Procain*-Lösung in die Tiefe bis prä- und intraperitoneal. Dazu setzen wir noch eine Quaddel über dem chinesischen Akupunkturpunkt 5 cm unterhalb des Sann-Li, der an der lateralen Tibiafläche auf dem Ansatz des vorderen Schienbeinmuskels liegt, etwas nach vorn zu, wo er als hyperästhetischer Punkt tastbar ist. Dieses Vorgehen (mit Fasten und Darmspülungen) hat sich in der Hand erfahrener Neuraltherapeuten vor allem bei der prognostisch so ungünstigen Altersappendizitis bewährt. Allerdings muß vor jedem verantwortungslosen Darauflosspritzen Unerfahrener gewarnt werden. — Die chronisch-rezidivierende Appendizitis erweist sich nur allzuoft als Störfeld. Sie wird getestet, indem man wie eben geschildert am McBurney vorgeht. — „Nach den Ergebnissen von I. I. GREKOW 1923 wurde bei 100 % der Fälle von Ulkuskrankheit eine Appendizitis beobachtet." (BYKOW und KURZIN.)

Armplexus-Neuritis: Injektion in den Plexus brachialis. Die Technik ist bei den Injektionen an die zuführenden — (T) — Nerven beschrieben. Man kommt auch an die Stränge des Plexus, wenn man wie bei der Injektion ans — (T) — Ganglion stellatum nach LERICHE einsticht und dann die Nadel so weit lateral verlagert, bis der Patient ein blitzartiges, bis in die Fingerspitzen ausstrahlendes Zucken angibt. Nach negativer Ansaugprobe (cave Liquor oder Blut!) gibt man 1 ml *Procain* in die Plexuswurzel. — Führt das nach einigen Wiederholungen nicht zur Schmerzfreiheit, suche man das Störfeld. Auch chirotherapeutische Maßnahmen sind dann angezeigt.

Arrhythmie des Herzens: — (K) — Herzerkrankungen. Bei der Operationsvorbereitung hat sich die prophylaktische Gabe von 1 ml Procain-Lösung intravenös zur Vermeidung lebensbedrohlicher Herzarrhythmien bestens bewährt!

Arteriitis temporalis: Charakteristisch dafür heftiger abendlicher und nächtlicher Kopfschmerz mit Fieber, Mattigkeit und Augenstörungen. Die Arteriae temporales sind dabei ein- oder beiderseitig verdickt, die Haut darüber blaurot und geschwollen. — Therapie: Umspritzen der Arterie mit *Procain* hilft zuverlässig. Eine eventuelle intraarterielle Injektion wäre hier harmlos, die A. temporalis ist ein Außenast, der nicht zum Gehirn führt.

Arthralgien, Arthritis, Arthropathien: Akute und chronische, rheumatischer, infektiöser und anderer Genese: — (K) — Gelenkerkrankungen

Arteriosklerose: Die Salze der *Paraaminobenzoesäure*, einem der beiden Spaltprodukte des *Procains*, können schwerlösliche Substanzen, darunter auch das *Cholesterin*, lösbar machen. Vielleicht ist das auch eine Erklärung, für die günstige Wirkung der Impletol-Behandlung bei — (K) — Alterserkrankungen. Wir wissen außerdem, daß *Procain* — (T) — intravenös u. a. die Kapillarresistenz erhöht und die Gefäße erweitert.

Arzneimittelallergie: — (K) — Allergie

Asthma bronchiale: — (K) — Lungenerkrankungen. Asthma ist in unserem Sinne keine Diagnose, sondern lediglich die Zuordnung von bestimmten Symptomen zu einem Begriff. Die „Diagnose" Asthma besagt nichts über die Ursache der Krankheit, führt uns also auch nicht auf den Weg der Heilung. — Das Asthma kann rein psychogen sein, dann hilft nur die Psychotherapie mit dem heilenden Gegenreiz Wort. Wird es durch einen Mangel an Bausteinen, z. B. Fehlen eines Hormons, ausgelöst, muß der Mangel ausgeglichen werden. Oft kommen wir mit der Segmentbehandlung zum Ziel, dann war das Leiden segmentgebunden. Aber sehr oft steckt auch ein Störfeld dahinter, dann muß diese Ursache beseitigt werden. Es ist nicht immer leicht, herauszufinden, wie der Weg zur Heilung des vorliegenden Asthmas geht. — Das intravenöse *Procain* wirkt kurzdauernd bronchiolytisch, deutlicher ist die Wirkung als Aerosol (ZIPF).

Segmentbehandlung: 1 ml 2 %iger Procain-Lösung — (T) — intravenös, dazu 4 Intrakutan- — (T) — Quaddeln beiderseits des Brustbeins und etwa 12 Quaddeln über der Schulter und am Rücken beiderseits der Brustwirbelsäule. Gibt der Asthmatiker in der Vorgeschichte (vor Beginn des Asthmas) Pleuritiden und Pneumonien an, geben wir auch Quaddeln über dem Gebiet der Pleuraschwarten, eventuell sogar Injektionen in die Tiefe bis an die Pleura und die — (T) — Interkostalnerven bzw. über dem Verlauf der unteren Lungengrenzen. Eine zusätzliche — (T) — Ponndorf-Impfung im Segment kann diese Behandlung noch unterstützen. Bei vielen Asthmatikern sind der Nasen-Rachen-Raum und die Nebenhöhlen mitbeteiligt. Sie gehören ja auch entwicklungsgeschichtlich und ihrer Schleimhautstruktur nach zum Respirationstrakt. Chronische Nebenhöhlenerkrankungen sind häufig dentogen, weil dann die Wurzelspitzen der oberen Molaren Verbindung mit der Kieferhöhle haben. Beim Asthmatiker kann das zu dem Problem führen, daß wir von seinem Zahnarzt die Extraktion auch des letzten Haltezahnes im Oberkiefer erbitten müssen. Dabei haben wir beim Kollegen mehr Widerstand zu erwarten, als bei unserem Patienten. Hier sind Injektionen in die — (T) — Nasenmuschel, an das — (T) — Ganglion sphenopalatinum oder ein — (T) — Nasenspray zu versuchen. Das stärkste Geschütz der Segmentbehandlung ist die Injektion an das — (T) — Ganglion stellatum oder an das Ganglion cervicale sup. des Hals- — (T) — Grenzstranges, die neben ihrer Wirkung auf Lungen und Herz auch noch die übergeordneten Zentren im Gehirn ansprechen. Mit diesen Injektionen (einzeln oder kombiniert) gelingt es in den meisten Fällen, die Krampfbereitschaft abzubauen und die Streß-Reizschwelle genügend heraufzusetzen. Wenn nicht, muß nach einem Störfeld gesucht werden. Beim Asthma der Kleinkinder denke man dabei auch an die erste Narbe des Menschen, den Nabel, und in zweiter Linie an die Tonsillen. — Vergleiche auch die im Kapitel Störfeldsuche geschilderten Fälle 8 und 11 auf S. 108 und 111 und Abb. 18 und 19 auf S. 174 und 175.

Asthma cardiale: — (K) — Herzerkrankungen

Atemnot: Nach Ursache: — (K) — Herzerkrankungen, — (K) — Lungenerkrankungen

Aszites: Kardial bedingt: — (K) — Herzerkrankungen. Bei Leberzirrhose Versuch mit Injektionen an den abdominalen — (T) — Grenzstrang.

Augenerkrankungen: F. HUNEKES Satz: ,,Das *Impletol* greift am Wesen der Entzündung an, gleichgültig, wie die entzündungsauslösende Noxe heißt'' zeigt die Kompetenz der Segmentbehandlung mit *Procain* bei allen entzündlichen Augenerkrankungen. Und das sind doch im akuten Stadium, wo sich das Schicksal des Auges entscheidet, die meisten. Sei es die Neuritis nervi optici, die Periphlebitis retinae mit Glaskörperblutungen, die Skleritis, Keratitis, Iridozyklitis und sogar die Fälle, die als rheumatisch-allergisch bedingt unter dem Verdacht einer Augentuberkulose laufen. Bedenken gegen die Anwendung des *Impletols* im Augenbereich wegen der Coffeinkomponente sind unbegründet. Das *Coffein* ist hier komplex gebunden und in keinem Fall, auch nicht beim Glaukom, kontraindiziert! — Natürlich ist eine möglichst frühzeitige neuraltherapeutische Behandlung anzustreben, bevor die Regenerations- und Funktionsmöglichkeiten erloschen sind und ein narbiger Endzustand erreicht ist. Jede tiefgreifende Augenoperation und längerdauernde Prednison-Verordnung können die Erfolgsaussichten der Neuraltherapie nur schmälern. Es kommt nicht erst zu einer Sehnervenatrophie mit Erblindung, wenn eine neuralbedingte Optikusneuritis beizeiten über das Segment oder ein Störfeld ausgeheilt wird. Das Auge ist kein isoliert stehendes Organ, sondern ein Teil der Ganzheit, der von überall her störende Impulse empfangen kann, die zur Krankheit führen! Es kommt bei einer Periphlebitis retinae nicht mehr zu Blutungen und weiteren Narbenbildungen, wenn das verursachende Störfeld, z. B. im gynäkologischen Raum, durch eine entsprechende Procain-Behandlung abgeschaltet wird. Der Augenarzt, der immer nur mit einem Röhrenblick auf sein Fachorgan starrt und dabei vergißt, daß an dem Auge noch ein Mensch hängt, wird so etwas nie heilen können und das Auge hilflos bis an das bittere Ende ,,behandeln''! Es könnte viel Elend vermieden werden, wenn die Augenärzte lernten, Entzündungen mit *Procain* zu beseitigen und die Versager der Segmenttherapie einer gekonnten Störfeldsuche zuzuführen. Ein guter Indikator für die Wirksamkeit der Injektionen ist das schnelle Verschwinden der Schmerzen bei entzündlichen Augenveränderungen oder intraokularen Drucksteigerungen. Zur Segmentbehandlung stehen uns folgende Injektionen zur Verfügung:

a) Als Basisbehandlung die — (T) — i n t r a v e n ö s e Injektion auf der Seite der Erkrankung bzw. bei beiderseitiger Erkrankung abwechselnd links und rechts. Sie wirkt entzündungswidrig, bessert die Durchblutungsverhältnisse, beseitigt Ödeme der Retina, wirkt antiallergisch, schmerzstillend und dichtet die Kapillaren ab.

b) — (T) — Q u a d d e l n über den Schläfen am seitlichen Orbitarand und tiefere Injektionen bis ans P e r i o s t. Evtl. auch — (T) — i n t r a m u s k u l ä r e Injektionen von je 0,5 ml *Procain* in die Musculi temporales, vor allem, wenn dort Druckempfindlichkeit besteht. Die Headschen Zonen des Auges liegen im Bereich des Nackens, des Hinterkopfes und der Ohren (C 1 und C 2). Zu ertastende Schmerzpunkte und -zonen in diesem Gebiet müssen in jedem Fall mit Quaddeln und tieferen Injektionen in die Kopfschwarte bis ans Periost bedacht werden.

c) An die — (T) — N e r v e n a u s t r i t t s p u n k t e der Nn. supraorbitales, vor allem bei Druckschmerz oder begleitendem Stirnkopfschmerz, bei Konjunktividen aller Genese, Blepharospasmus, Herpes und Ulcus corneae. Zu ertastende Schmerzpunkte am Kopf müssen ebenfalls berücksichtigt werden.

d) Ganz besonders bewährt haben sich die Injektionen an das — (T) — G a n g l i o n c i l i a r e und — (T) — G a n g l i o n s p h e n o p a l a t i n u m. Das Auge erhält seine vegetativen Fasern auf kompliziertem Wege über diese beiden Ganglien. Der intraokuläre Druck wird z. B. autonom über ein Ganglien-Zellsystem der Aderhaut gesteuert, das über die Nn. und Ganglia ciliares geregelt und kontrolliert wird.

e) Auch Injektionen an das — (T) — G a n g l i o n s t e l l a t u m können die Wende einleiten. Von ihm aus wird ja das obere Körperviertel vegetativ innerviert.

f) Bei schwer zugänglichen Augenerkrankungen wie Glaukom, Iritis, Herpes zoster ophthalmicus und schmerzhaften Hornhauterkrankungen kann uns genauso eine Injektion a n (nicht i n) d i e — (T) — A r t e r i a c a r o t i s weiterbringen.

g) Bei tiefer Keratitis und Episkleritis können s u b k o n j u n k t i v a l e Injektionen von 0,5—1 ml *Procain* von Nutzen sein.

h) Versagt die Segmentbehandlung: S t ö r f e l d suchen! Bei einseitiger Erkrankung und gegebenen Voraussetzungen sollte noch eine Impletol-Injektion in die — (T) — Zisterne erwogen werden.

FUCHS berichtete über seine Ergebnisse mit der unter d) angegebenen Injektion an das Ganglion ciliare und sphenopalatinum, von denen das Auge mit trophischen Nervenfasern versorgt wird. Er behandelte damit besonders die chronischen Erkrankungen des vorderen Augenabschnittes, also der Lider, der Bindehaut und vor allem der Hornhaut, ,,vorwiegend solche, die eigentlich mit keinem der sonstigen modernen Verfahren noch erfolgreich angehbar sind. Es handelt sich also um Augen, die ohne neuraltherapeutische Beeinflussung entweder blind würden infolge völliger Trübung ihrer Hornhäute oder gar zugrunde gingen und der Enukleation verfielen.`` — Er erzielte bei derartig ausgesucht prognostisch ungünstigen Fällen bei 71 Patienten 45 Heilungen und 11 Besserungen! Nur 10 blieben unbeeinflußt und 5 verschlechterten sich. Für den erfahrenen Neuraltherapeuten besteht kein Zweifel, daß eine gekonnte Störfeldsuche sicher bei einem Teil der 15 Versager noch erfolgreich gewesen wäre.

Der Augenarzt ist in der glücklichen Lage, die Wirkung seiner Procain-Injektion an die beiden Ganglien direkt an den oberflächlichen und tiefliegenden Gefäßen der Konjunktiva und Sklera ablesen zu können. Im Spaltlampenmikroskop kann er verfolgen, wie sich die getrübte Hornhaut durch Entquellen der Parenchymfasern aufhellt. Selbst die gequollenen Fasern der Hornhautnerven kann er immer dünner werden sehen, bis sie schließlich verschwunden sind.

Zur Behandlung des S c h i e l e n s injizieren wir einige Male versuchsweise an das — (T) — Ganglion ciliare der kranken Seite und in den hypertonischen Augenmuskel. Schielen, das im Anschluß an eine Diphtherie oder einen Scharlach auftrat, konnte in einer Reihe von Fällen durch eine Injektion an die als Störfeld wirkenden Tonsillen im Huneke-Phänomen beseitigt werden.

Bandscheibenschaden: Der Symptomenbogen spannt sich von der Lumbago bis zur Querschnittsläsion. Der echte Diskusschaden wird immer durch Noxen von außen u n d i n n e n gebahnt, die neurovasale Reaktionen zur Folge haben. Ein Trauma ist nicht Grundursache, sondern nur die auslösende Ursache. Wie viele Dauerheilungen zeigen, leidet nur ein geringer Prozentsatz der unter der Diagnose ,,Bandscheibenschaden`` Laufenden an einem echten Prolaps, des Nucleus pulposus oder an einer massiven Protrusio des Anulus fibrosus. Es handelt sich um eine Modediagnose, die bei Ischialgien und Spondylosen viel zu häufig und zu Unrecht gestellt wird. — Die Neuraltherapie ist in der Lage, den Circulus vitiosus: Schmerz — Muskelkontraktur — Ischämie — Wurzelreizung mit sympathischem Reizzustand und der Haltungsänderung der Wirbelsäule — dadurch größerer Schmerz usw. usw., an der Stelle des Schmerzes wirkungsvoll zu unterbrechen. — Die Operation sollte auch hier nur die ultima ratio bleiben. Eine absolute Operationsindikation stellt nur das Querschnitts-Syndrom bei Prolaps dar. Natürlich müssen intra- und extramedulläre Tumoren ausgeschaltet werden.

Behandlung vergleiche: — (K) — Zervikalsyndrom, — (K) — Ischias, — (K) — Kreuzschmerzen. Etagendiagnostik bei Bandscheiben-Ischialgien: — (K) — Ischias.

Basedow: — (K) — Schilddrüsenerkrankungen

Bauchdrüsen-Tuberkulose: — (K) — Peritoneal-Tuberkulose

Bauchoperation, Schmerzen nach: — (K) — Adhäsionsbeschwerden, — (K) — Operationsfolgen

Bauchspeicheldrüsen-Erkrankungen: — (K) — Oberbaucherkrankungen, — (K) — Pankreaserkrankungen

Bechterewsche Krankheit: Die heftigen quälenden Schmerzen und Spannungszustände in der Nakken- und Rückenmuskulatur können durch — (T) — Quaddeln über den Schmerzstellen und — (T) — intramuskuläre Infiltrationen wesentlich gebessert werden. Auch wiederholte Injektionen in den Plexus brachialis (laterale Stränge) und cervicalis (— (T) — Nerven, zuführende) können Linderung bringen. Erweisen sich die Wirbelkörper als klopfempfindlich, muß an deren Periost gespritzt werden. Das ist keinesfalls nur eine rein symptomatische Behandlung, sondern wirkt durch Unterbrechung pathogener Reflexe, die sich als Circulus vitiosus auswirken! Bei Bedarf auch Injektionen in die — (T) — Gelenke, z. B. ins Hüftgelenk. Auch ein — (T) — Nasenspray mit 2 %igem *Pantocain* kann Linderung bringen. Sehr zu empfehlen sind — (T) — Ponndorf-Impfungen über der Wirbelsäule. — Versagt die Segmentbehandlung, muß unbedingt nach einem auslösenden Störfeld gesucht werden. Zuerst teste man die Zähne, Tonsillen und Nebenhöhlen, auch die Prostata kommt häufig in Frage! Vergleiche — (K) — Rheumatismus.

Beckenboden-Neuritis: — (K) — Gynäkologische Erkrankungen

Beingeschwüre: — (K) — Ulcus cruris

Bettnässen: — (K) — Enuresis nocturna

Blasenerkrankungen: — (K) — Zystitis. Bei Harninkontinenz der Frau, parametranen Verspannungen, Ulcus vesicae simplex — (T) — gynäkologischer Raum, — (T) — Frankenhäusersche Ganglien, auch intravesikale Procain-Applikationen. — (K) — Prostata-Erkrankungen.

Blepharitis, Blepharospasmus: — (K) — Augenerkrankungen

Blutbildveränderungen: Die Stätten der Blutbildung und ihre regulierenden Zentren sind abhängige Teile des Ganzen und können (wie jedes andere Organ auch) durch Störfelder an der normalen Funktion gehindert und zu Fehlleistungen geführt werden. PISCHINGER objektivierte als erster das Huneke-Phänomen, indem er nachwies, daß sich alle störfeldbedingten Blutbildveränderungen nach Ausschalten des Störfeldes bald zurückbilden, weil damit ja auch die auslösende Ursache im vegetativen Grundsystem beseitigt wird. Auch FLEISCHHACKER berichtete über überraschende Erfolge der Neuraltherapie nach HUNEKE bei Erkrankungen des myeloischen Systems. Anämien mit erniedrigtem Serumeisenspiegel, die auf perorale Eisengaben nicht ansprechen, sind in der Regel störfeldbedingt. STACHER konnte zeigen, daß die Erythropoese bei aplastischen Anämien und Panmyelopathien durch den Einfluß von Störfeldern beeinträchtigt werden kann. Der Störfeldbeseitigung folgen in der Regel schnell wesentliche Besserungen bzw. Heilungen. An anderer Stelle hören wir von STACHER, daß die Störfeld-Ausschaltung bei über 70 % der Granulozytopenien ungeklärter Ursache zur Normalisierung des Blutbildes führt. Bei 12 Panmyelopathien ergab allein die Zahnsanierung bei der Hälfte eine völlige Normalisierung!

STACHER schildert folgenden Fall: Da die Behandlung einer Panmyelopathie mit Bluttransfusionen, Kortikoiden usw. erfolglos geblieben war, wurde wegen des Verdachtes auf eine störfeldbedingte Knochenmarkschädigung eine Herdprovokation durchgeführt. Neben einer Reaktion an 2 Zähnen kam es zu einer vorübergehenden Blutbildverschlechterung. Nach der Zahnextraktion zeigte sich zuerst im Rahmen der Gegenregulation eine vorübergehende starke Verminderung der Leukozyten, dann ein überschießendes Ansteigen und schließlich eine Normalisierung des Mark- und Blutbefundes, die über 3 Jahre anhält.

Die Akupunktur kennt im B 39 einen „Hauptpunkt für die Erythropoese", dessen Nadelung eine rasche Zunahme der Erythrozyten bis zu einer Million bewirken soll (BISCHKO). Er soll wegen Kollapsgefahr im Liegen gestochen werden. Der Patient macht einen Katzenbuckel, damit die Skapula den Einstichpunkt freigibt. Er liegt dann am Schnittpunkt des Schulterblattes mit der Oberkante der 4. Rippe.

Das Bukarester Institut für Geriatrie, das die Novocain-Behandlung nach ASLAN propagiert, stellte als regelmäßig wiederkehrendes Ergebnis dieser Behandlung folgende Blutbildverbesserungen fest: Senkung der erhöhten Leukozytenzahl, Vermehrung der Granulozyten und Monozyten und eine Erhöhung des Globularwertes.

Bluterguß: — (K) — Verletzungen

Bluthochdruck: — (K) — Hypertonie

Brachialgien: — (K) — Armplexus-Neuritis. — (K) — Karpaltunnen-Syndrom, — (K) — Neurozirkulatorische Störungen, — (K) — Zervikalsyndrom.

Bronchialasthma, Bronchitis, Bronchiektasien: — (K) — Asthma bronchiale, — (K) — Lungenerkrankungen.

Bursitis: Bei B. praepatellaris oder olecrani nach Punktion etwa 1/5 der Punktatmenge *Clauden*-Lösung mit 1 ml *Procain*-Lösung einfüllen. Es gibt zunächst einen kleinen, kaum schmerzenden Reizerguß. Bei Wiederholung bildet sich ein weiches Polster, das der Schutzaufgabe des Schleimbeutels gerecht wird. — Bei B. subdeltoidea oder subacromialis Einstich mit 3,5 cm langer, 0,7 mm dicker Nadel medialwärts durch den M. deltoideus vom Mittelpunkt einer Linie aus, die von der Spitze des Akromion zum Tuberculum majus humeri gezogen wird. Aspiration von Gelenkflüssigkeit zeigt richtigen Nadelsitz an. Absaugen, Injektion von 1 ml *Procain*-Lösung.

Carotidynie: — (K) — Neuralgie des Plexus caroticus.

Charlin-Syndrom: — (K) — Neuralgie des N. nasociliaris.

Cholangitis, Cholelithiasis, Cholezystitis: — (K) — Oberbaucherkrankungen.

Chorea minor: Zwei Huneke-Phänomenheilungen, die mir von den Tonsillen aus gelangen, zeigen, daß die zerebralen Reizungen störfeldbedingt sein können. Ein elfjähriges Mädchen wurde so stark von Konvulsionen geschüttelt, daß es nicht mehr laufen, allein essen und nicht mehr sprechen konnte. Nach dem positiven Tonsillentest stand es ruhig auf, verabschiedete sich ganz deutlich und ging allein zur Tür hinaus, als wäre es nie krank gewesen. Eltern, Arzt und Sprechstundenhilfe blieben sprachlos zurück, bis sich die Verblüffung in einem befreienden Gelächter löste. — So dramatische Heilungen kann natürlich nur der erleben, der sie für möglich hält und in Gang zu setzen versucht. Wer sich für die Behandlung ausgefallener Krankheitsbilder nicht für kompetent hält, kann sie auch nicht heilen. — Bei dem Mädchen beseitigte übrigens eine gleichartige Nachbehandlung nach zwei Wochen noch den Rest geringer Zuckungen, die inzwischen wieder aufgetreten waren.

Chorioretinitis disseminata: — (K) — Augenerkrankungen

Claudicatio intermittens: — (K) — Neurozirkulatorische Störungen, — (T) — Ischias, postischialgische Durchblutungsstörung.

Colopathie: — (K) — Kolitis, — (K) — Oberbaucherkrankungen.

Coma hepaticum: — (K) — Oberbaucherkrankungen

Commotio, Contusio cerebri: Mit — (T) — intravenösen Injektionen und Injektionen unter die — (T) — Kopfschwarte lassen sich postcommotionelle Störungen wie Kopfschmerzen, Schwindel, Schlaflosigkeit, Konzentrationsschwäche, nervöse Störungen und psychische Ausfälle in der Regel mit wenigen Behandlungen zuverlässig beseitigen. Bei frischer Commotio ist eine derartige Behandlung als Prophylaxe empfehlenswert. Doch noch wirkungsvollere Behandlung beim Versagen: Injektion an das — (T) — Ganglion stellatum. Wie eine Commotio auch ohne Kopfprellung zustande kommen kann, lese man unter — (K) — Steißprellung nach.

Costen-Syndrom: Es handelt sich um Neuralgien im Kiefergelenk-Ohrbereich (ohne Triggerpunkte!). Sie entstehen durch Fehl- und Überbelastung der Kiefergelenke infolge fehlerhafter Verzahnung oder mangelnder Abstützung durch Zahnverlust. Durch Störung des neuromuskulären Gleichgewichtes kommt es zu einer Verkrampfung der Kaumuskeln und Schmerzen, die als — (K) — Trigeminus-Neuralgie oder — (K) — Zervikalsyndrom fehlgedeutet werden können. Wenn man vom Mund aus hinter dem Tuber maxillae auf den Musculus pterygoideus lat. drückt, löst man einen heftigen Schmerz aus, der ins Ohr hinein ausstrahlt. Eine Zusammenarbeit mit dem Zahnarzt ist unerläßlich. Inzwischen gibt man ein Lokalanästhetikum in das Kiefer- — (T) — Gelenk und vom Mund aus an den Kaumuskel, natürlich auch Injektionen in den M. pterygoideus lat.

Dammriß-Prophylaxe: — (K) — Geburtshilfe

Darmatonien, Darmbrand, -lähmungen, -verschluß: Die — (T) — intravenöse Procain-Injektion regt, wie Tierversuche zeigten, die Darmperistaltik an. Eine zusätzliche Injekton in die — (T) — Magengrube wird in leichteren Fällen genügen, die Darmfunktion wieder in Gang zu setzen. Die Beobachtung der Chirurgen, daß es nach Operationen in Lumbalanästhesie nie zu Darmlähmungen kommt, veranlaßte RATSCHOW, bei sieben Fällen von akutem Darmbrand eine Lumbalanästhesie vorzunehmen. Ergebnis: 4 Heilungen, 2 Besserungen, 1 Mißerfolg. Offenbar gelingt es damit, einen pathologischen Circulus-vitiosus-Reflexmechanismus im Bauchraum zu unterbrechen. Für die Praxis empfiehlt sich eher die Injektion an den abdominalen — (T) — Grenzstrang in Höhe des oberen Nierenpols, die leichter auszuführen ist und mindestens ebenso wirkt! Die Headschen Zonen des Darmes: — (K) — Obstipation, — (K) — Ileus.

Darmerkrankungen: — (K) — Oberbaucherkrankungen, — (K) — Obstipation, — (K) — Appendizitis. SPERANSKI reizte bei seinen Tierversuchen den Boden des dritten Ventrikels und fand als Reaktion darauf unter anderem immer wieder Darmblutungen und -geschwüre, und zwar außer am Magen und Zwölffingerdarm nur noch am Appendix und am Rektum. Eigenartigerweise blieben alle übrigen Darmanteile von krankhaften Veränderungen verschont.

Darmflora: Frau ASLAN glaubt sich auf Grund ihrer Untersuchungsergebnisse zu der Hypothese berechtigt, daß das *Procain* auch als Biokatalysator wirkt, der die Darmflora zur Bildung biogener Faktoren anregt und außerdem im Organismus neue *Paraaminobenzoesäure* erzeugt. Letztere kann im Körper zu *Folsäure* umgewandelt werden, die bekanntlich eine anregende Wirkung auf die Bildung einer biologisch gesunden Darmflora entfaltet.

Darmspasmen: Injektion prä- bis intraperitoneal in die — (T) — Magengrube und — (T) — Quaddeln über dem Leib. Notfalls Injektion an den abdominalen — (T) — Grenzstrang.

Daumenerkrankungen: — (K) — Gelenkerkrankungen. Kommt man mit — (T) — Quaddeln um das Gelenk und der — (T) — Oberstschen Anästhesie als Segmenttherapie nicht zum Ziel, geben wir mit kurzer dünner Nadel 0,5—1 ml *Procain* in das Daumen-Grundgelenk. Wenn man den Daumen extrem nach hinten streckt, stellt sich die „Tabatière" als Hauteindellung dar. Diese liegt genau über dem dorsalen Zugang zum Gelenk. Um den Gelenkspalt zu erweitern, muß der Daumen vor der Injektion stark in die Mitte der Handfläche hineingebeugt werden.

Depressionen: D. müssen nicht Krankheit sui generis sein. Oft erscheinen sie als Begleitsymptom einer tiefgreifenden Störfeldkrankheit und sind dann über das Huneke-Phänomen heilbar. Versuch mit Injektionen in die — (T) — Schilddrüse.

Dercumsche Krankheit: — (K) — Adipositas dolorosa

Dermatitis: Bei akuter D.: *Procain* — (T) — intravenös. — (K) — Hauterkrankungen. D. herpetiformis — (K) — Duhringsche Krankheit.

Diabetes insipidus: *Procain* — (T) — intravenös und beiderseits unter die — (T) — Kopfschwarte.

Diabetes mellitus: Infektionen, Toxine, psychische und physische Traumen können das minderwertige Inselorgan bis zur Erschöpfung belasten. Die Reizübermittlung geht dabei via Vegetativum bzw. Gefäßstrombahn zum übergeordneten Hypophysen-Zwischenhirnsystem. Die Ernährungsstörung und Erschöpfung des funktionstüchtigen Anteils des Inselapparates kann (besonders in der ersten Zeit) temporär und reversibel sein. Dann ist der Versuch, die Regulationsmechanismen (neben Diät und sinnvollen Orabet- bzw. Insulin-Gaben) wieder zu normalisieren, erfolgversprechend. Es gibt keine Möglichkeit, festzustellen, ob die Krankheit nicht etwa bei weitgehend intaktem Drüsenapparat lediglich durch eine Störung der vegetativen Befehlsübermittlung hervorgerufen wird. Eine Drüse, deren Inselzellen zerstört sind, kann natürlich nicht wieder funktionstüchtig gemacht werden. Wenn der Prozentsatz der Heilungen auch nicht allzugroß ist, so beweisen doch Heilungen vom Segment aus (abdominaler — (T) — Grenzstrang abwechselnd links und rechts, dazu — (T) — Magengrube) und über das Störfeld, daß ein Versuch gerechtfertigt ist. Jede Heilung ist ein Sieg!

Polyneuritis diabeticea und diabetische Gangrän — (K) — Neurozirkulatorische Störungen.

Distorsion: Verstauchungen haben oft nur minimale Bändereinrisse zur Folge, deren klinische Symptome in keinem Verhältnis zu den anatomischen Veränderungen stehen. Ursache sind die bei allen — (K) — Verletzungen ausgelösten reflektorischen vasomotorischen Dystrophien. Diese Regulationsstörungen, die wir besonders nach Distorsionen der reich innervierten Hand- und Fußgelenke auftreten sehen, lassen sich mit *Procain* unterdrücken und beseitigen. Darum fordern wir mit FONTAINE:

  a) l e i c h t e Verstauchungen sind mit *Procain* schmerzfrei zu machen und zu belasten, n i c h t ruhig zu stellen!

  b) m i t t e l s c h w e r e sind ebenso zu umspritzen. Bei Fußverletzungen sind die Bewegungsübungen zuerst im Liegen durchzuführen, damit das verletzte Band nicht eventuell ganz durchreißt.

  c) Nur s c h w e r e Distorsionen besonders am Knie, fallen in den Versorgungsbereich der operativen Chirurgie. Aber auch hier ist eine zeitige Procain-Behandlung indiziert, um die dysregulatorischen Reflexe zu unterbinden, selbst, wenn später in Allgemeinnarkose reponiert oder operiert werden soll.

Wir geben also — möglichst sofort — — (T) — Quaddeln rings um das Gelenk und infiltrieren dann durch die Quaddeln hindurch fächerförmig die schmerzhaften Partien, besonders die Bandansätze. Danach Elastoplastverband. Je eher so behandelt wird, desto besser der Erfolg. Meist läßt sich dadurch bei leichteren Verstauchungen ein Arbeitsausfall vermeiden und die Heildauer wesentlich verkürzen. Aber auch bei veralteten Fällen lohnt sich dieses Vorgehen. *Procain* ist dabei den Kortikoidpräparaten vorzuziehen: Es verhindert eine Infektion, während „die Cortisonderivate leicht zu infektiösen Komplikationen neigen, wenn die Asepsis nicht rigoros ist" (FONTAINE). Die Heilergebnisse sind mit beiden Mitteln gleichgroß.

Duhringsche Krankheit: = Dermatitis herpetiformis. Um- und Unterspritzen der Blasen.

Duplaysche Krankheit: — (K) — Periarthritis humeroscapularis, — (K) — Gelenkerkrankungen

Dupuytrensche Kontraktur: Wiederholte *Procain*-Injektionen von etwa 5 ml in das chronisch entzündliche, schrumpfende Narbengewebe machen es deutlich weicher und verbessern bei genügender Wiederholung die Kontraktur. Auch postoperativ auftretende Fibrosen können damit wesentlich gebessert werden. Basiert das Leiden auf einem Vitamin-E-Mangel, so muß dieser fehlende Baustein zugegeben werden. — Wie jedes pathologisch veränderte Gewebe kann auch die Dupuytrensche Kontraktur Störfeld für andere Krankheiten sein. Das haben Huneke-Phänomen-Heilungen bewiesen.

Durchblutungsstörungen: — (K) — Neurozirkulatorische Störungen

Durchfall, chronischer: — (K) — Oberbaucherkrankungen

Dysbasia angiospastica: — (K) — Neurozirkulatorische Störungen, — (T) — Ischias, postischialgische Durchblutungsstörungen.

Dyshidrosis: — (K) — Hyperhidrosis, Neigung zu Hand- und Fußschweiß bei — (K) — rheumatischen Erkrankungen, bei — (K) — Schilddrüsenüberfunktion, — (K) — klimakterischen Störungen, vegetativer — (K) — Dystonie usw.

Dysmenorrhö: Wenn der Schmerz mit dem Eintritt der Blutung nachläßt, ist an ein spastisches oder organisch bedingtes Hindernis am Muttermund zu denken. Dann helfen — (T) — Quaddeln über dem Kreuzbein und über der Symphysengegend. Noch besser Injektionen in den — (T) — gynäkologischen Raum oder an die — (T) — Frankenhäuserschen Ganglien (schon vor Periodenbeginn). Mit diesen Injektionen erzielt man eine schmerzlose Periode, auch die Regelstärke reguliert sich. — Überdauert der Schmerz den Menstruationsbeginn, kann eine ,,nasale Dysmenorrhö" vorliegen. Eine gezielte Anästhesie der unteren — (T) — Nasenmuschel beseitigt dann den Bauchschmerz, die Anästhesie der Tubercula septi den Kreuzschmerz. Einfacher und meist ausreichend ist ein — (T) —Nasenspray mit 2 %iger Pantocainlösung.

Dyspepsie der Säuglinge: — (K) — Säuglingstoxikose

Dyspnö: Nach Ursache — (K) — Herzerkrankungen, — (K) — Lungenerkrankungen

Dystonie, pulmonale: — (T) — intravenös mit — (T) — Quaddeln über Brust und Rücken. Genügt das nicht: — (T) — Ganglion stellatum.

Dystonie, vegetative: Der vegetativ Eutone, der seelisch wie körperlich Ausgeglichene, den kein Umweltreiz anhaltend erschüttern kann, ist heute selten geworden. Die vegetative Dystonie gehört fast zum modernen Menschen, der ein Übermaß an Reizen aller Art von frühester Kindheit an nur schwer ausbalancieren kann. Die dadurch hervorgerufene Hoch- und Fehlspannung im vegetativen System bahnt aber das Krankwerden. Hinzu kommt, daß sich auch die Einstellung zur Krankheit geändert hat: Aus der gottgewollten Prüfung ist eine Störung im chemischen und mechanischen Räderwerk des Organismus geworden, die die moderne Medizin mit Hilfe der Chemie und Physik zu reparieren hat. ,,Vegetative Dystonie" ist keine echte Diagnose, sondern die Verlegenheits-Sammelbezeichnung für eine verbreitete pathologische Reaktionsweise des gestörten Gesamtvegetativums. Bei der überragenden Rolle, die das Vegetativum bei allen Lebensäußerungen spielt, kann jede Gleichgewichtsstörung an einer Stelle der Ganzheit überall alle nur denkbaren Krankheitserscheinungen auslösen oder vortäuschen, ohne daß man in der Lage ist, sie jedesmal in das Korsett einer Diagnose pressen zu können, zum Beispiel: Kopfschmerz, migräneartige Erscheinungen, Schlafstörungen, Schwindel, kalte Hände und Füße, allergische Erscheinungen, erhöhte Vasolabilität, gesteigerte Reizbarkeit und Ermüdbarkeit, periphere Durchblutungsstörungen, sexuelle Ausfallserscheinungen, Angst, Unruhe, Herzjagen, Neigung zu Asthma, Magengeschwüren und vieles andere mehr! ,,Wir glauben, daß der Summationseffekt zivilisatorischer Einflüsse mit dem Trommelfeuer auf unser Vegetativum die Reizbarkeit so steigert und die Irritierbarkeit gegenüber sensorisch-sensiblen Einflüssen so erheblich macht, daß eine vegetative Dysharmonie resultiert, in deren Rahmen Lebensangst und Lebenskrise die Schmerzverarbeitung ungünstig beeinflussen." (HOCHREIN und SCHLEICHER, Med. Klin. 1961, 56.)

Die Hilflosigkeit der Medizin von heute diesem vielfarbigen Krankheitsbild gegenüber zeigt sich in dem kuriosen Widerspruch, daß gerade diese Patienten, bei denen alle klinischen Untersuchungen negativ verlaufen, besonders viele Medikamente verordnet bekommen. Psychopharmaka, Sedativa und Hypnotika spielen dabei eine besondere Rolle, also gerade Mittel, von denen wir wissen, daß sie die vegetative Regulation behindern können oder sogar blockieren. Ein grotesker Teufelskreis!

In der Vorgeschichte vegetativ Dystoner stoßen wir oft schon in früher Kindheit auf die Ursachen der neurovegetativen Entgleisungen. Meist finden wir eine Commotio oder Contusio cerebri, Chorea, Enzephalitis, Meningitis und andere schwere Infektionskrankheiten oder eine chronische Tonsillitis, Scharlach, Diphtherie, Otitis media, Fluor oder ein mangelhaftes Gebiß, alles Angaben, die auf eine frühe Störfeldbelastung hindeuten können.

Auch hier gilt wieder, daß es sich bezahlt macht, die Anfänge vegetativer Dystonien rechtzeitig mit der Neuraltherapie zu erfassen und zur Eutonie zurückzuführen, bevor sie sich in bedrohlichen organischen Krankheiten manifestieren. Die Behandlung kann einmal symptomatisch mit der Segmenttherapie am Ort der Ausfallserscheinungen ansetzen und dann auch bei den segmentgebundenen Störungen erfolgreich sein. Oft ist der richtige Ansatzpunkt die — (T) — Schilddrüse, besonders bei Frauen, bei denen die Vorgeschichte auf den — (T) — gynäkologischen Raum hinweist. Auch eine wiederholte — (T) — intravenöse Impletol-Injektion kann unter Umständen ausreichen, um eine genügende Umstimmung der vegetativen Reaktionslage zu erzielen. — Die Akupunktur kennt nach BACHMANN ein ,,Bellergal der Akupunktur", zwei Punkte, die bei vegetativen Funktionsstörungen angegangen werden: KG 15 (unter der Xiphoidspitze) und LG 19 (Hinterkopf, in dem Grübchen, das am Schnittpunkt Lambda- Pfeilnaht entsteht. Bei Gravidität nicht stechen, Abortgefahr!). Zusätzlich kann noch der KG 6, das ,,Meer der Energie", gequaddelt werden! Er liegt zwei Querfinger unterhalb des Nabels. — In den meisten Fällen ist aber nur das Aufsuchen und Ausschalten des verursachenden Störfeldes die einzig richtige Kausalbehandlung. Eine gewissenhafte Anamnese kann den Weg zu ihr abkürzen. Liegt eine zentrale Belastung nach Enzephalitis oder Meningitis vor, ist zu untersuchen, ob eine — (T) — zisternale Impletol-Injektion indiziert erscheint. — (K) — Neurozirkulatorische Störungen.

Dystrophie (= Eiweißmangel)-F o l g e n : Als Spätfolgen der Hungerkost in Gefangenenlagern kennen wir Leberschädigungen (— (K) — Oberbaucherkrankungen), Infekt-Abwehrschwäche und endokrine Insuffizienz. Am eingreifendsten sind die Störungen an den neurovegetativen Regulationsmechanismen. In der Folgezeit kommt es meist zu einem Umschlagen im Sinne eines Sympathikotonus. Die meist ,,funktionellen" Störungen sind mit der gezielten Procain-Therapie gut zu beeinflussen.

Dystrophia musculorum progressiva: — (K) — Pockenimpfkomplikationen.

Ejaculatio praecox: Wenn, was häufig der Fall ist, die Prostata vergrößert und druckschmerzhaft ist, Injektionen in die — (T) — Prostata. — (K) — Sexuelle Störungen.

Eklampsie, Präeklampsie: Nach KNAUS ist die E. Folge einer vegetativ-nervösen Kreislaufstörung, die durch Überdehnung der Gebärmutter ausgelöst wird und die reflektorisch über das vegetative Nervensystem eine Ischämie der Nierenrinde und der Hirngefäße erzeugt. — Therapeutisch sind diese als spastische Gefäßimpulse auftretenden Störungen durch Injektionen an das — (T) — Ganglion stellatum und an den — (T) — Grenzstrang am oberen Nierenpol anzugehen. Kopfschmerz, Schwindelgefühl und Sehstörungen verschwinden vor allem bei drohender E. vor dem Zusammenbruch sehr eindrucksvoll, auch der Blutdruck wird dadurch zuverlässig gesenkt. Bei bereits ausgebrochener E. kann eine zusätzliche — (T) — Periduralanästhesie die Diurese noch besser in Gang setzen. Auch Injektionen in den — (T) — gynäkologischen Raum und an die — (T) — Frankenhäuserschen Ganglien sind im Hinblick auf die Knaussche Theorie in Betracht zu ziehen.

Ekthyma: Lokale Infiltrationen, eventuell intra- und periarterielle Injektionen in und an die — (T) — Arteria femoralis. — (K) — Hauterkrankungen.

Ekzem: — (K) — Hauterkrankungen. Bei Versagen der dort vorgeschlagenen Therapie Anwendung umstimmender Naturheilverfahren wie Fastenkur, Kneippkur, Bäder, Aderlässe, Eigenblutinjektionen, Normalisieren der Darmflora, — (T) — Ponndorf-Impfungen, Eigenharn-Einläufe und -Pinselungen usw. Nach Lösen der Regulationsstarre kann die Neuraltherapie nun erfolgreicher sein.

Elephantiasis: Wir geben zuerst — (T) — Quaddeln um das erkrankte Glied. Noch stärker wirken am Arm — (T) — Ganglion-stellatum-Injektionen, am Bein intra- und periarterielle Injektionen der — (T) — Arteria femoralis, auch an den unteren — (T) — Grenzstrang oder — (T) — epidurale bzw. — (T) — präsakrale Infiltrationen. Elephantiasisartige Knöchelödeme bei Frauen können auf wiederholte Injektionen in den — (T) — gynäkologischen Raum gut ansprechen. — (K) — Lymphstauungen.

Ellenbogenerkrankungen: — (K) — Gelenkerkrankungen, — (K) — Periostosen

Embolie: — (K) — Gefäßverschlüsse

Emphysem: Am Schwund der Lungenbläschen und dem Verlust der Elastizität ist im Endstadium kaum mehr etwas zu ändern. Zeitiger Behandlungsbeginn erforderlich. Die Beschwerden lassen sich aber ebenso wie bei der — (K) — Silikose oft noch gut bessern. — (K) — Lungenerkrankungen.

Endangitis, Endarteriitis obliterans: — (K) — Neurozirkulatorische Störungen

Endokarditis: — (K) — Herzerkrankungen

Endometritis: — (K) — Gynäkologische Erkrankungen

Entbindungen: — (K) — Geburtshilfe

Enteritis necroticans: *Procain* — (T) — intravenös und an den abdominalen — (T) — Grenzstrang.

Entzündung: BOERHAAVE meinte: ,,Ich wäre der größte Arzt, wenn ich Entzündungen ebensogut hervorrufen wie beseitigen könnte." — SPIESS stellte 1906 fest: ,,Eine Entzündung wird nicht zum Ausbruch kommen, wenn es gelingt, durch Anästhesierung die vom Entzündungsherd ausgehenden, in den zentripetalen sensiblen Nerven verlaufenden Reflexe auszuschalten. Eine schon bestehende Entzündung wird durch Anästhesierung des Entzündungsherdes rasch der Heilung entgegengeführt."

F. HUNEKE sagte: ,,Die Entzündung können wir mit *Impletol* heilen, ganz gleichgültig, wo sie sitzt und wodurch sie hervorgerufen ist. Das ist eine Aussage, die so viel Wirklichkeitswert besitzt, daß man mit ihr allein eine ganze Praxis anders gestalten kann."

Die Neuraltherapie greift am Wesen der Entzündung an. Darum ist sie a priori b e i a l l e n a u f - i t i s e n d e n d e n   K r a n k h e i t e n   i n d i z i e r t !

Enuresis nocturna: Eine organisch bedingte Inkontinenz, Epilepsie, Mongolismus und Idiotie sind von der Behandlung auszuschließen. — Die zentral und segmental bedingten Innervationsstörungen des Blasenverschlußmechanismus lassen sich mit Hilfe der Neuraltherapie meist einfach und mit verblüffendem Erfolg beseitigen: Wir setzen 4—6 — (T) — Quaddeln über der Kreuz- und Steißbeingegend. Alte Pädiater meinen, bei diesem Leiden hilft alles, was dem Kind imponiert. Vielleicht hilft auch hier auch etwas die Angst vor der schmerzhaften Behandlung über den psychologischen Sektor mit, daß sie so wirkungsvoll ist. Beim Nachlassen der Wirkung muß sie s o f o r t wiederholt werden. — Lehnen die Eltern die Injektion ab, machen wir — (T) — Ponndorf-Impfungen über dem Kreuzbein.

Eine Kombination dieser Therapie mit erprobten Kniffen aus der Kinderpsychiatrie kann nie schaden: Das Kind bekommt die Süßigkeit nicht als Betthupferl, sondern darf sie erst früh verzehren, wenn das Bett trocken geblieben ist. Auf einen Kalender kommt dann ein bunter Kreis statt des schwarzen Kreuzes, das beim Versagen notiert werden muß. Diese Buchführung ist allen Respektspersonen, besonders dem Onkel Doktor, in Abständen vorzuzeigen. Lob spornt an. Immer wieder muß dem Kind einsuggeriert werden, daß es nun von der vollen Blase geweckt wird. Gewährenlassen und Kapitulieren ist ebenso verkehrt wie harte Strafen. Der Tiefschlaf muß bei voller Blase durch den Weckreflex unterbrochen werden, der erst im Unterbewußtsein gebahnt werden muß.

Enzephalitis: Außer Antibiotika noch *Procain* — (T) — intravenös und unter die Kopfschwarte zur Beseitigung der Begleiterscheinungen und zur Prophylaxe gegen Spätschäden. In schweren Fällen und bei Spätfolgen Injektionen an das — (T) — Ganglion stellatum oder — (T) — zisternale Impletol-Injektion.

Enzephalomalazie: *Procain* — (T) — intravenös, unter die — (T) — Kopfschwarte und Injektionen ans — (T) — Ganglion stellatum.

Epididymitis: Wie bei jeder — (K) — Entzündung lokal — (T) — Quaddeln über dem erkrankten Gebiet. Im hochakuten Zustand zusätzlich etwa 1 ml an den Funiculus spermaticus, dann bald mit feiner Nadel an und in die ertastete Schwellung des Nebenhodens 0,5—1 ml. In chronischen Fällen (Go. ausschließen!), die darauf ungenügend ansprechen, Injektionen in die — (T) — Prostata oder — (T) — epidurale Infiltration.

Epikondylitis: — (K) — Periosterkrankungen

Epilepsie: a) G e n u i n e E p i l e p s i e. Echte Erbleiden sind mit der Neuraltherapie nicht zu heilen. Bei der genuinen E. besteht ein Dauerschaden im Gehirn. Dieser stellt die Ursache für eine Krampfbereitschaft dar, die die Tendenz hat, autonom zu werden und zu automatisieren. Von den Versuchen SPERANSKIS her wissen wir, daß jede Stelle des Gehirns zum epileptogenen Störfeld werden kann. Ist das Anfallsgeschehen erst einmal in Gang gesetzt, kann es automatisch weitergehen, selbst die operative Entfernung des Primärherdes hat dann keine Wirkung mehr. Offenbar entladen sich im Anfall wie bei einem Gewitter elektrobiologische Spannungsdifferenzen, die sich nicht auf physiologische Weise ausgleichen können. — Da man in den meisten Fällen nicht weiß, ob eine ererbte oder erworbene Form der Fallsucht vorliegt, ist ein Behandlungsversuch in Zweifelsfällen immer gerechtfertigt. Dabei zeigt sich, daß es zu dem autonomen Hirnschaden noch zusätzlich periphere epileptogene Zonen gibt, die uns zugänglich sind. Mit ihrer Behandlung können wir nicht selten die Zahl und Schwere der Anfälle deutlich bessern! Traten die ersten Anfälle beispielsweise mit der Menarche auf, gehen wir an den — (T) — gynäkologischen Raum, war der Beginn kurz nach einer Pockenimpfung, suchen wir die Impfnarben auf. Bei kryptogenen Fällen versuchen wir neben — (T) — intravenösen Injektionen und solchen unter die — (T) — Kopfschwarte mit Testinjektionen an die Appendix, Tonsillen, Narben usw. die innere Spannung und damit die Anfälle zu reduzieren. — Man lasse sich dabei nicht durch einen Anfall irritieren, der am Tage nach der Behandlung auftreten kann. Eine Buchführung, die große und kleine Anfälle getrennt aufführen muß, kann zeigen, ob durch eine Injektion größere anfallsfreie bzw. anfallsarme Phasen zu erzielen sind.

b) T r a u m a t i s c h e E p i l e p s i e. Die Behandlung der sog. Jackson-Epilepsie ist ein wesentlich dankbareres Gebiet für uns. Als Beispiel ein Fall aus der Praxis: Patient K. St.: 1914 Kopfschuß, danach vierzig (!) Jahre lang unbeeinflußbare Kopfschmerzen und mindestens 3- bis 4mal wöchentlich ohne jede Aura große Anfälle. Nach nur vier Behandlungen (erst einmal wöchentlich, später seltener) mit *Impletol* — (T) — intravenös und unter die — (T) — Kopfschwarte und unter die Narbe bis ans Periost jetzt seit 15 Jahren völlig beschwerde- und anfallsfrei. Der Patient ist in dieser Zeit für jeden sichtbar deutlich geistig beweglicher geworden. — Bei Vorhandensein einer Aura kann man epileptische Anfälle durch Injektionen an das — (T) — Ganglion stellatum abfangen. Offenbar kann man damit die spastischen Impulse für die Hirngefäßinnervation abschalten. Ob es allerdings vom ärztlichen Standpunkt aus zweckmäßig ist, die fällige Entladung ganz zu unterdrücken, bezweifle ich.

c) S t a t u s e p i l e p t i c u s Lokalanästhetika lösen bekanntlich in hohen Dosen Krämpfe aus. In subkonvulsiven Dosen wirken sie dagegen meist krampflösend, ohne die Nebenwirkungen auf das Bewußtsein zu haben, wie die früher gebräuchlichen Barbiturate. Etwa 80 % der Fälle mit Grandmal- und Jackson-Anfällen reagieren prompt auf eine intravenöse Gabe von 2—3 mg/kg Körpergewicht *Xylocain*, das innerhalb von 30—40 Sekunden injiziert wird. Wenn die Epilepsie auf *Xylocain* anspricht, sistieren die Anfälle innerhalb einer halben bis einer Minute. Die Wirkung hält etwa 20 Minuten an. Kommt der Anfall dann wieder, sollte auf eine intravenöse Dauertropfinfusion mit physiologischer Kochsalz- oder Glukose-Lösung in einer Dosis von 6—8 (nicht über 10) mg/kg/Stunde übergegangen werden. Beispiel: 8 mg x 70 kg Körpergewicht x 2 Stunden = 8 x 70 x 2 = 1 120 mg *Xylocain*. 1 000 mg entsprechen 50 ml von 2 % *Xylocain* (ohne *Adrenalin*!) Die Infusion soll 2—3 Stunden nach dem letzten Anfall fortgeführt werden.

Wenn sie 5 Stunden überschreitet, sollte man alle 2 Stunden 2 mg/kg Körpergewicht eines langwirkenden Barbiturates intramuskulär injizieren, um die kortikale Exzitation zu dämpfen. In seltenen Fällen kommt es bei einer Überdosierung zu Krämpfen. Dann wird ein kurzwirkendes Barbiturat (z. B. 30—50 mg *Thiopenthal*) intravenös gegeben. Es sollte bei der i.v. Xylocain-Anwendung immer bereitliegen.

Episkleritis: — (K) — Augenerkrankungen

Erbleiden: Die Neuraltherapie ist bei echten Erbleiden, wie z. B. erblicher Blindheit oder Taubheit n i c h t indiziert. Wir müssen aber Erbkrankheiten von erblicher Disposition trennen. Wenn in einer Familie z. B. Asthma gehäuft auftritt, werden das schwache Organ Lunge und die Neigung zum Bronchospasmus vererbt. Schon über der Wiege des Patienten schwebt dann gleichsam ein Damoklesschwert, auf dem „Asthma" steht. Die beiden Fäden, an denen das Schwert hängt, können zeitlebens halten und der Patient wird dann trotz seiner Disposition nicht krank. Wenn aber der Erstschlag den ersten, der Zweitschlag den zweiten Faden durchtrennt, fällt das Schwert herab und der Betreffende wird krank. Gelingt es dem Arzt, Erst- und Zweitschlag zu eruieren und mit der Procain-Injektion im Reizgedächtnis zu löschen, hängt er das Schwert gleichsam wieder an den beiden Fäden auf. Die Disposition bleibt weiter unverändert, aber der Patient ist symptomenfrei und der Status wie vor der Erkrankung ist wiederhergestellt. Ebenso muß man bedenken, daß die Neigung zur Bildung von Zahngranulomen, chronischen Mandelveränderungen oder anderen Störfeldern mit dem schwach angelegten Organ vererbt sein kann. Dann treten die gleichen Krankheiten familiär gehäuft auf, ohne deswegen Erbkrankheiten zu sein. Das heißt: In Zweifelsfällen ist ein Therapieversuch immer gerechtfertigt!

Erbrechen, postoperatives: Procain-Lösung — (T) — intravenös und in die — (T) — Magengrube.

Erfrierungen: Die derzeitig übliche Therapie örtlicher Erfrierungen besteht in einem raschen Wiedererwärmen des erfrorenen Körperteiles auf 43 Grad Celsius und in der intravenösen Zufuhr niedermolekularen Dextrans, dem wir noch *Procain* zufügen wollen. *Procain* bekämpft den — (K) — Schock und hat eine positive Wirkung auf alle Komponenten des Kreislaufs. Die dringend notwendige Anregung einer besseren Durchblutung gelingt am besten und einfachsten mit einer wiederholten „medikamentösen Sympathektomie", die schon frühzeitig bei der Bergung und während des Abtransportes möglich ist. Sie besteht in Procain-Injektionen in und um die zuführenden — (T) — Arterien und an die zuständigen sympathischen — (T) — Ganglien, die ohne Bedenken auch bei schwer Unfallverletzten sofort anwendbar sind.

a) Obere Extremität: — (T) — intravenös, Plexus brachialis (— (T) — Nerven), — (T) — Arteria subclavia, — (T) — Ganglion stellatum. Bei Fingern und Zehen: Wiederholt umspritzen, auch — (T) — Oberstsche Anästhesie mit kleinen Dosen.

b) Untere Extremität: intra- und periarteriell in und an die — (T) — A. und den N. femoralis, Injektionen an den unteren — (T) — Grenzstrang bzw. an die — (T) — Ischiaswurzel. Bei Erfrierungen dritten Grades der unteren Extremität kann die Injektion an den unteren — (T) — Grenzstrang, bei denen der oberen entsprechend an das — (T) — Ganglion stellatum die Demarkation deutlich beschleunigen. Dabei wird die Demarkationslinie auch nach distal verschoben, d. h. schwer geschädigtes Gewebe, dessen Schicksal noch nicht entschieden ist und sonst absterben würde, kann erhalten werden. Durch die Injektion an den zugehörigen Sympathikus wird in der ersten Phase der Erfrierungen der arterielle Spasmus beseitigt, in der zweiten stellt sich das vasomotorische Gleichgewicht wieder her, im Stadium der Gangrän wird der Kollateralkreislauf erweitert. Bei der Nachbehandlung schwerer Erfrierungen bessern diese Injektionen die Schmerzen, die Durchblutungsstörungen und die Hyperhidrosis. — (T) — Neurozirkulatorische Störungen.

Erysipel: Frühzeitiges Umspritzen mit Procain-Lösung verhindert mit Sicherheit das Fortschreiten des Erysipels, das sich immer nur auf der Basis vegetativer Störungen mit lokaler Depolarisation und damit reduzierter körpereigener Abwehr entwickelt. In bedrohlichen Fällen können Injektionen an den regionären — (T) — Grenzstrang und seine — (T) — Ganglien lebensrettend sein, wenn die Antibiotika nicht ausreichen. Wir beleben damit die Herzkraft und den herabgesetzten vegetativen Tonus. Die Durchblutung wird verbessert, Stoffwechselschlacken werden schneller beseitigt und die Abwehrkräfte gesteigert. Wir bekämpfen so nicht allein den Erreger, sondern mindern die von ihm hervorgerufene Erregung auf ein ungefährliches Maß, mit dem die Regulationsmechanismen fertig werden.

Erythrodermien: — (K) — Hauterkrankungen, — (K) — Neurozirkulatorische Störungen

Erythromelalgie: Infiltration der befallenen Gewebspartien mit einem Lokalanästhetikum.

Exophthalmus: — (K) — Augenerkrankungen. Nach Angaben russischer Ophthalmologen verschwand ein E. von 8 mm innerhalb von zwei Tagen nach einer Zahnextraktion. F. HUNEKE schildert eine ähnliche Heilung von einer Strumektomienarbe aus und eine andere durch Injektionen im Segmentbereich.

Extrasystolie: — (K) — Herzerkrankungen

Fazialislähmung: Ätiologisch handelt es sich um ein Ödem, das wahrscheinlich durch einen Spasmus der Vasa nervorum bedingt wird. Bei frischen Fällen sofort Injektionen an das — (T) — Ganglion stellatum, die u. U. zwei bis drei Wochen lang alle zwei bis drei Tage zu wiederholen sind. Nach Beginn deutlicher Besserung genügen Injektionen etwa alle vierzehn Tage bis zur Heilung. Auch bei über ein Jahr zurückliegenden Fällen bessern Stellatum-Injektionen die zirkulatorischen Verhältnisse und beschleunigen die Resorption des Ödems. In leichteren Fällen kann es auch genügen, den N. facialis in der Parotisloge aufzusuchen. Einstich vor dem Ansatz des Ohrläppchens. Vor der Injektion ansaugen, es darf kein Blut aspiriert werden. Die Verteilung der Fazialisäste sehe man im topographischen Atlas nach. — Bei den störfeldbedingten Fällen rangieren die Zahnherde an erster Stelle!

Fazialisneuralgie: — (K) — Neuralgien

Fazialisspasmus (Tic facial): Injektionen an das — (T) — Ganglion stellatum und die peripheren Fazialisäste.

Fehlgeburt: — (K) — Abort, — (K) — Gynäkologische Erkrankungen

Fersenbein-Sporn: — (K) — Periosterkrankungen

Fettsucht: — (K) — Adipositas

Fieber: Gesundheit ist kein statischer Zustand, sondern das Produkt ständig aktiver Erhaltungs- und Wiederherstellungsbestrebungen der lebenserhaltenden Regulierungsmechanismen. Diesen kybernetisch wirkenden Selbstheilungskräften stehen in der Heilentzündung und dem Heilfieber wirksame Abwehrwaffen zur Verfügung. Wir biologisch eingestellten Ärzte sehen im Fieber zuerst einmal ein Heilfieber, die Re-Aktion der Natura sanans, die über das vegetative Grundsystem ganzheitlich wirkt. Die moderne Medizin sieht im Fieber eine meßbare Störung in chemisch-physikalischen Bereichen, die unbedingt sofort zur Norm zurückgeführt werden muß. Dazu werden die in akut lebensbedrohlichen Fällen so segensreichen Chemotherapeutika, Antibiotika und Kortikosteroide oft zu zeitig, zu hochdosiert und zu lange eingesetzt. Das hat die Reaktionsfähigkeit der körpereigenen Abwehr und den Verlauf vieler Krankheiten grundlegend verändert. Die genannten Mittel setzten zwar die Virulenz der Bakterien herab, auf der anderen Seite schwächen sie aber die natürliche Abwehr so sehr, daß die Bakterien in abgeschwächter Form wirksam bleiben und dann Störfelder oder Allergien hervorrufen können. PERGER und PISCHINGER konnten zeigen, daß die Chemotherapeutika, Antibiotika und Kortikosteroide die Reaktionsfähigkeit des vegetativen Grundsystems weitgehend einengen oder lähmen. Das bedeutet: Die akute — (K) — Entzündung wird in ein chronisches Geschehen umgewandelt, das die vegetativen Grundfunktionen fortlaufend weiter belastet und eine ständige Krankheitsbereitschaft zur Folge hat. Aus der akuten Krankheit, die von der Natur mit sinnvoller ärztlicher Unterstützung von innen heraus bekämpft und ausgeheilt werden könnte, wurde heute in vielen Fällen eine Störung, die von den Medizinern mit starkwirkenden Chemikalien und auf lange Sicht unbiologisch bekämpft wird. Das Unterdrücken der natürlichen Abwehr rächt sich nur allzu häufig, weil die Krankheit damit nur zu leicht in ein fortschwelendes chronisches Stadium mit Störfeldbildung überführt wird, das rezidivierenden Infektionen und neuen Krankheiten den Weg ebnet.

Procain wirkt fiebersenkend. Bei hochfieberhaften Infekten kann eine — (T) — intravenöse Procain-Injektion die Temperaturen innerhalb einer Stunde von über 39 Grad zur Norm abfallen lassen! Damit kann man u. U. die beginnende Krankheit mit allen Begleiterscheinungen kupieren. Bei Erkältungskrankheiten bewährt sich immer wieder die frühzeitige Anwendung des — (T) — Nasensprays mit einem Schleimhaut-Anästhetikum. — (K) — Grippe.

Fingererkrankungen: Lokale Umspritzung oder — (T) — Oberstsche Anästhesie. Injektionen in die Finger, vor allem Fingerspitzen, sind sehr schmerzhaft, daher vorher Hand fixieren!

Fissura ani: — (K) — Analfissur

Flatulenz: — (K) — Oberbaucherkrankungen

Fluor vaginalis: Gonorrhö und Trichomonaden ausschalten! — (K) — Gynäkologische Erkrankungen.

Föhnkrankheit: Zeichen einer gesteigerten Erregbarkeit des Vegetativums. Procain-Lösung — (T) — intravenös wirkt unabhängig von der jeweiligen vegetativen Ausgangslage entspannend und umstimmend. In den meisten Fällen wird aber erst das Ausschalten eines Störfeldes das gestörte Gleichgewicht bleibend wiederherstellen. — (K) — Dystonie, vegetative, — (K) — Wetterfühligkeit.

Fox-Fordycesche Krankheit: — (K) — Hauterkrankungen

Frakturen: Bei kleinen Frakturen, z. B. der Rippen, Finger oder Zehen, gebe man als erste Hilfe 1—2 ml einer Lokalanästhesie-Lösung an bzw. in den Bruchspalt. Man erzielt damit sofortige Schmerzfreiheit bis zu mehreren Tagen. Wiederholung bei Bedarf nach 2—3 Tagen. — Auch bei Gelenkfrakturen und gelenknahen Brüchen ohne Dislokalisation (Patella, Olekranon, Klavikula, oberes Humerusende) ermöglicht die Umspritzung der Fraktur eine baldige aktive Beweglichkeit und schnelle Heilung ohne Kontrakturen und Ankylosen. Es ist tierexperimentell bewiesen, daß die so mit *Procain* bzw. *Impletol* behandelten Frakturen schneller und besser heilen! Das ist nicht weiter verwunderlich, wenn man bedenkt, daß das Gewebspotential an den Bruchenden zusammenfällt. Dann stehen sich zwei negativ geladene Pole gegenüber, die sich abstoßen. Das *Procain* lädt das Potentialdefizit wieder auf und schafft so normale Spannungsverhältnisse und damit die Grundlage für eine bessere Heilungstendenz. Bei schlechter Kallusbildung spritzen wir ebenfalls ans Periost in Frakturnähe oder noch besser direkt in den Frakturspalt. Damit wird auch die Gefahr der Pseudarthrosenbildung verringert. LERICHE empfahl diese Behandlung schon 1928 und lobte die damit zu erzielende gute Durchblutung und nachweisbar schnelle Kallusbildung. Darüber hinaus verhindert eine frühzeitige Procain-Behandlung der Frakturen und der damit verbundenen Funktionsbeschränkungen zuverlässig jede vegetative Entgleisung zum — (K) — Sudeckschen Syndrom! — Jede Fraktur-Nahtstelle ist eine Narbe, die zum Störfeld für andere Krankheiten werden kann.

Frigidität: — (K) — Gynäkologische Erkrankungen, — (K) — Sexuelle Störungen. MINK empfiehlt bei Anorgasmie und Frigidität die Injektion von je 1 ml *Procain* beiderseits präperitoneal in der Mitte zwischen Symphyse und Spina iliaca ant. sup.

Frostbeulen: Lokal unterspritzen.

Frostschäden: — (K) — Erfrierungen, — (K) — Neurozirkulatorische Störungen

Funktionelle Erkrankungen: Wir sehen darin die Vorstufe eines organischen Leidens, das durch unsere zu groben Untersuchungsmethoden noch nicht erfaßt werden kann und behandeln sie entsprechend wie ein organisches Leiden.

Furunkel: Frühzeitiges Umspritzen im Gesunden läßt den Schmerz schnell abklingen, die Nekrose demarkieren und die — (K) — Entzündung abheilen. Der Sitz des ersten Furunkels läßt bei einer Furunkulose oft den Schluß darauf zu, welches Organ im zugehörigen Segment so gestört ist bzw. stört, daß die Abwehrkräfte an der Oberfläche geschwächt wurden. — (K) — Nasenfurunkel, — (K) — Oberlippenfurunkel.

Füße, kalte: — (T) — Quaddeln rings um die Knöchelgegend. Injektionen an das Periost der Fersenbein-Innenseite. Versuch mit Injektionen in und an die — (T) — A. femoralis und an die benachbarte Fossa ovalis oder suprapubische Infiltration in den — (T) — gynäkologischen Raum. Die Akupunktur kennt auch noch den Einstich an der Fußsohle zwischen Großzehen- und Kleinzehenballen. — (K) — Dystonie, vegetative, — (K) — Neurozirkulatorische Störungen.

Gallenblasenerkrankungen: — (K) — Oberbaucherkrankungen

Ganglion: Die Synovia-Zysten treten gern am Handgelenkrücken auf. Solange sie nicht stören, sollte man sie nicht behandeln. Man kann versuchen, sie durch starken Druck oder Schlag zu beseitigen. Allerdings gibt das häufig Rezidive. Die Operation ist ein relativ großer Eingriff, und auch nicht rezidivfrei! Die einfachste Therapie: Punktion und Absaugen des Ganglien-Inhalts, darauf Injektion von Procain-Lösung und straffer Verband für einige Tage.

Gangrän: — (K) — Darmbrand, — (K) — Neurozirkulatorische Störungen

Gastrische Krisen: — (K) — Tabes. Echte gastrische Krisen lassen sich oft nicht mit Lokalanästhetika beeinflussen. Ein Versuch muß jedoch gemacht werden. Es kann auch (unabhängig von der Tabes) eine Störfeld-Fernstörung vorliegen, die für die — (K) — Oberbauchsensationen verantwortlich zu machen ist.

Gastritis: — (K) — Oberbaucherkrankungen

Gaumenerkrankungen: — (T) — N. glossopharyngeus, — (T) — Nn. palatini.

Gebärmuttererkrankungen: — (K) — Gynäkologische Erkrankungen

Geburtshilfe: Die moderne Frau ist häufig überempfindlich gegen Schmerzen. Die Bekämpfung der Geburtsschmerzen, die zu störenden Abwehrreflexen führen können, ist daher zu einem dringenden Problem geworden. Der Circulus vitiosus: Angst — Schmerz — Verkrampfung — Angst wird bei der Psychoprophylaxe am Angriffspunkt Angst angegangen. Dazu gehören Zeit und Spezialkenntnisse. Aber jeder Arzt ist in der Lage, den Schmerz soweit zu lindern, daß die Kräfte der Frau zielstrebiger und ökonomisch eingesetzt werden können. Damit wird die Geburtsdauer eindeutig verkürzt. — Wichtig ist zu wissen, daß der Uterus durch *Procain* für das Hypophysen-Hinterlappen-Hormon sensibilisiert wird. Es ist dabei dem *Chinin* in jeder Hinsicht überlegen: Es gibt keine Unverträglichkeit, es ist kein Zellgift, es lindert gleichzeitig den Schmerz und Krampfzustände und beschleunigt so die Geburt. — Eine — (T) — intravenöse, bei Bedarf wiederholte Injektion macht sich in Verbindung mit — (T) — Quaddeln über der Kreuzbein- und Symphysengegend in jedem Falle bezahlt! Ist der Uterus wehenbereit, können die Quaddeln in diese zum Genitale gehörenden Dermatome über kutiviszerale Reflexbögen Wehen auslösen. Je nach Reaktionsbereitschaft, also der vegetativen Ausgangslage, können die gleichen Quaddeln den Uterus beim Wehensturm auch beruhigen. Vorzeitige Wehen können dadurch nicht ausgelöst werden. Genügen die Quaddeln nicht, um den Geburtsschmerz zu mildern, geben wir noch eine Injektion an den — (T) — N. pudendus oder eine — (T) — epidurale Injektion. — Nach WISCHNEWSKI bewirkt eine Injektion an den lumbalen — (T) — Grenzstrang nach 2—3 Stunden eine schnelle aktive Eröffnung auch des rigiden Gebärmutterhalses und eine beschleunigte Fruchtausstoßung durch direkte Einwirkung auf die Innervationsmechanismen der Gebärmutter und damit auf die motorische Funktion.

Procain kann in der Gravidität und Geburtshilfe unbedenklich angewendet werden. Es schadet dem Foeten (in unseren geringen Dosen) nicht, weil es schon im Gewebe und Plasma der Mutter durch eine Reihe von Esterasen hydrolisiert und entgiftet wird. — *Xylocain (Lidocain)* und *Scandicain (Mepivacain)* gelangen dagegen in den fetalen Kreislauf. Sie werden normalerweise unverändert in den mütterlichen Kreislauf zurückgegeben und in der Leber der Mutter entgiftet. Anders liegen die Dinge, wenn diese modernen Lokalanästhetika sub partu verwendet werden. So beim sogenannten „Parazervikalblock", einer heute in der Klinik vielgeübten Methode zur Geburtserleichterung. Sie entspricht unseren Injektionen an die — (T) — Frankenhäuserschen Ganglien. Das *Lidocain* gelangt schon zwei Minuten nach Anlegen des „Blocks" ins kindliche Blut und erreicht nach 10 Minuten bei Mutter und Kind die höchste Konzentration. Die sinkt bei der Mutter verhältnismäßig schnell ab, beim Kind ist das *Lidocain* noch bis zu 45 Minuten im Blut nachweisbar. Das bedeutet: Wenn das Kind innerhalb dieser Zeit geboren und abgenabelt wird, hat es das Mittel noch in seinem Blut. Es kann in der kindlichen Leber nur sehr langsam abgebaut werden. Die pharmakologische Wirkung der dabei auftretenden Metaboliten ist bisher noch unbekannt. Die Schädigung des Kindes durch das sub partu aufgenommene *Lidocain* kann zu Krämpfen, Bradykardie und zentralnervöser Depression führen. Bei Verwendung von *Procain* ist das nicht zu befürchten.

D a m m s c h u t z : Sobald der kindliche Kopf sichtbar wird, infiltrieren wir den Damm und die beiden unteren Labienhälften mit insgesamt 5—10 ml *Procain*. Noch sicherer ist eine Injektion an den — (T) — N. pudendus. Durch das Aufhören des Dammschmerzes wird die Kreißende besser lenkbar. Der anästhetische und aufgelockerte Damm ist weniger rigid, so daß Dammrisse und Episiotomien unter dieser Prophylaxe fast immer vermieden werden können! Wer ganz sicher gehen will, kann dem Lokalanästhetikum noch *Hyaluronidase* zusetzen.

Gefäßverschlüsse: Bei akuten peripheren G. beseitigt eine an mehreren Stellen durchzuführende peri- — (T) — arterielle Sympathikus-Anästhesie den Gefäßspasmus und bessert die Schmerzen für 4—6 Stunden erheblich. Nach einigen Wiederholungen bei wiederauftretenden Beschwerden gelingt es fast immer, die Durchblutung wieder in Gang zu bringen und die Kollateralen einzuschalten. Eine zusätzliche Anästhesie der zuführenden — (T) — Nerven und des segmental zuständigen — (T) — Grenzstrangs kann diesen Erfolg nur sichern und beschleunigen. — L u n g e n e m b o l i e : — (T) — intravenös, Injektion ans gleichseitige (evtl. zusätzlich auch ans gegenseitige) — (T) — Ganglion stellatum und 2 ml über die betroffene Pleura zwischen die Rippen verteilen. — Bei L u f t e m b o l i e : — (T) — intravenös. — Bei Z e r e b r a l e m b o l i e : — (K) — Apoplexie. Bei G e f ä ß s k l e r o s e n : — (K) — Neurozirkulatorische Störungen.

Gehirnblutung: — (K) — Apoplexie

Gehirnerschütterung: — (K) — Commotio cerebri

Gehirnlues: — (K) — Lues cerebri

Gehirntumor: Bei inoperablen Tumoren oder postoperativem Kopfdruck u. dgl.: — (T) — intravenös, — (T) — Kopfschwarte, evtl. — (T) — Ganglion stellatum.

Gehirnverkalkung: — (K) — Alterskrankheiten

Geisteskrankheiten: Hier ist die Neuraltherapie n i c h t indiziert. Ausnahmen: Gewisse Fälle von — (K) — Depressionen, — (K) — Schizophrenie.

Gelbsucht: — (K) — Hepatitis

Gelenkerkrankungen: Wir müssen uns klar darüber sein, daß auch das Gelenk nicht rein anatomisch-mechanisch erklärt und beurteilt werden kann. Es ist in das lebendige Ganze eingegliedert und kann störenden Reizimpulsen von weitabgelegenen Stellen ausgesetzt sein. So finden wir

z. B. bei Knie- und Hüftarthrosen häufig in der Vorgeschichte oder gleichzeitig bestehend eine
— (K) — Thrombophlebitis, die als nervales Störfeld bzw. als „Narbe im Segment" im weiteren Sinne gewertet und dementsprechend behandelt werden muß. Der gefäßlose Knorpel wird
mittels Diffusion durch die Kapsel miternährt. Ist die Durchblutung der Kapsel gestört, degeneriert der Knorpel. So besteht die Aufgabe der Arthrosisbehandlung vornehmlich darin, die
Durchblutung der Kapsel zu verbessern. Das lege artis angewandte Lokalanästhetikum entfaltet
neben der therapeutisch wesentlichen Schmerzstillung seinen erwiesenen Einfluß auf die Reaktivierung der Kapillartätigkeit und Normotonisierung der terminalen Strombahn. — Bei entzündlichen Gelenkerkrankungen gilt es, mit unseren Injektionen die pathologischen Reflexe zu
durchbrechen.

Bei einzelnen kranken Gelenken im Bereich des Oberkörpers geben wir wieder als Basisbehandlung 1 ml *Procain* — (T) — intravenös. Dann anschließend — (T) — Quaddeln über dem
Gelenk. Dann infiltrieren wir durch diese hindurch in die Tiefe an vorher ertastete Schmerzpunkte (— (T) — intramuskuläre Infiltration), die gern in der umgebenden Muskulatur, am
Periost oder am Ansatz des Kapsel- und Bandapparates liegen. Beim S c h u l t e r g e l e n k
schalten wir die Schmerzpunkte und Gelosen aus, die an den Ansatzpunkten der Innen- und
Außenrotatoren und am Ursprung und Ansatz des Deltamuskels zu suchen sind. Die Injektionen
in die — (T) — Gelenke und die im Bereich des Oberkörpers so wirkungsvolle Injektion an das
— (T) — Ganglion stellatum kommen erst dann zur Anwendung, wenn die einfacheren Injektionen nicht ausreichen. Vergessen wir gerade bei der Behandlung der Gelenkerkrankungen
nicht, daß die — (T) — Ponndorf-Impfung die Procain-Wirkung noch verstärken kann. Dasselbe gilt auch für die Plenosol-Behandlung! — Der wichtigste Akupunkturpunkt bei allen Gelenkerkrankungen ist der 3E5: Der Patient legt seinen Arm mit ausgestreckten Fingern auf die
Schulter der Gegenseite. Wir halbieren die Strecke Ellenbogen—Fingerspitzen und finden den
Punkt auf der radialen Ulna-Seite. Er wird beiderseits gequaddelt.

Bei H ü f t g e l e n k s-Erkrankungen genügt oft eine wiederholte Injektion von 2 ml
Procain ans Periost des — (T) — Trochanter major, der uns wegen seiner oberflächlichen Lage
leicht zugänglich ist. Diese einfache Maßnahme wird in vielen Fällen (bei genügender Wiederholung) völlig ausreichend sein! In hartnäckigen Fällen gehen wir zusätzlich oberhalb und dorsal
der Pfanne an das Periost des Beckenknochens, gelegentlich auch an die Spina iliaca ant. sup. Bei
starken Schmerzen, die in die Leistengegend lokalisiert werden, kann eine Injektion von 1 ml
eines Lokalanästhetikums an das Periost des Schambeines helfen. Ebenso kann eine Injektion an
den — (T) — N. obturatorius weiterbringen. Das Hüftgelenk wird sensorisch zu 80 % vom
N. obturatorius versorgt, die restlichen 20 % von einem Ast des N. ischiadicus oder einem
akzessorischen N. obturatorius. Die Vossche Operation bessert die Hüftgelenks-Schmerzen
durch eine Entspannung des Gelenk-Innendruckes, die mit der Durchtrennung einzelner Muskeln erkauft wird. Eine ähnliche Entspannung kann man unblutig erreichen, wenn man die tastbaren Gelosenstränge mit einem Lokalanästhetikum infiltriert. 3 cm kranial vom Trochanter infiltrieren wir fächerförmig die Ansätze des Tractus iliotibialis, dazu die Ansätze der Mm. glutaei
und die kranialen Anteile des M. sartorius. Beim Nachlassen der Anästhesie kann ein Nachschmerz auftreten. Es ist ein echter Dehnungsschmerz, der durch langsame Injektion gemildert
werden kann. Die Wirkung der Injektion sollte erst nach Abklingen dieses Nachschmerzes nach
1—2 Tagen beurteilt werden. — Sonst gehen wir direkt ins — (T) — Gelenk. Eventuell müssen
— (T) — Quaddeln über der Kreuzbeingegend und beiderseits der Lendenwirbelsäule mit
— (T) — intramuskulären Infiltrationen und Injektionen an die oft klopfempfindlichen Dorn-
und Querfortsätze der Lendenwirbelkörper helfen, die sekundär bedingten Gelosen und Muskel-
und Knochenhyperalgesien zu beseitigen, die ja ihrerseits störende Reflexe zum kranken Gelenk
aufrechterhalten. Das wird besonders bei Beinverkürzungen der Fall sein. Gelegentlich werden

wir sogar bis an die — (T) — Ischiaswurzel oder den gleichseitigen unteren — (T) — Grenzstrang gehen müssen. Natürlich kommen hier auch die — (T) — epiduralen oder — (T) — präsakralen Infiltrationen in Frage, ebenso Injektionen an den — (T) — N. obturatorius und in und an die zuführenden — (T) — Arterien und — (T) — Nerven. Jede länger dauernde Hüftarthrosis führt eine Kniearthrosis nach sich, die dann am besten gleichzeitig mit — (T) — Quaddeln angegangen wird. Die Streckmuskulatur oberhalb des Kniegelenks ist dann auffallend verhärtet. Wir sondieren mit einer 6 cm langen Kanüle handbreit oberhalb der Patella in die Tiefe. Dicht vor Erreichen des Femur hat man das Gefühl einer Resistenz, der Patient gibt dort auch starke Schmerzen an. Wir infiltrieren diese Schicht mit etwas *Procain* und geben anschließend noch einige Teilstriche an das Periost. — Hilft das alles nichts, fahnde man auch nach einem — (K) — Psoas-Syndrom.

Die K n i e a r t h r o s i s tritt so oft mit — (K) — Varizen und rezidivierenden Thrombophlebitiden auf, daß offensichtlich ursächliche Beziehungen zwischen beiden bestehen. Darum geben wir mit gutem Erfolg jedesmal einige Intrakutanquaddeln über die Varizenknoten und vor allem die Thrombose-Residuen mit. Wenn wir erfolgreich sein wollen, dürfen wir nie die Erfahrungstatsache aus den Augen lassen, daß einzelne Schmerzzonen untereinander in einer pathogenen Wechselbeziehung stehen können. Also: Ubi dolor — ibi injectio! Am Kniegelenk finden sich die Schmerzpunkte meist am Lig. collaterale med. und auch lat. und in Höhe des Gelenkspaltes zwischen Innenband und Patella, seltener an der Tuberositas tibiae. Durch eine — (T) — Quaddel hindurch suchen wir die ertasteten Schmerzpunkte am Bandapparat, am Periost und in der Muskulatur der Gelenksumgebung auf.

Mit allen diesen Maßnahmen können wir bei segmentgebundenen Erkrankungen einen deutlichen Rückgang der Beschwerden und eine Verbesserung der Beweglichkeit, aber natürlich keine wesentlichen Veränderungen am Röntgenbild erzielen. Unser Ziel ist die Wiederherstellung der Funktion! — Eine derartige gezielte Segmenttherapie beseitigt auch die reflektorisch bedingte Fixation der Gelenke nach Gelenkerkrankungen, — (K) — Frakturen, — (K) — Luxationen und stumpfen — (K) — Verletzungen und ermöglicht eine frühzeitige Bewegungstherapie. Schmerzausschaltung, Hyperämie und Herabsetzung des Muskeltonus greifen dabei ineinander und helfen die Funktion vor Eintritt der Muskelstarre und knöchernen Versteifung wiederherzustellen. Wir vermeiden so Kapsel- und Bandschrumpfungen, Kontrakturen und vor allem den Übergang in das gefürchtete — (K) — Sudecksche Syndrom.

Auch hier gilt wieder der Satz: Alle unsere Bemühungen im Segment sind zum Scheitern verurteilt, wenn die krankmachenden Impulse von einem ferngelegenen Störfeld ausgehen. Versagt also die Segmenttherapie, müssen wir auf die Störfeldsuche gehen. Bei der Polyarthritis (— (K) — Rheumatismus) werden wir sogar damit beginnen. — Auch das schlechteste Röntgenbild sollte uns nicht von der Behandlung abhalten. Wie oft finden wir auf dem Röntgenbild als Nebenbefund eine starke Arthrosis deformans, von der der Träger nichts wußte, weil seine deformierten Gelenke noch schmerzfrei und zufriedenstellend arbeiten. Hier muß also wie bei anderen Leiden noch ein Faktor hinzukommen, der dem Kranken das Geschehen fühlbar bewußt macht, der ihn erst zum Leidenden werden läßt. In vielen Fällen können wir diesen Faktor in einem Störfeld nachweisen und ausschalten. — (K) — Zervikalsyndrom, — (K) — Periarthritis humeroscapularis.

Gelenkrheumatismus: — (K) — Rheumatismus

Gelosen: — (T) — intramuskuläre Infiltration. Differentialdiagnose Gelose: Neuralgie — (K) — Zervikalsyndrom.

Genitalschmerzen: — (K) — Dysmenorrhö, — (K) — Epididymitis, — (K) — Gynäkologische Erkrankungen, — (K) — Sexuelle Störungen, — (K) — Prostataerkrankungen, — (K) — Vaginismus

Gerstenkorn: — (K) — Hordeolum

Geruchsstörungen: — (K) — Anosmie

Geschwür: Zeitig um- und unterspritzen ergibt schnelle Heilung, Unterschenkelgeschwür — (K) — Ulcus cruris.

Gesichtsödem, persistierendes nach Erysipelen: — (T) — Ggl. stellatum

Gesichtsschmerzen: — (K) — Trigeminusneuralgie. Vergleiche auch die Headschen Zonen der Zähne im Kapitel: Die Segmenttherapie, Seite 78.

Gestosen: — (K) — Eklampsie

Gicht: Die Gicht ist Folge einer Regulationsstörung, die letzten Endes als Ergebnis einer Fehlsteuerung in den vegetativen Zentren des Zwischenhirns auftritt. Daher haben auch hier die Maßnahmen, die unter — (K) — Gelenkerkrankungen empfohlen wurden, Aussicht auf Erfolg. Bewirken sie doch bei Ansatz am richtigen Ort die Normalisierung der vegetativen Fehlsteuerung.

Gingivitis: — (K) — Parodontosen

Glaskörperblutungen: — (K) — Augenerkrankungen

Glaukom: — (K) — Augenerkrankungen

Gleichgewichtsstörungen: — (K) — Hirntumor ausschalten! *Procain* — (T) — intravenös in Verbindung mit Injektionen unter die — (T) — Kopfschwarte. Bei vestibulären Gleichgewichtsstörungen: — (K) — Ohrenerkrankungen. Bei Versagen Störfeldsuche (Fall 3, Seite 101).

Glomerulonephritis: — (K) — Nierenerkrankungen

Glossopharyngeus-Neuralgie: Kauen, Gähnen und thermische Reize können neuralgische Anfälle auf der betroffenen Halsseite, im Schlund, in der Zunge, der Tonsille und bis ins Ohr ausstrahlend auftreten lassen. Bei Druck auf die Tonsille, den Gaumenbogen, die seitliche Rachenwand und das hintere Zungendrittel werden starke Schmerzen ausgelöst. — Therapie: Injektionen an den — (T) — N. glossopharyngeus oder an die — (T) — Tonsillae palatinae und pharyngea, ans — (T) — Mastoid und — (T) — Quaddeln im Bereich der Schädelbasis, sonst — (T) — Ggl. cervicale sup. mit retrostyloidalem Raum oder — (T) — Ggl. stellatum. Bei Versagen Störfeld suchen. — (K) — Costen-Syndrom, — (K) — Neuralgien, — (K) — Trigeminus-Neuralgie.

Gonarthrosis: — (K) — Gelenkerkrankungen

Gracilis-Syndrom: — (T) — N. obturatorius.

Granuloma anulare: Um- und unterspritzen, — (K) — Hauterkrankungen.

Grippe: Alle Antipyretika haben gleichzeitig auch eine anästhesierende Wirkung. Wir erreichen die gleiche fiebersenkende Wirkung, wenn wir ein Anästhetikum, z. B. *Impletol* — (T) —, intravenös anwenden. Dabei wirkt die gefäßdilatierende Coffein-Komponente potenzierend. Bei akuten Infekten mit — (K) — Fieber um 39 Grad kann eine solche Injektion Wunder wirken: Die Temperaturen normalisieren sich fast zusehends, alle Begleiterscheinungen können ebenso schnell mitverschwinden.

Gürtelrose: — (K) — Herpes zoster, — (K) — Hauterkrankungen

Gynäkologische Erkrankungen: Vor jeder Neuraltherapie maligne Prozesse ausschalten! Alle erfahrenen Neuraltherapeuten sind sich darüber einig, daß in der Gynäkologie zu schnell und zu oft operiert wird. Wir sehen in der Praxis kaum mehr eine Frau über 40 Jahre, die nicht mindestens einmal in ihrem Leben mit dem Skalpell eines der oft zu messerfreudigen Frauenärzte in Berührung gekommen ist. Wenn wir dann immer wieder erleben können, wie souverän unsere Injektionen bei der Mehrzahl aller funktionellen und organischen Krankheiten im kleinen Becken der Frau helfen, dann fragen wir uns jedesmal wieder, wie lange es noch dauern wird, bis der letzte Gynäkologe lernt, daß ihm mit den harmlosen Injektionen der Neuraltherapie ein „konservatives Messer" (LERICHE) in die Hand gegeben ist, das auch eine große Zahl aller chirurgischen Eingriffe im gynäkologischen Raum überflüssig machen kann. Das Messer sollte i m m e r die letzte Zuflucht sein, wenn a l l e konservativen Maßnahmen ausgeschöpft sind. Professor GOECKE (Münster) schätzt, daß 40 % aller Frauen auf Grund vegetativer Dysregulationen an Störungen im gynäkologischen Sektor erkranken. Er erzielt bei den Frauen, die in der überwiegenden Mehrzahl erfolglos mit verschiedensten Maßnahmen vorbehandelt wurden, allein mit der von HUNEKE angegebenen S e g m e n t therapie in 60—70 % Erfolge! TYPL kam bei über 1000 Behandlungen auf gleiche Zahlen: 71 % Heilungen, 28 % Besserungen und nur 1 % Versager, die der Operation zugeführt wurden. Wir sind überzeugt davon, daß ein Teil der Mißerfolge durch eine richtige Störfeldsuche auch ohne Operation über das Huneke-Phänomen hätte geheilt werden können. — Gynäkologische Erkrankungen werden oft von — (K) — hormonalen und — (K) — sexuellen Störungen begleitet. Die stimulierende Wirkung des *Procains* auf die Ovarien wurde objektiv nachgewiesen (ASLAN, MARX). Durch Vaginalabstriche wurde eine verstärkte Bildung und Ausschüttung von Follikelhormonen und eine Gesundung der vulvovaginalen Mucosa nachgewiesen. Auch degenerative Involutionserscheinungen der Geschlechtsorgane im Klimakterium werden durch *Procain* nachweisbar gestoppt und rückgebildet.

Die Segmenttherapie bietet uns folgende Möglichkeiten:

a) Die Sammelstelle für das Innervationsgebiet des Plexus hypogastricus ist das 1. bis 3. Lumbalsegment des Rückenmarks. Wir erreichen es mit — (T) — Q u a d d e l n über dem Unterbauch und der Kreuzbeingegend. Nur ein suchendes Palpieren und Abrollenlassen und zartes Kneifen der Haut zwischen den gut eingeölten Fingern wird uns auf die so bedeutungsvollen hyperalgetischen Punkte und Zonen führen. Natürlich sind wieder alle Narben in diesen Bereichen zu behandeln. Bei richtiger Lokalisation der Quaddeln wirken wir in jeder Hinsicht auf kutiviszeralen Reflexbahnen von der Peripherie her normalisierend auf das erkrankte Organ ein. Oft genügt allein diese einfache Maßnahme. — Auch die Bauchdecken sind gründlich abzutasten und Schmerzpunkte anzuzeichnen. Die Kanüle wird durch eine dort gesetzte Quaddel langsam suchend vorgeführt, um den maximalen Schmerzpunkt je nach Lage subkutan, intramuskulär, intrafaszial, subfaszial oder präperitoneal aufzuspüren. Dort wird mit wenig *Procain* infiltriert. Man beachte dabei die Mimik der Patientin und fixiere mit der freien Hand ihr Becken, um bei Ängstlichen plötzliche Abwehrbewegungen abzufangen. Injektionen in Blutgefäße dieses Bereichs sind ungefährlich. Hier braucht also nicht angesaugt zu werden. Gelegentlich auftretende Hämatome sind harmlos und wirken sogar noch zusätzlich im Sinne einer Eigenblutinjektion. Selbst eine intraperitoneale Injektion wäre unbedenklich, aber wirkungslos, weil sie nicht auf ein reizleitendes System träfe. — Die auf den ersten Blick zeitraubende Voruntersuchung auf hyperalgetische Punkte in allen Schichten des Segmentes hilft immer Behandlungen einsparen und die Leidenszeit der Patientinnen verkürzen. So gesehen sparen wir also damit Zeit ein! — Finden wir Schmerzpunkte am P e r i o s t der Lendenwirbel, des Kreuz- oder Steißbeines oder an der Symphyse (nach denen wir suchen müssen), so muß natürlich auch dorthin etwas *Procain* gegeben werden.

Genügt das Angehen von Schmerzpunkten allein nicht, geben wir etwa einmal wöchentlich bzw. bei neuauftretenden Beschwerden:

b) Injektionen durch die Bauchdecken an und in das Peritoneum des — (T) — g y n ä k o l o g i s c h e n R a u m e s. Oder

c) Injektionen an die — (T) — F r a n k e n h ä u s e r s c h e n G a n g l i e n.

d) — (T) — intramurale Injektion in den Uterus bei Zustand nach Strahlenbehandlung, Zervixstümpfen, Emmetschen Rissen, Kaiserschnitt, Konisation, Placenta accreta, Abrasio und ähnlichen Eingriffen am Uterus, auch nach Endo- und Myometritis.

Mit dieser Segmenttherapie werden wir in den meisten Fällen den unspezifischen Fluor, die — (K) — Dysmenorrhö, alle — (K) — funktionellen Störungen im Genitalbereich, alle Formen von Unterleibsentzündungen, Menorrhagien und andere Blutungsanomalien heilen oder zumindest zufriedenstellend bessern. Wir können dabei weitgehend auf Hormone verzichten. Schließlich unterliegt auch die Hormonsteuerung der vegetativen Oberaufsicht.

e) In manchen Fällen werden wir auch auf Injektionen an den — (T) — N. p u d e n d u s, auf — (T) — e p i d u r a l e oder — (T) — p r ä s a k r a l e Infiltrationen oder eine — (T) — paravertebrale Injektion in die unteren Lumbalsegmente zurückgreifen oder unser Glück an den

f) Reflexzonen der — (T) — N a s e n m u s c h e l bzw. mit einem N a s e n s p r a y versuchen.

g) Von der A k u p u n k t u r lernten wir, bei Erkrankungen der Oberbauch- und Beckenorgane, besonders bei gleichzeitigen Stauungen in den Beinen, — (T) — Quaddeln am inneren Oberschenkel etwa in der Mitte des dorsalen Sartoriusrandes zu setzen und durch sie hindurch — (T) — intramuskuläre Infiltrationen in 4—8 cm Tiefe zu geben. Ebenso Quaddeln über der Innenseite des Unterschenkels über der A. tibialis post., dazu Injektionen an die — (T) — Arterie, eventuell zusätzlich noch Quaddeln über die Gegend der inneren Fußknöchel. Der Nervenpunkt-Detektor von KINDLING kann uns dabei auf die richtigen Reaktionspunkte führen.

h) Bei der engen hormonalen Relation zwischen Thyreoidea und Ovar kann jede Schilddrüsenstörung Einwirkungen auf das Genitale von der Hyper- bis zur Amenorrhöe haben. — (T) — S c h i l d d r ü s e.

Wer die Segmenttherapie beherrscht und darüber hinaus noch gelernt hat, die mindestens 30 % störfeldbedingten Krankheiten im Huneke-Phänomen verlöschen zu lassen, wird auf die Möglichkeiten, die die Neuraltherapie bei gynäkologischen Krankheiten bietet, nicht mehr verzichten können. Dazu ein Beispiel: Eine junge Frau litt an so starkem Fluor, daß sie pro Tag 5 Binden brauchte. Alle Versuche mit den eben aufgezählten Segmentinjektionen versagten. Sofort nach einer Injektion in die Tonsillenpole wurde die Scheide so trocken, daß sie nach einigen Tagen um eine Salbe bat, um Verkehr ausüben zu können. Natürlich regulierte sich das bald zur Norm. — Wenn man lernt, die Anamnese aufmerksam zu erheben, kann man oft von Frauen hören, daß sie in der Schulzeit in jedem Frühjahr und Herbst eitrige Anginen gehabt hätten. Mit der Menarche habe das aufgehört. Dafür sei die Periode immer sehr schmerzhaft gewesen, sie hätten viel Fluor gehabt, auch Schwangerschaftskomplikationen und schwere Entbindungen. Daraus muß man seine therapeutischen Konsequenzen ziehen.

Vergessen wir auch nie, daß die so anfälligen gynäkologischen Organe Störfeld für andere Krankheiten sein können. Die Testinjektion in den — (T) — gynäkologischen Raum ist doch so einfach und hilft oft schwere Krankheiten in der Sekunde zu heilen.

Haarausfall: — (K) — Alopezia

Hämatom: Bei — (K) — Distorsionen und anderen — (K) — Verletzungen verhindert ein frühzeitiges Umspritzen intra- und subkutan die Ausbildung eines größeren Blutergusses. Das liegt einmal an der gefäßabdichtenden Wirkung des *Procains* und darüber hinaus an der nerval gesteuerten Durchblutung. Bereits vorhandene H. werden bei diesem Vorgehen und Injektionen in das Hämatom (Hautdesinfektion erforderlich!) schneller resorbiert und sofort schmerzfrei.

Hämoptoe: Meist handelt es sich um Diapedeseblutungen, d. h. Durchwanderung der Gefäßwände und Septen ohne Kontinuitätsverletzung auf entzündlich-allergischer Grundlage. Das — (T) — intravenös verabfolgte *Procain* wirkt der — (K) — Entzündung und — (K) — Allergie entgegen und dichtet die Gefäße ab. Zusätzlich geben wir — (T) — Quaddeln über Brust und Rücken, möglichst in die Nähe des Blutungsherdes. — Massive, lebensbedrohliche Lungenblutungen Tuberkulöser sind mit Injektionen an das — (T) — Ganglion stellatum der kranken Seite fast zuverlässig zum vollständigen und entgültigen Stillstand zu bringen!

Hämorrhoiden: Juckreiz und Schmerzen können durch oberflächliche Injektionen über und in die Knoten und ihre Umgebung schnell beseitigt werden. Bei Bedarf wiederholen. Die Behandlung ist etwas schmerzhaft, aber wirkungsvoll. Man kann auch den Anus außerhalb des Sphinkter (Finger zur Kontrolle einführen!) umspritzen oder das Lokalanästhetikum — (T) — epidural injizieren.

Hallux valgus inflammatus: Um- und unterspritzen bis ans Periost, notfalls 1 bis 2mal wöchentlich wiederholen. — Dieser chronische Reizzustand kann als Störfeld wirken! Vor allem die Narben nach Operationen des H. v. dürfen beim Narbentesten nicht vergessen werden!

Halswirbelsäulen-Syndrom: — (K) — Zervikalsyndrom

Harninkontinenz: — (K) — Zystitis, — (K) — Enuresis, — (K) — Gynäkologische Erkrankungen, — (K) — Prostataerkrankungen.

Harnverhaltung: Die — (T) — intravenöse Procain-Injektion regt die Diurese an, auch die Peristaltik, wodurch der Harnblasendruck nachweisbar gesteigert wird. — (T) — Quaddeln über der Blasen- und Kreuzbeingegend wirken über die kutiviszeralen Reflexzonen auf das Organ. Sonst kommen noch die — (T) — epidurale Infiltration und Injektionen in die — (T) — Foramina sacralia oder an den abdominalen — (T) — Grenzstrang in Frage. Bei Prostatahypertrophie — (K) — Prostataerkrankungen.

Hartspann: Der H. ist eine reflektorisch auftretende pathologische Tonuserhöhung der Muskulatur, die für uns von erheblicher Bedeutung ist. Wir ertasten sie vor Beginn der Behandlung und markieren sie mit einem Hautschreibstift. Dort das *Procain* nach — (T) — Quaddelsetzen und — (T) — intramuskulärer Infiltration mit kreisenden Bewegungen massierend verteilen. Muskulärer Hartspann und bindegewebige — (K) — Gelosen gehen Hand in Hand. Differentialdiagnose Gelose: Neuralgie — (K) — Zervikalsyndrom.

Hauterkrankungen: Haut und Nervensystem sind entwicklungsgeschichtlich beides Abkömmlinge des Ektoderm. Die Haut ist die „Endplatte des vegetativen Systems" Die Chinesen zeigen uns seit 5000 Jahren mit ihrer Akupunktur, daß es möglich ist, von der Haut aus einen unspezifischen heilenden Stoß ins System zu schicken. KNEIPP, BAUNSCHEIDT, PONNDORF usw. haben diese uralte Kenntnis der Heilkunst nur neu belebt. Alle balneologischen Maßnahmen und Bestrahlungen, selbst die therapeutischen Röntgenbestrahlungen wirken letzten Endes nur, weil sie sich an die gleiche elektrische Struktur wenden, an die unser Leben gebunden ist. — Der Weg von der Peripherie zur Zentrale ist auch umgekehrt gangbar. So sind viele Hauterkrankungen Folge einer Neurodystonie, bei der die Hautreizschwelle herabgesetzt ist. Daher ist ihre Behandlung über das neurovegetative System immer sinnvoll und aussichtsreich. So werten wir die Neigung des Ekzems und einer ganzen Reihe anderer Hautkrankheiten zur Symmetrie als Beweis neuraler Vorgänge, die zentral gesteuert werden. Die Entstehung von Streuherden erklärt man mit einer Erregbarkeitssteigerung der terminalen Strombahn, die sekundär vom Primärherd ausgelöst wird. Darum sollte ihm unser besonderes Interesse gelten! Die Lage der Effloreszenzen auf der Haut kann manchmal Zusammenhänge mit Organstörungen gleicher segmentaler Zuordnung aufklären. Bakterien, Toxine, chemische und andere, die Haut reizende Stoffe, können nur dann wirksam werden, wenn der Boden dafür auf nervalem Wege bereitet worden ist! — Zahlreiche Autoren (ASLAN, MARX u. a.) bestätigten die eutrophische Wirkung des *Procains* auf die Haut, bei der offenbar nervale und — (K) — hormonale Faktoren und die nachweisbare Erhöhung der Hauttemperatur zusammenwirken. So konnten Alters-Hautveränderungen wie die Ichthyosis und senile Hyperkeratosen allein durch ungezielte Procain-Gaben wesentlich gebessert werden.

Segmenttherapie:

a) Die — (T) — intravenöse Procain-Injektion wirkt in mehreren Richtungen, die uns nur willkommen sein können: Umstimmend, entspannend, juckreiz- und schmerzstillend, antiallergisch, entzündungswidrig und gefäßabdichtend. Darum geben wir sie jedesmal mit als Basisbehandlung.

b) Bei geringer Ausdehnung der Hauterscheinungen geben wir lokal in die Veränderungen — (T) — Quaddeln und subkutane Infiltrationen, bei größeren Flächen sprengen wir (analog den — (T) — Narben) vor der Procain-Injektion das subkutane Gewebe mit Luft ab. Durch Verlöschen der „Mnemodermie", des Erinnerungsvermögens der Haut, kann der gebahnte Reflex, der zum Jucken, Nässen und anderen lästigen Erscheinungen führte, wieder gelöscht werden. Meist sind dazu mehrere Wiederholungen in größer werdenden Abständen nötig.

c) Bei großen flächenhaften Hauterkrankungen je nach Lage Injektionen an die zuführenden — (T) — Nerven und — (T) — Arterien und besonders an den — (T) — Grenzstrang und seine — (T) — Ganglien. So konnte ich mehrere ausgedehnte Aknen mit Injektionen an das Ggl. stellatum heilen.

Beim Versagen der örtlichen bzw. Segmentmaßnahmen heißt es gerade hier immer wieder: Nun suche das Störfeld! Besonders bei chronischen — (K) — Ekzemen, rezidivierenden Exanthemen, der chronischen Urtikaria und beim Lupus erythematodes kann die erhöhte Sensibilisierung der Haut, die die Entstehung und den Verlauf der Hauterkrankung beeinflussen, durch Störfelder bedingt sein: Tonsillen?, Zähne?, Narben? usw. Bei Auftreten des Hautleidens schon in den ersten Lebensmonaten und -jahren vergesse man nicht die erste Narbe des Menschen, den Nabel. — Die Praxis lehrt, daß selbst Fußpilze (— (K) — Mykosen) durch Störfelder begünstigt in die Haut eindringen und sich dort hartnäckig halten können. Mit dem Löschen des Störfeldes wird die periphere Durchblutung in bisher gestörten Bereichen thermografisch nachweisbar normalisiert. Damit wird Pilzen und Bakterien der Nährboden entzogen.

Hemikranie: — (K) — Migräne, — (K) — Kopfschmerzen

Hemiplegie: — (K) — Apoplexie

Hepatitis: Eine möglichst frühzeitige, wöchentlich 1 bis 2mal wiederholte Injektion an den abdominalen — (T) — Grenzstrang läßt den Ikterus, die Leberschwellung und die pathologischen Laborbefunde überraschend schnell abklingen. Die Krankheitsdauer wird auf die Hälfte reduziert! Alle subjektiven Beschwerden werden mit der verstärkten Leberdurchblutung wesentlich gebessert. Diese Behandlung ist die beste Prophylaxe gegen einen Übergang in die Leberatrophie oder andere Spätfolgen, wie das Ausbilden eines Störfeldes. — Die von anderer Seite empfohlene — (T) — Periduralanästhesie zwischen Th 8—12 ist technisch schwieriger und bietet demgegenüber keine Vorteile. — (K) — Oberbaucherkrankungen. Gegen den lästigen Pruritus bei Gelbsucht bewähren sich wiederholte — (T) — intravenöse Procaininjektionen.

Herdnephritis: — (K) — Nierenerkrankungen

Herpes simplex: Intra- und subkutane Injektionen: — (K) — Hauterkrankungen

Herpes zoster: *Procain* — (T) — intravenös auf der Seite der Erkrankung, dazu — (T) — Quaddeln im Bläschengebiet und subkutane Unterspritzung bis an die — (T) — Interkostalnerven oder — (T) — paravertebrale Anästhesie. Dieses Vorgehen bewährt sich auch bei den häufig nach H. z. zurückbleibenden neuralgischen Schmerzen. — (K) — Infektionskrankheiten.

Herpes zoster ophthalmicus, Herpes corneae: — (K) — Augenerkrankungen

Herzerkrankungen: Erkrankungen des Herzens können sich als Schmerz, Druck und Brennen in den zugehörigen Headschen Zonen und mit Beklemmungs- und Angstzuständen bemerkbar machen. Der Weg des Schmerzes geht dabei vom N. cardiacus inf. — Ggl. stellatum — Thoraxganglien — Rami communicantes — C 3 bis Th 4 — Rückenmark. Der Kapillarspasmus der Haut, der durch Hypoxämie den Schmerz auslöst, kann dabei ein getreues Spiegelbild der Durchblutungsstörungen am Herzen sein. Trotzdem lassen Stärke und Ausdehnung der hyperalgetischen Zonen nicht immer bindende Schlüsse auf Art und Schwere der organischen oder funktionellen Störungen zu. Etwa 40 % aller Menschen im Alter von 45—50 Jahren haben nach den

Angaben der Statistiken eine Koronarsklerose. Nach HOCHREIN gehen Stärke der Sklerose und Häufigkeit und Schwere der Angina pectoris durchaus nicht parallel. Nach seinen Angaben klagen nur 15 % aller Koronarsklerotiker über pektanginöse Beschwerden. Die groben anatomischen Veränderungen stellen also n i c h t den Hauptfaktor des Herzanfalles dar. Die Übererregbarkeit des Nervensystems führt beim Angina-pectoris-Kranken zu einer Herabsetzung der Reizschwelle und damit zu einer abnorm gesteigerten Krampfbereitschaft. Unsere Aufgabe ist es, möglichst frühzeitig diese dysreflektorischen Vorgänge am Herznervensystem mit Hilfe des normalisierenden neuraltherapeutischen Effekts rückläufig zu gestalten! Demnach müssen alle Mißempfindungen in der Herz,-, linken Schlüsselbein- und Schultergegend als warnende Vorboten gewertet und möglichst bald und gründlich beseitigt werden.

a) Als Basisbehandlung geben wir bei allen Herzerkrankungen eine — (T) — i n t r a v e - n ö s e Procain-Injektion in die l i n k e Kubitalvene. Das *Procain* entfaltet am Herzen eine chinidin- und sparteinähnliche Wirkung. Der Coffeinzusatz im *Impletol* erhöht die rein medikamentöse Herzwirkung, die allerdings von der kausal angreifenden neuraltherapeutischen Wirkung noch weit übertroffen wird.

b) Die kutiviszeralen Reflexzonen des Herzens liegen auf der linken Brustseite, genauer gesagt links neben dem Brustbein, unterhalb des linken Schlüsselbeines, über der linken Schulter bis zur linken Halsseite und am Rücken nach unten bis zwischen den Schulterblättern. Oft finden wir den Punkt 1 vom Herzmeridian (H1) unangenehm druckempfindlich: Wir gehen vom oberen Ende der Achselfalte 1 Querfinger breit nach kranial und dann nach medial herüber bis in Höhe der Mamillarlinie. Wenn er hyperalgetisch ist, spritzen wir diesen Punkt links und rechts.Über den linken Plexus brachialis (— (T) — Nerven, zuführende) gehen Ausstrahlungen bis in den linken Arm, namentlich in das Gebiet des — (T) — Nervus ulnaris. Wir müssen diese Hautzonen, das Gewebe der entsprechenden Unterhaut, die zugehörigen Interkostalräume, die Rippen und selbst die Wirbelfortsätze gut nach besonders schmerzhaften Punkten abtasten und diese dann mit — (T) — Q u a d d e l n u n d t i e f e r - g r e i f e n d e n I n j e k t i o n e n eventuell bis ans Periost und an die Pleura bedenken. Ein längst vergessener Unfall mit Prellung des Brustbeins, des Proc. xiphoideus und der kaudalen Thoraxanteile durch eine Fahrradlenkstange oder das Autolenkrad kann einen Reizzustand hinterlassen haben, der jetzt noch auf osteoviszeralen Reflexwegen das Herz störend beeinflußt. Darum müssen die Patienten auch in dieser Richtung befragt, abgetastet und entsprechend behandelt werden. — Grundsätzlich geben wir 2—4 Quaddeln dicht neben das Brustbein im 1.—3. Interkostalraum. Besteht ein verstärkter und verlängerter Dermographismus auf der linken Brustseite, so sind auch dort Quaddeln zu setzen. Eine weitere Quaddel kommt in den Winkel, den der linke Thorax-Unterrand mit dem Processus xiphoideus bildet. Siehe Abbildung 16. Ist dort das Periost druckempfindlich, werden wir es natürlich auch mit anspritzen. Hören wir von Angina-pectoris-Kranken, daß sie früher einmal bei einem Unfall in diese Gegend einen kurzen, derben Schlag erhalten haben, quaddeln wir dort zusätzlich und injizieren auch in die — (T) — Magengrube.

Die intravenöse Injektion und die parasternalen Quaddeln bilden unsere Grundbehandlung bei allen Herzerkrankungen. Wir wenden sie immer zuerst und meist recht erfolgreich an, gleichgültig ob es sich um einen Herzklappenfehler, Herzmuskelschaden, Herzkranzgefäßerkrankung, eine luetische Aortitis oder um eine Herzneurose handelt. In den dafür geeigneten Fällen bewirkt diese Behandlung der Headschen Zonen reflektorisch mit der Erweiterung der Herzkranzgefäße eine Verbesserung der Herzleistung. Das wirkt sich günstig auf den pulmonalen Kreislauf aus, so daß die Sauerstoffaufnahme erleichtert wird. Das kommt wiederum dem Herzen zugute. Wir haben also damit unter anderem auch die Möglichkeit, den Reiz, der

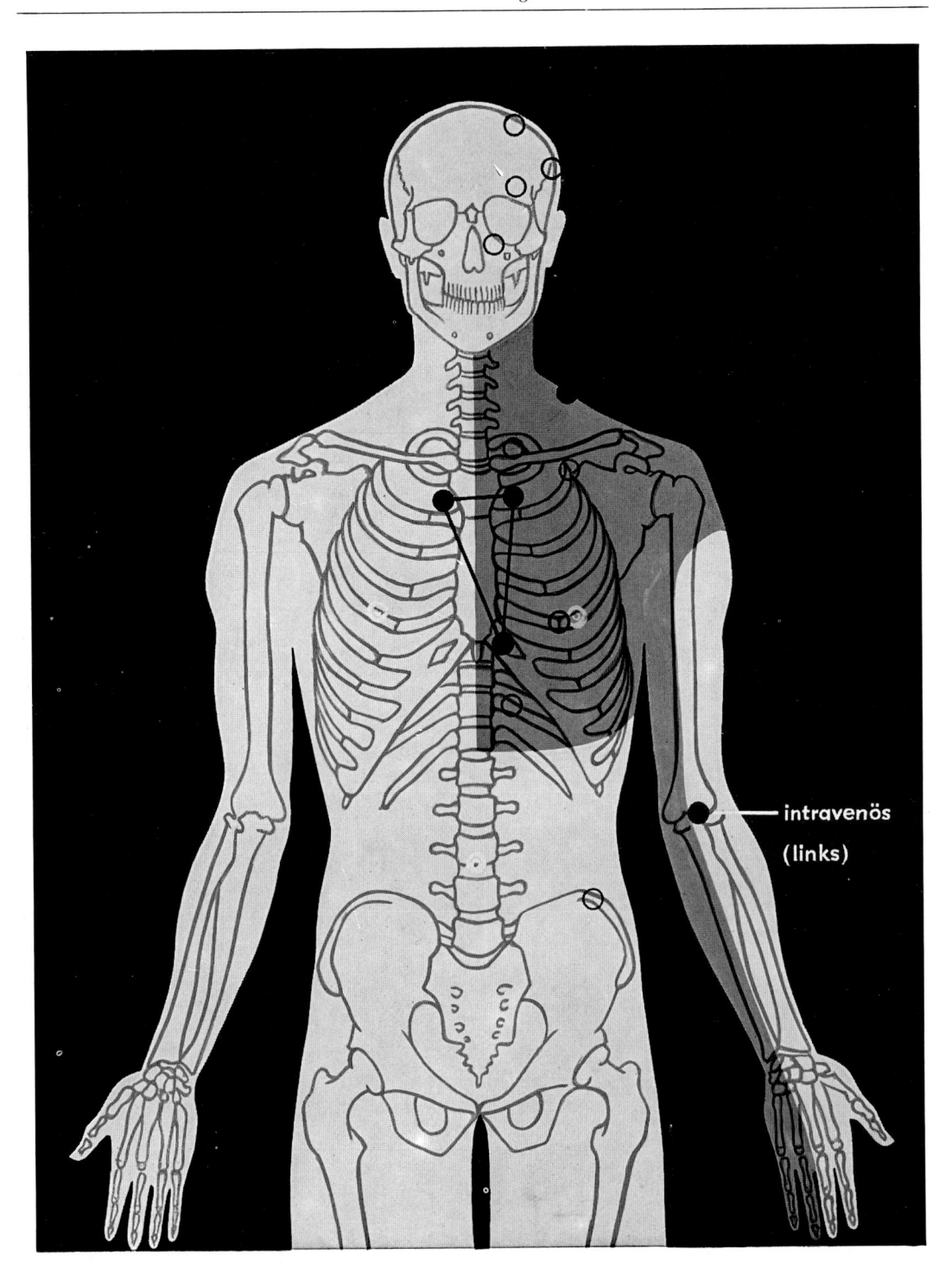

Abb. 16: Segmenttherapie bei Erkrankungen des Herzens.   Vorderseite.

● Standardpunkte   ○ häufige Reaktionspunkte
▬ Segmentreaktionen häufig

intravenös (links)

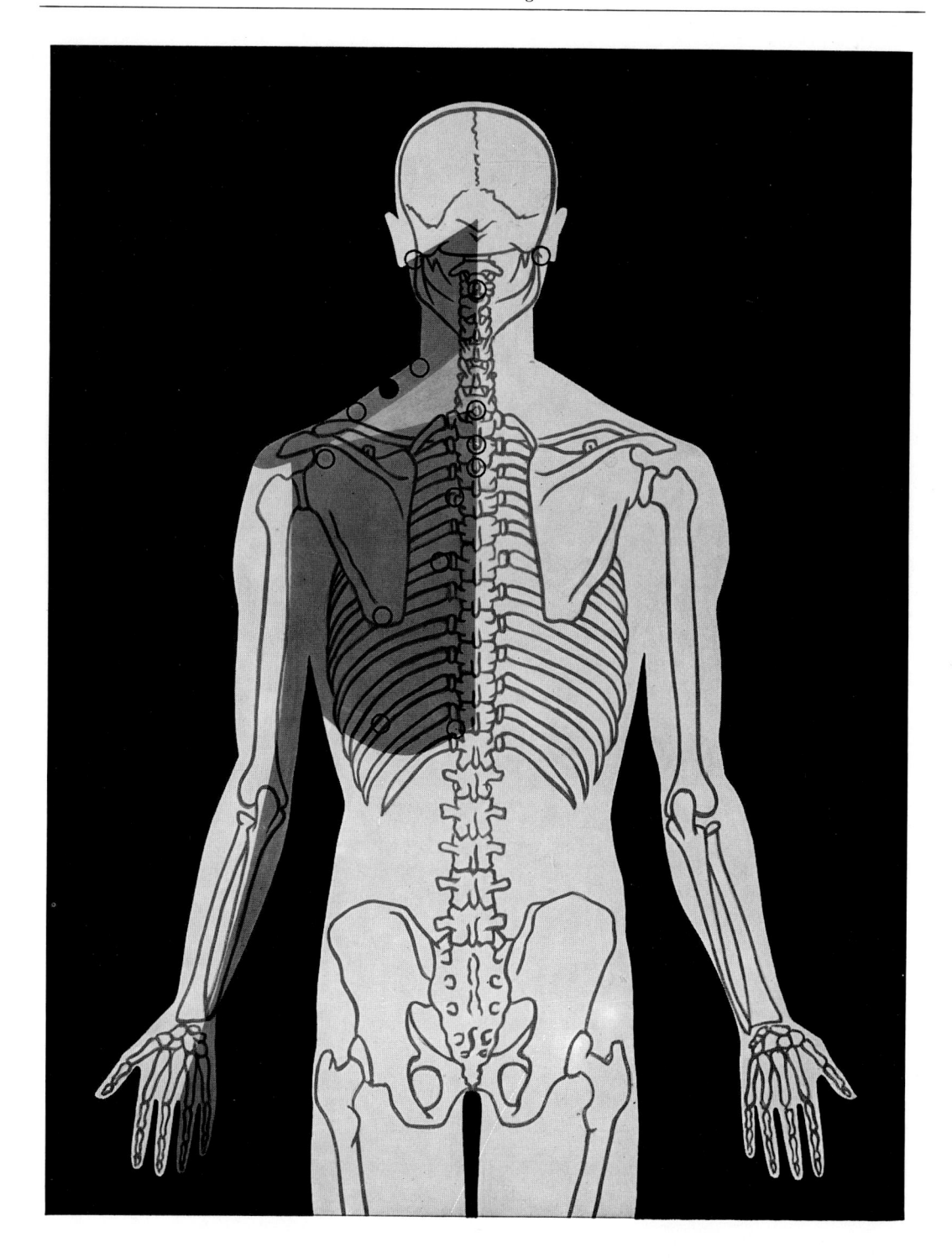

Abb. 17: Segmenttherapie bei Erkrankungen des Herzens.   Rückseite.
● Standardpunkte   ○ häufige Reaktionspunkte
Segmentreaktionen möglich   Segmentreaktionen häufig

den tonusüberspannten Herzmuskel zu Krampfanfällen führt, durch Behandeln der Hauptschmerzpunkte an der Peripherie gleichsam von der Tiefe zur Peripherie abzuleiten.

c) Alle N a r b e n im Segment müssen wie hyperalgetische Punkte behandelt, also mitgespritzt werden. Besonders achte man auf Nackennarben (z. B. von Karbunkeln, Verwundungen) und Narben besonders am linken Arm, der Hand und vor allem an den Fingern! „Fingerschmerzen geh'n zum Herzen" sagt der Volksmund.

d) Das stärkste Geschütz bei der Segmentbehandlung des Herzens ist die Injektion an das — (T) — G a n g l i o n s t e l l a t u m. Auch die Herzrhythmusstörungen sprechen gut darauf an. Bei Fällen von Asthma cardiale et bronchiale am Rande der Dekompensation ist allerdings wegen der Möglichkeit reflektorischen Herzstillstandes Vorsicht geboten!

Etwa 30 % aller Herzkrankheiten sind störfeldbedingt! Dann heilen wir nur, wenn wir diese beherrschende Noxe ausschalten.

Eine wichtige Erfahrungsregel lautet: Spricht das Herz eindeutig auf *Strophanthin* und die anderen Glykoside an, hilft das *Procain* n i c h t ! Dafür reagieren etwa 30—40 % der strophanthinrefraktären Fälle prompt und überzeugend auf *Procain* intravenös und die parasternalen Quaddeln! — Jeder festgestellte M y o k a r d i n f a r k t gehört in stationäre Behandlung. Allerdings verlaufen nach HOCHREIN 40 % aller Herzinfarkte stumm! Im akuten Stadium kann die Spasmenlösung durch ein Gemisch von 2 ml *Eupaverin* mit 1 ml 2 %iger Procainlösung intravenös lebensrettend sein, dazu 0,2 Gramm *Luminalnatrium* intramuskulär. Die Akupunkteure durchbrechen den Anfallschmerz mit einem kurzen tiefen Einstich an der Fußsohle (an der Vereinigung von Groß- und Kleinzehenballen), der sehr schmerzhaft ist und ein reflexartig tiefes Durchatmen zur Folge hat. Beim H i n t e r w a n d - I n f a r k t geben wir noch Injektionen in die — (T) — Magengrube, — (T) — Quaddeln parasternal und über der linken Schulter, an den Unterrand der linken Klavikula und an die erste Rippe. Beim S e i t e n w a n d - I n f a r k t präpleural neben dem linken Sternalrand. Bei Unterarm- und Fingerschmerzen Injektionen an den Nagelfalz des 4. und 5. Fingers links. Bei Schulterschmerz an die Pleura des 1. ICR unterhalb der linken Klavikula oder an den Plexus cervicalis (— (T) — Nerven, zuführende).

Als e r s t e H i l f e bei anfallsweise auftretenden K o r o n a r s p a s m e n rate man dem Patienten, die Haut über der Stelle des Schmerzes fest zwischen zwei Fingernägeln zu kneifen. Dabei scheint der frische Schmerz den älteren, der stärkere den schwächeren zu vertreiben.

Ventrikulär ausgelöste H e r z - A r r h y t h m i e n und Flimmerzustände treten gern im Zusammenhang mit einer Myokardischämie auf, vor allem bei Myokarditis und Kardiomyopathien mit Gefäßverschlüssen. Weitere auslösende Faktoren sind der Herzkatheterismus und die mechanische Reizung und Hypothermie bei Herzoperationen. Außerdem Elektrolytstörungen (Hypokaliämie) nach längerer Diuretika-Verordnung, vor allem im Zusammenhang mit einer Digitalisierung. Die ausgezeichneten Ergebnisse der Prophylaxe und Therapie derartiger ventrikulärer Arrhythmien auf intravenöse Gaben von *Procain* und anderen Lokalanästhetika (*Xylocain, Scandicain* u. a.) erklärt man damit, daß die Lokalanästhetika als Betablocker die überschießenden Sympathikus-Impulse abwehren und so den übergroßen Sauerstoffbedarf drosseln. Mit der Stabilisierung der erregbaren Membranen werden Reizbildung und Reizfortleitung gehemmt. Der Rhythmus wird reguliert und die Herzleistung ökonomisiert. Mit anderen Worten: Die Reizschwelle des Myokards wird erhöht und somit die Infarktgefahr abgebaut.

Die Arrhythmien und Tachykardien beim H e r z i n f a r k t sprechen besonders gut auf intravenöse Lokalanästhetika an. Man gibt dann relativ große Mengen, wie 2,5—5 ml einer 2 %igen Procain- oder 2 %igen Xylocain-Lösung langsam im Zeitraum von 1—2 Minuten. Bei nachlassender Wirkung kann die Injektion ein- bis höchstens dreimal im Abstand von 5—10

Minuten wiederholt werden. Kontraindikation: Schwere Überleitungsstörungen wie AV-Block (I—II) III, Bradykardie, Herzdekompensation, Nieren- und Leberinsuffizienz. Das Auftreten von Herzblock und Bradykardie ist als alarmierendes Symptom zu werten.

Bei H e r z s t i l l s t a n d : Sauerstoff, künstliche Atmung, äußere Herzmassage, Schrittmacher, evtl. *Procain* intrakardial: Einstich im 4. oder 5. Interkostalraum neben dem Brustbein senkrecht in die Tiefe, anschließend 10 %iges *Kalziumchlorid*.

Bei T a c h y k a r d i e n unklarer Genese: Versuch mit einer Injektion in die — (T) — Schilddrüse, sonst i. v. und Brustquaddeln oder fast zuverlässig wirksam: Injektion an das Ggl. stellatum.

Bei F r a u e n, die neben stenokardischen Beschwerden auch an einer — (K) — Dysmenorrhöe leiden, behandle man nur den — (T) — gynäkologischen Raum. Mit der Dysmenorrhöe verschwinden dann auch die Herz- und Kreislaufbeschwerden.

Beim Versagen der Neuraltherapie denke man außer an psychogene Ursachen auch an die Möglichkeit vertebraler Genese der Herzbeschwerden. — (K) — Zervikalsyndrom, evtl. Chirotherapie.

Heuschnupfen, -fieber: — (K) — Nasenerkrankungen

Hexenschuß: — (K) — Lumbago

Hiatushernie: Vor der Operation, die 40 % Rezidive aufweist, Neuraltherapie: Mehrfach *Impletol* an den linken — (T) — Nervus phrenicus im Halsabschnitt. Dadurch erschlafft der Bruchsack, und mit dem Passagehindernis verschwinden auch die Beschwerden mit zunehmend anhaltender Wirkung. Notfalls zusätzlich Injektionen an den abdominalen — (T) — Grenzstrang und in die — (T) — Magengrube. Versagt das, würde ich selbst hier nach einem verursachenden Störfeld suchen.

Hirnembolie: — (K) — Apoplexie, — (K) — Gefäßverschlüsse

Hirnhauterkrankungen: — (K) — Meningitis

Hirnödem: Alle Ödeme haben einen dysregulatorischen Ursprung. Die Dehydrierung des Gehirns und die Herabsetzung des intrakraniellen Drucks beginnt erst mit dem Wiedereintritt der regulatorischen Tätigkeit des vegetativen Systems. Wir geben dazu 2 %ige Procain-Lösung — (T) — intravenös (evtl. mit 40 %iger *Glukose* und *Salyrgan*) und unter die Kopfschwarte. Die Anästhesie des — (T) — Ganglion stellatum normalisiert die Endothelschranke und läßt das Hirnödem ablaufen.

Hirntumor: — (K) — Gehirntumor

Hirnverletzung: In frischen Fällen zur Temperatur- und Kreislaufregulation *Procain* — (T) — intravenös und unter die — (T) — Kopfschwarte. — (K) — Schock.

Hirschsprungsche Krankheit: Injektion an den abdominalen — (T) — Grenzstrang und in die — (T) — Magengrube, dazu — (T) — Quaddeln über dem Verlauf des Kolon, evtl. auch präperitoneale Injektionen über dem Dickdarm.

Hitzschlag: Sofort *Procain* — (T) — intravenös und unter die — (T) — Kopfschwarte in Schläfenhöhe.

Hodenerkrankungen: Go. ausschließen. Lokale Injektionen mit feiner Nadel an den Samenstrang oder direkt an und in den Hoden. In hartnäckigen Fällen Injektionen an den — (T) — N. pudendus oder — (T) — epidurale bzw. — (T) — präsakrale Infiltration. Auch die Hodentuberkulose kann mit dieser unterstützenden Therapie schneller heilen. — (K) — Epididymitis.

Hordeolum: Frühzeitig 0,5 ml *Procain*-Lösung an den — (T) — Nervenaustrittspunkt des N. suprabzw. infraorbitalis oder mit feinster Nadel direkt ins Hordeolum. — Eine Patientin bekam regelmäßig vor jeder Gallenkolik ein H. am rechten Oberlid (Leberpunkt!). Nach Beseitigen des Störfeldes blieben die Koliken und die Gerstenkörner aus.

Hormonale Störungen: Die Zusammensetzung aller Körpersäfte, auch die der inneren Drüsen, ist von Impulsen des neurovegetativen Systems abhängig, die vom Zwischenhirn und der Hypophyse gesteuert werden. Selten ist nur die Sekretion einer einzelnen Drüse gestört, meist kommt damit auch das fein abgewogene Zusammenspiel aller inneren Drüsen in Unordnung. Dafür stehen hormonale, nervale und vasale Vorgänge in einem zu engen Korrelationsverhältnis. Unsere Versuche, da mit Hormongaben einzugreifen, sind meist zu plump und können eher schaden. Sinnvoller und ungefährlicher ist der Versuch, das neurohormonale Gleichgewicht mit Hilfe der Neuraltherapie wiederherzustellen. — ASLAN objektivierte die stimulierende Wirkung des *Procain* auf die männlichen und weiblichen Sexualdrüsen und auf die Nebennieren. — Die — (T) — intravenöse Injektion ermöglicht eine zentral angreifende Regulierung. Zusätzlich geben wir unsere Injektionen in den Bereich hervorstechend gestörter Drüsen, z. B. bei hypophysären Störungen an die — (T) — Tonsilla pharyngea, beim Diabetes insipidus unter die — (T) — Kopfschwarte, beim Diabetes mellitus an den abdominalen — (T) — Grenzstrang, bei Schilddrüsenstörungen in die — (T) — Schilddrüse und bei Störungen der Geschlechtsdrüsen entsprechend in den — (T) — gynäkologischen Raum bzw. in die — (T) — Prostata. Schlägt das nicht an, müssen wir nach einem Störfeld suchen.

Hornhautgeschwür: — (K) — Augenerkrankungen. Setzt die Neuraltherapie zeitig ein, lassen sich Hornhauttrübungen vermeiden! Selbst mittelstarke Trübungen lassen sich durch die Behandlung noch aufhellen.

Hörstörungen: — (K) — Ohrenerkrankungen

Hüftgelenkerkrankungen: — (K) — Gelenkerkrankungen

Hühnerauge: Unterspritzen bis ans Periost und abheben. — Als Kuriosum fand ich einmal ein böses Hühnerauge als Störursache für einen Kopfschmerz. Man muß eben an alles denken!

Huntsche Fazialisneuralgie: — (K) — Neuralgie.

Hustenreiz: Zur Stillung des Hustenreizes während der Intubation oder Operation und zum schmerzfreien Abhusten von Bronchialsekret nach Operationen werden — (T) — intravenöse Procaingaben empfohlen (ZIPF).

Hydrocephalus internus: Bei entzündlicher Genese kann die — (T) — intravenöse Injektion (abwechselnd links und rechts) kombiniert mit Injektionen unter die — (T) — Kopfschwarte zum Erfolg führen. Auch Injektionen an das — (T) — Ganglion stellatum. Evtl. Versuch mit einer — (T) — zisternalen Impletol-Injektion.

Hydrops, kardialer: — (K) — Herzerkrankungen

Hyp- bzw. Hyperazidität des Magens: — (K) — Oberbaucherkrankungen

Hyperemesis gravidarum: Zuerst Versuch mit — (T) — intravenösen Injektionen und Procain-Lösung in die — (T) — Magengrube. Noch wirksamer sind Injektionen an den abdominalen — (T) — Grenzstrang.

Hyperhidrosis: Bei lokalisierter H.: — (T) — Quaddeln und subkutan unterspritzen. Bei genereller H.: — (T) — intravenöse Injektionen, — (K) — Dystonie, vegetative, — (K) — Schilddrüsenerkrankungen, — (K) — Lungenerkrankungen.

Hypermenorrhö: Hyperfunktion der — (K) — Schilddrüse?, — (K) — gynäkologische Erkrankungen.

Hypersekretion der Zervix: Jede H. mit glasigem dünnem Zervixschleim ist die Folge einer vegetativen Dysregulation! — (K) — Gynäkologische Erkrankungen.

Hypertonie: Mit — (T) — intravenösen Injektionen und *Procain*-Lösung unter die — (T) — Kopfschwarte kann man die subjektiven Begleiterscheinungen des Bluthochdrucks, wie Kopfdruck, Schwindel und Schlafstörungen, fast mit Sicherheit beseitigen, ohne daß dabei eine länger anhaltende Blutdrucksenkung parallel gehen muß. Die sofort nach einer intravenösen Procain-Injektion meßbare Blutdrucksenkung ist Folge eines spasmolytischen vasodilatatorischen Effektes und seiner Betablocker-Wirkung. Dagegen können wir immer wieder erleben, wie sich der Druck nach Ausschalten eines schuldigen Störfeldes innerhalb kurzer Zeit nachhaltig normalisiert. Bei der Hypertension Jugendlicher suchen wir nach einem Störfeld. Bei gleichzeitig vorhandener Struma auch Injektionen in die — (T) — Schilddrüse.

Hypophysenstörung: — (K) — Hormonale Störungen. Bei entzündlicher Genese Versuch mit — (T) — intravenösen und — (T) — Kopfschwarten-Injektionen oder an die benachbarte — (T) — Tonsilla pharyngea. Sonst Störfeldsuche.

Hypothalamische Anfälle: *Procain* — (T) — intravenös und unter die — (T) — Kopfschwarte, auch ans — (T) — Ganglion stellatum. Störfeld?

Hypo- bzw. Hyperthyreose: — (K) — Schilddrüsenerkrankungen

Ichthyosis: — (K) — Hauterkrankungen. MERCKELBACH (Rotterdam) berichtete über die Heilung einer universellen I. durch eine Impletol-Injektion an eine kleine Narbe am Fußrücken.

Ikterus: — (K) — Hepatitis, — (K) — Oberbaucherkrankungen

Ileus: Die nicht mechanisch (z. B. durch einen obturierenden Tumor) bedingte Form ist Folge einer Störung des Muskeltonus, entweder in Form eines Krampfes oder einer — (K) — Darmatonie. — Die Injektion an den abdominalen — (T) — Grenzstrang hilft nach WISCHNEWSKI bei diesen Formen so zuverlässig, daß bei Versagen der notfalls doppelseitig vorzunehmenden Anästhesie nach 1—2 Stunden das Vorliegen der mechanischen Form angenommen werden kann! Er konnte damit fast die Hälfte aller unter der Diagnose Ileus eingelieferten Kranken ohne Laparotomie wieder als geheilt entlassen! Die Schüler HUNEKES geben routinemäßig zu der Grenzstranginjektion noch *Procain* in die — (T) — Magengrube. — Auch bei inoperablen Tumoren kann diese Behandlung noch zu einem gewissen Grade helfen. Der Entzündungswall, mit dem der Körper die Tumoren umgibt, wird dadurch soweit zurückgebildet, daß der Tumor sich verkleinert. Damit kann das mechanische Hindernis für eine Zeit reduziert werden. — (K) — Krebs.

Ilioinguinal-Syndrom: Die Patienten klagen nach schwerem Heben, sportlichen Überanstrengungen oder langem Stehen über ziehende, brennende bis reißende Schmerzen ein- oder beidseitig im Unterleib mit dem Gefühl, als sei dort etwas zu kurz. Wenn sie sich ohne Zuhilfenahme der Hände aus der Rückenlage aufrichten, verstärkt sich der Schmerz, der bis in den Rücken und die Oberschenkel ausstrahlen kann. Wenn die Untersuchung nichts anderes ergibt, als einen Druckschmerz an der äußeren Leistenöffnung, ohne daß ein Leistenbruch vorliegt, kann eine Reizung des N. ilioinguinalis vorliegen. Wir setzen eine — (T) — Quaddel über dem Punkt der stärksten Schmerzen und infiltieren mit *Procain* in die Tiefe auf den Leistenring zu. Wiederholung, wenn die Beschwerden wiederkommen.

Impotenz: Unter „Leriche-Syndrom" versteht man die Tatsache, daß Männer mit Durchblutungsstörungen der unteren Extremitäten teilweise oder völlig impotent sind. Der Prager Gefäßchirurg MICHAL bewies mit seinen Operationen, daß der Impotenz viel häufiger eine Durchblutungsstörung der Arteria pudenda aus der A. iliaca int. zugrunde liegt, als eine psychische Störung. Unter diesen Aspekten erscheint auch eine durchblutungsfördernde Procain-Behandlung der zuführenden — (T) — Arterien und — (T) — Nerven angebracht. — Es wurden auch Fälle bekannt, wo Patienten nach einer Störfeld-Ausschaltung spontan angaben, daß damit auch ihre (bisher verschwiegene) Impotenz verschwunden sei. — (K) — Dystonie, vegetative, — (K) — Hormonelle Störungen, — (K) — Sexuelle Störungen.

Inaktivitätsatrophie: Die I. der Muskeln beruht häufig auf Schmerzhaftigkeit nach — (K) — Verletzungen oder — (K) — Entzündungen. Diese Ursache ist mit Injektionen in die schmerzenden Gewebe leicht zu beseitigen, so daß die Beweglichkeit bald wiederhergestellt wird.

Infarkt: — (K) — Herzerkrankungen

Infektionskrankheiten: RICKER vertrat die Ansicht, daß die B a k t e r i e n nie primär eine Krankheit erzeugen können, wenn nicht vorher eine Störung der nervalgesteuerten Trophik vorliegt, die das Milieu und den Nährboden für die Bakterien schafft, die dann erst deren Angehen und ihre pathogene Vermehrung ermöglichen. — In neuerer Zeit konnte PUCK in den USA V i r e n mit radioaktiven Substanzen markieren und damit experimentell nachweisen, daß die Viren nur dann an den Zellen haftenbleiben und in diese eindringen können, wenn das ein bestimmtes reduziertes elektrisches Zell-Potential zuläßt. Während psychische und physische Traumen das Potential zugunsten der Krankheitserreger verändern, ist die Procain-Anwendung in der Lage, das Zellpotential zu ihren Ungunsten zu normalisieren und so den Viren ihren Lebensboden zu entziehen. Hochfieberhafte Infekte: — (K) — Fieber, — (K) — Grippe. Vergleiche auch: — (K) — Augenerkrankungen, — (K) — Herpes zoster, — (K) — Lungentuberkulose. — Fortgeschrittene Infektionskrankheiten können in der Regel nicht mehr entscheidend durch *Procain* beeinflußt werden.

Innenohrschwerhörigkeit: — (K) — Ohrenerkrankungen

Insektenstiche: Sofortiges Umspritzen mit Lokalanästhetika verhindert allergische Reaktionen, Ödeme, Schmerzen und Infektionen. Bei bedrohlichen Erscheinungen nach multiplen Bienen- oder Hornissenstichen sofort *Procain* — (T) — intravenös, bei Bedarf viertelstündlich wiederholen.

Insulin-Lipodystrophie (Atrophie der Haut nach Insulin-Injektionen): Örtliche Infiltrationen.

Interkostalneuralgien: Schon SCHLEICH beobachtete, daß eine Infiltration der betroffenen — (T) — Interkostalnerven das Leiden schnell heilen läßt. Gelegentlich kann eine — (T) — intravenöse Injektion auf der kranken Seite die Wirkung dieser Segmenttherapie noch verbessern. In hartnäckigen Fällen an Ca. denken. Störfeld? — (K) — Bandscheibenschaden.

Intermediusneuralgie: — (K) — Neuralgie.

Iridozyklitis, Iritis: — (K) — Augenerkrankungen

Ischias: Ein auffallend großer Teil der Patienten, die den Neuraltherapeuten oft von weit her aufsuchen, leidet an Ischias. Ein Zeichen dafür, daß die meist in der Allgemeinpraxis geübte konservative Therapie mit Einreibungen, Tabletten, Bestrahlungen, Massagen und Bädern zu häufig unzureichend ist. Die Neuraltherapie hat aber gerade bei diesem Krankheitsbild beglückende Erfolge. Die erforderlichen Injektionen sind einfach zu erlernen, gefahrlos und ohne ernste Nebenwirkungen. Wir halten es für falsch, zu lange abwartend zu behandeln. Für die — (T) — Ischiasbehandlung gilt direkt die Regel, daß der Erfolg um so besser ist, j e   e h e r   u n d   j e   h ö h e r   u n s e r e   I n j e k t i o n   z u r   A n w e n d u n g   k o m m e n. Das heißt, schon jede — (K) — Lumbago ist frühzeitig mit — (T) — Quaddeln über und — (T) — intramuskulären Injektionen in die verspannte Muskulatur und ans klopfschmerzhafte Periost zu behandeln und schnell und gründlich zu beseitigen. Nur allzuoft erweisen sich plötzlich auftretende — (K) — Rückenschmerzen als Vorboten für die Schmerzen des Ischiasnerven, die dann bald ins Bein auszustrahlen beginnen. Für die Erklärungen müssen durchaus nicht immer gleich die vielzitierten — (K) — Bandscheiben herhalten: Die einseitig verkrampfte Muskulatur ist auch in der Lage, die letzten Lendenwirbelkörper so zu verkanten, daß ein Druck auf die Ischiaswurzel ausgeübt wird. Beseitigen wir die Muskelkontraktur, schwinden die Ischämie, der Schmerz und die Wirbelverlagerung und mit ihr die Nervenkompression. Sowie der Ischiasnerv sich meldet, muß unbedingt baldmöglichst eine Injektion in sein Wurzelgebiet oder an den Plexus sacralis (— (T) — Ischias) erfolgen. Damit erspart man dem Kranken viel Schmerzen, Arbeits- und Verdienstausfall und sich selbst eine langwierige, undankbare Behandlung. Die Injektionen müssen allerdings richtig sitzen, ohne den „Blitz" in die untere Extremität haben sie nur halbe Wirkung. Wir gehen mit unseren geringen Mengen bewußt auch i n t r a n e u r a l. Zu einer wirkungsvollen p e r i n e u r a l e n Injektion benötigt man immer wesentlich größere Mengen Anästhetika. Intra- und subkutanen, intramuskulären bis periostalen Injektionen und Infiltrationen kommt demgegenüber wie dem Überwärmungsbad, der örtlichen Wärmeanwendung und der Bewegungstherapie nur eine unterstützende Bedeutung zu.

Wenn die Ischias ihren Ausgang von einer Störung am Sakroiliakalgelenk nimmt, hilft die Infektion in dieses — (T) — Gelenk. Auch eine Injektion ins erste — (T) — Foramen sacrale post. kann uns dann eher ans Ziel bringen. In anderen Fällen können — (T) — epidurale oder — (T) — präsakrale Infiltrationen mehr von Nutzen sein. Wie man den Nerv und seine Äste in ihrem Verlauf aufsucht, ist im Teil III Technik genauer beschrieben. Die Akupunktur kennt bei Ischias Einstiche zwischen 1. und 2. und 4. und 5. Zehe. Man kann auch dorthin injizieren. — Auch hier ist eine sinnvolle Kombination der gegebenen Möglichkeiten eine heilsame „Polypragmasie". N e u r a l t h e r a p i e t r e i b e n h e i ß t, s i c h d e n G e g e b e n h e i t e n a n p a s s e n. Es gibt kein starres Behandlungsschema. Alle Vorschläge sind nur Hinweise, kein Programm, das der Reihe nach ablaufen muß!

Bei akutem Ischiasanfall durch einen — (K) — Bandscheibenvorfall intensive Streckung der Wirbelsäule durch Zug an den Extremitäten und anschließend ausgiebige Injektion an die Ischiaswurzel. — Nach REISCHAUER kommt es bei 26 % aller operativ und konservativ behandelten Ischialgien zu einer postischialgischen Durchblutungsstörung, die am besten mit Injektionen von *Procain* an den unteren Grenzstrang bei L3 zu behandeln sind. Ein Untersuchungsschema zur Etagendiagnostik bei Bandscheiben-Ischialgien siehe bei — (T) — Ischias.

Auch bei den Ischialgien kann man nur allzuoft erleben, daß die örtliche Behandlung, auch mit den genannten Injektionen, nicht genügend anschlägt und daß dann bei der Störfeldsuche selbst eine röntgenologisch „gesicherte" Bandscheiben-Ischias zum Beispiel nach einer Injektion in ein narbiges Mandelbett, in die Prostata bzw. den gynäkologischen Raum im Huneke-Phänomen so dramatisch verlöscht, daß Patient und Arzt diese plötzliche Wende kaum fassen können.

Kalkaneus-Sporn: — (K) — Periosterkrankungen

Kallusbildung, mangelhafte: Die normale Kallusbildung ist von einem ungestörten Nervensystem abhängig. Es ist tierexperimentell bewiesen, daß eine — (K) — Fraktur nach Procain-Injektionen möglichst nahe an bzw. in den Bruchspalt schneller verheilt. Offenbar werden durch die procainbedingte Repolarisation störende Reflexe ausgeschaltet, die die normale Kallusbildung verzögern. Eine Injektion an die zuführenden — (T) — Arterien und — (T) — Nerven und noch wirkungsvoller an den zugehörigen — (T) — Grenzstrang und seine — (T) — Ganglien ist bei Versagen dieser einfachen und meist ausreichenden Maßnahmen in der Lage, die gestörte nervale Versorgung und damit auch die Durchblutung zu normalisieren.

Kammerflimmern: — (K) — Herzerkrankungen. Zur Vorbeugung von Herzarrhythmien gibt man schon bei der Operationsvorbereitung *Procain* — (T) — intravenös.

Kapselarthritis: — (K) — Gelenkerkrankungen

Karbunkel: Möglichst frühzeitig und ausgiebig umspritzen. Schnelle Schmerzfreiheit, Demarkation der Nekrosen und beschleunigte Abheilung. Gleichzeitig beste Störfeldprophylaxe, Karbunkelnarben finden wir häufig als Störfelder.

Kardiospasmus: — (K) — Oberbaucherkrankungen

Karpaltunnel-Syndrom: Der Nervus medianus kann durch Exostosen, Ligamentverdickungen, Tumoren oder Entzündungen sensibel, motorisch und trophisch gestört werden. Ein Leitsymptom kann die Brachialgia parästhetica nocturna sein. Vor der Operation versuche man mehrmals Procain-Injektionen in den Karpaltunnel am Durchgang des — (T) — Nervus medianus. Auch Injektionen an das — (T) — Ganglion stellatum und an den Plexus brachialis (— (T) — Nerven) können zusätzlich indiziert sein.

Karzinom: — (K) — Krebs

Katarakta: Bei beginnender K. ist eine Rückbildung mit Hilfe der Neuraltherapie meist noch möglich. Die massive, abgeschlossene K. stellt dagegen einen narbig verheilten Endzustand dar, an dem die Selbstheilungskräfte des Körpers auch mit unserer Unterstützung nur in seltenen Ausnahmefällen etwas ändern können. Der Altersstar kann über viele Jahre und Jahrzehnte stationär bleiben und sich sogar spontan bessern. Diese benigne Tendenz rechtfertigt bei nicht zu fortgeschrittenen Fällen einen Versuch mit den Injektionen, die unter — (K) — Augenerkrankungen angegeben sind.

Katarrhe der oberen Luftwege: — (T) — Nasenspray mit einem Schleimhaut-Anästhetikum.

Kausalgien: Der heftige Brennschmerz, der besonders nach Schußverletzungen mit teilweiser Kontinuitätstrennung der Nerven auftritt, stellt zweifellos eine Ganzheitsreaktion des neurovegetativen Systems dar. Besonders häufig werden die Nn. tibialis und medianus und das dazugehörige Segmentgewebe befallen. Charakteristisch für das Krankheitsbild ist der feuchte Lappen, den der Kranke um die befallene Extremität trägt, weil Feuchtigkeit den Reizschmerz lindert, trockene Haut ihn verstärkt.

Die gründliche temporäre Ausschaltung des Grenzstranges und der peripheren Nerven mit *Procain* kann den zugrunde liegenden Reizzustand des Sympathikus von Mal zu Mal schrittweise abbauen. Unser „konservatives Messer" erspart in den meisten Fällen eine operative Sympathektomie oder die chemische Verödung. Neurolysen, Nervenresektionen, selbst verstümmelnde Gliedamputationen und die Chordo- oder Leukotomie erwiesen sich als ebenso wirkungslos, wie die Psychotherapie. Die Procain-Injektionen sind dagegen meist wirksamer, wenn man sie oft genug wiederholt, aber harmlos und jederzeit wiederholbar. Bei der konservativen Kausalgiebehandlung sollte der Arzt nicht weniger Ausdauer und Geduld zeigen, als der geplagte Patient!

Bei Schußverletzungen infiltrieren wir Ein- und Ausschuß- und alle Operationsnarben bis zur Nervenberührung im alten Schußkanal. Bei Knochenverletzungen gehen wir zusätzlich an das Periost der Knochennarbe. Möglichst auch an und in die benachbarten — (T) — Arterien. Die Nervenberührung der Kanüle löst eine reflektorische Abwehrbewegung aus, auf die Arzt und Patient gefaßt sein müssen. Eine Hilfsperson muß unbedingt die Extremität fixieren.

a) Obere Extremität: An die — (T) — Arteria und den Plexus brachialis (— (T) — Nerven) oder direkt an die — (T) — Nn. radialis, ulnaris und besonders medianus in ihrem Verlauf. Immer auch an das — (T) — Ggl. stellatum.

b) Untere Extremität: Intra- und periarteriell in und an die — (T) — Arteria und den benachbarten Nervus femoralis. Auch — (T) — präsakrale und — (T) — epidurale Infiltrationen. Immer an den Grenzstrang in Höhe von L1—L4, wegen der Querverbindungen zweckmäßigerweise beiderseits.

Bei Mißerfolg dieser kombinierten Injektionen im Segment müssen wir auch bei der Kausalgie-Behandlung daran denken, daß ein Störfeld den Erfolg verhindern kann. Es kann den Sympathikus vorgeschädigt haben und nun den Dauerreiz von außerhalb des Segmentes aufrechterhalten. — (K) — Neurozirkulatorische Störungen, — (K) — Sudecksches Syndrom.

Kehlkopferkrankungen: Bei Kehlkopfschmerzen kann eine Röntgenaufnahme der unteren Weisheitszähne Aufklärung bringen. Ebenso kann dann eine Procain-Injektion in diese Gegend angebracht sein. SPIESS heilte schon 1902 tuberkulöse Kehlkopfgeschwüre durch wiederholte Anästhesie des — (T) — N. laryngeus sup.

Keloid: Es ergibt oft ausgezeichnete kosmetische Ergebnisse, wenn man die Narbengeschwulst in 1- bis 2wöchigen Abständen mit Procain-Lösung infiltriert. Die Zugabe von 100 VE *Hyaluronidase* pro ml Lösung kann den Erfolg beschleunigen.

Keratitis: — (K) — Augenerkrankungen

Keuchhusten: *Procain* — (T) — intravenös (bei Kleinkindern paraarteriell in die Ellenbeuge), dazu mit dem Dermo-jet — (T) — Quaddeln neben das Sternum und am Rücken neben die Brustwirbelsäule. SPIESS beobachtete schon vor 68 Jahren, daß die Keuchhustenanfälle nach Anästhesie des — (T) — N. laryngeus sup. sistieren.

Kiefergelenkerkrankungen: — (K) — Gelenkerkrankungen. Genügt die oberflächliche — (T) — Quaddelbehandlung nicht, geben wir mit dünner kurzer Nadel 1 ml Procain-Lösung in das Kiefergelenk. 1 cm vor dem Tragus des Ohres in Richtung auf den Nasenflügel zu fühlt man unter der Haut eine deutliche Einbuchtung, wenn der Patient den Mund öffnet und schließt. Wir lassen den Mund weit öffnen und stechen dort ein. In etwa 1 cm Tiefe gelangen wir in den vorderen Teil der Gelenkkapsel. Bei Versagen Zahnarztüberweisung.

Kieferhöhlenerkrankungen: — (K) — Nasen-Erkrankungen. 75 % aller Kieferhöhlen-Erkrankungen sind dentalen Ursprungs! Auch nach der Sanierung bleibt hier gern ein Störfeld zurück. Injektionen an die — (T) — Nervenaustrittspunkte des N. supra- bzw. infraorbitalis, auch an das — (T) — Tuber maxillae — (T) — Ggl. sphenopalatinum — (T) — Nasenspray. Störfeldeinwirkungen von außerhalb des Segmentes her?

Kinnschmerzen: Wenn — (T) — Quaddeln über dem Kinn nicht ausreichen, lasse man eine Röntgenaufnahme der unteren Schneidezähne anfertigen. Auch Injektionen an diese — (T) — Zähne, besonders an Zahnfleischtaschen.

Klimakterische Beschwerden: *Procain* — (T) — intravenös und an den — (T) — gynäkologischen Raum. — (K) — Alterskrankheiten, — (K) — Dystonie, vegetative, — (K) — Hormonale Störungen.

Kniegelenkserkrankungen: — (K) — Gelenkerkrankungen

Knöchelödeme: — (K) — Ödeme

Knochenbrüche: — (K) — Frakturen

Knochennekrosen, aseptische: Z. B. Os naviculare oder lunatum, Schlattersche Krankheit: 1- bis 2mal wöchentlich — (T) — Quaddeln über dem erkrankten Gebiet und die Umgebung. Zusätzlich *Procain* in die Tiefe ans Periost des erkrankten Knochens, auch in das betreffende — (T) — Gelenk. Evtl. noch Injektionen an die zuführenden — (T) — Arterien und — (T) — Nerven. Das stärkste Geschütz ist die Injektion an den zuständigen — (T) — Grenzstrangabschnitt und evtl. die entsprechenden — (T) — Ganglien.

Kohabitationsbeschwerden: — (K) — Gynäkologische Erkrankungen, — (K) — Pelvipathia vegetativa, — (K) — sexuelle Störungen, — (K) — Vaginismus.

Kohlenoxyd-Vergiftung: — (K) — Anoxie

Kokzygodynie: Umschriebener Schmerz und Druckschmerz in der Steißbeingegend, der sich beim längeren Sitzen, Bücken und bei der Darmentleerung steigert. — Therapie: Bewährt haben sich Injektionen ans Periost des Steißbeines und seitwärts an die Nervenausläufer, auch in die — (T) — Foramina sacralia post. 2—4, — (T) — epidurale oder — (T) — präsakrale Infiltrationen nach PENDL. Alte schmerzhafte Steißbeinprellungen können als Störfelder wirken!

Koliken: — (K) — Oberbaucherkrankungen, — (K) — Nierenerkrankungen

Kolitis, Kolonspasmen: — (K) — Oberbaucherkrankungen. Meist kann der Patient sehr genau angeben wo sein Darm entzündet ist oder krampft. Er wird aufgefordert, seinen Zeigefingernagel dort einzubohren, wo er in der Tiefe den Hauptschmerz verspürt. Der Nageleindruck markiert dann unseren Einstichpunkt zur — (T) — Quaddel. Durch sie hindurch gehen wir anschließend sondierend in die Tiefe bis an das in diesen Fällen stets sehr schmerzempfindliche Peritoneum. Wird an der vom Patienten markierten Stelle kein Schmerz ausgelöst, müssen wir den hyperalgetischen Peritonealbezirk in der Tiefe mit der Nadelspitze suchen. Ohne Schmerz keine Heilreaktion. Wie bei jeder Segmenttherapie ist diese Behandlung bei wiederauftretenden Beschwerden zu wiederholen. Bedenken dagegen sind völlig unbegründet. Am liegenden Patienten wird der (unempfindliche) Darm in der Regel nicht erreicht. Selbst sein Anstechen wäre harmlos.

Kollaps: *Procain* — (T) — intravenös hat eine zuverlässige kreislaufregulierende und gefäßabdichtende Wirkung. — (K) — Schock. Im Tierversuch kann man einen Kollaps experimentell herbeiführen. Bei intravenöser Procain-Injektion unterbleibt der Kollaps.

Kolpitis: — (K) — Gynäkologische Erkrankungen

Konjunktivitis: — (T) — Augenerkrankungen

Kontraktur: Bei der K. unterliegen Bänder und Muskeln neuroreflektorisch pathologischen Tonusveränderungen, die den Tonus abnorm steigern und so zu Kapsel- und Bandschrumpfungen und weiter zu Gelenkversteifungen führen können. — (T) — Quaddeln um das Gelenk und — (T) — intramuskuläre Infiltrationen der beteiligten Gewebspartien unterbrechen diese Reflexe und stellen die Möglichkeit der Rückbildung wieder her, weil sich mit der Unterbrechung der Schmerzspirale auch ein normaler Tonus wieder einstellt. Bringen auch Injektionen in die — (T) — Gelenke, an die zuführenden — (T) — Arterien und — (T) — Nerven und an den — (T) — Grenzstrang, bzw. das — (T) — Ganglion stellatum keine entscheidende Wende, sind wir gezwungen, nachzuforschen, ob nicht ein Störfeld die Wiederherstellung normaler Verhältnisse unterbindet.

Konzentrationsschwäche: — (K) — Altersbeschwerden, — (K) — Arteriosklerose, — (K) — Dystonie, vegetative.

Kopfschmerzen: Die Kopfschmerzbehandlung ist eine Domäne der Neuraltherapie. Sie wirkt bei allen organisch und funktionell bedingten Kopfschmerzen so zuverlässig, daß ihr v ö l l i g e s Versagen den Verdacht auf ein psychogenes Geschehen rechtfertigt! — Vor Beginn der Behandlung müssen natürlich raumbeengende zerebrale Prozesse ausgeschlossen werden. Vergleiche auch — (K) — Neuralgien.

Die Standardbehandlung, mit der wir das Heer der chronisch Kopfschmerzkranken dezimieren können, besteht in einer — (T) — intravenösen Injektion von *Procain* in Verbindung mit solchen unter die — (T) — Kopfschwarte. Meist genügen die beiden Injektionen links und rechts in Scheitelbeinhöhe bis ans Periost. — Es empfiehlt sich aber, den Kopf vor der Injektion gründlich abzutasten und besonders hyperalgetische Punkte und alle im Segment gefundenen — (T) — Narben mit abzuspritzen. Meist finden wir die — (T) — Nervenaustrittspunkte über und unter dem Auge und am Hinterkopf druckempfindlich (Nn. supra- bzw. infraorbitales, occipitales). Die Okzipitalis-Neuralgie äußert sich in bohrend-stechenden Schmerzen, die vom Genick über die Schädelkonvexität nach oben und vorn ziehen. Auch hier wieder vor der Behandlung den Kopf erst gründlich abtasten und die Injektionen genau in die gefundenen Druckpunkte setzen. — Bei dem ausgesprochenen Schläfenkopfschmerz, der mit übergroßer Ermüdung und Augenstörungen einhergeht, bewähren sich — (T) — Quaddeln etwa in der Verbindungslinie Auge — Ohr und Injektionen bis ans Periost des Schläfenbeines. — Isolierte Kopfschmerzen über dem rechten Auge können ein Hinweis auf eine Störung im Leber-Gallen-Sektor sein. (— (K) — Oberbaucherkrankungen). Manche — (K) — Migräneformen sprechen gut auf eine Umspritzung der A. temporalis an, die wir an ihrem Austrittspunkt vor dem Ohr oberhalb des Jochbeines leicht finden. — Ist der Kopfschmerz Ausdruck einer ciliaren — (K) — Neuralgie, müssen wir an das — (T) — Ganglion ciliare. Bei anderen therapieresistenten Kopfschmerzformen, bei denen die angegebenen Injektionen versagen, hilft die Injektion an das — (T) — Ganglion stellatum. Vor allem sind das die postcommotionellen und hypotonen Formen z. B. nach Liquorpunktionen. Bei anderen wieder kann das — (T) — Ganglion sphenopalatinum oder der N. mandibularis in Nähe des — (T) — Glg. Gasseri der einzig richtige Ansatzpunkt sein, in anderen Fällen werden Injektionen an die — (T) — Nasenmuscheln oder ein — (T) — Nasenspray zum Ziele führen. — Ein dauernder Kopfschmerz, zu dem sich dann gern noch eine hochgradige Schlaflosigkeit gesellt, kann ein Leben zur Hölle werden lassen. Es lohnt sich, dann a l l e s zu versuchen. Selbst der hohe Einsatz einer — (T) — zisternalen Impletol-Injektion ist dann gerechtfertigt. — Zyklusgebunden auftretende Kopfschmerzen und Migränen der Frauen beruhen auf einer hormonell bedingten sympathischen Dystonie, die kurz vor der Menstruation die vegetative Ausgangslage und damit die Reizschwelle verändert und so zu einer erhöhten Schmerzempfindlichkeit führt. Hier besteht die Therapie in Injektionen in den — (T) — gynäkologischen Raum und in die — (T) — Schilddrüse, wobei erstere das hormonelle Gleichgewicht herstellen helfen, letztere primär die vegetative Übererregbarkeit dämpfen. —

Versagt die Behandlung im Segment, gehen wir bei allen Kopfschmerz- und Migräneformen, wie sonst auch, auf die Suche nach einem Störfeld.

Korakoiditis: 1 ml 1—2 %iger Procain-Lösung — (T) — intravenös auf der Seite der Entzündung, dazu etwa 1 ml an das schmerzhafte — (K) — Periost. In hartnäckigen Fällen auch an das gleichseitige — (T) — Ganglion stellatum. Sonst Störfeld suchen. — (K) — Zervikalsyndrom.

Koronarinsuffizienz, -sklerose, -spasmen: — (K) — Herzerkrankungen

Koxarthrosis, Koxitis: — (K) — Gelenkerkrankungen

Krampfaderentzündung: — (K) — Thrombophlebitis, — (K) — Varizen

Kranzgefäßerkrankungen: — (K) — Herzerkrankungen

Kraurosis vulvae: — (K) — Gynäkologische Erkrankungen, — (K) — Hauterkrankungen. Wir machen zuerst intra- und subkutane Injektionen mit feiner Nadel in das erkrankte Gebiet. Obwohl die Injektionen schmerzhaft sind, unterziehen sich die geplagten Frauen gern dieser Prozedur, zumal der Juckreiz bald nachläßt und die Haut geschmeidiger wird. Bei genügender Wiederholung können die Hyperkeratosen ganz verschwinden. Evtl. gibt man zusätzlich noch — (T) — Quaddeln in die Reflexzonen der Kreuz- und Steißbeingegend oder — (T) — epidurale Injektionen.

Krebs: In Deutschland sprechen wir von d e m Krebs. Der Franzose benutzt sinnvoller den Plural les cancers, um damit anzudeuten, daß es sich um eine Reihe ähnlicher Erkrankungen handelt, die man unter diesem Begriff zusammenfaßt. Die Krebskrankheit ist n i c h t a l l e i n mit Neuraltherapeutika heilbar! Die Bekämpfung der Karzinom s c h m e r z e n ist dagegen ein dankbares Gebiet unserer Behandlung. Wir können damit *Morphium* einsparen und oft sogar ersetzen. Wir glauben, daß wir den entzündlichen Schutzwall, mit dem der Körper jeden malignen Tumor umgibt (wie jede andere — (K) — Entzündung auch) mit *Procain* beseitigen können. Durch Injektion an und sogar i n den Tumor und an die zuführenden — (T) — Nerven und — (T) — Arterien klingt die umgebende Entzündung ab, damit läßt der Schmerz nach und der Tumor verkleinert sich nicht selten deutlich. Dadurch wird der Druck auf die Nerven und die Blut- und Lymphabflußwege mit ihren Schmerz- und Stauungsfolgen beseitigt oder doch zumindest verringert. Leider können wir damit allein den schicksalhaften Ablauf nur bremsen und erleichtern, aber nicht aufhalten. — Die Behandlung ergibt sich aus dem Sitz des Tumors und erfolgt im zugehörigen Segment entsprechend der gewohnten Segmentbehandlung, z. B. beim Magenkrebs an den — (T) — Grenzstrang am oberen Nierenpol und in die — (T) — Magengrube, bei Unterleibskrebs in den — (T) — gynäkologischen Raum und — (T) — intramural in den Uterus, bei Knochenmetastasen an das benachbarte Periost, bei inoperablen Genitalkarzinomen — (T) — Epiduralanästhesie usw. — Daß die Störfeldlehre der Neuraltherapie nach HUNEKE für die Theorie der Krebsentstehung und vor allem die Therapie der Krebskrankheiten eine befruchtende Rolle spielen kann, sei im folgenden kurz umrissen.

Wissenschaft und Technik haben den Menschen im Zeitalter der industriellen Zivilisation in eine naturentfremdete Umwelt gestellt, die als lebensbedrohlicher Über-Reiz wirkt und der er sich nolens volens anzupassen hat. Gelingt das nicht, drohen ihm die Zivilisationskrankheiten, darunter auch die Krebskrankheit. Der Krebs tritt erst als örtliche Erkrankung in unser Blickfeld. Trotzdem zweifelt heute wohl keiner mehr ernsthaft, daß er nur das Endresultat einer Erkrankung des ganzen Organismus ist. Nach unserer Ansicht tritt nur dann eine Krankheit auf und gerade diese, wenn die Ganzheit, genauer gesagt das Neurovegetativum, das zuläßt. Auch der Krebs wird erst dann manifest, wenn die Regulierungsmechanismen, das körpereigene Abwehrsystem und die Selbstheilungskräfte durch zu viele und überwertige schädliche Reizfaktoren so überlastet und blockiert sind, daß das Neurovegetativum nicht mehr in der Lage ist, d e n bioelektrischen Betriebsstrom zu liefern und aufrechtzuerhalten, den die mannigfaltigen Lebensfunktionen zum ungestörten Ablauf benötigen.

Jeder Reiz läßt das Zellpotential je nach Stärke und Dauer mehr oder weniger stark und anhaltend absinken. Nach SEEGER wird das Zellpotential durch die normale Zellatmung aufrechterhalten. Jeder unphysiologische Reiz, der überstark oder überlange wirkt und eine Depolarisation über längere Zeit zur Folge hat, wird zum pathogenen Reiz. Die Zelle wird dadurch schutzlos und ist gefährdet. Der Zellstoffwechsel hängt von der Permeabilität der Zellmembran ab. Diese ist selektiv und wechselt zudem ständig mit der bioelektrischen Ladung an der Grenzschicht. Auch die Sauerstoffaufnahme ist an ein bestimmtes Potential gekoppelt. Alle karzinogenen Substanzen und anderen Faktoren behindern die Zellatmung. Dann sinkt das Potential und die Permeabilität wird weiter beeinträchtigt. Überschreitet diese Wechselwirkung eine Toleranzgrenze, beginnt in der erstickenden Zelle die Zellgärung, die die Krebsbildung bahnt. Je stärker die Zellatmung sinkt (und damit das Zellpotential), desto virulenter werden die Krebszellen (SEEGER). Danach wäre d a s K r e b s p r o b l e m e i n m i k r o b i o l o g i s c h e s E n e r g i e - p r o b l e m ! Daß die Krebszellen tatsächlich ein reduziertes Membranpotential haben, zeigt uns die Zell-Elektrophorese: Dabei wandern Krebszellen schneller, als normale. Die Wanderungs-Geschwindigkeit ist aber um so größer, je reduzierter das Zellpotential. Demnach ist also die Ladung der Krebszellmembran wirklich niedriger, als die gesunder Zellen. CONE jr. stellte fest, daß die anhaltende Proliferation von Tumorzellen möglicherweise auf eine permanente elektrische Depolarisation zurückzuführen ist. In Zellkulturen setzt eine maximale Mitose ein, wenn das Zellgrenzmembran-Potential auf weniger als 10 mV absinkt. Bei hohem Potential von 70 mV und mehr unterbleibt die pathologische Mitose. Potentialmessungen an sich rasch teilenden Myosarkomzellen ergaben ein reduziertes Membranpotential von nur 10 mV, während dagegen benachbarte gesunde Muskelzellen mit normaler mitotischer Aktivität 90 mV aufwiesen! Als Ursache des verminderten Membranpotentials bei Malignität nennt CONE eine grundlegende funktionelle Änderung der molekularen Struktur und der Spezifität der Zelloberfläche. Die wiederum käme von einer Funktionsstörung derjenigen Stoffwechselvorgänge, deren Aufgabe die Synthese und der stereochemische Aufbau der Zelloberflächen-Polymere sei. Diese Beobachtungen bestätigen praktisch das bisher Gesagte.

So sieht es vom Blickpunkt Zelle aus. Die Zelle lebt aber nicht isoliert, sondern im gleichen Maße für das Ganze wie durch das Ganze. Die Kybernetik sieht im Menschen das höchstentwickelte aller existierenden „sich selbst regulierenden dynamischen Systeme". In ihm gilt nicht mehr das Prinzip der linearen Kausalität, die Grundlage mechanistischen Denkens, sondern das Prinzip der Wechselwirkungskausalität. In jedem kybernetischen System ist jedes Teilsystem bzw. jeder Regelkreis ständig mit jedem anderen Teilsystem durch Wechselwirkungsbeziehungen miteinander verbunden. Aus dieser Sicht ist eine Krankheit eine Regulationsstörung im Wechselwirkungsgefüge des sich selbst regulierenden dynamischen Systems Mensch auf Grund gestörter Informationsübertragung zwischen einzelnen Regelkreisen innerhalb des Gesamtsystems. — Das Neurovegetativum verbindet alle Zellen zu d e m lebendigen Ganzen, dem die Zelle letztlich ja nur dient, über das Neurovegetativum empfängt und gibt sie ihre dirigierenden und orientierenden Impulse. Nach unserer Ansicht ist die Zelle das Erfolgsorgan der vegetativen Fibrille. Nur bei intakter neurovegetativer Überwachung und Steuerung ist die Zellatmung — ausreichendes Sauerstoffangebot vorausgesetzt — gewährleistet und die Zelle vor der krebsigen Entartung in eine destruktive Autarkie geschützt.

Für die K r e b s t h e r a p i e resultiert daraus die Aufgabe, das durch Störfelder oder segmentgebundene überwertige Reize blockierte Organ der Informationsübermittlung, das neurovegetative System, zu entstören und wieder funktionstüchtig zu machen. Nur so kann die bei jedem Geschwulstkranken bestehende Blockierung der körpereigenen Regulations- und Abwehrfunktionen gelockert oder beseitigt werden! Die Bedeutung des Störfeldes als wesentlicher tumorbegünstigender Faktor blieb bisher praktisch unbeachtet. Dabei ist so naheliegend, sich vorzustellen, daß und wie das Störfeld das Zellmilieu (PISCHINGER) laufend negativ beeinflußt und dabei unter anderem das pH im extrazellulären Raum nach der basischen Seite hin verschiebt. Das geht am Ende so weit, daß die vorgeschädigte tumoranfällige Zelle aus ihrer neurovegetativen Kontrolle gerät. Jetzt erst kann das „onkogene Agens" die Nukleinsäuremoleküle verändern und die u n k o n t r o l l i e r t e Z e l l e zur wuchernden Tumorzelle umwandeln (mutieren).

Wenn diese Theorie (DOSCH, SEEGER, VARRO) stimmt oder nur als möglich angesehen wird, müßte man daraus folgende Schlüsse ziehen: Die Tumorbekämpfung von heute, die sich im wesentlichen auf „Stahl und Strahl" (Operation und Bestrahlung) stützt, kann die Blockierung im neurovegetativen System nicht lösen, sie zementiert sie eher! Operation, Bestrahlung, Chemotherapie und immunbiologische Vor- und Nachbehandlung sind nur sinnvoll, wenn dabei auch die körpereigene Abwehr weitgehend reaktiviert wird. An erster Stelle der uns dazu zur Verfügung stehenden biologischen Verfahren steht die Umstimmung und Normalisierung der neurovegetativen Funktionen mit einer gekonnten Neuraltherapie nach HUNEKE. Sie ist in der Lage, das Leitungsnetz zu normalisieren, indem sie das normale Zellpotential wieder auflädt und die Zellmembran vor erneuter Entladung schützt. Das geschieht, wenn sie nervale Störfelder und segmentgebundene Blockierungen mit der richtig lokalisierten Procain-Injektion beseitigt. Erst, wenn sich der Lebensstrom in allen Teilen des Ganzen wieder ausgleicht, kann sich das Gesamtsystem in die dynamische Gleichgewichtslage einregulieren, die ihr die Gesamtinformation zur Erhaltung des Fließgleichgewichtes vorschreibt. Der so wieder in das Stromnetz der Ganzheit rückgeschalteten Krebszelle den lebensnotwendigen Sauerstoff zuzuführen, ist kein unlösbares Problem mehr.

VARRO bewies mit sehr eindrucksvollen Anfangserfolgen, daß die Kombination der neuraltherapeutischen neurovegetativen Entstörung und Normalisierung mit einer anschließenden Verabfolgung von atomarem Sauerstoff in statu nascendi (Ozontherapie) sehr wohl in der Lage ist, das Krebsgeschehen in vielen Fällen abzustoppen und weitgehend reversibel zu gestalten. Den anderen allgemeinen Maßnahmen wie der Entgiftung durch vitale Kost, Sanierung der Darmflora, psychische Entstörung, Desensibilisierung und anderen Maßnahmen zur Aktivierung der körpereigenen Abswehrkräfte kommt dabei eine unterstützende Wirkung zu. — Die Krebskrankheit ist also nicht allein mit der Neuraltherapie heilbar, aber ein wichtiger Weg zu ihrer Heilung führt wohl mit Sicherheit zuerst einmal über eine neurovegetative Sanierung mit Hilfe der Huneke-Therapie! — (K) — Strahlenschäden.

Kreuzotterbiß: Neben der üblichen proximalen Stauung und Wunderweiterung ist die einfachste und beste Behandlung aller — (K) — Schlangenbisse eine ausgiebige Umspritzung der Bißstelle mit 2 %igem *Procain* möglichst innerhalb der ersten halben Stunde. Das belegen viele Berichte aus aller Welt.

Kreuzschmerzen: — (K) — Lumbago. Kreuzschmerzen der Frau sind nach MARTIUS ein „gynäkologisches Universalsymptom". Wir können beinahe garantieren, daß wir die gynäkologischen Rückenschmerzen mit einer Injektion in den — (T) — gynäkologischen Raum schlagartig beseitigen und damit das ganze Problem schnell und gründlich lösen können. — Nicht jeder Kreuzschmerz ist gleich eine Spondylosis oder gar ein — (K) — „Bandscheibenschaden", selbst wenn sich in das Röntgenbild, diese Momentaufnahme aus dem Lebendigen, derartige Diagnosen hineindeuten lassen. Entscheidend ist immer die Funktion, und wesentlicher als die Diagnose mit dem fatalen Beigeschmack „unheilbar" ist die Heilung, die uns gerade beim Kreuzschmerz jeder Genese (außer Ca. und fortgeschrittener Tbc) über das Segment oder das Huneke-Phänomen in der Regel gelingt. Einseitige Kreuzschmerzen: — (K) — Ischias, — (K) — Psoas-Syndrom.

Kropf: — (K) — Schilddrüsenerkrankungen

Labyrinthschwindel: — (K) — Ohrenerkrankungen

Lähmungen: Behandlung nach Sitz und Ursache im Segment. Bei spastischer Parese der Beine gewisse Besserung der Gehfähigkeit durch Injektion von je 1 ml *Procain* in die Patellar-, evtl. auch Achillessehnen. — (K) — Multiple Sklerlose, — (K) — Apoplexie. Daß auch Lähmungen störfeldbedingt sein können, zeigt die Krankengeschichte des Tierarztes Dr. H. S. (Fall 7, Seite 106), dessen seit zwei Jahren bestehende einwandfrei organische „paroxysmale hereditäre Lähmungen Goldflam" im Huneke-Phänomen verlöschten.

Lateralsklerose, amyotrophe: Eine Sekundenphänomen-Heilung nach Mandelinjektion wurde in der Literatur beschrieben! — (T) — Quaddeln über der Wirbelsäule, — (T) — Ganglion stellatum. Störfeld Wirbelsäule, Zähne?

Lebererkrankungen: — (K) — Oberbaucherkrankungen, — (K) — Hepatitis.

Die Erkrankungen des Leberparenchyms sollten weniger ausgiebig untersucht, dafür lieber zeitiger mit Injektionen an den — (T) — Grenzstrang und die — (T) — Magengrube behandelt werden. Nur mit einer verbesserten Durchblutung kann der Bildung von Leberatrophien und -zirrhosen wirsam vorgebeugt werden. Ist erst ein narbiger Endzustand erreicht, können die Injektionen auch nicht mehr helfen.

Leukämie: NONNENBRUCH schrieb, daß sich weniger ausgeprägte Störungen der Blutzusammensetzung wieder normalisieren können, wenn man Störfelder ausschaltet. Das wurde auch von anderer Seite bestätigt. Die Stätten der Blutbildung und ihre regulierenden Zentren sind Teile des Ganzen und können wie jedes andere Organ auch durch Störfelder an der normalen Arbeit gehindert und zu fehlerhaften Funktionen geführt werden. — (K) — Blutbildveränderungen.

Leukoplakie: Intra- und subkutane Injektionen. — (K) — Hauterkrankungen.

Libido, mangelnde: — (K) — Sexuelle Störungen, — (K) — Gynäkologische Erkrankungen, — (K) — Prostataerkrankungen.

Lichen: — (K) — Hauterkrankungen

Lichtscheu: — (K) — Augenerkrankungen

Lidzucken: — (T) — Nervenaustrittspunkte N. supraorbitalis

Linsentrübung: — (K) — Katarakta, — (K) — Augenerkrankungen

Lipodystrophia progressiva: Diese dienzephal-hypophysäre Störung behandeln wir mit *Procain* — (T) — intravenös und unter die — (T) — Kopfschwarte bzw. an das — (T) — Ganglion stellatum oder an die — (T) — Tonsilla pharyngea. Störfeld?

Littlesche Erkrankung: Die Injektion — (T) — intravenös, bei Kleinkindern paraarteriell und unter die — (T) — Kopfschwarte hat in einzelnen Fällen unerwartete Besserungen gebracht, so daß ein Versuch mit dieser harmlosen Maßnahme gerechtfertigt erscheint. Eventuell auch Versuch mit Injektionen an das — (T) — Ganglion stellatum.

Lues cerebri: Unsere Standard-Kopfschmerzbehandlung mit *Procain* — (T) — intravenös und unter die — (T) — Kopfschwarte läßt auch die rasenden Kopfschmerzen der Lues c. abklingen. Offenbar gelingt es damit, entzündliche Hirnreizzustände zu beseitigen.

Luftembolie: *Procain* sofort — (T) — intravenös und an das — (T) — Ganglion stellatum — (K) — Gefäßverschlüsse.

Lumbago: Schmerzpunkte und -zonen durch Druck mit der Daumenspitze feststellen und mit Hautschreibstift anzeichnen. Dort angesetzte — (T) — Quaddeln bessern den Schmerz wesentlich.

Man kann mit längerer Nadel durch die Quaddeln in die Tiefe sondieren und bei Schmerzäußerung des Patienten dort in die verkrampfte Muskulatur — (T) — intramuskulär infiltrieren. — Aus statischen Gesichtspunkten spielt bei allen Kreuzschmerzen der 5. Lendenwirbel eine bedeutende Rolle. Genügt die bisher geschilderte Behandlung nicht, gehen wir zwischen dem 5. LWK und der Spina iliaca post sup. senkrecht bis zur Knochenberührung in die Tiefe und setzen dort ein Procaindepot von 2 ml. Oder wir spritzen in das erste — (T) — Foramen sacrale posteriore oder in das — (T) — Sakroiliakalgelenk, — (K) — Ischias, — (T) — Ischias, — (K) — Rheumatismus.

Lumbalpunktion, Kopfschmerzen nach: — (K) — Kopfschmerzen

Lumbosakral-Neuralgien: — (K) — Lumbago, — (K) — Ischias. In hartnäckigen Fällen auch — (T) — peridurale Injektion.

Lunatum-Malazie: — (K) — Knochennekrosen

Lungenerkrankungen: Bei allen Erkrankungen der Lunge geben wir als Grundbehandlung — (T) — intravenöse Injektionen abwechselnd links und rechts, außerdem setzen wir noch — (T) — Quaddeln neben das Brustbein, über den Schulterpartien und beiderseits neben die Querfortsätze der Brustwirbel. Die Akupunktur empfiehlt noch Lungenmeridian Punkt 1, der auf der vorderen Paraaxillarlinie (etwas lateral der Medioklavikularlinie) in Höhe des 3. Interkostalraumes liegt und Lunge 2, einen Interkostalraum darüber (2. ICR). Auch dabei gibt es wieder kein starres Schema. Der erfolgreiche Neuraltherapeut wird vor seinen Injektionen nach Segmentreaktionen fahnden, die ihn dann mit Sicherheit auf den wirkungsvollsten Ort und die richtige Tiefe der Injektionen führen werden. So kann einseitiges, umschriebenes Schwitzen im Bereich von C 3 bis Th 9 auf Lungenerkrankungen hinweisen. Frische Lungenspitzenprozesse lösen gern in der Schulter m u s k u l a t u r einen schmerzhaften Hypertonus aus. Eine rechtzeitige — (T) — intramuskuläre Infiltration beseitigt (bei genügender Wiederholung) einesteils diese reflektorisch ausgelösten Durchblutungs- und Ernährungsstörungen, darüber hinaus wird aber auch der Krankheitsprozeß an der Lunge auf den erwähnten kutiviszeralen Reflexwegen günstig beeinflußt. Bestehen die Störungen länger, führt die mangelnde Ernährung dieser Partien zu einer fühl- und sichtbaren Atrophie. Dabei können die H a a r e in einem umschriebenen Bezirk ausfallen. Interessant sind für uns auch die Veränderungen am K n o - c h e n, die als Folge der Periost-Segmentreaktion auftreten können. So sind bei pulmonalen Prozessen oft das Brustbein und einzelne Rippenpartien druckempfindlich, das Schlüsselbein kann verdickt sein und selbst die Dornfortsätze können sich nach der Seite der Erkrankung hin verbiegen, ohne daß der Wirbelkörper selbst dabei irgendwelche andere pathologischen Veränderungen zeigen muß! Das Wissen um die tieferen Zusammenhänge zwingt uns, diese Hinweise zu beachten und alle veränderten Gewebsschichten im Segment mit nur wenigen Tropfen *Procain* zu behandeln. — Vom — (T) — Ganglion stellatum wird das obere Körperviertel vegetativ innerviert. Injektionen an das Ganglion entfalten an der Lunge eine sehr starke regulierende Wirkung, die wir uns mit Erfolg zunutze machen können. — Der Vollständigkeit halber sei darauf aufmerksam gemacht, daß man bei der Reflexzonenbehandlung der — (T) — Nase eine speziell auf die Lunge wirksame Zone herausgefunden hat.

A s t h m a b r o n c h i a l e : — (K) — Asthma bronchiale.

L u n g e n b l u t e n : — (K) — Hämoptoe

L u n g e n e m b o l i e : Bei der L. spielt der Thrombus gegenüber den zusätzlich reflektorisch entstehenden bedrohlichen Gefäßkrämpfen der Lungenarterien eine untergeordnete Rolle. — Therapie: *Procain* evtl. wiederholt — (T) — intravenös, über der befallenen Pleura in die — (T) — Interkostalräume und Injektionen an das — (T) — Ganglion stellatum erst der befallenen, später evtl. auch der Gegenseite.

Lungentuberkulose : Die heute geübte Tuberkulosebehandlung richtet sich in erster Linie gegen den Erreger. Neben den Tuberkulostatika versuchen wir mit Liegekuren und guter Ernährung den Körper für den Abwehrkampf zu kräftigen. Oft kommt diese passive, abwartende Haltung nur dem Tuberkelbazillus zugute. Die Möglichkeit, die nervale Versorgung der Lunge, ihre Durchblutung, Ernährung und ihren Tonus aktiv zu steigern und damit den Nährboden für den Erreger zu verschlechtern, wird noch viel zuwenig eingesetzt. Nach unseren Erfahrungen in der Behandlung der Lungenerkrankungen werden die Injektionen intravenös, Brust- und Rückenquaddeln und eine Reihe von Injektionen an das Ganglion stellatum auf der Seite der Erkrankung bzw. bei beiderseitigem Befall abwechselnd links und rechts in etwa einwöchigen Intervallen entscheidend helfen, daß die Abwehrkräfte besser zum Zuge kommen!

Nach russischen Berichten aus dem Wischnewski-Institut gibt man dort aus den gleichen Überlegungen heraus neben den Tuberkulostatika — (T) — paravertebrale und peripleurale Injektionen mit Lokalanästhetika und erzielt damit nachweisbar eine schnellere Rückbildung der infiltrativen Prozesse und eine Verkleinerung bis Schwund der Kavernen. Man benötigt dazu nach Angaben der Autoren nur 3—4 Injektionen in Intervallen nicht unter einer und nicht über vier Wochen. — DITTMAR gelang es, mit den oben angegebenen Injektionen exsudative in proliferative Formen umzuwandeln, ebenfalls Kavernen zu verkleinern und das Allgemeinbefinden zu bessern. Dasselbe Verfahren kann auch die Dyspnoe bei irreversiblen Endzuständen bessern. — BERGSMANN bestätigte die Richtigkeit unserer Forderung, bei allen chronischen Krankheiten auch an die Möglichkeit einer störfeldbedingten Entstehung zu denken. Er fand nämlich, daß extrapulmonale Herde, wie chronische Tonsillitiden, Narben, Phlegmonen, Cholezystitiden, Hepatitiden usw. die Entzündungsbereitschaft der Lunge nachweisbar steigern. Bei 15,6 % der von ihm betreuten 756 Kranken lösten banale extrapulmonale Noxen Verschlimmerungen an den Lungenprozessen aus. Bei störfeldbedingten einseitigen Tuberkulosen erkrankt nach seinen Beobachtungen mit 90 % Wahrscheinlichkeit die h e r d g l e i c h s e i t i g e L u n g e. Auffallend ist bei den monolateralen Lungentuberkulosen die D i f f e r e n z d e r L e u k o z y t e n z a h l e n aus dem Kapillarblut beider Schulterpartien. BERGSMANN fand, daß ein Störfeld den Tonus der Atemmuskulatur stören kann. Nach Beseitigen der Ursache im Huneke-Phänomen entspannten sich Atemmuskulatur und Zwerchfell prompt und ein vorher therapieresistenter Spasmus der Bronchien war geheilt. Bei der Tuberkulose läßt sich die erfolgreiche Neuraltherapie an der Abnahme der Tuberkulinempfindlichkeit ablesen, die ja Rückschlüsse auf eine verminderte Entzündungsbereitschaft der Lunge zuläßt. Zwei von BERGSMANN geschilderte Huneke-Phänomenheilungen verdienen referiert zu werden:

Ein 58jähriger Patient, der vor Jahren den fünften Finger der linken Hand verloren hatte, erkrankte an einer Lungentuberkulose und es kam links zur Kavernierung. Nach der Impletol-Behandlung der Handnarbe verschwand ein hartnäckiger Bronchospasmus, der vorher auf nichts ansprechen wollte und die bisher therapieresistente Kaverne begann sich zu verkleinern.

Bei einer anderen persistierenden Kaverne, die sich trotz 3monatiger intensiver tuberkulostatischer Therapie vergrößerte, brachten 4 Impletol-Behandlungen der chronisch entzündeten Mandeln innerhalb von 18 Tagen die entscheidende Wendung: Die Kaverne wandelte sich erst in einen Rundherd um, der dann mit einer strahligen Narbe ausheilte.

Lungenverletzungen: — (K) — Schock

Luxationen: Zur leichten Einrenkung vieler frischer Luxationen ist eine periartikuläre Procain-Infiltration vollkommen ausreichend! Man unterdrückt damit auch die Ausbildung von — (K) — Hämatomen. — Bei alten Fällen zusätzlich Injektion in die betreffenden — (T) — Gelenke und — (T) — intramuskuläre Infiltration der Muskelhärten, dann erst Einrenken in Narkose. Man erzielt dadurch eine schnelle Heilung und vermeidet — (K) — Kontrakturen. Bei Bedarf Nach-

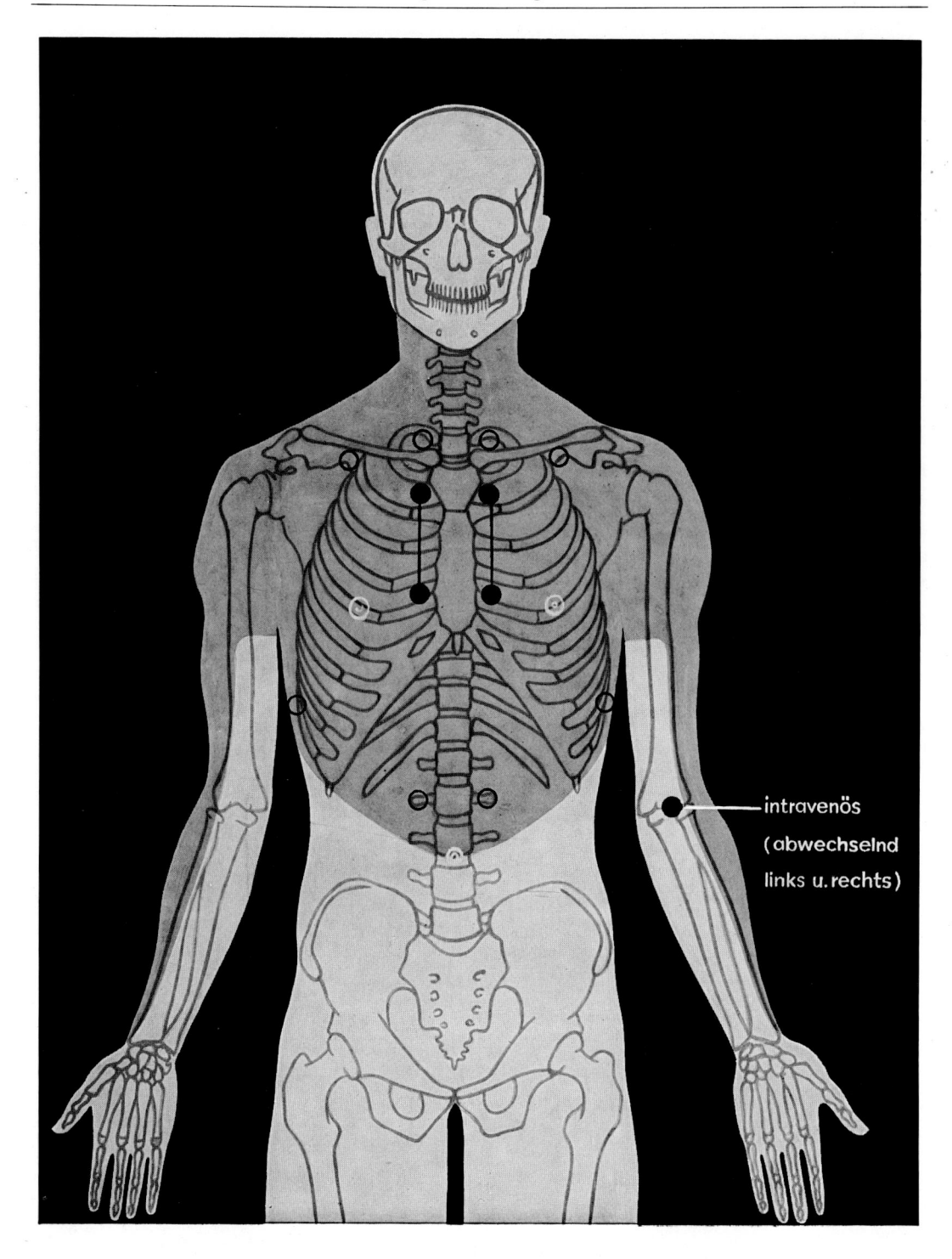

Abb. 18: Segmenttherapie bei Erkrankungen der Lunge.   Vorderseite.

● Standardpunkte   ○ häufige Reaktionspunkte

▬ Segmentreaktionen möglich

intravenös (abwechselnd links u. rechts)

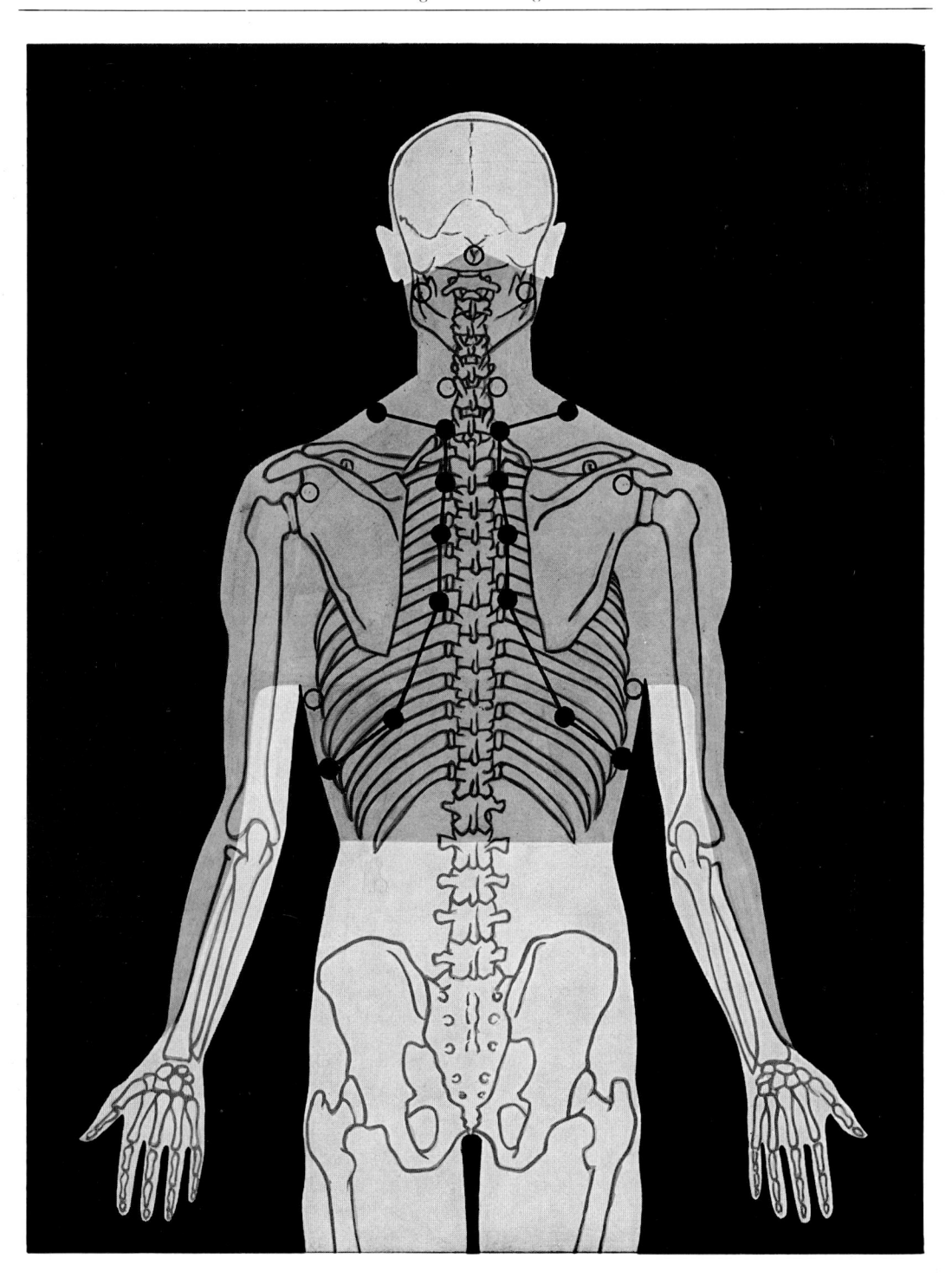

Abb. 19: Segmenttherapie bei Erkrankungen der Lunge.   Rückseite.

● Standardpunkte   ○ häufige Reaktionspunkte

▮ Segmentreaktionen möglich

behandlung mit gezielten — (T) — Quaddeln und tieferen Injektionen an die zu ertastenden Schmerzpunkte, auch an das empfindliche Periost der Sehnen- und Band-Ansatzstellen.

Lymphstauungen: — (K) — Elephantiasis. Die manuelle Lymphdrainage nach VODDER versucht mit speziellen Massagen der Lymphbahnen, Stauungen im Lymphabfluß zu beheben und so den Nährsäfte-Stromfluß, den Stoffwechsel und die körpereigene Abwehr anzuregen. Wir wissen, daß unsere gezielten Procain-Injektionen mit der Normalisierung a l l e r vegetativen Funktionen jeweils auch das Lymphsystem mit ansprechen. Mit der Gefäßerweiterung geht eine Dilatation der Lymphgefäße parallel. Injektionen in die Fossa ovalis (— (T) — Arteria femoralis), in den — (T) — gynäkologischen Raum und an den abdominalen — (T) — Grenzstrang sind sicher in der Lage, bei Bedarf die drei Engpässe des Lymphabflusses aus den unteren Extremitäten und dem Bauchraum (die sich ober- und unterhalb des Ligamentum inguinale und am Hiatus aorticus diaphragmae finden), besser durchgängig zu machen. In der oberen Körperhälfte sind die Achsel- und Supraklavikulardrüsen und der Ductus thoracicus die Schwerpunkte, die wir notfalls alle mit einer Injektion an das — (T) — Ganglion stellatum erfassen.

Magenerkrankungen: — (K) — Oberbaucherkrankungen

Mal perforant: — (K) — Neurozirkulatorische Störungen

Malum coxae senile: — (K) — Gelenkerkrankungen

Mandelentzündung: Die heute leider vielgeübte „prophylaktische" Gabe von Antibiotika und Chemotherapeutika bringt bei der Angina mehr Nachteile als Vorteile. Das Unterdrücken der Antikörperbildung leistet dem Rezidiv, der Bildung von Peritonsillarabszessen, vor allem aber der Störfeldbildung Vorschub. Die uralte Behandlung mit Fieberdiät, Schwitzpackungen und Abführmitteln ist da biologisch gesehen sinnvoller und somit besser! Bei einer akuten Angina können eine — (T) — intravenöse oder eine — (T) — Tonsillenpol-Injektion das — (K) — Fieber innerhalb einer Stunde zur Norm abfallen und alle Begleiterscheinungen verschwinden lassen. — Bei chronisch rezidivierenden Anginen führt eine mehrmalige Injektion an die Mandelpole (am besten im Frühjahr und Herbst prophylaktisch) zum Ausbleiben der Mandelentzündungen und -abszesse. Bei Kindern kann man nach einer oder einigen derartigen Behandlungen hypertrophischer und chronisch gereizter Tonsillen das gleiche Aufblühen bei gutem Appetit und allgemeiner Leistungssteigerung erleben, wie man es sonst nach einer Mandelausschälung auch erleben kann. Wir sind der Überzeugung, daß die *Procain*-Behandlung kranker Mandeln die überwiegende Mehrzahl aller Tonsillektomien überflüssig machen kann. Die Tonsillen und Tonsillektomienarben begegnen uns so häufig als Störfelder, daß die auf den ersten Blick etwas übertrieben anmutende Forderung auf eine aktive neuraltherapeutische Behandlung der Tonsillen bei Anginen, Scharlach und Diphtherie gerechtfertigt wird. Die Injektion an die Mandeln ist einfach, von jedem leicht erlernbar und bei Beachtung der Kautelen völlig ungefährlich. — Bei septischer Angina neben Antibiotika Injektionen an das — (T) — Ganglion stellatum. — (K) — Tonsillarabszeß.

Mastdarmerkrankungen: Nach Ausschalten eines Ca. — (T) — Quaddeln über dem Unterbauch und Steißbein. Genügt das nicht, — (T) — epidurale oder — (T) — präsakrale Infiltrationen, eventuell auch Injektionen in die — (T) — Prostata oder in die — (T) — Foramina sacralia post.

Mastitis: *Procain* — (T) — intravenös auf der Seite der Erkrankung, dazu Injektionen in und in die Umgebung der Infiltrate, auch retromammär, je eher, um so besser! Genügt das nicht, können sich die Infiltrate noch durch gleichseitige — (T) — Ggl.-stellatum-Injektionen zurückbilden. Bekommen wir die M. erst in die Hand, wenn die — (K) — Entzündung bereits ins — (K) — Abszeßstadium übergegangen ist, werden die genannten Injektionen eine schnelle Abgrenzung und Einschmelzung bewirken.

Mastodynie, Mastopathie: Bei manchen Frauen treten ein bis zwei Wochen vor der Menstruation schmerzhafte Spannungszustände in den Brustdrüsen auf. Die Mammae der geschlechtsreifen

Frau sind mit der Ovarial-Rhythmik gekoppelt. Bei den an Mastodynie leidenden Frauen besteht vor der Menstruation eine sympathische Dystonie mit erniedrigter Reizschwelle und daher erhöhter Schmerzempfindlichkeit. Infolge der veränderten vegetativen Ausgangslage auch Neigung zu — (K) — Migränen oder zur — (K) — Föhnkrankheit. Therapie: Ca. ausschalten, und die Frauen über die Harmlosigkeit der Schmerzen aufklären. Keine Gestagene geben! *Procain* — (T) — intravenös und in die Umgebung der schmerzhaften Verhärtung, eventuell auch retromammär. Injektionen in den — (T) — gynäkologischen Raum und in die — (T) — Schilddrüse zur Dämpfung der vegetativen Übererregbarkeit.

Mastoiditis: — (K) — Ohrenerkrankungen

Medianus-Parese: — (T) — Nerven, zuführende, Plexus brachialis

Megakolon: — (K) — Hirschsprungsche Krankheit

Melancholie: — (K) — Depression

Ménièresches Syndrom: Das Labyrinth ist ein arterielles Endorgan ohne kollaterale Blutzufuhr. So kann jede Irritation am Sympathikusgeflecht der zuführenden Arterien zu Gefäßspasmen führen, die die Blutversorgung drosseln. Oder die vegetativen Gefäßreaktionen führen zu einem Labyrinthhydrops mit Anoxämie und Druck auf die Nervenzellen. Behandlung: *Procain* — (T) — intravenös und an das — (T) — Mastoid, evtl. an das — (T) — Ganglion stellatum oder a n (nicht in!) die — (T) — Arteria carotis. — (K) — Ohrenerkrankungen. — (K) — Zervikalsyndrom.

Meningitis-Folgen: — (K) — Wetterfühligkeit und Reizbarkeit lassen sich durch die umstimmend wirkenden Procain-Injektion (1 ml einmal wöchentlich — (T) — intravenös) gut beeinflussen. Bei Kopfschmerzneigung zusätzlich noch unter die — (T) — Kopfschwarte. Bei starken Ausfallserscheinungen auf Grund einer erwiesenen „zentralen Belastung" — (T) — zisternale Impletol-Therapie. — (K) — Dystonie, vegetative.

Menorrhagie, Metrorrhagie: — (K) — Gynäkologische Erkrankungen

Meralgien: Bei Neuralgien des — (T) — N. cutaneus femoris lat. mit ihrem typischen Schmerzbereich an der Außenseite des Oberschenkels injizieren wir etwa 1—2 ml einer Lokalanästhesie-Lösung an den Nerv.

Migraine cervical: Ausgelöst durch direkte oder indirekte Irritation der großen zervikalen sympathischen Ganglien und durch Beeinträchtigung der Arteria vertebralis über die sie begleitenden vegetativen Fasern. Verbunden mit Angst, pektanginösen Beschwerden. Charakterisiert durch knackende Geräusche in der Wirbelsäule und plötzlich auftretende einseitige Beschwerden, die von bestimmten Kopf- und Körperhaltungen abhängig sind. Durch die psychische Besonderheit der Patienten werden sie oft als Neurotiker gedeutet. Behandlung — (K) — Zervikalsyndrom. Ein für dieses Krankheitsbild typischer Schmerzpunkt findet sich über und an dem Dornfortsatz des 3. Halswirbels. In therapieresistenten Fällen ist zu untersuchen, ob die Voraussetzungen für die — (T) — zisternale Impletol-Therapie gegeben sind.

Migräne: Bei der M. besteht die Veranlagung, auf Reize verschiedener Art mit vegetativen Störungen im Zwischenhirn zu antworten. Sie ist also eine Gesamterkrankung, die sich vielgesichtig äußern kann: Angina pectoris, paroxysmale Tachykardie, Asthma und eine Harnflut können Migränezeichen sein! Man muß den Ansatzpunkt der auslösenden Reize suchen und das Vegetativum von den in Frage kommenden Zonen aus gezielt angehen. Das kann gerade hier ein Störfeld sein, das außerhalb vom Kopfbereich aktiv ist.

K i n d e r m i g r ä n e : Von 100 Kindern leiden schon 4 an Migräne und nicht an „Schulerbrechen", „periodischen Bauchschmerzen" oder „Meningismus", wie dann oft fehldiagnostiziert wird! Nur die Hälfte davon zeigt eine familiäre Belastung. Oft läßt sich erst später aus dem Verlauf darauf schließen, daß die Kinder, die für Stunden jammernd und leichenblaß im Bett gelegen haben, an einer echten Migräne litten. Eine Nachuntersuchung von Migränekranken 20 Jahre nach Diagnostizieren ihres Leidens zeigte, daß ganze 75 % allen Therapieversuchen getrotzt hatten und daß also auch die Neigung zu Spontanheilungen äußerst gering ist. Wer bei Kindern an die Migräne denkt und lernt, sie kausal mit *Procain* zu behandeln, kann ganze Lebensschicksale verändern! Bei der Kindermigräne ist das Verhältnis zwischen den Geschlechtern noch 1:1, später überwiegt dann (nach der Pubertät!) die weibliche Migräne im Verhältnis 4:1. Daraus schließt der Neuraltherapeut, daß bei diesen Fällen das hormonelle System der Frau eine Rolle mitspielt. Regulationsschwierigkeiten beim Umschalten von Östrogenen auf Gestagene führen bei ihnen zu einem Sympathikus-Überwiegen, das die Reizschwelle senkt und die Anfallsbereitschaft am schwachen Punkt, hier dem Gefäß-Nervensystem mit der Durchblutung, erhöht. Das wird von uns bei der Therapie mit berücksichtigt. — (K) — Arteriitis temporalis, — (K) — Kopfschmerzen.

Miktionsstörungen: — (K) — Enuresis, — (K) — Prostataerkrankungen

Milchschorf: — (K) — Hauterkrankungen. Sehr oft führt eine ein- oder mehrmalige lnjektion an die — (T) — Tonsillen zum Erfolg! Sie ist auch bei Säuglingen durchführbar.

Mittelohrerkrankungen: — (K) — Ohrenerkrankungen

Monarthritis: — (K) — Gelenkerkrankungen

Morbus Bechterew: — (K) — Bechterewsche Krankheit

Morbus Boeck: — (K) — Hauterkrankungen

Morbus Dercum: — (K) — Adipositas dolorosa

Morbus Little: — (K) — Littlesche Erkrankung

Morbus Ménière: — (K) — Ménièresches Syndrom

Morbus Parkinson: — (K) — Parkinsonismus

Morbus Raynaud: — (K) — Neurozirkulatorische Störungen

Morbus Sudeck: — (K) — Sudecksches Syndrom

Multiple Sklerose: „Die Behandlung der M.S. beginne ich mit der Entfernung jedes schlechten Zahnes." (WAGNER — VON JAUREGG). — GOHRBANDT will nach Injektionen an das — (T) — Ganglion stellatum und an den — (T) — Grenzstrang 60 % Heilungen und wesentliche Besserungen gesehen haben. Wir konnten diese günstigen Erfolge nicht bestätigen und sahen bei Behandlung nach seinen Angaben nur in einem wesentlich geringeren Prozentsatz außer einem allgemeinen Wohlgefühl nur leichte Besserungen. Vor allem konnte bei fortgeschrittenen bettlägerigen Fällen kein befriedigendes Resultat mehr erzielt werden. Die Schilderung von drei Sekundenphänomenheilungen, die W. HUNEKE und LAMPERT erzielen konnten, zeigt, daß wir auch hier nicht berechtigt sind, von vornherein jeden Versuch als aussichtslos abzulehnen. Nach unseren Erfahrungen wird ein Störfeld aber nur äußerst selten einmal allein für eine Polysklerose verantwortlich sein. Sicher scheint dagegen zu sein, daß ein solches den Verlauf der M. S. immer ungünstig beeinflußt und beschleunigt! — Den spastischen Gang können Injektionen von je 1 ml *Procain* in die Patellar- und Achillessehnen bessern. Injektionen in und besonders an die — (T) — Arteria femoralis und — (T) — epidurale Injektionen können die Durchblutung und das Spannungsgefühl in der Beinmuskulatur bessern. Auch auf die Blasen- und Darmfunktion kann sich das bessernd auswirken. Auffallend ist, daß die Gabe von — (T) — Quaddeln über der Kreuzbeingegend bei M. S.-Kranken jedesmal starke reflexartige Zuckungen in beiden Beinen auslöst. Sie sind nach unseren Erfahrungen so charakteristisch für die M. S., daß ihre Auslösbarkeit fast diagnostisch verwertbar ist. Eine Erklärung dafür haben wir nicht. — Die Akupunktur rät zur Verbesserung der Gehfähigkeit zu Injektionen an das Periost der Innenfläche des Kalkaneus. — Versprechen wir uns und dem Patienten nicht zuviel von unseren Bemühungen. Er wird auf alle Fälle dankbar sein, daß mit ihm überhaupt etwas geschieht. Das darf uns nicht dazu verführen, zu massiv und zu oft (Intervalle von 3—4 Wochen) zu behandeln, da sonst die Gefahr einer Aktivierung besteht. Bei der Beurteilung von Erfolg oder Mißerfolg sei man wegen möglicher Remissionen und frischer Schübe zurückhaltend.

Mumps: Schnelles Abheilen nach *Procain* — (T) — intravenös auf der Seite der Erkrankung und — (T) — Quaddeln über der Drüse.

Mundschleimhauterkrankungen: Pinselung mit 2 %iger Pantocainlösung, submuköse Procain-Infiltration und in schwersten Fällen Injektionen an das — (T) — Ggl. sphenopalatinum oder — (T) — Ggl. stellatum. Siehe auch — (T) — Zähne.

Muskeldystrophien: Auch nach Poliomyelitis. Die gesteigerte muskuläre Regeneration durch *Procain* scheint gesichert zu sein (ASLAN). Lokale — (T) — intramuskuläre Infiltrationen und Injektionen an die zuführenden — (T) — Arterien, — (T) — Nerven und den — (T) — Grenzstrang können die Durchblutung und Ernährung des Muskels bessern. Die Akupunktur empfiehlt bei allen Muskelparesen, auch bei Muskelschmerzen und -krämpfen den „Meisterpunkt der Muskulatur" (G 34). Wir finden ihn beiderseits in dem Grübchen vor und unter dem Fibulaköpfchen. — (K) — Inaktivitätsatrophie.

Muskelkater, -riß, -zerrung: — (T) — intramuskuläre Infiltration

Myalgia lumbalis: — (K) — Lumbago

Myalgien, Myogelosen: Der Ausdruck Myogelosen ist irreführend, die Gelosen sitzen im Bindegewebe! — (T) — intramuskuläre Infiltration. Differentialdiagnose Gelose — Neuralgien im Halsbereich: — (K) — Zervikalsyndrom. Gelosen sind dehnungsempfindlich, Kneten und Reiben bringt Linderung!

Myelosen, funikuläre: Neben der Anämiebehandlung Injektionen an das — (T) — Ggl. stellatum oder den — (T) — Grenzstrang. Störfeld?

Mykosen: — (K) — Hauterkrankungen. Mehrere meiner Patienten, die unabhängig voneinander wegen anderer Krankheiten mit *Procain* getestet worden waren, gaben bei der nächsten Behandlung spontan an, ihre langjährig bestehende therapieresistente Fußmykose (die sie gar nicht erwähnt hatten) sei nach der Testung innerhalb weniger Tage auffallend schnell und vollständig abgeheilt. Diese Beobachtung läßt den Schluß zu, daß ein Störfeld mit einer Verschlechterung der Durchblutung auch den Nährboden für das Angehen und Gedeihen der Fußpilze bereiten kann und daß ihnen dann mit dem Erlöschen des Störfeldes die Lebensbedingungen entzogen werden. Ich berichte eine Beobachtung und bitte um Nachprüfung, bevor man mir den unbegründeten Vorwurf macht, ich propagiere ein Allheilmittel.

Myokarderkrankungen: — (K) — Herzerkrankungen

Myositis ossificans: Die schmerzhafte — (K) — Entzündung, die der Verknöcherung vorausgeht, können wir mit — (T) — intramuskulären Infiltrationen beseitigen. Natürlich werden wir uns darüber hinaus bemühen, möglichst frühzeitig zu klären, ob wir nicht ein Störfeld finden, das für die zentral gesteuerte Entgleisung verantwortlich ist.

Myotonia congenita: — (K) — Thomsensche Erkrankung

Nabelerkrankungen: Bei N a b e l k o l i k e n Würmer ausschalten, Injektion in die — (T) — Magengrube und in den Nabel 1—2 cm tief, dazu — (T) — Quaddeln kreisförmig in die Umgebung des Nabels. D e r N a b e l i s t d i e e r s t e N a r b e d e s M e n s c h e n. Auch ohne die Angabe einer Omphalitis, von Nabelnässen oder verzögertem Nabelabfall in der Anamnese sollten wir besonders dann an ihn als Störfeldmöglichkeit denken, wenn chronische Erkrankungen wie Ekzeme, Asthma bronchiale u. a. in den ersten Lebensmonaten und -jahren aufgetreten sind. Die Injektion in den Nabel-Narbenstrang bis zwischen die Platten des M. rectus abd. in die Chorda v. umbilicalis ist ungefährlich und bietet keine technischen Schwierigkeiten.

Nachschmerz nach Operationen: Die Procain-Behandlung mit Injektionen ins frische Wundgebiet ist unbedenklich, sie beschleunigt die Heilwirkung und nimmt neben den lokalen Schmerzen auch die begleitenden Fernstörungen wie Kopfschmerz, Übelkeit, Angstgefühl und ermöglicht ein schmerzfreies tiefes Durchatmen. Damit wird die Bildung von Pneumonien und Thrombophlebitiden verhindert. Die Heilwirkung hält auch hier wieder wesentlich länger an, als die rein pharmakologische Anästhesiewirkung. Bei Bedarf Wiederholung der Injektion erforderlich. Damit wird auch die Bildung von Narben-Störfeldern verhütet. — (K) — Operationsfolgen.

Nackenkarbunkel: — (K) — Karbunkel

Nackenschmerzen: — (K) — Zervikalsyndrom

Narben, -schmerzen: — (K) — Das Kapitel: Die Narbe als Störfeld. — (K) — Keloid, — (K) — Nachschmerz, — (T) — Narben

Nasenerkrankungen: Für die Behandlung des Nasenraumes und der Nebenhöhlen stehen uns folgende Injektionen zur Verfügung:

a) Als Basisbehandlung wieder die — (T) — i n t r a v e n ö s e Procain-Injektion mit ihrer vielseitigen Wirkung.

b) Die Nasen-Nebenhöhlen sind uns schwer zugänglich. Wir versuchen, das besonders nervenreiche Gebiet mit Injektionen an die untere und mittlere — (T) — N a s e n m u s c h e l zu beeinflussen, weil wir dort die Ausläufer der Nn. olfactorii, der mittleren Trigeminusäste und der Nn. sphenopalatini erreichen. Siehe auch: f) Ggl. sphenopalatinum.

c) Auch Injektionen an die oft druckempfindlichen — (T) — N e r v e n a u s t r i t t s - p u n k t e der Nn. supra- und infraorbitales können helfen. Damit können wir gelegentlich einen stürmischen, reinigenden Katarrh auslösen.

d) Injektion an das — (T) — T u b e r m a x i l l a e.

e) Die Anwendungsmöglichkeiten des — (T) — N a s e n s p r a y s haben in der Praxis noch nicht die gebührende Beachtung gefunden.

f) Die stärksten Geschütze, die wir uns immer für den Schluß der Segmentbehandlung aufheben, sind auch hier die regionären — (T) — G a n g l i e n, in diesem Fall besonders das Ggl. sphenopalatinum, aber auch das Ggl. stellatum und das Ggl. Gasseri.

g) Injektionen an das P e r i o s t d e r N a s e n w u r z e l können bei Rhinitis vasomotorica, chron. Schnupfen und anderen chronischen Nasenerkrankungen wertvolle Hilfe leisten. Die Akupunktur spricht bei einer Kombination dieses Punktes mit den beiden N. supraorbitalis-Punkten von einem „magischen Dreieck", weil die gemeinsame Nadelung dieser drei Punkte eine wunderbare Wirkung auf die darunterliegenden Nebenhöhlen hat. Der N. e t h m o i d a l i s a n t., ein Ophthalmicus-Ast, ist der Schleimhautnerv für einen Teil der Nasen-Nebenhöhle. Sein einziger Hautast tritt an der Grenze zwischen knöchernem und knorpeligem Anteil des Nasenrückens aus, wo er uns leicht zugänglich ist.

h) Versagt das alles, liegt der Verdacht auf ein Störfeld nahe.

N a s e n b l u t e n : Schweres Nasenbluten kann oft durch eine Procain-Injektion in die — (T) — Magengrube gestillt werden. Auch die — (T) — intravenöse Injektion kann angebracht sein.

N a s e n f u r u n k e l : Injektionen an das — (T) — Ganglion stellatum können lebensrettend sein. — (K) — Furunkel, — (K) — Erysipel.

N a s e n - N e b e n h ö h l e n : — (K) — Kieferhöhle. Oft haben die Wurzelspitzen der oberen Molaren eine Verbindung mit der Kieferhöhle. Auch ein nervtoter Zahn kann eine therapieresistente Sinusitis verursachen! — (T) — Nasennebenhöhlen.

N a s o c i l a r i s - N e u r a l g i e : — (K) — Neuralgien.

N a s o p h a r y n g i t i s , S c h n u p f e n : Der — (T) — Nasenspray kann kupierende Wirkung haben, wenn er zeitig genug angewandt wird.

O z a e n a : Die O. ist wahrscheinlich Folge neuralbedingter Durchblutungsstörungen. Echte Heilungen sind natürlich nur nach einer Serie von Behandlungen in etwa einwöchigen Abständen zu erwarten, solange noch nicht ein narbiger Zustand erreicht ist. Allein wiederholte — (T) — intravenöse Procain-Injektionen geben in der Hälfte der Fälle gute, ja erstaunliche Erfolge, die über die Behandlungszeit hinausgehen. Das scheint die Annahme zu bestätigen, daß das *Procain* über die sympathischen Gefäßwandnerven eine Umstimmung im Zwischenhirn auszulösen vermag, wodurch die Dystonie des vegetativen Nervensystems beseitigt und eine normale Durchblutung wiederhergestellt wird. Eine Reihe von Autoren sah nach Injektionen an das — (T) — Ganglion stellatum Schwinden der Borken, bessere Durchblutung und Durchfeuchtung der Schleimhäute, Rückkehr des Geruchssinns, Beseitigung der Kopfschmerzen und subjektives Wohlbefinden. Zur lokalen Unterstützung kann man den Patienten dazu anhalten, täglich, einmal einen — (T) — Nasenspray anzuwenden und die Nasenschleimhäute mit 2 %iger Pantocainlösung oder einem anderen Schleimhaut-Anästhetikum zu besprühen. Zähne im Oberkiefer sanieren!

R h i n i t i s v a s o m o t o r i c a, H e u s c h n u p f e n : Die — (K) — allergische Reaktion der Nasenschleimhaut kann mit neuraltherapeutischen Maßnahmen erfolgreich bekämpft werden. Die — (T) — intravenöse Injektion wirkt antiallergisch und umstimmend. Am meisten betroffen ist das Gebiet der Nase und des Auges. Die zugehörigen Fasern erreichen wir über das — (T) — Ganglion sphenopalatinum oder — (T) — Ggl. stellatum und z. T. mit — (T) — Quaddeln mit Injektionen bis ans Periost über der Nasenwurzel in Höhe der Augenbrauen und oberhalb der Mitte des Jochbogens. DESCOMPS empfiehlt bei allen allergischen Erkrankungen die Anästhesie des Ggl. cervicale sup. des Hals- — (T) — Grenzstranges.

Navikulare-Malazie: — (K) — Knochennekrosen

Nebenhodenerkrankung: — (K) — Epididymitis

Nebennieren-Insuffizienz: Injektionen an den — (T) — Grenzstrang am oberen Nierenpol. — (K) — Hormonale Störungen.

Nekrosen, drohende: Z. B. nach unbeabsichtigter paravenöser Strophanthin-Injektion: Sofortige Umspritzung und Infiltration des bedrohten Gebietes mit 1—2 %iger Procain-Lösung. — (K) — Gefäßverschlüsse, — (K) — Neurozirkulatorische Störungen, — (K) — Allergische Erkrankungen, — (K) — Knochennekrosen, — (K) — Ulcus cruris.

Neoplasma: — (K) — Krebs

Nephropathien: — (K) — Nierenerkrankungen

Nervenerkrankungen: Entzündliche und degenerative: Injektionen an den erkrankten — (T) — Nerv oder die — (T) — Nervenaustrittspunkte, an den — (T) — Grenzstrang und die regionären — (T) — Ganglien. Störfeld?

Netzhaut-Erkrankungen: — (K) — Augenerkrankungen

Neuralgien: Neuralgien sind meist heftige, anfallartig einsetzende Schmerzen im Ausbreitungsgebiet eines sensiblen Nerven. Sie können kurze Zeit, höchstens Stunden anhalten. Charakteristisch ist, daß es dabei nie zu objektiv nachweisbaren sensiblen oder motorischen Ausfallserscheinungen kommt. — Soweit möglich, Ursachen (Störfelder, Toxine) suchen und ausschalten.

a) C a r o t i d y n i e : (Sympathalgie, tiefe Prosopalgie): Dumpfe, bohrende Schmerzen im Bereich von Auge, Schläfe, Oberkiefer, Ohr und Nacken. Der Austrittspunkt des N. supraorbitalis ist druckempfindlich, auch der Augenbulbus, die Gegend des Proc. mastoideus und der A. carotis. Außerdem kommt es zu vasomotorischen und hypersekretorischen Erscheinungen in diesen Bereichen. — Die zugrunde liegende Reizung des Plexus caroticus ist mit Injektionen unter die — (T) — Kopfschwarte, an den — (T) — Proc. mastoideus, — (T) — N. supraorbitalis, — (T) — Tuber maxillae und das — (T) — Ggl. ciliare anzugehen. Sonst Anästhesie des — (T) — Ggl. stellatum und Injektionen an die — (T) — A. carotis.

b) G a n g l i o n p t e r y g o p a l a t i n u m : — (K) — Sludersche Neuralgie.

c) M a n d i b u l a r g e l e n k - N e u r a l g i e : — (K) — Costen-Syndrom

d) N n. a n o c o c c y g e i : — (K) — Kokzygodynie.
e) N. a u r i c u l o t e m p o r a l i s : Meist nach Verletzungen der Parotisgegend. Brennende Schmerzen in der Schläfengegend und vor dem Ohr, die durch Kauen oder Appetit ausgelöst werden, wobei es zu einer übermäßigen Sekretion der Schweißdrüsen im Versorgungsgebiet kommt (gustatory sweating = Geschmacksschwitzen). Um- und Unterspritzen der Verletzungsnarbe, — (T) — Quaddeln im Parotis- und Ohrbereich, — (T) — Proc. mastoideus, — (T) — Ggl. stellatum, — (T) — Ggl. sphenopalatinum.
f) N. c u t a n e u s f e m o r i s l a t. : — (K) — Meralgien.
g) N. g l o s s o p h a r y n g e u s : — (K) — Glossopharyngeus-Neuralgie.
h) N n. i n t e r c o s t a l e s : — (K) — Interkostal-Neuralgien.
i) N. i n t e r m e d i u s : (Huntsche Neuralgie, Neuralgie des Ggl. geniculi): Der N. intermedius ist ein Ast des N. facialis mit sekretorischen und sensorischen Fasern. Bei Neuralgien anfallsweise oder anhaltende Schmerzen im Bereich von Ohr, äußerem Gehörgang, und einem Teil der Ohrmuschel. Gelegentlich vermehrter Tränen- und Speichelfluß und Geschmacks-Sensationen. — Injektionen an den — (T) — Proc. mastoideus, in die Fazialisloge und ans — (T) — Ggl. stellatum.
j) N. i s c h i a d i c u s : — (K) — Ischias
k) N. l a r y n g e u s s u p. : Schmerz und Druckschmerz im Bereich des Kehlkopfes und der seitlichen Halspartie. — — (T) — Quaddeln über den hyperalgetischen Zonen und Injektionen an den — (T) — N. laryngeus sup.
l) N. n a s o c i l i a r i s : Anfallsweise Schmerzen im Gebiet des medialen Augenwinkels und des Nasenrückens, Spontan- und Druckschmerz des Augapfels, Tränenträufeln, Konjunktivitis und Skleritis, evtl. Herpes corneae oder Keratitis, häufig während des Anfalls Rötung im Stirnbereich. — Injektionen in den Orbita-Nasenwinkel, an den — (T) — N. supraorbitalis und in die Mitte des Nasenrückens (Knorpel-Knochengrenze) und an das — (T) — Ggl. ciliare. Ein wiederholter — (T) — Nasenspray kann die Anfälle kupieren oder zumindest bessern.
m) N n. o c c i p i t a l e s : — (K) — Kopfschmerzen.
n) N. p u d e n d u s : Sie sind relativ häufig und werden dann gern als Reizblase, Pelvipathia vegetativa oder Beckenboden-Neuritis fehlgedeutet und unzulänglich symptomatisch mit Analgetika und Sedativa behandelt: — (T) — N. pudendus.
o) N. s u p r a o r b i t a l i s : — (T) — N. supraorbitalis.
p) N. t r i g e m i n u s (Prosopalgie): — (K) — Trigeminus-Neuralgie.
q) P l e x u s t y m p a n i c u s : Schmerzen in der Tiefe und Umgebung des Gehörganges mit Triggerzonen vor dem Ohr und im äußeren Gehörgang. — — (T) — Quaddeln und Injektionen in die „trigger points", auch an den — (T) — Proc. mastoideus, — (T) — Ggl. stellatum.

Neurasthenie: „Neurasthenie ist das Unvermögen des vegetativen Systems, die physiologische elektrische Spannung zu schaffen oder zu halten" (F. HUNEKE). Kopfschmerz und Schlaflosigkeit aus neurasthenischer Ursache lassen sich mit *Procain* nicht oder nur schwer beeinflussen. — (K) — Dystonie, vegetative.

Neuritiden: Ziel muß die vegetative Umstimmung sein, weil dem Leiden in jedem Falle eine Allgemeinerkrankung zugrunde liegt. Bei der Polyneuritis suchen wir immer zuerst nach einem Störfeld. — (K) — Nervenerkrankungen, — (T) — Ponndorf.

Neuritis nervi optici: — (K) — Augenerkrankungen

Neurodermatitis: — (K) — Hauterkrankungen

Neurome: Bei Schmerzen Injektionen in ihre Umgebung und direkt in die Nervenknoten. — (T) — Narben. Neurome können Störfeld sein.

Neurovegetative bzw. neurozirkulatorische Dystonie: Nach HOCHREIN eine „Fehlsteuerung des Kreislaufs mit überschießender, später paradoxer Reizbeantwortung". Ursachen der Fehlfunktion können in Reizen verschiedener Art liegen, wie z. B. Toxine oder Störfelder, die zu einer Umstimmung im neurovegetativen System führen. Trifft dann ein zweiter Reiz den Organismus, kann der „Zweitschlag" die n. D. durch Summierung der Reize zum Ausbruch kommen lassen. — (K) — Dystonie, vegetative.

Neurozirkulatorische Störungen: Angiospasmen, Akrozyanosen, Brachialgien, Endangiitis obliterans, Claudicatio intermittens, Parästhesien, Sudecksches Syndrom, Raynaudsche Gangrän und Thromboangitis haben alle einen gemeinsamen Ursprung: Sie sind Folgen von Dysregulationen infolge einer Sympathikusreizung. Die Ursache für die zunehmenden Zahlen zentraler und peripherer arterieller Durchblutungsstörungen sind durchaus nicht allein in organischen Gefäßerkrankungen zu suchen. Das moderne Leben hat mit seiner Reizüberflutung und der steigenden psychischen Anspannung bis zum Dauerstreß neurovegetative Störungen der Gefäßregulation zur Folge. Den Vasomotoren-Regelkreisen werden ständig Impulse aufgezwungen, die weit über die normale Belastungsfähigkeit ihrer Reflexsysteme hinausgehen. Das führt zwangsläufig zu Störungen im Spannungszustand der Blutgefäße und einer verminderten Durchblutung mit allen negativen Sofort- und Spätfolgen. Bei Durchblutungsstörungen löst ein vegetativ-sensibler Schutzmechanismus reflektorisch den Schmerz aus. Dieser ist seinerseits wieder als pathologischer Reiz die Ursache für einen weiteren Gefäßspasmus. Die Procain-Injektion ist in der Lage, diesen Reflex-Circulus-vitiosus zu durchbrechen und damit die Heilung einzuleiten. Die Injektion an die Bahnen zu den übergeordneten vegetativen Zentren z. B. an die — (T) — Ganglien oder an den — (T) — Grenzstrang kann zusätzlich überschießende krankmachende Reflexe ausschalten und die Restitution beschleunigen. Trotzdem „blockieren" wir nichts, sondern machen gerade die Bahn frei für die bisher blockierten Selbstheilungskräfte. — In leichten Fällen werden — (T) — Quaddeln über dem erkrankten Gebiet und Injektionen an die zuführenden — (T) — Arterien und — (T) — Nerven oder — (T) — epidurale bzw. präsakrale Infiltrationen ausreichend sein. Langdauernde bzw. rezidivierende Ischialgien können organische Cefäßerkrankungen zur Folge haben. Darum muß jede — (K) — Ischias zeitig und gründlich behandelt werden. Bei starke Durchblutungsstörungen der unteren Extremitäten kann außer intraarteriellen Injektionen an und in die A. femoralis auch eine an und in die Bauchaorta angezeigt sein. Die Technik ist bei der Injektion an den abdominalen — (T) — Grenzstrang geschildert.

Nierenerkrankungen: Es gibt keine isolierten Nierenkrankheiten, sondern nur Allgemeinerkrankungen, bei denen die Erscheinungen an den Nieren besonders im Vordergrund stehen.

   a) A k u t e o d e r c h r o n i s c h e e n t z ü n d l i c h e Vorgänge an den Nieren lösen außer den bekannten lokalen Störungen einen Alarmzustand in den übergeordneten Hirnzentren aus. Als Folge davon kommt es zu abnormen neuralen Erregungen am Organ und seiner Umgebung. So bewirkt z. B. die Dysreflexie auf viszero-viszeralen Reflexbahnen über den sekundär irritierten Plexus coeliacus die Blutdrucksteigerung. Am Organ können sich diese fehlsteuernden Reflexe bis zu einem völligen Zusammenbruch der Nierenfunktionen steigern. — Die Erfolge der Neuraltherapie bestätigen diese Überlegungen. Eine möglichst zeitig einsetzende Procain-Behandlung der zu den Nieren führenden Nerven und der zugehörigen Headschen Zonen unterbricht alle schädlichen Reflexe und stellt normale nervale Verhältnisse wieder her. Nur so kann man verhindern, daß die akute Entzündung in ein chronisches Stadium übergeht und daß sich eine Schrumpfniere bildet. Ist die Schrumpfniere erst einmal als narbiger Endzustand manifest, kann auch die Neuraltherapie nicht mehr helfen. Die Rolle, die das Störfeld bei allen Nierenerkrankungen spielt, ist heute kaum mehr bestritten. Nach VOLHARD sollen sogar 95 % aller Nephritiden tonsillogen sein!

b) **Nephrolithiasis**: Eine nervale Form der Nierensteinbildung scheint gesichert. Auf den starken nervalen Reiz von Oberschenkelamputationen und Oberbauchoperationen z. B. hat man regelmäßig eine starke Ausscheidung von Kolloiden, Sphärolithen und Mikrolithen nachweisen können. Die idiopathische Form der Steinbildung ist sicher viel seltener. Für sie hat man die operative Denervierung der Niere oder die Nierenresektion an einem Pol empfohlen. Wir erreichen dasselbe und mehr durch die mehrmals wiederholbare Injektion an den — (T) — Grenzstrang am oberen Nierenpol! Damit schalten wir den steinauslösenden Reflex am Erfolgsorgan ab, verhindern die Steinkrise und treiben so die sicherste Prophylaxe gegen die häufigen Rezidive. Eine Nierensteinoperation ohne Ausschalten der steinauslösenden Ursache, die in einem Störfeld zu suchen und möglichst auch zu finden ist, ist eine halbe Sache. Bleibt das Störfeld weiter wirksam, kann jeder neue Schlag in Form eines banalen Infektes, einer Zahnextraktion oder jeder anderen körperlichen und seelischen Erschütterung den einmal gebahnten Weg zur Steinbildung wieder zum nächsten Rezidiv freimachen. — Beim Steinabgang durch den Ureter macht der Stein Schmerzen, die durch Quaddeln zu behandeln sind:

Im oberen Drittel: Außenseite des Oberschenkels.
In der Mitte: Genital- und Leistengegend.
Im unteren Drittel: Blasengegend (Harndrang, Tenesmen).

Hochsitzende große Steine müssen operativ entfernt werden. PETKOV rät vor der Operation von Uretersteinen, die im distalen Ureterbereich steckengeblieben sind, zu einem Versuch mit der „Periorificium-Novocain-Blockade". Wie er berichtete (Chirurgia, Sofia 2/1971) verteilt er mit Hilfe des Katheterisierungs-Zystoskops durch eine im Ureterkatheter fixierte Injektionsnadel 10 ml einer 1 %igen Procainlösung 2—3 mm seitwärts der Ureterenmündung submukös. Mit dem nachfolgenden Wasserstoß erfolgte in über der Hälfte der Fälle die spontane Steinausstoßung bei Steinen bis zu 1 cm Durchmesser.

Segmenttherapie bei Erkrankungen der Nieren:

a) *Procain* wirkt — (T) — i n t r a v e n ö s zuverlässig spasmolytisch, diuretisch und tonuserhöhend auf die glatte Muskulatur. Dazu kommen die weitreichenden zentralregulierenden Effekte, die pharmakologisch nicht zu deuten sind.
b) — (T) — Quaddeln mit einem Lokalanästhetikum in die ventralen und dorsalen Headschen Zonen. — Zur Differentialdiagnose: Koliken oder entzündliches „akutes Abdomen" gibt man 2—3 Aqua-bidest-Quaddeln in die Zone stärkster Schmerzen. Kolikschmerzen verschwinden sofort auf die schmerzhaften Injektionen hin, während die Entzündungsschmerzen dadurch nicht beeinträchtigt werden. — Der griechische Neuraltherapeut SPANOPOULOS beobachtete, daß Rheumatiker häufig in der Kreuzbeingegend in Höhe von S 3 unter der Haut druckschmerzhafte Knoten haben, die auf durchgemachte Erkrankungen im Urogenitalsystem hinweisen. Selbstverständlich müssen diese Gelosen ertastet und durch (— (T) — intramuskuläre) Infiltrationen beseitigt werden. Mit ihnen verschwinden dann auch die Fernstörungen, die sie auslösten und unterhielten.
c) Injektionen an den — (T) — G r e n z s t r a n g am oberen Nierenpol auf der Seite der Erkrankung evtl. beiderseits.
d) — (T) — P a r a v e r t e b r a l a n ä s t h e s i e.
e) Von der Akupunktur übernehmen wir die Quaddelung des hinteren, also dorsalen S a r t o r i u s r a n d e s (etwa in der Mitte des inneren Oberschenkels) mit Procain-Injektionen durch die Quaddeln bis in 4—8 cm Tiefe.

Die sensorischen Sakralganglien werden oft nach Herpes-Typ II-Virus-Infektionen, die stumm verlaufen können, latent mit Viren infiziert. Man nimmt an, daß die Viren nach einer peripheren — (K) — Infektion durch neurale Ausbreitung in die Ganglien einwandern. Da sie sich nach PUCK nur in depolarisierten Zellen halten können, kann die repolarisierende Procain-Behandlung dieses Virus-Reservoire beseitigen helfen.

Nucleus-pulposus-Hernie: — (K) — Bandscheibenschaden

Nystagmus: Ob ein zentral, also kortikal oder ein peripher ausgelöster Nystagmus vorliegt, läßt sich differentialdiagnostisch mit einer intravenösen Xylocain-Injektion von 1—1,5 mg/Körpergewicht, die innerhalb einer Minute gegeben wird, klären. Der zentral ausgelöste Nystagmus verschwindet nach der Injektion für 15—25 Minuten, zumindest wird er stark gebessert. Der periphere bleibt durch die Injektion unbeeinflußt.

Oberbaucherkrankungen: Wir fassen die Oberbauchorgane: L e b e r , G a l l e n b l a s e , M a g e n , Z w ö l f f i n g e r d a r m , B a u c h s p e i c h e l d r ü s e , D ü n n - u n d D i c k d a r m bewußt zusammen. Im Lebendigen gibt es keine scharfen Grenzen, sondern nur fließende Übergänge. Das zeigen uns die genannten Organe besonders deutlich: Die Funktion des einen ist von der des anderen so abhängig, daß sie alle zusammen auch in pathophysiologischer Hinsicht eine Einheit bilden. Im Lauf der Jahre sind die Methoden der Untersuchung und Behandlung der einzelnen Organe so differenziert und kompliziert geworden, daß sie für den Praktiker unübersehbar geworden sind. So gibt es 170 verschiedene L e b e r funktionsproben! Allen ist gemeinsam, daß sie nicht ganz zuverlässig sind. Eine Divergenz zwischen Funktionsausfall und anatomischem Befund ist unbestritten. So kann man z. B. die vielen chronischen Hepatitiden und die Fettleber mit Sicherheit nur durch eine Leberbiopsie klären. — Suprema lex salus aegroti! Ihm ist bei weitem besser damit gedient, daß wir ihm beizeiten eine Injektion an den abdominalen Grenzstrang und in die Magengrube geben, als daß wir wertvolle Zeit damit vertun, den Rätseln nachzugrübeln, die uns die oft widersprechenden Laborbefunde aufgeben. Der aktiv behandelte Patient wird dankbar konstatieren, daß wir ihm mit den Injektionen den Druck aus der Lebergegend und das Krankheitsgefühl genommen haben. Wir wissen aus der Erfahrung, daß mit dem Krankheitsgefühl auch die Krankheit verschwindet. Die chronisch kranke Leber ist keine Gegenindikation für die Procain-Behandlung, im Gegenteil, sie gehört mit zu unseren erfolgreichsten Gebieten!

Wir wissen von den Pathologen, daß 75 % aller Menschen in ihrem Leben an einem Gallenleiden erkranken, daß aber nur 8 % daran sterben. 80 % aller akuten Gallenerkrankungen heilen bei entsprechender konservativer Behandlung aus oder werden in ein latentes Stadium überführt. Im Durchschnitt sind 15 % aller Erwachsenen Gallensteinträger. Davon stellen die Männer 10 %, die Frauen 20 %. Nach anderen Quellen haben 40 % a l l e r F r a u e n ü b e r 4 0 J a h r e G a l l e n s t e i n e ! Auffallend ist, daß die Frauen, die geboren haben, dreifach stärker betroffen werden, als Nulliparae. Das läßt jeden Neuraltherapeuten mit Erfahrung sofort an ein mögliches Störfeld im gynäkologischen Raum denken. Primär ist das Gallenleiden (gleichgültig, ob die Entzündung oder Steinbildung im Vordergrund steht) eine Allgemeinerkrankung, vorwiegend eine Stoffwechselstörung. Bei 35 % zeigt die Biopsie eine Fettleber, 8 % der Steinträger sind gleichzeitig Diabetiker, ein weit höherer Anteil weist eine latente diabetische Stoffwechsellage und eine Adipositas auf. Koliken sind übrigens kein Beweis für Gallensteine, bei 10 % finden sich keine Steine.

Die von den Chirurgen seit langem aufgestellte — von den oft ratlosen Internisten nur zögernd unterstützte — Forderung nach einer risikoarmen Frühoperation setzt sich zu deren Leidwesen nicht durch. Schuld daran ist die relativ hohe Operationsmortalität von 8 % und die nicht zu übersehende Versagerquote von 35 %! Die Cholezystopathien treten ja leider meist erst nach dem 40. Lebensjahr auf, also in einem Alter, wo die Operationsmortalität schon sehr hoch ist. Kein Wunder, daß der Ruf der Gallenchirurgie schlecht ist: Von 10 Operierten stirbt einer, 3 behalten ihre Beschwerden! Das Argument der Chirurgen, die Operation sei eine wirksame

Krebsprophylaxe, die das Risiko alleine schon rechtfertige, ist bei näherem Hinsehen auch keines: Nur 1 % der Gallensteinträger bekommen einen Gallenkrebs. Die Operation der „Verwachsungsbeschwerden" bringt auch nicht viel ein: Nur 2,5 % der Nachoperationen erweisen sich als indiziert (vergessene Steine, Papillenstenosen). Für die anderen Versager sucht man die Schuld überall (Reizkolon, Hiatushernie, Ulcus duodeni, anacide Gastritis, intestinale Allergie, Milchzuckerintoleranz, Leberzirrhose, Colitis ulcerosa, Koronaraffektionen), also an Mitsymptomen und Folgeerscheinungen, nur nicht an der wirklichen Ursache — am Störfeld! Von 100 Gallenstein t r ä g e r n merken 90 nie etwas von ihren Steinen bzw. erst, wenn der Arzt ihnen etwas davon sagt, nur 10 werden zu Gallenstein l e i d e n d e n. Der Faktor, der dazukommen muß, um einen erscheinungsfreien Steinträger erkranken zu lassen, ist, von den iatrogen-psychogenen Fällen abgesehen, das Störfeld. Da das dank HUNEKE auszuschalten geht, können wir den Steinleidenden in einen „gesunden" Steinträger zurückverwandeln. Am Störfeld muß die konservative Therapie ansetzen, wenn sie mitreden will, nicht an der Bekämpfung der Dyskinesien und der Bakterien, die die Gallenblase doch erst sekundär besiedeln!

Die Neuraltherapie beweist mit ihren vielen Heilungen auch erfolglos Gallenoperierter, daß bei diesem Krankheitsbild besonders häufig ein Störfeld als Aktivator von Stoffwechselentgleisungen und sekundären Dyskinesien, Steinbildungen, Entzündungen, Verwachsungen usw. wirksam ist. Prinzipiell lassen sich nur segmentgebundene Störungen vom Segment aus mit lokalen Maßnahmen (dazu zählt auch die Operation) beeinflussen. Das gilt aber nicht für die etwa 30 % störfeldbedingten Cholezystopathien, die das Gros der Operationsversager stellen. Die verlangen eine individuelle Behandlung, bei der das gewohnte organgebundene Denken und Handeln zugunsten einer kybernetischen Ganzheitstherapie aufgegeben werden muß. Der Internist sollte unsere Therapie nicht von vornherein als indiskutabel ablehnen, sondern einmal unvoreingenommen (und richtig) anwenden, bevor er seinen Patienten mitsamt der Verantwortung an den Chirurgen abschiebt. Wenn eine Frau — was überaus häufig der Fall ist — angibt, sie sei n a c h d e m z w e i t e n K i n d adipös geworden und habe dann auch die ersten Gallenkoliken bekommen (Zweitschlag nach SPERANSKI.), muß er unbedingt den — (T) — gynäkologischen Raum entstören und evtl. zusätzlich die — (T) — Schilddrüse behandeln, damit die Galle endlich wieder zur Ruhe kommt. Eine Gallenoperation wäre hier absolut fehlindiziert und nur in der Lage, neue nervale Störfeldmöglichkeiten zu schaffen! (Vergleiche die Fälle 10 und 12 auf Seite 110 und 111! Wie vielen armen Frauen könnte geholfen werden, wenn nur dieses Wissen erst einmal Allgemeingut der Ärzte wäre! Unsere auf Heilungen gestützte Forderung lautet: Jeder Gallenkranke ist möglichst zeitig einer gekonnten Neuraltherapie mit *Procain,* dem „unblutigen Messer" (LERICHE) zuzuführen. Schon die Stoffwechselentgleisungen müssen aufs richtige Gleis gebracht werden, bevor die Sekundärveränderungen zu große Ausmaße annehmen. Die vitalen Indikationen (Empyem, Phlegmone, pericholezystitischer Abszeß und Steinverschluß mit längerdauerndem Ikterus) gehören selbstverständlich in die Hände der Chirurgen und dürfen nicht verschleppt werden! Segmentgebundene Gallenleiden lassen sich über die Segmenttherapie mit *Procain* besser und schonender heilen, als mit der eingreifenden Operation. Den störfeldbedingten Kranken kann nur mit dem Huneke-Phänomen geholfen und die nutzlose Operation (mit allen Folgen) erspart werden (siehe auch Fall 6, Seite 106. Also: N e u r a l t h e r a p i e v o r C h o l e z y s t e k t o m i e, F r ü h b e h a n d l u n g mit *Procain* s t a t t F r ü h o p e r a t i o n! Versagt die Segmentbehandlung und wird kein verantwortliches Störfeld gefunden, bleibt die Operation immer noch. Diese Fälle schätze ich nach meinen Erfahrungen auf weniger als 30 %. Da hierbei noch viele psychogene Kranke sind, würde ich vor der Operation auch erst noch den Psychotherapeuten einschalten. „Nil nocere!" sollte die oberste Richtschnur gerade der Gallenbehandlung sein.

Auch die U l k u s - K r a n k h e i t ist für uns nur eine besondere Erscheinungsform der „vegetativen — (K) — Dystonie". Überstarke physikalische, chemische, bakterielle, mechanische, psychische oder andersgeartete Reize können zu einer Umstimmung des vegetativen Nervensystems führen. Der nächste Reiz, der von den Regulierungsmechanismen nicht mehr ausbalanciert werden kann, wirkt als Zweitschlag im Sinne SPERANSKIS und führt zur „neurozirkulatorischen — (K) — Dystonie" und damit zur Organschädigung. Welches Organ geschädigt wird, hängt von der exogenen Noxe und vom ererbten oder erworbenen Locus minoris resistentiae ab. Je nach Sachlage können wir mit der Neural- oder der Psychotherapie auf das gestörte Vegetativum einwirken. Das liegt uns primär mehr am Herzen als das Wissen, ob z. B. eine Hyp- oder Hyperazidität vorliegt. Auch die Salzsäureproduktion kommt nur auf nervale Vermittlung zustande, die wir ja gerade normalisieren wollen.

Es ist HUNEKES Verdienst, unermüdlich darauf hingewiesen zu haben, daß das Neurovegetativum als Bahn zur Krankheit und Heilung in den Mittelpunkt aller unserer Interessen gestellt werden muß. Er hat damit den gemeinsamen Nenner für das Krankheitsgeschehen aufgezeigt. Darüber hinaus wies er uns den Weg, wie wir uns das neurovegetative System zu Heilungen dienstbar machen können. Ist das Organ durch Vorgänge gestört, die sich im Segmentbereich abspielen, geht der Reflexmechanismus, in den wir uns einschalten müssen, über das Rückenmark. Handelt es sich aber um eine Fernstörung außerhalb des zuständigen Segments, geht der Reflexweg über die vegetativen Zentralen im Gehirn. Im ersten Fall ist die Segmenttherapie zuständig, im zweiten müssen wir das verursachende Störfeld ergründen, um zum Ziel zu kommen.

Segmenttherapie bei Oberbaucherkrankungen:

a) Die — (T) — i n t r a v e n ö s e Procain-Injektion wirkt umstimmend, schmerzstillend, anti-allergisch, gefäßerweiternd und -abdichtend. Am Darm und den Gallenwegen ist eine muskulotrop-spasmolytische Procain-Wirkung nachgewiesen, die besonders deutlich bei hohem Ausgangstonus des Vagus in Erscheinung tritt. Dagegen kann die Darmtätigkeit bei niederem Darmtonus wie bei postoperativer Darmatonie wieder in Gang gesetzt werden (ZIPF). Die zentralregulierende Wirkung des *Procains* geht so weit, daß man oft schon Magengeschwüre allein durch eine Serie von etwa 10 i. v.-Injektionen, 1—2 mal wöchentlich ohne Diät und Bettruhe abheilen sehen kann.

b) — (T) — Quaddeln mit einem Neuraltherapeutikum über der Magengrube bzw. der Gallenblase oder Bauchspeicheldrüse, also über dem schmerzhaften Organ und in die Headschen Zonen am Rücken und den Schultern. Die Akupunktur kennt einen „Meisterpunkt des Magens" (B 21), der bei allen Magenerkrankungen, auch beim Pylorospasmus, Singultus und Magenspasmen verwendet wird. Er liegt zwischen den Querfortsätzen von Th 12 und L 1, zwei Querfinger neben den dorsalen Medianen und wird beiderseits gestochen. Wir setzen dort eine Quaddel und gehen noch einige Millimeter infiltrierend in die Tiefe. — (T) — Narben in diesen Ausstrahlungsgebieten sind besonders zu berücksichtigen. 1—3 (schmerzhafte!) Quaddeln mit Aqua bidest. in die Zonen stärkster Schmerzen lassen die Koliken sofort verschwinden, während Entzündungsschmerzen weiter bestehen bleiben. Das ist zur Differentialdiagnose Kolikschmerzen oder „akutes Abdomen" verwertbar!

c) Injektionen in die — (T) — M a g e n g r u b e.

d) An den — (T) — N e r v e n a u s t r i t t s p u n k t d e s r e c h t e n N. Supraorbitalis bei Erkrankungen der L e b e r u n d G a l l e, besonders wenn er druckempfindlich ist, was bei einem Drittel der Erkrankungen im rechten Oberbauch der Fall ist. Die Procain-Injektion an diesen Punkt kann selbst Gallenkoliken kupieren! Derselbe Punkt l i n k s spielt seltener bei M a g e n erkrankungen eine ähnliche Rolle.

e) Finden wir beim Abtasten t i e f e r g e l e g e n e S c h m e r z p u n k t e, z. B. in der Muskulatur der Wirbelsäule, so sondiert man durch eine Intrakutanquaddel in die

intravenös

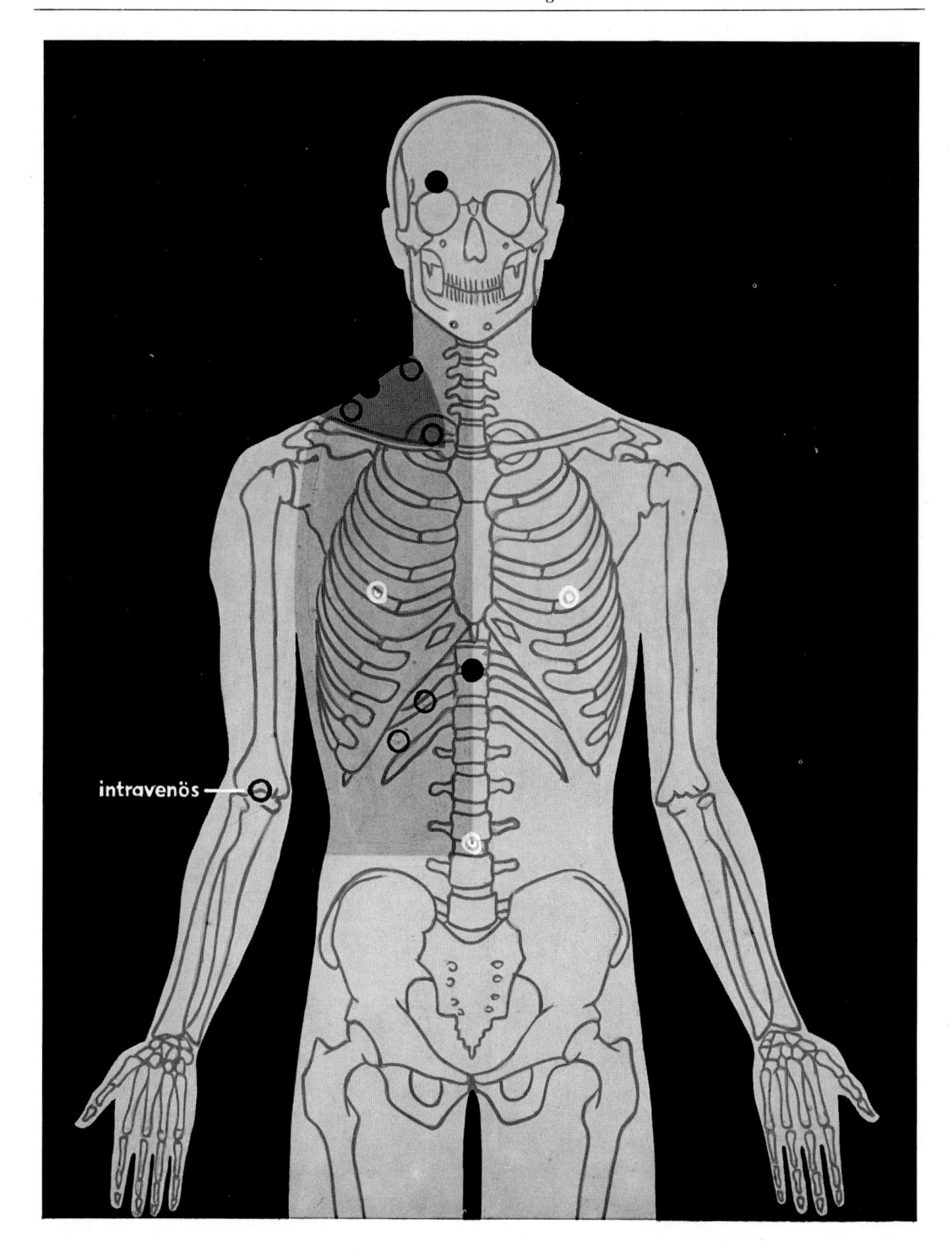

Abb. 20: Segmenttherapie bei Erkrankungen der Leber und Galle. Vorderseite.
● Standardpunkte ○ häufige Reaktionspunkte
▧ Segmentreaktionen möglich ▨ Segmentreaktionen häufig

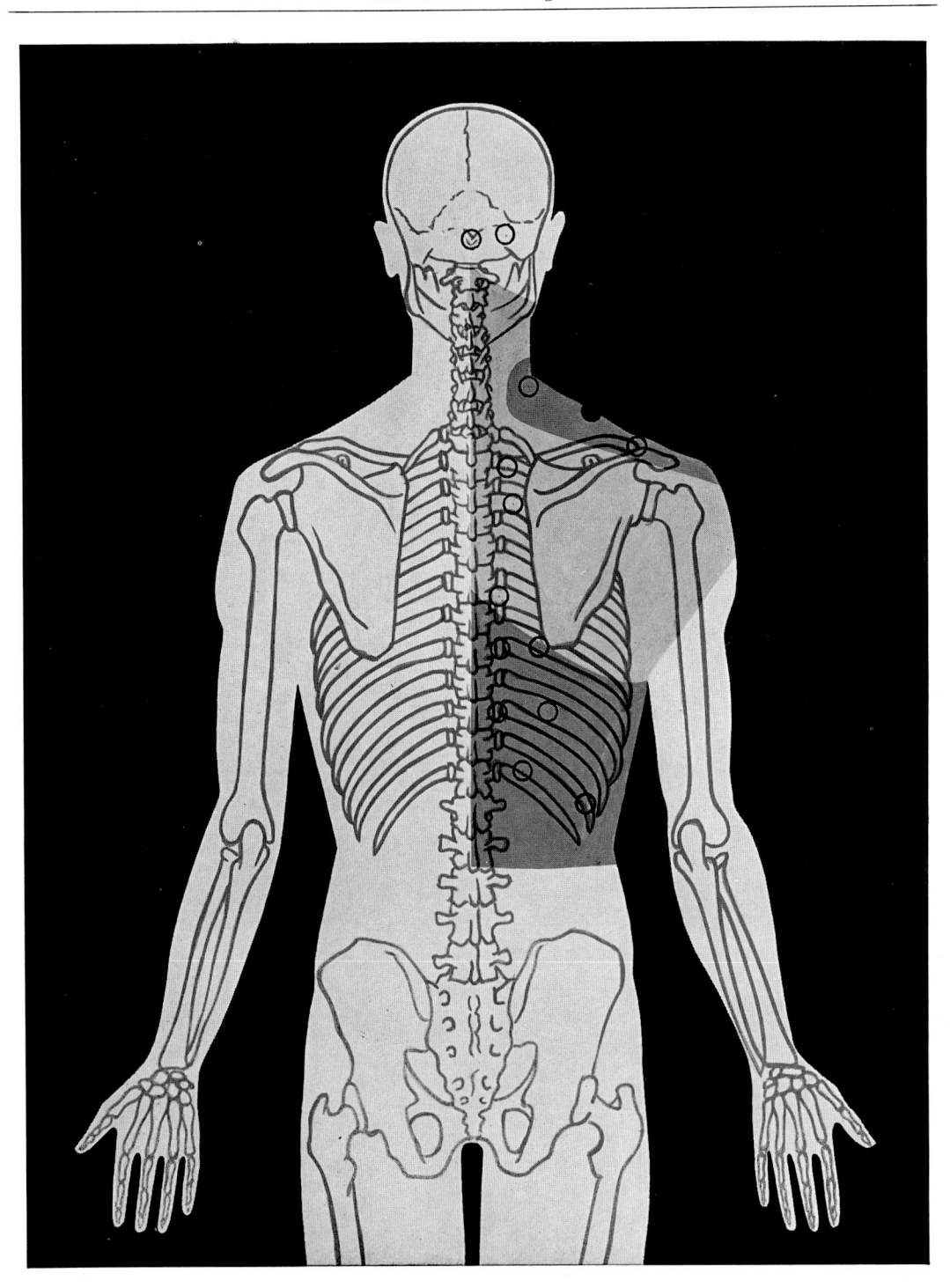

Abb. 21: Segmenttherapie bei Erkrankungen der Leber und Galle.   Rückseite.
● Standardpunkte   ○ häufige Reaktionspunkte
▓ Segmentreaktionen möglich   ▓ Segmentreaktionen häufig

Tiefe, bis der Patient einen starken Schmerz angibt und infiltriert dort — (T) — intramuskulär mit etwas *Procain*. Sind die Wirbel selbst druck- und klopfschmerzhaft, spritzen wir ans P e r i o s t. Die Voglersche Periostmassage fand bei Magenerkrankungen eine von außen tastbare Delle am Periost des linken Rippenbogens (etwa auf der Mamillarlinie), durch dessen Massage Magengeschwüre zum Abheilen gebracht werden können. Für die Gallenblase liegen diese schmerzhaften Periostveränderungen häufig am rechten Rippenbogen. Wir haben uns diese Beobachtungen zunutze gemacht und injizieren unser Lokalanästhetikum an diese Punkte mit gleich gutem, allerdings leichter zu erzielendem Erfolg.

f) Bei Gallenkoliken ist die eleganteste Behandlung die — (T) — P a r a v e r t e b r a l - A n ä s t h e s i e der rechten Interkostalnerven von Th 9—11, bei Magenkoliken entsprechend Th 6—8 links. Das beste Verfahren zur postoperativen Schmerzbekämpfung nach Oberbauchoperationen ist ebenfalls die Interkostalnerven-Anästhesie von Th 5—Th 11. Sie verhindert besser, als die übliche Gabe von Analgetika das Absinken der Vitalkapazität und der arteriellen Sauerstoff-Spannung und läßt seltener Pneumonien und Atelektasen auftreten.

g) Besonders bewährt sich bei allen segmentgebundenen Oberbaucherkrankungen, einschließlich der chronischen Obstipation, die Injektion an den abdominalen — (T) — G r e n z s t r a n g.

h) Von der A k u p u n k t u r lernten wir, auch der Innenseite des Oberschenkels am dorsalen Sartoriusrand Aufmerksamkeit zu schenken, dort Quaddeln zu setzen und durch sie hindurch bis in 4—8 cm Tiefe zu stechen.

Jede der unter a) bis h) angegebenen Injektionen kann allein helfen, meist werden wir sie nach Lage des Falles kombinieren. Bei den chronischen Oberbaucherkrankungen werden wir meist nicht um eine „gezielte Polypragmasie" herumkommen. Neben der Injektion an den abdominalen Grenzstrang — Magengrube — einer Serie Oberbauchquaddeln — davon einige bis ans Peritoneum — gehen wir noch gern zusätzlich an die von VOGLER angegebenen Periostpunkte an der untersten Rippe. Das alles in einer Sitzung. Manche Neuraltherapeuten (CARLILE, HOPFER) spritzen den abdominalen Grenzstrang rechts und den lumbalen links, in einer Sitzung und wechseln bei der folgenden Behandlung die Seiten: oben links, unten rechts. F. HUNEKE spritzte fast nur an den rechten abdominalen Grenzstrang und gab nur 2 ml *Impletol*. Das genügt auch in der Regel, wenn man sich des richtigen Sitzes der Nadel sicher ist. — Wie immer müssen diese Injektionen bei neuauftretenden Beschwerden wiederholt werden. Erfahrungsgemäß steigert sich die Wirkung bei der Wiederholung. Damit können wir alle segmentbedingten Erkrankungen der Oberbauchorgane weitgehend, in der Regel bis zur Heilung, bessern, die sonst auch durch lokale, meist gefährlichere und langwierigere interne oder chirurgische Maßnahmen gebessert und geheilt werden könnten. — Der Bettruhe und anderen Maßnahmen außer den Injektionen kommt bei uns lediglich eine unterstützende Rolle zu. Selbst große Magenblutungen können in der Regel mit wiederholten Procain-Injektionen an den Grenzstrang, i. v., in die Magengrube und in die Headschen Zonen beherrscht werden. Die Letalität war bei den Magenblutungen, die operativ behandelt wurden, schon immer größer als die der konservativ Behandelten.

— (K) — Pankreaserkrankungen.

Bei 30 % aller Oberbauchkranken versagen alle lokalen Maßnahmen, einschließlich der Operation. Bei ihnen schwelt das Leiden unaufhaltsam fort. Ein Nachbarorgan nach dem anderen wird mit hineingezogen, bis der Tod die Kranken erlöst. Diese Fälle sind störfeldbedingt krank und nur durch das Auffinden des verursachenden Störfeldes und seiner Ausheilung heilbar! Das beweisen täglich die vielen Schüler HUNEKES in aller Welt. — Der „nervöse Magen", der auf die — (T) — intravenöse Injektion und eine solche in die — (T) — Magengrube nicht anspricht, ist für uns oft auch nur eine Erscheinungsform der sogenannten vegetativen — (K) —

Dystonie. Hier kann z. B. eine Serie von Procain-Injektionen in die — (T) — Schilddrüse schnell Linderung schaffen und damit Zusammenhänge klären. Bei der Ulkus-Krankheit an das dabei häufige Störfeld chronische Appendizitis denken!

Oberlippenfurunkel: In bedrohlichen Fällen können Injektionen an das — (T) — Ggl. stellatum lebensrettend sein. — (K) — Furunkel, — (K) — Erysipel.

Obstipation: Bei der chronischen, spastischen oder atonischen O. bringen Injektionen an den abdominalen — (T) — Grenzstrang und in die — (T) — Magengrube in mehr als der Hälfte der Fälle schlagartige Besserung. Wenn wir die kutiviszeralen Reflexwege einschalten wollen, müssen wir — (T) — Quaddeln in die Headschen Zonen des Darmes geben:

a) Dünndarm = Th 10: Der Nabel und die Gegend links und rechts davon.

b) Dickdarm = Th 11: Ein Streifen von 3 Querfinger unterhalb des Nabels bis 3 Querfinger oberhalb der Symphyse. Wir geben Quaddeln über ertasteten Schmerzpunkten und infiltrieren bis an das Peritoneum. Auch die Gegend des McBurneyschen Punktes und die entsprechende auf der linken Seite kommen in Frage. Die Appendektomienarbe muß als — (T) — Narbe im Segment unbedingt mitbehandelt werden. — Bei Atonie des Enddarmes auch zusätzlich — (T) — präsakrale Infiltration. — Bei den atonischen Formen kann auch die nasale Reflexzonenbehandlung der mittleren — (T) — Nasenmuschel oder nur ein — (T) — Nasenspray erfolgreich sein. Keine prämenstruelle Nasenbehandlung, sonst Auslösen einer verfrühten und schmerzhaften Periodenblutung! — Die Akupunktur empfiehlt Injektionen an die Fußsohle an der Vereinigungsstelle von Kleinzehen- und Großzehenballen in 0,5—1 cm Tiefe.

Psychogene Fälle sind nicht mit der Neuraltherapie heilbar. Der Deprimierte ist gern obstipiert und der chronisch Obstipierte mürrisch und leicht deprimiert. — (K) — Oberbaucherkrankungen. Bei Versagen Störfeldsuche.

Ödeme: Ö. sind immer Ausdruck von nervalen Dysregulationen. Falls sie nicht kardial, renal oder störfeldbedingt sind, können sie gut auf lokale Procain-Anwendung mit — (T) — Quaddeln ansprechen. Auf Anregung der Akupunkteure setzen wir diese Quaddeln zweckmäßigerweise auch im unteren Unterschenkeldrittel über dem Verlauf der — (T) — A. tibialis posterior Injektionen in die Tiefe an und in die Arterie können die Wirkung noch verbessern. — Viele Knöchelödeme der Frauen verschwinden nach wiederholten Injektionen in den — (T) — gynäkologischen Raum. — Postthrombotische Ödeme: — (K) — Thrombophlebitis. — (K) — Herzerkrankungen, — (K) — Hirnödem, — (K) — Nierenerkrankungen.

Ohrenerkrankungen: Das Gehörorgan ist ein arterielles Endorgan, das also nicht durch einen Kollateralkreislauf gesichert ist. Daher reagiert es besonders empfindlich gegen Störungen in der Blutzufuhr, die sich als Schwerhörigkeit, Ohrgeräusche oder Schwindel auswirken können. Wenn die Beschwerden wechseln und einen rezidivierenden, anfallsartigen Charakter haben, muß an eine vertebrale Genese gedacht werden. Jede Irritation des Halssympathikus und der sympathischen Fasern kann mit Gefäßspasmen und deren schwerwiegenden Folgen beantwortet werden. Erfolgversprechend ist jede Therapie, die in der Lage ist, diese Nervenirritation zu beheben und die Durchblutung zu normalisieren. Das kann in geeigneten Fällen eine chirotherapeutische Mobilisierung der Halswirbelsäule erreichen, auf jeden Fall aber die gezielte neuraltherapeutische Injektionsbehandlung. Zur Segmenttherapie bei allen Ohrenerkrankungen, einschließlich Labyrinthschwindel, Ohrgeräuschen und Innenohrschwerhörigkeit, stehen uns zur Verfügung:

a) Die — (T) — i n t r a v e n ö s e n Procain-Injektionen auf der Seite der Erkrankung, bei Erkrankung auf beiden Seiten abwechselnd links und rechts. Bei Kleinkindern spritzen wir mit gleichem Erfolg an die Oberarm- — (T) — Arterie. Allein diese Injektion kann schlagartig alle Schmerzen und damit die Entzündung auslöschen.

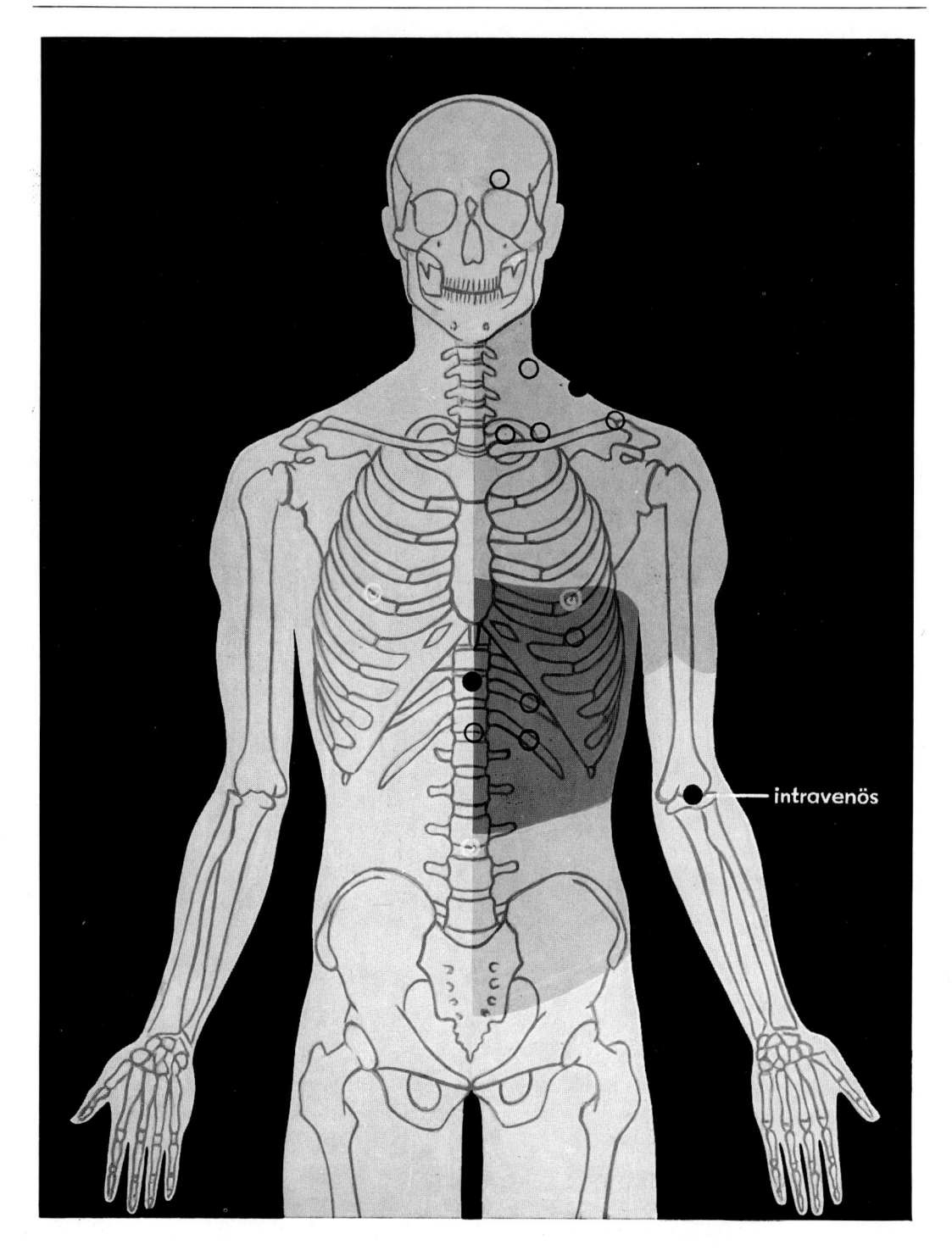

Abb. 22: Segmenttherapie bei Erkrankungen des Magens.   Vorderseite.
● Standardpunkte   ○ häufige Reaktionspunkte
▓ Segmentreaktionen möglich   ▓ Segmentreaktionen häufig

intravenös

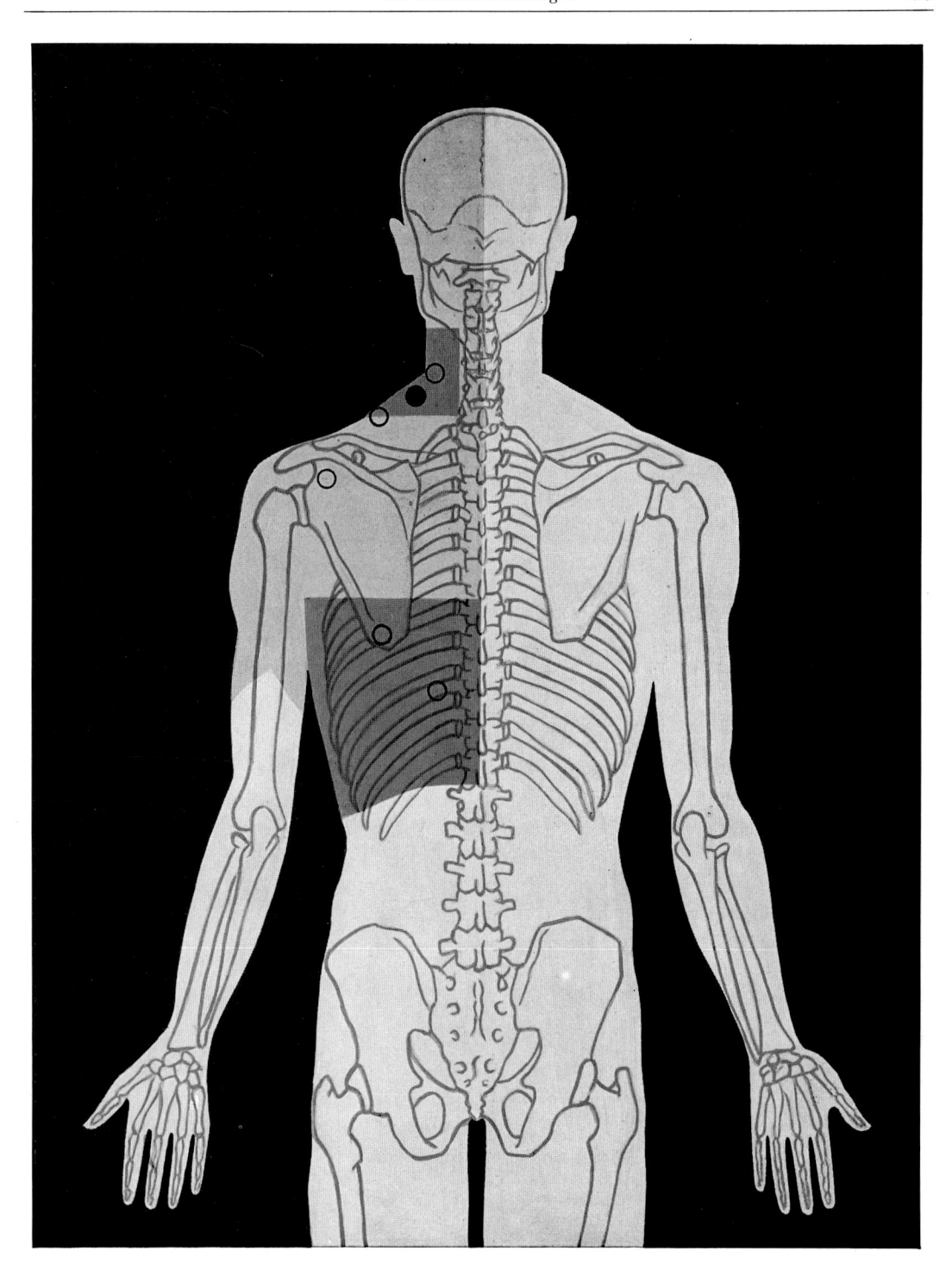

Abb. 23: Segmenttherapie bei Erkrankungen des Magens.   Rückseite.

● Standardpunkte   ○ häufige Reaktionspunkte

▨ Segmentreaktionen möglich   ▨ Segmentreaktionen häufig

b) Zu der intravenösen Injektion geben wir immer noch eine an den — (T) — P r o c e s -
s u s m a s t o i d e u s.
c) Auch hier können uns — (T) — Q u a d d e l n helfen, auf kutiviszeralen Reflexwegen
direkt und indirekt auf das Innenohr einzuwirken. Wir geben 4—6 Quaddeln im Gebiet der
Halssegmente C 2—3 beiderseits der Dornfortsätze, 2 Querfinger unterhalb der Hinterhauptschuppe beginnend. Auch über den Enden der Atlas-Querfortsätze, den Grübchen hinter dem Ohrläppchen, setzen wir Quaddeln und gehen auch tiefer bis ans Periost, falls dieses
druckempfindlich ist.
d) Eine Injektion an das — (T) — G a n g l i o n s t e l l a t u m kann noch in Fällen
wirksam sein, wo die unter a) bis c) genannten Injektionen nicht ausreichen.
e) Eine ähnliche Wirkung können wir von Injektionen a n (nicht in!) die — (T) —
A r t e r i a c a r o t i s erwarten.
f) Bei Schmerzen im äußeren Gehörgang anästhesieren wir den Ramus post. des N. auricularis
magnus. Er kommt etwa 2 cm kaudal vom Proc. mastoideus am Hinterrand des M. sternocleidomastoideus an die Oberfläche und zieht von dort zum Ohrmuschel-Ansatz.

Bei Bedarf sind die Segmentinjektionen 1-(bis 2-)mal wöchentlich zu wiederholen. Versagen
sie, suchen wir wieder nach einem Störfeld. So berichtete KRETZSCHMAR (USA) über mehrere
Sekundenphänomen-Heilungen nach Injektionen in die Magengrube bei z. T. weit fortgeschrittenen Innenohr-Schwerhörigen. Bei ihnen erwies sich die Schwerhörigkeit also als ferngestört
vom Oberbauchsektor aus.

O h r e n s c h m e r z e n können auch dentogen sein! Der 2. obere Molar und die
6.—7. Zähne im Unterkiefer strahlen bei Erkrankungen zum Ohr hin aus.

O t i t i s m e d i a a c u t a e t c h r o n i c a : Das *Procain* greift am Wesen der Entzündung an, das Antibiotikum am Bazillus. Die akuten und chronischen Mittelohrentzündun-
gen sind mit *Procain* normalerweise schnell und komplikationslos zur Heilung zu bringen. Eine
initiale Sekretionssteigerung ist dabei als günstige Reaktion zu werten. Bei der Scharlach-Otitis
spritzen wir zusätzlich an die — (T) — Tonsillen.

C h o l e s t e a t o m e und schwere organische Zerstörungen des Mittelohres behandeln wir
nicht! Sie gehören in fachärztliche Behandlung!

O h r n a r b e n n a c h T o t a l o p e r a t i o n begegnen uns nicht selten als Ursache
von Fernstörungskrankheiten. Beim Testen der tiefeingezogenen Narben hinter dem Ohr muß
man vorsichtig vorgehen. Man darf in den Grund des Narbentrichters nur eine ganz oberflächliche Quaddel setzen. Eine tiefere Injektion kann bei der Nähe der Hirnhäute unangenehme Sensationen wie Drehschwindel und Erbrechen auslösen. Hier (aber nur hier!) ist es besser, die
Narbe zu u m spritzen und ans Periost der Umgebung zu gehen. Sonst gehen wir ja direkt in die
Tiefe der Narben hinein.

O h r g e r ä u s c h e : Wir behandeln sie häufig sehr erfolgreich mit Injektionen intravenös
und ans Mastoid. Eine Sonderform, die als Uhrticken angegeben wird, wird durch nystagmusar-
tige klonische Muskelzuckungen des M. tensor veli palatini ausgelöst. Die Zuckungen, die im
gleichen Takt erfolgen, wie der Patient es ticken hört, sind makroskopisch sichtbar. Sie verschlie-
ßen die Tubenwand. Therapie: 0,5 ml *Procain* an die — (T) — Nervenaustrittspunkte am Foramen palatinum majus oder ans — (T) — Ganglion stellatum.

O t o s k l e r o s e : Untersuchungen ergaben, daß etwa die Hälfte der klinischen O. mit
einer vegetativen Innenohrstörung kombiniert ist und daß der Beginn der O. in vielen Fällen auf
einer solchen Störung basiert, so daß sich eine kombinierte Sympathikus-Wirbelsäulenbehandlung zu Beginn der Erkrankung immer empfiehlt.

P l ö t z l i c h e E r t a u b u n g : Hörsturz durch Verschluß oder Einengung der Arteria
auditiva interna. Aussicht, die Hörminderung ganz oder teilweise zu beseitigen, besteht nur,

wenn es gelingt, die Durchblutung des Innenohres innerhalb der ersten 8—14 Tage zu verbessern. Neben der Gabe von Mitteln, die die arterielle Endstrombahn verbessern sollen, täglich Anästhesien des — (T) — Ganglion stellatum während der entscheidenden ersten 14 Tage. Wenn die Therapie sofort einsetzt, betragen die Heilungschancen oder die Aussichten auf teilweisen Erhalt der Hörfähigkeit über 90 %. Beginnt sie erst 4 Tage nach dem Hörsturz, sinkt die Erfolgsquote schon auf unter 65 %. 2—3 Wochen nach Eintritt des Hörsturzes ist kaum mehr ein wesentlicher Erfolg zu erhoffen.

S c h w e r h ö r i g k e i t : Behandlung, wie angegeben. Wenn die Innenohrschwerhörigkeit plötzlich und einseitig auch ohne Vestibulariserscheinungen auftritt, ist immer an eine vegetativ-gefäßbedingte Genese zu denken. Eine mechanische Einengung der Zwischenwirbellöcher mit einer Drosselung der zuführenden Arterien durch Schäden von seiten der Halswirbelsäule ist dabei nicht so entscheidend wirksam, wie sympathische Störimpulse, die einen Labyrinthhydrops mit Sauerstoffmangel und Druck auf die Nervenzellen auslösen. Unsere Behandlung kann die zugrunde liegende Nervenirritation beheben.

S c h w i n d e l : Bei otogenem Schwindel versuchen wir neben den unter a) und b) genannten Injektionen noch eine Anästhesie des N. auricularis magnus. Wir finden ihn unterhalb des Proc. mastoideus, wo er am lateralen Rand des M. sternocleido etwa in der Mitte des Muskels an die Oberfläche kommt. Oft ist er dort als hyperalgetischer Punkt tastbar.

Okzipitalneuralgien: — (K) — Neuralgien. Wenn die O. Ausdruck einer radikulären Kompression durch eine Osteochondrosis der Halswirbelsäule sind, muß diese (— (K) — Gelenkerkrankungen, — (K) — Zervikalsyndrom) behandelt werden.

Omarthrosis: — (K) — Gelenkerkrankungen

Operationsfolgen: Über die Narbe als Störfeld wurde im ersten Teil gesprochen. Ich möchte hier nur zitieren, was der große Chirurg LERICHE schon vor 45 Jahren geschrieben hat: „Der chirurgische Eingriff wirkt wie ein Unfall. Wir operieren nie, ohne ein Trauma zu setzen, das als Ursprung entfernter Reflexerkrankungen wirken kann. Ich bin der Meinung, daß diese Eingriffe für 75 % aller postoperativen Krankheiten verantwortlich zu machen sind. Sie sind in ihrem Ursprung weniger chemisch, als nerval bedingt. Die beste Prophylaxe gegen sie ist der systematische Gebrauch der außerordentlichen Fähigkeit des *Novocains,* die Nervenendigungen zu blokkieren. So können wir uns gegen das Entstehen der posttraumatischen vasomotorischen Störungen schützen. — Viele Narben haben eine eigene Dynamik, die unphysiologische Reize im Gebiet anomaler Nervenendigungen auslöst. So entstehen auf Reflexwegen funktionelle, muskuläre und trophische Störungen, die das *Novocain* zeitweise oder endgültig aufheben kann."

Operationsvorbereitung: Eine — (T) — intravenöse Procain-Injektion vor der Operation spart Narkotika und *Curare* ein und verhindert Reizleitungs- und Rhythmusstörungen am — (K) — Herzen.

Ophthalmie, sympathische: — (K) — Augenerkrankungen

Opticus-Neuritis: — (K) — Augenerkrankungen

Orchitis: — (K) — Hodenerkrankungen

Orthostatische Dystonie: Kreislauf-Regulationsstörungen als Ausdruck neuro-vegetativer Gleichgewichtsstörung. Die angeschuldigte „vasoneurotische Konstitution" muß dabei durchaus nicht irreversibel sein. — (T) — Intravenöse Procain-Injektionen (1mal wöchentlich) können die Umstimmung herbeiführen, wenn nicht ein Störfeld (Tonsillen?) dahintersteckt.

Ösophagus-Stenose: Krebs ausschließen! Wenn spastische Stenose, — (T) — Quaddeln in Abschnittshöhe beiderseits des Brustbeines und der Brustwirbelsäule. Oder Injektionen an das — (T) — Ganglion stellatum. Störfeld?

Osteochondrosis: Wir kennen ein Störfeld Wirbelsäule und sprechen auch von vertebragenen Erkrankungen. Dabei ist die verbreitete rein mechanische Vorstellung von einer Einengung der

Zwischenwirbellöcher durch Arthrosis-Zacken oder einen — (K) — Bandscheibenprolaps und einer radikulären Kompression sicher nur für einen kleinen Teil der Fälle zutreffend. Warum nimmt man die degenerativen Veränderungen an den Wirbeln und Zwischenwirbelscheiben als gegebene Voraussetzung? Können sie nicht auch schon Folge einer Irritation des Sympathikus sein, die vom Kopf-Hals-Bereich, aber u. U. auch durch ein weitabgelegenes Störfeld ausgelöst worden ist? Dann kommt die Drosselung der zuführenden Arterien, die sich am Ohr, im Nacken und im gesamten Schulter-Armbereich so vielseitig verheerend auswirken kann, weniger auf mechanischer, sondern vielmehr auf vegetativ-neurozirkulatorischer Basis zustande. Schmerz — Nervenirritation — Durchblutungsstörung — degenerative Veränderung — Nerveneinklemmung — Gefäßdrosselung auf mechanischer und vegetativ-spastischer Ursache — Schmerz usw. reihen sich schließlich in einem sich immer mehr potenzierendem Teufelskreis aneinander. Unsere Therapie ist in der Lage, die nervale Versorgung und Durchblutung zu normalisieren, soweit es anatomisch noch möglich ist. Gelingt es uns nicht, den Kreis im gestörten Segment am Ansatzpunkt Schmerz mit einer gezielten Anästhesie (— (K) — Zervikalsyndrom) zu sprengen, müssen wir das beherrschende Störfeld ausschalten, damit der Reiz aus der Ferne fortfällt, der das Ansprechen des Körpers auf alle lokalen Bemühungen vereitelt hat. — (K) — Gelenkerkrankungen, — (K) — Tenovaginitis.

Osteomyelitis: HUNEKE beobachtete sein erstes Sekundenphänomen bei der Behandlung einer Osteomyelitisnarbe. Frische und chronische Entzündungen werden wir mit — (T) — Quaddeln umspritzen und dazu Injektionen in die Tiefe bis an das Periost des erkrankten Knochens geben, eventuell auch Injektionen an die zuführenden — (T) — Arterien und — (T) — Nerven. Das *Procain* greift am Wesen der Entzündung an, das Antibiotikum am Bazillus. Die Kombination beider stellt in schweren Fällen die optimale Behandlung dar.

Osteoporose: Leber-Pankreas-Störungen können Ursachen der Demineralisation sein, weil dann die notwendigen Baustoffe ungenügend resorbiert werden. Therapie: Injektionen an den abdominalen — (T) — Grenzstrang, abwechselnd links und rechts einmal wöchentlich.

Otitis media: — (K) — Ohrenerkrankungen

Otosklerose: — (K) — Ohrenerkrankungen

Ozaena: — (K) — Nasenerkrankungen

Panaritium: Möglichst im Frühstadium vor der Abszedierung — (T) — Oberstsche Anästhesie mit 2—4 ml *Procain.*

Pankreaserkrankungen: Neben den bekannten dyseptischen Beschwerden finden wir einen Schmerz im linken Oberbauch, der in die Herz- und linke Nierengegend ausstrahlt, gelegentlich auch einen bohrenden Schmerz im epigastrischen Winkel, der sich bis zwischen die Schulterblätter erstrecken und Gelosen in der linken Trapezius-Muskulatur bilden kann. Die Headsche Zone hat ihren Schwerpunkt bei Th 8 links. Neben den anderen bei den — (K) — Oberbaucherkrankungen angegebenen Injektionen geben wir die Injektionen an den Grenzstrang vorwiegend links, wegen der zwangsläufigen Beteiligung des Magens und Duodenums gelegentlich auch rechts. — Bei der akuten Pankreatitis bewähren sich — (T) — intravenöse Procain-Injektionen, dazu Segmentbehandlung der schmerzempfindlichen Gewebe auch — (T) — Paravertebral-Anästhesien Th 8—10 links und Injektionen an den — (T) — Grenzstrang am oberen Nierenpol links. Genügt das nicht, bei der Wiederholung gleichzeitig auch an den lumbalen — (T) — Grenzstrang.

Panophthalmie: — (K) — Augenerkrankungen. Bei einer P. nach Enukleation eines Auges (wegen eines Glaukoms) konnte ich das verbliebene Auge durch eine Injektion in die Enukleationsnarbe retten.

Paralysis agitans: — (K) — Parkinsonismus

Parametritis, Parametropathia spastica: — (K) — Gynäkologische Erkrankungen

Paraplegia spastica: F. HUNEKE berichtete über einen fortgeschrittenen Fall, dessen weitgehende Wiederherstellung durch eine Serie von Injektionen an den Proc. mastoideus möglich war. Man muß also auch bei aussichtslos erscheinenden Fällen versuchen, ein verursachendes Störfeld zu finden!

Parästhesien: Bei umschriebenen — (T) — Quaddeln. — (K) — Sensibilitätsstörungen, — (K) — Neurozirkulatorische Störungen.

Parkinsonismus: Bei dieser chronisch-degenerativen Erkrankung kommen unsere Maßnahmen meist zu spät, weil dann schon weitgehend ein narbiger Endzustand vorliegt. Besserung der subjektiven Beschwerden mit — (T) — intravenösen und — (T) — Kopfschwarten-Injektionen möglich. Eventuell Versuch mit Injektionen ans — (T) — Ganglion stellatum oder — wenn die Voraussetzungen dafür erfüllt sind — mit einer — (T) — zisternalen Impletol-Injektion.

Parodontose: Die trophischen Störungen am Zahnfleisch sind nicht Ausdruck einer selbständigen Lokalerkrankung, sondern Symptom einer neurovegetativen Allgemeinerkrankung, oft toxischer oder endokriner Genese. Die Verminderung der kapillaren Durchblutung bringt eine erhöhte Infektionsbereitschaft mit sich. Wenn die Ursache nicht geklärt werden kann, Versuch mit Procain-Injektionen in die erkrankte Schleimhaut und an das darunterliegende Periost — (T) — Zähne. Behandlung 1mal wöchentlich, nicht zu zeitig abbrechen.

Parotitis epidemica: — (K) — Mumps

Peitschenschlag-Syndrom: Bei Auto-Auffahrunfällen kann es zu einer Überstreckung der HWS mit Schmerzfolgen im betroffenen Segment kommen. Außer chirotherapeutischen Manipulationen empfiehlt sich die wiederholte Anästhesie der immer vorhandenen Schmerzpunkte im Nacken-Hals-Schulterbereich. Führt das nicht zum Ziel, bringt oft eine Procain-Injektion an die — (T) — Tonsillen die Beschwerdefreiheit.

Pektanginöse Beschwerden: — (K) — Herzerkrankungen, — (K) — Migraine cervical

Pelveoperitonitis: — (K) — Gynäkologische Erkrankungen

Pelvipathia vegetativa: Es handelt sich um vegetativ-dystone Störungen, die bei 5 % aller Frauen auftreten. Dabei entsteht eine Regulationsstarre, die Unmöglichkeit, zwischen Vago- und Sympathikotonie hin- und herzuschalten. Die funktionelle Fehlsteuerung manifestiert sich in den Leitsymptomen: Portio-Schiebeschmerz, Kohabitationsbeschwerden, Druckempfindlichkeit der Symphysen-Hinterwand, Unterleibs-Schmerzen durch spastische Verkürzung der Gebärmutter-Kreuzbeinbänder oder durch Spasmen der Tuben- und Beckenmuskulatur, dazu kommt noch eine hartnäckige Zervixhypersekretion, die die Frauen hauptsächlich zum Arzt führt. — (K) — Gynäkologische Erkrankungen.

Pemphigus: — (K) — Hauterkrankungen

Peniserkrankungen: Lues und Go. ausschließen. Bei Furunkeln, Phlegmonen, Ekzemen u. dgl.: Umspritzen des Penis an der Wurzel nach Art der — (T) — Oberstschen Fingeranästhesie mit etwa 2 ml *Procain.* Allerdings erfolgt die Innervation des Penis vom Dorsum her! Sonst Injektion an den — (T) — N. pudendus oder — (T) — präsakrale Infiltration. Die zugehörige kutiviszerale Zone liegt am oberen Ende der Rima ani.

Periarthritis humeroscapularis: — (K) — Gelenkerkrankungen. Zur Vermeidung der drohenden Adduktionskontraktur ist eine frühzeitige intensive Behandlung erwünscht. Wenn schon Ruhigstellung, dann nur für einige Tage und auf Abduktionsschiene. Im Initialstadium genügt es, das Gelenk mit — (T) — Quaddeln zu umspritzen und die tieferliegenden periarthritischen Schmerzpunkte auszumachen und sorgfältig mit gezielten — (T) — intramuskulären Infiltrationen auszuschalten. Wir finden sie hauptsächlich an den Ansatzstellen der Sehnen und Bänder am Periost. Injektionen in den lateralen Teil des Plexus brachialis (— (T) — Nerven, zuführende), noch stärker wirken Injektionen an das — (T) — Ganglion stellatum und in das — (T) — Gelenk selbst. Eine Koronarinsuffizienz (— (K) — Herzerkrankungen) kann auch einmal eine linksseitige P. h. vortäuschen. Oft ist eine chirotherapeutische Mobilisierung der Halswirbelsäule erforderlich, besonders wenn eine Wurzelirritation (— (K) — Osteochondrosis) die Ursache für den reflektorischen Reizzustand ist. Neben der Neuraltherapie noch medikomechanische und balneologische Behandlung. Außerdem muß der Patient zu Selbstübungen angehalten werden. — Bei der Störfeldsuche Gallenblase und Pankreas nicht vergessen!

Perikard-Erkrankungen: — (K) — Herzerkrankungen

Periosterkrankungen: P e r i o s t s c h m e r z e n können ein Indikator für die Erkrankung innerer Organe sein! Darum tasten wir bei der Segmenttherapie auch immer die Knochen mit ab und spritzen an das überempfindliche Periost. (Vergleiche Seite 73, unten).

P e r i o s t o s e n sind Folge einer Gewebsinsuffizienz an Stellen, wo Muskeln an Knochenspitzen oder -leisten ansetzen. Auf Grund vegetativer Funktionsstörungen (evtl. auch konstitutioneller Faktoren) bilden sich bei einer Überlastung sehr hartnäckige und schmerzhafte Periostveränderungen. Da unser Erfolg immer von der Injektion an die richtige Stelle abhängt, muß die Schmerzstelle vorher genau ertastet werden. Dann sticht man vor dem liegenbleibenden Tastfinger kurz ein und geht bis auf den Knochen vor. Dort werden an und unter das Periost 1—3 ml Procain-Lösung injiziert und danach auch unter langsamem Zurückziehen der Nadel noch 1—2 ml im umgebenden Gewebe fächerförmig infiltrierend verteilt. Nach Periostinjektionen kann für etwa 24 Stunden eine schmerzhafte Reaktion auftreten, auf die der Patient vorbereitet sein muß. Nach Abklingen dieser Reaktion wird er meist eine wesentliche Besserung angeben. Falls überhaupt erforderlich oder bei nicht ganz behobenen Schmerzen Wiederholung (etwa dreimal im Abstand von 2—3 Tagen). Man kann der Procain-Lösung noch etwa 50—100 E. *Hyaluronidase* zusetzen, um das Diffusions- und Ausbreitungsvermögen des *Procains* noch zu steigern. Allerdings wird dadurch auch die Resorption beschleunigt. Bei Versagern gebe ich zu 1 ml Procain-Lösung 1 ml *Hydrocortison*. Die Epikondylitis, Styloiditis ulnae und andere Überlastungsfolgen der oberen Extremitäten sind häufig Folgen einer — (K) — Osteochondrosis der Halswirbelsäule und damit einer Reizung des Halssympathikus. In diesen Fällen bringen Injektionen an das — (T) — Ganglion stellatum gute Erfolge.

Periphlebitis retinae: — (K) — Augenerkrankungen

Peritoneal-Tuberkulose: Die Erfolge nach Laparotomien bzw. -skopien erklären sich als Umstimmung nach dem neuraltherapeutischen Reiz, den der Eingriff am Peritoneum auslöst. Das kann man aber leichter und besser mit Injektionen an den abdominalen — (T) — Grenzstrang und in die — (T) — Magengrube erzielen, die man noch dazu wöchentlich einmal bis zur Heilung wiederholen kann.

Peritonitis: Der sowjetische Wissenschaftler WISCHNEWSKI beobachtete an Peritonitis-Erkrankten, die in Lokalanästhesie laparotomiert wurden, einen günstigeren Heilverlauf, als bei Allgemeinnarkose und wurde so auf die „Heilanästhesie" aufmerksam. Zur Unterstützung der üblichen Therapie und zur Schmerzlinderung geben wir wiederholt Injektionen an den abdominalen — (T) — Grenzstrang und in die — (T) — Magengrube. Die Antibiotika bekämpfen den Bazillus, das *Procain* die — (K) — Entzündung.

Pertussis: — (K) — Keuchhusten

Phantomschmerzen: Patienten mit Phantomschmerzen sind keine Psychopathen, sondern organisch Schwerkranke. Nachoperationen haben selten Erfolg, eher gehen von den Folgen des Eingriffes neue Störimpulse aus. Im inaktiven, atrophischen Stumpf treten immer Stoffwechsel- und Durchblutungsstörungen auf, die wir beheben müssen. Das gelingt uns oft mit Injektionen in die Narben der Haut, des Knochens, der Nerven- und Arterienstümpfe. Genügt das nicht, geben wir zusätzlich bei

  a) A r m s t ü m p f e n : Injektionen an das — (T) — Ggl. stellatum, den Plexus brachialis (— (T) — Nerven) und in und an die — (T) — A. subsclavia.

b) B e i n s t ü m p f e n : Injektionen an den unteren — (T) — Grenzstrang, den — (T) — Ischiasplexus oder — (T) — präsakrale Infiltration kombiniert mit Injektionen in und an die — (T) — Arteria und Nervus femoralis.

Wenn damit keine Besserung zu erzielen ist, muß nach einem Störfeld gesucht werden. — (K) — Amputations-Stumpfschmerzen, — (K) — Kausalgie.

Pharyngitis sicca: Das lästige Kitzeln und Kratzen im Hals läßt sich schnell und einfach durch je eine submuköse Quaddel medial der Seitenstränge beheben.

Phlebitis: — (K) — Thrombophlebitis, — (K) — Varizen

Phlegmasia alba dolens: — (K) — Thrombophlebitis der V. femoralis im Anschluß an eine — (K) — Parametritis puerperalis durch Fortleitung im Bindegewebe. Injektionen an das Gefäß-Nervenbündel der Vena, des Nervus und der — (T) — Arteria femoralis in der Leistenbeuge. Dazu Injektionen an den unteren — (T) — Grenzstrang oder — (T) — epidurale bzw. — (T) — präsakrale Infiltrationen.

Phlegmone: — (T) — Quaddeln über der Erkrankung, dazu Injektionen an die zuführenden — (T) — Arterien oder noch besser — (T) — Nerven. Noch wirkungsvoller ist die Procain-Behandlung an den — (T) — Grenzstrang und seine — (T) — Ganglien im entsprechenden Abschnitt.

Photophobie: — (K) — Augenerkrankungen

Pleura-Schock: — (K) — Schock

Pleuritis: Bei der Pleuritis sicca und exsudativa geben wir *Procain* — (T) — intravenös auf der Seite der Erkrankung, — (T) — Quaddeln über der Schmerzzone und Injektionen an die — (T) — Interkostalnerven, also in Pleuranähe. In schweren Fällen müssen wir auch an eine Injektion an das — (T) — Ganglion stellatum denken. Unter diesem aktiven Vorgehen erreichen wir einmal eine schlagartige Schmerzfreiheit und besserers Durchatmen, zum anderen eine schnelle Rückbildung der — (K) — Entzündung und des Exsudates, wenn wir diese Injektionen einzeln oder kombiniert 1—2mal wöchentlich wiederholen. Natürlich Röntgenkontrolle nach Abklingen.

Plexus-Neuritis: — (K) — Armplexus-Neuritis, — (K) — Ischias

Pneumonie: Neben der Behandlung mit Antibiotika kann die bei der — (K) — Pleuritis angegebene Behandlung auch bei alten und hinfälligen Patienten schnelle Schmerzlinderung herbeiführen und Komplikationen vermeiden helfen. — (K) — Lungenerkrankungen.

Pocken-Impfkomplikationen: Überstarke Lokal- und Allgemeinreaktionen, wie postvakzinaler Kopfschmerz, hohes Fieber, Schlaflosigkeit, Kreuzschmerzen, Schwindel, Konzentrationsschwäche usw., die auch nach Abklingen der lokalen Reaktionen anhalten können, lassen sich nach KRAUSE gut mit *Impletol* beherrschen und beseitigen. Am Rande der Entzündung, also noch im Gesunden, wird an mehreren Stellen rings um die Entzündung eingestochen und die entzündliche Infiltration zur Mitte hin mit etwa 5 ml *Impletol* unterspritzt. Nach einmaliger, selten häufigerer Behandlung klingen die überschießenden Begleit- und Folgeerscheinungen bei 95 % der Fälle schnell ab. Auch eine — (T) — intravenöse Injektion auf der geimpften Seite kann den Verlauf beschleunigen.

Daß Pockennarben zum Störfeld werden können, zeigt folgender

Fall: Mario L. aus D. erhielt im Juni 1966 mit 4 Jahren eine Dreifachimpfung (Pertussis-Diphtherie-Tetanus) genau in eine Pocken-Impfnarbe. Nach 2 Wochen traten starke Schmerzen in den Beinen auf, die zuerst als statisch bedingt angesehen wurden. Nach 4 Wochen stationärer orthopädischer und pädiatrischer Behandlung wurde die Diagnose Dystrophia musc. progressiva (ERB) gestellt, die von der Universitäts-Klinik nach einer Probeexzision aus dem Oberschenkel bestätigt wurde. Man sagte der Mutter, es handle sich um eine Erbkrankheit, die nach dem heutigen Stand der Forschung unheilbar sei. Man müsse damit rechnen, daß das fortschreitende Leiden in 6—8 Jahren zur Hilflosigkeit führe. — Im März 1967 spritzte ich erstmals *Impletol* in und unter die Pockennarbe. Wiederholung nach 4 Wochen. Nach insgesamt 7 Behandlungen innerhalb zweier Jahre (mit Injektionen nur in die Narbe!) von Mal zu Mal deutliche Besserung. Die Abschlußuntersuchung in der Universitäts-Klinik verlief so gut, daß er 1969 als völlig gesund aus der Beobachtung entlassen werden konnte.

Wer derartige Zusammenhänge nicht wahrhaben will und nicht entsprechend handelt, wird solche Störfeld-Krankheiten auch nicht heilen.

Poliomyelitis: Im akuten Zustand wiederholt *Procain* — (T) — intravenös! Auch — (T) — Nasenspray, in lebensgefährdenden Fällen — (T) — zisternale Impletol-Therapie oder — (T) — Liquorpumpe und anschließend 1 ml *Procain* intralumbal. — Im Spätstadium Behandlung der — (K) — Muskeldystrophien mit — (T) — intramuskulären Infiltrationen und Injektionen an die zuführenden — (T) — Nerven, den — (T) — Grenzstrang und seine — (T) — Ganglien. Dabei kann nur die Funktion g e s c h ä d i g t e r Nerven gebessert werden, die toten Nerven können wir auch nicht mehr zum Leben erwecken.

Polyarthritis: — (K) — Rheumatismus

Polyneuritis: — (K) — Neuritis. Die P. diabetica ist Folge einer Blutarmut im Nervengewebe und Störung im Nervenstoffwechsel. — (K) — Neurozirkulatorische Störungen. Störfeld?

Polysklerose: — (K) — Multiple Sklerose

Postcholezystektomiesyndrom: — (K) — Oberbaucherkrankungen

Postoperative Schmerzen: Wenn die Operation technisch einwandfrei war und Injektionen in die — (T) — Narbe nicht helfen, müssen wir nach einem Störfeld suchen. Jede Operation kann als Zweitschlag wirken. — (K) — Operationsfolgen.

Potenzstörungen: — (K) — Sexuelle Störungen

Prellungen: — (K) — Verletzungen

Priapismus: — (K) — Sexuelle Störungen, — (K) — Peniserkrankungen

Proktalgia fugax: Spasmus des Levator ani: — (K) — Analerkrankungen

Prostataerkrankungen: Auch Miktionsstörungen unklarer Genese. Die chronische Prostatitis kann Folge und Komplikation, aber jederzeit auch Ursache einer rezidivierenden Urogenital-Erkrankung sein. Zeitweise inaktive Bakterien können durch abwehrschwächende exogene und endogene Belastungen aktiviert werden und das Leiden so wieder aufflackern lassen. Die wiederholte repolarisierende Procain-Injektion in die Prostata bessert die Durchblutung und Ernährung des Gewebes und veränderte das Milieu zu Ungunsten der Bakterien. Generell gilt, daß alle Einflüsse, die das vegetative Gleichgewicht stören, auch zur Prostatitis und damit zu Miktionsstörungen führen können. Umgekehrt kann die Prostata Störfeld für alle erdenklichen chronischen Krankheiten (mit wenigen Ausnahmen) sein. Die Prostatahypertrophie heilt in der Mehrzahl der Fälle, ebenso wie die Prostatitis, nach einer Serie von Injektionen in die — (T) — Prostata aus. Das korrespondierende Hautsegment, in das wir — (T) — Quaddeln setzen, liegt über dem Steißbein und dem kranialen Ende der Rima ani. Eventuell kommen auch noch — (T) — epidurale oder — (T) — präsakrale Infiltrationen in Frage, auch in das — (T) — Foramen sacrale posterior. — HEUSTERBERG heilte damit von 400 Prostatakranken 92 % der Prostatitiden und ca. 80 % der Prostatahypertrophie-Kranken, besonders die mit weicher bis mittelderber Drüsenvergrößerung. Beim steinharten Karzinom mit höckerigem Oberflächen-Tastbefund ist kein neuraltherapeutischer Erfolg mehr zu erwarten. Diese Fälle überweise man zweckmäßigerweise dem Urologen.

Prurigo, Pruritus: Wir müssen zwischen einem neurogenen und einem — (K) — psychogenen (=essentiellen!) Pruritus unterscheiden. Bei letzterem haben wir naturgemäß keine Erfolge zu erwarten. Ist der Juckreiz lokalisiert, geben wir intra- und subkutane Injektionen. Bei P r u r i t u s a n i e t v u l v a e zusätzlich — (T) — Quaddeln über dem kaudalen Kreuzbein-Steißbeingebiet, etwa am oberen Ende der Rima ani, und intra- bis subkutane Infiltration im jukkenden Bereich. Schmerzhaft, aber wirkungsvoll! Auch Injektionen in die — (T) — Foramina sacralia post. oder — (T) — epidurale oder — (T) — präsakrale Infiltrationen und Injektionen in den — (T) — gynäkologischen Raum. Beim Mann Injektion in die — (T) — Prostata. Bei Wiederauftreten Wiederholung. Steigert sich die Wirkung dabei nicht befriedigend, muß nach einem Störfeld gesucht werden. Beim Pruritus universalis, wie z. B. bei der Hepatitis, auch beim Pruritus senilis kann eine Reihe — (T) — intravenöser Procain-Injektionen Wunder wirken.

Pseudarthrose-Prophylaxe: — (K) — Frakturen, — (K) — Kallusbildung

Psoas-Syndrom: Wenn der M. psoas durch reflektorische Einflüsse aus der erkrankten Umgebung, rheumatische Entzündungen oder eine veränderte Statik einseitig überspannt ist, führt das zu Kreuzschmerzen, Schmerzen in der betroffenen Unterbauchseite oder in der Hüfte. Sie können nach oben bis in den Rücken, nach unten bis zur Außenseite des Oberschenkels ausstrahlen. Am Rücken findet man charakteristische Schmerzpunkte und Gelosen paravertebral im Lumbalbereich Th 12 bis L 5. Der Muskel entspringt ja an den Seitenflächen der Wirbel und deren Querfortsätze. Zum besseren Auffinden der Punkte läßt man den in Bauchlage liegenden Patienten zuerst das innenrotierte Bein gerade nach hinten oben strecken. Als zweites tasten wir den hartgespannten Psoas oberhalb des Leistenbandes, wenn der nun auf dem Rücken liegende Patient sein gestrecktes Bein anhebt. Schließlich lassen wir ihn auf dem Rücken liegen und seine Ferse aufs Knie der anderen Seite stellen und palpieren dann noch, ob der Psoas-Ansatz am Trochanter minor druckschmerzhaft ist. Natürlich sind die bei diesen drei Untersuchungen gefundenen Druckpunkte mit der Kanülenspitze aufzusuchen und mit *Procain* zu infiltrieren. Eventuell noch — (T) — präsakrale oder — (T) — epidurale Infiltrationen, eine Injektion an den — (T) — Trochanter major oder durch das unterste — (T) — Foramen sacrale auf die Innenseite des Kreuzbeines.

Psoriasis: Durch Insulinbelastungsversuche scheint erwiesen zu sein, daß das vegetative System auch bei der Psoriasis eine wesentliche Rolle spielt. Es besteht eine Verwandtschaft zum Ekzem, nur ist hier die Reaktionslage der — (K) — Haut eine andere. Zu den umstimmend wirkenden — (T) — intravenösen Injektionen von *Procain* können lokale subkutane Infiltrationen der störendsten Stellen eine Besserung bringen. Dazu geben wir auf alle Fälle im Hinblick auf die Leber- und Nebennierenwirkung Injektionen an den abdominalen — (T) — Grenzstrang. Wiederholung in etwa wöchentlichen Abständen. Beginn der Besserung erst oft nach 6—8 Behandlungen. Auch hier bei Versagen Störfeldsuche nicht vergessen: Mir gelang u. a. eine schnelle Heilung einer generalisierten P. nach drei Impletol-Injektionen an eine Narbe in der rechten Augenbraue. Allerdings stehen dem auch eine Reihe glatter Versager gegenüber. Bei einem Drittel aller Psoriatiker konnte man bei frischen Schüben eine Provokation von seiten der Tonsillen nachweisen!

Psychogene Erkrankungen: Sie sind nicht mit der Procain-Therapie heilbar. Es gibt bei der Neuraltherapie keine Suggestivwirkung, genauer gesagt, keine größere, als bei jeder anderen ärztlichen Maßnahme möglicherweise auch. — Ein Versuch ist in unklaren Fällen gerechtfertigt, weil sich schon mehrfach Krankheiten, die auf den ersten Blick als psychogen imponierten, als störfeldbedingt erwiesen haben. Bei psychischer Überlagerung pflegen die psychogen gefärbten Begleiterscheinungen schlagartig zu verschwinden, wenn ihre Grundursache über die Segmenttherapie oder das Huneke-Phänomen beseitig wird.

Psychosen: Geisteskrankheiten sind n i c h t mit *Procain* beeinflußbar. Ausnahmen: Gewisse Fälle von — (K) — Depression und — (K) — Schizophrenie. Bei posttraumatischen Psychosen soll die — (T) — Liquorpumpe geholfen haben.

Pulmonalerkrankungen: — (K) — Lungenerkrankungen

Pyelitis: — (K) — Nierenerkrankungen

Pylorospasmus: Bei Erwachsenen: — (K) — Krebs ausschalten, — (K) — Oberbaucherkrankungen, — (K) — Ösophagusstenose.

Beim Säugling: — (T) — Quaddel über der — (T) — Magengrube und durch sie hindurch bis präperitoneal 1—2 ml *Procain.* Eventuell zusätzlich 1 ml neben die Oberarmschlagader. Der

B 21, „Meisterpunkt des Magens" den wir von der Akupunktur her kennen, liegt zwei Querfinger neben der dorsalen Mittellinie zwischen den Querfortsätzen von Th 12 und L 1. Dort setzen wir beiderseits eine Quaddel und gehen durch sie hindurch infiltrierend einige Millimeter in die Tiefe. Genügt das nicht, vor der Operation auf alle Fälle noch eine Injektion an den abdominalen — (T) — Grenzstrang, die auch schon bei Säuglingen mit überzeugendem Erfolg gegeben wird (LUZUY).

Querschnittslähmung: Versuch mit Injektionen ans Periost d e s Wirbelkörpers, in dessen Höhe das Rückenmark geschädigt ist. Vergleiche dazu Abb. 14, Seite 80. Auch Injektionen an den — (T) — Grenzstrang in entsprechender Höhe, bei tiefliegendem Sitz auch — (T) — epidurale Infiltration. Auch einfache — (T) — Quaddeln über der Wirbelsäule und der benachbarten Muskulatur können schon Linderung bringen.

Quetschungen: — (K) — Verletzungen

Quinckesches Ödem: Das Qu. anigioneurotische Ödem ist vasomotorischen Ursprungs. Zuerst Versuch mit einigen — (T) — intravenösen Procain-Injektionen. Genügt das nicht, Injektion an das — (T) — Ganglion stellatum. Tritt auch danach nach wenigen Behandlungen keine Heilung ein: Störfeldsuche! — (K) — Ödem.

Radialis-Parästhesien, R.-lähmung: — (K) — Ostechondrosis, — (K) — Zervikalsyndrom. Injektionen an das — (T) — Ganglion stellatum, den Plexus brachialis und den N. radialis (— (T) – Nerven, zuführende).

Radikulitis: — (K) — Ostechondrosis, — (K) — Zervikalsyndrom, — (K) — Ischias, — (K) — Tendovaginitis, — (K) — Periosterkrankungen

Raynaudsche Gangrän: — (K) — Neurozirkulatorische Störungen

Reflex-Anurie: — (K) — Nierenerkrankungen

Regelstörungen: — (K) — Gynäkologische Erkrankungen

Regenbogenhautentzündung: — (K) — Augenerkrankungen

Reizblase: Sie tritt meist bei Frauen um die Zeit der Menopause in Verbindung mit anderen vegetativen Störungen (Hyperhidrosis, Dermographie usw.) auf. Nachts und während der Periode meist keine Beschwerden. Morgens setzt ein quälender Harndrang mit terminalem Brennen ein, der sich im Laufe des Tages noch steigern kann. Manchmal zusätzlich noch eine relative Blaseninkontinenz. Urinbefund ist negativ, auch die Zystoskopie ist bis auf eine etwas vermehrte Gefäßzeichnung im Trigonum ohne Befund. Therapie: Zuerst versuchen wir die bei den — (K) — gynäkologischen Erkrankungen beschriebenen Injektionen an die Frankenhäuserschen Ganglien, die ja auch einen Einfluß auf das hormonelle Geschehen haben. Zusätzlich kann eine Anästhesie des Blasenhalses nützlich sein: Wir stellen uns den Vorderrand der Vagina im Scheidenspekulum ein, stechen mit einer 6 cm langen dünnen Kanüle etwa 3—4 cm hinter dem Hymen ein und infiltrieren dann das lockere Bindegewebe zwischen Blase und Vagina. Man kann auch von oben durch die Bauchdecken hinter die Symphyse eingehen und so den Blasenhals erreichen. Nur in hartnäckigen Fällen wird eine — (T) — präsakrale oder — (T) — epidurale Infiltration erforderlich sein. — (K) — Nierenerkrankungen, — (K) — Zystitis.

Reizknie: — (K) — Gelenkerkrankungen

Renten-Neurose: Erfahrungsgemäß versagt jede Therapie, wenn der Wunsch nach Rente größer ist als der Wille zur Genesung. Hier muß erst die Psychotherapie das „seelische Störfeld" beseitigen.

Retinitis: — (K) — Augenerkrankungen

Retrobulbär-Neuritis: — (K) — Augenerkrankungen

Rhagaden: Mit feiner Nadel so umspritzen, daß eine — (T) — Quaddel entsteht. In veralteten Fällen bis zehnmal wiederholen!

Rheumatismus: Rheuma ist in unserem Sinne keine Diagnose, sondern nur ein Symptom, das das Versagen des gesamten neuro-hormonalen vegetativen Regulationssystems anzeigt. Die Ursache dafür kann mannigfacher Art sein. Alles Suchen nach einem Erreger oder einer anderen generell gültigen Erklärung für die Genese hat bisher zu nichts geführt, es wird wohl auch in Zukunft zu keinem Ergebnis führen. Bakterien, Kälteschäden, Hormon- und Stoffwechselstörungen kann dabei nur eine Rolle als Noxen zugebilligt werden, die auch belastend auf das vegetative Grundsystem und damit auf die Energiebildung und -verteilung eingewirkt haben. Für den Praktiker ist es im Hinblick auf das Endziel weniger wichtig, alle Reaktionen und Verschiebungen z. B. im Hormonsystem zu kennen, die zum Rheumatismus gehören, als vielmehr die Maßnahmen zu beherrschen, die in der Lage sind, die Hormondrüsen durch Regulierung der nervalen Dystonie wieder zum koordinierten Funktionieren zu bewegen! — Ziel der Behandlung muß sein, das überlastete Regulierungssystem zu entlasten bzw. aus seiner Blockierung zu befreien. Das können wir, indem wir

a) mit Hilfe der S e g m e n t t h e r a p i e lokal auftretende nervale Fehlsteuerungen beseitigen helfen. Dazu stehen uns zur Verfügung: — (T) — Quaddeln, — (T) — intramuskuläre Infiltrationen, Injektionen in schmerzhaft verändertes Gewebe wie — (T) — Periost, Bänder- und Sehnenansätze, an die zuführenden — (T) — Arterien und — (T) — Nerven, in die — (T) — Gelenke und schließlich an den — (T) — Grenzstrang und seine — (T) — Ganglien. Als unterstützendes Umstimmungsverfahren haben wir bei der Rheumabehandlung die — (T) — Ponndorf-Impfung und die Eigenblut-Behandlung schätzen gelernt. — Akupunkturpunkte: Der wichtigste Punkt der (Gelenk)-Rheuma-Behandlung ist der 3E5: Wir lassen den Patienten seinen Arm mit ausgestreckten Fingern auf die andere Schulterseite legen und halbieren die Strecke Olecranon-Fingerspitzen. Dort, genauer auf der radialen Ulnarseite, liegt der Punkt, den wir beiderseits mit Quaddeln behandeln können. Beim Muskelrheuma kann man den „Meisterpunkt der Muskulatur" (G 34) beiderseits mitbehandeln: Er liegt in dem Grübchen vor und unter dem Fibulaköpfchen.

b) Mit der Störfeldsuche frühzeitig beginnen, um evtl. das zentral beherrschende Störfeld im H u n e k e - P h ä n o m e n auszuschalten, bevor das Leiden vom ursprünglichen Ausgangsort unabhängig („autonom") wird. — SPANOPOULOS fand bei Rheumatikern häufig ein- oder beiderseitige Knötchenbildungen oberhalb der Sakroiliakallinie in Höhe von S 3. Sie weisen auf früher durchgemachte spezifische oder unspezifische Erkrankungen im Urogenitalsystem hin, die nicht restlos abgeheilt und im Störfeldsinne noch aktiv sind. Die Procain-Behandlung dieser Gelosen hilft die von dort ausgehenden rheumatischen oder andersgearteten Störungen beseitigen.

Der M u s k e l r h e u m a t i s m u s : Wir Neuraltherapeuten nehmen die Erscheinung des „alltäglichen Rheumas" immer so ernst, wie sie genommen werden müssen, und nehmen dabei die Be-handlung wörtlich. Das heißt, wir suchen mit unseren Händen den Körper des Kranken gründlich ab und registrieren dabei alle Schmerzen und Gewebsveränderungen an der Oberfläche und in der Tiefe. Wir wissen, daß sich anbahnende Organerkrankungen oft im Segment als „P s e u d o r h e u m a t i s m u s" anmelden. Wir können die Krankheit im Keim ersticken, wenn wir mit den Procain-Injektionen pathogene Reflexmechanismen unterbrechen und Störungen im vegetativen Gleichgewicht ausbalancieren helfen. Das tun wir mit dem heilenden Stoß ins System an der richtigen Stelle. — Rheuma im rechten Arm und in der rechten Schulter z. B. kann eine Leber-Gallen-Störung ankündigen, bevor im rechten Oberbauch überhaupt etwas zu spüren ist. Das Rheuma im Nacken kommt seltener von außen, z. B. vom Sitzen in Zugluft, als von innen her (— (K) — Osteochondrosis). Solche Beispiele ließen sich beliebig fortsetzen. Man tut gut, gegebenenfalls immer an diese Möglichkeiten zu denken. — Andererseits wissen wir auch, daß die Segmentzeichen noch 1—8 Wochen nach Abklingen von Organstörungen erhalten bleiben können und daß das Leiden von ihnen aus jederzeit wieder reaktiviert werden kann. Wir beschleunigen das Ausheilen und verhindern Rezidive, wenn wir die warnenden Indikatoren in der Peripherie mit unseren Injektionen zum Schweigen bringen.

Der sogenannte e c h t e M u s k e l r h e u m a t i s m u s zeigt uns mit seinem irrlichternden Springen und Wandern, daß auch hier wieder der gesamte Organismus erkrankt ist und nur verschiedene Gebiete mit Schmerzerscheinungen aufleuchten, bei denen das Geschehen im Moment im Vordergrund steht. Je schneller und gründlicher wir eingreifen, desto mehr Folgeerscheinungen verhindern wir. Wir beseitigen den Schmerz und mit ihm alle Durchblutungs- und nachfolgenden Störungen. Erholen sich die Regulierungsmechanismen mit unserer Hilfe wieder, werden die rheumatischen Reaktionen immer schwächer und spärlicher in Erscheinung treten. Tun sie das nicht, müssen wir die beherrschende Ursache in einem Störfeld suchen und das beseitigen, bevor das Leiden irreversibel wird.

Der G e l e n k r h e u m a t i s m u s : Für ihn gilt auch das eben Gesagte. Bei der Polyarthritis müssen wir zeitig versuchen, die Fehlsteuerungen möglichst am Störfeld zu beseitigen. Wir können schon allein damit viel Gutes tun, wenn wir bei j e d e m Polyarthritiker erst einmal die harmlose Testinjektion an die — (T) — Tonsillen vornehmen und die Zähne nach unseren Gesichtspunkten sanieren lassen. Oft erwiesen sich „reizlose" Großzehennarben nach Hallux-valgus-Operationen als Ursache einer Polyarthritis. — Nach Autonomwerden der Krankheit bleibt uns nur die Möglichkeit, mit der Segmenthterapie am Ort des Funktionsausfalles einzugreifen. In diesem Stadium ist die — (T) — Quaddeltherapie unsere zuverlässigste Waffe. So werden die Patienten mit verdickten und verformten Fingergelenken nach einer Quaddelserie auf der Dorsalseite über den Grund- und Mittelgelenken der Finger dankbar eine Verringerung der Schmerzen bei besserer Beweglichkeit registrieren. Das gilt selbstverständlich auch für alle anderen Gelenke (— (K) — Gelenkerkrankungen). In manchen Fällen wird es mit der — (T) — Ponndorf-Impfung und anderen Umstimmungsverfahren gelingen, die Ansprechbarkeit des Organismus auf unsere Maßnahmen wiederherzustellen. Auffallend ist bei der p r i m ä r chronischen Polyarthritis, daß die Patienten meist keine Operationen, Verletzungen, schwere Entbindungen, Mandelerkrankungen u. dgl. in der Vorgeschichte aufzuweisen haben. Das legt den Schluß nahe, daß diese Form auftritt, wenn die zu selten eingesetzten Reguliermechanismen ihre Wachsamkeit gegen diesen schleichend auftretenden Feind eingebüßt haben. Oft erweist sich das Krankheitsgeschehen bei der primär chron. P. als autonom, in einem Teil der Fälle gelingt es, die Reaktionsstarre mit Hilfe der Ponndorf-Impfung und Elpimed-Injektionen zu lösen. — Über die für unsere Therapie ungünstige vegetative Schockwirkung der Röntgen- und Cortison-Therapie lese man im Kapitel: Die Versager der Neuraltherapie und im Kapitel: Das weiche Bindegewebe und das Störfeld nach.

Rhinitis atrophicans., Rh. vasomotorica: — (K) — Nasenerkrankungen

Rhythmusstörungen am Herzen: — (K) — Herzerkrankungen

Rigor, extrapyramidaler: Besserung durch Injektionen von 1 ml *Procain* in die Patellar- und Achillessehnen.

Rippen-Infraktionen bzw. -frakturen: 50 % der Rippenfrakturen sind auf dem Röntgenbild nicht zu erkennen! Der heftige umschriebene Schmerz, der sich beim tiefen Atmen, Husten und bei Thoraxkompression steigert, gibt die Indikation zur Injektion — und nicht das (in der Regel überflüssige) Röntgenbild. Bei Infraktionen und — (K) — Frakturen der Rippen geben wir mit besten Erfolgen 1—2 ml *Procain* an und in die meist von außen zu fühlende rauhe Verdickung bzw. an den größten Schmerzpunkt, also in den Bruchspalt und subperiostal. Dazu tasten wir uns noch mit der Nadelspitze an den oberen und unteren Rippenrand und geben dorthin noch je 0,5 ml. Nach richtig sitzender Injektion muß der Patient sofort wieder ohne Schmerzen husten und niesen können. Diese Schmerzfreiheit hält etwa 2—5 Tage an. Die Injektion muß dann bei Bedarf wiederholt werden. Ein Elastoplast- oder ein anderer Verband erübrigt sich dabei! Das ist die beste und schonendste Methode, die am schnellsten zur Heilung und Wiederherstellung der Arbeitsfähigkeit führt. Der bisher übliche Dachziegel-Klebeverband ist unzureichend und muß als überholt gelten. — Bei Pleurabeteiligung (oder wenn sie nicht sicher auszuschließen ist) gehen wir in genügender Entfernung von der Verletzungsstelle an die benachbarten — (T) — Interkostalnerven. Bei diesem Vorgehen verschwinden auch die Schmerzen, die dabei gern in die Oberbauchgegend ausstrahlen. Das ist differentialdiagnostisch für die Klärung eventueller abdominaler Mitverletzungen äußerst wichtig!

Roemheld-Komplex: — (K) — Oberbaucherkrankungen

Röntgenkater: *Procain* — (T) — intravenös und — (T) — Quaddeln in und um das Bestrahlungsgebiet. — (K) — Strahlenschäden.

Rosazea: — (K) — Hauterkrankungen

Säuglings-Toxikose: Zur Unterstützung der üblichen Maßnahmen 0,5 ml *Procain* — (T) — intravenös oder 1 ml neben die Oberarm-Schlagader, dazu eine Quaddel über die — (T) — Magengrube und durch sie infiltrierend bis ans Peritoneum. In lebensgefährlichen Fällen Injektion an den abdominalen — (T) — Grenzstrang.

Schambein-Ostitis: z. B. nach retropubischer Prostatektomie: — (T) — Quaddeln über der Schambeingegend und Infiltration bis ins Periost. Sonst — (T) — epidurale oder — (T) — präsakrale Infiltration bzw. Injektion in die — (T) — Prostatagegend.

Scharlach-Otitis: Neben der unter — (K) — Ohrenerkrankungen geschilderten Behandlung noch Injektionen an die — (T) — Tonsillenpole.

Scheidenerkrankungen: — (K) — Gynäkologische Erkrankungen, — (K) — Pruritus, — (K) — Vaginismus

Schenkelhalsfraktur, Schmerzen nach: Injektionen an das Periost des — (T) — Trochanter major. — (K) — Frakturen.

Scheuermannsche Erkrankung: Neben — (T) — Quaddeln über dem Erkrankungsbereich und an das — (T) — Periost der Wirbel dürfte hier die Suche nach einem Störfeld im Vordergrund stehen. Ein Tonsillentest z. B. ist einfach und ungefährlich und kann selbst noch bei Beschwerden nach abgeklungener Erkrankung Zusammenhänge klären. — (K) — Knochennekrosen.

Schiefhals, muskulärer: Unter den konservativen Maßnahmen steht die Dehnung des Kopfnickermuskels nach ausgiebiger — (T) — intramuskulärer Procain-Infiltration an erster Stelle (cave intravasale Injektion, ansaugen!). — (K) — Tortikollis.

Schielen: — (K) — Augenerkrankungen

Schienbeinentzündung: — (K) — Periostitis

Schilddrüsenerkrankungen: Die Schilddrüsendiagnostik wurde in den letzten Jahren durch die vorwiegend direkten Methoden wesentlich verbessert. Trotzdem reichen sie noch nicht aus, abnorme Reaktionen der Schilddrüsenfunktion bei Belastungen aufzuzeigen. Die streßreiche Lebenssituation von heute schuf ein sehr häufiges Krankheitsbild, das ich als „latente Hyperthyreose" bezeichne. Es ist mit den gebräuchlichen Untersuchungsmethoden kaum zu erfassen. Dann wird der klinische geäußerte Verdacht auf das Vorliegen einer Schilddrüsenüberfunktion nicht bestätigt und die weitere Untersuchung fehlgeleitet. W i r können dann mit dem Erfolg der neuraltherapeutischen Schilddrüsen-Behandlung beweisen, daß wirklich eine Funktionsstörung in — (K) — hormonellen Bereichen zugrunde lag. Dabei gibt es laufende Übergänge von der vegetativen — (K) — Dystonie bis zur Hyperthyreose. Jede emotionelle Belastung, die Periode, Wetterstürze u. dgl. schalten bei diesen Patienten die Hormonausschüttung der Schilddrüse überschießend und zu langdauernd ein. Das daraus resultierende Sympathikus-Überwiegen führt zur Senkung der organischen wie psychischen Reizschwelle und zu erheblichen Störungen vegetativer Funktionen an Herz und Kreislauf („essentieller" Hypertonus), Schlaf, Atmung, Verdauung usw. Da die körperlichen Mißempfindungen wieder neue Emotionen auslösen, ist ein Teufelskreis geschlossen. Während der Parasympathikus hauptsächlich für die Aufbau- und Erhaltungsfunktionen in der Ruhe zuständig ist, bereitet der Sympathikus die inneren Funktionen auf Notsituationen wie Kampf oder Flucht vor. Überwiegt der Sympathikus ständig, verharrt der Organismus in dauernder Alarmbereitschaft ohne die Möglichkeit echter Entspannung. Keine andere Maßnahme kann die Harmonie zwischen Sympathikus- und Parasympatikus-System so gut wiederherstellen, wie die Procain-Behandlung der Thyreoidea.

Wir machen bei der Behandlung der Schilddrüse keinen Unterschied zwischen Struma und Basedow, Hypo- und Hyperthyreose. Dem Anfänger mag es absurd erscheinen, daß wir zwei so gegensätzliche Störungen wie die Unter- und Überfunktion mit ein und demselben Mittel und derselben Maßnahme bekämpfen wollen. Die Praxis zeigt aber gerade hier sehr augenfällig, daß das Procain eine von der Ausgangslage unabhängige regulierende Wirkung hat. Zweifler tun gut daran, sich diese Aussage durch die Nachprüfung bestätigen zu lassen.

Segmentbehandlung: Zu der umstimmend wirkenden — (T) — intravenösen Injektion geben wir noch *Procain* in das Parenchym beider — (T) — Schilddrüsenlappen. Damit schwinden in der Regel zuerst die Angstzustände und das als beängstigend empfundene starke und schnelle Herzklopfen schon bei geringsten Aufregungen. Die zum Zerreißen gespannten Nerven beruhigen sich und die Neigung zu unmotiviertem Weinen („die Schilddrüse weint") läßt nach. Die Frauen (sie stellen etwa 90 % der latenten Hyperthyreosen) werden ausgeglichener und ruhiger und ihre Umgebung stellt fest, daß sie wieder kontaktfreudiger und verträglicher sind. Das Druck- und Kloßgefühl im Hals verschwindet, das übrigens keinesfalls mit der Vergrößerung der Schilddrüse parallelgehen muß. Auch Zyklusstörungen können sich dabei einregulieren. Das meist reduzierte Gewicht normalisiert sich wieder, der Turgor der Haut wird besser, die Frauen blühen auf und fühlen sich wohl und leistungsfähig. — Mit einer Serie von 10 bis 20 Schilddrüsen-Behandlungen in etwa einwöchigen und größeren Intervallen können wir die überwiegende Zahl der Strumen erst weicher und dann kleiner werden sehen und meist Operationen umgehen. Patienten mit einer latenten Hyperthyreose sind ängstlich, sie fürchten sich vor allem vor der Schilddrüsen-Operation, zu der sie bereits Operierte nur selten animieren. Sie sind für unsere vielgeübte, erfolgreiche Behandlung dankbar. — Eine gute Beobachtungsgabe kann auch hier aufschlußreicher sein, als ein veralteter Grundumsatzwert, der in der Geborgenheit einer Klinik erhoben wurde und nichts über das Verhalten bei Schilddrüsenbelastung im Alltag aussagen muß. Wenn die geringe Aufregung vor dem Arztbesuch genügt, um soviel Hormon auszuschütten, daß sich die Patientin unbewußt die feuchtkalte Hand am Kleid abwischt, bevor sie sie dem Arzt reicht, dann sollte das dem gleichbedeutend mit einer Aufforderung sein, die regulationsgestörte Schilddrüse mit *Procain* zu behandeln! — Die von anderer Seite gelobten Injektionen an das — (T) — Ganglion stellatum stellen demgegenüber keine wirkungsvollere Behandlung dar. — Die häufigen Rezidive nach Strumektomien zeigen uns, daß die rein mechanische Verkleinerung der Drüsensubstanz nicht immer eine kausale Lösung darstellt. Solange das neurohormonale System durch ein aktives Störfeld überlastet bleibt, können die Schilddrüse und die mit ihr zusammenhängenden Regelsysteme nicht zur Ruhe kommen. Das wird jedem einleuchten, der die Organe nicht isoliert, sondern in ihren kybernetischen Wechselbeziehungen betrachtet. Den wundert auch nicht, wenn er immer wieder einmal feststellen muß, wie oft doch die Schilddrüse bei akuten und chronischen Krankheiten wie z. B. Polyarthritis, Migräne, Psychosen, funktionellen Beschwerden, vegetativer Dystonie, Unterleibsleiden usw. leicht vergrößert ist und damit ein Mitreagieren und eine Überlastung anzeigt. Für uns besteht dann die Möglichkeit, uns mit den Schilddrüsen-Injektionen an dieser Stelle unterstützend in die Regulation einzuschalten. Versagt die Hormonsteuerung erst einmal, sind immer mehrere Drüsen gestört. Bei Frauen tritt die Schilddrüsenvergrößerung mit oder ohne Überfunktion nur allzuhäufig nach einer Schwangerschaft (meist der zweiten!) oder einer entzündlichen Unterleibserkrankung auf. In diesem Fall kann uns die Injektion in den — (T) — gynäkologischen Raum weiterbringen oder die Kombination von Schilddrüsen- und Unterleibsbehandlung.

Der Tierarzt KOTHBAUER prüfte meine Angaben bei Kühen nach. Er fand, daß bei ihnen nach 3—5 Tagen nach der Procain-Injektion (also längere Zeit nach Abklingen der Anästhesiewirkung!) ein deutlicher Beruhigungseffekt eintrat. Besonders auffallend war eine deutliche Steigerung der Milchleistung bei den so behandelten Kühen im Vergleich zu den unbehandelten aus dem gleichen Stall. Sie hielt mehrere Wochen an. Da bei Kühen orale Jodgaben ebenfalls zu einer vermehrten Milchproduktion führen, schloß K. daraus, daß die Procain-Injektionen in die Schilddrüse den Jodstoffwechsel nachhaltig beeinflussen müßten. Eine Kontrolle der Jodwerte im Blutserum ergab tatsächlich, daß diese zur Norm hin verändert wurden. Da beim Tier jede psychische Beeinflussung durch den Therapeuten wegfällt, muß es sich hierbei um echte Heilungsvorgänge handeln.

Schizophrenie: In der Literatur sind vier Huneke-Phänomen-Heilungen nach paratonsillären Impletol-Injektionen beschrieben worden. Alle hatten auf die Schocktherapie nicht reagiert. Ex juvantibus scheint erwiesen, daß hier kein erbbedingtes, sondern ein Störfeld-Geschehen zugrunde lag. J e d e chronische Krankheit k a n n störfeldbedingt sein!

Schlaflosigkeit: Die Agrypnie kann als anscheinend selbständiges Krankheitsbild auf den gleichen elektrostatischen Spannungsveränderungen beruhen wie der — (K) — Kopfschmerz und der — (K) — Schwindel. Die Tatsache, daß die — (K) — psychogene und — (K) — neurasthenische Schlaflosigkeit beide nicht auf *Procain* anschlagen, ist differentialdiagnostisch verwertbar! — Wir geben das *Procain* — (T) — intravenös und unter die — (T) — Kopfschwarte, meist auch in die — (T) — Schilddrüse. Oft müssen wir mehrere derartige Stöße ins System geben, um zum Ziel zu gelangen. Nicht zu schnell aufgeben! Wenn auch die Störfeldsuche erfolglos (Kopfherde?), Psychotherapie. — Die Akupunktur nennt uns folgende Punkte:

LG 19: (Hinterkopf: Lambda-Pfeilnaht-Grübchen. Cave: Graviditas!),

B 62: (2 Querf. unter der äußeren Knöchelspitze),

N 6: (1 Querf. unterhalb der inneren Knöchelspitze),

M 36: (2 Querf. unterm Fibulaköpfchen, 1/2 Querf. lateral der oberen Tibiakante),

KG 6: (2 Querf. unter dem Nabel),

Le 9: (bei maximal gebeugtem Knie die mediale Kniegelenks-Falte).

Schlangenbiß: Wir haben gelernt, daß das Schlangengift als „neurotropes Toxin" eine besondere Affinität zum Nervensystem besitzt. Es soll von der Bißstelle im Neurilemm bis zum Zentralnervensystem wandern und dort seine Giftwirkung entfalten. Wir haben diese Theorie hingenommen, ohne uns die Frage zu stellen, wer schon je das Gift in den Nervenscheiden wandern gesehen hat. — Im angelsächsischen und sowjetischen Schrifttum stoßen wir mehrfach auf Hinweise, daß sich die Impletol- bzw. Procain-Umspritzung frischer Schlangenbisse als optimale Behandlung erwiesen hat. Man hat das damit zu erklären versucht, das *Procain* neutralisiere offenbar die Toxinwirkung. Wer aber die Wege zur Krankheit und Heilung aus der Sicht der Neuralpathologie und -therapie betrachtet, dem drängt sich der Gedanke auf, daß sich auch die Wirkung der neurotropen Toxine (teilweise auch der Bakterien, Viren und der Allergene) zwanglos mit der Lehre vom Störfeld erklären läßt: Das Toxin setzt am Eintrittsort eine stärkere Depolarisationszone, also ein Störfeld, das die Formatio reticularis auf nervalem Weg (elektrisch, nicht chemisch!) übererregt und als Reizbeantwortung eine lebensbedrohliche Alarm- und Schockreaktion auslöst. Die rechtzeitige Procain-Umspritzung in unserem Falle der Schlangenbißwunde (möglichst in der ersten halben Stunde!) läßt das Toxin nicht depolarisierend und somit auch nicht nerval aktiv werden, so daß es seine Wirkung nicht entfalten kann. Und selbst, wenn Störimpulse entstehen, können sie sich nicht ausbreiten, weil mit der Nervenleitung auch jede Reizübermittlung für die Dauer der Anästhesie unterbrochen wird. Die überstarke Reizwirkung der verschiedenen Gifte wird aufgehoben, weil das *Procain* die lokale Depolarisation beseitigt und wieder normale bioelektrische Verhältnisse schafft. — Es dürfte eine ebenso leichte wie dankbare Aufgabe für die Forschung sein, diese neue Theorie über den Wirkungsmechanismus der neurotropen Toxine (auch bei Tetanus, Lyssa, Diphtherie usw.) experimentell auf ihre Richtigkeit zu überprüfen und therapeutische Folgerungen daraus zu ziehen.

Schlattersche Krankheit: — (K) — Knochennekrosen

Schleimhautkatarrhe: Chronische: Umstimmung mit *Procain* — (T) — intravenös oder durch — (T) — Ponndorf-Impfungen. Sonst entsprechende Segmenttherapie oder Störfeldsuche. — (K) — Nasenerkrankungen, — (K) — Ohrenerkrankungen, — (K) — Mundschleimhauterkrankungen, — (K) — Parodontose, — (K) — gynäkologische Erkrankungen usw.

Schluckbeschwerden: — (T) — N. laryngeus sup., — (T) — N. glossopharyngeus, — (T) — Tonsillen.

Schnupfen: Mehrmals wiederholter — (T) — Nasenspray kupiert beginnenden und lindert den Verlauf eines ausgebrochenen Schnupfens. Chronischer Sch. — (K) — Nasenerkrankungen.

Schock: Ein Verletzter mit Schockerscheinungen kann am schnellsten durch *Procain* — (T) — intravenös transportfähig gemacht werden! Als *Betablocker* bremst das Procain die streßbedingte Überaktivität des Sympathikus. Es entfaltet dabei seine zentral- und kreislaufregulierende und gefäßabdichtende Wirkung. Die russische Schule sieht im Sch. einen komplizierten neurodystrophischen Komplex als Antwort auf die Übererregung des Nervensystems. Die starken Stoffwechselstörungen, die zur Toxämie führen, werden nur als Sekundärfolgen des überreizten Systems gewertet. Nach ihrer Meinung sind die toxische und die neuroreflektorische Phase nur Auswirkungen ein und desselben pathologischen Nervenzustandes.

A n a p h y l a k t i s c h e r   S c h o c k : Im Tierversuch läßt sich der anaphylaktische Schock durch vorherige intravenöse Procain-Gabe verhindern, ebenso der experimentell auslösbare Kreislaufkollaps (HIRSCH, SIEGEN).

W u n d s c h o c k : Die Behandlung und Prophylaxe des Schocks mit Procain-Injektionen hat sich bei der Roten Armee im zweiten Weltkrieg bestens bewährt. Bei Extremitäten-Verletzungen bestand die Vorschrift, das Gewebe oberhalb der Schlagader-Abschnürbinde vor deren Abnehmen ausgiebig mit *Procain* zu infiltrieren. Damit konnte der dabei vorher so häufig auftretende Sch. verhütet werden.

P l e u r a s c h o c k : Bei Verletzungen der Brusthöhle, wie offenen Lungendurchschüssen, konnten die Verluste durch die Anästhesie des — (T) — Ganglion stellatum auffallend gesenkt werden. Auch der T r a n s f u s i o n s- und der a n a p h y l a k t i s c h e   S c h o c k wurden prophylaktisch wie therapeutisch erfolgreich mit — (T) — Grenzstrang-Injektionen angegangen. Beim t r a u m a t i s c h e n und p o s t o p e r a t i v e n   S c h. sind ebenso auch Injektionen a n (nicht in!) die — (T) — Arteria carotis angezeigt.

Schreibkrampf: Neben Psychotherapie Injektionen an den Plexus brachialis (— (T) — Nerven, zuführende) und in die peripheren Schmerzpunkte.

Schreibmaschinen-Krankheit: — (K) — Tendovaginitis

Schrumpfniere: — (K) — Nierenerkrankungen

Schrunden: — (K) — Rhagaden

Schulter-Arm-Syndrom: — (K) — Osteochondrosis, — (K) — Zervikalsyndrom

Schultergelenkserkrankungen: — (K) — Gelenkerkrankungen

Schultersteife: — (K) — Periarthritis humeroscapularis

Schwangerschaftsbeschwerden: — (K) — Hyperemesis, — (K) — Eklampsie, — (K) — Nierenerkrankungen

Schweißausbrüche: — (K) — Dystonie, vegetative, — (K) — Hyperhidrosis
Schweißdrüsen-Abszeß: Frühzeitig um- und unterspritzen. — (K) — Furunkel, — (K) — Abszeß, — (K) — Entzündung.
Schwerhörigkeit: — (K) — Ohrenerkrankungen
Schwindel: Schwindelerscheinungen beruhen weitaus am häufigsten auf Durchblutungsstörungen im Kopfbereich, so daß unsere durchblutungsfördernden Injektionen angezeigt sind: *Procain* — (T) — intravenös und unter die Kopfschwarte, an den — (T) — Proc. mastoideus oder das — (T) — Ggl. stellatum. Sinnvoll ist auch die Injektion an den N. auricularis magnus, der am Hinterrand des M. sternocleido etwa in dessen Mitte zutage tritt. Labyrinthschwindel: — (K) — Ohrenerkrankungen. — (K) — Dystonie, vegetative.
Sehnenscheidenerkrankungen: — (K) — Karpaltunnel-Syndrom, — (K) — Tendovaginitis
Sensibilitätsstörungen: — (K) — Neurozirkulatorische Störungen. Prof. SCHWEIGART, der Vater der Spurenelemente, litt seit Jahren an einer Empfindungsstörung der rechten Hand. Das Fingerspitzengefühl war nach einer langeiternden Pflanzendornverletzung am gleichen Handgelenk erloschen. Etwas *Impletol* in diese Narbe ergab sofort ein normales Empfinden im Segment und darüber hinaus die willkommene Huneke-Phänomen-Heilung einer beginnenden Hüftarthrosis.
Sepsis: Nach Ansicht WISCHNEWSKIS ist die S. ein komplizierter neurodystrophischer Vorgang. Der primäre Infektionsherd kann seines Erachtens nur dann zu einer Allgemeininfektion Anlaß geben, wenn das vegetative Nervensystem das zuläßt. Dazu muß aber seine normale Reaktionslage erst durch frühere Reize erheblich verschoben sein. — Neben den spezifisch wirksamen Antibiotika muß bei der Behandlung auch der Neuraltherapie der gebührende Platz eingeräumt werden! Die möglichst frühzeitige Umspritzung des Primärherdes mit einem Lokalanästhetikum kann die anlaufenden bedrohlichen Prozesse abstoppen, bevor ein irreversibler Zustand erreicht wird. Zusätzlich empfehlen sich neben der — (T) — intravenösen Injektion je nach Lage des Herdes Procain-Injektionen an das — (T) — Ganglion stellatum bzw. an den abdominalen bzw. lumbalen — (T) — Grenzstrang, Vergleiche — (K) — Schlangenbiß.
Serumkrankheit: Die — (T) — intravenöse Procain-Injektion und vor allem das Umspritzen der Serum-Injektionsstelle können schlagartige Besserung erzielen. — (K) — Allergie.
Sexuelle Störungen: Mangelnde Libido, Potenzstörungen, Erektionsschwäche, Ejaculatio praecox u. dgl. treten in der Regel mit anderen Zeichen vegetativer — (K) — Dystonie bzw. Dysregulationen wie Schlaflosigkeit, Hyperhidrosis, Kreislauf- und Durchblutungs-Störungen oder Konzentrationsschwäche auf. Wenn keine — (K) — Neurasthenie dahintersteckt und auch kein Störfeld gefunden werden kann, versuchen wir eine Umstimmung mit wiederholten — (T) — intravenösen Procain-Injektionen und Behandlung im zugehörigen Segment: — (T) — Quaddeln über Kreuzbein- und Blasengegend, Injektionen in die — (T) — Prostata bzw. den — (T) — gynäkologischen Raum oder — (T) — Epiduralanästhesie. — (K) — Hormonale Störungen. Die sexualhormonale Stimulierung durch *Procain* konnte von ASLAN objektiviert werden. Nach *Procain* tauchten selbst bei Greisinnen minimale östrogene Hormone wieder auf, bei Männern wurden die Hoden zu neuer Hormonbildung angeregt.
Siebbeinzellenerkrankungen: — (K) — Nasenerkrankungen
Silikose: — (K) — Lungenerkrankungen. Mit der dort angegebenen intravenösen und Quaddeltherapie sind meist erstaunliche Besserungen zu erzielen!
Singultus: Versuch mit — (T) — Nasenspray. Oder — (T) — intravenöse Injektion in Verbindung mit Injektion in die — (T) — Magengrube. In hartnäckigen Fällen an den abdominalen — (T) — Grenzstrang oder an den linken (gegebenenfalls auch rechten) — (T) — Nervus phrenicus.
Sinusitis: — (K) — Nasenerkrankungen
Skleritis: — (K) — Augenerkrankungen

Sklerödem: — (K) — Hauterkrankungen. Häufig — (T) — Tonsillen-Störfeld?
Sklerodermie: — (K) — Hauterkrankungen, — (K) — Neurozirkulatorische Störungen
Sludersche Neuralgie: Neuralgie des — (T) — Ggl. pterygopalatinum. Immer einseitig, besonders nachts auftretende langanhaltende Schmerzen in der Tiefe der Nasenwurzel und der Orbita, die zum Ohr, Oberkiefer, Rachen und Warzenfortsatz ausstrahlen können. Dabei Tränenträufeln und Hypersekretionen aus der Nase, wobei es zu den charakteristischen Niesanfällen kommt.
Spasmen: Abdomen: — (K) — Oberbaucherkrankungen, — (K) — Nierenerkrankungen
           Thorax: — (K) — Lungenerkrankungen
Spondylarthritis ankylopoetica: — (K) — Bechterewsche Krankheit
Spondylarthrosis: — (K) — Gelenkerkrankungen
Sportverletzungen: — (K) — Verletzungen
Star: Grauer: — (K) — Katarakta
     Grüner: — (K) — Augenerkrankungen
Starrkrampf: — (K) — Tetanus
Staublunge: — (K) — Lungenerkrankungen
Stauungsniere: — (K) — Nierenerkrankungen, — (K) — Herzerkrankungen
Steißprellung: Schlägt man mit der flachen Hand kurz auf den Boden einer verkorkten Flasche, kann oben der Korken herausgeschleudert werden. Ebenso kann die Flüssigkeitswelle im Liquorraum bei einer heftigen Steißbeinprellung eine — (K) — Commotio cerebri mit allen ihren Folgen auslösen, ohne daß eine stumpfe Gewalteinwirkung auf den Kopf stattgefunden haben muß.
Steißschmerzen: — (K) — Kokzygodynie
Stenokardie: — (K) — Herzerkrankungen
Stenose: — (K) — Krebs, — (K) — Spasmen, — (K) — Ösophagusstenose
Sterilität: — (K) — Gynäkologische Erkrankungen. Es wurden auch Procain-Injektionen an die Querfortsätze des 4. LWK empfohlen. Besteht gleichzeitig eine Thyreotoxikose: — (K) — Schilddrüsenerkrankungen. — (K) — Sexuelle Störungen.
Stillsche Erkrankung: Es handelt sich um eine im Kindesalter auftretende chronische Polyarthritis mit Lymphknoten, Milzschwellung und Perikarditis. F. HUNEKE schildert in seinem Buch: „Das Sekundenphänomen" die Heilung einer fortgeschrittenen Erkrankung nach — (T) — Tonsilleninjektion. Also: Störfeldsuche!
Stirnhöhlenerkrankungen: — (K) — Nasenerkrankungen
Stomatitis: Eine abgeklungene Stomatitis kann ein Störfeld hinterlassen. Meist sieht man dann anämische Schleimhautbezirke, die nach einer oder einigen submukösen Procain-Injektionen wieder normal durchblutet werden.
Stottern: Normalerweise — (K) — psychogene Erkrankung. Es wurden aber Sekundenphänomen-Heilungen nach Narben- und Tonsilleninjektionen berichtet, die zeigen, daß es auch darunter störfeldbedingte Fälle geben kann!
Strabismus: — (K) — Augenerkrankungen
Strahlenschäden: Jede Behandlung mit ionisierenden Strahlen führt zu einer mehr oder weniger starken Depolarisation des bestrahlten Gewebes und damit zu einer erheblichen Störung des Gewebs-Stoffwechsels. Teleangiektasien, Indurationen und Ulzerationen sind die Folge. Das bestrahlte Feld ist nerval gestört und kann weiter Fernstörungen verursachen. Wir repolarisieren das oft steinharte Gewebe mit intra- und subkutanen Procain-Injektionen. Diese Behandlung muß über lange Zeit erfolgen (WERKMEISTER). Da das umgebende Gewebe durch Streustrahlen mitgeschädigt sein kann, muß es immer mitbehandelt werden. Beim Strahlenulkus regen wir die Durchblutung und die Granulation durch Injektionen rings um den Ulkusrand und unter den Geschwürsgrund (vom Rand her) an. Alle anderen lokalen Maßnahmen werden dadurch gefördert. — (T) — intramurale Injektion.

Struma: — (K) — Schilddrüsenerkrankungen
Stumpfschmerzen: — (K) — Amputations-Stumpfschmerzen
Styloiditis: — (K) — Periosterkrankungen
Subokzipital-Neuralgien: — (T) — Nn. occipitales, — (K) — Kopfschmerzen, — (K) — Migraine cervical.

Sudecksches Syndrom: Die akute Knochendystrophie nach Traumen und — (K) — Entzündungen ist das Ergebnis einer Ernährungs- und Stoffwechselstörung auf der Grundlage eines vegetativen Reizzustandes, bei dem das Gleichgewicht zwischen An- und Abbau der Gewebe gestört ist. Letzten Endes handelt es sich um — (K) — neurozirkulatorische Störungen. Die beste Prophylaxe ist bei allen — (K) — Frakturen und sonstigen — (K) — Verletzungen eine baldige Schmerzbeseitigung mit Lokalanästhetika. Neben dem reflektorischen — (K) — Muskelspasmus zur Ruhigstellung werden auch die anderen nervalen Regulations- und Durchblutungsstörungen beseitigt, die den Sudeck auslösen. Ein weiteres wesentliches Vorbeugungsmittel ist eine frühzeitiger Beginn mit Bewegungsübungen, wie er ideal nur unter unserer schmerzstillenden Behandlung möglich ist. Natürlich muß jede größere Fraktur bis zur völligen knöchernen Konsolidierung ruhiggestellt werden. Eine richtig angewandte Neuraltherapie mit *Procain* beschleunigt die — (K) — Kallusbildung. Die anschließende medikomechanische Nachbehandlung soll um so aktiver sein — allerdings darf sie keine Schmerzen machen! Das akute Stadium der Entzündung, das 3—5 Monate anhält, ist so ohne weiteres heilbar! In der zweiten Phase, der Dystrophie, ist das auch noch möglich, aber schon wesentlich schwieriger. Durch die aktive Bewegung unter Schmerzausschaltung ist die dritte Phase der Endatrophie, die Defektheilung bedeutet, auf alle Fälle vermeidbar! Bei der Behandlung werden wir natürlich den Ort der Läsion, die den Sudeck auslöste, zuerst berücksichtigen. Dazu injizieren wir die anästhesierende Lösung in die Haut- bzw. Periostnarbe und in das umgebende primärgeschädigte Gewebe. Auch die zuführenden Gefäße und Nerven sollten wir nicht vergessen! Die stärkste Waffe ist auch hier die Injektion an das — (T) — Ganglion stellatum bzw. bei den unteren Extremitäten an den lumbalen — (T) — Grenzstrang. Die Chirurgische Universitätsklinik Leipzig erzielte a l l e i n mit (durchschnittlich fünf) Anästhesien des Ganglion stellatum bei 131 Patienten mit Sudeckscher Erkrankung im Bereich der oberen Extremität 35 % Heilungen, 53 % Besserungen und hatte nur 12 % Versager. Zweifellos ließe sich dieses günstige Ergebnis bei kombinierter Behandlung mit anderen neuraltherapeutischen Injektionsmöglichkeiten noch verbessern. Die Praxis beantwortet die theoretisch immer noch umstrittene Frage, welche Bedeutung dem Sympathikus bei der Genese und Therapie des Sudeck zukommt: Die Symphathikus-Anästhesie ist die beste und am meisten begründete Therapie dieser Entgleisung der neurovegetativen Regulation!

Supraorbital-Neuralgie: Oft Begleitsymptom von — (K) — Augenerkrankungen oder — (K) — Nasen-Nebenhöhlen-Affektionen. Die rechtsseitige S. kann auf Störungen im rechten — (K) — Oberbauch hindeuten. — (T) — Nervenaustrittspunkte.

Syringomyelie: Geschwüre und Gangrän: — (K) — Neurozirkulatorische Störungen. Die Schmerzzustände können mit Injektionen an das — (T) — Ggl. stellatum bzw. in tieferen — (T) — Grenzstrangabschnitten angegangen werden.

Tabes: Die lanzinierenden Schmerzen lassen sich manchmal durch — (T) — paravertebrale Infiltrationen, die gastrischen Krisen durch intra- und subkutane Injektionen von *Procain, Xylocain* o. dgl. in die Segmente Th 6—9, bzw. durch Injektionen in die — (T) — Magengrube und an den zuständigen — (T) — Grenzstrang beeinflussen. Bei Blasenstörungen geben wir neben — (T) — Quaddeln über Blasen- und Kreuzbeingegend noch *Procain* — (T) — intravenös zur Anregung der Diurese und Peristaltik.

Tachykardie: — (K) — Herzerkrankungen
Tarsalgie: — (K) — Periosterkrankungen

Taubheit: — (K) — Ohrenerkrankungen

Tendovaginitis: T. serosa, crepitans, stenosans, Tendopathien: Häufiger Abnutzungserscheinung durch Überlastung der reibenden Sehne bei dauernder gleichförmiger Bewegung. Die beste Behandlung in sozialer und wirtschaftlicher Hinsicht ist die intra-, subkutane und fächerförmige Infiltration bis in die Sehnenscheiden. Oft ist die — (K) — Entzündung mit einer einzigen derartigen Behandlung ohne jede Ruhigstellung heilbar. Manchmal sind bis zu drei, seltener mehr Behandlungen nötig, um eine Dauerheilung bei erhaltener Arbeitsfähigkeit zu erzielen. Steckt eine Reizung der Nervenwurzeln durch eine — (K) — Osteochondrosis der Halswirbelsäule dahinter, können Injektionen an das — (T) — Ganglion stellatum und an den Plexus brachialis (— (T) — Nerven, zuführende) angebracht sein. Sollte das auch nicht helfen, muß nach einem Störfeld gefahndet werden.

Tennisellenbogen: — (K) — Periosterkrankungen

Tetanie: Es gibt störfeldbedingte „Infekt"-Tetanien. Bei ihnen setzt das Störfeld die Reizschwelle für die konstitutionellen und konditionalen Faktoren herab. Nach Ausschalten des Störfeldes bleiben sie dann unterschwellig.

Tetanus: Nach Mitteilung von mehreren Seiten hat sich das Umspritzen frischer — (K) — Schlangenbißverletzungen mit *Procain* als zuverlässig wirksam erwiesen. Das Tetanustoxin ist wie das Schlangengift ein „neurotropes" Toxin. Wenn das *Procain* die Leitfähigkeit des Nerven unterbricht und dazu noch die an der Bißstelle gesetzte Depolarisation mit ihrer starken Störfeldwirkung rückgängig macht, kann der nervenwirksame Reiz nicht mehr zur Zentrale gelangen. Er wird so praktisch schon bei seiner Entstehung unschädlich gemacht und kann keine lebensgefährdenden dystrophischen Reflexe mehr auslösen. Wir haben es also bei der neurotropen Toxinwirkung unseres Erachtens nach mit einer Störfeldbildung zu tun, die wir mit *Procain* auslöschen können. Für die Tollwut, die Poliomyelitis, Pocken, Insektenstiche, die Serumkrankheit und viele andere Krankheiten werden dieselben Überlegungen gelten. — Die beste Wundbehandlung und gleichzeitig auch Tetanusprophylaxe besteht in einer Procain-Behandlung mit Unterspritzung auch banaler Wunden. Bei den ersten Tetanussymptomen muß neben der anderen klinischen Behandlung an die Unterspritzung der Eintrittspforte mit *Procain* gedacht werden! Die Muskelkontraktur des lokalen Wundstarrkrampfes ist durch — (T) — intramuskuläre Procain-Infiltrationen nur am Anfang aufhebbar, im späteren Stadium ist die Nervenleitung schon so gestört, daß dann die tonusregulierende Wirkung ausbleibt. PORFIREV wies u. a. auf die unterstützende Wirkung des *Procains* bei der Tetanusbehandlung hin. Bei ausgebrochenem schwerem Tetanus ist eine — (T) — zisternale oder intralumbale Procain-Injektion nach — (T) — Liquorpumpe in Erwägung zu ziehen.

Thomsensche Erkrankung: Dem holländischen Kollegen MERCKELBACH glückte die Heilung einer seit 10 Jahren bestehenden, von vielen Universitätskliniken bestätigten Myotonia congenita durch eine einfache Impletol-Injektion an die Tonsillenpole. Solche Einzelbeobachtungen untermauern die These HUNEKES, daß jede chronische Krankheit störfeldbedingt sein kann. Es ist daher sinnvoll, bei jeder Krankheit, die auf die gewohnte Therapie nicht anspricht, nach einem Störfeld zu suchen. Es lohnt sich, 99mal vergeblich zu testen, um dann eine solche Heilung zu erleben!

Thorax-Kontusion: — (K) — Rippeninfraktion

Thrombangitis, -arteriitis: — (K) — Thrombophlebitis, — (K) — Neurozirkulatorische Störungen

Thrombophlebitis: Prophylaxe: *Procain* — (T) — intravenös, Injektionen an und in die — (T) — Arteria femoralis (etwa 4mal in Abständen von 3 Tagen). *Procain* wirkt gefäßabdichtend und entzündungslösend.

Therapie: *Impletol* intrakutan (— (T) — Quaddeln) über der — (K) — Entzündung und ihre unmittelbare Umgebung, auch in und an die — (T) — Arteria und Nervus femoralis, in bedrohlichen Fällen auch an den unteren — (T) — Grenzstrang. Die Störfeldmöglichkeit von seiten chronisch druckschmerzhafter und entzündlich veränderter — (K) — Varizen, z. B. bei der Kniearthrosis, sollte nicht unterschätzt werden!

Thyreoida: — (K) — Schilddrüsenerkrankungen, — (K) — Hormonale Störungen

Tic: Der Tic-Anfall ist ein „Schrei der Nerven nach Blut" (STENDER), den die Injektionen an die zuführenden — (T) — Arterien, — (T) — Nerven und den — (T) — Grenzstrang mit seinen — (T) — Ganglien beheben können. Tic convulsiv — (K) — Augenerkrankungen, — (K) — Fazialisspasmus.

Tic douloureux: — (K) — Trigeminus-Neuralgie

Tollwut: — (K) — Tetanus

Tonsillarabszeß: Schnelle Abheilung bzw. Spontanperforation nach einer Injektion an das — (T) — Ganglion stellatum.

Tonsillektomie-Nachschmerz: Je 1 ml *Procain* dicht unter die Mitte der Narbenfläche, vorher ansaugen! Bei wiederauftretenden Beschwerden Wiederholung, dann vielleicht auch einige Tropfen an den oberen und unteren Wundwinkel. — (T) — Tonsillen.

Tortikollis: a) Bei r h e u m a t i s c h e r Genese: *Procain* — (T) — intravenös, dazu — (T) — Quaddeln über den ertasteten Schmerzpunkten. Dann durch die Quaddeln unter Vor- und Zurückziehen der Kanüle in die Tiefe sondieren und möglichst in oder nahe an den Schmerzbereich spritzen, auch an das Periost der Halswirbelkörper. Vor jeder Injektion ansaugen (cave Blut, Liquor, Pulmo)! Auch Injektionen in den Plexus cervicalis und brachialis (— (T) — Nerven, zuführende), in hartnäckigen Fällen auch an das — (T) — Ganglion stellatum. Sonst Störfeldsuche!

b) Torticollis s p a s t i c u s, neurogener Schiefhals, Torsionsdystonie (nach Enzephalitis, frühkindlichem Hirnschaden): Wie unter a), zu den intravenösen Injektionen solche unter die — (T) — Kopfschwarte. Injektionen in beide Sehnenenden und -ansätze des M. sternocleido. Vor allem oft wiederholte Anästhesie des — (T) — Ganglion stellatum, auch beiderseits. — (K) — Zervikalsyndrom, — (K) — Osteochondrosis, — (T) — zisternale Impletol-Injektion.

Tränendrüsenerkrankungen: Bei Entzündungen 0,5 ml *Procain* an den — (T) — Nervenaustrittspunkt des N. infratrochlearis am inneren Augenwinkel. — (K) — Augenerkrankungen.

Transfusions-Schock: — (K) — Schock

Triggerpunkte und -zonen: Unter „trigger-points" versteht man äußerst druckschmerzhafte Stellen in der Haut, Schleimhaut, Muskulatur oder an Faszien, von denen auf Druck hin Schmerzen ausgelöst werden, die oft in weitentfernte Gegenden ausstrahlen. Bei — (K) — Neuralgien besonders im Versorgungsbereich der Nn. trigeminus und glossopharyngeus genügt oft die leiseste Berührung oder Kauen, Sprechen oder Gähnen zum Auslösen heftigster Schmerzen. Die wiederholte Anästhesie dieser Punkte stellt eine ebenso wichtige therapeutische wie diagnostische Maßnahme dar.

Trigeminus-Neuralgie: Die vegetativen Fasern des Trigeminus erstrecken sich mit dem unteren Ast bis zur Medulla oblongata mit ihren wichtigen Schaltstellen für Herz, Atmung und Vasomotoren, mit dem oberen Ast bis ins Zwischenhirn. Das ist offenbar einer der wichtigsten Wege, auf dem die zahlreichen Störfeld-Kopfherde ihre krankmachenden Reize zu den vegetativen Zentren übermitteln. — Unserer Ansicht nach basiert die Trigeminus-Neuralgie auf einer mangelhaften Nervenisolierung und einer Störung der Synapsenfunktion. Dadurch werden die spezifischen Schmerzfasern schon durch kleinste Reize, wie leise Berührung, Abkühlung, Erwärmung oder Muskelbewegungen in einer Stärke erregt, wie es sonst erst auf sehr hochschwellige Reize geschieht. Unsere Aufgabe ist also, die Reizschwelle wieder heraufzusetzen und die gestörte Nervenfunktion zu normalisieren. Das gelingt uns oft durch richtig lokalisierte Procain Injektionen, teils im gestörten Segment, teils vom verursachenden Störfeld aus.

Zuerst einmal sind alle Ursachen, die vom Zahnbereich ausgehen können, von einem biologisch eingestellten Zahnarzt auszuschließen: Okkulte Karies, zu tiefe oder thermisch nicht ausreichend isolierte Zahnfüllungen, überlastete Zähne, Zysten, Wurzelreste, retinierte Zähne, restostitische Veränderungen, Fremdkörper usw. Auch Überlastungen der Kiefergelenke können im Trigeminusbereich neuralgiforme Schmerzen auslösen: — (K) — Costen-Syndrom. — Segmenttherapie: *Procain* — (T) — intravenös und Injektionen an die drei — (T) — Nervenaustrittspunkte bzw. die einzelnen befallenen Äste. Dünne Nadeln, kurzer Einstich, geringe Mengen. Auch — (T) — Nasenspray, submuköse Injektionen unter die Mundschleimhaut nach Angaben des Patienten oder Injektionen in die hintere Rachenwand in die Gegend der — (T) — Tonsilla pharyngea. Versagt das, gehen wir an die Ganglien: — (T) — Ggl. stellatum, — (T) — Ggl. Gasseri, — (T) — Ggl. sphenopalatinum, — (T) — Ggl. ciliare. — Häufig angegebene „Trigger-Punkte" befinden sich neben dem Nasenflügel und im Winkel, der vom M. masseter und dem Arcus zygomaticus gebildet wird. Sie müssen natürlich auch gezielt angegangen werden. Auch bei diesem Krankheitsbild finden wir wieder 30—40 % der Fälle durch ein Störfeld bedingt! Besonders die Zähne sind zu testen und auf alle Fälle gründlich zu sanieren. Selbst ein falscher Aufbiß kann zur veranlassenden nervalen Ursache werden!

SCHOELER veröffentlichte auf der 13. Arbeitstagung der Internationalen medizinischen Gesellschaft für Neuraltherapie nach Huneke in Freudenstadt 1971 eine Sammelstatistik von 639 Trigeminus-Neuralgie-Fällen, die von 25 Neuraltherapeuten behandelt worden waren. Es handelt sich um 410 Frauen und 229 Männer im Alter zwischen 19 und 86 Jahren (Durchschnittsalter 54 Jahre). Im Schnitt waren 5 Behandlungen erforderlich, das Mittel der Nachbeobachtungszeit betrug 7,5 Monate. Von den 639 Behandelten wurden:

geheilt (völlig schmerzfrei ohne Rezidiv)	: 220 =	34 %
sehr gebessert (kein *Tegretal* o. dgl. mehr benötigt, in größeren Abständen geringere Schmerzen)	: 235 =	37 %
gebessert (Analgetika erheblich reduziert)	: 88 =	14 %
unbeeinflußt	: 96 =	15 %
	639 =	100 %

In 267 Fällen, das sind 42 %, fand sich ein Störfeld als Ursache! Untersucht man den prozentualen Anteil der störfeldbedingten Trigeminus-Neuralgien, ergeben sich aufschlußreiche Zahlen:

Narben	25 % (67)	Organe	6 % (15)	Herpes zoster	4 % (10)
Zähne	23 % (63)	besonders Ohren		Wirbelsäule,	
Tonsillen	22 % (59)	und Gallenblase,		besonders HWS	4 % (10)
gynäk. Raum	11 % (29)	Nasen-Nebenhöhlen	4 % (11)	Prostata	1 % (3)

121 der 639 Fälle (= 19 %) waren (viele 3—6mal) vergeblich voroperiert: 49 periphere Nervendurchtrennungen, 49 mit Zerstörungen des Ggl. Gasseri und 23 mit zentralen neurochirurgischen Operationen. Analysiert man diese 121 vergeblich Voroperierten und den Erfolg der Neuraltherapie nach Huneke, ergibt sich folgendes Bild:

Operation:	peripher	Ggl. Gasseri	Zentr. neurochir.	Zahl	
geheilt:	16	14	6	36 =	30 %
sehr gebessert:	20	13	7	40 =	33 %
gebessert:	5	7	5	17 =	14 %
unbeeinflußt:	8	15	5	28 =	23 %
Gesamt:	49	49	23	121 =	100 %

Tab. 3

Unter den therapieresistenten Fällen fielen besonders die Neuralgien nach Herpes zoster im Kopfbereich auf. Wir vermuten, daß die Virusinfektionen für uns irreversible Nervenschäden hinterlassen haben. Die Trigeminus-Ganglien sind ja ein bekanntes Reservoire für Herpes-Typ I-Viren.

Die Statistik zeigt mit ihren günstigen Resultaten, daß man mit der Operations-Indikation bei der Trigeminus-Neuralgie zugunsten einer gekonnten Neuraltherapie zurückhaltender sein sollte. Zudem, wo sich wieder einmal belegen ließ, daß die Nichtoperierten besser auf die Therapie mit Lokalanästhetika ansprachen, als die vergeblich Voroperierten. Außerdem können wir wohl folgern, daß ein Großteil der als ,,idiopathisch'' und ,,essentiell'' eingestuften Neuralgien in Wirklichkeit störfeldbedingt ist.

Trophoneurotische Ulzera: — (K) — Neurozirkulatorische Störungen

Tuberkulose: — (K) — Lungenerkrankungen, — (K) — Peritonealtuberkulose, — (K) — Gelenkerkrankungen, — (K) — Hodenerkrankungen, — (K) — Kehlkopferkrankungen

Ulcus corneae: — (K) — Augenerkrankungen

Ulcus cruris varicosum: Das Unterschenkelgeschwür ist das Produkt einer tiefgreifenden Ernährungsstörung des Gewebes. Darum besteht unsere Aufgabe darin, die Durchblutung zu bessern, indem wir die Insuffizienz der terminalen Strombahn beseitigen und die aktive Beteiligung der Venen beim Rücktransport des Blutes wieder anregen. Dazu müssen wir von mehreren Seiten her vorgehen:

1. Durch aktive Maßnahmen, die auf das vegetative System direkt einwirken, das ja für die Durchblutung entscheidend verantwortlich ist:
   a) Injektionen an die — (T) — I s c h i a s w u r z e l bzw. den Plexus, auch — (T) — präsakrale oder — (T) — epidurale Infiltrationen (evtl. im Wechsel). Zusätzlich
   b) Intra- und paraarteriell in und an die — (T) — A r t e r i a f e m o r a l i s und an den lateral davon gelegenen Nervus femoralis. Dazu noch
   c) L o k a l e B e h a n d l u n g des Ulkus: Mit einem Skalpell wird rigoros die schmierig belegte Oberfläche jedesmal bis auf den gesunden Wundgrund abgekratzt. Der bindegewebige Schnürring am Ulkusrand, der die Durchblutung mechanisch behindert, wird mit abgetragen. Dann werden alle Salbenreste und Krusten um das Geschwür entfernt, vor allem die Krusten distal vom Ulkus. Dann umspritzen wir es von mehreren Einstichen aus. Ist die Umgebung bretthart, lockern wir das Gewebe erst durch Unterspritzen von Luft auf und geben dann *Procain* nach. Dieses Vorgehen ist dem von den Chirurgen geübten Umschneiden des Ulkus überlegen: Die Wirkung ist mindestens ebenso groß, es hinterläßt kein Störfeld Narbe und ist jederzeit wiederholbar. Ich gehe auch ungeniert direkt in das Geschwür und unterspritze es auch in der Tiefe, weil die tiefen Phlebitiden, die zu jedem Ulcus cruris gehören, die blutdrosselnden Gefäßkrämpfe aufrechterhalten können. Die theoretisch begründeten Bedenken gegen diese Behandlung erwiesen sich empirisch als nicht gerechtfertigt. Es gibt dabei keine Luftembolien, wenn man vor der Injektion von Luft ansaugt und die Injektion in größere Gefäße vermeidet, kleine Mengen Luft schaden übrigens auch nie. Daß dabei Infektionen, Keimverschleppungen u. dgl. auftreten, verhindert das *Procain* (— (K) — Entzündung, — (K) — Tetanus).
2. Nach dieser Behandlung wird ein Kompressionsverband angelegt, in der Regel ein Zinkleim- (oder ein Pütterscher) Verband von den Zehen bis über das Knie. Er soll den Druck der Blutsäule auf das Kapillargebiet und damit den bestehenden Kapillarschaden verringern helfen. Dieser Verband bleibt nach Möglichkeit 8—10 Tage bis zur nächsten Behandlung liegen. Bei jauchenden Wunden darf ein Fenster über der Wunde herausgeschnitten werden. Als einzige Maßnahme werden dem Patienten dann Kochsalz-Umschläge (1 Eßlöffel auf 1 Liter Wasser)

erlaubt. Das selbständige Verwenden von Salben und Puder wird untersagt. Eine Schaumgummi-Kompresse (nach LOHMANN) auf das Fenster verhindert eine lokale Ödembildung, die die Heilung verzögern würde. Diese ,,gezielte Polypragmasie" lohnt sich! Allerdings verlangt sie ein gewisses Maß Heroismus vom Patienten. Er bringt ihn aber gern auf, wenn er sieht, wie schnell sich das Bein unter dieser Behandlung bessert. Die Schmerzen lassen sofort nach, die Wunde reinigt sich schnell und verkleinert sich zusehends. So etwas spricht sich unter dem Heer der Beinleidenden schnell herum. — Schlägt dieses kombinierte Verfahren einmal nach etwa 3—5 Behandlungen nicht überzeugend an, muß man natürlich wieder daran denken, daß ein Störfeld irgendwo im Körper die Segmentheilung verhindern kann.

Ulcus trophicum: — (K) — Neurozirkulatorische Störungen

Ulcus ventriculi: — (K) — Oberbaucherkrankungen

Ulnaris-Paresen, -Parästhesien: Injektion an den Plexus brachialis u. direkt an den — (T) — Nerv.

Unfruchtbarkeit: — (K) — Sterilität, — (K) — Sexuelle Störungen

Unterbaucherkrankungen: — (K) — Appendizitis, — (K) — gynäkologische Erkrankungen, — (K) — Ilioinguinal-Syndrom, — (K) — Nierenerkrankungen, — (K) — Prostataerkrankungen, — (K) — Psoas-Syndrom, — (K) — Reizblase, — (K) — Zystitis.

Uretererkrankungen: — (K) — Nierenerkrankungen

Urethritis: Bei chronischer unspezifischer U. Injektionen in die — (T) — Prostata, auch — (T) — epidurale Infiltration.

Urina spastica: Anfallsweise spontane Harnflut, Miniaturform des — (K) — Diabetes insipidus, also Irritation des Zwischenhirn-Hypophysen-Systems. — (K) — Migräne, — (K) — Migraine cervical.

Urtikaria: *Procain* — (T) — intravenös eventuell in halb- bis einstündigen Abständen wiederholt. Bei U. nach Seruminjektionen oder Impfungen: Die Injektionsstelle mit *Procain* umspritzen, auch in der Tiefe. Die chronische U. ist fast immer störfeldbedingt: Eine Kollegenfrau war von einem Allergie-Spezialisten ein Jahr lang laufend und massiv mit allen erdenklichen Mitteln und Desensibilitätsmaßnahmen erfolglos behandelt worden. Nach dem Motto:

,,Zähne, Mandeln, Blinddarm raus
und du gehst gesund nach Haus!"

hatte man auch nach einem ,,Fokus" gesucht. Dabei gab sie bei der Anamnese präzise an, daß das lästige Leiden unmittelbar nach einem fieberhaften Abort aufgetreten sei. Es lag mehr als nahe, die erste Injektion gleich in den gynäkologischen Raum zu geben: Huneke-Phänomen! Jetzt seit zehn Jahren rezidiv- und beschwerdefrei.

In anderen Fällen kann eine Injektion an die Reflexzone der — (T) — Nase, also in das vordere Drittel der unteren Nasenmuschel, oder ein — (T) — Nasenspray ausreichen. In hartnäckigen Fällen auch Injektionen an das Ggl. cervicale sup. des Hals- — (T) — Grenzstranges.

Vaginismus: — (K) — Gynäkologische Erkrankungen. In den meisten Fällen genügen intra- und subkutane Injektionen rings um den Introitus vaginae. Sonst Injektionen an den — (T) — N. pudendus. Auch Quaddeln über dem unteren Kreuzbein- und Steißbeingebiet, evtl. — (T) — epidurale oder — (T) — präsakrale Infiltration.

Varizen: Die angeborene oder erworbene Bindegewebsschwäche wirkt sich am deutlichsten im Unterschenkelgebiet aus. Besonders rezidivierende — (K) — Thrombophlebitiden scheinen die Bildung arthrotischer — (K) — Gelenkveränderungen am Knie zu begünstigen. Die medikamentöse oder operative Varizenbehandlung ist unbefriedigend. Auch die Procain-Behandlung ist nur dankbar, wenn man sie längere Zeit konsequent durchführt. Streng intrakutane — (T) — Quaddeln (mit feinster Kanüle über die größten und entzündeten Venenknoten gesetzt) bessern die Durchblutung der oft seidenpapierdünnen Haut. Mit der Verdickung der Haut geht eine Straffung der Venenwand parallel. Die Varizen werden allmählich kleiner und sinken scheinbar in die Tiefe zurück. Der Patient gibt an, daß sich damit das Schweregefühl in den Beinen bessert. Weil er den Erfolg sieht und fühlt, unterzieht er sich weiter der etwas schmerzhaften Behandlung. Daß damit eine — (K) — Ulcus-cruris-Prophylaxe getrieben wird und die Ulkusbehandlung unterstützt werden kann, liegt auf der Hand.

Vasoneurosen: — (K) — Neurozirkulatorische Störungen
Vegetative Dysregulationen: — (K) — Dystonie, vegetative
Venenentzündung: — (K) — Thrombophlebitis

Verbrennungen: — (K) — Schockprophylaxe durch wiederholte — (T) — intravenöse Procain-Gaben, die u. a. schmerzstillend, gefäßabdichtend und temperatursenkend wirken! Kleinere Flächen werden um- und unterspritzt. In schweren Fällen bekämpfen wir den Schock und die reaktiven entzündlichen Erscheinungen wie — (K) — Ödem, Lymphorrhö und Bluteindickung mit Injektionen an den abdominalen — (T) — Grenzstrang bzw. an das — (T) — Ggl. stellatum. Durch Wiederholung dieser Injektionen wird die Heilung sichtlich beschleunigt.

Verdauungsstörungen: — (K) — Oberbaucherkrankungen
Verjüngung: — (K) — Altersbeschwerden und das Kapitel: Verjüngung durch *Procain*?

Verletzungen: Jedes stumpfe oder scharfe Trauma löst vasomotorische dystrophische Reflexe aus, die weit über das verletzte Gebiet ausstrahlen können. Sie können dort Veränderungen zur Folge haben, die sich ihrerseits wieder behindernd auf die Heilung auswirken. Am deutlichsten kommt das beim — (K) — Sudeckschen Syndrom zum Ausdruck. Alle reflektorischen vasomotorischen Entgleisungen lassen sich durch *Procain* am Ort der Läsion unterdrücken oder dämpfen und reversibel machen. —

Impletol hat sich bei der Behandlung frischer und älterer Sportverletzungen so überzeugend bewährt, daß es kaum in einer Tasche eines Sportarztes mehr fehlen dürfte. So geben wir z. B. bei — (K) — Distorsionen — (T) — Quaddeln um das Gelenk und spritzen fächerförmig infiltrierend in das schmerzhafte Gewebe, vor allem an die überdehnten Sehnen- und Kapselanteile. Wir erzielen damit eine sofortige Schmerzfreiheit und verhindern die Ausbildung größerer — (K) — Hämatome und — (K) — Ödeme. Ein anschließend angelegter fester Verband mit einer elastischen Binde oder besser Elastoplast stellt in den meisten Fällen eine ausreichende Belastungsfähigkeit für den Heimtransport her. Ein verantwortungsbewußter Sportarzt wird es immer ablehnen, frische Sportverletzungen nur deshalb mit *Procain* zu behandeln, um den Sportler sofort wieder wettkampffähig zu machen. Er weiß, daß das vorgeschädigte anästhesierte Gewebe durch Fortfall des Warnungsschmerzes für nachfolgende stärkere Verletzungen anfälliger wird. — Muskel- und Sehnenzerrungen werden sinngemäß mit — (T) — intramuskulären Infiltrationen ins schmerzhafte Gebiet behandelt. So schalten wir wirksam pathogene Reflexe aus und beugen — (K) — Kontrakturen vor. — Auch kleinere — (K) — Frakturen können durch lokale Procain-Behandlung schnell schmerzfrei gemacht werden. — Bei frischen Wunden sichert ein Umspritzen schnelle, komplikationslose Heilung, gleichzeitig treiben wir damit eine wirksame — (K) — Tetanus-Prophylaxe. — Bei großen, lebensgefährlichen Verletzungen dient uns das *Procain* zur wirksamen Vorbeugung und Behandlung des gefürchteten — (K) — Schocks.

Verrenkungen: — (K) — Luxationen
Verrucae: — (K) — Warzen
Verstauchungen: — (K) — Distorsionen
Verstopfung: — (K) — Obstipation
Vertebragene Erkrankungen: — (K) — Osteochondrosis, — (K) — Gelenkerkrankungen, — (K) — Zervikalsyndrom, — (K) — Migraine cervical, — (K) — Wirbelsäulenerkrankungen

Vertigo: — (K) — Schwindel
Verwachsungsbeschwerden: — (K) — Adhäsionsbeschwerden
Viruserkrankungen: — (K) — Infektionskrankheiten
Vorsteherdrüsenerkrankungen: — (K) — Prostataerkrankungen
Vulvaerkrankungen: — (K) — Gynäkologische Erkrankungen

Wadenschmerzen: — (K) — Ischias. Bei Wadenkrämpfen — (T) — Quaddeln über Wadenmitte und Injektionen bis in 3—4 cm Tiefe („Kulipunkt" der Akupunktur) und lateral der Tibia über dem M. tibialis anterior.
Warzen: Bei der Warzenbehandlung hilft die Suggestion, also alles, was dem Patienten imponiert und woran er glaubt! Dabei ist immer wieder verwunderlich, daß der Glaube so faßbare organische Veränderungen so schnell beseitigen kann. Eine einfache, schnelle und ungefährliche Methode: Einstich mit dünner Nadel durch die Oberfläche der Warze bis in ihr Wurzelgebiet und dort unterspritzen mit *Procain*. Dazu muß mit bestimmten Worten gesagt werden, daß nun die Wurzel abgetötet wird und die Warze in wenigen Tagen eintrocknet. Der Patient muß sich nach der Injektionen überzeugen, daß er die abgetötete Warze nun nicht mehr spürt, daß die Spritze also richtig „gesessen" hat.
Wechseljahrblutungen: Karzinom ausschließen, — (K) — Gynäkologische Erkrankungen
Wehenschmerz,-schwäche: — (K) — Geburtshilfe
Wespenstich: — (K) — Insektenstich
Wetterfühligkeit: Ein Zeichen dafür, daß das überlastete Neurovegetativum die zusätzliche Belastung eines Wetterumschlages nicht erscheinungsfrei ausgleichen kann. Als Sofortmaßnahme zur Minderung der Erregbarkeit und vegetativen Entspannung und auf weite Sicht zur Umstimmung: *Procain* — (T) — intravenös. Bei Kopfdruck zusätzlich Injektionen unter die — (T) — Kopfschwarte, bei Herzbeklemmung — (T) — Quaddeln neben dem Brustbein. Störfeldsuche! — (K) — Föhnkrankheit, vegetative — (K) — Dystonie.
Whiplash-Syndrom: — (K) — Peitschenschlag-Syndrom
Wirbelsäulenerkrankungen: Siehe Kapitel: Das Störfeld Wirbelsäule. Alle degenerativen Veränderungen der Wirbelsäule können durch Irritation des Sympathikus ausgelöst werden, die zu Gefäßspasmen mit ihren verheerenden Folgen führt. Andererseits können aber auch alle Erkrankungen der Wirbelsäule durch Irritation oder Schädigung sympathischer Fasern, der Nervenwurzeln oder des Rückenmarks das Nervensystem in Mitleidenschaft ziehen. Typisch für vertebragene Erkrankungen ist ihr wechselnder, anfallsartiger, rezidivierender Charakter. Aufgabe der Therapie ist es, die Nervenreizung zu beheben und die Durchblutung zu normalisieren. Das kann z. T. die Chirotherapie, auf alle Fälle aber die gekonnte Neuraltherapie. — (K) — Gelenkerkrankungen, — (K) — Osteochondrosis, — (K) — Bandscheibenschaden, — (K) — Bechterew, — (K) — Kreuzschmerzen, — (K) — Ischias usw.
Wundrose: — (K) — Erysipel
Wundschock: — (K) — Schock
Wurzelsyndrom: — (K) — Ischias, — (K) — Bandscheibenschaden, — (K) — Wirbelsäulenerkrankungen

Zahnextraktionsnachschmerz: Procain-Injektionen von je etwa 0,3 ml bukkal und palatinal ins — (T) — Zahnfleisch beseitigen neben dem lokalen Schmerz sofort auch alle extradentalen Begleiterscheinungen wie Kopfschmerzen, Neuralgien oder Kreuzschmerzen.
Zahnfleischschwund: — (K) — Parodontose
Zehenerkrankungen: Lokale Injektionen oder — (T) — Oberstsche Anästhesie. Injektionen in die Zehen sind schmerzhaft, vorher Fuß fixieren. — (T) — Gelenkinjektionen. — (K) — Hallux valgus. — (T) — Nerven.

Zerebralsklerose: — (K) — Altersbeschwerden

Zerrungen: — (K) — Verletzungen

Zervikalsyndrom: Die zervikale — (K) — Osteochondrose führt zur Irritation des Halssympathikus und durch Wurzelkompression zur Radikulärneuritis. Als Folge davon tritt unter anderem in der Tiefe der Schulter-Nackenmuskulatur ein fühlbarer Hartspann auf.

Differentialdiagnose Neuralgie — Gelose: Beugt man den Kopf des Patienten nach vorn und zur Seite des Schmerzes, so wird der Nervenschmerz durch zusätzliche Kompression verstärkt, der Gelosenschmerz dagegen durch Entspannung gebessert. Beim Beugen nach vorn und auf die Gegenseite des Schmerzes ist es umgekehrt. Der Nervenschmerz wird durch Entlastung der komprimierten Wurzeln gemildert, der Gelosenschmerz durch Dehnung verstärkt!

Behandlung: *Procain* — (T) — intravenös, dazu — (T) — Quaddeln über den zu ertastenden Gelosen und Schmerzpunkten am Hals und Nacken. Der Hartspann wird zwischen den Fingern der linken Hand gefaßt, angehoben und nun durch eine Hautquaddel *Procain* in 3—4 cm Tiefe — (T) — intramuskulär infiltriert (cave Pulmo, cave intraarterielle Injektion!) und anschließend durch kreisförmig massierende Bewegungen verteilt. Dazu Injektionen an die Altlas-Querfortsätze und an das Periost perkussionsempfindlicher Dorn- und Querfortsätze der Halswirbelkörper. Noch wirkungsvoller sind Injektionen an die zuführenden — (T) — Nerven, besonders an die — (T) — Nervi occipitales und in den Plexus cervicalis oder Plexus brachialis und an das — (T) — Ganglion stellatum. Letztere beseitigen mit der Irritation am Halssympathikus auch eine der Ursachen, die zur Osteochondrosis geführt haben. Allerdings muß diese Injektion oft bis zu zehnmal wiederholt werden, um einen echten Dauererfolg zu gewährleisten! Versuch mit Injektionen in das hintere Drittel der unteren — (T) — Nasenmuschel oder — (T) — Nasenspray. In therapieresistenten Fällen Störfeldsuche. — (K) — Bandscheibenschaden.

Zervixkatarrh: — (K) — Gynäkologische Erkrankungen

Ziliarneuralgie: — (K) — Kopfschmerzen

Zirkulationsstörungen: — (K) — Neurozirkulatorische Störungen

Zivilisationsschäden: — (K) — Dystonie, vegetative, — (K) — Krebs

Zuckerkrankheit: — (K) — Diabetes mellitus, — (K) — Hormonale Störungen

Zungenerkrankungen: — (T) — N. glossopharyngeus, — (T) — Ggl. stellatum.

Zwerchfellhernie: — (K) — Hiatushernie

Zwölffingerdarmgeschwür: — (K) — Oberbaucherkrankungen

Zyklusstörungen: — (K) — Gynäkologische Erkrankungen, — (K) — Schilddrüsen-Erkrankungen, — (K) — Hormonale Störungen. Bei dienzephal-hypophysärer Grundlage Injektionen ans — (T) — Ggl. stellatum, — (T) — Tonsilla pharyngea.

Zystitis: Wir setzen — (T) — Quaddeln im Segment, d. h. über der Kreuzbein-, Steißbein- und Symphysengegend. In hartnäckigen Fällen — (T) — epidurale oder — (T) — präsakrale Infiltration. Man kann auch 5—10 ml Procain-Lösung 1—2 %ig in die entleerte Blase instillieren und dann wie bei der Rollkur die Lage verändern lassen. — (K) — Nierenerkrankungen.

TEIL III

DIE TECHNIK
DER NEURALTHERAPIE

Merksätze

① Neuraltherapie nach HUNEKE ist *Ganzheitstherapie.* Der richtig mit Neuraltherapeutika gesetzte Heilreiz wird vom Gesamtvegetativum beantwortet, auf dessen Bahnen die Wege zur Krankheit und Heilung verlaufen.

② *Segmenttherapie* nach HUNEKE bedeutet gezielte *Procain-*(= *Novocain-*)Anwendung *im Bereich der Erkrankung.* Immer erst tasten — dann testen! Die mit ihr erzielte *Besserung* steigert sich bei der Wiederholung bis zur Heilung. Versagt die Segmenttherapie, suche das Störfeld.

③ *Jede* chronische Krankheit *kann* störfeldbedingt sein.

④ *Jede* Stelle des Körpers *kann* zum Störfeld werden.

⑤ Die bei Bedarf wiederholte Procain-Injektion an das schuldige Störfeld heilt die störfeldbedingte Krankheit, soweit das anatomisch noch möglich ist, über das Huneke-Phänomen.

⑥ Die Bedingungen für ein *Huneke-Phänomen* (Sekundenphänomen):
   a) Alle vom Störfeld ausgelösten Fernstörungen müssen, soweit anatomisch möglich, in der Sekunde der Injektion *hundertprozentig* verschwinden.
   b) Die völlige Symptomenfreiheit muß von den Zähnen aus mindestens acht, von allen anderen Stellen aus *mindestens zwanzig Stunden* anhalten.
   c) Bei wiederauftretenden Beschwerden muß die Injektion *wiederholt* werden. Nur, wenn die Symptomenfreiheit sich jetzt an Dauer gegenüber der Erstinjektion *steigert,* sprechen wir von einem Huneke-Phänomen.

⑦ Wenn die Injektion
   a) ins *Segment* keine wesentliche *Besserung* zeigt oder
   b) in ein vermutetes *Störfeld* kein 100 %iges *Huneke-Phänomen* auslöst, sind weitere Injektionen an diese Stelle sinnlos.

⑧ Zuerst immer einfache Injektionen und kleine Procain-Mengen mit wenigen, gutsitzenden Einstichen. Die Injektionen an den Grenzstrang und die Ganglien sind unsere ultima ratio. Wer heilen will, muß auch sie beherrschen. Gib die Behandlung erst auf, wenn du *alles* versucht hast.

⑨ Alle verdächtigen Zähne sind in einer Sitzung zu testen, ebenso alle Narben. Alle Narben im Segment müssen mitgespritzt werden.

⑩ Cave!: Intraarterielle Injektionen in ein zum Gehirn führendes Gefäß und in den Liquorraum können bedrohliche Folgen auslösen.
Sichere dich und den Patienten durch Ansaugen.

Erklärung der Zeichen

— (K) — bedeutet Hinweis auf die K r a n k h e i t e n , die im Indikations-Alphabet des Teils II unter dem Stichwort abgehandelt wurden, das hinter dem H i n w e i s z e i c h e n steht.

— (T) — ist der Hinweis, unter welchem Stichwort, alphabetisch geordnet, im Teil III die T e c h n i k der angeführten Injektion nachzulesen ist.

1. Das Material

Ein guter Arzt vermag mit einem nassen Handtuch mehr auszurichten, als ein schlechter mit einer ganzen Apotheke.
SCHWENINGER *(Leibarzt Bismarcks)*

1. D i e   S p r i t z e n : Es kommen nur dichtschließende Spritzen in Frage, die auch einen größeren Druck vertragen. Natürlich legen wir auf einwandfreie Sterilität der Spritzen und Kanülen und deren sorgfältige Aufbewahrung und Pflege unter den bekannten Bedingungen großen Wert. Wer seine Spritzen und Kanülen noch in Sodawasser kocht, muß sie anschließend gut mit Kochsalzlösung ausspritzen, weil *Procain (Novocain)* kein Soda verträgt.
    a) 2-ml-Rekordspritzen. Sie sind handlich und besser zu führen als die größeren Spritzen, bei deren Gebrauch man obendrein leicht dazu verführt wird, unnötig große Mengen zu verspritzen. Evtl. Einmalspritzen.
    b) 5-ml-Rekordspritzen nur für die Injektionen, bei denen größere Mengen angebracht sind.
    c) Carpulen-, Fischer- oder Tutocito-Spritzen mit kurzen und längeren Nadeln für die Injektionen im Zahnbereich und in harte Narben. Auch Ganzglasspritzen mit Luer-Lok-Ansatz eignen sich für unsere Zwecke gut, ebenso die Dreiringspritze mit Recofix-Verschluß 2 und 5 ml.
    d) Die Firma AKRA in Pau (Frankreich) brachte einen „Dermo-jet" auf den Markt, der die Injektionsflüssigkeit unter hohem Druck mit Überschallgeschwindigkeit praktisch schmerzlos in die Haut jagt. Er setzt so Quaddeln, durch die man dann zur Infiltration in die Tiefe (z. B. an den Grenzstrang) einstechen kann, ohne daß der Patient etwas merkt und störende Abwehrbewegungen macht. Dieses Gerät hat sich besonders bei Kindern und ängstlichen Patienten bewährt, wenn viele Quaddeln gesetzt werden müssen (Alopezie, Asthma, Enuresis, Pertussis). Mit ihm kann man nun auch den spritzenscheuesten Patienten für die Neuraltherapie gewinnen. Ein besonderer Ansatz betäubt die Einstichstellen für den sonst so schmerzhaften Zahntest und macht auch diese wichtige Untersuchung für den Patienten und Arzt wesentlich angenehmer. (Vertrieb in Deutschland: Medimex, Hamburg.)
2. D i e   I n j e k t i o n s - K a n ü l e n : Neben den wohl in jeder Praxis vorhandenen Nadeln der Größen 1, 2, 12, 14, 16 und 18 benötigen wir noch Nadeln von 8, 10 und 12 cm Länge und 0,8 bis 1 mm Stärke. Dazu kommt noch eine Lumbalpunktionskanüle mit Mandrin. Die Nadeln müssen scharf sein und daher nach einiger Zeit erneuert werden. Da die Nadeln gelegentlich an der Lötstelle abbrechen, ist es angebracht, sie nie „bis ans Heft" hineinzustoßen, sondern von vornherein lieber eine etwas längere Nadel zu wählen. Anfängern wird die Tonsillentest-Nadel nach STRUMANN empfohlen, die ein zu tiefes Einstechen unmöglich macht. Für intravaginale Injektionen wie parazervikal an die Frankenhäuserschen Ganglien oder an den Nervus pudendus ist die PP-Nadel der Firma Woelm/Eschwege empfehlenswert.
3. D a s   Z u b e h ö r :
    a) Ein 1—2 %iges procainhaltiges Neuraltherapeutikum und 0,5—1 %iges *Xylocain* oder *Scandicain* für Fälle von Procain-Unverträglichkeit.
    b) *Alttuberkulin Koch* oder *Cutivaccine Dr. Paul* zur Ponndorf-Impfung
    c) Impfgabel, -lanzette, -nadel oder Ampullenfeile zur Ponndorf-Impfung
    d) Flüssigkeits-Zerstäuber für Nasenspray
    e) Instrumenten-Sterilisator
    f) Einen gynäkologischen Untersuchungsstuhl, einen Stuhl mit Nackenstütze, eine Untersuchungsliege und gutes Licht
    g) Eine Staubinde oder -schlauch für die intravenöse Injektion

h) Reflexhammer, Pinsel, Nadel, evtl. Schnittmuster-Rädchen zur Prüfung der Reflexe und der Sensibilität
i) Hautschreibstift
j) Gummi- oder Einmal-Handschuhe
k) Knöcherner Schädel und topographischer Atlas zur Orientierung vor den schwierigeren Injektionen
l) Mundspatel und Taschenlampe für die Behandlung der Mundhöhle
m) Otoskop und Nasenspekulum

Auch der praktische Arzt muß auf mögliche Zwischenfälle vorbereitet sein und dazu wenigstens ein Mindestmaß an Ausrüstung zu deren Behandlung griffbereit und einsatzfähig halten. Mein Vorschlag dazu:
a) Sauerstoff-Flasche und Beatmungsbeutel mit Maske (Ambu-Beutel)
b) Intubationsbesteck, Laryngoskop, Rachen- und Endotrachealtubus, Zungenfaßzange
c) Plasma-Expander wie z. B. *Rheomacrodex* mit Infusionsgerät
d) ein intravenös anwendbares kurzwirkendes Barbiturat, wie z. B. *Penthotal* 50—100 mg Einzeldosis),
ein kurzwirkendes Muskelrelaxans, wie z. B. *Succinylcholin* (0,5—1 mg/kg Körpergewicht),
peripher angreifende Kreislaufmittel wie z. B. *Effortil, Noradrenalin* (c a v e : zentrale Analeptika wie *Coramin* sind kontraindiziert!),
ein intravenös anwendbares Cortisonpräparat und eine Ampullenfeile.

Das ist im Grunde genommen schon alles, was wir zur Ausübung der Neuraltherapie nach HUNEKE an Material benötigen. Bei unserer Methode droht uns also nicht die Gefahr, der wir in der Medizin heute überall begegnen, daß wir von der Technik beherrscht werden. Im Gegenteil! Sie stellt eine echte Heilkunst dar, bei der die schöpferische ärztliche Tätigkeit beglückend im Vordergrund steht, während die Hilfsmittel in den Hintergrund treten. Obendrein ist sie eine sehr junge Kunst, bei der es noch viel Neuland zu erobern gilt. Natürlich verlangen wir als Grundlage eine gute ärztliche Allgemeinbildung, in jedem Falle eine gründliche Voruntersuchung zum Ausschalten spezifischer Prozesse u. dgl. und ein jederzeit verantwortungsvolles Handeln!

2. Zur Frage der Hautdesinfektion

Wir lernen vom Leben doch mehr als von den Dozenten.
VON BERGMANN

Zum fröhlicheren Verständnis möchte ich die folgenden Zeilen mit einer selbsterlebten Anekdote würzen und so besser verdaulich machen.

Auch die Medizin ist bekanntlich der Mode unterworfen. Als die Sulfonamid-Ära begann, beeilten sich viele Jünger des Äskulap, in wissenschaftlich wohlfundierten Arbeiten nachzuweisen, daß das *Prontosil* bei beinahe allen internen und chirurgischen Krankheiten wahre Heilwunder vollbringe. Nur wenige blieben dabei nüchtern und verhielten sich abwartend. Damals war es das *Prontosil*, gestern das *Penicillin,* heute sind es die Kortikosteroide, morgen wird es etwas anderes sein. Nichts gegen den Fortschritt! Aber der Enthusiasmus, mit dem in der Medizin jedes Schrittchen nach vorn erst einmal zu sehr überbewertet und dann wieder eingeschränkt wird, berührt auf die Dauer fast etwas peinlich.

Als junger Famulus hatte ich das Glück, in Zwickau KUHLENKAMPFF beim Operieren zusehen zu dürfen. Mitten während der Operation zog der Meister die Handschuhe aus, warf sie auf den Boden und ging mit bloßen Händen in die Bauchhöhle, um dort irgend etwas besser fühlen zu können. Mir blieb die Luft weg und meinem aseptischen Gewissen standen die Haare zu Berge. „Fehlt Ihnen was?", herrschte er mich an, als ich endlich hörbar wieder Luft holte. Auf meinen vorsichtigen Einspruch hin grollte er: „Merken Sie sich mal, junger Freund: In die Bauchhöhle können sie defäkieren (er benutzte allerdings ein urdeutsches Wort dafür), in die Brusthöhle können Sie ungestraft spukken, — aber ins Kniegelenk dürfen Sie noch nicht einmal hineinsehen!"

Beim Zunähen fragte ich ihn, ob er nicht prophylaktisch, wie ich es woanders gesehen hatte, 50 ml Prontosillösung in die Bauchhöhle gießen wollte. Seine lachende Antwort war damals ketzerisch, heute erscheint sie weise: „Nö, wozu soll ich denn das kranke Gewebe auch noch rot färben?"

An dieses Erlebnis mußte ich denken, als ich F. HUNEKE vor 22 Jahren zum ersten Male in seiner Düsseldorfer Praxis „auf die Finger sah", um mit den Augen möglichst viel für meine Praxis zu stehlen. Da bekam ich den gleichen gelinden Schock, daß er vor seinen vielen Einstichen nie die Haut desinfizierte. Seine Schüler haben das von ihm übernommen. Millionen Injektionen haben gezeigt, daß es dabei nie Infektionen oder gar Spritzenabszesse gibt!

Wie kommt das? Soll damit gar die Asepsis als überflüssig erklärt werden? Das keinesfalls, für den böswilligen Kritiker sei besonders betont, daß unsere Spritzen und Nadeln selbstverständlich steril sind. Die Erfahrungen, die wir im Umgang mit *Procain* gewonnen haben, haben uns nur gelehrt, die Infektion und toxische wie allergische Reaktionen unter einem neuen Aspekt zu betrachten. Wir erklären uns die Tatsache, daß es selbst nach Injektionen unter die Kopfhaut und in die Mundschleimhaut keine Infektionen gibt, einmal damit, daß die chemische und mechanische Reizung der Hautdesinfektion durchaus in der Lage sein kann, die Bakterien aus einem Ruhestadium herauszureißen und virulent werden zu lassen. Dann spritzen wir ja meist *Impletol,* von dessen Procainkomponente SPIESS schon 1906 feststellte, daß die Anästhesie jede Entzündung unterdrückt. Wir sehen die Gefahr nicht in den Erregern, sondern in der von ihnen bewirkten Nervenerregung (Depolarisation). Die können wir aber mit *Procain* rückgängig machen. Damit unterbinden wir das Angreifen der Bakterien und Viren und ihre Vermehrung, also die Infektion. Wenn wir einen frischen Schlangenbiß mit *Procain* umspritzen, wirkt das Gift nicht mehr. Das läßt sich damit erklären, daß das *Procain* zuerst einmal die Leitfähigkeit der Nerven unterbricht. So können keine Reizimpulse mehr auf dem Nervenwege zur Zentrale geleitet werden. Dann sorgt das *Procain* aber auch noch für das Wiederaufladen des reizgeschädigten Zellgrenzmembran-Potentials. Damit wird die Gift-Reiz-Bildung unterbunden, die sonst von der Zentrale mit panikartig überschießenden und dadurch bedrohlichen Reaktionen beantwortet wird. Beim Starrkrampf, der Tollwut, Polio und vielen anderen Krankheiten ist an ein ähnliches Geschehen zu denken, das uns an die Lehre vom Störfeld und an die Möglichkeit erinnert, den krankmachenden Nervenreiz mit *Impletol* zu beseitigen. Denken wir in diesem Zusammenhang auch daran, daß wir die Serumkrankheit durch Anästhesie der Seruminjektionsstelle kupieren können, dann rundet sich das Bild noch weiter ab.

Wichtiger als alle Theorie ist die Tatsache, daß es nun mal so ist. Selbstverständlich ist keinem verwehrt, schon allein aus forensischen Gründen die gewohnte heilige Handlung der Hautwaschung und des Jod-Anstrichs weiter auch vor Procain-Injektionen vorzunehmen. Bei Injektionen, die z. B. am Damm und in Afternähe in die Tiefe gehen, desinfizieren wir auch. Ebenso muß bei Injektionen in Gelenke und in Liquorräume eine Asepsis und Antisepsis wie bei großen Operationen herrschen! Dafür dürfen wir, wie gesagt, in allen anderen Fällen unbedenklich etwas großzügiger verfahren. — T. C. DANN vertrat in der englischen Zeitschrift Lancet ebenfalls die Ansicht, daß das routinemäßige Säubern der Haut vor der Injektion von wenigen Sekunden Dauer völlig nutzlos sei. Dabei würden bestenfalls nur 80 % aller Bakterien abgetötet. Er und seine Mitarbeiter injizieren seit 6 Jahren ohne vorherige Desinfektion, ohne danach je negative Folgen gesehen zu haben. Sie desinfizieren die Haut nur noch in wenigen Ausnahmefällen: Vor intraartikulären und intrathekalen Injektionen oder bei Schwerkranken vor parenteralen Applikationen oder bei Patienten, die unter hohen Kortikosteroid-Dosen stehen. Dann wird die Haut aber mindestens zwei Minuten gründlich mit *Jod, Alkohol* oder *Chlorhexidin* abgerieben.

3. Novocain (Procain), das »königliche Medikament«

> Ein Reporter fragte F. HUNEKE nach seinem Hobby:
> *»Mein Hobby? — Impletol natürlich!«*

Novocain ist der wortgeschützte Firmenname der Farbwerke Hoechst für das p-Aminobenzoyl-diaethyl-aminoaethanol-hydrochlorid, das 1905 von EINHORN entdeckt worden ist. Es trägt die wissenschaftliche Bezeichnung P r o c a i n. Im deutschen Schrifttum lesen wir hauptsächlich vom *Novocain,* im amerikanischen von *Procain,* auch das französische *Scurocaine* ist mit beiden identisch!

Das *Novocain* ist also ein Alkoholester der p-Aminobenzoesäure (PAB). Er wird durch Esterasen, die im menschlichen Körper ü b e r a l l i m G e w e b e vorkommen, innerhalb von etwa 20—40 Minuten in zwei interessante Antihistaminkörper, die PAB und das Diaethyl-amino-aethanol, hydrolytisch aufgespalten und dabei entgiftet. Allein dadurch empfiehlt es sich für die Therapie mehr als eine Reihe neuer amid-strukturierter Lokalanästhetika *(Xylocain, Scandicain, Hostacain),* die ausschließlich in der Leber entgiftet werden müssen! Zu der neural-therapeutischen Wirkung, die das intakte Novocain-Molekül in pathologisch verändertem Gewebe entfaltet, kommt noch die der Spaltprodukte. Die PAB (= Vitamin H_1) gilt als Enzymbaustein im Organismus. Sie ist eine Zwischenstufe zur Bildung der *Folsäure* bzw. des Citrovorum-Faktors, der im intermediären Stoffwechsel die „Einkohlenstoff-Fragmente" überträgt. Wahrscheinlich ist die PAB auch der Hauptwirkstoff gegen eine pathologische Sklerosierung und Verhärtung der Gewebe. Diaethyl-amino-aethanol ist eine kreislaufwirksame vasodilatatorische Substanz, die auch den Blutdruck senkt. Man hat ihre spasmolytische Wirkung auf tonisch verengte Gefäße und ihren Einfluß auf die vegetative Ausgangssituation sympathischer und parasympathischer Erregungen nachgewiesen. Außerdem schreibt man ihr eine milde stimulierende Wirkung auf das Zentralnervensystem zu. Nach EICHHOLTZ ist das *Novocain* mit den Analgetika verwandt, ebenso mit *Atophan, Pyramidon, Rutin, Cortison,* Kalziumsalzen, *PAS, Conteben,* Herzglykosiden und Antihistaminstoffen.

Novocain blockiert die Cholinesterase. Als B e t a r e z e p t o r e n b l o c k e r beseitigt es alle durch Streß und Sympathikomimetika verursachten physiologischen und pathologischen Reaktionen.

Für das *Novocain* und die anderen Anästhetika sind eine Reihe spezifisch-pharmakologischer Wirkungen nachgewiesen worden, die uns alle nur willkommen sein können. Danach wirkt es:
1. V e g e t a t i v a u s g l e i c h e n d, also je nach der vegetativen Ausgangslage einmal anregend und tonussteigernd, ein andermal entspannend und tonusmindernd.
2. S c h m e r z s t i l l e n d, wobei zu dem zentralen und peripheren analgetischen Effekt noch eine f i e b e r s e n k e n d e und s p a s m o l y t i s c h e Komponente tritt.
3. Der E i n f l u ß a u f d a s N e r v e n s y s t e m setzt sich aus Wirkungen auf das Zentralnervensystem, auf das periphere und vegetative Nervensystem zusammen. Es verändert den Funktionszustand des Nervensystems, indem es seine Labilität herabsetzt und so gegenüber schädlichen Reizen unempfindlicher macht. So ist es in der Lage, Schockzustände verschiedener

Genese und Stärke zu beheben. Richtig lokal angewendet, unterbricht es pathogene Reflexe und reaktiviert das vorher blockierte Neurovegetativum mit seinen Selbstheilungskräften.
4. Es entfaltet einen therapeutischen Effekt auf alle drei Komponenten des K r e i s l a u f s : Auf das Herz, die Gefäße und das Blut. Dadurch wirkt es k r e i s l a u f r e g u l i e r e n d , e n t z ü n d u n g s h e m m e n d und - l ö s e n d , a n t i a l l e r g i s c h , g e - f ä ß e r w e i t e r n d und g e f ä ß a b d i c h t e n d .
5. Es wirkt weiter auf die g l a t t e M u s k u l a t u r . So sensibilisiert es z. B. den Uterus gegenüber dem Hypophysen-Hinterlappen-Hormon.
6. Es hat einen wesentlichen Einfluß auf die Bildung und Ausschüttung der H o r m o n e und E n z y m e .
7. Es regt die D i u r e s e an. *Harnbereitung*
8. Nach URI wirkt es auch „unmittelbar auf jene Teile des Gehirns, welche mit der Transformation des Reizes in Gefühle verknüpft sind".
9. Es bessert regelmäßig und auffallend das A l l g e m e i n b e f i n d e n . Das bedeutet, daß eine ganze Reihe von ineinanderspielenden Funktionen und Regulationen reaktiviert werden, die wir nur teilweise objektiv erfassen können.
10. Von entscheidender Bedeutung ist der direkte Einfluß des *Novocains* auf die L e b e n s - f u n k t i o n e n d e r Z e l l e . Wird der Nerv von einem Reiz getroffen, sinkt das bioelektrische Zellpotential, die selektive Permeabilität der Zellmembran ändert sich, das Na-, K- und H-Ionen-Gleichgewicht wird gestört und der Zellstoffwechsel wird einschließlich der so wichtigen Zellatmung, die das Potential aufrechterhält, behindert. Nach FLECKENSTEIN greift das *Novocain* auch in diese Vorgänge regulierend ein: Es dichtet die Zellmembran ab, schützt sie vor der elektrostatischen Depolarisation und ermöglicht der entladenen Zelle, das physiologische Potential wieder aufzuladen. Das Novocain greift als grenzflächenaktive Substanz und als Induktor bioelektrischer Spannung von etwa 290 mV als oxydierendes Prinzip in die Zellatmung ein (PISCHINGER). Mit der Energiezufuhr ins Grundgewebe werden aber bisher gehemmte vegetative Funktionen wieder in Bewegung gesetzt. Mit dem Gewebs- und Zellpotential werden neben dem Sauerstoff-Haushalt auch andere Leistungen, wie der Mineral-, Wasser-, Leukozyten-, Ionen-Haushalt usw. reaktiviert. So wird die Zelle wieder funktionstüchtig. Mit der Eutonisierung der vegetativen und affektiven Erregungslage wird die Reizschwelle in der Peripherie erhöht. Bestenfalls so weit, daß Schmerzen nun unterschwellig bleiben und das ruhiggestellte Organ ausheilen kann.

Kurz gesagt: **Procain** — an die richtige Stelle gebracht — **reaktiviert und regelt die Funktionen des Neurovegetativums.**

Die letzte Feststellung umfaßt allein ein ganzes Programm. Sie besagt, daß neben parasympathikotonen auch sympathikotone Effekte nachgewiesen wurden und daß das Mittel unabhängig von der vegetativen Ausgangslage Gleichgewichtsstörungen im lebenswichtigen neurovegetativen System ausbalancieren kann. Es kann also je nach Bedarf einmal tonussteigernd und einmal entspannend und so umstimmend wirken. Es kann weiter bei richtiger Anwendung krankmachende überschießende Reflexvorgänge unterbrechen, die sonst das pathologische Geschehen einleiten und fixieren.

Von den verschiedenen T h e o r i e n ü b e r d i e W i r k u n g d e s *P r o c a i n s* möchte ich die von LUZUY herausgreifen. Danach wirken drei Faktoren ineinander:
a) Das Korrelationsgleichgewicht der innersekretorischen Drüsen wird wiederhergestellt,
b) die Funktion des Dienzephalons wird geregelt, hauptsächlich sein Einfluß auf den Kapillarkreislauf und
c) der schädliche Reflexbogen wird unterbrochen, auch der Antidromreflex, der durch massenhafte Histaminproduktion auftritt und den Sympathikus zu einem pathologischen Vasodilatator werden läßt.

Trotz der chemischen Verwandtschaft zu vielen erprobten Heilmitteln und Hormonen und der ansehnlichen Reihe nachgewiesener guter Eigenschaften bleiben noch viele Fragen offen, die das „königliche Medikament *Novocain*", wie es REISCHAUER nannte, uns stellt. Die Empirie hat Heilungsmöglichkeiten gefunden, für die alle bekannten theoretischen und experimentellen Grundlagen nicht zur Erklärung ausreichen. Erinnern wir uns in diesem Zusammenhang noch einmal der wichtigen Tatsache: Für die eigentliche neuraltherapeutische Wirkung, die, wie sich im Lauf der Zeit herausstellte, gar nicht an ein Neuraltherapeutikum gebunden ist, gibt es außer meiner Repolarisations-Theorie keine andere, befriedigende exakt-wissenschaftliche Erklärung. Die vegetativ ausgleichende und regulierende Wirkung, die die Anästhesie bei weitem überdauert und schon bei Dosierungen eintritt, die noch nicht einmal eine vollständige Anästhesie bewirken, ist aber gerade das Wesentliche, das mehr wiegt, als alle pharmakologischen Komponenten zusammengenommen. Noch mehr gilt das für die Feststellung, daß große Mengen intramuskulär oder intravenös injizierten *Procains* wirkungslos bleiben können und schon kleinste Mengen, die ein Störfeld treffen, eine so weitreichende Kettenreaktion zum Normalen auslösen, wie wir das im Huneke-Phänomen immer wieder erleben. EICHHOLTZ und MUSCHAWEK kamen aber aufgrund umfangreicher Untersuchungen zu dem Schluß, daß die Wirkung der Lokalanästhetika in der Neuraltherapie nach HUNEKE durchaus mit der experimentellen naturwissenschaftlichen Medizin vereinbar ist.

Zunächst war das *Procain* nur als Lokalanästhetikum für die Chirurgie gedacht. Aber schon ein Jahr nach seiner Entdeckung veröffentlichte der Frankfurter Hals-Nasen-Ohrenarzt G. SPIESS seine Beobachtung, daß das *Procain* außer dem anästhesierenden noch einen therapeutischen Effekt entfaltet und daß man Entzündungen durch Umspritzen mit diesem Mittel kupieren und schneller abheilen kann. Obwohl diese wichtige Tatsache von mehreren Kliniken nachgeprüft und vollauf bestätigt wurde, ging man diesen Weg in Deutschland nicht weiter, sondern ließ die Beobachtung in Vergessenheit geraten. Die sowjetische Schule PAWLOWS schenkte diesen Arbeiten mehr Aufmerksamkeit, ohne aber deren bedeutenden therapeutischen Wert zu erkennen.

Diese Kenntnis wurde erst wiedergewonnen und diesmal allen Ärzten zugänglich gemacht, als die Brüder HUNEKE 1925 zufällig die therapeutische Wirkung des *Procains* wiederentdeckten und zur „Heilanästhesie" ausbauten. Sie setzten dem *Procain,* das in größeren Mengen als Krampfgift wirkt, noch das Antidot *Coffein* zu und entschärften es so praktisch für einen unbedenklicheren Gebrauch in der Allgemeinpraxis. Bald stellte sich heraus, daß der Coffeinzusatz die Giftwirkung nicht nur auf die Hälfte reduzierte, sondern gleichzeitig die Heilwirkung noch deutlich steigerte. *Coffein* erweitert die Gefäße, insbesondere im Gebiet der Hirnarterien, Koronar- und Nierengefäße. Es erhöht die Permeabilität der Blut-Liquor-Schranke und verstärkt so noch die günstige Procain-Wirkung auf das Zentralnervensystem. Die Bayerwerke Leverkusen übergaben den Wirkstoffkomplex von 2 % *Procain* und 1,42 % *Coffein* in steriler Lösung dem Arzneimittelschatz 1928 unter dem wortgeschützten Namen „I m p l e t o l". Es hat sich seitdem in aller Welt millionenfach bewährt.

Die Erfolge und die darauffolgende schnelle Verbreitung der Procain-Therapie veranlaßten eine Reihe von pharmazeutischen Firmen, auch **„Neuraltherapeutika"** auf den Markt zu bringen:
1. P r o c a i n h a l t i g e N e u r a l t h e r a p e u t i k a : Das *Impletol* wird in der DDR in wesensgleicher Zusammensetzung unter dem Namen *Jecoffin* und *Procoffin,* in Österreich als *Cofficain* und in Ungarn als *Cofocain* in den Handel gebracht. Sie sind dem *Impletol* gleichwertig, die im Text dieses Buches genannten Mengen und Anwendungen sind ohne weiteres auch auf die genannten Mittel anzuwenden. In Großbritannien wird das *Impletol* von der Firma Bayer unter dem Namen *Procafin* vertrieben. — Bei den nachfolgenden Präparaten richte man sich nach den in den Gebrauchsanweisungen angegebenen Dosierungsvorschriften, die allerdings nach unseren Erfahrungen oft zu hoch liegen, so daß Zwischenfälle aufgrund unnötiger Überdosierungen denkbar sind.

Ein Teil der anschließend genannten Mittel enthält außer dem entgiftenden *Coffein* noch Zusätze zum *Procain*, die unserer Ansicht nach nicht nötig sind und keine Verbesserung darstellen. Die Zusätze sollen Reaktionen bewirken, die mit den Wirkungsprinzipien der Neuraltherapie nichts zu tun haben und eher geeignet sind, deren Wirkung zu verschleiern. Wir bleiben daher beim *Impletol* oder entsprechenden Mitteln und bei den Mengen, die im Teil II und III angegeben sind.

a) *Causat* (Reiss, Berlin) ist die isotonische Lösung eines Komplexes von *Procain* und *Phenyl-äthylbarbitursäure* mit Zusätzen von *Nicotinsäure* und *Atropin. sulf.* Die Barbitursäure und die Atropinkomponente wirken in erster Linie toleranzsteigernd, während die Nikotinsäure die therapeutische Wirkung besonders durch Verbesserung der peripheren Durchblutung verstärken soll.

b) *Cofficain* (Gebro, Fieberbrunn/Tirol): Eine 1- und 2 %ige komplexe Procain-Coffein-Lösung, wobei die 2 %ige dem *Impletol* entspricht.

c) *Dodecatol* (Heyl, Berlin) besteht aus *Procain*, 1000 Gamma *Vitamin B_{12}* und *Nicotinsäure* und empfiehlt sich dadurch besonders für die Neuraltherapie bei Neuritiden, Neuralgien, Kausalgien und Herpes zoster, wenn ein Vitaminmangel als Mitursache angenommen wird.

d) *Lokaffin* (Dr. Dreweny, Graz) enthält neben 2 %igem *Procain* und 1,42 % *Coffein* noch *Natr. chlorat., Kal. sulfur., Kal. bisulfur.* und Antiseptika.

e) *Lokastin* (Asid, München) enthält neben *Oxyprocain* das Antihistaminikum *Myostimin*, das sympathikolytisch, und *Hyoscyamin*, das parasympathikolytisch wirkt. Es wird neben der intravenösen auch zur subkutanen und intramuskulären Neuraltherapie, zur Umstimmung und Regulierung vegetativer Dysfunktionen, auch Allergien verwendet.

f) *Myo-Melcain* (Woelm, Eschwege) will das *Procain-Procainglucosid* 2 % durch eine Bienenhoniglösung entgiften. Es wird zur Behandlung rheumatischer und neuralgischer Erkrankungen empfohlen. Zur intravenösen Neuraltherapie gibt man *Melcain*. Cave: Honigallergie.

g) *Neuraltherapeuticum Hanosan* (Hanosan GmbH, Hannover-Osterwald). Zum 2 %igen *Procain* mit 1,25 % *Coffein* kommen *Argentum nitricum D_8, Calc. phosphoric. D_8, Colocynthis D_2* und pro 2-ml-Ampulle noch 5 Gamma (Neuraltherapeuticum Hanosan forte: 50 Gamma) *Cyanocobalamin* (Vitamin B_{12}).

h) *neuro L 90* (Dr. Loges & Co.) enthält außer 2 %igem *Procain* noch *Vitamin B_1, Nikotinsäure, Natr. chlorat., Acid. formicic D_{10}* und *Magnes. carbonic. D_8*.

i) *Neurotropan-Hy* (Ilting, Ludwigstadt). Der Inhalt einer Ampulle von 4 %iger Neurotropanlösung und 2 %iger Procainlösung wird in eine Trockenampulle mit 150 I. E. *Hyaluronidase* gegeben und die Mischung in Gelosen und Schmerzpunkte bei Arthrosis deformans, Periarthritis humeroscapularis, Osteochondrosen u. dgl. verteilt. Für subkutane und intramuskuläre Injektionen: *Neurotropan-M*.

j) *Novocain zur Therapie* (Hoechst) gibt es in 1- und 2 %iger isotonischer Lösung für das gesamte Gebiet der Neuraltherapie.

k) *Panganicain* (TRUW, Kempen-Hüls) eignet sich wegen seiner Zusammensetzung von *Procain* und *Pangamsäure* (Vitamin B_{15}) zur Geriatrie wie zur Neuraltherapie. Während einer Sulfonamid-Behandlung soll es nicht gegeben werden.

l) *Procainum hydrochloricum*. Die Firma Waldemar Weimer, Rastatt/Baden bringt eine preisgünstige (zusatzfreie) 2 %ige Procain-Lösung in 2-ml-Ampullen und 50-ml-Durchstechflaschen auf den Markt.

m) *Prokopin* (Woelm, Eschwege). Im *Myo-Melcain* ist die Bienenhoniglösung 20 %ig, im *Prokopin* isotonisch 5 %ig.

n) *Pasconeural-Injektopas* (Pascoe, Gießen) enthält neben der bewährten Procain-Coffein-Kombination noch Mineralstoffe und Vitamine, wodurch ein zusätzlicher organspezifischer Effekt erzielt werden soll. Neben den Indikationen der Neuraltherapie empfiehlt es sich besonders für die Geriatrie.

o) *Segmentan compositum* (Pharmaz. Fabrik Hameln) setzt sich zusammen aus *Procainum boricum* 0,5 g, *Natrium bicarbonicum* 1,29 g, *Aqua dest.* ad 100,0 g. Für intramuskuläre periostnahe und intraartikuläre neuraltherapeutische Injektionen.

p) *Sensiotin cum Procain* (Steigerwald, Darmstadt) enthält *Procain, Coffein, Hypericin* und *Acidum formicicum*. *Hypericin* wirkt einen zusätzlichen regulierenden Einfluß auf den Tonus des vegetativen Systems aus. *Acidum formicicum* ist ein unspezifisches Reiztherapeutikum, das die antiphlogistische Wirkung des *Procain* besonders bei Erkrankungen des rheumatischen Formenkreises unterstützen und verlängern kann.

q) *Tachycholin* (Bram, Berlin). 0,05 % *Sklerocholin*, eine Jodcholinverbindung mit langanhaltender parasympathikuserregender Wirkung mit 1- bis 2 %igem *Procain* in isotonischer Lösung. Die Cholinverbindung soll die durchblutungsfördernde Wirkung des *Procain* noch verstärken.

2. **Procainhaltige neuraltherapeutika mit Depotwirkung**: Diese wurden mit der Absicht geschaffen, die anästhesierende Wirkung noch zu protrahieren. Beim *Depot-Impletol* (Bayer, Leverkusen) verzögert man die Resorption durch Zusatz von *Periston*. Beim *Symprocain mite* (Brunnengräber, Lübeck) besorgt das ein 2,5 %iger, beim *Symprocain forte* ein 5 %iger Benzylalkoholzusatz. Das *Depot-Novanaest* (Gebro, Fieberbrunn/Tirol) ist öl- und alkoholhaltig. Einige dieser Mittel dürfen wegen der Gefahr der Fettembolie und Nekrosen nicht intravasal, nicht intrakutan und nicht intralumbal verabfolgt werden. — Die Herstellerfirmen heben die Möglichkeit lobend hervor, mit ihren Depotmitteln durch 4—5 schnell aufeinanderfolgende Injektionen irreversible degenerative Veränderungen an Nervenfasern und Ganglienzellen erzielen zu können, die dann zu einer Dauerausschaltung des Nerven führen. Wir halten **jede** operative wie medikamentöse **Dauer**unterbrechung wichtiger Nervenfasern für einen bedenklichen Eingriff am Leitungsnetz unserer Lebensnerven, der auf die Dauer gesehen im Moment gar nicht übersehbare Folgen nach sich ziehen muß. Darum **verzichten wir auf alle Depot-Procainmittel**! Sie verdanken ihr Dasein einer überholten Vorstellung, die den Gedankengängen der Neuraltherapie nach HUNEKE fremd sind. Der letztlich entscheidende **repolarisierende** Stoß ins System ist mit den einfachen Neuraltherapeutika ohne Depotwirkung jederzeit wiederholbar, er zerstört nichts, stellt aber, an der richtigen Stelle gesetzt, die gestörte Ordnung wieder her. Mehr kann das Depotmittel im besten Falle auch nicht!

3. **Neuraltherapeutika ohne Procain**:
    a) *Plenosol* (Madaus, Köln), ein Mistelextrakt, ist nach biologischen Nekrose-Einheiten standardisiert. In Intervallen von 3—5—7 Tagen werden in steigender Dosis (0,1 ml Stärke I je nach Reaktion bis auf 1 ml Stärke II) streng intrakutan Quaddeln um arthrotisch und rheumatisch veränderte Gelenke (besonders Kniegelenke) gesetzt. Dabei sollen auch möglichst die schmerzhaften Stellen und segmentzugehörigen Nervenaustrittspunkte aufgesucht werden. Das intrakutan injizierte *Plenosol* setzt am Injektionsort Histamin in Freiheit, das seinerseits die Cholinesterase hemmt, so daß es lokal zu einer protrahierten Acetylcholin-Wirkung kommt. Die für 3—4 Tage auftretenden starken diffusen und paravaskulären aseptisch-entzündlichen Infiltrationen reichen bis in die Tiefe und erzeugen dort eine langanhaltende verstärkte Durchblutung und Auflockerung des Gewebes. Der durch die Entzündung gesetzte Reiz wird von vegetativen Nerven-Endfasern aus zentripetal weitergeleitet, im Spinalganglion umgeschaltet und zentrifugal in die segmentale Peripherie zurückgeleitet, wo er die Tiefendurch-

blutung steigert. — Während *Procain* die Entzündung bekämpft, setzt *Plenosol* eine solche. Wenn bei Gelenkerkrankungen kein Huneke-Phänomen auszulösen ist und das Gelenk auch nicht auf Procain-Umquaddelung anspricht, liegt der Verdacht auf eine Regulationsstarre (PISCHINGER) vor. Dann können Plenosol-Quaddeln als entzündungssetzende Reiztherapie indiziert sein und bessere Resultate erzielen, als die Lokalanästhetika.

b) *Segmentan* (Pharmaz. Fabrik Hameln). Die 1,29 %ige wässerige isotonische Lösung von *Natrium bicarbonicum* eignet sich besonders bei Procain-Allergie für Intrakutanquaddeln, intramuskuläre und intraartikuläre Injektionen.

4. Andere Lokalanästhetika:

In Seattle/USA gibt es eine von Anästhesisten gegründete spezielle Schmerzklinik. Nach ihrem Vorbild wurde eine ebensolche in Mainz aufgebaut. Hier wird die „Nervenblockade" mit Lokalanästhetika unter den Bezeichnungen „Regionale Schmerztherapie" (AUBERGER) und „Therapeutische Lokalanästhesie" (GROSS) propagiert, wobei man meist vergißt, die Brüder HUNEKE als Schöpfer der Therapie mit Lokalanästhetika gebührend zu nennen. Auf einen wesentlichen Unterschied zwischen der von den Anästhesisten geübten „Blockade" und unserer Neuraltherapie nach HUNEKE möchte ich noch einmal hinweisen. Die Anästhesisten verwenden bevorzugt die anschließend aufgeführten modernen Lokalanästhetika in verhältnismäßig hohen Dosen, wobei sie möglichst l a n g w i r k e n d e örtliche Betäubungsmittel wählen, um damit suspekte schmerzleitende Nervenbahnen zu blockieren und möglichst lange auszuschalten. Wir suchen dagegen die Repolarisation der Zellmembranen in gestörten Bereichen mit möglichst kleinen, gezielt angesetzten Dosen von *Procain* zu erzielen. Das *Procain* wird als Ester aromatischer Säuren rasch und doppelt entgiftet. Einmal durch die Serumcholinesterase sofort fermentativ im Blut, zweitens durch Konjugation in der Leber.

Die nachfolgend genannten amid-strukturierten Lokalanästhetika werden dagegen nur in der Leber entgiftet, wobei die entstehenden Metaboliten noch weitgehend unbekannt sind, ein Teil wird als Molekül ausgeschieden. Aus der Geburtshilfe wurden kindliche Bradykardien und Todesfälle auf *Carbostesin* bekannt, die zeigen, daß dieses Anästhetikum diaplazentar übertragen wird.

Der wesentliche Unterschied in der Entgiftung drückt sich schon in der Toxizität aus. Sie verhält sich bei Vergleich von *Procain* = 1 zu *Scandicain* = 2 zu *Carbostesin* = 8! Bei Leberschäden, Leberfunktionsstörungen und Graviden ist also Vorsicht geboten. Wir sehen keinen zwingenden Grund, generell vom bewährten *Procain* abzugehen. Um so weniger, seit wir wissen, daß das *Procain* den interzellulären Transport in den Nervenfasern nicht beeinflußt, während *Lidocain (Hylocain)* den Transport und damit wohl auch die Nervenfunktion hemmt (KREUTZBERG). Wir verwenden diese neuen Mittel nur bei erwiesener Procain-Unverträglichkeit, dann aber nur in schwachen Konzentrationen und in geringsten Mengen (z. B. *Xyloneural).*

Zum Unterschied vom *Procain,* das überall im Gewebe leicht entgiftet wird, werden die nachfolgenden Mittel also in der Leber abgebaut, so daß bei Leberfunktionsstörungen Vorsicht geboten erscheint.

a) *Baycain (Tolycain)* (Bayer), wird nur mit Adrenalinzusatz in Carpulen auf den Markt gebracht und eignet sich daher nicht für unsere Zwecke.

b) *Carbostesin* (Woelm), *Marcain*, Freiname *Bupivacain*. 0,25 % u. 0,5 % ohne *Adrenalin* als Langzeit-Anästhetikum für alle therapeutischen Leitungsanästhesien der Anästhesisten.

c) *Hostacain* (Hoechst) gibt es nur 3 %ig ohne Vasokonstringens. Es ist ebenfalls besonders für die Zahnheilkunde gedacht.

d) *Scandicain* (Woelm) ist auch als *Carbocain* oder unter dem internationalen Freinamen *Mepivacain* bekannt. Zur Neuraltherapie eignet es sich nur 1—2 %ig o h n e *A d r e n a l i n.* *Scandicain* darf nicht intravenös gegeben werden! Grenzdosis: 300 mg. Für die Carpulenspritze gibt es Scandicain 1 %ig in Zylinderampullen.

e) *Xylocain* (Pharma Stern) oder *Lidocain* eignet sich nur 1—2 %ig o h n e *E p i n e - p h r i n*! Wegen der doppelt so großen Toxizität gegenüber dem *Procain* sollten in einer Sitzung nicht mehr als 20 ml der 1 %igen Lösung verwendet werden, genauer gesagt 7 mg/kg Körpergewicht. *Xylocain* ist kontraindiziert bei Bradykardie, AV-Block, schweren Überleitungsstörungen, schwerer Hypotonie und Herzdekompensationen.

f) *Xyloneural* (Gebro, Fieberbrunn/Tirol) ist ein 1 %iges *Xylocain* (*Lidocain*) in physiologischer Kochsalzlösung, das speziell für den Bedarf der Neuraltherapie zugeschnitten wurde. Ein 4 %iger Kollidonzusatz dient der Detoxikation und Resorptionsverzögerung, bei intraartikulärer Injektion verhindert er Adhäsionen. *Xyloneural* ist gewebsfreundlich und ausgezeichnet verträglich, praktisch gibt es keine Überempfindlichkeits-Reaktionen. Außer bei der Procain-Allergie empfiehlt es sich besonders für die Nachmittagssprechstunde, weil es kein *Coffein* enthält, das ja bei manchen Patienten Kreislauf- und Einschlafstörungen bewirkt. Die Höchstdosis liegt bei intramuskulärer Anwendung bei 20 ml *Xyloneural*, intravenös genügt 1 ml. Das Mittel gibt es auch in Zylinderampullen. Kontraindikationen: AV-Block, schwere Bradykardie, akute Hepatopathie und Nierenversagen.

g) *Xylonest* (Pharma Stern), auch als *Prilocain* oder *Citanest* bekannt, wird zur Infiltrations- und Leitungsanästhesie verwendet. Die Grenzdosis liegt bei 400 mg.

Fassen wir zusammen: Man kann mit allen Lokalanästhetika ohne Zusatz gefäßverengernder Mittel Neuraltherapie nach Huneke treiben. Das unschädlichste Mittel in geringster ausreichender Konzentration und Menge ist dazu das beste. Man kann auch ohne Anästhetika, ja sogar durch Injektion von Luft (allerdings schwächere) neuraltherapeutische Wirkungen erzielen. Wenn man nur die Nadel nimmt und gar nichts injiziert, treibt man, vorausgesetzt, daß man sie an der richtigen Stelle einstößt, Akupunktur. Man kann den heilenden Anstoß auch ohne Nadel mit einer richtigen Massage oder mit Hautreizen aller Art geben, wenn man nur Energie ins Gewebe bringt, das repolarisierende Reaktionen im vegetativen Grundsystem in Gang setzt.

D e r   n e u r a l t h e r a p e u t i s c h e   E f f e k t   i s t   a l s o   d a s   E r g e b n i s   e i n e s   u n s p e z i f i s c h e n   u m s t i m m e n d e n   R e i z e s ,   d e r   n i c h t   a n   e i n   N e u r a l t h e r a p e u t i k u m   g e b u n d e n   i s t ,   d e r   a b e r   o f f e n b a r   d i e   W e g e   f ü r   e i n e   n o c h   w e i t e r g e h e n d e   s p e z i f i s c h e   P r o c a i n - W i r k u n g   e b n e t !

4. Zur Frage der Dosierung

Medizinen stellen als solche gar nichts dar, wenn sie nicht richtig angewandt werden. Sie sind aber die Hände der Götter, wenn sie mit Verstand und Bedachtsamkeit verschrieben werden.
HEROPHILUS

Die M e n g e des verabfolgten Neuraltherapeutikums ist in jedem Falle von u n t e r g e - o r d n e t e r Bedeutung! Es kommt immer nur auf den Stoß ins Neurovegetativum an der r i c h t i g e n S t e l l e an!

Der kranke Körper steht gleichsam unter einer Spannung, wenn sein wunderbares Regulationssystem blockiert ist und damit die Selbstheilungskräfte gebunden sind. Er hat immer die Tendenz, die Normallage, die Gesundheit heißt, wiederherzustellen. Die Akupunktur, die sich über fünf Jahrtausende behaupten konnte, weil sie heilt, fand aus dem Erfahrungsschatz vieler Generationen Heilkundiger ein wichtiges biologisches Gesetz: Wenn der beherrschende krankmachende Reiz durch einen Nadelstich an der richtigen Stelle nur um ein kleines bißchen verstärkt wird, wird das zum heilenden

Reiz. Er wirkt dann so, als ob man eine straffgespannte Bogensehne mit einem Messer durchtrennt. Dann springt der Bogen auch in seine ursprüngliche gerade Form zurück! Im Lebendigen bedeutet das, daß der Nadelstich den Körper wieder in die Lage versetzt, aus der festgefahrenen Situation herauszukommen und das bisher verhinderte Bestreben der Natur nach Ausgleich und Normalisierung zur heilenden Tat werden zu lassen. Der Arzt gibt nur den Anstoß, die Natur — oder wie man es immer nennen will — heilt! Medicus curat, natura sanat.

HUNEKES Neuraltherapie bestätigt die Erkenntnisse der Akupunktur. Er hat sie von allem mystischen Beiwerk freigemacht, das Wesentliche klar herausgestellt und die kaum erlernbare Technik so vereinfacht und vervollständigt, daß die Kunst des heilenden Nadelstichs nun jedem Arzt zugänglich ist. Der Heilreiz, den das *Procain* mit seinem Stoß in das elektrische Gefüge des Lebendigen setzt, ist zudem umfassender und weitreichender als der alleinige Nadelstich.

D e r   h e i l e n d e   G e g e n r e i z   s o l l   i m m e r   m ö g l i c h s t   s c h w a c h   s e i n ! Erinnern wir uns an die Arndt-Schulzsche Wirkungsregel:

„S c h w a c h e   R e i z e   f a c h e n   d i e   L e b e n s t ä t i g k e i t   a n
mittelstarke fördern sie, starke hemmen sie und
stärkste heben sie auf."

Wichtig ist für uns auch der weniger bekannte Zusatz:

„Aber durchaus individuell ist, was sich als
einen schwachen oder starken oder gar stärksten
Reiz wirksam erweist."

Der kranke Organismus spricht auf Reize aller Art besonders leicht an. Bei ihm können schon schwache Reize stärkste Reaktionen hervorrufen. Wir erleben es beim *Procain* mit seiner g r o ß e n   T o l e r a n z b r e i t e glücklicherweise nur ganz äußerst selten einmal, daß ein hypersensibler oder durch lange Krankheit besonders geschwächter Patient angibt, daß ihn die Behandlung so mitgenommen habe, daß er einige Tage habe liegen müssen. Dann war seine Reizschwelle so niedrig, daß unser Reiz für ihn diesmal zu stark war. Wir machen uns eine entsprechende Notiz auf seine Karteikarte und geben ihm bei der nächsten Behandlung nur tropfenweise *Procain*, und das auch nur von wenigen Einstichen aus, und steigern nur langsam. Die individuell variierbare Menge des zumutbaren bzw. erforderlichen heilenden Reizes und der dazu benötigten (immer möglichst geringen!) Procain-Menge sind weitgehend eine Angelegenheit des ärztlichen „Fingerspitzengefühls". Wie gesagt, sind solche Vorkommnisse so selten, daß man nicht ängstlich zu sein braucht.

Mit zunehmender Erfahrung wird man mit immer geringeren Mengen auszukommen lernen. Wer erfolgreich Neuraltherapie treiben will, muß sich ein für allemal von der Vorstellung freimachen, daß wir nur dann eine Heil-Anästhesie treiben, wenn wir das kranke Gebiet mit einem Neuraltherapeutikum „umfluten", um damit die Nervenleitung zu „blockieren". Der Begriff „Heilanästhesie" war irreführend und ist daher fallengelassen worden. Wie gesagt: E s   i s t   e r w i e s e n ,   d a ß   d i e   H e i l r e a k t i o n e n   b e i   d e r   N e u r a l t h e r a p i e   s c h o n   b e i   e i n e r   A r z n e i m i t t e l k o n z e n t r a t i o n   e i n t r e t e n ,   d i e   u n t e r   d e r   l i e g t ,   d i e   z u   e i n e r   A n ä s t h e s i e   b e n ö t i g t   w i r d ! Am besten ist immer der kleinste Reiz, der gerade genügt, das Neurovegetativum anzusprechen. Ein Viel könnte leicht ein Zuviel bedeuten. Der Heilreiz bewirkt, an der richtigen Stelle gesetzt, eine gründliche Umstellung, die den Gesamtorganismus betrifft. Sie hält immer weit über die reine Medikamentenwirkung an. Das Geheimnis des Erfolges, der einem nicht in den Schoß fällt, liegt eben im Ansatzpunkt der Injektion, nicht in der Menge!

Wenn die Chirurgen z. B. ein krankes Kniegelenk mit 50 ml *Procain* „umfluten", so erreichen wir zumindest dasselbe, wenn wir nur 2 ml mit etwa 5 Intrakutanquaddeln rings um das Gelenk verteilen. — Die im Text angegebenen Mengen beziehen sich auf 1—2 %ige Procain-Lösungen und sind immer nur als Hinweise gedacht. Sie stellen etwa die obere Grenze der benötigten Menge dar. Bei

Testinjektionen genügen oft schon 0,1—0,2 ml! Bei so geringen Mengen lassen sich in einer Sitzung ohne weiteres mehrere Testinjektionen auf einmal durchführen. Intravenös geben wir nie mehr als 1 ml, ohne dabei besonders langsam zu spritzen. Ein gelegentlich nach schneller Injektion auftretendes Schwindelgefühl ist belanglos und klingt nach wenigen Minuten wieder ab.

Die M a x i m a l d o s i s für Erwachsene liegt bei intravenöser Applikation für das 2 %ige *Procain*, das auch im *Impletol* vorliegt, nach ZIPF bei 50 ml. Durch den Coffeinzusatz im *Impletol* erhöht sich die Toleranz gegen das *Procain* noch um weitere 30—40 %. Das ergibt eine Menge, die wir in einer Sitzung n i e auch nur annähernd verbrauchen!

Bei den von uns verwendeten Mengen ist nach etwa 20 Minuten Wartezeit volle Straßenfähigkeit wiederhergestellt.

5. Novocain-(Procain-)Überempfindlichkeit und -Zwischenfälle

Alle Dinge sind Gift und nichts ist ohne Gift. Allein die Dosis macht, daß ein Ding kein Gift ist.
PARACELSUS

B e i r i c h t i g e r , d a s h e i ß t i m m e r g e r i n g e r D o s i e r u n g u n d s a c h g e m ä ß e r A n w e n d u n g s i n d d i e G e f a h r e n d e r N e u r a l t h e r a p i e m i t L o k a l a n ä s t h e t i k a a u ß e r o r d e n t l i c h g e r i n g !

Wir sind der Überzeugung, daß viele gemeldete Procain-Zwischenfälle nur auf das Konto unnötiger Überdosierungen kommen. So können 20 ml Procainlösung bei einer „Stellatumblockade" allein durch den mechanischen Druck auf die A. carotis bedrohliche Sensationen auslösen, für die dann nicht das Mittel verantwortlich gemacht werden darf. In der empfindlichen Halsgegend wird die Toleranzgrenze für *Impletol* und *Procain* schon ab 5—10 ml überschritten. Bei den von uns verwendeten 2 ml können derartige Komplikationen durch den Carotis-Sinus-Reflex nicht auftreten. Siehe auch Seite 268: Mögliche Fehler und Komplikationen bei den Grenzstrang-Injektionen. Man soll beim Lesen der oft wichtigtuerisch-sensationell gefärbten Meldungen von Procain-Schäden den millionenfachen Nutzen gegen die seltenen, in der Regel vermeidbaren Zwischenfälle stellen und dann selbst entscheiden, ob man sich durch sie irritieren lassen sollte. Die meisten Zwischenfälle wurden aus der Zahnheilkunde gemeldet. In der Mehrzahl beruhen sie nicht auf der Verwendung von reinem *Novocain (Procain)*, sondern auf dem Zusatz gefäßverengender Mittel wie *Adrenalin* oder dessen Derivate.

Der Vollständigkeit halber wollen wir im folgenden auf enventuelle Nebenerscheinungen und alle möglichen Zwischenfälle eingehen:

Je nach der vegetativen Ausgangslage, der verwendeten Menge und der Verträglichkeit fühlt sich ein Teil der Patienten nach der Behandlung erregt, ein anderer wohltuend entspannt. Erweiterung der Pupillen, schneller Puls, Schwindel, Tremor, Blutdrucksteigerung, später -abfall, Schweißausbrüche und eine Art Rauschgefühl sind schnell vorübergehende Reaktionen, die uns zeigen, wie stark Sympathicus und Vagus angesprochen wurden. Bei Verwendung von *Impletol* ist das alles also keinesfalls nur auf die Coffeinkomponente zurückzuführen, sondern Folge einer erwünschten Allgemeinreaktion als Antwort auch auf den heilenden Reiz. Eine Euphorie, die länger als eine halbe Stunde anhält, ist natürlich nicht pharmakologisch zu erklären. Wir werten sie als willkommene Auswirkung der positiven Kettenreaktion, die das *Procain* in Gang setzen kann. Wegen der bei manchen Patienten auftretenden gehobenen Stimmungslage beurteilen wir den erzielten Erfolg unmittelbar nach der Behandlung mit Zurückhaltung. Auch die Tatsache, daß das Neurovegetativum bei jedem Einstich schon allgemein angesprochen wird und darauf reagiert, befreit uns nicht von der Aufgabe, den jeweils richtigen Ort für unsere Injektionen zu suchen und zu finden.

Procain-Intoleranz und -allergie sind viel seltener, als allgemein angenommen wird. REISCHAUER ließ nur Hautallergien nach *Procain* gelten, die anderen bezeichnete er als „Museumsstücke". Er hat bei 100 000 paravertebralen Sympathikus- und Spinalsegment-Anästhesien keine einzige Allergie beobachtet. Ich habe in den ersten 20 Jahren ausgiebiger neuraltherapeutischer Praxis mit einem inzwischen unübersehbaren Krankengut nur 3mal eine Überempfindlichkeit gegen *Procain* erlebt. Zwei Frauen wurden mit *Xylocain* weiterbehandelt, das sie anstandslos vertrugen. Eine davon war auch gegen *Jod* allergisch. Nach einer intravenösen Impletol-Injektion und Brustquaddeln bildete sich um alle Einstichstellen eine begrenzte Urtikaria aus. Interessant war, daß sich auch über einer 2 Jahre zurückliegenden Knöchelfraktur eine juckende Röte zeigte. Diese alte Fraktur erwies sich beim Testen mit *Xylocain* als Störfeld für die pektanginösen Beschwerden. Wir erleben öfter einmal, daß sich solche Störfelder nach Behandlung an ganz anderer Stelle „melden". Es ist gut, wenn Arzt und Patient auf solche Zeichen achten. — Bei einem 6jährigen Jungen kam es nach der ersten Behandlung einer Pockenimpfnarbe, die Störfeld für eine progressive Muskeldystrophie war, zu einer stärkeren allergischen Hautreaktion. Nach der zweiten Injektion war die Reaktion wesentlich schwächer. Von da ab trat sie nicht mehr auf, obwohl das gleiche Medikament weiter verwendet wurde. Ich erfuhr von dieser Allergie-Reaktion erst nach der Heilung, sonst hätte ich das Mittel zweifellos gewechselt. So lernte ich aber, daß auch die Procain-Allergie — wie jede andere Allergie auch — störfeldbedingt sein kann! Allerdings muß zugegeben werden, daß die Procain-Allergien in den letzten Jahren zugenommen haben. Mit dem ständig ansteigenden Medikamenten-Mißbrauch und der Flut immer neuer Präparate, die die chemische Industrie laufend auf den Markt wirft, ist auch die Zahl der Allergiker angestiegen. So hat die oft gedankenlos häufige Anwendung von Procain-Penicillin bei harmlosen Erkältungskrankheiten oder gar zur Prophylaxe mit der Zahl der Penicillin-Allergien wohl auch die Zahl der Procain-Allergien iatrogen erhöht.

Die Procain-Allergie äußert sich in einer Rötung in der Umgebung der Injektion, einem lokalen Ödem und eventuell auch in einem nässenden Ekzem, das in schweren Fällen bis zur Generalisation weiterschreiten kann. In der Literatur findet man auch die Purpura allergica und Nekrosebildung angegeben. — Wir beobachten jeden Patienten nach den ersten Tropfen *Procain*, die wir geben, genau, ob irgendwelche Unverträglichkeitserscheinungen eintreten. In fraglichen Fällen, wo die Patienten eine Allergie gegen *Pyramidon* und ähnliche, dem *Procain* chemisch verwandte Stoffe angeben, setzen wir einen Tag vor der eigentlichen Behandlung eine Intrakutan-Testquaddel. Bei positivem Ausfall, also Rötung und Juckreiz, behandeln wir mit 0,5 bis 1 %igem *Xylocain*, 0,5 bis 1 %igem *Scandicain* ohne *Adrenalin* oder *Segmentan* weiter. *Xylocain* wirkt doppelt so stark, wie *Procain*! Wenn es längere Zeit mit Schwermetallen in Berührung kommt, können Zersetzungserscheinungen auftreten. Darum lasse man gefüllte Spritzen nicht unnötig lange liegen und reinige alle Metallteile nach Gebrauch von Lösungsrückständen. — Allerdings muß man wissen, daß *Xylocain* und *Hostacain* keine Esterverbindungen wie das *Procain* haben und daher nicht so schnell und gefahrlos abgebaut werden können. Auf Grund ihrer Amidbindung können sie nur nach und nach in toto ausgeschieden werden. Außerdem sind sie auch nicht in der Lage, brüchige Kapillaren abzudichten (HIRSCH).

Ein für die Praxis ausreichender Schnelltest, der über die Verträglichkeit Auskunft gibt, ist der **Procain-Bindehaut-Test:** Man gibt dem Patienten vor Beginn der Behandlung einen Tropfen *Impletol*, *Novocain* oder von dem sonst verwendeten Neuraltherapeutikum in den Bindehautsack. Eine in den nächsten Minuten auftretende starke Rötung der Konjunktiva würde auf eine Überempfindlichkeit hindeuten.

Bei Überdosierung besteht die Gefahr des Procain-Schocks, der unter reflektorischem Zusammenbruch lebenswichtiger zentraler Funktionen zum akuten Schocktod führen kann. Oder es kommt zu Konvulsionen bzw. zum Kreislaufversagen. Die häufigere Hyperventilations-Tetanie sollte man scharf von den eigentlichen Procain-Zwischenfällen trennen. Als Antidot gegen das in Übermengen als Krampfgift wirkende *Procain* gibt man *Coffein*. Im *Impletol* ist es schon in einer glücklichen Komplexverbindung mit dem *Procain* eingebaut und dieses dadurch weitgehend entgiftet. In den geringen Mengen, die bei der Neuraltherapie nach HUNEKE Verwendung finden, kann es ohne Bedenken verwendet werden. Wir werden, wie gesagt, nie die Maximaldosis von über 60 ml *Impletol* auf einmal verspritzen!

Vor der Verwendung von A d r e n a l i n - bzw. S u p r a r e n i n - P r o c a i n - G e m i s c h e n (vor allem für die intravenöse Injektion!) muß mit Nachdruck g e w a r n t werden! Dieser Zusatz steigert die Giftigkeit des Procains auf das Z e h n f a c h e ! (KEIL, RADEMACHER). Auch einen unter *Morphium* stehenden Patienten soll man möglichst nicht oder nur vorsichtig mit procainhaltigen Mitteln behandeln, weil *Morphium* die T o l e r a n z gegen *Procain* wesentlich h e r a b s e t z e n soll.

Komplikationen, die bei Injektionen an den — (T) — Grenzstrang möglich sind, werden dort behandelt.

G e g e n m a ß n a h m e n b e i Z w i s c h e n f ä l l e n :

a) Bei E r r e g u n g s - u n d K r a m p f z u s t ä n d e n infolge Procain-Überdosierung gebe man *Coffein* langsam intravenös oder 50—100 mg *Penthotal*, *Evipan* oder andere intravenös zu verabfolgende Barbitursäurepräparate oder g e f ä ß e r w e i t e r n d e M i t t e l , dagegen k e i n e z e n t r a l w i r k s a m e n Analeptika (Cave: z. B. *Coramin* o. dgl.!).

b) Bei A t e m s t i l l s t a n d : Sofortige künstliche Sauerstoffbeatmung, Pulmotor. Vorsichtig peripher angreifende Kreislaufmittel (wie z. B. *Effortil, Noradrenalin),* Mund-zu-Mund-Beatmung, Intubation, evtl. Herzmassage und Plasmaersatzmittel wie z. B. *Rheomacrodex.*

Bei K o l l a p s : Ruhe bewahren, Patienten flach auf die Erde lagern, Beine hochlagern, Gesicht mit Wasser besprützen, erst abwarten. Kreislaufmittel bei Verwendung von *Impletol* kaum erforderlich, sonst *Arterenol* 0,3—0,5 mg der einpromilligen Lösung subkutan oder intramuskulär. Schwere Kollapszustände nach Reizung des Carotis-Sinus bei unsachgemäßer Stellatum-Anästhesie stellen einen echten S c h o c k zustand dar. Therapie: Ein intravenös zu verabreichendes Cortisonpräparat.

d) A n a p h y l a k t i s c h e r S c h o c k : Sauerstoff-Beatmung, einen Vasopressor intravenös wie *Novadral* oder 0,5 ml *Adrenalin* 1 : 1000 subkutan. Eventuell Adrenalin- oder Noradrenalin-Lösung 1 : 1000 z e h n f a c h v e r d ü n n t ganz langsam intravenös oder *Ultracorten H, Solu-Decortin H.*

e) H y p e r v e n t i l a t i o n s - T e t a n i e : Atem anhalten lassen oder den Mund zuhalten. Oder man läßt den Patienten für 2—3 Minuten in eine 1—2 Liter fassende Plastiktüte atmen, die er sich selbst vor Mund und Nase hält. Dabei beruhigend zureden und es eventuell vormachen.

Procain-Lösungen können bei den vorgeschriebenen geringen Mengen und ihrer ausgezeichneten Verträglichkeit auch unbedenklich bei Leberkranken, Arteriosklerotikern, Herzdekompensierten, bei Myasthenia gravis, hormonellen Störungen aller Art, Status thymolymphaticus usw. angewandt werden. Bei sehr zarten und kachektischen Patienten genügen oft winzige Mengen. Die gesamte *Procain*-Therapie ist bei sparsamer Dosierung und Beachtung der wenigen Vorsichtsmaßnahmen, auf die immer wieder hingewiesen wird, absolut ungefährlich und jedem Patienten zumutbar. Sie verträgt sich mit allen anderen Mitteln und Behandlungsmethoden (außer den genannten Ausnahmen), kann also jederzeit angewendet werden.

Bei hypersensiblen Naturen, bei denen die Psyche und das Geltungsbedürfnis eine vorherrschende Rolle spielen, lasse man sich nicht durch die Angabe über Verschlechterung oder angebliche negative Nebenwirkungen irritieren. Unter Hinweis darauf, daß die Neuraltherapie nie schaden kann, wird die Behandlung eventuell mit geringeren Dosen fortgesetzt. Der Arzt darf sich nie die Führung aus der Hand nehmen lassen!

Bei Gewitterstimmung, Föhn und starken atmosphärischen Störungen sind sensible Patienten erhöht reizbar und empfindlich. Sie kollabieren leichter und die Nadelstiche bluten länger. Aus diesen Gründen verschieben auch die japanischen Akupunkteure nach Möglichkeit die Nadelung auf Tage mit weniger krisenhafter Wetterlage.

Wissenswert ist noch, daß *Procain* (genauer gesagt die p-Aminobenzoesäure und deren Ester) in vitro die b a k t e r i o s t a t i s c h e W i r k u n g d e r S u l f o n a m i d e a u f h e b t. Die Gabe von Sulfonamiden neben einer Procaintherapie dürfte demnach wirkungslos sein.

Eine **relative Kontraindikation** stellen die **Langzeit-Antikoagulantien** (z.B. *Marcumar, Sintrom*) dar. Eine Thrombose- und Infarkt-Prophylaxe mit diesen Mitteln ist praktisch nur wirksam, wenn der Quicktest auf 20—30 % herabgedrückt wird. Dabei besteht aber eine erhöhte Blutungsneigung und die Möglichkeit bedrohlicher Blutungen nach Verletzungen und tiefen Injektionen. In der ambulanten Behandlung werden diese Idealwerte selten erreicht, meist liegen sie bei 30—40 %. Vorsichtige Autoren warnen vor intramuskulären Injektionen schon bei einem Quickwert von unter 70 %, der übrigens bei Leber- und Niereninsuffizienz auch ohne die Verordnung von Antikoagulantien vorhanden sein kann. Das ist sicher etwas hoch gegriffen, der zu verantwortende Grenzwert wird bei etwa 45 % liegen. Eine Testinjektion in Narben und das Setzen von Quaddeln ist auch bei verminderter Gerinnungsfähigkeit des Blutes zu verantworten. Von tieferen intramuskulären Injektionen, Ischiadicus-Anästhesien und besonders Injektionen in die Nähe großer Gefäße wie bei den Injektionen an den Grenzstrang und seine Ganglien ist b e i e i n e m Q u i c k w e r t v o n u n t e r 4 5 b i s 5 0 % allein aus forensischen Gründen a b z u r a t e n ! — Kommt es bei einem unter Antikoagulantien stehenden Patienten zu Blutungen, so ist *Vitamin K₁* a l s A n t i d o t zu geben. Normalerweise sollten es die Betreffenden bei sich führen.

Die in diesem Buch immer wiederkehrenden Hinweise auf alle möglichen Fehler, Gefahren und eventuell auftretende Nebenerscheinungen sollen dem Neuling Sicherheit geben, aber keinesfalls den Eindruck erwecken, als wäre an die Injektionen irgendein besonderes Wagnis geknüpft! Auf der anderen Seite liegt uns genauso fern, die Gefahren, die ja schließlich bei jeder ärztlichen Maßnahme vorhanden sind, zu verniedlichen und alle Kollegen aufzufordern, nun hemmungslos an alles mit der Spritze heranzugehen und sorglos darauflozustechen. Dabei kommt nichts heraus, jedes ungezielte Spritzen ist mit Sicherheit zum Scheitern verurteilt. Das Problem liegt für uns gerade auf der entgegengesetzten Seite: Wir müssen den Kollegen meist erst einmal Mut machen und ihnen vor allem die anerzogene Angst vor den Injektionen mit der langen Nadel nehmen. Man liest immer wieder einmal von Procain-Zwischenfällen und sogar von Todesfällen vor allem bei Injektionen an das Ggl. stellatum (auf 10 000 Injektionen 1 Todesfall). Eine Nachfrage bei der Firma Bayer ergab, daß in den 45 Jahren, in denen *Impletol* verwendet wird, nicht ein einziger Todesfall bekanntgeworden ist, der dem Medikament zur Last gelegt wird! Da die Chirurgen gelegentlich 100—250 und mehr ml Procainlösung auf einmal geben, sollte man bei derartigen Meldungen immer nach der verwendeten Menge und der angewandten Technik fragen! — Wenn die Gefahren bei richtiger Anwendung praktisch minimal sind, sollte jeder Neuraltherapeut die Medikamente und das Zubehör zur Behandlung von Zwischenfällen zur sofortigen Verfügung einsatzbereit haben. Im übrigen sind Bedenken im Interesse der eigenen Sicherheit unärztlich. Wer helfen will, darf keine persönlichen Opfer und Überwindungen scheuen. Und zum Umlernen und Dazulernen ist kein Kollege zu alt!

Aller Anfang ist schwer. Ich empfehle dem Anfänger, erst einmal das Heer der chronischen Kopfschmerzkranken mit der einfachen intravenösen und Injektionen unter die Kopfschwarte zu dezimieren und dann diese Injektionen auch bei Schwindel, Schlaflosigkeit und postcommotionellen Störungen anzuwenden und sich so Erfahrungen — und dankbare Patienten zu sammeln, die ihn bestärken, auf diesem Weg weiterzugehen. Wer dann noch lernt, einer Lumbago mit ein paar gutsitzenden Quaddeln zu helfen und Kniebeschwerden mit einigen Quaddeln rings um das Gelenk auf einen Bruchteil zu reduzieren, der wird die weiteren Schritte zur gezielten Segmentbehandlung von selbst finden. Dann wird er erleben, wie er mit der einfachen Injektion einer Ampulle *Impletol* an den Trochanter major Schwerkranke, die schon lange an einem Malum coxae leiden, glücklich machen kann. Dann wird er erst einmal vom „Procainrausch" gepackt! Und wenn ihm dann gar gelingt, mit einer Injektion an eine Narbe, an die Tonsillen oder ein anderes Störfeld eine bisher unbeeinflußbare Krankheit im Huneke-Phänomen vor seinen Augen verschwinden zu sehen, wird er dieser neuen Heilkunst so verfallen, daß ihn auch Rückschläge, die bei jedem kommen werden, nicht dazu bewegen können, die Spritze für immer aus der Hand zu legen. Ich habe selbst zweimal wieder aufgehört, weil es nicht so recht klappen wollte, und erst beim dritten Anlauf die Hürde genommen, die vor dem „Gewußt, wo!" aufgebaut ist!

Wir müssen uns vor Augen halten, daß jeder Fall anders liegt und daß der Schlüssel zum Erfolg nicht mit einer allgemeingültigen Schablone mitgeliefert werden kann. Alle Hinweise stellen kein Dogma dar, sondern sollen nur die Möglichkeiten aufzeigen, die uns zur Verfügung stehen und die sich in der Praxis bewährt haben. Neben den erwähnten häufigen Reaktionspunkten auf der Haut und den tieferen Gewebsschichten gibt es bei jedem Patienten noch „persönliche" Punkte und Zonen, deren Aufsuchen und Ausschalten sich immer bezahlt macht. Jeder angegebene Weg kann allein zum Erfolg führen, oft müssen wir mehrere kombinieren. Das zielstrebig zum Nutzen der Kranken zu tun, erfordert mehr als den guten Willen und brillante Technik. Zu unserer Heilkunst gehört viel Fingerspitzengefühl im wörtlichen wie übertragenen Sinne. Das ist dem Arzt mit einer aktiven Liebe zum leidenden Menschen mehr gegeben als dem eiskalten Routinier. Aus diesem Grunde wird die Neuraltherapie in den Händen eines Arztes auch meist wirksamer sein, als in denen eines Mediziners!

6. Ein trübes Kapitel: Die Kassenabrechnung

Ein Arzt drei Angesichter hat:
Dem Engel gleich, gibt er den Kranken Rat.
Und hilft er ihm aus seiner Not,
dann gleicht er schon dem lieben Gott.
Doch wie er nur um Lohn anspricht,
hat er ein teuflisch Angesicht. Um 1609

Bei so viel Licht muß es auch Schatten geben. Die Bedenken, daß einem Patienten wegbleiben könnten, wenn man auf einmal soviel mehr Spritzen gibt, erweisen sich bald als unbegründet: Jeder Geheilte veranlaßt drei Leidensgefährten, zu dem „Spritzendoktor" zu gehen, der bei zunehmenden Erfolgen bald zum „Wunderdoktor" avancieren wird, ein Attribut, das übrigens nicht immer erstrebenswert ist.

Unvermeidlich sind die Schwierigkeiten mit den Kassenabrechnungen. Die Injektionen lassen den Arztanspruch an die Kassen ansteigen und haben zwangsläufig unliebsame Auseinandersetzungen zur Folge. Verrechnen Sie erst einmal die Injektionen an den Grenzstrang und die Ganglien, wird man Ihnen vorhalten, daß diese Injektionen besser der Klinik vorbehalten bleiben sollten. Dieser Einwand ist zu widerlegen: Was ich tue, muß ich verantworten können. Wenn ich das kann, darf ich prinzipiell alles tun, was hilft oder Hilfe verspricht. — Von jedem Arzt, der sein Staatsexamen macht, verlangt man z. B. das Beherrschen der schwierigen Technik einer Zangenentbindung. Alle neuraltherapeutischen Injektionen sind viel leichter zu erlernen und dabei wesentlich häufiger und somit segensreicher anzuwenden!

Man wird schließlich nicht umhin können, zwar die Segmenttherapie als „wissenschaftlich fundiert" anzuerkennen, wird sich aber immer noch häufig sträuben, dasselbe für die Bemühungen bei der Störfeldsuche einzuräumen. Der Fokushorizont endet bei Mandeln, Zähnen und Blinddarm. Wenn ein chronischer Kopfschmerz nach einer Hepatitis auftrat, kann er nach einer Injektion an den abdominalen Grenzstrang im Huneke-Phänomen verlöschen. Der Patient, der seit vielen Jahren alles

Mögliche versucht hat und verzweifelt von Arzt zu Arzt, von Klinik zu Klinik wanderte, wird Ihnen sehr dankbar sein. Erwarten Sie aber nicht, daß sich diese Dankbarkeit auch auf die Kasse des Geheilten überträgt! Deren letztes Grundargument hat in der Endkonsequenz eine zwingende Logik: Aus dem gemeinsamen Honorartopf der Kasse müssen (neben den hohen Verwaltungskosten!) eine ganze Reihe geldhungriger Kollegen gespeist werden. Sie alle sind nach besten Kräften um das Wohl ihrer Kranken bemüht, und das Geld muß gerecht verteilt werden. Man kann schließlich aus dem Topf nicht mehr herausnehmen, als drin ist. — Man müßte denken, daß der Enderfolg, die Heilung, alles andere überwiegen müßte. Aber so weit geht die Überlegung in der Regel nicht. Für sie muß sich der Aufwand „im Rahmen des Üblichen" halten. Und wer so viele Spritzen gibt, sprengt den Rahmen, denn er überschreitet den Durchschnitt der Honorarforderungen und stempelt sich auch hier wieder einmal zum „Außenseiter".

Die Heilung des an einer „hereditären paroxysmalen Lähmung (Goldflam)" leidenden und zwei Jahre gelähmten Tierarztes Dr. S. (Fall 7, S. 106) wurde mit weniger als 3 ml *Procain* erzielt. Seine bisherige Behandlung hatte viele tausend Mark verschlungen. Was bei dem 31 Jahre alten, sonst kerngesunden Mann in Zukunft noch an Rente, Pflegegeld, Heilhilfsmitteln, Kuren und anderen Kosten erwachsen wäre, ist gar nicht zu übersehen. Die Kasse nahm die Heilung, für die ich fünf Mark berechnet hatte, stillschweigend zur Kenntnis. Dafür strich man einige Injektionen an den Grenzstrang, die alle in neuraltherapeutischer Hinsicht indiziert und teilweise nachweisbar auch sehr erfolgreich waren, als unbegründet und ließ mich wissen, daß eine derartige Therapie zu „unwirtschaftlich" wäre!

Meine Antwort lautete: Wenn die Neuraltherapie die Kranken eher gesund macht als alle d i e Medikamente und Methoden, die meine Kollegen anwenden, dann müßte sich das doch an den Zahlen erkennen lassen, die einmal von mir und auf der anderen Seite von dem Durchschnitt meiner Kollegen innerhalb eines Jahres für Medikamente und Krankengeld ausgegeben worden sind. Die Nachprüfung der Sozialversicherung ergab, daß sich meine Behauptung, die Neuraltherapie sei wesentlich wirtschaftlicher und wirkungsvoller, als die bisher in der Allgemeinpraxis gebräuchlichen Methoden, sehr überzeugend objektivieren ließ. Es ergab sich nämlich, daß ich in dem überprüften Jahr gegenüber dem Durchschnitt der angeblich wirtschaftlicher arbeitenden Kollegen allein über 26 000,— DM eingespart hatte! Seitdem wirft man mir nicht mehr Unwirtschaftlichkeit vor. Dafür bezweifelt man immer wieder die Notwendigkeit der teuren Injektionen an den Grenzstrang und seine Ganglien. Den überprüfenden Kollegen sind die Gedankengänge, die zu diesen Injektionen führen, unbekannt. Ihre Streichungen sind unerfreulich, sie werden aber in jeder Hinsicht auf allen Ebenen meiner Tätigkeit mehr als ausgeglichen! Das Bewußtsein, helfen zu können, ist zweifellos unser bester Lohn (— nur kann man davon auf die Dauer nicht leben!). Die Zeit wird auch auf diesem Sektor für uns arbeiten. Dafür sprechen die Heilungen eine zu laute, überzeugendere Sprache.

Das fortwährende Ringen um eine gerechtere Gebührenordnung wird nie zu einem alle befriedigenden Ergebnis führen und es wird wohl weiter unverständliche Bewertungen geben. — Wenn ich zum Beispiel eine Injektion in die Magengrube gebe, ist das eine „medikamentöse Infiltrationsbehandlung", für die ich nach dem augenblicklichen Stand (GOÄ Nr. 36) 5,— DM ansetzen kann. Gehe ich mit der präperitoneal in der Linea alba liegenden Kanüle nur einen Millimeter weiter durch das Peritoneum, so bin ich in der Bauchhöhle. Wenn ich nun einen Aszites absaugen würde, käme die GOÄ Nr. 54 „Punktion der Bauchhöhle" in Frage, die mit dem $3^{1}/_{2}$fachen Betrag, also 16,— DM angesetzt ist. Keiner wird es angemessen finden, daß das geringe Vorschieben einer Kanüle um einen Millimeter und das Absaugen einer Flüssigkeit um ganze 13,— DM höher bewertet wird, wenn eine Stellatum-„Blockade" (GOÄ 39) allein nur mit 12,— DM honoriert wird! — Vor der Injektion von *Procain* in die Schilddrüse muß ich ansaugen. Für die Injektion wird wieder nur die GOÄ Nr. 36 mit 5,— DM berechnet. Sauge ich jedoch Zystenflüssigkeit an, wird dieses „Fündigwerden" nach GOÄ Nr. 59 als „Punktion eines Organes" wieder mit 18,— DM, also um ein

Drittel mehr, als eine Stellatum-Anästhesie, honoriert. — Gehe ich suprapubisch an die oberen Ausläufer der Frankenhäuserschen Ganglien ein, ist das wieder nur eine GOÄ Nr. 36, mit der „sämtliche heilanästhetischen Infiltrationen abrechnungsfähig" sind. Die transvaginale Injektion an die unteren Ausläufer bringt mit der GOÄ Nr. 56 mehr als das Dreifache, nämlich 16,— DM! Die Injektion an die Prostata, die mit Lagerung des Patienten, Gummihandschuh usw. den gleichen Aufwand erfordert und die technisch fast schwieriger ist, als die transvaginale Injektion, bringt nur die Hälfte in Ansatz, nämlich 8,— DM (GOÄ Nr. A 2005). — Wer eine oberflächliche Gelose infiltriert, wird kaum Verständnis dafür aufbringen, daß die retrobulbäre Infiltration ebenso mit der GOÄ Nr. 36 abgegolten wird. Warum bekommt eigentlich der Augenarzt 2,— DM mehr (GOÄ Nr. 151), wenn er dieselbe retrobulbäre Injektion als Anästhesie vor einer Operation gibt?

Man soll das alles aber wohl auch nicht verstehen, sondern sich offenbar nur nach den nun einmal gegebenen Bewertungen richten!?

7. Wichtige Regeln für die praktische Anwendung

*Un peu moins de science,
un peu plus d'art, messieurs!*
TROUSSEAU

Wie wir hörten, verstehen wir unter S e g m e n t t h e r a p i e alle Bemühungen am Ort bzw. im zugehörigen Segment der Erkrankung. Spritze ich z. B. bei einer vorwiegend rechtsseitigen Migräne 1 ml *Procain* in die rechte Kubitalvene und beiderseits unter die Kopfschwarte, an den erfaßten Schmerzpunkt am Austrittspunkt des N. supraorbitalis rechts und den des N. suboccipitalis rechts, so ist diese „gezielte Polypragmasie" von fünf Injektionen e i n e Segmentbehandlung. Von der Segmenttherapie erwarten wir nur eine wesentliche Besserung der Beschwerden! Selbst wenn danach sofort alle Schmerzen und Beschwerden schlagartig verschwunden sind, sprechen wir n i c h t von einem Huneke-Phänomen.

Vor der zweiten Behandlung muß immer erst die individuelle Reaktion abgewartet werden. Eine zu früh wiederholte Behandlungsserie kann eine Verschlechterung bewirken. Der Reiz trifft dann auf einen (günstig) veränderten Organismus, der auf den neuen Reiz anders, unter Umständen sogar negativ antworten kann. „Wenn der Effekt des Eingriffes unmittelbar positiv ist, dann muß das Intervall bis zur Wiederholung weiterer Eingriffe verlängert werden", lehrt SPERANSKI.

„Viel hilft viel!" gilt hier nicht, weder was die Zahl der Injektionen noch der Behandlungen anbelangt. Ein Zuviel an Reizen kann immer nur schaden. Das Trommelfeuer allzuvieler Injektionen wird vom Körper oft als überstarker Reiz gar nicht oder negativ beantwortet. Man lasse sich also nicht durch das Drängen der Patienten verleiten, auf ihr „und hier noch und hier auch noch" einzugehen!

E r s t w e n n d i e B e s c h w e r d e n e r n e u t a u f t r e t e n , muß die Behandlung, bei der eine vorübergehende Besserung erzielt wurde, a m s e l b e n O r t u n d i n d e r g l e i c h e n A r t w i e d e r h o l t werden. Diese wiederholte Segmenttherapie m u ß s i c h d a n n in ihrer Wirksamkeit b i s z u r H e i l u n g s t e i g e r n !

Zeigt die erste Behandlung im Segment keine oder nur sehr flüchtige Besserung, deren Erfolg sich bei der Wiederholung nicht befriedigend steigern läßt, so ist jede weitere Segmentbehandlung an diesen Stellen aussichtslos und daher abzubrechen.

Wenn also im Falle unserer Migräne die oben geschilderte Behandlung versagte und auch die Injektionen ans Ggl. Gasseri, Ggl. stellatum, Ggl. sphenopalatinum, Ggl. ciliare, eine Injektion an die Arteriae temporalis und carotis, eine Infiltration des hinteren Drittels der Nasenmuschel oder ein

— (T) — Nasen-Spray nicht zum Erfolg führen, sind alle weiteren Bemühungen im Segment sinnlos. Alle eben aufgezählten Maßnahmen gehören zur Segmentbehandlung der Migräne. Jede einzelne von ihnen kann die für den vorliegenden Fall richtige sein, die uns (eventuell nach einigen Wiederholungen) zum Erfolg führt!

Es gibt keine zwei gleichen Krankheiten, weil es auch keine zwei gleichen Menschen gibt. Darum können alle Hinweise nur Vorschläge darstellen, die die Möglichkeiten der Neuraltherapie andeuten. Nur wer alle Injektionen beherrscht und sinnvoll einzusetzen versteht, ist Neuraltherapeut nach HUNEKE. Ein Urteil über die Methode sollte sich nur der erlauben, der sie auch beherrscht.

Wie geht es mit unserer Migräne nun weiter? Die folgende Grundregel kann nicht oft genug wiederholt werden:

Versagen unsere gewohnten Maßnahmen und bringt uns auch die Segmenttherapie nicht weiter, dann heißt unsere nächste Aufgabe immer wieder: Suche das Störfeld!

Bei unserer Migräne-Patientin entnehmen wir aus der Vorgeschichte: Als Kind Diphtherie, Scharlach und häufig Anginen. — Menarche erst mit 16 Jahren, Dysmenorrhö mit Übelkeit bis Erbrechen. — Beginn der Migräne während der ersten Schwangerschaft, Zangenentbindung mit Episiotomie, später zwei Aborte, davon einer mit Fieber. — Eine Karbunkelnarbe im Rücken und kaum mehr sichtbare Narben an der Innenseite beider Großzehengrundgelenke nach Hallux-valgus-Operation. — Mehrere Stift- und überkronte Zähne.

Wo ist ein Störfeld zu erwarten? Die Tonsillen kommen in Frage, der gynäkologische Raum ist sehr verdächtig, und selbstverständlich kann jede Narbe und jeder tote Zahn Störfeld sein. Darüber hinaus müssen wir uns immer die wörtlich zu nehmende These HUNEKES vor Augen halten:

J e d e   K r a n k h e i t   k a n n   s t ö r f e l d b e d i n g t   s e i n ,   u n d   j e d e   S t e l l e   u n s e r e s   K ö r p e r s   k a n n   z u m   S t ö r f e l d   w e r d e n !

Wir testen also zuerst die Tonsillen am oberen und unteren Mandelpol, weil die Tonsillen das häufigste Störfeld sind und ihr Testen ja so einfach ist. Die Patientin gibt keine Änderung ihrer Kopfschmerzen an. Wir notieren auf der Karteikarte: Tonsillen: ∅. Jede weitere Injektion an die Mandeln ist nach dem negativen Ausfall sinnlos. — Nach der anschließenden Injektion in den gynäkologischen Raum gibt unsere Patientin an: „Der Kopf wird auf einmal so leicht, alle Schmerzen schwinden wie der Nebel vor der Sonne!" Nach wenigen abwartenden Minuten gibt sie beglückt an, daß a l l e Beschwerden 100 %ig fort sind. Vermerk auf der Karteikarte: Gyn. Raum: +.

Nach drei Wochen kommt die Frau weisungsgemäß mit dem Einsetzen neuer Kopfschmerzen wieder. Sie berichtet, sie habe sich in der Zwischenzeit sehr wohl gefühlt, sie könne jetzt wieder ohne Tabletten schlafen, und auch der lästige Vaginalpruritus, den sie bisher aus Scham verschwiegen habe, sei seitdem ausgeblieben. Außerdem sei ihr aufgefallen, daß ihr nun nachts nicht mehr die Hände einschliefen. Die Kopfschmerzen seien zwar einige Male andeutungsweise wieder aufgetaucht, aber seit gestern würden sie sich erst wieder zur Migräne steigern. Wir lernen daraus:

Ein Störfeld kann mehrere Krankheiten auslösen und unterhalten!

Selbstverständlich wird dieses Mal n u r der gynäkologische Raum behandelt. Die Beschwerden verschwinden wieder schlagartig. Auf die Karteikarte kommt heute der Vermerk: Gyn. Raum: ++. Die Patientin wird mit dem Hinweis entlassen: „Wenn der Schmerz wiederkommt, kommen Sie auch wieder!" — Nach einem Vierteljahr wird eine dritte Behandlung notwendig. Die Frau ist aufgeblüht und überglücklich, nach langer Leidenszeit erlöst zu sein. Die Schmerzen waren die ganze Zeit über fort, nach einem anstrengendem Hausputz sind sie wieder aufgetaucht. Die zweite Behandlung hat also länger vorgehalten als die erste, die 100 %ig half und über die geforderte 20-Stunden-Grenze hinausging. Jetzt erst sind alle Bedingungen, die wir nach HUNEKE an ein Sekundenphänomen stellen müssen, erfüllt, und ich kann auf die Karte drei Kreuze machen: Gyn. Raum: +++ = H u n e k e - P h ä n o m e n.

Leider geht es nicht immer so glatt. Oft sind die Angaben der Patienten zur Vorgeschichte und über die Wirkung der Injektionen so unzuverlässig, daß sie nur mit Vorsicht und Voreingenommenheit zu werten sind. Oft ist es ein zähes Suchen, Ausschalten und Einkreisen. Es gibt keine Regel, ob und wo man zuerst nach einem Störfeld sucht oder ob man mit der Segmentbehandlung anfängt. Letzteres ist bei akuten Schmerzzuständen erst einmal immer richtig. Freilich kann man beide Verfahren in einer Sitzung kombinieren: Erst 1—3 Testinjektionen, ergeben die kein Huneke-Phänomen, geht man zur Segmentbehandlung über.

Wichtig ist, über alle Injektionen in ihrer Reihenfolge und ihrem Ergebnis peinlich genau Buch zu führen, sonst verliert man mit Sicherheit die Übersicht und weiß beim nächsten Mal nicht mehr, was man getan hat und wie es nun weitergehen soll. Wer den armen Patienten planlos mit einem Trommelfeuer von Injektionen überschüttet und sich dabei der vagen Hoffnung hingibt, daß dabei schon irgendein Schuß sein Ziel treffen wird, sollte diese Pfuscherei wenigstens nicht Neuraltherapie nennen.

Wir vermerken auch jede Besserung: (+). Für die Segmenttherapie genügt sie, um wieder dorthin zu spritzen. Bei der Störfeldsuche kann es sinnvoll sein, sie noch einmal zu wiederholen und wenn auch dann nicht die geforderte Wirkung ausgelöst wird, die nähere Umgebung gründlicher zu untersuchen. Wir kennen eine N a c h b a r s c h a f t s r e a k t i o n, ein unvollständiges Ansprechen der Injektion, wenn wir in die Nähe des Störfeldes spritzen. Beispiel: Tonsillentest bringt für 12 Stunden fast 100 %ige Beschwerdefreiheit: (++), Injektion an einen benachbarten verlagerten Weisheitszahn für drei Tage 100 %ig: +. Die Wiederholungen zeigen mit dem steigenden Erfolg, daß der Zahn der gesuchte Störherd ist: + +, + + +.

Wenn die Angaben unklar sind oder Verdacht auf eine Suggestivwirkung besteht, versehen wir das Kreuz mit einem Fragezeichen: +?. — Der Verdacht bestätigt sich, wenn die Wiederholung ein s c h l e c h t e r e s Ergebnis erzielt. Die H e i l w i r k u n g muß sich bei der Wiederholung s t e i g e r n, die S u g g e s t i v w i r k u n g s c h w ä c h t s i c h bei der Wiederholung meist bald ab. — Wenn der Patient angibt, die Behandlung habe sein Leiden verschlechtert, so muß das erst einmal als wenig wahrscheinlich beurteilt werden. Die Behandlung an der richtigen Stelle hilft, an der falschen Stelle schadet sie nicht. Sicher hat der Patient nach einer Tonsilleninjektion das Gefühl wie bei einer beginnenden Angina, und die Injektion unter das Periost kann schon mal eine schlaflose Nacht mit Schmerzen zur Folge haben. Man darf dann die starke Reaktion nicht mit einer Verschlimmerung des Leidens gleichsetzen oder gar die Injektionen abbrechen. Eine starke Reaktion z. B. nach einer Injektion unter das Periost oder in den gynäkologischen Raum hält normalerweise nur 2—3 Tage an, um dann mit dem Abklingen meist auch die alten Beschwerden mit verschwinden zu lassen. In unserer Buchführung sieht die anfängliche „Verschlechterung" mit nachfolgender wesentlicher Besserung oder Beschwerdefreiheit so aus: ∅∅ — (++) bzw.: +. Wenn ein lege artis ausgeführter Tonsillentest z. B. (in abnorm seltenen Fällen) einen neuen Schub einer Polyarthritis auslöst, spricht man von einem „umgekehrten Huneke-Phänomen". Es beweist einerseits den kausalen Zusammenhang zwischen Tonsillen und Polyarthritis, zeigt andererseits aber auch eine abnorme Reaktionsweise auf, die mit umstimmenden Verfahren geändert werden muß, bevor man die Tonsillen wieder angeht. Negative Reaktionen sind immer große Seltenheiten. Dabei bleibt abzuwarten, ob die starke Reaktion nicht letzten Endes doch noch positiv beantwortet wird. Wir kennen ja solche Erstverschlimmerungen auch bei der Homöopathie. Grundsätzlich soll man darauf bedacht sein, nie die Führung des Patienten auch nur kurz aus der Hand zu geben. Zu einem Arzt, der sich n u r e i n m a l unsicher zeigt, kann er kein Vertrauen haben.

Der Anfänger könnte leicht durch das große Angebot der verschiedenartigen Injektionsmöglichkeiten, die ihm zum Teil völlig neu sind, verwirrt werden. Selbstverständlich setzen wir zuerst immer nur die einfachsten Injektionen ein, die gerade für den vorliegenden Fall ausreichen. Neben der intravenösen Injektion, die wir bei allen Erkrankungen der oberen Körperhälfte als Basisbehandlung geben, werden wir in der Regel immer erst die vielbewährte Quaddeltherapie über schmerzenden, jukkenden oder anders pathologisch veränderten Partien anwenden. Sehr oft reicht ihr heilender Anreiz aus, um besonders beginnende und leichtere Prozesse zu stoppen und rückgängig zu machen. Genügt sie nicht, suchen wir das tiefergelegene Gewebe auf, das sich als segmentär verändert erweist: Unterhaut, Muskeln, Sehnen, Bänder, Knochen, Gelenke, Pleura oder Periotoneum. Der nächste Schritt geht an die zuführenden Nerven und Arterien. Am eingreifendsten ist das direkte Angehen des Sympathikus am Grenzstrang und seinen Ganglien. Diese Injektionen heben wir uns aber normalerweise immer für zuletzt auf. Man soll nicht mit Kanonen auf Spatzen schießen: Der Grundsatz lautet:

Zuerst die einfachsten Mittel einsetzen, immer geringe Procain-Mengen und möglichst wenig, dafür gut lokalisierte Einstiche. Der kleinste Heilreiz, der gerade ausreicht, um die Wende einzuleiten, ist der beste und ungefährlichste.

Es gibt kaum eine individuellere Behandlungsmethode, als die Neuraltherapie. Wir können nur verdächtige Stellen mit *Procain* testen und müssen diese suchen. Wir wissen, daß sich die Wirkung unserer Injektionen im einzelnen objektivieren läßt. Aber in der täglichen Sprechstunde werden wir darauf angewiesen sein, die Reaktion auf unsere letzten Injektionen vor der jetzigen Behandlung vom Patienten zu erfragen. Diese Fragen müssen gezielt gestellt werden und wir müssen unbedingt auf klare Antworten bestehen: War es unmittelbar nach der vorigen Behandlung ganz gut, nur gebessert, unverändert oder gar schlechter? Wie lange hielt die Beschwerdefreiheit oder Besserung an? Waren die Schmerzen oder Anfälle seltener und schwächer? Waren sie mit Medikamenten leichter, als früher zu beeinflussen? Hat sich am gleichen oder nächsten Tag eine Narbe, ein Zahn, eine alte Verletzung oder ein Organ gemeldet, tauchten also Schmerzen an unbehandelten Körperstellen neu auf? Alles muß notiert werden! Auch die Wetterlage (Gewitter, Föhn, Wetterumschlag) oder persönliche Dinge, die das Vegetativum zusätzlich belasten können (Trauerfall, Scheidung, Periode).

Wir müssen also mit dem Patienten reden und ihn auch reden lassen! Dabei beachten wir seine Gesten, denn er zeigt oft unbewußt auf die richtige Ansatzstelle. Er ist gewohnt, daß er dem Arzt nur einige seiner Symptome nennt, damit der blitzschnell seine Diagnose stellt und das entsprechende Mittel aufschreibt. Er muß erst lernen, daß er bei uns nicht nur sprechen darf, sondern, daß er sprechen soll und daß wir auf seine Mitarbeit angewiesen sind. Er wird dankbar konstatieren, daß wir uns diese Zeit für ihn nehmen, daß wir auf seine Hinweise eingehen und ihn auch gründlich abtasten und anschauen, bevor wir zur Spritze greifen.

Die Kunst ist, aus dem Angebot der Segmentmöglichkeiten die für den vorliegenden Fall richtigen herauszusuchen und bei Bedarf sinnvoll zu kombinieren. Die scheinbare Polypragmasie muß durchdacht und gezielt sein, weil sie sich möglichst nach der komplexen Kausalität des vorliegenden Krankheitsgeschehens zu richten hat (soweit unsere theoretischen Vorstellungen mit den tatsächlichen Gegebenheiten übereinstimmen).

8. Die Technik von A — Z

*Kunst kommt von Können,
käme es von Wollen,
so hieße es Wulst!*

NIETZSCHE

Manche der beschriebenen Injektionstechniken werden von uns sehr häufig eingesetzt, andere wieder nur selten herangezogen. Um dem weniger geübten Kollegen Empfehlungen zu geben, mit welchen Techniken er sich zuerst und besonders intensiv beschäftigen soll, werden die Injektionen durch Sterne gekennzeichnet:

* weniger wichtig,
* * wichtig,
* * * sehr wichtig!

Mit Nachdruck sei betont, daß es sich dabei n i c h t um ein W e r t u r t e i l handelt! Gerade die (in dieser Sicht) als weniger wichtig klassifizierte Injektion kann diejenige sein, die im Einzelfall die einzige ist, die zum Ziele führt!

Gebührenordnung: Zu jeder Technik ist die zugehörige Nummer der in Deutschland gebräuchlichen Gebührenordnungen angegeben. Da die einzelnen Ziffern laufend Änderungen unterliegen, können die genannten Ziffern nur als Anhaltspunkte dienen.
Die verwendeten Abkürzungen bedeuten:
1. GOÄ = Gebührenordnung für Ärzte vom 18. 3. 1965 (nach dem Stand vom 1. 4. 1973).
   G O Z = Gebührenordnung für Zahnärzte.
   Beide gelten für Rechnungslegung bei Selbstzahlern, Angehörigen der Berufsgenossenschaften, Bundesbahn, Bundeswehr, Bundespost, Polizei, Studenten usw..
2. B M Ä = Bewertungsmaßstab Ärzte. Es handelt sich um die zwischen der Kassenärztlichen Bundesvereinigung und den Spitzenverbänden der RVO-(Reichsversicherungs-)Kassen vereinbarten „Grundsätze für die Berechnung der kassenärztlichen Gesamtvergütung" (25. 2. 1971).
3. E - A d g o = Ersatzkassen-Adgo, nach dem Stand vom 1. 4. 71.
   A d g o = Allgemeine Deutsche Gebühren-Ordnung für Ärzte.
4. P - A d g o = Privat-Adgo, nach dem Stand vom 1. 4. 71.

U n t e r s u c h u n g : Einer richtigen neuraltherapeutischen Behandlung geht immer eine sehr gründliche und ausführliche Exploration mit Erhebung der gezielten Anamnese und eine zeitraubende Inspektion und Palpation neben der sonst üblichen exakten Diagnostik voraus. Diese „eingehende, das gewöhnliche Maß übersteigende Untersuchung" ist wie folgt abzurechnen:
GOÄ, BMÄ: 25, E-Adgo: 65, P-Adgo: 25.

V e r w e i l d a u e r : Eine Reihe neuraltherapeutischer Injektionen erfordert eine Nachbeobachtung des Patienten. So z. B. alle Injektionen an den Grenzstrang und dessen Ganglien. Aber natürlich auch, wenn es der Zustand des Patienten erfordert, wie zur Beobachtung seines Kreislaufzustandes. Diese „tätige Bereitschaft allein für den betreffenden Kranken" ist von der 31. Minute ab als Verweilgebühr berechnungsfähig. Bei einer gründlichen Untersuchung, die über eine halbe Stunde dauert, darf die Verweilgebühr neben der Ziffer für die gründliche Untersuchung nicht angesetzt werden: „Die Verweilgebühr darf also nicht neben einer sich über eine halbe Stunde hinziehenden berechnungsfähigen Leistung in Ansatz gebracht werden" (BRÜCK). Wo sie berechtigt ist, setze man je angefangene halbe Stunde (höchstens dreimal!) ein:
GOÄ, BMÄ: 24a (bei Nacht 24b), E-Adgo: 9a (bzw. 9b), P-Adgo: 10a (bzw. 10b).

V e r o r d n u n g d e s N e u r a l t h e r a p e u t i k u m s : Der Arzt darf keine Barvergütung für das verabfolgte Medikament verlangen, weil nach dem Gesetz nur der Apotheker Arzneimittel verkaufen kann. Es ist also nur die Verordnung auf Rezept erlaubt!

Rechtliche Grundlagen zu allen Injektionen.

In Deutschland gelten zur Zeit folgende Bestimmungen:
Jede Injektion ist ein ärztlicher Eingriff mit allen möglichen rechtlichen Konsequenezen. Sie setzt das Einverständnis des Patienten voraus. Bei Patienten unter 18 Jahren ist das Einverständnis des gesetzlichen Vertreters erforderlich. Das gilt auch für Ehefrauen bis zum vollendeten 18. Lebensjahr. Der Patient oder sein gesetzlicher Vertreter muß vom Arzt grundsätzlich vor dem Eingriff über die mög-

lichen schädlichen Folgen aufgeklärt werden. Wenn er die Aufklärung unterläßt, macht er sich einer „unerlaubten Handlung" schuldig und kann bei schädlichen Folgen zur Schadensersatz-Zahlung herangezogen werden. Nur, wenn in einem konkreten Fall nach allgemeiner Erfahrung eine Gefahr für Mißerfolge oder unerwünschte Nebenfolgen äußerst gering ist, entfällt für den Arzt die Notwendigkeit eines besonderen Hinweises (BGH NJW 1971 : 1887/88). Der Arzt macht sich auch strafbar, wenn er dem Patienten eine Injektion gegen dessen Willen gibt. Das gilt selbst, wenn sie sachgemäß ausgeführt wurde und erfolgreich war.

Die Aufklärungspflicht des Arztes über die Gefahren eines geplanten Eingriffes geht nach einem Urteil des Bundesgerichtshofes vom 28. 11. 1972 (Az. VI ZR 133/71) nur so weit, daß er dem Patienten das Risiko „im großen und ganzen" aufzeigt. Die Aufklärung ist dem „Verständnisvermögen" des Kranken anzupassen. Dabei muß er aber „hinreichend ins Bild gesetzt" werden. Der Patient könne zwar ausdrücklich verlangen, daß er im Detail über alle Gefahren aufgeklärt werde. Er könne aber auch auf dieses Recht verzichten. Es gehöre zur Selbstbestimmung des Patienten, daß er dem Arzt seines Vertrauens freie Hand gibt. Wenn er sich einmal von der Notwendigkeit überzeugt habe, das Risiko auf sich zu nehmen, könne sich der Patient ersparen, alle Einzelheiten der Gefahr zu wissen und sich dadurch nur zu beunruhigen. Man könne dem Patienten zumuten, daß er dem Arzt deutlich mache, wenn er über Einzelheiten informiert zu werden wünsche, die über das Maß der Aufklärung „im großen und ganzen" hinausgehen. Die Aufklärung erfordert ein psychologisches Einfühlungsvermögen in die Situation des Kranken. Sie darf nie als Schock wirken und sollte dem Kranken nie die Hoffnung auf Wiedergesundung nehmen. — <u>Zur Sorgfalts- und Aufklärungspflicht gehört</u> auch, daß der Arzt den Patienten auf mögliche Gefahren hinweist, die eventuell das Führen eines Kraftwagens unmittelbar nach der Procain-Behandlung mit sich bringen kann. Er muß ihm also sagen, daß er die Praxis erst verlassen darf, wenn die Straßenfähigkeit wiederhergestellt ist.

Bei Unglücks- und Notfällen (wie Selbstmordversuchen) ist jedermann gesetzlich zur Hilfeleistung verpflichtet. Bei Bewußtlosen darf der Arzt in „Geschäftsordnung ohne Auftrag" handeln, das heißt so, wie es ihm der Patient bei vollem Bewußtsein wahrscheinlich erlauben würde.

Injektionen an die zuführenden Arterien

Nach dem ersten Weltkrieg erregten die Erfolge der Sympathikuschirurgie (LERICHE) beträchtliches Aufsehen. Die operative Entfernung der Nervengeflechte, die die Arterien umspinnen, ergab eine Gefäßerweiterung in der Peripherie des Versorgungsbereiches. In geeigneten Fällen konnten diese Eingriffe schwerste Durchblutungsstörungen mit Nekrosegefahr heilen. Die Sympathikuschirurgen entdeckten aber schließlich selbst, <u>daß die Procain-Umspritzung der Arterien eine gleiche,</u> nur graduell etwas geringere Wirkung auslöst als die Sympathektomie. Daraufhin haben sie diese in den meisten Fällen zugunsten der Injektion, die LERICHE als „k o n s e r v a t i v e s   M e s s e r" <u>bezeichnete,</u> aufgegeben. Denn die Procain-Injektionen haben noch dazu den Vorteil, daß sie mehrmals wiederholbar sind. Außerdem setzen sie keinen Dauerschaden am Nervensystem, denn sie wirken nie als Zweitschlag im Sinne SPERANSKIS und hinterlassen auch kein Störfeld. Die Wirkung der paraarteriellen Procain- bzw. Impletol-Injektionen kann nur damit erklärt werden, daß das Neuraltherapeutikum regulierend am sympathischen periarteriellen Geflecht angreift und so die Normalisierung der Durchblutung und anderer Fehlregulationen bewirkt. Im therapeutischen Enderfolg haben sie eine ähnliche Wirkung wie die Injektionen an die zuführenden — (T) — Nerven.

Cave: Die Injektion i n Arterien kranialwärts vom Herzen, die ihr Blut zum Gehirn leiten, ist unbedingt zu vermeiden, da sie bedrohliche Komplikationen auslösen können! Also immer wieder zur Kontrolle ansaugen!

Diese Vorsichtsmaßnahme ist für die Praxis nach wie vor empfehlenswert, wenn auch neuere klinische Erfahrungen gezeigt haben, daß die Gefahr einer versehentlichen Procain-Injektion in die Arteria carotis nicht so groß ist, wie man ursprünglich angenommen hat. Vor HUNEKE prophezeiten die Pharmakologen Todesfälle bei intravenösen Procain-Injektionen, dann warnten sie vor der Injektion in die Karotis, heute wenden sie sich ebenso energisch gegen die — (T) — zisternale Impletol-Injektion nach REID. In der Sowjetunion spritzt man seit Jahren *Procain* in die Karotis, um das Gehirn direkt therapeutisch zu beeinflussen. DORONIN injizierte bei 150 Patienten mit Schädel-Hirn-Verletzungen 10 ml einer $1/4$ %igen Procain-Lösung in die A. carotis. Nur 4 Patienten, die bereits im Zustand der Agonie eingeliefert wurden, kamen ad exitum. Bei Tierversuchen zeigte sich, daß die intrakarotide Procain-Injektion den Herd der traumatischen Hirnzerstörung nerval abriegelt, so daß alle pathologischen Reflexeinwirkungen auf unverletzte Hirnteile unterbleiben. Funktionell blockierte Hirnzellen werden reaktiviert. Das wirkt sich nicht nur auf das Gehirn, sondern auf den ganzen Organismus positiv aus. — NAMBIAR gab 400 Patienten mit einer Hemiplegie 10 ml einer 1 %igen Procain-Lösung in die Karotis und berichtete von guten bis ausreichenden Erfolgen ohne einen tödlichen Zwischenfall!

Aus den Wirkungen der intravasalen (intraarteriellen wie intravenösen) Injektionen können wir schließen, daß sie vegetativ bedingte Fehlsteuerungen an den Gefäßen beheben können.

Die Injektion in die Bauchaorta ist auf Seite 264 bei der Injektion an den abdominalen Grenzstrang nachzulesen.

1. An die Arteria brachialis *

Indikation: Durchblutungsstörungen. Wenn bei Kleinkindern keine intravenöse Injektion möglich ist, spritzen wir z. B. bei der Otitis media an die A. brachialis.
Material: Nadel: Größe 2. Menge: 1 ml Procain-Lösung.
Gebührenordnung: GOÄ, BMÄ: 30, E-Adgo: 23, P-Adgo: 69.
Technik: Die Oberarmschlagader wird oberhalb der Ellenbeuge ertastet und das *Procain* in ihre unmittelbare Umgebung verteilt. Eine versehentliche intraarterielle Injektion ist bei dieser zur Peripherie führenden Schlagader unbedenklich.

2. An die Arteria subclavia *

Indikation und Technik gehen aus dem eben Gesagten und der Beschreibung der Injektion an den Plexus brachialis (— (T) — Nerven, zuführende, Seite 300) hervor. DITTMAR empfiehlt die perivasale Umspritzung der A. subclavia an Stelle der Injektion an das Ganglion stellatum zur Verbesserung der peripheren Durchblutung und der Herabsetzung eines Hypertonus der Körpermuskulatur im gefäßabhängigen Bezirk, besonders bei Stenokardie und funktionellen und organischen zerebralen Durchblutungsstörungen. — Wegen der Nähe der Pleurakuppel darf die Kanüle nicht tiefer als höchstens 1,5 cm eingeführt werden!

3. An (nicht in!) die Arteria carotis *

Indikation: Der Karotis-Sinus ist eine wichtige reflexogene Zone, deren Procain-Behandlung eine Verbesserung der Blutversorgung des Dienzephalons und eine ausgleichende Wirkung auf seine wichtigen neurovegetativen Regulationszentren zur Folge hat. Das erklärt die Erfolge bei der Prophylaxe und Therapie des traumatischen und postoperativen Schocks, die auch dann noch eintreten, wenn alle anderen Verfahren versagen! — Schwer zugängliche Augenerkrankungen wie Glaukom, Iritis, Herpes zoster ophthalmicus, schmerzhafte Hornhaut- und andere Augenerkrankungen, bei denen die anderen Therapiemaßnahmen nicht anschlagen. — Ménièresche Krankheit, therapieresistente Kopfschmerzformen, Carotidynie — (K) — Neuralgien.

Material: Nadel: Etwa Größe 18. Menge: 1 ml Procain-Lösung.
Gebührenordnung: GOÄ, BMÄ: 30, E-Adgo: 23, P-Adgo: 69.
Technik: Die Karotis-Teilung liegt in Höhe des oberen Schildknorpelrandes, wo sie leicht ertastet werden kann. Die pulsierende Schlagader wird mit dem Zeigefinger der linken Hand etwas nach lateral abgeschoben. Dann gehen wir mit der nicht aufgesetzten Nadel langsam sagittal so weit an die Arterie heran, bis die losgelassene Nadel im Pulsrhythmus mitschwingt. Erst jetzt wird die 2-ml-Spritze angesetzt und angesaugt. Wenn kein Blut aspiriert wird, geben wir s e h r l a n g s a m etwa 1 ml *Procain* neben die Schlagader. Die schnelle Injektion der von anderer Seite verwendeten 10 ml Procain-Lösung kann tödlich sein! Die Injektion soll stets nur e i n s e i t i g vorgenommen werden! Nach der Injektion sinkt der Blutdruck für etwa 10 Minuten ab.

4. An und in die Arteria temporalis *

LERICHE empfahl die Umspritzung der Arteriae temporales, faciales und occipitales bei der Arteriitis temporalis und bei Migräne. Eine intraarterielle Injektion ist hier harmlos, da die Arterie nur die Peripherie versorgt und nicht zum Gehirn führt.

5. An und in die Arteria femoralis * * *

Indikation: Durchblutungsstörungen der unteren Extremitäten aller Art, einschließlich der arteriellen Verschlußkrankheiten und des Ulcus cruris, ferner bei nächtlichen Wadenkrämpfen, Phlebitiden, Status postthromboticus und Dysbasia angiospastica. Nach dem *Procain* geben wir bei den genannten Indikationen gern noch ein Ozon-Sauerstoff-Gemisch: Zellstoff-Vorlage, Kanüle festhalten, schneller Spritzenwechsel durch Hilfskraft. — Bei Knochen- und Gelenktuberkulose (neben den üblichen Maßnahmen) zur Verbesserung der Gewebstrophik und damit Verschlechterung der Lebensbedingungen für den Tuberkelbazillus. DITTMAR wies darauf hin, daß die perivasale Injektion um die A. femoralis nicht nur die Durchblutung in dem gefäßabhängigen Abschnitt bessert und den reflektorischen Muskelhypertonus löst; über das „Übergangssegment" (SCHEIDT) L 2 entfaltet sie auch eine therapeutische Wirkung auf den unteren Dickdarmabschnitt und das gesamte Urogenitalsystem.
Material: Nadel: Etwa 4 cm lang, nicht zu dünn. Menge: 2—3 ml Procain-Lösung. In dringlichen Fällen Mischung mit *Priscol, Ronicol, Actihaemyl* u. dgl. möglich.
Gebührenordnung: GOÄ, BMÄ: 30, E-Adgo: 23, P-Adgo: 69.
Technik: Der Patient liegt auf dem Untersuchungsdiwan. Die Beine werden etwas gespreizt und nach außen rotiert. Die A. femoralis ist nun dicht unterhalb des Leistenbandes in der Fossa ovalis ohne Schwierigkeiten zu ertasten. Medial von ihr liegt die Vena, lateral von ihr der Nervus femoralis. Wir fixieren die pulsierende Arterie zwischen den Kuppen des Zeige- und Mittelfingers. Die rechte Hand führt die Nadel mit kurzem Ruck fast senkrecht in das Gefäß ein. Ein Ansaugen ist nur selten erforderlich, meist zeigt das unter Druck pulsierend in die Spritze dringende Blut den richtigen Sitz der Nadel an. Nun werden schnell etwa 2 ml *Procain* infundiert. Nach Zurückziehen der Nadelspitze geben wir noch 1 ml in die unmittelbare Umgebung der Arterie. Bei der Arteria femoralis kombinieren wir die intra- und periarterielle Injektion, um die Sympathikusfasern der Adventitia, Media und Intima, also das ganze sympathische Geflecht der Arterie, zu erfassen, das für die krankhafte Vasokonstriktion und andere Störungen mitverantwortlich ist. Die Punktionsstelle muß nach der Injektion noch mehrere Minuten lang unter Tupferdruck komprimiert werden, um ein Hämatom zu vermeiden. Die Gefäßwand wird auch durch eine wiederholt ausgeführte intraarterielle Injektion nicht geschädigt.

Ganz in der Nähe liegt subkutan die Fossa ovalis mit der Lamina cribriformis, einer siebartig durchlöcherten Membran. Hier findet sich eine Anhäufung von Lymph- und Blutgefäßen, die von einem dichten Geflecht vegetativer Fasern begleitet sind. Aus diesem Grund geben wir dorthin subkutan gern noch einige Teilstriche, die wir zweckmäßigerweise mit einer kurzen kreisförmigen Massage verteilen.

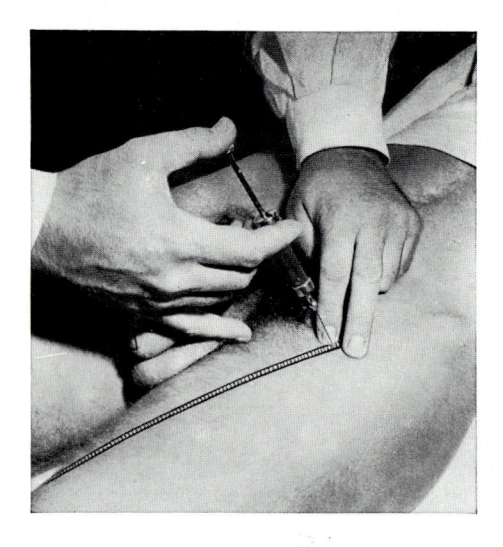

Abb. 24: Injektion in die Arteria femoralis.

6. An und in die Arteria tibialis posterior

Indikation: Die Akupunktur hat uns diese Arterie zur Mitbehandlung bei Erkrankungen der Hüft- und Kniegelenke, des Urogenitalsystems, bei Durchblutungsstörungen der Beine und vor allem bei Regelstörungen empfohlen.

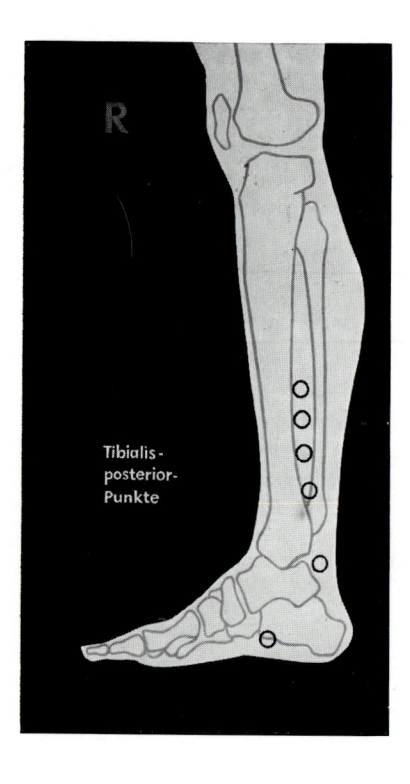

Abb. 25: Injektion an und in die Arteria tibialis posterior.

Material: Nadel: Größe 1, eher länger. Menge: 1 ml Procain-Lösung.
Gebührenordnung: GOÄ, BMÄ: 30, E-Adgo: 23, P-Adgo: 69.
Technik: Einstich an der Innenseite der Tibia unterhalb der Wade. Nadel bis in das Gefäß einführen, d. h. bis der Patient einen dumpfen Schmerz angibt. Vor dem Herausziehen noch etwas paraarteriell geben.

Die Epidural-Anästhesie * * *

Andere Bezeichnungen: Sakral- oder Extradural-Anästhesie, kaudaler „Block".
Anatomie: Die Injektion in den Kreuzbeinkanal vom Hiatus sacralis aus erreicht den Epiduralraum und schaltet den Plexus sacralis in einem höheren Abschnitt als bei der — (T) — präsakralen Infiltration aus. Damit können wir in folgenden Gebieten eine Anästhesie bzw. neuraltherapeutische Beeinflussung erzielen:
Haut: After, Damm, Skrotum, Penis und das Gebiet der „Reithosen-Anästhesie" am unteren Gesäß.
Organe: Unterer Mastdarm, Scheide bis Portio uteri, Harnröhre, Beckengrund, Prostata. Außerdem erschlafft der Sphincter ani.
Die Spinalnerven, die den Duralraum durchziehen, sind mit dicken Durascheiden umgeben. Deshalb müssen wir zur Erzielung einer Reithosen-Anästhesie, die für operative Eingriffe ausreicht, wie bei jeder epineuralen Leitungsanästhesie größere Mengen Anästhesielösung injizieren (etwa 20 ml). Der Epiduralraum liegt zwischen dem Duralsack des Rückenmarkes und dem Periost der Wirbel und hat ein Fassungsvermögen von über 100 ml. Für neuraltherapeutische Zwecke genügen 5 ml *Procain*, die von dem lockeren Gewebe im Epiduralraum wie von einem Schwamm aufgesogen werden. Versuche haben gezeigt, daß sich die Lösung bis an den Halsabschnitt hinauf ausbreiten kann.
Indikation: Alle Erkrankungen im obengenannten Wirkungsbereich, gleichgültig, ob sie mit Entzündungen, Schmerzen, Juckreiz oder anderen Erscheinungen einhergehen, vorwiegend am äußeren und z. T. inneren Genitale, auch sexuelle Störungen, Hämorrhoiden. — Eine besondere Indikation bildet die Geburtshilfe. Die Epidu-

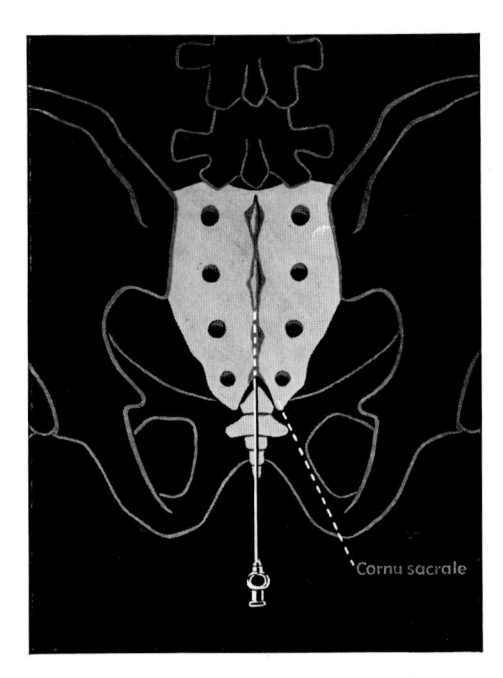

Abb. 26: Die Epidural-(Sakral-)Anästhesie.

ralanästhesie mit 20 ml *Procain* hebt nach 15 Minuten Anlaufzeit für über 1—2 Stunden die Schmerzhaftigkeit der Wehen auf, ohne dabei die Wehentätigkeit irgendwie zu beeinträchtigen. Die Austreibung der Frucht wird im Gegenteil durch Erschlaffen des Beckenbodens erleichtert und beschleunigt. — REISCHAUER erklärt die Erfolge der epiduralen und präsakralen Infiltration bei der I s c h i a s behandlung damit, daß es mit ihnen gelingt, die Reaktionen von seiten der spinalen Wurzeln und der in ihrer Umgebung befindlichen sympathischen Fasern wirkungsvoll zu dämpfen, die durch die mechanische Reizung der prolabierten Knorpelscheiben bedingt sind.

M a t e r i a l : Nadel 6 cm x 1 mm. Menge: Je nach Ziel der Injektion 5 ml oder 20 ml Procain-Lösung.

G e b ü h r e n o r d n u n g : GOÄ, BMÄ: 2017, E-Adgo: 29 d, P-Adgo: 70.

T e c h n i k : Die meist vorgeschriebene Knie-Ellenbogenlage ist nicht Bedingung. Manche Autoren bevorzugen die Seitenlage. Bei uns steht der Patient dicht an einem Tisch und legt den rechtwinklig nach vorn gebeugten Oberkörper auf die Tischplatte. Dann tastet man mit dem Finger die leicht feststellbaren Knochenhöcker der Cornua sacralia ab und die zwischen ihnen ausgespannte federnde Membran, die die Sakralöffnung verschließt. Sie liegt ungefähr 2 cm oberhalb vom Ende der Gesäßfurche. Ihr Auffinden macht nur manchmal bei Adipösen Schwierigkeiten. Dann geht man einfach 4—5 cm kranialwärts der Steißbeinspitze in die Tiefe und sucht dort die Öffnung. Nach Desinfektion der Haut wird die 6 cm lange Nadel durch den o b e r e n Teil der Membran steil eingestoßen und dann mit ihrem Ende so weit gesenkt, daß die Nadel im Sakralkanal noch 4—6 cm kranialwärts gleiten kann. Ansaugen: Es darf weder Blut noch Liquor aspiriert werden! Der Duralsack endet etwa 6—9 cm oberhalb des Einstichs, er wird also normalerweise nicht angestochen. Das *Procain* muß bei der langsamen Injektion bei richtiger Nadellage ohne Widerstand ausfließen. Die richtige Kanülenlage kann man auch nachprüfen, indem man nach negativer Aspiration 1—2 ml Luft injiziert. Bildet sich ein Hautemphysem, liegt die Nadel nicht im Sakralkanal. Wenn sie richtig liegt, wird die in den Sakralkanal eingeblasene Luft die Subarachnoidea von der Kanülenspitze abdrängen. — Der Erfolg kann noch durch eine zusätzliche Injektion in die — (T) — Foramina sacralia gesteigert werden. — Wird der Duralsack wirklich einmal angestochen, so wird am gleichen Tage von der Injektion Abstand genommen. Sonst zeigt die Injektion keine unangenehmen Nebenwirkungen und bietet kaum technische Schwierigkeiten. Wegen ihrer Indikationsbreite empfiehlt sie sich für die Allgemeinpraxis.

Injektion in die Foramina sacralia post. *

A n d e r e B e z e i c h n u n g e n : Transsakrale Infiltration, Sakralnerven-„Blockade".

I n d i k a t i o n : Ischias, ischialgiforme Schmerzen bei Prostatakarzinom und Metastasen im anorektalen Bereich, Prostata- und Mastdarmstörungen, einseitige Kreuzschmerzen, Durchblutungsstörungen der unteren Extremitäten. Sphinkterspasmus der Harnblase und Kokzygodynie.

M a t e r i a l : Nadel: Größe 14, eher länger. Menge: 2—5 ml Procain-Lösung.

G e b ü h r e n o r d n u n g : GOÄ, BMÄ: 36, E-Adgo: 29, P-Adgo: 73.

T e c h n i k : Der Patient steht oder befindet sich in Bauchlage. Die Verbindung beider Darmbeinkämme schneidet bekanntlich den 4. Lendenwirbel-Dornfortsatz. Zwei Dornfortsätze kaudalwärts ist der des 1. Sakralwirbels. Ein Querfinger lateral seiner Unterkante liegt das Foramen. Die Nadel wird etwa 1 cm tief in das Foramen eingeführt und dann das *Procain* nach negativer Ansaugprobe (cave Liquor!) infiltriert. Die Injektion in die anderen Foramina wird entsprechend vorgenommen. Mit der Leitungsanästhesie der Sakralnerven in das 2. und 3. Foramen wird das Versorgungsgebiet des Plexus sacralis und Plexus coccygeus weitgehend ausgeschaltet.

Injektion an das Foramen ovale: — (T) — Ganglion Gasseri bzw. Nervus mandibularis

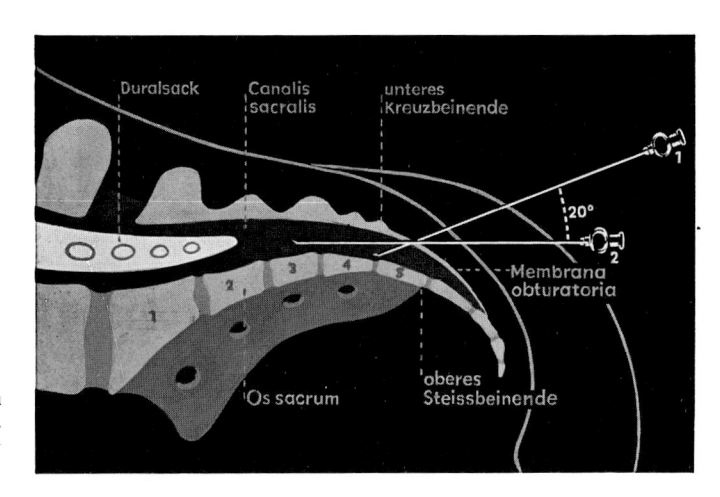

Abb. 27: Schema der Epidural-Injektion.
1. Einstich der Nadel durch den oberen Teil der Membran.
2. Die Nadel wird etwas gesenkt und etwa 5 cm in den Sakralkanal vorgeschoben. Nach negativer Ansaugprobe kann injiziert werden.

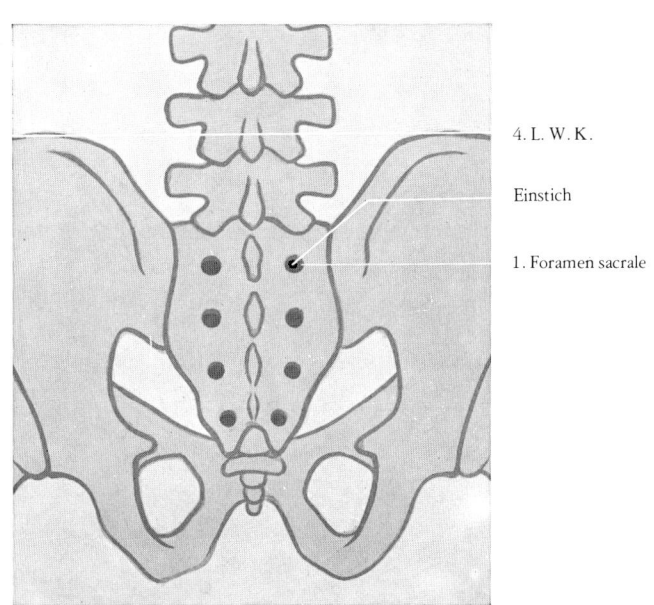

Abb. 28: Injektion in das erste Foramen sacrale posterior.

Injektion an die Frankenhäuserschen Ganglien * * *

Andere Bezeichnungen: Parazervikal-,,Blockade" oder Injektion an den Plexus uterovaginalis (FRANKENHÄUSER).

Indikation:

a) Segmenttherapie: Endo- und Parametritis, Dysmenorrhö, Blutungsanomalien, Fluor, Beckenboden-Neuritis, Unterleibs- und Kreuzschmerzen, Kohabitationsbeschwerden, Druckgefühl nach unten, Frigidität, Sterilität, zyklusgebundene Beschwerden wie Kopfschmerzen, Pelvipathia vegetativa usw.

b) Störfeldsuche: Als Testinjektion, wenn in der Vorgeschichte angegeben wurden: Fluor, Aborte, schwere Entbindungen, Ausschabungen, Fieber im Wochenbett, Adnexitis, Gonorrhöe, operative Eingriffe aller Art am Genitale. — Die Testinjektion in den — (T) — gynäkologischen Raum durch die Bauchdecken hindurch ist einfacher und meist ausreichend. Ergibt diese eine wesentliche Besserung der Fernstörungen, die aber die geforderte 100 %ige Beschwerdefreiheit nicht erreicht, kann zusätzlich noch transvaginal an den Frankenhäuserschen Plexus gespritzt werden.

c) **Geburtshilfe**: In der Geburtshilfe gibt man 5—10 ml Procain-Lösung pro Seite zur Schmerzlinderung in der Eröffnungsperiode bei normalen, komplikationslosen Geburten. Bei Erstgebärenden wird abgewartet, bis der Muttermund 5 cm (bei Mehrgebärenden 3—4 cm) Durchmesser erreicht hat. Dann wird zwischen zwei Wehen erst die eine, nach zwei Wehen, also nach etwa einer Viertelstunde, die andere Seite infiltriert. Die schmerzstillende Wirkung tritt meist sofort ein und hält etwa 1—2 Stunden an.

K o n t r a i n d i k a t i o n : Die Periode verbietet jeden vermeidbaren transvaginalen Eingriff, also auch diese Injektion. Dagegen bestehen gegen eine Injektion in den — (T) — gynäkologischen Raum von außen während der Menstruation keine Bedenken!

M a t e r i a l : Nadel 8—10 cm × 0,8 mm oder eine lange Nadel mit Führungshülse wie die PP-Nadel der Firma Woelm. Menge: 2—4 ml Procain-Lösung, bei der Geburtshilfe 10—20 ml.

G e b ü h r e n o r d n u n g : Auch bei beiderseitiger Injektion nur einmal pro Sitzung berechnungsfähig (BRÜCK).

GOÄ: 56, KV. Hessen: 150, BMÄ: 56, E-Adgo: 39 b, P-Adgo: 394.

Bei der ersten Behandlung zusätzlich: GO-Ä: 25, E-Adgo: 65, P-Adgo: 25.

T e c h n i k : Vor der Injektion ist die Harnblase zu entleeren! Die Patientin wird auf den gynäkologischen Untersuchungsstuhl gelagert und die Portio im Spekulum eingestellt. Aus psychologischen Gründen vermeide man es möglichst, daß die Patientin die lange Nadel sieht. Einstich neben der Portio durch die Umschlagfalte der Schleimhaut, also durch das seitliche Scheidengewölbe etwa zwischen Uhrzeiger 3—4 Uhr bzw. 8—9 Uhr. Die Nadel wird dann etwas schräg nach lateral und dorsal zu vorgeführt. Die Zervikalganglien liegen seitlich der Zervix und mehr nach hinten zu. Auf beiden Seiten verteilen wir in nur 1—2 cm Tiefe je etwa 1—2 ml *Procain* an das Douglasperitoneum und den Frankenhäuserschen Plexus. Vgl. auch Abb. 45. Die Gefahr, Ureter oder A. uterina anzustechen, vermeidet man, wenn man wie angegeben lateral-dorsal durchs Scheidengewölbe und nicht parallel zur Zervix vorgeht. Diese Injektion beeinflußt das organnahe parasympathische Ganglion pelvicum mit seinen wichtigen Regelfunktionen.

Natürlich werden die Narben nach Dammriß oder Episiotomie immer mitgespritzt. Bei Frauen, die geboren haben, sollte der Damm auch immer einmal mit infiltriert werden, selbst, wenn keine äußeren makroskopisch sichtbaren Narben zu finden sind. Die Injektion in das nervenreiche Dammgewebe ist schmerzhaft. — Nach Karzinom-Bestrahlungen, Endo- und Myometritis, Portioerosionen, Konisation, Portio-Einrissen bei Geburten oder anderen Uterus-Erkrankungen und -Operationen (Narben der Kugelfaßzange) kann der Erfolg unserer Injektionstherapie noch durch eine zusätzliche — (T) — intramurale Injektion verbessert werden.

Injektion durch die Bauchdecken
in den gynäkologischen Raum

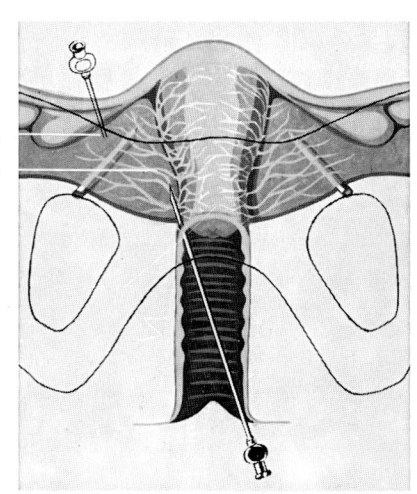

Abb. 29: Injektion an die Frankenhäuserschen Ganglien:
Einstich neben der Portio, Injektion in 1—2 cm Tiefe.

Die Procain-Behandlung des Sympathikus-Grenzstranges und seiner Ganglien

Übersicht:
a) Ganglion ciliare, S. 253
b) Ganglion Gasseri, S. 255
c) Ganglion sphenopalatinum, S. 256
d) Ganglion stellatum, S. 257
e) Ganglion cervicale sup. et med., retrostyloidaler Raum, S. 262
f) Abdominaler Grenzstrang (oberer Nierenpol nach WISCHNEWSKI), S. 264
g) Lumbaler Grenzstrang, S. 266
h) Thorakale, lumbale und sakrale Grenzstrang-Injektionen, S. 267
i) Mögliche Fehler und Komplikationen, S. 268

Die Injektionen an den Grenzstrang stellen einen tiefgreifenden, aber auch sehr wirkungsvollen Eingriff am neurovegetativen System dar. Sie wirken schneller, stärker und länger als die Injektionen an die zuführenden — (T) — Arterien und — (T) — Nerven und meist auch wesentlich weitreichender (wie zum Beispiel auch auf die Gegenseite). Da sie vor allem für den Ungeübten nicht ganz einfach und ungefährlich sind, sollten sie in der Regel erst am Ende unserer therapeutischen Überlegungen stehen, wenn alle anderen einfacheren lokalen Maßnahmen versagt haben!

D i e   F r a g e ,   o b   I n j e k t i o n e n   a n   d e n   G r e n z s t r a n g   a u c h   a m b u l a n t   a u s g e f ü h r t   w e r d e n   d ü r f e n   o d e r   o b   s i e   n u r   d e r   K l i n i k   v o r b e h a l t e n   b l e i b e n   s o l l t e n ,   i s t   d u r c h   d i e   E r f o l g e   u n d   E r f a h r u n g e n   d e r   v i e l e n   N e u r a l t h e r a p e u t e n   i n   a l l e r   W e l t   d a h i n g e h e n d   b e a n t w o r t e t   w o r d e n ,   d a ß   s i e   s o   h ä u f i g   u n d   s e g e n s r e i c h   a n w e n d b a r   s i n d ,   d a ß   s i e   z u m   R ü s t z e u g   e i n e s   j e d e n   A r z t e s   g e h ö r e n   m ü ß t e n .

Cave!: S t e h t   d e r   P a t i e n t   u n t e r   L a n g z e i t - A n t i k o a g u l a n t i e n   w i e   *M a r c u m a r ,*   s o   s i n d   a l l e   I n j e k t i o n e n   a n   d e n   G r e n z s t r a n g   u n d   s e i n e   G a n g l i e n   b e i   e i n e m   Q u i c k t e s t   u n t e r   4 5   %   a u f   a l l e   F ä l l e   z u   u n t e r l a s s e n .   B i s   z u   Q u i c k w e r t e n   u n t e r   7 0   %   i s t   V o r s i c h t   g e b o t e n ,   n u r   b e i   d r i n g e n d e r   I n d i k a t i o n   z u   s p r i t z e n   u n d   *V i t a m i n* K^1 a l s   A n t i d o t   b e r e i t z u h a l t e n .   D e r   P a t i e n t   m u ß   n a c h   d e r   I n j e k t i o n   m e h r e r e   S t u n d e n   u n t e r   ä r z t l i c h e r   A u f s i c h t   b l e i b e n .

Nach Ausschalten der Vasokonstriktoren kommt es nach Anästhesie des Grenzstranges zu Blutdrucksenkungen. Bei Hypotonikern empfehlen sich daher Procainpräparate mit Coffeinzusatz wie *Impletol, Cofficain* u. dgl., die der Hypotonie entgegenwirken.

Die beste Prophylaxe gegen die möglichen Komplikationen sind geringe Injektionsmengen und eine einwandfreie Technik. Diese ist erlernbar! Bedenken aus Gründen der eigenen Sicherheit sind so unärztlich, daß sie indiskutabel sein sollten. SCHMITT hat von der Injektion an das Ganglion stellatum, an die die Praktiker mit Unrecht so zögernd herangehen, gesagt, sie sei bei richtiger Technik „nicht gefährlicher als eine intravenöse Injektion". Das gilt für alle Injektionen dieser Reihe!

Bei sehr vielen Erkrankungen bleibt es gleichgültig, ob der Grenzstrang im Hals- oder Lumbalbereich angegangen wird. Es kommt in der Hauptsache darauf an, den Stoß ins neurovegetative System direkt am „Lebensnerv" anzubringen. Meist genügt die einseitige, evtl. links oder rechts abwechselnde Injektion. Gegen eine einzeitige beiderseitige Injektion bestehen bei gegebener Indikation bei richtiger Technik und den von uns verwandten geringen Mengen von durchschnittlich nur 2 ml *Procain* pro Injektion kaum Bedenken. Die Behandlungen werden in der Regel erst in einwöchigen, später in größeren Abständen (z. B. bei wiederkommenden Beschwerden) wiederholt.

Wir vermeiden absichtlich, bei unseren Injektionen von „Blockaden" zu sprechen. Dieser Begriff stammt aus der Nervenphysiologie. Die g e s u n d e Zelle wird durch Zuführen von positiver Ladung (bei *Impletol* sind es etwa + 290 mV zu ihren 60—90mV) überpolarisiert und zeitlich unerregbar. Man nennt das einen „Anodenblock". Bei der Neuraltherapie ist aber die „Heilanästhesie" gar nicht das Entscheidende. Wir müssen hier positive Ladung in ein chronisch pathologisch verändertes Gewebe bringen, das sich im Zustand einer pathologischen Dauer-Depolarisation befindet. Hier bewirkt die Injektion ein sofortiges Wiederaufladen und eine Stabilisation der Zellmembran. Das heißt, sie wird vor erneuter zu schneller und zu weitgehender Entladung geschützt. Mit den normalen bioelektrischen Verhältnissen stellen wir auch normale physiologische Verhältnisse wieder her und koppeln die Zelle wieder an den normalen Informationsaustausch an. Diese neurovegetativ bioelektrisch rehabilitierende Wirkung kann aber nur auftreten, wenn wir *Procain* in ein vorgeschädigtes, depolarisiertes Gewebe bringen. Darum ist der richtige Ort der Injektion für den Erfolg so wichtig. Wir blockieren in der Neuraltherapie nichts, sondern wir beseitigen gerade die Blockade, die die Selbstheilungskräfte des Körpers bisher behindert hatte. Erinnern wir uns noch einmal daran, daß dazu ganz geringe Mengen Anästhetika genügen, weil dieser ausgleichende Heilreiz schon mit Mengen auslösbar ist, die unter denen liegen, die zu einer Anästhesie benötigt würden.

A n a t o m i e : Der S y m p a t h i k u s umfaßt den G r e n z s t r a n g und seine G a n g l i e n , die von ihm abgehenden N e r v e n und deren G e f l e c h t e .

Der G r e n z s t r a n g besteht aus dem

a) H a l s s t r a n g mit 3 Ganglien mit Ästen für die A. carotis, A. subclavia und das Herz.

b) B r u s t s t r a n g mit Ästen für Aorta, A. subclavia, Lunge und die Nn. splanchnici.

c) L e n d e n s t r a n g mit 4—5 Ganglien.

d) S a k r a l s t r a n g mit 4 Ganglien.

Die Behandlung sympathischer Nerven und Ganglien ist ohne Unterbrechung spinaler Nerven beim Ggl. stellatum, am oberen Nierenpol im Splanchnikusgebiet und am lumbalen Grenzstrang möglich.

G e b ü h r e n o r d n u n g : Ich zitiere aus dem „Kommentar zur Gebührenordnung für Ärzte" von D. BRÜCK, damit jeder Kollege, der in der Bundesrepublik Deutschland diese Injektionen abrechnet, die Stellungnahme BRÜCKS kennt, nach der sich die Abrechnungsstellen in der Regel richten:

13) G r e n z s t r a n g - B l o c k a d e : Die in Nr. 39 genannten Blockadearten (Grenzstrang-, Sympathikus- oder Stellatum-Blockade) sind auch bei beidseitiger Durchführung nur einmal berechnungsfähig, weil die Blockade ein Ganzes ist.

Zwei verschiedenartige Blockaden können an verschiedener Örtlichkeit im allgemeinen an einem Tage nicht durchgeführt werden, weil im allgemeinen der Eingriff ins vegetative System zu groß und unübersehbar würde; mithin wäre dem Stand der Wissenschaft entsprechend Nr. 39 an einem Tage nur einmal berechnungsfähig.

Es taucht die Frage auf, wieviel Blockaden im Rahmen einer Behandlungsserie durchgeführt werden dürfen, ohne daß einer nichtindizierten Erweiterung der Leistung Vorschub geleistet würde. Im allgemeinen ist nach wenigen Blockaden der Erfolg eingetreten. Sofern dies nicht der Fall ist, kann man rückschließen, daß die Behandlungsmethode im vorliegenden Fall nicht indiziert oder noch nicht indiziert ist.

14) S y m p a t h i k u s - B l o c k a d e : Wie jede Maßnahme nur dann ihre Berechtigung hat, wenn sie adäquat als Therapeutikum eingesetzt wird, kann sich auch die Häufigkeit einer Anwendung nur in einem bestimmten Rahmen halten, der erkennen läßt, daß die Maßnahme im Einzelfall ihre Berechtigung hat und innerhalb einer umrissenen Zahl von Anwendungen auch ihre Wirkung entfaltet. Andernfalls müßte man sie im vorliegenden Fall für nicht indiziert ansehen. So ergibt sich auch für die Neuraltherapie, speziell die Blockade-Behandlung, eine Begrenzung auf eine Höchstzahl von Anwendungen aus der Sache heraus. Dr. Dr. W. Braeucker, Autor des Buches ‚Die Heilerfolge der gezielten regulatorischen Sympathicus-Therapie' (Karl F. Haug Verlag, Ulm/Donau 1961), schreibt in ‚Medizin heute' 14 (1965), 3:94:

»Die zervikothorakale Einspritzung von Novocain ans untere Halsganglion und ans 1. und 2. Brustganglion, die sinngemäß der sogenannten Stellatuminjektion gleichkommt, führe ich bei allen kardialen Insuffizienzen, bei Endokarditis, Klappenfehlern, Myokarditis, Perikarditis, Koronariitis, Angina pectoris und Herzinfarkt aus. Bei akutem bedrohlichem Zustand wird sofort die linksseitige zervikothorakale Novocain-Injektion ausgeführt und anschließend die gleiche Injektion auf der rechten Seite. Diese Injektionen können am gleichen Tage nochmals wiederholt werden. Es kommt darauf an, die schwersten Störungen der tonischen Innervation möglichst schnell zu unterdrücken. Sind diese noch erheblich, so können am folgenden Tage beide Injektionen wiederholt werden, auch am nächstfolgenden Tage. Sobald die schweren

Insuffizienzerscheinungen geringer werden, genügt eine Injektion pro Tag. Überdosierungen braucht man bei exakter Technik nicht zu befürchten. Man darf also im akuten Anfangsstadium mehr als 6 Injektionen verabfolgen. Die Anzahl der Injektionen muß insgesamt unter einer Behandlung natürlich begrenzt sein, weil man bei zu häufigen Injektionen durchaus die Auffassung vertreten kann, die Methode sei im vorliegenden Fall ungeeignet. Ich schätze, daß man im Schnitt bei akuten Zuständen mit höchstens 10 Injektionen auskommen müßte, wobei in vielen Fällen nur zwei oder drei Injektionen den Krankheitszustand beheben. In chronischen Fällen wird man in weiterem Abstand (nicht täglich) Einspritzungen durchführen, jedoch auch bei länger dauernder Therapie insgesamt nicht mehr als 15 Stellatum-Injektionen benötigen. Bei leichten cardialen Störungen sind oft ein bis zwei Injektionen ausreichend, eine rechts und eine links. Ist bereits ein chronisches Stadium eingetreten, so genügt es oft, dreimal in der Woche eine Injektion durchzuführen.«"

Daß man Überdosierungen bei exakter Technik nicht zu fürchten braucht, ist mit Sicherheit falsch. Ü b e r d o s i e r u n g e n mit *Procain* und anderen Lokalanästhetika muß man immer fürchten! Und daß man bei leichten kardialen Störungen und Herzklappenfehlern gleich mit Stellatum-Anästhesien therapieren soll, halte ich ebenfalls für falsch. Es wäre noch mehr dazu zu sagen. Aber ich will keinen Kommentar zum Brück-Kommentar schreiben, sondern nur die Kollegen auf die Quelle mancher Kassen-Einsprüche hinweisen.

a) Die Injektion an das Ganglion ciliare * *

A n a t o m i e : Das 2—3 mm lange Ganglion ciliare liegt hinter dem Augapfel dicht lateral vom Sehnerv und medial vom Ursprung des M. rectus lateralis. Dicht hinter dem Ganglion zieht die A. ophthalmica von lateral um den N. opticus herum, um oberhalb desselben in medialer Richtung weiterzuziehen.

A n d e r e B e z e i c h n u n g : Retrobulbäre Infiltration.

I n d i k a t i o n e n :

a) Segmenttherapie: Alle akut entzündlichen und chronischen Augenerkrankungen, z. B. Keratitis, Iridozyklitis, Glaukom, beginnender grauer Star, bestimmte Kopfschmerzformen und hartnäckige Neuralgien, falls vorher nicht einfachere Injektionen (i. v., Quaddeln, Nervenaustrittspunkte) zum Ziele führten.

b) Störfeldsuche: Als Testinjektion, wenn die Vorgeschichte z. B. nach Augenverletzungen, -operationen, langdauernden oder wiederholten Entzündungen im Augenbereich ein Störfeld vermuten läßt.

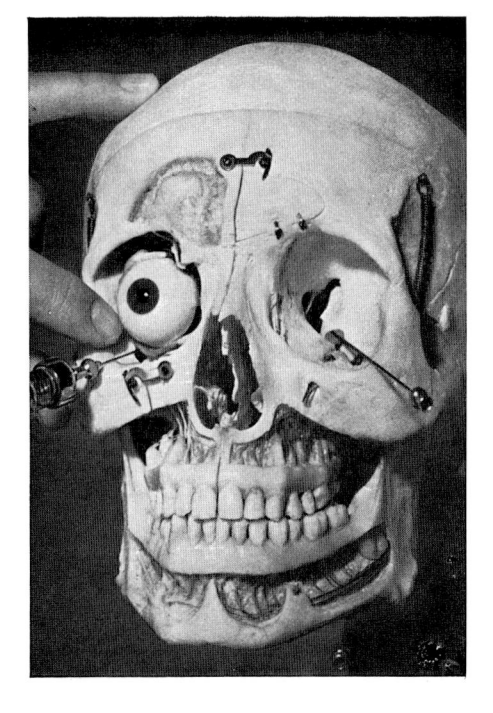

Abb. 30: Injektion an das Ganglion ciliare. Orientierung am knöchernen Schädel.

a) Die Injektion an das Ganglion ciliare

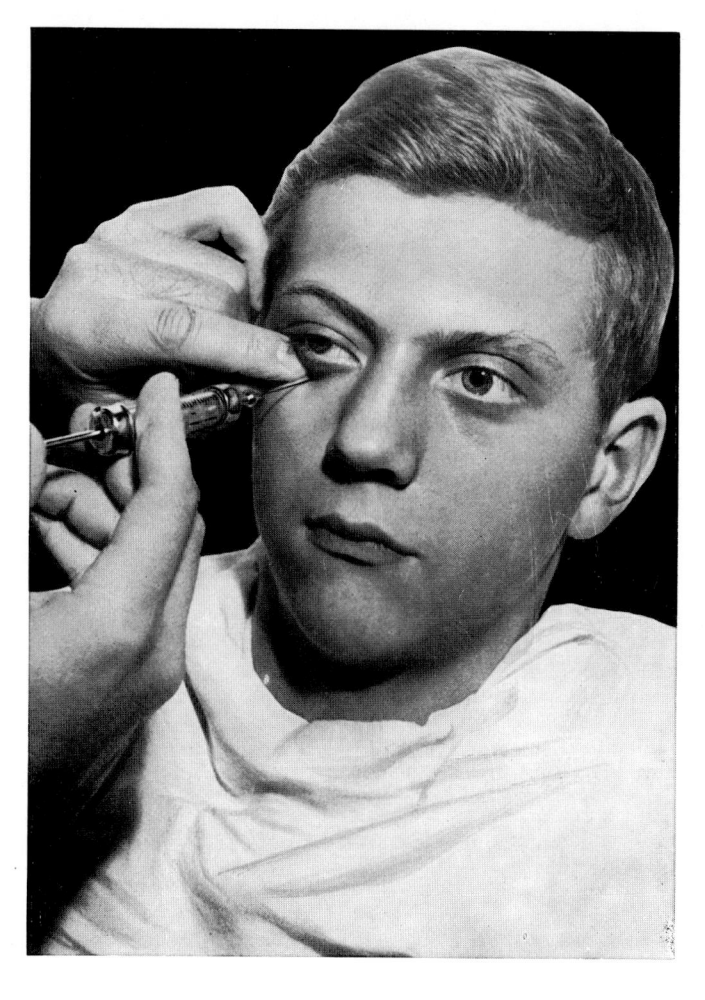

Abb. 31: Injektion an das Ganglion ciliare.

M a t e r i a l : Eine besonders gebogene Nadel ist nicht erforderlich, es genügt eine gerade von etwa 4 cm Länge. Menge: 1 ml Procain-Lösung. Die amid-strukturierten neuen Lokalanästhetika empfehlen sich weniger für die Praxis, weil sie eine zu langdauernde Anästhesie bewirken.

G e b ü h r e n o r d n u n g : GOÄ, BMÄ: 36, E-Adgo: 29, P-Adgo: 73.

T e c h n i k : Der sitzende Patient lehnt seinen Hinterkopf an eine Nackenstütze, die Wand oder eine Hilfsperson, die den Kopf fixiert. Er läßt die Augen offen und schaut etwas nach oben und medial. Der Arzt schiebt seine Zeigefingerspitze vorsichtig so in das Unterlid, daß der Augenbulbus etwas nasal- und kranialwärts weggedrückt wird. Einstich beim

rechten Auge: bei Uhrzeiger 7 Uhr,

linken Auge: bei Uhrzeiger 5 Uhr,

also im äußeren unteren Augenwinkel durch die Haut des Unterlids hindurch!

Wir vermeiden eine Verletzung des Bulbus am sichersten, wenn wir die Nadel nun immer in lockerer Knochenfühlung mit der unteren Orbitawand halten. Um die im Weg liegenden Gefäße beiseitezudrängen, führen wir sie unter leichtem Stempeldruck etwa 3 cm (aber nicht weiter als 3,5 cm) tief ein, bis sie retrobulär und damit in der Nähe des Ganglion ciliare liegt. Das genügt, es ist nicht erforderlich, das Ganglion selbst anzustechen. Wer sichergehen will, kann durch hebelnde Bewegungen der Nadel feststellen, daß der Bulbus sich nicht mitbewegt, daß also die Nadelspitze frei ist. Dann heben wir die Nadel etwas vom knöchernen Orbitagrund nach hinten-oben-innen auf den Orbitaeingang zu ab, saugen kurz an und injizieren dann zügig die verbliebenen etwa 1 ml Procain-Lösung. Das geht ganz einfach und ist absolut ungefährlich! Man verliert schnell die Scheu vor der etwas ungewöhnten Injektion. — Das einzige was passieren kann, ist (neben dem durch die Medikamentenmenge bedingten kurzdauernden Exophtalmus) ein retrobulbäres Hämatom. Es kommt selten einmal vor und zeigt, daß die Nadel zu tief, nämlich weiter, als 3,5 cm eingeführt wurde. Das innerhalb von 5 Minuten auftretende Hämatom ist natürlich völlig harmlos, im Gegenteil, es wirkt wie eine zusätzliche Eigenblutbehandlung. Es ist aber ratsam, den Patienten vorher so nebenbei darauf hinzuweisen, daß er bei dieser wichtigen Injektion schlimmstenfalls „mit einem blauen Auge davonkommen" kann. Die anschließende Sehstörung kommt einmal durch eine Pupillenerweiterung und zweitens durch ein Auswärtsschielen (temporäre Lähmung des Augenmuskels) zustande. Sie geht bei Verwendung von *Procain* nach einer halben Stunde ohne negativen Folgen zurück. Bei Injektionen von *Xylocain* dauert dieser Zustand 2 Stunden und länger.

Wer Augenkranken wirklich helfen will, muß diese Injektion erlernen und viel anwenden!

b) Die Injektion an den Nervus mandibularis in der Nähe des Ganglion Gasseri *

Andere Bezeichnungen: An das Foramen ovale, an die Trigeminuswurzel. Das Ggl. Gasseri selbst liegt ja intrakranial. Wir injizieren genauer gesagt nur in den N. mandibularis, den stärksten der 3 Äste, unmittelbar nach dessen Austritt durch das Foramen ovale.

Anatomie: Nach dem Schädelaustritt durch das Foramen ovale teilt sich der N. mandibularis in einen motorischen Ast, der die Mm. masseter, pterygopalatinus ext. und mylohyoideus versorgt und einen sensiblen Ast (N. buccales, N. auricularis magnus), der als N. alveolaris inferior den Plexus dentalis inferior bildet. Er endet als N. mentalis.

Indikation: Trigeminusneuralgie, wenn die Injektionen an die — (T) — Nervenaustrittspunkte versagten. Trismus, Malignomschmerzen im Versorgungsbereich. Versuch bei Kopfschmerzen unklarer Genese.

Material: Nadel: 6 cm × 0,8 mm. Menge: 1—2 ml Procain-Lösung.

Gebührenordnung: Diese technisch sicher nicht ganz leichte Injektion wird als intraneurale Injektion außerhalb des Nervenknotens wie folgt abgegolten:
GOÄ, BMÄ: 31, E-Adgo: 24, P-Adgo: 69.

Abb. 32: Injektion an das Foramen ovale (Ganglion Gasseri). Einstich bei halbgeöffnetem Mund unter dem mittleren Jochbeinbogen über der Incisura mandibulae. Vorführen der Nadel bis zur Mitte der Schädelbasis in 4—5 cm Tiefe.

Abb. 33: Injektion an das Foramen ovale (Ganglion Gasseri). Orientierung am knöchernen Schädel. Die Nadelspitze liegt vor der Aufzweigung des Nervus mandibularis.

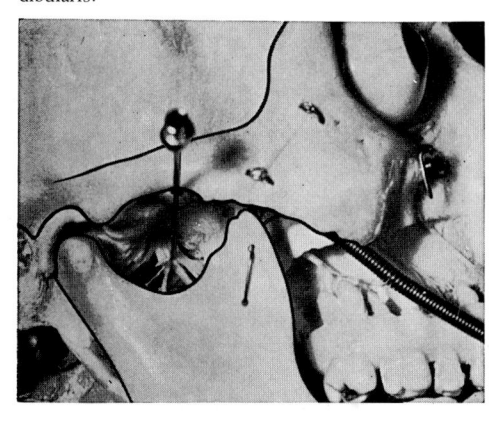

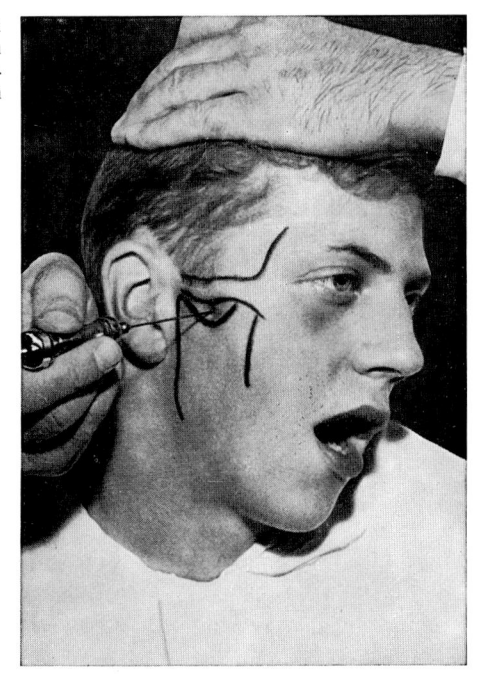

Nur die Injektion intrakranial ins Ggl. Gasseri direkt rechtfertigt:
GOÄ, BMÄ: 40, E-Adgo: 30 a, P-Adgo: 71.

T e c h n i k : Der Arzt steht auf der gesunden Seite des sitzenden Patienten. Dieser lehnt seinen Kopf an die Brust des Arztes und öffnet und schließt einige Male seinen Mund, damit der Arzt die Incisura mandibulae dicht unter der Mitte des Jochbeinbogens ertasten kann. Das dabei entstehende Grübchen unter dem Jochbein und über der Inzisur stellt unsere Einstichstelle dar. Sie liegt etwa 3 cm vor dem Tragus. Der Patient soll nun den Mund halb geöffnet lassen. Kurzer Einstich. Die in transversaler Richtung entlang der Schädelbasis auf die Mitte zu vorgeführte Nadel stößt in etwa 4 cm Tiefe auf den Proc. pterygoideus. Man merkt sich die Tiefe, die die Nadel dabei erreicht, zieht sie etwas zurück und tastet sich mit der Nadelspitze noch etwa 0,5—1 cm weiter nach dorsal. Dann kommt man in 5 cm Tiefe in die Nähe des Foramen ovale, wo man das *Procain* nach vorherigem Ansaugen (cave sanguinem!) deponiert. Der Patient zeigt durch Schmerzreaktion, wenn man die Aufzweigung des Ggl. semilunare erreicht hat. Die anschließend im Versorgungsbereich auftretenden Parästhesien zeigen den richtigen Sitz der Nadel an. Ein gelegentlich auftretendes Wangenhämatom bedarf keiner besonderen Behandlung.

c) Die Injektion an das Ganglion sphenopalatinum (= pterygopalatinum) und an den Nervus maxillaris * *

I n d i k a t i o n : Heuschnupfen, Rhinitis vasomotorica, Tränenträufeln, Lichtscheu, Gesichtsschmerzen, Mundschleimhaut-Erkrankungen und -Parästhesien, Versuch bei therapieresistenten Kopfschmerzformen und „Zahnschmerzen" im Oberkiefer bei negativem Zahnbefund, Trigeminusneuralgie, wenn besonders der 2. Ast befallen ist. Bei Schmerzen im inneren Augenwinkel, der Nasenwurzel, in der Tiefe der Nase, im Oberkiefer und Gaumen mit anfallsweisem Niesreiz.

Bei Heuschnupfen genügt es in der Regel, wenn wir zu Beginn der Pollenzeit dreimal in Abständen von mehreren Tagen spritzen. Bei der Rhinitis vasomotorica sind meist mehr Injektionen (jeweils bei wiederauftretenden Beschwerden) erforderlich.

M a t e r i a l : Nadel: a) 4 cm, b) und c) 6—8 cm × 0,8 mm. Menge: 1—2 ml Procain-Lösung.

G e b ü h r e n o r d n u n g : GOÄ, BMÄ: 40, E-Adgo: 30 a, P-Adgo: 71.

T e c h n i k : Vor der ersten Injektion am knöchernen Schädel orientieren!

a) Der einfachste und sicherste Weg zur Injektion an das Ganglion sphenopalatinum führt vom Mund aus durch das Foramen palatinum majus. Dieses liegt medianwärts der Hinterkante des 7. oberen Zahnes an der Grenze zwischen Alveolarfortsatz und Gaumendach. Man kann diese Stelle leicht mit einer Knopfsonde als Grübchen durch die Schleimhaut hindurch ertasten. Durch eine Schleimhautquaddel stechen wir ein, die 4 cm lange Nadel gleitet dann im Canalis pterygopalatinus in einem Winkel von etwa 60 Grad schräg nach kranial und dorsal, also nach hinten oben. In etwa 3 cm Tiefe liegt die Nadelspitze in unmittelbarer Nähe des Ggl. sphenopalatinum, wo wir 1 bis 2 ml Procain-Lösung injizieren. Dabei wird auch der Stamm des N. maxillaris mit erfaßt, der ja nur wenige Millimeter weit weg verläuft. Siehe Abb. 62, Seite 291. — Ein Blick auf den knöchernen Schädel zeigt, daß diese Injektion keine technischen Schwierigkeiten bereiten kann. Darüber hinaus ist sie absolut ungefährlich. Läuft die bittere Injektionsflüssigkeit bei der Injektion im Nasen-Rachen-Raum nach unten, lag die Nadel nicht im Kanal, sondern zu weit hinten und ging durch den weichen Gaumen.

b) Der Arzt steht auf der gesunden Seite des sitzenden Patienten, der seinen Kopf gegen die Brust des Arztes legt. Die Einstichstelle ist am oberen Rande des Jochbeinbogens, etwa in der Mitte zwischen Orbitarand und Ohrmuschel. Die Nadel wird im stumpfen Winkel nach vorn unten geführt, bis sie in etwa 5—6 cm Tiefe in die Flügelgaumengrube fällt. Die Richtung der

c) Die Injektion an das Ganglion sphenopalatinum

Abb. 34: Injektion an das Ganglion sphenopalatinum b. Orientierung am knöchernen Schädel.

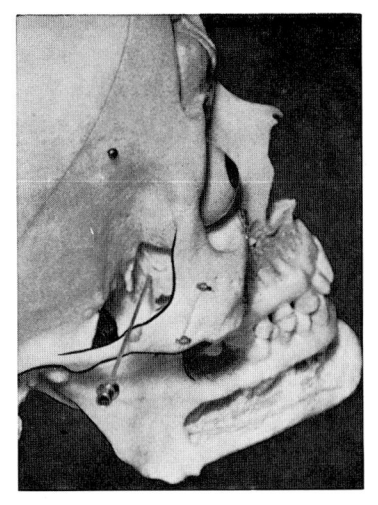

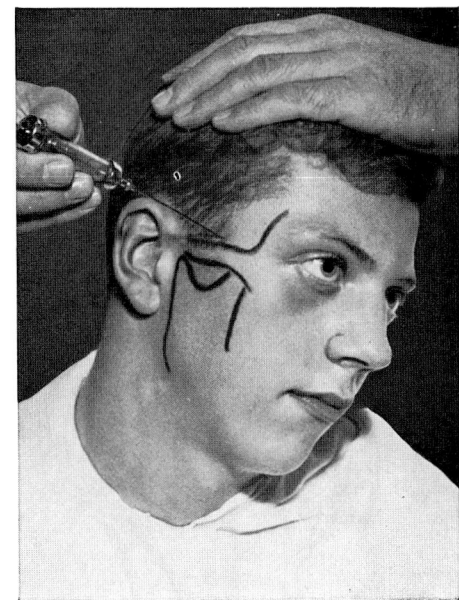

Abb. 35: Injektion an das Ganglion sphenopalatinum b. Einstich oberhalb des mittleren Jochbeinbogens schräg im stumpfen Winkel auf die Flügelgaumengrube zu, die in etwa 6 cm Tiefe liegt.

Nadel zeigt bei richtigem Winkel auf den Backenknochen (Os zygomaticum) der anderen Schädelseite. Dort werden (abwechselnd links und rechts, in schweren Fällen auch beiderseits) 1—2 ml *Procain* injiziert, nachdem man sich durch Ansaugen davon überzeugt hat, daß kein Blut in die Spritze gelangt. Parästhesien im Bereich der Nasenflügel und Oberlippe zeigen den richtigen Sitz der Kanüle an.

c) Der Patient öffnet etwas den Mund. Nun tastet man sich außen an der Wange in Höhe der oberen Zahnreihe nach lateral bis an den erschlafften Masseter heran, an dessen Vorderrand unser Einstich liegt. Die 6 cm lange feine Kanüle wird schräg aufsteigend in die Fossa pterygopalatina in Richtung auf das gleichnamige Foramen vorgeschoben. Wenn man sich dabei in Nähe der Facies infratemporalis maxillae hält, kann man nicht fälschlicherweise in die Mundhöhle geraten. Das Eindringen in die Fissura orbitalis inferior ist ebenfalls zu vermeiden. Das gesuchte Ganglion erreichen wir in ca. 5 cm Tiefe.

d) Die Injektion an das Ganglion stellatum * * *

Anatomie: Vom Ggl. stellatum (Ggl. cervicale inf. zusammen mit 1. Thorakalggl.) wird das obere Körperviertel vegetativ innerviert. Die Anästhesie des Ganglion ändert darüber hinaus die Tonuslage im gesamten neurovegetativen System! HEPPNER stellte fest, daß das Kubitalvenenblut nach einer Stellatumanästhesie hellrot wird und fast arteriellen Sauerstoffgehalt aufweist und daß das Schwinden des Hirnödems nach der Anästhesie für eine Normalisierung der Endothelschranke spricht. Das umfangreiche Indikationsverzeichnis zeigt die Notwendigkeit für jeden Arzt, diese Injektion zu beherrschen und beim Versagen einfacherer Segmentmaßnahmen häufig anzuwenden!

Indikation:

a) Im Bereich der oberen Körperhälfte: Erfrierungen, Verbrennungen, schlecht heilende Frakturen, angiospastische Durchblutungsstörungen des Raynaudschen Formenkreises. Alle Schmerzzustände im Kopf-, Brust- und Armbereich, Herpes zoster. Zur Verbesserung der Durchblutung nach chirurgischen Eingriffen.

b) **K o p f**: Prä- und postapoplektisches Syndrom, Hirnödem, intrakranielle Gefäßspasmen, bestimmte Kopfschmerz- und Migräneformen, traumatisches Commotionssyndrom, traumatische Epilepsie, Fazialislähmung, persistierendes Gesichtsödem nach Erysipelen.

c) **A u g e n**: Verschluß der Zentralarterie der Netzhaut, Thromben der Zentralvene, Erkrankungen der Gefäßhaut, Pigmentartung der Netzhaut, degenerative Makulaleiden, Herpes zoster ophthalmicus, Glaukom usw.

d) **O h r e n**: Allergische Erkrankungen, Erfrierungen, chronische Mittelohreiterungen, Ohrdruck, Ménièrsche Krankheit, Innenohrschwerhörigkeit, Ohrensausen, Hörsturz, Zoster oticus usw.

e) **N a s e**: Rhinitis vasomotorica, Ozaena, chronische Nebenhöhleneiterungen usw.

f) **H a l s**: Hyperthyreosen, Neuralgien, Strumabeschwerden, Osteochondrosis der Halswirbelsäule, Zervikalsyndrom und alle Folgeerscheinungen durch Irritation des Halssympathikus und der Nervenwurzeln, septische Angina, Tonsillarabszeß, Laryngitis tuberculosa, zur Schmerzstillung bei inoperablen Larynx- und Hypopharynxkarzinomen.

g) **S c h u l t e r**: Schulter-Arm-Syndrom, Skalenus-Syndrom, Kapselarthritis, Arthrosis deformans, subakromiale Bursitis, Migraine cervicale, posttraumatische Gelenkversteifungen und dergleichen.

h) **A r m**: Brachialgien, Kausalgien, Phantomschmerzen, Armplexus-Neuralgien, Sudecksche Dystrophie, Periostosen wie Epikondylitis, Tendinosen, schmerzhafte Funktionsstörungen der Gelenke, Thrombose und Embolie im Arm, Lymphödem nach Mamma-Amputation, schlecht heilende Wunden aller Art, Epikondylitis, Akrozyanosen, Raynaudsche und Bürgersche Krankheit und andere Durchblutungsstörungen. Zustand nach Arterienverletzung.

i) **L u n g e**: Asthma bronchiale, Lungenbluten, -embolie, -durchschuß, -ödem (auch bei maligner Hypertonie mit Herzinsuffizienz bei Nephrose und Präurämie), Lungentuberkulose, Pneumonie, Pleuritis, Herpes zoster usw.

j) **H e r z**: Angina pectoris, Myokardinfarkt, Kammerflimmern, paroxysmale Tachykardie, bei kardialer Dekompensation, Anheben der gesenkten ST-Strecke im EKG usw.

k) **A l l g e m e i n e r k r a n k u n g e n**: Eklampsie, dabei außer der Stellatuminjektion auch eine an den — (T) — Grenzstrang am oberen Nierenpol. Epilepsie, Status epilepticus, Hyperhidrosis in der oberen Körperhälfte und andere vegetative Störungen.

E v e n t u e l l e K o n t r a i n d i k a t i o n: Hochsitzende Spitzenkavernen. Für die Methode nach LERICHE gibt es keine Kontraindikation.

S t a t i s t i k: Die Chirurgische Universitätsklinik Leipzig bestätigte den Wert der Stellatum-Anästhesie bei Erkrankungen im Bereich der oberen Extremität. 214 Patienten mit Sudeckscher Erkrankung, HWS-Syndrom, peripheren Durchblutungsstörungen, Epikondylitis und Periarthritis humeroscapularis wurden durchschnittlich achtmal behandelt. Bei 76 % wurden Besserungen erzielt und zwar bei 44 % bis zur völligen Beschwerdefreiheit und bei 32 % mit Rückbildung aller pathologischen Veränderungen.

M a t e r i a l: Nadel: 6 cm × 0,8—1 mm, für die Methode LERICHE genügt eine normale Nadel Größe 1.

M e n g e : N u r 2 — 3 m l e i n e s z u r N e u r a l t h e r a p i e g e e i g n e t e n L o k a l a n ä s t h e t i k u m s ! Die von den Chirurgen verwendeten Mengen von 20 ml 1 %iger Procainlösung sind zu groß und können allein durch den Druck auf die Nerven gefährliche Reaktionen auslösen. — Auch eine Dauerausschaltung mit mehrmals wiederholten Injektionen von 5 ml Depot-Neuraltherapeutika halten wir für bedenklich. Man soll Nervenleitungen grundsätzlich nie schädigen oder unterbrechen, wenn es nicht unbedingt erforderlich ist.

d) Die Injektion an das Ganglion stellatum

Gebührenordnung: GOÄ, BMÄ: 39, E-Adgo: 30, P-Adgo: 70.
Technik:
a) Die Methode nach HERGET *

Diese Methode wird in Deutschland bevorzugt. Weil sie bekannter ist, sei sie zuerst beschrieben:

Der Patient liegt auf einer flachen Unterlage. Unter die Schulter wird ein festes Polster geschoben. Dadurch wird der Kopf stark zurückgebeugt und die Halswirbelsäule nach hinten überstreckt. Nun suchen wir die Einstichstelle auf. Sie liegt in Höhe der Mitte zwischen erstem Ringknorpel der Trachea und dem Oberrand des Sternums, aber 2—3 cm nach lateral am inneren Rande des M. sternocleidomastoideus, also 2—3 Querfinger oberhalb der Klavikula. Man findet diese Stelle auch, wenn man die Strecke vom Proc. mastoideus zum Sternalansatz des Sternocleido durch drei teilt. Dann liegt sie am Übergang vom kaudalen zum mittleren Drittel. Haben wir den Einstichpunkt, lassen wir den Patienten ausatmen und die Luft anhalten, damit die Lunge möglichst weit nach unten tritt. Das Einstechen der 8 cm langen Nadel erfolgt (ohne vorherige Betäubung der Einstichstelle) schnell in Richtung auf den vorstehenden Dornfortsatz des 7. Halswirbels, den man mit einem Finger der freien Hand markieren kann, damit man die richtige Stoßrichtung einhält. In 4—5 cm Tiefe stoßen wir auf einen knöchernen Widerstand, auf das Köpfchen der ersten Rippe. Vor diesem liegt das Ganglion stellatum. Die Nadel wird nur 1 mm zurückgezogen, weil das Spritzen unter das Periost zu erheblichen Nachbeschwerden führen kann. Beim Anstechen des Ganglions selbst

Abb. 36

1. Rippe
Ggl. stellatum
V. jugularis
A. carotis
M. sternocleidomast.
Trachea

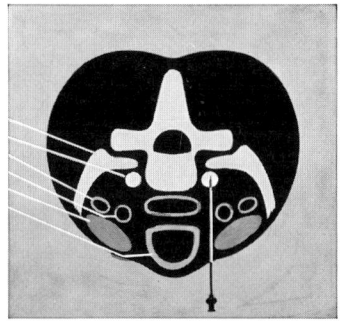

Abb. 36: Schema der Lage des Ganglion stellatum vor dem ersten Rippenköpfchen.

Abb. 37: Auffinden des Einstichpunktes zur Injektion an das Ganglion stellatum nach HERGET:
a) Man teilt den M. sternocleidomastoideus in drei Teile. Der Einstichpunkt liegt am Vorderrand des Muskels am Übergang vom kaudalen zum mittleren Drittel.
b) Man geht in Höhe der Mitte zwischen erstem Ringknorpel der Trachea und dem Oberrand des Sternum bis an den Vorderrand des Kopfnickermuskels.

Abb. 38: Injektion an das Ganglion stellatum (nach HERGET). Die Dreiteilung des M. sternocleidomastoideus und das Schlüsselbein sind nachgezeichnet. Punktiert eingezeichnet: Die Pleurakuppel.

Abb. 37

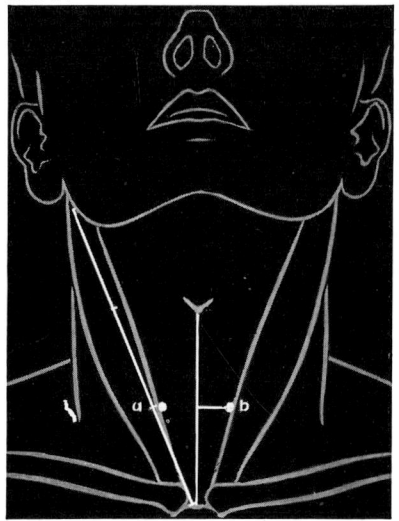

Abb. 38

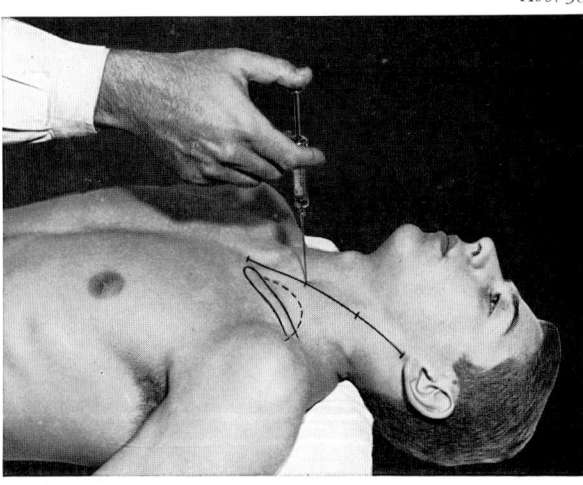

verspürt der Patient einen ziehenden Schmerz in der Schultergegend. Dann muß die Nadel auch um 1 mm zurückgezogen werden. — Hat der Patient eine Struma, so kann diese beiseitegeschoben werden, auch das Durchstechen der Schilddrüse ist harmlos. — Will man den Halsgrenzstrang ausschalten, muß man die Kanüle noch etwas senken. Therapeutisch gesehen bietet diese Injektion gegenüber der an das Ganglion keine Vorteile, sie ist aber gefährlicher und daher wenig empfehlenswert! Die wichtigste Vorsichtsmaßnahme ist uns schon bekannt:

V o r j e d e r I n j e k t i o n k r a n i a l w ä r t s v o m H e r z e n m u ß a n g e s a u g t w e r d e n ! D i e I n j e k t i o n i n e i n z u m G e h i r n f ü h r e n d e s G e f ä ß o d e r i n d e n L i q u o r r a u m k a n n z u b e d r o h l i c h e n K o m p l i k a t i o n e n f ü h r e n !

Liegt die Nadel richtig, werden nur 2—3 ml *Procain* in 2—3 Portionen unter jedesmal erneutem Ansaugen injiziert. Nach Injektion der ersten Tropfen machen wir eine kleine Pause, in der wir den Patienten auf irgendwelche Unverträglichkeitsreaktionen beobachten.

Die Anästhesie des Sternganglions löst für wenige Minuten bis zu einer halben Stunde einen H o r n e r s c h e n S y m p t o m e n k o m p l e x aus: Nach etwa 10 Minuten verengen sich die Pupille und die Lidspalte, der Bulbus sinkt zurück und die Konjunktiva rötet sich. Die behandelte Kopfseite wird rot und warm, auch im Arm tritt eine aktive Hyperämie auf. Mit ihr verschwinden etwa vorhandene Gelenkschmerzen in diesem Arm. Bei der geringen Menge von 2—3 ml *Procain* ist der Horner zwar erwünscht, weil man damit die Gewißheit der richtigen Nadellage hat, er ist aber nicht Bedingung und sein Ausbleiben keinesfalls ein Anzeichen dafür, daß keine therapeutische Wirkung erzielt worden ist. Der therapeutische Effekt geht also nicht mit der Vollständigkeit des Hornerschen Komplexes parallel. Der „Stoß ins System an der richtigen Stelle" mit nur 2—3 ml *Procain* oder einem anderen geeigneten Lokalanästhetikum genügt zum Ingangsetzen der beabsichtigten Heilreaktion, auch wenn dabei keine volle Anästhesie erzielt wird.

Der Patient muß nach der Injektion noch eine halbe Stunde in ärztlicher Beobachtung bleiben, dann ist wieder volle Straßenfähigkeit erreicht.

b) D i e M e t h o d e n a c h LERICHE-FONTAINE (DE SÉZE) m o d i f i z i e r t n a c h DOSCH. ✱ ✱ ✱

Diese Methode empfiehlt sich viel mehr für die ambulante Praxis. Sie ist einfach erlernbar und praktisch ungefährlich!

Der Patient sitzt auf einem Stuhl mit einer Nackenstütze. Ist ein solcher nicht vorhanden, lehnt man seinen Kopf einfach an die Wand, nachdem man ein Polster unter den Nacken geschoben hat. Er muß den K o p f, so weit er kann, n a c h h i n t e n legen und dann noch maximal zur G e g e n s e i t e d e r I n j e k t i o n drehen. Wir müssen unbe-

1. Rippe
Ggl. stellatum
V. jugularis
A. carotis
M. sternocleidomastoideus

Abb. 39: Schema der Situation der Nadel bei der Injektion an das Ganglion stellatum (nach LERICHE).

d) Die Injektion an das Ganglion stellatum

dingt verhindern, daß der Patient bei dieser Drehung die Schulter mit nach vorn nimmt oder ängstlich seinen Hals einzieht! Nun legt man je nach Länge des Halses 2—3 Fingerspitzen der linken Hand, und zwar vom Zeige- und Mittelfinger, so an den **Außenrand** des Sternocleidomastoideus, daß der kaudal liegende Zeigefinger am Ansatz des Muskels, also am Oberrand des Sterno-klavikular-Gelenks, zu liegen kommt. Die Finger werden behutsam in die Tiefe gedrängt, damit das Gefäß-Nervenbündel beiseite und die Pleurakuppel nach unten gedrängt wird. Das darf nicht zu grob geschehen und soll auch nicht zu lange dauern. Erinnern wir uns, daß ein Boxschlag in diese Gegend einen Karotis-Sinus-Reflex und damit einen K. o. auslöst.

Die nur 4 cm lange Nadel wird nun dicht oberhalb des kranialwärts liegenden Fingers eingestochen und **in Richtung auf die Dornfortsätze** in die Tiefe geführt. Das gesuchte erste Rippenköpfchen, vor dem das Sternganglion liegt, ist nun **fast subkutan**! Die Nadel muß also auch bei Adipösen in ein, höchstens zwei Zentimeter Tiefe auf Knochen stoßen, sonst muß ihr Sitz unbedingt korrigiert werden! Der dauernde Kontakt mit dem Rippenköpfchen gibt uns die Sicherheit, nicht in ein Gefäß oder in die Pleura zu gelangen. In die Zwischenwirbellöcher können wir aus dieser Richtung sowieso nicht hineingelangen. — Das notwendige Gefühl für die Tiefe und die einzelnen Gewebsschichten bekommt man bei dieser Methode schnell und damit auch die Sicherheit. — Wir ziehen die Nadel vor der Injektion 1 mm zurück, um nicht subperiostal zu spritzen, weil das für 2—3 Tage in die Schulter ausstrahlende Schmerzen zur Folge haben kann. Wir müssen also gleichsam in lockerer Fühlung mit dem Knochen bleiben. Wenn beim Ansaugen weder Blut, Luft noch Liquor aspiriert werden, injizieren wir zur Probe 1—2 Teilstriche *Procain* und warten einige Sekunden. Zeigt der Patient keine Reaktion, können unsere 2—3 ml *Procain* nach nochmaligem Ansaugen zügig gegeben werden. Man kann die liegende Nadel nach

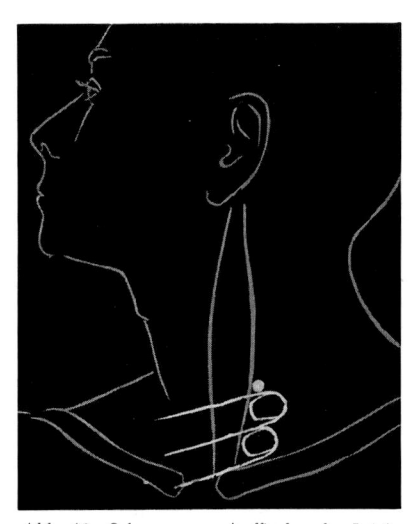

Abb. 40: Schema zum Auffinden der Injektionsstelle für die Injektion an das Ggl. stellatum, modifiziert nach LERICHE. Der Kopf des sitzenden Patienten wird zur Gegenseite der Injektion gewendet und nach hinten gebeugt. 2—3 Finger der linken Hand drücken sich oberhalb des Sternums am **Außenrand** des Sternocleido in die Tiefe. Das erste Rippenköpfchen liegt nun fast subkutan oberhalb des oberen Fingers.

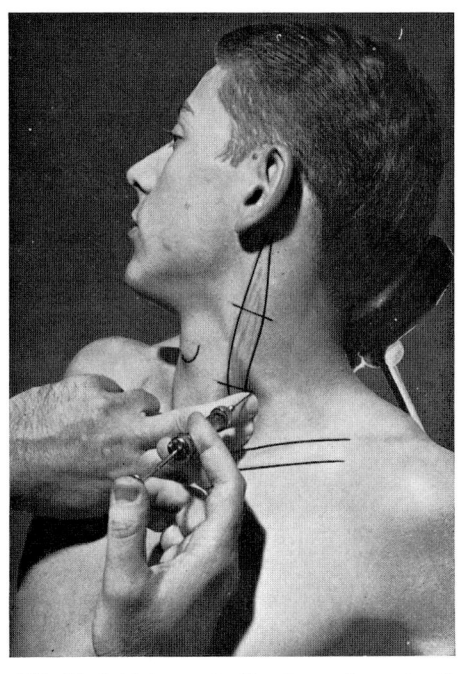

Abb. 41: Injektion an das Ganglion stellatum (modifiziert nach LERICHE).

der halben Injektionsmenge um 180 Grad drehen (danach ansaugen), damit sich die Lösung nach beiden Seiten verteilt. Der Patient sitzt dann noch eine halbe Stunde im Vorzimmer und kann dann ohne Bedenken nach Hause entlassen werden.

Wenn der Kranke beim Einstich einen elektrisierenden Schlag angibt, der bis in die Fingerspitzen ausstrahlt, ist die Nadel zu weit lateral in Strängen des Plexus brachialis. Wir suchen ihn gelegentlich aus therapeutischen Gründen absichtlich auf, bedienen uns dann aber besser einer anderen Methode, die alle Plexusteile erfaßt: — (T) — Nerven, zuführende.

Die Vorteile der Methode LERICHE-FONTAINE gegenüber der von HERGET angegebenen liegen auf der Hand:

1. Die Lagerung des Patienten erfordert keine besonderen Umstände. Das Überstrecken des Halses ist unangenehm und löst leicht Angstgefühle aus. Demgegenüber empfindet der Patient die Injektion im Sitzen als wesentlich angenehmer!
2. Durch das Drehen des Kopfes gehen Karotis und V. jugularis aus unserer Stichrichtung, durch das Eindrücken der Finger weichen sie auf alle Fälle vollends beiseite. Meist ist dann das erste Rippenköpfchen deutlich in der Tiefe fühlbar, so daß man nicht ins Ungewisse stechen muß! Vor der einzig vitalen Gefahr, die wir sehen, einer versehentlichen endoduralen Injektion, bewahrt uns neben dem Ansaugen (darum nicht mit zu dünnen Nadeln arbeiten!) der oberste Sicherheits-Grundsatz, immer nur in lockerem Kontakt mit dem ersten Rippenköpfchen zu injizieren und darauf zu achten, daß wir mit der Nadelspitze nicht tiefer nach dorsal gleiten. Das ist aber beides nicht schwer zu kontrollieren.
3. Bei Asthmatikern und Emphysematikern besteht keine Gefahr, die geblähte Lungenkuppe anzustechen. Auch diese wird von den Fingern nach unten abgeschoben!
4. Man benötigt keine besondere Nadel und kann die Injektion auch bei Hausbesuchen, notfalls am bettlägerigen Patienten, vornehmen.
5. Bei Beachtung der wenigen Kautelen sind Komplikationen praktisch ausgeschlossen. Die Injektion ist dann wirklich nicht gefährlicher als eine intravenöse Injektion. Sie hat sich mir bei über 25 000 Injektionen ohne Zwischenfall bewährt. Wegen des immensen Aktionsradius sollte sie von jedem Praktiker beherrscht und täglich angewandt werden. DITTMAR vertritt die Meinung, daß eine perivasale Umflutung der — (T) — Art. subclavia mit 2 ml Procainlösung einen vollwertigen Ersatz für die Stellatum-Injektion darstellt. Obwohl wir das theoretisch nicht für wahrscheinlich halten und seine Bedenken gegen die Injektion an das Sternganglion aus der langjährigen Erfahrung heraus nicht teilen, möchten wir auf diese Ersatz- und Ausweichmöglichkeit für ängstliche Kollegen doch hinweisen.

e) Die Injektion an das Ganglion cervicale sup. et med. und in retrostyloidalen Raum * *

Indikation, Material, Gebührenordnung: — (T) — Ganglion stellatum, Methode nach HERGET.

DESCOMPS empfiehlt die Anästhesie des Ganglion cervicale superius und des retrostyloidalen Raumes bei Migräne, vasospastischen Erkrankungen, Hämoptoe, Asthma bronchiale et cardiale und bei allen allergischen Erkrankungen wie Ekzemen, Heuschnupfen, chronischer Urtikaria und bei Bronchiektasien. Man erreicht mit dieser Injektion den Sympathikus und Vagus und deren Ganglien und Anastomosen, den Glossopharyngeus, den Plexus peri-carotideus, die Nervi depressores aortae et carotideae, das Glomus caroticum, den Hypoglossus und Spinalnerven. Der damit zu erzielende Effekt beruht auf der Einwirkung des *Procains* auf so viele dort eng zusammengedrängt verlaufende, vorwiegend vegetative, efferente und afferente Fasern. Nach DESCOMPS bewirkt die Anästhesie dieser Region:

e) Die Injektion an das Ganglion cervicale sup. et. med.

„1. Nervöse Reaktionen: Sie setzen die nozizeptiven, zentripetalen Erregungen, die zentrifugalen Befehle vegetativer Reaktionen, die schlecht adaptierten Erregungen zahlreicher regulativer Systeme um ca. die Hälfte herab; sie ‚entlasten' die Formatio reticularis und den Cortex cerebralis eines Übermaßes subtiler Erregungen und verhindern einige hypothalamische Reaktionen.

2. Hormonale, insbesondere hypophysäre Reaktionen. Es ist erstaunlich und aufregend zugleich, festzustellen, daß die Beschwerden, die durch die retrostyloidale Anästhesie günstig beeinflußt und die als Adaptionskrankheiten betrachtet werden, auf die quasi physiologische Reaktivierung der Achse Hypophyse-Cortex-Nebenniere nach SELYE ansprechen und dies unter Ausschluß einer exogenen Kortikotherapie."

K o n t r a i n d i k a t i o n : Bei bedrohlich hohem Blutdruck mit Apoplexiegefahr sollte von einer Injektion an das Ggl. supremum Abstand genommen werden. Wenn die Sella turcica im Röntgenbild erheblich verengt ist, muß nach der Injektion mit starken Kopfschmerzen gerechnet werden, weil die Anästhesie eine Gefäßerweiterung im Hypophysenbereich zur Folge hat.

T e c h n i k : Die Technik ähnelt der Injektion an das Ggl. stellatum. Das Ggl. cervicale superius liegt wirbelnahe vor dem Querfortsatz des 2. bzw. 3. Halswirbels, das Ggl. cervicale mediale vor dem des 4. Halswirbels.

a) Das G g l . c e r v i c a l e s u p . (bzw. s u p r e m u m) und die R e g i o r e t r o s t y l o i d e a finden wir, wenn wir am Schnittpunkt zweier Hilfslinien eingehen: Eine senkrechte geht vom Vorderrand des Proc. mastoideus abwärts, die waagerechte ziehen wir einen Querfinger breit über dem Angulus mandibulae. Die am Schnittpunkt beider Linien senkrecht zur Haut eingestochene 6—8 cm lange Nadel (mit kurzer Spitze) trifft bei Zielrichtung auf das Mastoid der Gegenseite je nach Dicke der Weichteile in 3—4 cm Tiefe auf Knochen. Wir sind an der Facies anterior des 3. Halswirbel-Querfortsatzes. Nun zieht man die Nadelspitze etwas zurück und dringt mit ihr noch einen Zentimeter ventral weiter bis vor den Querfortsatz vor. Nach negativer Ansaugprobe (cave A. carotis oder A. vertebralis) infiltriert man diesen Punkt und seine nähere Umgebung nach ORSONI mit 10—20 ml eines Lokalanästhetikums unter ständiger Ansaugkontrolle nach jeder Lageänderung der Nadelspitze. Unserer Ansicht nach erreichen geringere Mengen (5 ml) denselben therapeutischen Effekt bei Verminderung der Gefahr eines Karotis-Sinus-Reflexes! — Eine andere Technik von der Seite geht bei maximal seitwärts und nach hinten gedrehtem Kopf genau in der Mitte zwischen Cornu majum ossis hyoidei und Massa lateralis atlantis bis zum Vorderrand der Halswirbelsäule ein. Nach Knochenberührung wird die Nadel etwa 1 cm zurückgezogen und dann nach negativer Ansaugprobe injiziert. — Zu einer Infiltrationsserie gehören bis zu 10 Injektionen, die 3mal wöchentlich abwechselnd links und rechts gegeben werden sollen. In hartnäckigen Fällen (z. B. nach Cortison-Vorbehandlung) sind mehrere Infiltrationsserien erforderlich, daneben empfiehlt sich eine Störfeldsuche.

Nebenerscheinungen: Nach 2—3 Minuten muß ein Horner-Syndrom auftreten, sonst ist keine Wirkung zu erwarten. Durch Ausschalten der in der Regio retrostyloidea verlaufenden Nerven kommt es für etwa 20 Minuten zu einem Leeregefühl im Kopf, leichten Sehstörungen, Schwere in den Augenlidern, leichtem Schwindelgefühl beim Gehen. Kloßgefühl im Hals und Schluckbeschwerden, evtl. auch zu Stimmlosigkeit. Der Puls ist etwas beschleunigt, das venöse Blut wird nachweislich arterialisiert und der Blutdruck steigt vorübergehend um 20—30(—50) mm Hg an. Ebenso steigt der Blut-Kalzium-Spiegel an und der Zucker-Stoffwechsel wird beschleunigt. Gelegentlich gibt es als Nachwirkung einen Tag leichte Kopfschmerzen. Nach der vierten bis fünften bis zu 14 Tagen nach der letzten Injektion tritt als günstig zu wertendes Zeichen eine Schläfrigkeit mit erhöhtem Schlafbedürfnis (bei Erhaltung der Arbeitsfähigkeit) auf, die dann einer ausgeglichenen Entspannung bis Euphorie weicht.

— Bei 750 Asthmatikern und 81 an anderen allergischen Erkrankungen Leidenden erzielte DESCOMPS 90 % Heilungen und wesentliche Besserungen, die mindestens 3 Monate anhielten, bei 50 % hielt der Erfolg über 2 bis 20 Jahre an. 25 000 derartige Injektionen verliefen ohne länger andauernde Zwischenfälle!

b) Das G g l. c e r v i c a l e m e d i a l e erreichen wir, wenn wir etwa in Höhe des Ringknorpels eingehen, um vor den Querfortsatz des 4. Halswirbels zu kommen. Wir schieben den Kopfnickermuskel und die Gefäße mit den Fingern der linken Hand beiseite, saugen an und infiltrieren wie oben beschrieben nur dann mit 2—5 ml unseres Neuraltherapeutikums, wenn wir sicher sind, außerhalb eines Gefäßes zu liegen.

f) Die Injektion an den abdominalen Grenzstrang nach Wischnewski * * *

A n d e r e B e z e i c h n u n g e n : Injektion in das Nierenlager, Injektion an den oberen Nierenpol nach WISCHNEWSKI, perirenale oder auch paranephrale Injektion, Splanchnikus-Anästhesie.

Der Anatom macht keinen Unterschied zwischen abdominalen und lumbalem Grenzstrang. Wir haben die Trennung zwischen beiden aus praktischen Gesichtspunkten beibehalten. Die Injektion an den oberen Nierenpol hat primäre Wirkung auf die B a u c h o r g a n e, während die mehr kaudal angesetzten Injektionen an den lumbalen Grenzstrang sich primär auf die nervale Versorgung der u n t e r e n E x t r e m i t ä t e n auswirken.

A n a t o m i e : Mit dieser Injektion erreichen wir das größte periphere autonome Zentrum: Den Plexus renalis und suprarenalis und indirekt das Ganglion coeliacum, die Nn. splanchnici und die oberen lumbalen Grenzstrangganglien. Der Plexus coeliacus liegt etwa vor dem 1. Lendenwirbelkörper. Wir beeinflussen von hier aus die vegetative Innervierung des Bauchraumes und ändern darüber hinaus nachhaltig den Tonus des gesamten Nervensystems.

I n d i k a t i o n :

a) Segmenttherapie: Alle M a g e n - D a r m - Störungen sekretorischer und motorischer Art, z. B. Ulcus ventriculi et duodeni mit Hyp- oder Hyperazidität, darüber hinaus alle Schmerzzustände im E p i g a s t r i u m, Erkrankungen der L e b e r, G a l l e n b l a s e und des P a n k r e a s, auch Pylorospasmus der Säuglinge, Hirschsprungsche Krankheit, chronischer Durchfall und chronische Obstipation, Zirkulationsstörungen der N i e r e wie Eklampsie, Anurie. Versuch bei Multipler Sklerose in Verbindung mit Injektionen an das — (T) — Ganglion stellatum.

Die russische Schule wendet diese Injektion mit guten Erfolgen beim Ileus an. Etwa 70 % der mit der Diagnose Ileus eingelieferten Patienten konnten damit ohne Operation geheilt werden. Als weitere Indikation geben sie an: Verbrennungsschock, Sepsis, eitrige Thrombophlebitis der Venae femorales und iliacae, Altersgangrän, Transfusionszwischenfälle u. v. a. m.

b) Störfeldsuche: Als Testinjektion, wenn im Leber-, Gallenblasen-, Magen-Sektor und im Nierenbereich ein Störfeld vermutet werden kann, z. B. nach Ikterus, Cholezystopathien, Ulcera ventriculi, Pankreatitis, Ruhr, Cholera, Typhus, chron. Durchfall, chron. Nephropathie u. dgl.

M a t e r i a l : Nadel 12 cm × 1 mm (dünnere Kanülen verbiegen sich zu sehr!). Für schlanke Patienten genügt auch eine 8—10 cm lange Kanüle. Menge: 2—5 ml Procain-Lösung. Ein steriler Mulltupfer.

G e b ü h r e n o r d n u n g : GOÄ, BMÄ: 39, E-Adgo: 30, P-Adgo: 70. Nach BRÜCK höher abrechnungsfähig als Umspritzung des Plexus coeliacus mit GOÄ: 40, E-Adgo: 30 a, P-Adgo: 71!

f) Die Injektion an den abdominalen Grenzstrang nach Wischnewski   265

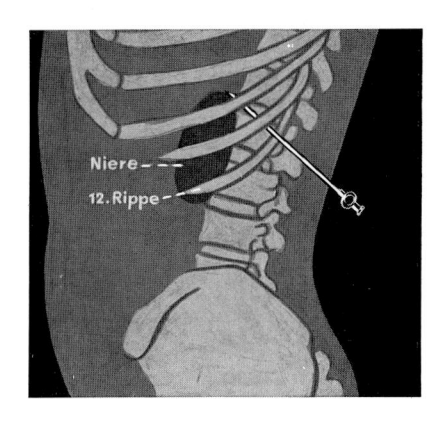

Abb. 42: Injektion an den oberen Nierenpol nach WISCHNEWSKI.
Lage der Niere und der Injektionsnadel von der Seite gesehen.

T e c h n i k : Der am Oberkörper entblößte Patient tritt dicht an einen Tisch heran und legt seinen Oberkörper flach auf den Tisch. Er entspannt so am besten. Ist das nicht möglich, genügt es, wenn er die durchgedrückten Arme aufstützt, so daß der Oberkörper leicht vornübergebeugt ist.

Wenn wir von der hinteren Axillarlinie aus die unterste fühlbare Rippe (das ist die 11. Rippe!) nach medial zur Wirbelsäule zu entlangtasten, stoßen wir etwa drei Querfinger neben der Dornfortsatzlinie auf den Muskelwulst der langen Rückenstrecker. In dem Grübchen, das sich dort zwischen dem Unterrand der 11. Rippe und dem Muskelwulst tasten läßt, ist unsere Einstichstelle. Zur besseren Orientierung perkutiere man vorher die untere Lungengrenze ab. Wir fordern den Kranken zum tiefen Einatmen auf und durchstoßen dabei kurz und fast schmerzlos die Haut. Die 12 cm lange Nadel verbiegt sich gern beim Einstich. — Man kann das vermeiden, wenn man vorher einen sterilen Tupfer auf die Nadel aufspießt und diesen zur Führung und Stütze des Nadel-Vorderteiles zwischen Daumen und Zeigefinger der linken Hand faßt. Oder man faßt die Kanüle in der Nähe ihrer Spitze mit einer sterilen Pinzette und führt sie damit durch die Haut. — Nun lassen wir ausatmen und die Luft anhalten, damit die Lungengrenze möglichst weit nach oben rückt. Vom Einstichpunkt geht die Injektionskanüle etwa 30 Grad medianwärts und 60 Grad kranialwärts, also schräg mehr nach oben, als nach innen in Zielrichtung auf die (normal sitzende) Brustwarze der Gegenseite, bis man je nach Dicke des Patienten in etwa 8—12 cm Tiefe nach Überwinden des Muskel- und Faszienwiderstandes das deutliche Gefühl hat, mit der Nadel in einen leeren Raum hineinzufallen. Wer lernt, beim Fortschreiten in die Tiefe unter ständigem Stempeldruck vorzugehen, merkt deutlich, wann er die richtige Schicht erreicht hat, weil dann das Medikament ohne Widerstand ausfließt. Wir befinden uns jetzt mit der Nadelspitze im Interfaszialraum am oberen Nierenpol, also in Nähe der wichtigen Nebenniere, unter der Zwerchfellkuppel und damit in Nähe der präaortalen und anderen bereits erwähnten Ganglien und des oberen lumbalen Grenzstranges. Nach Ansaugen injizieren wir nur 2 bis höchstens 5 ml *Procain*. Nicht die Menge, nur der Ort der Injektion ist auch hier wieder entscheidend! Sitzt die Injektion an dem oberen Nierenpol nicht richtig, ist kein Erfolg zu erwarten. Bei der Möglichkeit, gerade hier in der Tiefe das Ziel zu verfehlen, ist es empfehlenswert, die Injektion bei ausbleibender Heilreaktion zur Sicherheit noch ein- oder zweimal zu wiederholen. Der Fortgeschrittene wird die verlockende Möglichkeit, nach der Injektion noch eine kleine Menge *Procain* direkt an den Grenzstrang und den Plexus coeliacus zu geben, indem er die Nadel noch weiter medial führt, in jedem Fall mit wahrnehmen. Noch weiter nach ventral und medial zu liegt die Bauchaorta genau vor dem Wirbelkörper. Injektionen von 2—4 ml *Procain* an und in die Aorta können besonders bei Durchblutungsstörungen der unteren Extremitäten und Aortalgien nützlich sein.

(G e b ü h r e n o r d n u n g für intraaortale Injektion: GOÄ, BMÄ: 33, E-Adgo: 26, P-Adgo: 71).

f) Die Injektion an den abdominalen Grenzstrang nach Wischnewski

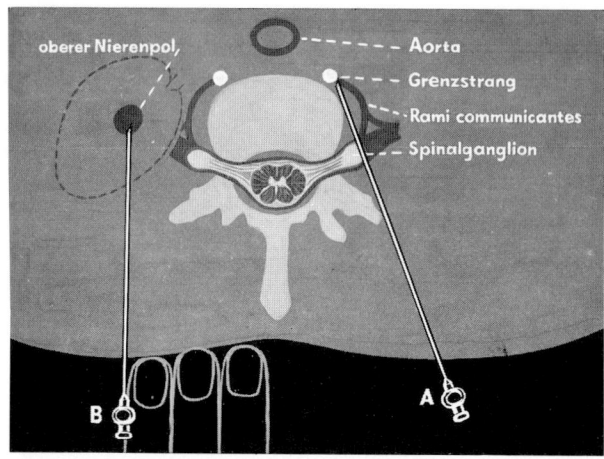

Abb. 43: Injektion an den oberen Nierenpol (nach WISCHNEWSKI).
A. Lage und Nadelführung bei Injektion direkt an den Grenzstrang des Sympathikus.
B. Lage und Nadelführung bei Injektion an den oberen Nierenpol nach WISCHNEWSKI.

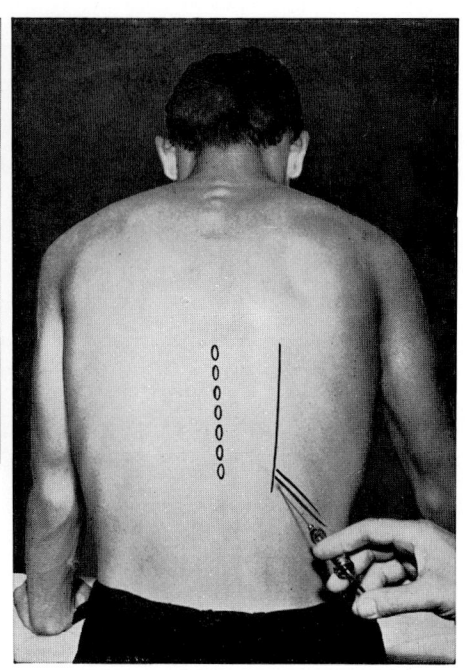

Abb. 44: Injektion an den abdominalen Grenzstrang.

Zweckmäßigerweise kombiniert man die Injektion in das Nierenlager immer mit einer präperitonealen Injektion in die Magengrube: Wir setzen drei Querfinger unterhalb des Proc. xiphoideus eine Intrakutanquaddel, stechen dort mit einer 4 cm langen Nadel ein und infiltrieren fortschreitend präperitoneal mit etwa 2 ml *Procain*. Diese beiden Injektionen müssen bei Bedarf, in der Regel bei wiederauftretenden Beschwerden, wiederholt werden.

g) Die Injektion an den lumbalen Grenzstrang * *

A n d e r e   B e z e i c h n u n g : ,,Lendenblockade''.

A n a t o m i e : Im Gegensatz zur Injektion an den oberen Nierenpol wirken die Injektionen unterhalb des 2. Lumbalganglions vorwiegend postganglionär, der größte Teil der sympathischen Fasern, die die Gefäße umspinnen, wird dabei nicht erreicht. Die Injektion an die lumbalen Ganglien, die einen großen Teil der sympathischen Bahnen zum Bein abgeben, erzielt besonders eine Hyperämie und neurovegetative Normalisierung der unteren Extremitäten. Am vorteilhaftesten ist die Infiltration des zweiten Ganglions. Es ist das größte und liegt in Höhe des 2. Lendenwirbels.

I n d i k a t i o n : Die Domäne der Injektionen an den lumbalen Grenzstrang sind alle chronischen Zirkulationsstörungen der unteren Extremitäten verschiedenster Genese wie Bürgersche Krankheit, Zustand nach Verbrennungen, Erfrierungen, Ulcera cruris, Narbenulzera, Röntgen- und Dekubitalgeschwüre, Kausalgien, schlecht heilende Amputationsstümpfe, Stumpfneuralgien, Phantomschmerzen, Hyperhidrosis, auch Schmerzen bei Gelenkversteifungen, Sudecksche Dystrophie, posttraumatische Osteoporosen, Thrombosen und Embolien.
Der Patient gibt bei richtiger Technik ein auch objektiv feststellbares Wärmegefühl im gleichseitigen Bein an. Neben einer verbesserten arteriellen Durchblutung erzielen wir auch eine Unterbrechung der sympathischen Schmerzleitung, die weit über die Anästhesie hinaus anhält.

M a t e r i a l : Nadel: 12 cm × 1 mm. Menge: 2—5 ml Procain-Lösung.

g) Die Injektion an den lumbalen Grenzstrang

Gebührenordnung: GOÄ, BMÄ: 39, E-Adgo: 30, P-Adgo: 70.

Technik: Die Technik ähnelt der von WISCHNEWSKI angegebenen Injektion an den oberen Nierenpol, nur müssen wir hier natürlich mit der Nadel noch etwas weiter nach medial zu gehen, um den Grenzstrang am seitlichen Vorderrand des Wirbelkörpers zu erreichen. Der Einstich erfolgt in der gewünschten Höhe 3 Querfinger neben dem Dornfortsatz am stehenden, liegenden oder vornübergebeugt stehenden Patienten. Die Verbindungslinie beider Darmbeinkämme führt uns auf den Dornfortsatz des 4. Lendenwirbels, von hier aus können wir die gesuchte Etage abzählen. Meist wählen wir das 2. Lumbalganglion. Stößt die Nadel beim Vorgehen im Winkel von 60 Grad nach medial zu schon in etwa 3 cm Tiefe auf Knochen, sind wir auf den Querfortsatz geraten. Durch leichtes Anheben der Spritze nach oben und außen kann er leicht umgangen werden. Die Nadel gleitet dann am Unterrand des Querfortsatzes vorbei und stößt in etwa 7 cm Tiefe auf die Seitenfläche des Wirbelkörpers. Nach Zurückziehen der Nadel führen wir sie in etwas stumpferem Winkel gerade so weit vor, bis wir eben die Knochenfühlung mit der Rundung des Wirbelkörpers wieder verlieren. Hier liegt der Grenzstrang seitlich dicht am Wirbelkörper. Dorthin geben wir unsere 2—5 ml *Procain.* Siehe Abb. 43 und 45.

h) Thorakale, lumbale und sakrale Grenzstrang-Injektionen *

Indikation, Technik, Material und Gebührenordnungsnummern gehen aus dem unter a) bis c) und bei der — (T) — Paravertebralanästhesie Gesagten hervor. Die russische Schule (WISCHNEWSKI u. a.) zeigte uns, daß der Stoß ins System mit der Procain- bzw. Impletol-Injektion unmittelbar an den Grenzstrang des Sympathikus sehr wohl in der Lage ist, auch an weit entfernter Stelle positive Reaktionen einzuleiten.

Für das therapeutische Geschehen ist demnach gar nicht so sehr ausschlaggebend, in welcher Etage und auf welcher Seite wir den Grenzstrang angehen!

In der Regel kommen wir im Kopf-, Hals-, Brust- und Armbereich mit der Injektion an das — (T) — Ganglion stellatum und im Bauchbereich mit der Injektion an den oberen Nierenpol aus. Für die unteren Extremitäten bevorzugen wir neben der Injektion an den lumbalen Grenzstrang die Injektionen an die — (T) — Ischiaswurzel und die — (T) — epidurale oder — (T) — präsakrale Infiltration.

Übrigens muß man noch wissen, daß der thorakale Grenzstrang mehr an der Seitenfläche der Brustwirbel zu suchen ist, während der lumbale mehr an der seitlichen Vorderfläche anliegt.

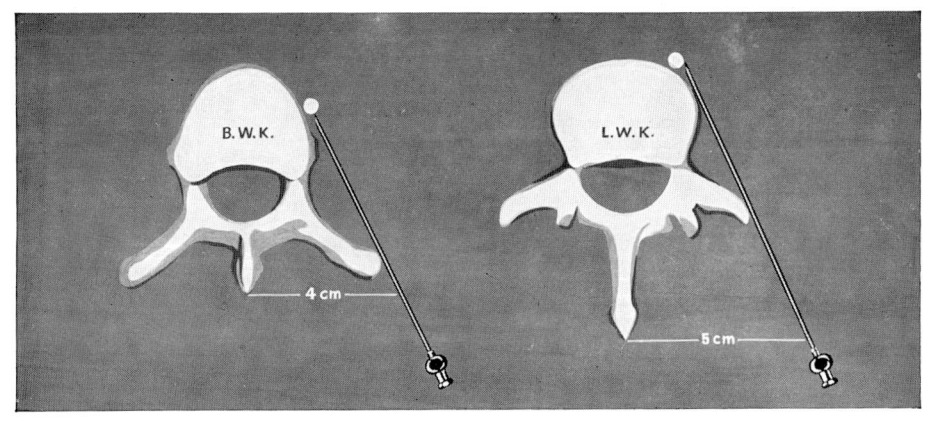

Abb. 45: Lage des Grenzstranges im Brust- und im Lumbalbereich.

i) Mögliche Fehler und Komplikationen bei den Grenzstrang-Injektionen

Cave: Bei Quicktest-Werten *(Marcumar)* unter 45 % (—70 %) keine Injektion an den Grenzstrang!

1. Im Hals- und Brustbereich:

α) Werden procainhaltige Mittel in ein zum Gehirn führendes Gefäß gespritzt, können toxische Konvulsionswirkungen auftreten, die bei Injektion größerer Mengen unter Umständen tödlich verlaufen können. Allerdings widersprechen dem neuere Berichte über therapeutische Procain-Injektionen in die — (T) — Arteria carotis. Trotzdem wollen wir Injektionen in hirnversorgende Gefäße vermeiden. Darum müssen wir vor jeder Injektion und nach jeder Veränderung der Nadellage oder nach Bewegungen des Patienten (Husten, Schlucken usw.) immer wieder ansaugen. Es darf kein Blut aspiriert werden. Lieber einmal zuviel als zuwenig kontrollieren und nur injizieren, wenn man sich der extravasalen Lage sicher ist. Das Gefühl bekommt man bald mit einiger Erfahrung. Wer die Gelegenheit dazu hat, übe die Technik an der Leiche oder lasse sich von einem erfahrenen Kollegen anleiten!

β) Zwischenfälle bei Injektionen im Halsbereich müssen aber nicht unbedingt Folge versehentlicher intravasaler oder intraduraler Injektionen sein. Das Halsgebiet ist erheblich empfindlicher, als jeder andere Körperteil. Vor allem bei hyperergetischer Reaktionsweise vegetativ stark Gestörter kann der Karotis-Sinus-Reflex zu unliebsamen Schockreaktionen mit Bewußtseinsverlust und tonisch-klonischen Zuckungen führen. Derartige Zwischenfälle sind abnorm selten. Sie können, besonders nach zu großen Flüssigkeitsmengen, tödlich verlaufen. Glücklicherweise klingen sie meist ohne jede Behandlung ab. Man soll derartige Schockzustände durch intravenöse Gabe löslicher Nebennieren-Rindenpräparate (z. B. *Solu-Decortin H*) kupieren können.

γ) Die Schädigung der medullären Zentren nach unbemerkter sub- bzw. intraduraler Injektion kann man ebenso leicht verhindern, wenn man sich vor der Injektion durch Aspirieren davon überzeugt, daß man nicht intradural liegt, es darf kein Liquor in die Spritze gelangen. Bei ungünstigen anatomischen Verhältnissen können die Durascheiden einmal bis in die Foramina intervertebralia reichen. Man braucht in diesen überaus seltenen Fällen nicht in die Foramina einzudringen, um intradural zu liegen. Geschieht das bei Unachtsamkeit oder wird gar in das Rückenmark injiziert, kann es zu irreversiblen Schädigungen kommen.

δ) Bei Hypotonikern sind nach Procain-Injektionen bedrohliche Blutdrucksenkungen durch periphere Vasomotorenlähmung und Schädigung nervöser Zentren beobachtet worden. Bei *Impletol* und den von uns verwendeten minimalen Mengen ist das nicht zu erwarten. Größere Mengen können einen Karotis-Sinus-Reflex auslösen. Auch das Eindrücken des Fingers, der das Gefäß-Nervenbündel im Halsbereich beiseitedrängen soll, darf nicht zu grob und nicht zu lange geschehen. Ich habe dabei und durch Anstechen der Karotis ohne Injektion bei drei vegetativ Labilen einen solchen Reflex erlebt: Übelkeit, Schwarzwerden und Drehen vor den Augen, Dröhnen im Kopf und Rauschen in den Ohren wurden bei Blässe und weiten Pupillen angegeben. Das verging nach wenigen Minuten Flachlagerung ohne weitere Behandlung. Bei stärkerer Reaktion, die ich selbst bei den ungezählten Injektionen in diesen Bereich noch nicht sah, wäre ein intravenös zu verabfolgendes Cortisonpräparat (z. B. *Solu-Decortin H*) indiziert.

ε) Setzen eines Pneumothorax durch Anstechen der Pleurakuppel oder bei Injektion ins Nierenlager durch das Zwerchfell hindurch. Bei vorheriger Perkussion zum Feststellen der Lungengrenzen und Beachten des Hinweises, daß wir das Ausatmenlassen des Patienten vor dem Einstich empfehlen, geschieht das selten. Oft wird es gar nicht bemerkt. Der gesetzte Pneu heilt ohne wesentliche Beeinträchtigung des Allgemeinbefindens notfalls bei 2—3 Tagen Bettruhe oder zumindest körperlicher Schonung ohne weitere Behandlung aus. Ein Spannungspneumothorax ist kaum zu erwarten. Wenn, würde er sich in Brustschmerzen, Reizhusten, Beklemmungsgefühl, Kurzatmigkeit und blutigem Sputum äußern. Neben der Gabe von Sedativa müßte Einweisung zur stationären Behandlung (Punktion und Ablassen der Luft) erfolgen.

ζ) H e i s e r k e i t bzw. S t i m m l o s i g k e i t nach Injektionen im Halsbereich: Die Injektion saß zu weit medial, so daß der Rekurrens mit betäubt wurde. Das ist harmlos und geht bald vorüber! Das gilt auch für die Anästhesie des N. phrenicus, der vorübergehend die Zwerchfellbewegung ausschaltet. Daher Vorsicht bei beidseitiger Injektion. — Sollte versehentlich in die A. vertebralis injiziert werden (was durch die Ansaugprobe vermeidbar ist), kommt es zu einem vorübergehenden Ohrensausen, das ebenfalls keiner Behandlung bedarf.

2. I m A b d o m i n a l - u n d L u m b a l b e r e i c h :

α) Aspirieren wir hier B l u t , sind wir zu tief gegangen und zu weit medial in der Aorta. Nach Zurückziehen der Nadel kann unbedenklich injiziert werden. Das Anstechen der Aorta ist u n g e f ä h r l i c h , selbst die Injektion in die Aorta, die bei Durchblutungsstörungen der unteren Extremitäten sogar absichtlich zu therapeutischen Zwecken vorgenommen werden kann.

β) Wird L i q u o r a s p i r i e r t , sind wir versehentlich im Wirbelkanal gelandet. Die N a d e l wird sofort h e r a u s g e z o g e n und in gleicher Höhe an diesem Tage nicht mehr injiziert.

γ) A n s t e c h e n d e r N i e r e : Wenn der Patient nicht ausgeatmet hat, bei der Injektion wieder einatmet, sich plötzlich bewegt oder die Nadel zu weit kaudalwärts lag, kann schon einmal die Niere angestochen werden. Man merkt den unerwartet stumpfen Widerstand und bekommt vom Patienten starke Schmerzen gemeldet, die am Injektionsort auftreten, also nicht ausstrahlen. Nach Korrektur der Nadellage kann gespritzt werden. — Das Anstechen der Niere verläuft ohne Folgen. Ich habe bisher bei unübersehbarem Material nur wenige Hämaturien erlebt, die nach dreitägiger Bettruhe ohne weitere Behandlung abklangen. Die Chirurgen muten dem Körper weit mehr zu, wenn sie die Niere freilegen, vorluxieren und die Kapsel spalten! Am Nutzen gemessen, die diese von uns überaus häufig angewendete Injektion bringt, ist das Risiko unbedeutend.

δ) Trifft man schon in 3—4 cm Tiefe auf Knochenwiderstand, ist man an einem Q u e r f o r t s a t z . Die Nadel wird etwas zurückgezogen und nun über oder unter dem Querfortsatz erneut vorgeschoben. — Gibt der Patient beim Vorführen der Nadel einen S c h m e r z an, der in die Beine zuckt, haben wir einen Spinalnerv erwischt. Man korrigiere etwas den Sitz der Nadel. — Eine vorübergehende U n s i c h e r h e i t i n d e n B e i n e n nach lumbaler Grenzstranginjektion zeigt, daß die motorischen Wurzelfasern angelähmt wurden. Auch dieser Zustand ist harmlos und vergeht innerhalb einer halben Stunde wieder. Bei falschem Sitz der Nadel in den hinteren Wurzeln treten heftige Schmerzen auf, die aber mit ein paar Schmerztabletten zu beherrschen sind.

ε) Bei zu steiler Nadelführung kranialwärts kann man schon einmal durch das Zwerchfell in die Lunge geraten. Der Patient hustet dann sofort und verspürt einen Blutgeschmack, sein Sputum ist sanguinolent. Das ist nicht besorgniserregend. Der eventuell dabei gesetzte geringe Pneumothorax verschwindet innerhalb weniger Tage bei körperlicher Schonung ohne weitere Behandlung.

G e g e n i n d i k a t i o n e n gibt es außer der seltenen Procain-Allergie nicht! Bei unseren geringen Mengen bilden weder das Alter noch ein reduzierter Allgemeinzustand, noch Herz- oder Leberkrankheiten eine Gegenindikation. Allen bedrohlichen Komplikationen kann man also mit der Ansaugprobe und etwas Vorsicht leicht ausweichen. Es kann dabei nicht viel passieren. Wer lernt, diese wirkungsvolle Waffe zu beherrschen, wird für die geringe Mühe tausendfach belohnt.

Gelenkinjektionen

Injektionen direkt in die Gelenke werden nur in seltenen Fällen nötig sein! Meist kommen wir schon mit — (T) — Quaddeln und tieferen — (T) — intramuskulären Infiltrationen in die Umgebung des Gelenkes aus. — So heilt z. B. die segmentgebundene Kniearthritis oder -arthrosis bei genügend häufiger Wiederholung der Segmenttherapie mit 5 einfachen Quaddeln um das Gelenk aus. Tut sie das nicht, haben auch andere Segmentinjektionen nicht allzu viele Erfolgsaussichten. Trotzdem erleben wir immer wieder einmal, daß Procain- oder Xyloneural-Injektionen in das Gelenk Wunder wirken können. Beim *Xyloneural* beugt dessen Kollidon-Komponente Adhäsionen im Gelenk vor. Wenn hinter den Gelenksveränderungen allerdings ein Störfeld steht, können weder Quaddeln noch Gelenkinjektionen entscheidend helfen!

Wir haben gelernt, daß jede Gelenkspunktion mit einer gewissen Infektionsgefahr verbunden ist. Auf der anderen Seite lehrt die Erfahrung, daß das *Procain* (offenbar durch Normalisieren der bioelektrischen Spannung) in der Lage ist, das Angehen einer — (K) — Infektion und — (K) — Entzündung zu verhindern. Diese Erfahrungstatsache wird durch die Feststellung erhärtet, daß wir beim Verwenden von *Procain* noch n i e eine Infektion erlebt haben. Wenn man das weiß, wird man die anerzogene Scheu vor Injektionen in ein Gelenk leichter überwinden! Um trotzdem ganz sicherzugehen, wird die Haut über dem Gelenk mit Seife abgewaschen, mit Alkohol gereinigt und mit Jod angestrichen. — Wie immer soll der Einstich schnell erfolgen. Den richtigen Sitz der Nadel in der Gelenkhöhle zeigt die freie Beweglichkeit der Nadelspitze, die Möglichkeit, leicht Luft einzuspritzen, und das Ansaugen von Gelenkflüssigkeit. Ein eventuell bestehender Erguß ist vor der Injektion abzusaugen. Vor der Injektion mischt man das *Procain* mit etwas Gelenkflüssigkeit.

Procain- oder Xyloneural-Injektionen in die Gelenke können unabhängig von der Senkung, dem Alter des Patienten und dem Alter der Krankheit und ohne Berücksichtigung des Allgemeinzustandes vorgenommen werden. Auch das schlechteste Röntgenbild ist keine Gegenindikation! Die Funktion interessiert uns (nach Ausschluß maligner Prozesse) immer mehr als diese Momentaufnahme des Skeletts. Unsere Absicht besteht nicht darin, am Knochen etwas zu ändern, sondern die Funktion zu bessern und weitgehend wiederherzustellen. Unsere Behandlung ist weitaus schonender als jeder chirurgische Eingriff. Darum sollten die Injektionen mit genügender Wiederholung vor jeder geplanten Operation rangieren. Vor j e d e r Operation sollten alle Segmentmöglichkeiten erschöpft sein und eine gewissenhafte Störfeldsuche abgeschlossen sein. Wenn erst ein Störfeld hinter einem Leiden steht, ist jede lokale Operation sinnlos und zum Scheitern verurteilt.

Bei der Behandlung schmerzhafter Gelenkerkrankungen müssen wir uns daran erinnern, daß die nervale und vasale Versorgung der großen Gelenke (Schulter, Knie, Hüfte, Ellenbogen) immer von den G e l e n k b e u g e n aus erfolgt. Eine Injektion dorthin in die Tiefe bis ans Periost ist ungefährlich, selbst wenn wir Nerven, Gefäße und Gelenkkapseln durchstechen, auch die intraarterielle Injektion ist harmlos und oft sogar erwünscht. Da wir damit Segmenttherapie treiben, genügt eine wesentliche Besserung, um die Wiederholung der Injektion zu rechtfertigen.

I n d i k a t i o n e n : Arthritis, Arthrosis, Gicht, alle posttraumatischen Beschwerden und Teilversteifungen, rezidivierende Ergüsse.

Gebührenordnung für alle Gelenkinjektionen

Im Brück-Kommentar heißt es zur GOÄ Nr. 36 P e r i k a p s u l ä r e I n j e k t i o n b z w. I n f i l t r a t i o n :

„Die Leistung umfaßt die Infiltration des gesamten Kapselgebietes und der angrenzenden Gebiete (einschl. Bindegewebe, subkutanes Fettgewebe, Faszie) e i n e s Gelenkes (z. B. Schultergelenkskapsel, Kniegelenkskapsel, Handgelenk, Fußgelenk), e i n e n Wirbelabschnitt wie HWS oder BWS oder LWS."

Brück-Kommentar zur GOÄ Nr. 31 Intraartikuläre Injektion:

„Geht der Injektion eine Probepunktion bzw. Punktion eines Gelenkes mit Flüssigkeitsentzug voraus, müssen Nr. 62 ff. berechnet werden. Die Injektion ins Gelenk ist also mit Nr. 31 zu bewerten, gleichgültig, um was für ein Gelenk es sich handelt. Dagegen kommen die Nrn. 62, 63 und 64 in Frage für Fälle, bei denen ein Gelenkerguß besteht und abgesaugt werden muß."

Perikapsuläre Infiltration: GOÄ, BMÄ: 36, E-Adgo: 29, P-Adgo: 73.
Intraartikuläre Injektion: GOÄ, BMÄ: 31, E-Adgo: 24, P-Adgo: 69.

Die Technik der Gelenkinjektionen

a) Schultergelenk * *

Indikation: Periarthritis humeroscapularis, Zustand nach Schulterprellung, Arthrosis deformans, Bursitis subacromialis.
Anatomie: Das Gelenk wird sensibel vom N. axillaris (Plexus brachialis), vom Plexus cervicalis und vom N. suprascapularis versorgt.
Material: Nadel: 4 cm x 0,7 mm, Menge: 2—5 ml Procain-Lösung.
Technik:

1. Der einfachste Weg geht durch die Achselhöhle. Er ist aber wegen der Nähe der großen Gefäße und Nerven wenig benutzt. Dabei würde eine versehentliche Injektion in die zur Peripherie laufende Schlagader nicht schaden. Auch ein eventuelles Anstechen der Nerven ist unbedenklich.

2. Injektion von vorn: Der Patient läßt den Arm herabhängen und dabei die Handfläche nach vorn zeigen. Dicht medial vom Humeruskopf kann man nun den Gelenkspalt tasten. Die Nadel wird unterhalb des Schlüsselbeines dicht lateral vom Processus coracoideus in Richtung nach außen hinten vorgeführt. Dabei hält man sich hart unterhalb des Akromion. Man spürt deutlich, wenn die Nadelspitze nach Überwinden des Bandwiderstandes leicht ins Gelenk gleitet. In manchen Fällen ist es ratsam, zusätzlich noch eine Injektion ins Akromioklavikular-Gelenk zu geben.

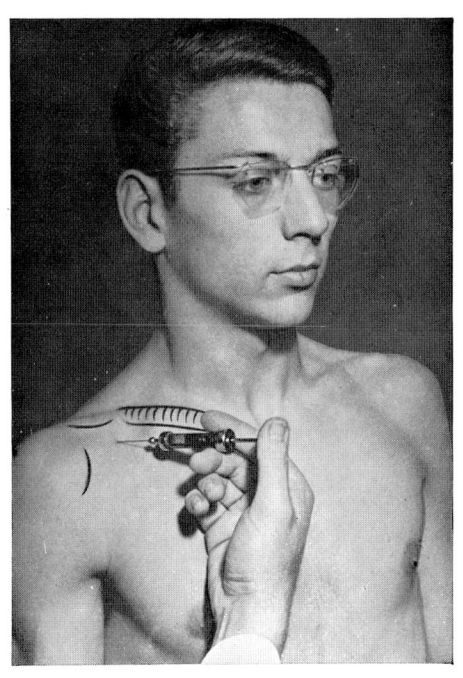

Abb. 46: Injektion in das Schultergelenk von vorn.

3. Injektion von hinten: Der Arm wird leicht abduziert. Einstich unterhalb der hinteren Akromionecke und Vorschieben der Nadel in der Lücke zwischen Hinterrand des Deltamuskels und der Sehne des M. infraspinatus in Richtung auf das Coracoid. Nach der Injektion in das Gelenk werden wir vor dem Herausziehen der Nadel noch 1 ml periartikulär verteilen.
4. Akromioklavikulargelenk: Einstich zwischen lateralem Klavikularende und Akromion senkrecht von oben (am sitzenden Patienten) in die Tiefe („Epauletten-Stich").
5. Bursa subdeltoidea: Bei akuter und chronischer Bursitis subacromialis gehen wir durch eine Intrakutan-Quaddel zwei Querfinger lateral der Schulterhöhe senkrecht zur Haut (in Richtung auf den Rippenbogen der anderen Seite) ein. In 2—3 cm Tiefe durchstoßen wir den Deltamuskel. Nach Aufhören des Widerstandes gehen wir vorsichtig weiter, bis die Nadelspitze erneut auf Widerstand (Supraspinatus-Sehne) stößt. Die Nadel wird etwas zurückgezogen und etwa 5 ml Lösung werden fächerförmig verteilt.

Empfehlenswert ist die zusätzliche Injektion von etwa 1 ml *Procain* an das Periost des vorderen inneren Humerusanteiles dicht unterhalb des Schultergelenkes. Bei Kapselschrumpfungen und Kontrakturen anschließend an die Gelenkinjektion vorsichtige Mobilisierung des Schultergelenkes bei Fixieren des Schulterblattes. Ein deutliches Knistern zeigt die Dehnung der Kapsel an. Eventuell anschließend Abduktionsschiene und nach 2—3 Tagen Wiederholung.

b) Ellenbogengelenk *

Material: Nadel: Größe 12. Menge: 2 ml Procain-Lösung.

Technik: Der Patient legt seinen Unterarm so auf den Untersuchungstisch, daß der Ellenbogen von allen Seiten frei zugänglich bleibt. Ober- und Unterarm sollen etwa einen rechten Winkel bilden. Nun werden Olecranon und Epicondylus lateralis mit einem Hautschreibstift markiert. Der Einstich erfolgt genau in der Mitte zwischen diesen beiden Punkten. Die Kanüle wird etwa 1 cm in Richtung auf die Beugefalte vorgeführt und das *Procain* nach Durchstechen der Gelenkkapsel injiziert. Danach soll das Gelenk bewegt werden, damit sich die Lösung besser verteilt.

c) Handgelenk *

Material: Nadel: Größe 12 oder 14. Menge: 1 ml Procain-Lösung.

Technik: Das Handgelenk läßt sich am besten punktieren, wenn man es in leichter Beugehaltung von dorsal her auf der ulnaren Seite angeht. Ulna-Ende und Proc. styloides ulnae, zwischen denen wir einstechen, sind ja meist gut erkennbar. Die Kanüle wird senkrecht eingestochen und das Procain in etwa 0,5 cm Tiefe injiziert.

d) Hüftgelenk * *

Material: Nadel: 8—10 cm x 0,8 mm. Menge: 2—4 ml Procain-Lösung.

Technik:
1. Injektion nach KIBLER: Der Patient liegt auf der gesunden Seite. Das gesunde Bein bleibt ausgestreckt, das kranke wird leicht angezogen, also im Knie- und Hüftgelenk gebeugt. Nun sticht man 3 Querfinger kranial vom leicht zu ertastenden Trochanter major (an dessen Oberrand vorbei) senkrecht in die Tiefe. Bei Knochenberührung ist sie am Schenkelhals und innerhalb der Kapsel. Man zieht sie einen Millimeter zurück, saugt etwas Gelenkflüssigkeit an und spritzt das *Procain,* das ohne Widerstand aus der Spritze fließen muß. — Die Injektion ist völlig ungefährlich, selbst bei intravasaler Injektion ist kaudal vom Nabel nichts zu befürchten. Die Wirkung ist oft verblüffend, aber leider am Anfang nicht von langer Dauer. Dann muß nachinjiziert werden. Die Wirkung kann durch eine Injektion an den — (T) — Trochanter gesteigert werden. Individuelle Schmerzpunkte auf der Haut und im tieferen Gewebe müssen jedesmal mit aufgesucht und behandelt werden.

d) Hüftgelenk 273

2. Bei Rückenlage des Kranken (Beine geschlossen) erfolgt der Einstich senkrecht in die Tiefe 2 Querfinger lateral der pulsierenden Arteria femoralis auf der Linie Trochanter major — Symphysenoberkante.

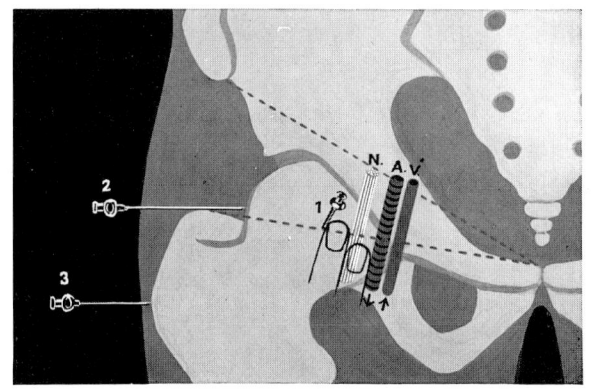

Abb. 47: Injektion in das Hüftgelenk.
1. Von vorn: Zwei Querfinger lateral der pulsierenden Arteria femoralis wird (auf der Linie Symphyse-Trochanter-Oberrand) eingestochen. Senkrecht in die Tiefe gehen, bis Knochenberührung, Nadel etwas zurückziehen, dann injizieren.
2. Injektion in das Hüftgelenk von der Seite oberhalb des Trochanter major.
3. Injektion an den Trochanter major.

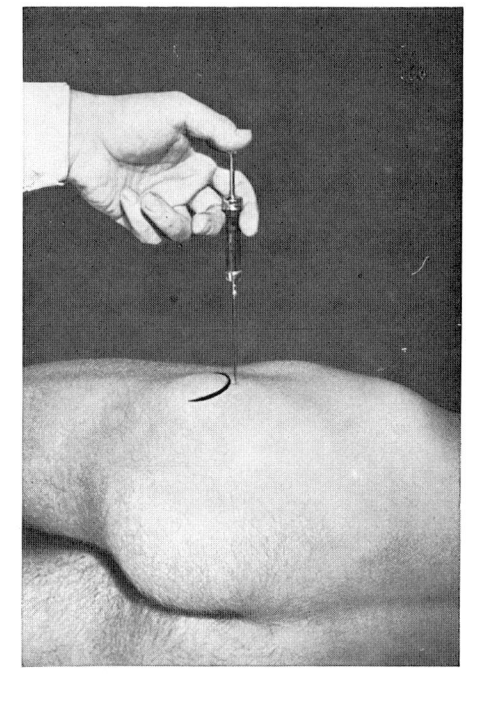

Abb. 48: Injektion in das Hüftgelenk von der Seite oberhalb des Trochanter major.

e) Sakroiliakalgelenk ✱ ✱

Indikation: Lumbago, Ischias, statisch oder posttraumatisch bedingte Kreuzschmerzen (z. B. Beinverkürzung), auch Kreuzschmerzen von Frauen, die entbunden haben. Die meisten Ischialgien, die keine klassischen Ischias-Symptome wie beim Bandscheibenvorfall vorweisen,

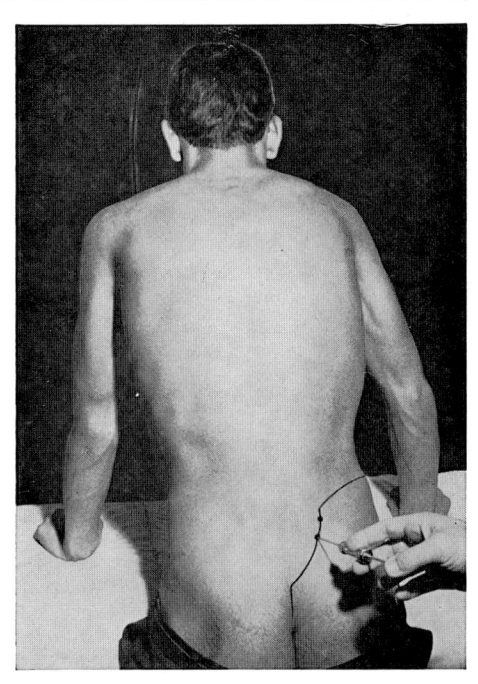

Abb. 49: Injektion in das Sakroiliakalgelenk.

haben eine Blockierung der Iliosakralgelenke. Während die seitliche Beweglichkeit der LWS meist frei ist, findet sich immer eine Einschränkung der Beweglichkeit im LWS-Bereich nach vorn, wobei häufig ein ziehender Schmerz im Ischiadikusbereich angegeben wird. Auch bei der Coxarthrosis ist das Iliosakralgelenk auf der kranken Seite fast immer blockiert oder arthrotisch verändert.

M a t e r i a l : Nadel: 6—8 cm x 0,8 mm. Menge: 2 ml Procain-Lösung.

T e c h n i k : Der Patient steht mit leicht vorgebeugtem Oberkörper. Man sucht den Gelenkspalt, indem man 3 Querfinger neben dem Dornfortsatz S 1 einsticht und im Winkel von 45 Grad zur Haut in Richtung auf das Sakroiliakalgelenk vorgeht und das *Procain* in 3—5 cm Tiefe verteilt. Die Spritze müßte also auf dem Bild nach dem Einstich nach links geführt werden, damit die Nadelspitze an der Crista iliaca post. vorbei nach rechts lateral in den Gelenkspalt hineingleiten kann. Da meist auch das Periost des Darmbeines mit druckempfindlich ist, gibt man auch noch einige Teilstriche etwas lateral an das Periost.

f) Kniegelenk * *

M a t e r i a l : Nadel: 3,5 cm × 0,8 mm. Menge: 2 ml Procain-Lösung.

T e c h n i k : Der Patient liegt entspannt auf dem Rücken. Das Knie ist durch eine untergelegte Rolle leicht gebeugt. Die Patella wird nun nach lateral gedrückt und die Nadel am medialen Rand des unteren Drittels der Patella fast waagerecht so eingestochen, daß sie hinter der Patella ins Gelenk gleitet. Wenn sie richtig geführt wird, hat die Nadel dabei keinen Widerstand zu überwinden. Nach der Injektion kann der Patient das Knie meist sofort wieder ohne Schmerz voll belasten. Wiederholung nach 3—6 Tagen, später in größeren Abständen. — (T) — Quaddeln rings um das Knie, also auch in die Kniekehle und besonders an die Innenseite des Knies, können die Wirkung noch erhöhen. — Ein weiterer Weg in das Kniegelenk führt durch die Fossa poplitea.

Abb. 50: Injektion in das Kniegelenk.

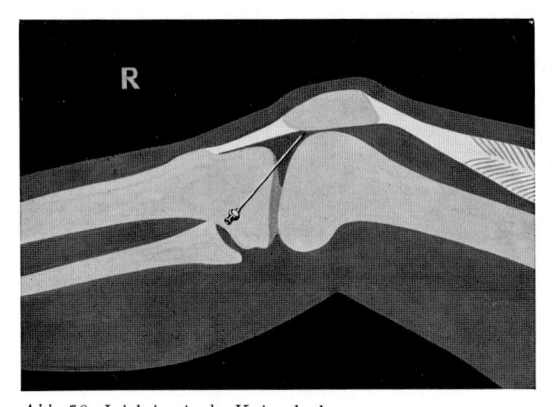

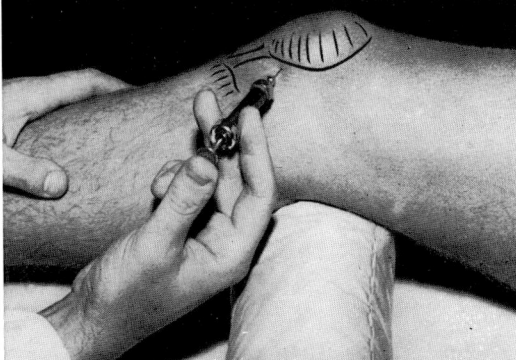

Abb. 51: Injektion in das Kniegelenk.

g) Sprunggelenk *

M a t e r i a l : Nadel: Größe 12. Menge 1—2 ml Procain-Lösung.

T e c h n i k :

1. V o n   h i n t e n : Der sicherste Weg führt auf der fibularen Seite von hinten in das obere Sprunggelenk. Der Patient liegt so auf der Seite, daß sein Fuß bequem auf der Innenseite lagert. Dann wird eine Quaddel etwa einen Querfinger über dem äußeren Knöchel unmittelbar hinter dem Malleolus fibularis gesetzt. Hier wird die Kanüle eingestochen, etwa 1 cm waagerecht nach vorn geschoben und dort ins Gelenk injiziert.

2. **Von vorn**: Der Patient liegt auf dem Rücken. Sein Fußgelenk liegt auf einem kleinen Polster und der Fuß wird etwas gebeugt, damit die Sehne des Musc. extens. hallucis longus deutlicher hervortritt. Etwa auf der Verbindungslinie beider Malleolen tastet man unmittelbar medial von der Sehne eine kleine Vertiefung, den Gelenkspalt zwischen Tibia und Talus. Hier, unmittelbar neben der Sehne, wird die Nadel eingestochen und leicht nach innen unten geführt, wobei sie ins Gelenk gleitet.

h) Finger- und Zehengelenke *

Material: Nadel Nr. 16 oder Carpulenspritze mit kurzer Nadel. Menge: 0,3 ml Procain-Lösung.

Technik: Die Injektion in kleine Gelenke ist schmerzhaft. Darum sollte der Arzt das betreffende Finger- oder Zehenglied immer gut mit seiner freien Hand fixieren. Man kann die Injektion schmerzlos unter der — (T) — Oberstschen Anästhesie vornehmen. Zumindest setzt man über der Einstichstelle eine Anästhesie — (T) — -Quaddel und geht nur langsam unter Stempeldruck infiltrierend vor. Das etwas gebeugt gehaltene Gelenk wird von dorsal, seltener von lateral her angegangen. Dorsal wird unmittelbar links oder rechts neben der Extensorsehne eingestochen. Die Nadelspitze wird dann leicht nach vorn und unten zu über das Gelenkköpfchen hinweggeführt. Wegen der schmerzhaften Kapselspannung injizieren wir immer nur wenige Teilstriche *Procain*.

Die Injektion in den gynäkologischen Raum * * *

Indikation:

a) Segmenttherapie: Endo- und Parametritis, Dyskinesien der Genitalorgane, Dysmenorrhö, Menorrhagien und Metrorrhagien, unspezifischer Fluor, Zervixkatarrh, Unterleibs- und Kreuzschmerzen, Pelvipathia vegetativa, Druckgefühl nach unten ohne Vorfall, auch bei Obstipation und Meteorismus, Kohabitationsbeschwerden, Beckenbodenneuritis, Schwangerschaftserbrechen, zyklusgebundene Erkrankungen (wie Kopfschmerzen, Hauterkrankungen), Pruritus genitalis, Sterilität und Frigidität, vorausgesetzt, daß diese Leiden segmentgebunden und nicht störfeldbedingt sind.

b) Störfeldsuche: Als Testinjektion bei extragenitalen Erkrankungen aller Art, wenn in der Vorgeschichte Genitalerkrankungen gefunden werden: Fluor, Aborte, Abrasio, Komplizierte Entbindungen, Gonorrhöe, Adnexitis, ebenso operative Eingriffe aller Art am äußeren und inneren Genitale. Auffallend oft findet man, daß die vom Genitale ausgehenden Störfeld-Krankheiten im Anschluß an die z w e i t e Entbindung (Zweitschlag nach SPERANSKI) auftreten.

Kontraindikation: Keine! — Die Menstruation ist ein physiologischer Vorgang, der keine Gegenindikation darstellt.

Material: Nadel: 6—8 cm 0,8 mm. Menge: 2mal 1—2 ml Procain-Lösung.

Gebührenordnung: GOÄ, BMÄ: 36, E-Adgo: 29, P-Adgo: 73.

Technik: Die Technik bereitet nur anfangs etwas Schwierigkeiten, nach der Beschreibung klingt es komplizierter, als es ist! Vor der Injektion ist die Harnblase zu entleeren. Die Patientin liegt auf dem Rücken. Den Einstichpunkt findet man etwa vier Querfinger lateral der Symphyse, das ist etwa zwei Querfinger m e d i a l der pulsierenden Arteria femoralis im Bereich der oberen Schamhaarbegrenzung. Wir drücken die Zeige- und Mittelfinger der linken Hand in die Tiefe, bis wir den oberen Rand des Pecten ossis pubis unter den Fingerspitzen fühlen. Wenn wir jetzt dort die Nadel senkrecht zur Haut zwischen den liegenden Fingerspitzen einstoßen, gelangen wir in geringer Tiefe auf den Knochenrand des Pecten. Hier, also am oberen Schambeinrand vier

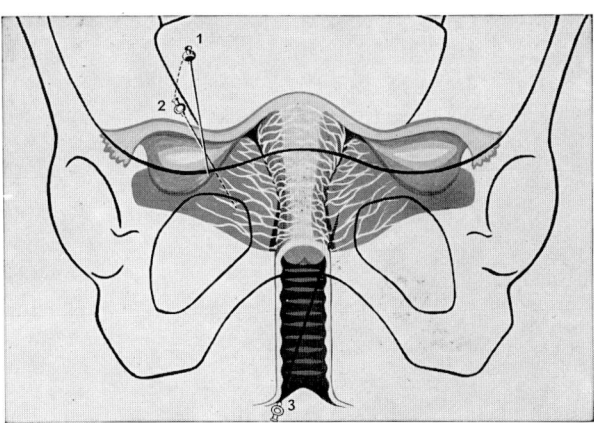

Abb. 52: Schema zur Technik der Injektion an das Peritoneum des gynäkologischen Raumes.
1. Injektion an den Oberrand des Pecten ossis pubis.
2. An die Ausläufer des Plexus uterovaginalis (Frankenhäuser).
3. Siehe zum Vergleich: Transvaginale Injektion an die Frankenhäuserschen Ganglien.

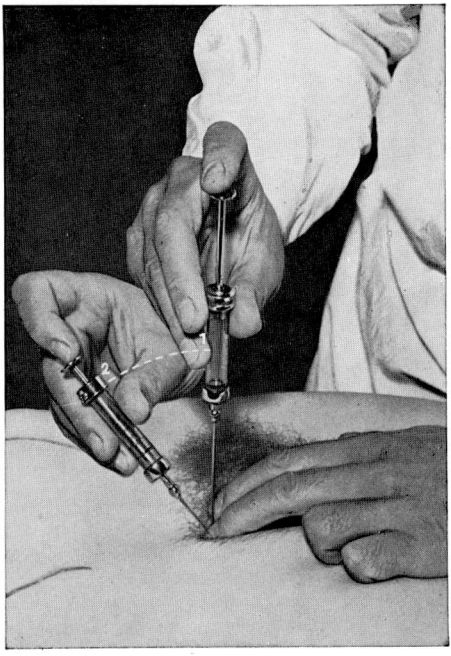

Abb. 53: Injektion in den gynäkologischen Raum.
1. Die 2. und 3. Finger der linken Hand ertasten das Pecten ossis pubis (etwa in der Mitte zwischen Spina iliaca anterior superior und der Mittellinie). Erste Teilinjektion an den Oberrand der Knochenleiste.
2. Die Nadelspitze wird über den Knochenrand gehoben und dann in Richtung kaudal-medial noch etwa 5—6 cm tief eingeführt, wobei laufend injiziert wird, insgesamt auf jeder Seite etwa 2 ml *Procain*.

Querfinger lateral der Symphyse, liegt der Akupunkturpunkt M 29 mit den Indikationen Adnexitis, Dysmenorrhö, Obstipation, Meteorismus und Ulzera. An diesen Punkt injizieren wir eine geringe Menge *Procain*. Dann wird die Injektionsnadel etwas zurückgezogen und kranialwärts am Knochenrand vorbeigeführt. Unter ständigem Stempeldruck schieben wir die Nadel in leicht kaudal-medialer Richtung 6—8 cm (je nach Adipositas) vor. — Wenn man die Frauen anhält, durch den offenen Mund nach Kommando langsam ein- und auszuatmen, lenkt man sie ab und vermeidet, daß sie vor Angst die Bauchdecken anspannen. — Jede Angst vor eventuellen Komplikationen ist unbegründet. — In manchen Fällen wird die Wirkung dieser Injektion noch durch ein zusätzliches Angehen der — (T) — Frankenhäuserschen Ganglien durch die Vagina oder eine — (T) — intramurale Injektion erhöht. Bekommt die Patientin nach einer Injektion in den Unterleib ein auffallend hochrotes Gesicht, kann man fast sicher sein, im Huneke-Phänomen ein Störfeld ausgeschaltet zu haben, das bisher auch die periphere Durchblutung gedrosselt hatte.

Die Injektion an die Interkostalnerven * *

A n a t o m i e : Die Interkostalnerven versorgen die Brustwand einschließlich der Pleura parietalis und die vordere Bauchwand einschließlich des Peritoneum parietale sensibel. Vom Foramen intervertebrale bis zum Angulus costae verläuft der Nerv in der Mitte des Interkostalraumes, von dort bis zur vorderen Axillarlinie liegt er dicht unter der Rippe. Wegen der Anastomosen der Interkostalnerven ist es notwendig, bei nicht ausreichender Wirkung auch die benachbarten Nerven mit auszuschalten!

Indikation : Interkostalneuralgien, Herpes zoster, Malignomschmerzen. Zur Schmerzbekämpfung, Verbesserung des Durchatmens und Förderung des Abhustens bei Rippenfrakturen, Pleuritis, Lungenembolie, Pneumonie und nach chirurgischen Eingriffen im Oberbauch, Pectoralis-minor-Syndrom. Bei hartnäckigen Schmerzen denke man an Wirbelerkrankungen, Karzinom und Tabes!

Material : Kurze Nadel. Menge: Pro Einstich 0,3—1 ml Procain-Lösung.

Gebührenordnung : GOÄ, BMÄ: 36, E-Adgo: 29, P-Adgo: 73.

Technik : Wenn man 5 cm neben einem Dornfortsatz senkrecht in die Tiefe sticht, stößt man auf die dazugehörige Rippe. Wir suchen den Nerv natürlich je nach Lage der Schmerzen z. B. neben der Wirbelsäule in der Axillarlinie oder neben dem Sternum auf. Im hinteren Abschnitt tasten wir uns mit der Nadel zur Mitte des Interkostalraumes, im vorderen zum Unterrand der Rippe vor und schieben die Spitze, um Pleuraverletzungen zu vermeiden, unter ständigem Stempeldruck noch einen halben Zentimeter, keinesfalls mehr, in die Zwischenrippenmuskulatur vor. Dabei suchen wir Nervenberührung. Der Patient muß auf den dabei ausgelösten hellen Schmerz vorbereitet sein, damit er keine Schreck-Abwehr-Bewegungen macht. Bei neu auftretenden Beschwerden wird er sich gern wieder der etwas schmerzhaften Injektion unterziehen, denn nichts ist in der Lage, die unangenehmen und beängstigenden Beschwerden besser zu lindern bzw. zu beseitigen! Sollte die Pleura wirklich einmal versehentlich angestochen werden, kann ein Pneumothorax gesetzt werden. Meist wird er gar nicht bemerkt. Und wenn, heilt er ohne wesentliche Beeinträchtigung des Allgemeinbefindens bei entsprechender körperlicher Schonung für 2—3 Tage ohne weitere Behandlung ab. Wenn dann noch stärkere Beschwerden bestehen oder Verdacht auf einen Spannungspneumothorax vorliegt, ist Röntgenkontrolle zu empfehlen.

Die intraarterielle Injektion: — (T) — Arterien

Die intramurale Injektion in den Uterus * *

Indikation : Zustand nach Röntgen- und Radium-Therapie. Als Zusatz zur Injektion in den — (T) — gynäkologischen Raum und an die — (T) — Frankenhäuserschen Ganglien bei Folgezuständen nach fieberhaftem Abort, Placenta accreta; Sectio caesarea; Endometritis, Zervixstumpf nach supravaginaler Uterusamputation, Zervixeinrissen unter der Geburt, Konisation, Portioerosion und dergleichen.

Material : Nadel: 10 cm × 1,0 mm, selbsthaltendes Spekulum, Kugelfaßzange, dichtschließende 5-ml-Rekordspritze. Menge: 4—6 ml Procain-Lösung.

Gebührenordnung : GOÄ, BMÄ: 36, E-Adgo: 29, —-Adgo: 73.

Technik : Die von MINK angegebene Injektion erfordert Fingerspitzengefühl, Geduld und ein Vorgehen mit sanfter Gewalt. Außerdem — weil sie schmerzhaft sein kann — eine verbale Ablenkung der Patientin. Diese wird auf den gynäkologischen Stuhl gelagert und ihre Portio im Spekulum eingestellt. Dann wird die vordere Muttermundslippe nach Desinfektion vorsichtig mit einer Kugelzange angehakt und nach vorn gezogen. Die 10 cm lange, nicht zu dünne Kanüle geht dann durch den Zervixkanal ein, soweit es geht. Bei Widerstand langsames, schraubendes Eindrehen der Kanülenspitze durch die Mukosa des Isthmus oder Corpus uteri in das Myometrium hinein. Aspirieren und dann geduldig-gefühlvoll mäßig-fest auf den Spritzenstempel drücken. Es kann bis zu 2 Minuten dauern, bis der reaktive Spasmus der Gebärmutter-Muskulatur nachläßt und das Medikament dann relativ leicht einfließen kann. Bei empfindsamen Frauen kann es notwendig werden, vorher eine parazervikale Injektion an die — (T) Frankenhäuserschen Ganglien vorzunehmen.

Eine Allgemeinnarkose ist nicht erforderlich. Nach der intramuralen Injektion in den Uterus gehen wir mit der Kanüle auch in die Bißstelle der Kugelzange an der Portio ein und lassen dort in das Myometrium nach Überwinden des Muskelwiderstandes noch 1—2 ml Procain einfließen. Anschließend wird für den Heimweg ein Vaginaltampon eingelegt, um eine eventuelle Nachblutung aufzufangen.

Die Injektionen werden in mehrtägigen bis einwöchigen Abständen wiederholt. In der Regel sind 3—5 Injektionen ausreichend, selbst bei der Hauptindikation, der reaktiven Fibrosierung von Endo- und Myometrium nach Karzinom-Strahlenbehandlung.

Die intramuskuläre Infiltration * * *

I n d i k a t i o n : Gelosen, Myalgien, Hartspann, Muskelkater, Tortikollis, Zervikalsyndrom, Muskelkontrakturen, Muskelzerrungen, Muskelrisse u. dgl., auch alle reflektorischen Segment-Muskelzeichen. Von einer intramuskulären Injektion lediglich in den oberen äußeren Quadranten halten wir gar nichts. Auch nicht, wenn sie wie bei der ASLAN-Kur mit einer Dauerüberschwemmung des Organismus mit großen Mengen *Procain* verbunden ist. Wir treiben eine gezielte Procain-Therapie und suchen daher für unsere Behandlungen nur pathologisch verändertes Muskelgewebe auf. Es ist erwiesen, daß die Procain-Injektion in verkrampfte und ernährungsgestörte Muskulatur deren Tonus und das pH reflektorisch herabsetzt. Mit der Beseitigung des Schmerzes werden pathologische Reflexabläufe unterbrochen. Das erklärt uns den Fortfall örtlich begrenzter und fortgeleiteter Dysharmonien. Das procainbehandelte Gewebe wird stärker durchblutet. Das fördert den Stoffwechselaustausch und damit auch den Abtransport von Stoffwechselschlacken, die als Schmerzstoffe wirken. Wenn eine Muskelstarre erst einmal zu lange besteht, kann sie u. U. zu einem irreversiblen narbigen Endzustand werden.

M a t e r i a l : Wir wählen die Nadel nach der Tiefe, in der sich der Prozeß abspielt. Da der oft tiefer als vermutet liegt, ist es besser, gleich eine längere Nadel zu nehmen. Die Procain-Menge richtet sich nach der Größe der Gewebsveränderung, wir geben es aber immer nur tropfen- bis teilstrichweise.

G e b ü h r e n o r d n u n g : Unter Infiltration versteht die Gebührenordnung die fächerförmige Durchtränkung eines Gebietes. Die GOÄ Nr. 36 bezieht sich nur auf e i n e Körperregion, z. B. eine Schultergelenkkapsel, eine Kniegelenkkapsel, einen Wirbelabschnitt oder die Nackenmuskulatur einschließlich der Nervenaustrittspunkte der Subokzipitalnerven. Werden also in zeitlichem Zusammenhang mehrere Körperregionen i n f i l t r i e r t, darf die Ziffer mehrmals angesetzt werden.

GOÄ, BMÄ: 36, E-Adgo: 29, P-Adgo: 73.

T e c h n i k : Wir setzen eine — (T) — Quaddel über der als schmerzhaft angegebenen oder durch Abtasten ermittelten Partie und senken dann die Nadel sondierend durch sie hindurch in die Tiefe. Das Erreichen des erkrankten Muskelgewebes löst einen starken Schmerz aus. Wer sich erst ein ausreichendes Gewebsgefühl erworben hat, spürt, daß die Nadel in dem veränderten Gewebe auf einen Widerstand stößt. Es knirscht förmlich, und man hat etwa das Gefühl, in sandigen Lehm hineinzustoßen. In dieses Gebiet geben wir nur wenige Tropfen *Procain,* das genügt, um die beabsichtigte Heilreaktion in Gang zu setzen! Wir müssen uns bemühen, immer mit möglichst kleinen Reizen zu arbeiten. Die Heilung ist nicht von der Vollständigkeit der Anästhesie abhängig. Die Menge spielt gegenüber dem richtigen Ort der Injektion eine untergeordnete Rolle! — Nach der Injektion verteilen wir das *Procain* noch mit einigen kreisenden Massagebewegungen im Gewebe. Bei Bedarf müssen die Injektionen nach einigen Tagen wiederholt werden. Es gibt keine wirtschaftlichere und bessere Behandlung.

Die intravenöse Injektion * * *

Indikation: Die intravenöse Procain-Injektion wirkt:

Schmerzlindernd,	fiebersenkend,	entzündungswidrig,
gefäßerweiternd,	kreislaufregulierend,	diuretisch.
gefäßabdichtend,	antiallergisch,	

Procain hat eine spartein- und chinidinähnliche Herzwirkung, sensibilisiert den Uterus gegenüber dem Hypophysen-Hinterlappenhormon u. v. a. m. So unterdrückt das i. v. verabfolgte *Procain* den experimentell erzeugten Kreislaufkollaps (Bezold-Jarisch-Reflex) ebenso, wie den anaphylaktischen Serumschock und die Nekrosenbildung beim Shwartzman-Sanarelli-Phänomen (HIRSCH, SIEGEN).

Diese stattliche Reihe guter Eigenschaften hat dem *Procain* den Titel eines „königlichen" Medikaments eingebracht. Das intravenös gegebene *Procain* bzw. *Impletol* entfaltet aber darüber hinausgehend noch eine so weitreichende Wirkung, daß alle Erklärungsversuche aus pharmakologischer Sicht nicht befriedigen können. Es bessert das Allgemeinbefinden und gleicht alle vegetativen Fehlspannungen aus. Dabei wirkt es je nach der Ausgangslage einmal vegetativ entspannend und ein andermal wieder tonussteigernd. Dieser neuraltherapeutische normalisierende Effekt wird durch den Heilreiz ausgelöst, den das *Procain* auf das vegetative Geflecht der Gefäßwand ausübt. Diese Wirkung wird schon mit kleinsten Procain-Mengen erzielt. Daher sind wir der Auffassung: Wenn 1 ml das Geflecht nicht entscheidend anspricht, dann können es 5 und mehr ml auch nicht. Weil aber gerade bei der intravenösen Injektion die Gefahr der Vergiftung mit der Menge schnell zunimmt, sind alle größeren Mengen ebenso gefährlich wie sinnlos. Bleiben wir also bei dem harmlosen einen Milliliter.

Die Injektion von 1 ml Procain intravenös und wenigen Tropfen paravenös ist als umstimmende und ausgleichende Basisbehandlung (in Verbindung mit Injektionen an andere Wirkungsstellen) **bei allen Erkrankungen im Kopf-, Hals- und Thoraxbereich** und bei einer großen Anzahl anderer Krankheiten **indiziert**.

In Südamerika werden seit 1950 erfolgreich Operationen in intravenöser Procain-Anästhesie ausgeführt. Man gibt ein Barbiturat als Basisnarkotikum, dazu ein Muskelrelaxans und legt dann eine Dauertropfinfusion von 1 %igem *Procain* in 5 %iger Dextroselösung an. Diese Anästhesie reicht praktisch für alle chirurgischen Eingriffe aus! Der Bericht von PARADA umfaßt 300 000 Fälle und zeigt, daß es sich dabei um eine verbreitete und bewährte Methode handelt.

Material: Nadel: Etwa Größe 1. Menge: Nur 1 ml 2 %ige Procain-Lösung! Wir geben nur in Ausnahmefällen größere Mengen und grundsätzlich *Procain* **ohne Zusatz** von *Adrenalin*, *Acetylcholin* oder anderen vegetativen Erregungsstoffen!

Intravenös nie mehr als 1 ml 2 %iges Procain spritzen!

Die seltenen Abweichungen dieser bewährten Regel sollen prinzipiell nur erfahrenen Neuraltherapeuten überlassen bleiben. Auch die sollten nicht über 2 ml steigern und dann langsam spritzen. Ein Mehr könnte ein Zuviel sein!

Gebührenordnung: GOÄ, BMÄ: 30, E-Adgo: 23, P-Adgo: 69.

In einem Gerichtsurteil wurde 1967 in Frankfurt festgestellt, daß sich die intravenöse Injektion im Zusammenhang mit anderen Procain-Injektionen „aus Gründen der Reizsummation" verbiete. Unsere praktischen Erfahrungen widersprechen dem. Die intravenöse Procain-Therapie hat eine allgemeine vegetativ-umstimmende Wirkung, die nicht mit gleichem Erfolg durch subkutane oder intramuskuläre Injektionen zu erzielen ist. Sie stellt also eine gezielte einheitliche Leistung für sich dar. Die Segmenttherapie mit *Procain* zielt in andere Richtung. Beide vertragen sich (bei Beachtung der Grenzdosen) sehr gut nebeneinander und sollten daher auch nebeneinander berechenbar sein!

Technik : Wir spritzen nur bei ängstlichen und labilen Patienten im Liegen, sonst kann die Injektion unbedenklich im Sitzen gegeben werden. Die Neuraltherapeuten nach HUNEKE spritzen n i c h t, wie man oft lesen kann, besonders l a n g s a m! F. HUNEKE gab den einen Milliliter bei liegender Staubinde in die Kubitalvene und löste dann die Binde. Die ganze Menge kommt mit einem Schlag in die Blutbahn und wirkt so wörtlich genommen als therapeutischer Stoß ins Neurovegetativum. Vor dem Herausziehen der Nadel geben wir prinzipiell noch **einige Tropfen Procain paravenös**. Die neuraltherapeutische Wirkung wird noch erhöht, wenn wir auch das um die Vene gesponnene vegetative Geflecht mit erfassen. — *Procain* wird im Körper schnell abgebaut. Bei dringlicher Indikation können die intravenösen Injektionen in halbstündigen Abständen wiederholt werden.

Wenn die peripheren Venen bei schweren Schockzuständen kollabiert sind, bleibt uns die **Vena anonyma** (V. brachiocephalica) mit ihren 2 cm Durchmesser immer noch zugänglich. Wir ertasten die Mitte des Unterrandes vom Schlüsselbein und stechen 1—1,5 cm lateral davon ein in Richtung auf den inneren Winkel zwischen der ersten Rippe und der Klavikula, also nach kranialmedial zu. Beim Vorgehen unter ständigem Ansaugen kommt man in 3—6 cm Tiefe in die **Anonyma**. Bei falscher Richtung könnte man versehentlich die A. subclavia treffen, was leicht an dem stoßweise aus der Kanüle spritzenden, hellroten Blut erkennbar wäre. Nach Korrektur der Nadellage und richtigem Sitz in der Vene kann die Injektion erfolgen.

Nebenerscheinungen : Manchmal kann nach der Injektion ein leichter Schwindel, Blässe, Zittern oder ein Schweißausbruch auftreten („vasospastischer Initialeffekt"). All das ist harmlos und vergeht nach wenigen Minuten. Bei Verwendung von *Impletol* erleben wir ganz selten einmal stärkere Erscheinungen wie Kollapsneigung oder Ohnmacht. Dann legen wir die Patienten flach hin und lassen sie eine Viertelstunde so liegen. K e i n e Kreislaufmittel geben! Ich habe bisher bei über 100 000 intravenösen Procain-Injektionen weder Krämpfe noch Koma, Atmungslähmungen oder gar einen Exitus erlebt. Berichte über derartige Zwischenfälle basieren auf Überdosierungen und darauf, daß andere, toxischer wirkende procainhaltige Präparate oder amid-strukturierte modernere Lokalanästhetika verwendet wurden! Bei Durstgefühl gibt man Wasser zu trinken. Nervöse, übererregte Personen erhalten ein harmloses Baldrianpräparat.

Die Injektionen an den Ischiasnerv und seine Äste ✱ ✱ ✱

Anatomie : Der N. ischiadicus bezieht seine Fasern aus allen Wurzeln des Plexus sacralis von L 4 bis S 3. Die Wurzeln vereinigen sich vor dem Foramen ischiadicum majus zu einer 3,5 cm breiten Nervenplatte. Diese liegt auf einer Knochenunterlage ausgebreitet, so daß sie unserer Nadel nicht ausweichen kann. Das ist sehr wichtig für uns, denn wir wollen die Nervenscheide durchdringen und endoneural spritzen. Zur Injektion in die Umgebung des Nerven (perineural) benötigen wir immer erheblich größere Mengen *Procain*. Gerade der Ischiasnerv setzt aber mit seiner derben Bindegewebshülle dem Eindringen der perineural verabfolgten Anästhesielösungen großen Widerstand entgegen. Eine Nervenschädigung durch eine direkte intraneurale Injektion ist bei Verwendung von Lokalanästhetika in unseren geringen Mengen nicht zu befürchten. Sonst gäbe es ja auch keine Leitungsanästhesien. — Der Ischiasnerv versorgt motorisch fast alle Oberschenkel- und alle Unterschenkelbeuger, alle Strecker des Unterschenkels und des Fußes, sensibel die Haut des Unterschenkels und des Fußes.

Indikation : Ischias, Bandscheibenschaden im Lendenbereich, Schmerzen, Durchblutungsstörungen und Parästhesien in den unteren Extremitäten.

Neuralgien gehen wir am besten immer direkt an der Nervenwurzel an. Für den N. ischiadicus gilt das besonders, weil er sich schon sehr hoch teilt. Die Ischiadikusneuralgie beginnt im Kreuz-

	L4	L5	S1	p.i.Dbl.St.
Ausstrahlungsschmerz i. d. Bein	+	+	+	+
Husten- oder Niesschmerz	+	+	+	0
Wirbelsäulenbeweglichkeit	gut	schlecht	schlecht	gut
Liegen	schlecht	schlecht	schlecht	schlecht
Sitzen	gut	—"—	—"—	gut
Gehen	gut	gut	gut	sehr schlecht
Dysbasie	0	0	0	+++
Wadenkrampf nachts	0	0	+	0
Bücken	gut	schlecht	schlecht	gut
Zehengang	gut	gut	schlecht	gut
Fersengang	gut	schlecht	gut	gut
Subjektives Schmerzband (hat mehr Wert als das obj. hypästhet. Band)	Kreuz — Leiste — Beugeseite — d. O.-Schenkel — Knie	Kreuz — »Generalstreifen« Großzehe	Kreuz — Bein — dorsal Ferse	Beugeseite u. lateral O.- u. U.-Schenkel
»Hypoband« (spinal-sens. Ausfall)	L4 Segment	L5 Segment	S1 Segment	L4/5
Wärmedifferenz (vegetat. Ausfall)	0 (eventuell)	0	0	obj.: oft subj.: 75 %
Hüftgelenk (Rollen des Beines)	o. B.	o. B.	o. B.	o. B.
P.S.R.	ev. Ausfall oder abgeschwächt	o. B.	o. B.	o. B.
A.S.R.	o. B.	o. B.	Ausfall	o. B.
Lasègue — Bragard	0	+	+	0
Großzehenstreckerparese (mot. Ausfall)	0	+	0	0
Taube Ferse	0	+	+	0
Spinöse Klopfempfindlichkeit	3 Qu.F. über D.K.L.	L5	3 Qu.F. unter D.K.L.	0
Ausnahmemöglichkeit			Täuschung durch p.i.Dbl.St. — demnach L5 — Schaden möglich	
THERAPIE:	2/3 L4, 1/3 L3 (wegen p.i.Dbl.St.) Rö Kontrolle	L5 u. einige L3	S1	L3

Tab. 4: Untersuchungsschema zur Etagendiagnostik bei Bandscheibenischialgien und der postischialgischen Durchblutungsstörung nach HOPFER

beingebiet und imponiert im Anfang oft nur als Lumbago. Später strahlt der Schmerz in das Bein aus. Zunahme der Beschwerden beim Pressen, Husten und Niesen deuten auf einen Bandscheibenprolaps. Doppelseitige Ischias ist immer verdächtig auf Tumoren im kleinen Becken oder Erkrankung der unteren Wirbel (Metastasen!). — Wenn der Schmerz bei länger bestehender Ischias im Wurzel- und Oberschenkelgebiet nachläßt, wird oft ein lästiger brennender Schmerz in der Wade und zuletzt unter dem äußeren Knöchel angegeben. Nach diesen Gegebenheiten müssen sich unsere Angriffspunkte richten.

T e c h n i k : Beachte auch die Hinweise im Indikationsteil II unter — (K) — Ischias.

Übersicht: a) Ischiaswurzel, S. 282
b) — (T) — epidurale Infiltration, S. 247
c) — (T) — präsakrale Infiltration, S. 309
Der Vorteil dieser Injektion und der an den lumbalen — (T) — Grenzstrang gegenüber den tiefer angesetzten Injektionen an den Ischiasnerv liegt darin, daß bei ihnen die präganglionären Fasern und die Ganglien miterfaßt werden.
d) Plexus sacralis, S. 283
e) — (T) — Foramen sacrale post., S. 248 und — (T) — Sakroiliakalgelenk, S. 273
f) Gesäßgegend, S. 285
g) N. peroneus, N. tibialis, S. 285

a) Injektion in das Gebiet der Ischiaswurzel L 3—5 ✱ ✱ ✱

M a t e r i a l : Nadel: 10—12 cm × 1 mm. Menge: 2—5 ml *Procain*-Lösung.
G e b ü h r e n o r d n u n g : GOÄ, BMÄ: 31, E-Adgo: 24, P-Adgo: 69.
T e c h n i k : Der Patient steht an einem Tisch vorn angelehnt, die Hände aufgestützt. Tastet man den hinteren Beckenrand zur Wirbelsäule zu ab, gelangt man neben der Dornfortsatzreihe an eine meist fühlbare Vertiefung, die vom Querfortsatz des 5. Lendenwirbels, dem Körper des 1. Kreuzbeinwirbels und dem Beckenrand gebildet wird (siehe Abb. 55). — Die Kanüle wird durch eine dort gesetzte Quaddel eingestochen und senkrecht in die Tiefe geführt. In 5—8 cm Tiefe zeigen der typische I s c h i a s r e f l e x und die Angabe des Patienten, daß ein „Blitz" bis in die Zehen gegangen wäre, den richtigen Sitz der Nadel an. Ängstliche Patienten müssen auf diesen blitzartigen Schmerz vorher hingewiesen werden, damit sie nicht unbeherrschte Abwehrbewegungen machen. Wir geben etwa 1—2 ml *Procain* in den Nerv, den Rest nach geringem Zurückziehen der Nadel perineural. Auch wenn die Nadel nicht intralumbal lag, was durch Ansaugprobe leicht vermieden werden kann, kann durch vorübergehenden Ausfall motorischer Funktionen eine Gangunsicherheit bis Belastungsunfähigkeit des Beines auftreten. Daher muß man nach der Injektion in der Nähe des Patienten bleiben, ihn bei Bedarf unterstützen und für eine Sitzgelegenheit sorgen. Spätestens nach einer halben Stunde taut dann das Bein wieder auf. Diese und die anderen Injektionen an den Ischias kann man bei Bedarf in 1- bis 3tägigen Abständen an gleicher Stelle wiederholen!
REISCHAUER fand, daß bei 26 % der Patienten nach der am häufigsten auftretenden L 5-Bandscheiben-Ischialgie „p o s t i s c h i a l g i s c h e D u r c h b l u t u n g s s t ö r u n g e n" mit Schmerzen im Kreuz und der Außen- und Beugeseite des Ober- und Unterschenkels oder Dysbasien (Claudicato intermittens) zurückbleiben. Als einzig mögliche erfolgreiche Therapie lobt R. die wiederholte Procain-Infiltration in Höhe von L 3 (unterer Grenzstrang): Man zeichnet sich am Rücken des Patienten eine Verbindungslinie beider Darmbeinkämme an und senkrecht dazu die Dornfortsatz-Linie. Einstich: Drei Querfinger über der Darmbeinkamm-Linie und 4—5 cm lateral der Dornfortsätze. Stichrichtung: Senkrecht zur Hautoberfläche

streng sagittal bis in 10—12 cm Tiefe. — REISCHAUER verwendete für diese Injektion größere Mengen einer 1 %igen *Procain-Periston-(Kollidon-)*Lösung. Wir kommen mit 5 ml 2 % *Procain* auch zum Ziel. Sofort nach der Injektion verschwinden der ischialgiforme Ausstrahlungsschmerz, die Dysbasie und die Durchblutungsstörungen im Bein. Letztere sind hier ja nicht Folge einer organischen Gefäßwanderkrankung, sondern eines sympathischen Reizzustandes nach einer L5-Kompression, der die spastische Vasokonstriktion im kapillaren Endnetz weiter unterhält und der nur durch die gezielte Procain-Injektion beseitigt werden kann. Wiederholung der Injektionen zuerst in 1- bis 2tägigen, dann größeren Intervallen nach Bedarf.

b) — (T) — Epidural-Anästhesie, S. 236
c) — (T) — präsakrale Infiltration, S. 309

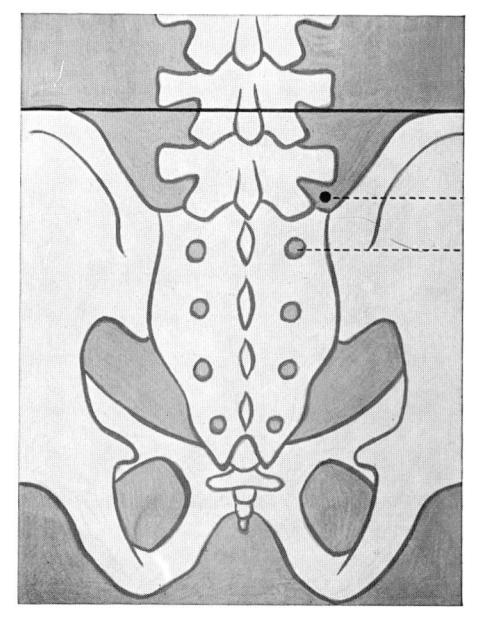

Abb. 54: Schema zur Technik der Injektion in das obere Ischias-Wurzelgebiet zum Auffinden des Einstichpunktes.

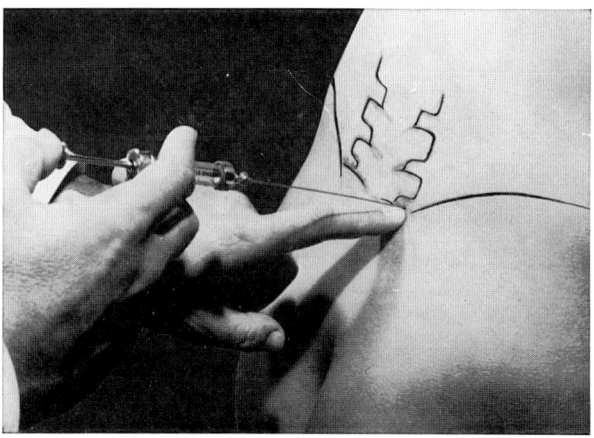

Einstichstelle
1. Foramen sacrale

Abb. 55: Injektion in das obere Ischias-Wurzelgebiet (L 3 — L 5). Einstich in den Kanal zwischen Beckenrand und 5. Lendenwirbelkörper. In 5—8 cm Tiefe wird der typische Ischiasreflex ausgelöst.

d) **Injektion in den Plexus sacralis** * * *

Anatomie: Die Nervenplatte des Plexus sacralis setzt sich von medial nach lateral aus folgenden Nerven zusammen:
 a) Plexus pudendus mit dem Hauptast: N. pudendus.
 b) Nn. clunium inferiores.
 c) N. cutaneus femoris post.
 d) N. ischiadicus.
 e) S 1—4.
 f) Truncus lumbosacralis L 4—5.

Material: Nadel: 12—15 cm x 1 mm. Menge: 5 ml Procain-Lösung.
Gebührenordnung: GOÄ, BMÄ: 31, E-Adgo: 24, P-Adgo: 69.
Technik: Zum Auffinden des Foramen ischiadicum müssen wir zwei Hilfslinien ziehen, an deren Schnittpunkt unser Einstich erfolgt:
 a) Die waagerechte Linie geht von der oberen Gesäßfurche zum Oberrand des Trochanter major,

b) die senkrechte vom seitlichen Grübchen der Rückenraute (Spina iliaca post. sup.) zum Außenrand des Tuber ischii.

Von diesem Einstich aus geht es erst einmal bis zur Knochenberührung senkrecht in die Tiefe. Entsprechend der 3,5 cm breiten Nervenplatte müssen wir von dort aus schräg nach oben außen infiltrieren (Uhrzeigerrichtung links 10—11, rechts 2—3). Das Vor- und Zurückziehen der suchenden Nadelspitze ist dabei ungefährlich. Je gründlicher man die etwa 5 ml *Procain* verteilt, desto besser wird das Ergebnis sein. Beim geschilderten Vorgehen von unten medial nach oben lateral gibt der Patient (entsprechend der Nervenplatte des Plexus sacralis) in folgender Reihe Parästhesien an:

Zuerst Hoden, Penis und Damm (N. pudendus), dann

Oberschenkel und Gesäß, schließlich

Unterschenkel und Fuß.

Zweckmäßigerweise kombiniert man die Injektion in den Plexus sacralis mit einer Quaddelserie beiderseits der Mittellinie von L 4 bis zum Steißbein.

e) — (T) — Foramen sacrale post., Seite 248 und
— (T) — Sakroiliakalgelenk, Seite 273

Abb. 56: Injektion in und an den Plexus sacralis. Die Skizze zeigt die Hilfslinien, deren Schnittpunkt unsere Einstichstelle markiert:
a) Die horizontale Linie verbindet den Oberrand des Trochanter major mit der oberen Gesäßfurche.
b) Die Senkrechte geht von der Spina iliaca posterior superior (= dem seitlichen Grübchen der Rückenraute) zum Außenrand des Tuber ischii.
... Die punktierte Linie zeigt die Ausdehnung der Nervenplatte,
- - - die gestrichelte die Richtungslinie zum Tuber glutaeum anterior, auf der man die einzelnen Teile des Plexus aufsucht.

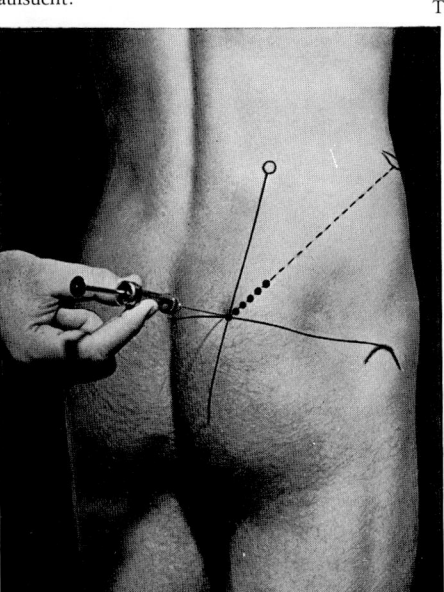

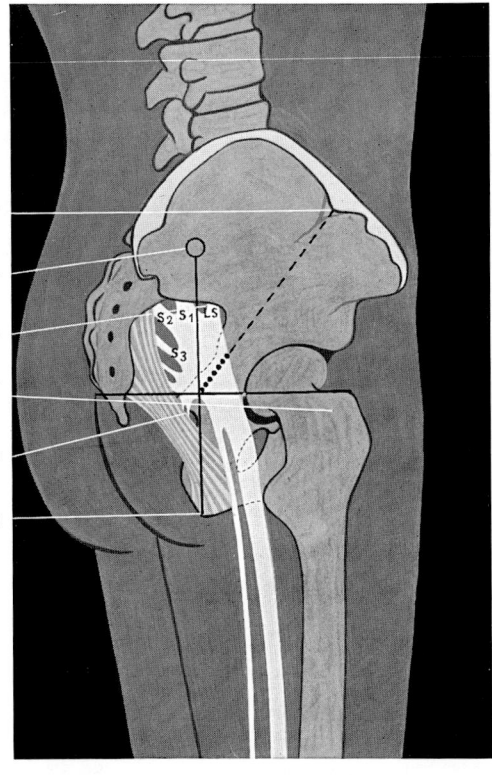

Abb. 57: Injektion in und an den Plexus sacralis.

f) Gesäßgegend ✱ ✱

In der Gesäßgegend liegt der Ischiasnerv genau in der Mitte der Linie zwischen Trochanter major und dem Tuber ossis ischii. Der Patient liegt auf der gesunden Seite, das gesunde Bein ist dabei gestreckt, das der kranken Seite wird angezogen. Am angegebenen Punkt wird der linke Zeigefinger in die Tiefe gebohrt und nun die 10 cm lange Nadel, die nicht zu dünn sein sollte, vor dem Finger eingestochen und etwas schräg nach oben so vorgeführt, daß der Patient ein Zucken in die Extremität meldet. Wir geben etwa 1 ml intraneural und dieselbe Menge noch perineural. — Ein untersuchender Daumendruck an das Sitzbein überzeugt uns, ob eine Bursitis am Tuber ossis ischii die Ischialgie auslöst oder begleitet. Ist sie druckempfindlich, müssen wir eine kleine Menge *Procain* dorthin deponieren, wo unsere sondierende Kanülenspitze besonders starke Schmerzen auslöst.

g) Die Äste des Ischiasnerven ✱ ✱ (✱)

In der Kniekehle erreichen wir den Nerv bequem in der Mitte, etwas lateral der zu ertastenden Arteria poplitea. Im proximalen Teil der Kniekehle teilt sich der Nerv in der Regel in den N. tibialis und N. p e r o n e u s (s. fibularis) c o m m u n i s. Letzteren können wir dicht unter dem Fibulaköpfchen aufsuchen und mit 1 ml *Procain* infiltrieren. Eventuell setzen wir noch einige — (T) — Quaddeln über dem Verlauf des Nerven. — Den N. t i b i a l i s finden wir oberhalb der Achillessehne am unteren Drittel des Unterschenkels, indem wir die Muskulatur dort kräftig drücken. Auch hinter und unter dem äußeren Knöchel können wir ihn leicht durch die Angabe des Patienten, daß es nach vorn zuckt, mit der Nadelspitze ertasten. Oft genügt es auch hier, über dem schmerzenden Gebiet Quaddeln zu setzen.

Die Injektion unter die Kopfschwarte ✱ ✱ ✱

I n d i k a t i o n : Kopfschmerzen, Schwindel, Schlaflosigkeit, postcommotioneller Symptomenkomplex, traumatische Epilepsie, Gehirn-Arteriosklerose, spastische zerebrale Zirkulationsstörungen, Diabetes insipidus, Paralysis agitans, prä- und postapoplektische Zustände.
M a t e r i a l : Nadel: Etwa Größe 1. Menge: Je 0,5 ml Procain-Lösung beiderseits.
G e b ü h r e n o r d n u n g : GOÄ, BMÄ: 36, E-Adgo: 29, P-Adgo: 73.
T e c h n i k : Man kann beiderseits über dem Schläfen- oder Scheitelbein in Schläfenhöhe vor der Injektion eine — (T) — Quaddel setzen und dann durch sie in die Tiefe gehen. Oder man sticht kurz ein und läßt die Nadel bis an (bzw. unter) das Periost gehen. Je schneller das vor sich geht, desto weniger schmerzt es. Wenn der Patient andere Punkte oder Gegenden des Schädels als besonders schmerzend angibt, so ist dort der Einstichpunkt für die Injektion gegeben. Es empfiehlt sich, die Kopfhaut vor jeder Injektion gewissenhaft abzutasten und sich die druckschmerzhaften Stellen besonders vorzunehmen. Man wird dabei auffallend oft auf die — (T) — Nervenaustrittspunkte des N. supraorbitalis über dem Auge und die der Nn. occipitales am Hinterkopf stoßen, die für unsere Behandlung so wichtig sind. — Die Akupunkteure setzen ihre Nadeln zur Regulierung der Schädeldurchblutung einen halben Querfinger oberhalb der Jochbeinmitte. Da man von hier aus auch die Periode unterdrücken kann, sollte man diesen Punkt während der ersten drei Regeltage nicht angehen oder die Frauen aufklären. — Zu erwähnen sind hier noch die Atlas-Schmerzpunkte etwas vor und unter dem Processus mastoideus. Die manuellen Therapeuten spritzen dorthin etwa 1,0 ml *Procain* an die Atlasfortsätze, wenn die Atlasschmerzen nach ihrer Behandlung noch nicht verschwunden sind.
Wir kombinieren die Injektionen unter die Kopfschwarte immer mit einer — (T) — intravenösen Procain-Injektion.
„Lendenblock": — (T) — Grenzstrang, lumbaler, S. 266

Die Injektion unter die Kopfschwarte

Abb. 58: Injektionspunkte am Kopf (von der Seite).

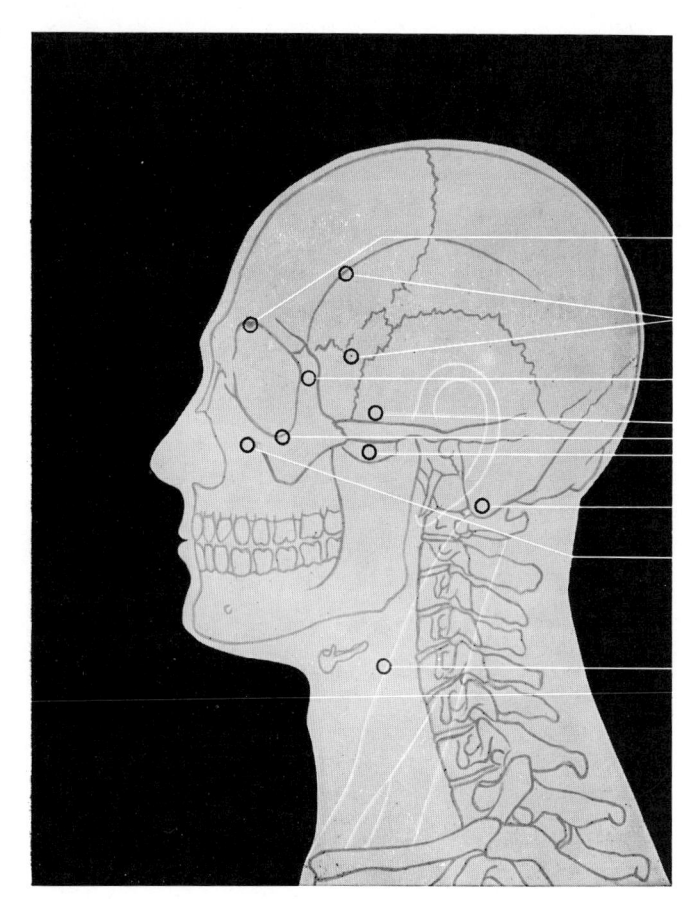

N. supraorbitalis

Kopfschmerz-Punkte über Schläfen- bzw. Scheitelbein

Augenquaddel
Einstichpunkt für
Ggl. sphenopalatinum
Ggl. ciliare
Ggl. Gasseri

Proc. mastoideus

N. infraorbitalis

Karotis-Punkt

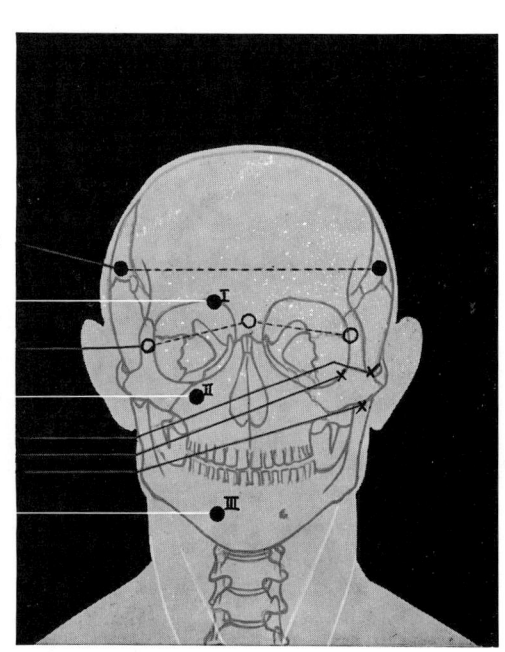

Abb. 59: Injektionspunkte am Kopf (von vorn).

Schläfenbein

Austrittspunkte:
N. supraorbitalis

Augenquaddeln

N. infraorbitalis
Einstichpunkte für Injektion ans
Ggl. sphenopalatinum
Ggl. ciliare
Ggl. Gasseri

N. alveolaris inf.

Die Injektion unter die Kopfschwarte

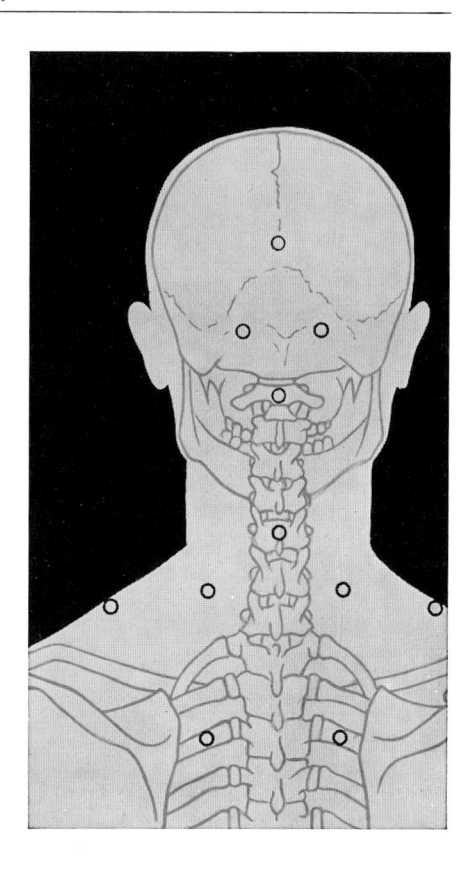

Abb. 60: Häufige Hinterkopf-, Nacken- und Schulterpunkte.

Die Liquorpumpe nach Speranski *

Dieses eingreifende Umstimmungsverfahren eignet sich wohl nur für die stationäre Behandlung, da beträchtliche Reizwirkungen auftreten können.

I n d i k a t i o n : Diese leichte Gehirnmassage führt zu einer zentral-nervalen Umstimmung und zu einem Durchbrechen der Blut-Liquorschranke, die sonst dafür sorgt, daß im Blut kreisende Medikamente nicht in den Liquor gelangen. Durch diesen unspezifischen Stoß ins Nervensystem können einmal Krankheitsprozesse gestoppt werden. Zum anderen wird die Reaktionsweise des Nervensystems so verändert, daß nun Heilmittel, die vorher nicht mehr anschlugen, wieder wirksam werden. Wir nehmen an, daß die Fiebertherapie, Überwärmungsbäder, Kurzwellendurchflutungen und die — (T) — Ponndorf-Impfung eine ähnliche, allerdings nicht so eingreifende umstimmende Wirkung entfalten. SPERANSKI und seine Nachprüfer fanden diese Methode zur Behandlung einer ganzen Reihe von Krankheiten sehr geeignet: Polyarthritis, Epilepsie, Asthma, Chorea minor, Neurasthenie, postdiphtherische Lähmungen, posttraumatische Psychosen, Lungengangrän und andere. Ob die Liquorpumpe in der Lage ist, den Organismus auch bei autonom gewordenen Krankheiten oder der Regulationsstarre so umzustimmen, daß das *Procain* wieder am ursprünglichen Störfeld wirken kann, müßten klinische Untersuchungen klären. Es ist durchaus möglich, daß dem *Procain* damit eine neue Wirkungsbasis eröffnet wird. Ebenso muß die Frage geklärt werden, ob die — (T) — zisternale Impletol-Injektion nach REID einen Ersatz für die etwas heroische Liquorpumpe darstellt.

M a t e r i a l : Nadel: Lumbalpunktionskanüle mit Mandrin oder 8 cm x 1 mm.
Spritze: 10-ml-Rekord-Spritze.

Menge: Wir geben am Ende des Pumpaktes langsam 1 ml 1—2 %iges *Procain* in den Liquor, lassen dann aber vorher zur Vermeidung überstarker Reizwirkungen am liquorbildenden System etwa 8—10 ml Liquor ab! Bei der Originalmethode wird nur der Liquor ohne Zusatz hin- und hergepumpt.

Gebührenordnung: GOÄ, BMÄ: 53, E-Adgo: 38, P-Adgo: 86.

Kontraindikation: Hypertension, Tumoren der hinteren Schädelgrube, zentrale Gefäßerkrankungen.

Technik: Peinliche Sterilität, Hautdesinfektion mit *Alkohol* oder *Jodtinktur*, sterile Handschuhe.

Lumbalpunktion: Der Patient sitzt rittlings auf einem Stuhl. Der Kopf wird von einer Hilfskraft leicht nach vorn gebeugt fixiert, am besten umschlingt der Kranke die Hilfskraft mit den Armen. Der Einstich erfolgt zwischen 3. und 4. Lendenwirbelfortsatz, das ist dort, wo die Verbindungslinie beider Darmbeinkämme die Dornfortsätze schneidet. Die Kanüle wird durch eine an der Einstichstelle gesetzte Quaddel zunächst gerade nach vorn, dann mit der Spitze etwas nach oben genau sagittal vorgeführt, bis sie an einen elastischen Widerstand stößt. Wenn man diesen überwunden hat, liegt die Nadel richtig, aus der Kanüle tropft dann Liquor ab. Nun wird die Spritze bei liegender Nadel aufgesetzt und Liquor angesaugt. Die 10 ml Liquor werden wieder eingespritzt und dieses Verfahren 10- bis 20 mal wiederholt, so daß also insgesamt 100—200 ml Liquor bewegt werden.

Nebenerscheinungen: Kopfschmerz, Erbrechen, Übelkeit sind teilweise durch Analgetika zu beherrschen. Eine Liquorentnahme vor Abschluß der Behandlung kann die Folgeerscheinungen wesentlich reduzieren.

Es gelang mir vor vier Jahren, bei einer Frau eine schlaffe Lähmung beider Beine, die zwei Jahre bestanden hatte, mit drei derartigen Liquorpumpen unter Zugabe von 1 ml *Impletol* zu heilen. Abstand jedesmal drei Wochen, jedesmal 10 ml Liquorentnahme zur prophylaktischen Druckentlastung.

Die Injektion in die Magengrube ✱ ✱ ✱

Indikation: Alle — (K) — Oberbaucherkrankungen. Sehr oft genügt schon diese Injektion an das Peritoneum des Oberbauches allein, wenn nicht, kombinieren wir sie mit einer an den abdominalen — (T) — Grenzstrang.

Material: Nadel: Etwa Größe 1, Menge: 2 ml Procain-Lösung.

Gebührenordnung: Die KV Nordrhein schreibt in ihrem Rundschreiben Nr. 51/1967:

„Präperitoneale Infiltration: Sämtliche heilanästhetischen Infiltrationen sind nach Nr. 36 GOÄ abrechnungsfähig. Zu diesen Leistungen gehört auch die präperitoneale Impletol-Infiltration. Bei dieser Leistung ist keinesfalls der Leistungsinhalt der Nr. 54 GOÄ erfüllt, weil das Peritoneum nicht punktiert wird." Unter Punktion versteht die Gebührenordnung die Entnahme von Flüssigkeit oder Organsubstanz durch Einstich (Kanüle oder Trokar).

GOÄ, BMÄ: 36, E-Adgo: 29, P-Adgo: 73.

Technik: Am liegenden Patienten stechen wir in der Mittellinie drei Querfinger breit unterhalb des Schwertfortsatzes ein und gehen je nach Körperfülle des Patienten 3—5 cm tief bis an die Linea alba, wobei wir ständig etwas infiltrieren. Das Durchstoßen der Faszie bietet einen fühlbaren Widerstand. Selbst wenn wir durch die Faszie intraperitoneal gelangen, ist keine Verletzung von Magen und Darm zu befürchten.

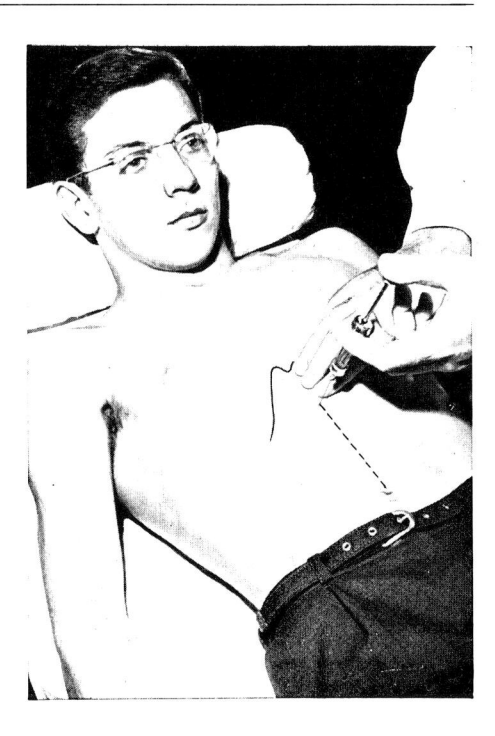

Abb. 61: Injektion in die Magengrube
(an das obere Peritoneum).

Injektion ans Mastoid: — (T) — Processus mastoideus, S. 311
Injektion an die Mandeln: — (T) — Tonsillen, S. 320

Die Injektion in die Narben * * *

Indikation:
- a) Segmenttherapie: **Alle Narben im Segment müssen mit abgespritzt werden!** Ferner Narbenbeschwerden, Keloidnarben, postoperative Beschwerden.
- b) Störfeldsuche: Narben aller Art und Größe, gleichgültig, wie alt sie sind und ob sie primär oder sekundär verheilt sind, erweisen sich häufig als Störfeld für chronische Fernstörungskrankheiten. — Nach Ansicht der chinesischen Akupunktur stellt die Narbe ein Hindernis für die im Körper flutende Lebenskraft dar, das durch die Nadelung wieder beseitigt werden kann.

Material: Nadel: Kurze Nadeln, bei harten Narben (besonders an der Hand und am Fuß) möglichst Carpulen-, Fischer- oder Tutocito-Spritze verwenden!
Menge: Nach Bedarf. Die Vorinjektion von Luft hilft die Menge des Neuraltherapeutikums niedrig halten.

Gebührenordnung: GOÄ, BMÄ: 36, E-Adgo: 29, P-Adgo: 73.
Die GOÄ bzw. GOZ kennt unter der Nr. Z 9 eine besondere Gebühr für das Testen bei Herdverdacht, auch für den Narbentest. Die Gebühr ist ebensohoch wie für die GOÄ Nr. 36. Die elektrische Untersuchung der Narbe mit dem Elektroherdtest oder dem Nervenpunkt-Detektor wird nach GOÄ Nr. 745 abgerechnet.

Technik: Das Narbenspritzen bzw. -testen bietet keine technischen Schwierigkeiten. Wir injizieren das *Procain* ganz oberflächlich so in die Narben, daß sich etwa konfluierende Quaddeln bilden. Bei langen, schmalen Operationsnarben setzen wir eine Kette von Quaddeln mit einem Gliedabstand von 1—2 cm. Manchmal läuft das Medikament allein, die Narbe nach beiden Seiten aufbeulend, innerhalb der Narbe entlang, so daß nur wenige Einstiche nötig sind. Die beiden

Enden der Narben sollen auf alle Fälle aufgesucht und mit abschließenden — (T) — Quaddeln bedacht werden.

Ausgedehnte Narbenflächen, z. B. nach Verbrennungen, sprengt man zweckmäßigerweise vorher durch Injizieren von Luft von ihrer Unterlage. Man spart dadurch einmal *Procain*, zum anderen kann sich das danach injizierte Medikament leichter in die Breite verteilen. Man kann das noch unterstützen, indem man das *Procain* mit einigen massierenden kreisenden Bewegungen in dem pergamentartig knisternden Hautemphysem verteilt.

Bei tiefeingezogenen Narben muß man auf alle Fälle auch in die Tiefe spritzen. Bei Knochenbeteiligung bis an das Periost, bei postoperativen Bauchnarben gehen wir an 1—3 Stellen bis an und durch das Peritoneum in die Tiefe. Allerdings gibt es dabei eine Ausnahme: Bei tiefeingezogenen Narben hinter dem Ohr nach Totaloperation vermeiden wir es, in den Krater direkt hineinzuspritzen, und wenn, dann nur ganz oberflächlich! Wegen der Nähe der Meningen kann jedes zu robuste Vorgehen Erbrechen und Schwindel auslösen. Es genügt hier, die Narbe im Gesunden zu umspritzen und an das Periost der Umgebung zu gehen! — Der Begriff Narbe ist so weit wie möglich zu fassen: So stellt z. B. die D u p u y t r e n s c h e   K o n t r a k t u r eine Narbe dar. Jede F r a k t u r heilt mit einer Knochennarbe ab, jeder e x t r a h i e r t e   Z a h n, j e d e s   e n u k l e i e r t e   A u g e hinterläßt eine Narbe, die den Körper krank machen kann! Wir müssen auch nach I n f i l t r a t e n fahnden, die nach Injektionen gewebsreizender Medikamente zurückgeblieben sind, und dürfen selbst H ü h n e r a u g e n,   auch   N a c k e n f u r u n k e l,   Z e h e n o p e r a t i o n e n   und   D a m m r i s s e nicht vergessen!

Wer bei Narben besonders gewissenhaft vorgeht, wird die besten Erfolge haben. Nur, wer die g a n z e Narbe mit *Procain* und Luft an der Oberfläche und an einigen Stellen auch in der Tiefe r e s t l o s erfaßt hat, kann einen Erfolg erwarten oder darf die Narbe als unbeteiligt abstreichen. Noch sicherer ist es, die Narbe nach elektrischer Widerstandsmessung oder dem Elektro-Herd-Test durch Injektionen nur in die Reaktionspunkte zu entstören. — Wie wir hörten, kommt es vom Talkumpuder der Operationshandschuhe zur Bildung von Fremdkörpergranulomen in der Narbe und die Silikatkristalle, aber auch Fadengranulome können gelegentlich so nachhaltig stören, daß auch eine Serie von neuraltherapeutischen Injektionen nicht ausreicht, das Gebiet endgültig zu entstören. Dann muß man die Narbenexzision veranlassen. Wenn man heute in der Chirurgie auch kaum noch talkumgepuderte Handschuhe benutzt, sollte man nicht vergessen, daß die Kristalle in den alten Narben noch stören können. — Über den Elektrotest der Narbe wurde auf Seite 121 berichtet.

Die Injektion in die Nasenmuschel ✱

A n a t o m i e : Mit der Injektion in die untere und mittlere Nasenmuschel erreichen wir die Ausläufer der mittleren Trigeminusäste, der Nn. sphenopalatini und der Nn. olfactorii.

I n d i k a t i o n :
  a) Segmenttherapie: Nebenhöhlen- und Siebbein-Erkrankungen.
  b) Störfeldsuche: Bei Verdacht auf einen Störherd im Nasen- und Nebenhöhlenbereich.
  c) Reflexzonen-Therapie: Besonders bei therapieresistentem Asthma bronchiale, Angina pectoris, Kopfschmerzen und Dysmenorrhö.

R e f l e x z o n e n : Der Franzose LEPRINCE legte vier Schleimhautfelder mit Reflexzonen für die folgenden Organe fest:
  1. Zone: U r o g e n i t a l z o n e = vorderes Drittel der unteren Nasenmuschel mit Zuständigkeit für Uterus, Ovar, Ureter, Anal- und Blasenschließmuskel.

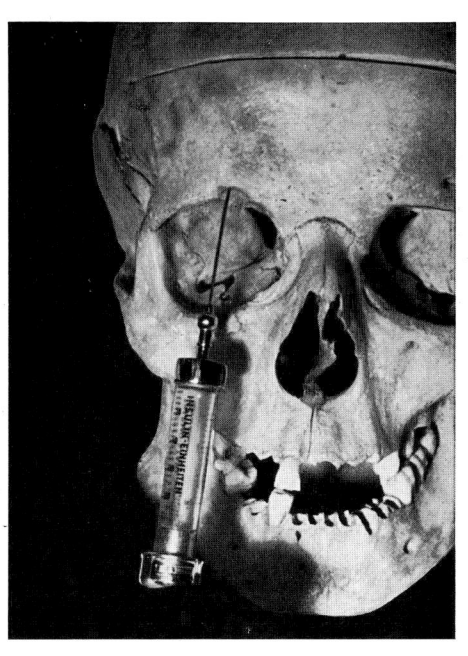

294 A) Die Injektionen an die Nervenaustrittspunkte am Kopf, 1. Die Injektion an den Nervus supraorbitalis lat.

Abb. 63: Injektion an den Nervus supraorbitalis. Orientierung am knöchernen Schädel.

bleibt neben dieser Delle am inneren Drittel der Augenbraue liegen. Der Einstich erfolgt mit kurzem Ruck vor dem Daumennagel mit Richtung nach oben. — Die Akupunktur kennt noch einen weiteren Punkt auf der Mitte der Nasenwurzel. Die beiden Supraorbitalis-Punkte und dieser dritte bilden zusammen das sogenannte „vordere magische Dreieck", ein Hinweis, auf die gleichsam zauberhafte Wirkung bei den genannten Indikationen. — Der Akupunkturpunkt B 1 entspricht dem Austrittspunkt des N. supraorbitalis med. Er liegt in dem Winkel, der von der Nasenwurzel und Orbita gebildet wird. Bei Druckempfindlichkeit gehen wir ihn mit an. Die Akupunktur nadelt ihn bei K o n j u n k t i v i t i s, B l e p h a r i t i s, S i n u s i t i s, vor allem aber bei Stirn- K o p f s c h m e r z.

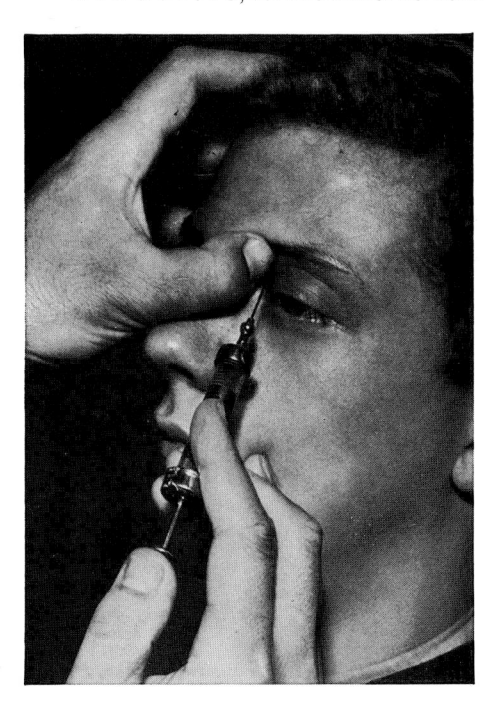

Abb. 64: Injektion an den Nervus supraorbitalis.

7. Nervus cutaneus femoris lat., S. 303
8. Nervus obturatorius, S. 303
9. Nervus pudendus, S. 304
10. Die peripheren Nerven im Fußgelenkbereich, S. 305

V o r w o r t : Das Lokalanästhetikum kann am Nerv erst wirken, wenn es die bindegewebigen Nervenscheiden durchdrungen hat. Je rückenmarksnäher und dicker ein Nerv ist, desto dicker ist auch seine Bindegewebshülle. Je weiter sich der Nerv aufzweigt und je dünner er selbst wird, desto leichter ist er dem Anästhetikum zugänglich. Am besten ist die Wirkung in der Haut mit — (T) — Quaddeln, denn am terminalen Nervenende liegen die Neurofibrillen frei. Da die Wirkung um so größer ist, je näher das Mittel an den Nerv herangebracht wird, suchen wir den Nerv möglichst direkt auf. Die Wirkung tritt dann am schnellsten und sichersten ein, und wir benötigen weniger *Procain*. Das Auftreten von Parästhesien nach blindem Aufsuchen mit der Nadel zeigt uns an, daß die Nadel richtig liegt.

A) Die Injektion an die Nervenaustrittspunkte am Kopf

Ü b e r s i c h t :

1. Nervus supraorbitalis, S. 293
2. nervus infraorbitalis, S. 295
3. Nervus maxillaris: — (T) — Tuber maxillae, S. 323
4. Nervi palatini, S. 296
5. Nervus alveolaris inferior, S. 296
6. Nervi occipitales, S. 296
7. Nervus laryngeus sup., S. 297
8. Nervus glossopharyngeus, S. 298
9. Nervus mandibularis in Nähe des — (T) — Ggl. Gasseri, S.255

1. Die Injektion an den Nervus supraorbitalis lat. * * *

A n a t o m i e : Es handelt sich um den Endausläufer des I. Trigeminusastes, die Nn. frontales und lacrimales des N. ophthalmicus. Er versorgt sensibel das Oberlid und einen Teil der Stirn.

I n d i k a t i o n : Frontal-Neuralgien, Stirnkopfschmerz, Lidzucken, Schwere der Augenlider, Hordeolum, Chalazion, Herpes zoster des 1. Trigeminusastes, Anosmie. Bei Stirnhöhlen- und Siebbeinzellen-Affektionen finden wir den Nervenaustrittspunkt häufig druckempfindlich. Eine Betäubung an dieser Stelle kann als Heilreiz auf die darunterliegenden Hohlräume wirken, was nicht selten ein nachfolgender starker, reinigender Katarrh anzeigt.

Offenbar besteht eine Korrespondenz zwischen den Oberbauchorganen und den Nn. supraorbitales. Der rechte Supraorbitalnerv ist, wie RATSCHOW bestätigte, bei einem Drittel aller Cholezystopathien hyperalgetisch. Ist das der Fall, kupiert die Procain-Injektion an diesen Punkt schlagartig alle Beschwerden, selbst Kolikschmerzen. Bei Magenerkrankungen finden wir gelegentlich den Austrittspunkt über dem linken Auge druckempfindlich.

M a t e r i a l : Nadel: Kurz, mitteldick, etwa Größe 12, 14 oder 16. Menge: 0,5 ml Procain-Lösung.

G e b ü h r e n o r d n u n g : GOÄ, BMÄ: 36, E-Adgo: 29, P-Adgo: 73.

T e c h n i k : Man fährt mit dem linken seitlichen Daumenrand das Orbitadach ab und ertastet etwas medial von der Mitte die Incisura supraorbitalis, in der der Nerv zutage tritt. Der Daumen

doppelt durchbohrter Gummistopfen gesetzt. Durch das eine Loch ragt eine Metallröhre bis dicht unter den Stopfen, an die ein Gummigebläse angeschlossen wird. Durch das zweite Loch kommt ein rechtwinklig gebogenes Ausführungsrohr, das bis auf den Boden reichen und nach vorn verjüngt sein muß.

Indikation: Zum Kupieren der akuten Rhinitis und Sinusitis, chronische Katarrhe der oberen Luftwege, trockener Reizhusten, Silikose, beginnender grippaler Infekt, bestimmte Kopfschmerzformen und vasomotorische Dysregulationen im Kopfbereich, Dysmenorrhöe, Singultus, Versuch bei Bechterew, Asthma und Angina pectoris. Auch zur Mobilisierung körpereigener ACTH-Vorräte z. B. bei antibiotikaresistenten Pneumonien.

Nach F. HUNEKE hat „die Schleimhautanästhesie der Nase und des Mundes ihr eigenes Indikationsgebiet und bringt manchmal noch Erfolge, wenn die Injektion versagt".

Gebührenordnung: GOÄ, BMÄ: 149, E-Adgo: 103a, P-Adgo: 103.
Bei Anästhesie beider Nasenhälften pro Sitzung nur einmal ansatzfähig.

Technik: Wir versprayen mit starkem Druck ein Schleimhaut-Anästhetikum, z. B. 2 %ige Pantocain-Lösung oder *Gingicain* auf die Nasenmuscheln und direkt auf die hintere obere Pharynxwand und damit in die Nähe des Ganglion sphenopalatinum.

Die Injektionen an die zuführenden Nerven

Übersicht:

A) Nervenaustrittspunkte am Kopf:
   1. Nervus supraorbitalis, S. 293
   2. Nervus infraorbitalis, S. 295
   3. Nervus maxillaris: — (T) — Tuber maxillae, S. 323
   4. Nervi palatini, S. 296
   5. Nervus alveolaris inferior, S. 296
   6. Nervi occipitales, S. 296
   7. Nervus laryngeus sup., S. 297
   8. Nervus glossopharyngeus, S. 298

B) Obere Extremitäten:
   1. Plexus cervicalis, S. 299
   2. Nervus phrenicus, S. 299
   3. Plexus brachialis, S. 300
   4. Nervus radialis, S. 301
   5. Nervus medianus, S. 302
   6. Nervus ulnaris, S. 302
   7. Nervi intercostales: — (T) — Interkostalnerven, S. 276

C) Untere Extremitäten:
   1. Abdominaler und lumbaler — (T) — Grenzstrang, S. 264 ff.
   2. Epidurale Infiltration, S. 247
   3. Präsakrale Infiltration, S. 309
   4. Nervus ischiadicus, S. 280
      Nervus peroneus communis, S. 285
      Nervus tibialis, S. 285
   5. Frankenhäusersche Ganglien, S. 249
   6. Nervus femoralis, S. 302

2. Zone: **S o l a r p l e x u s z o n e** = mittlerer Teil der unteren Nasenmuschel mit Wirkung auf Magen, Leber, Galle und Darm.
3. Zone: **Z e r v i k a l z o n e** = hinteres, also inneres Drittel der unteren Nasenmuschel für Zervikalsyndrom, Schwindel, Ohrensausen, Angstzustände und Migräne.
4. Zone: **L u n g e n z o n e** = Vorderteil der mittleren Nasenmuschel für Asthma und Lungenemphysen zuständig.

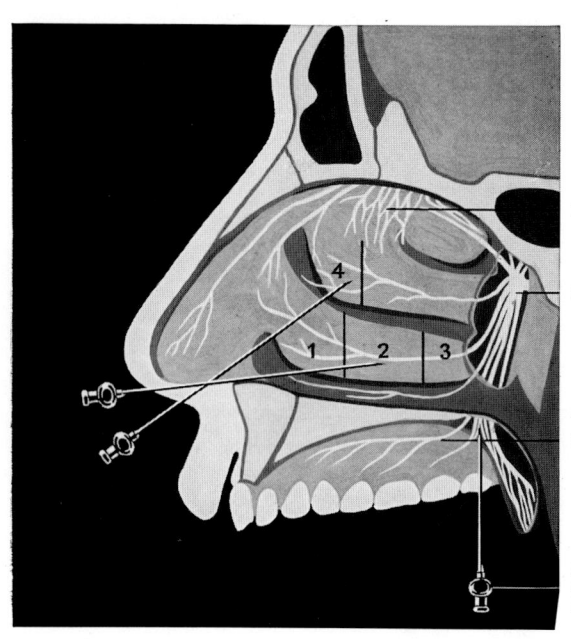

Abb. 62: Injektion in die Nasenmuscheln. Zugang zum Ganglion sphenopalatinum vom Mundraum aus.

Nn. olfactorii
Ggl. sphenopalatinum
Nn. palatini
Injektion ins Ggl. sphenopalatinum vom Mund aus

M a t e r i a l : Nadel: 6—8 cm × 0,8 mm, Menge: 0,5 ml Procain-Lösung.
G e b ü h r e n o r d n u n g : GOÄ, BMÄ: 149, E-Adgo: 103a, P-Adgo: 103.
T e c h n i k : Der Patient sitzt in einem Stuhl mit Nackenstütze. Sonst muß der Kopf gehalten werden! Man stellt die untere bzw. mittlere Nasenmuschel im Nasenspekulum ein und infiltriert die gewünschten Partien mit submukösen Injektionen mit langer dünner Nadel. Man muß auf das anschließende Nasenbluten gefaßt sein und dem Patienten vorher Zellstoff in die Hand geben. Er bleibt am besten einige Zeit mit nach hinten gebeugtem Kopf sitzen.

Testen der Nasennebenhöhlen *

Außer der Injektion an die Nasenmuscheln bleibt uns der Weg mit Injektionen an das —(T) — Tuber maxillae vom Mund aus. Von außen kommen wir an die Kieferhöhle entweder durch Injektionen an die — (T) — Nervenaustrittspunkte der Nn. supra- und infraorbitales oder an das Periost der Kieferhöhlen-Außenwand: Einstich über dem 3. Zahn und Vorgehen durch die obere Zahnfleisch-Umschlagfalte nach oben. Am wichtigsten ist die Injektion an das — (T) — Ganglion sphenopalatinum.

Der Nasenspray * *

A n a t o m i e : Mit dem Spray erreichen wir das weitverzweigte Gebiet der Nn. olfactorii, der mittleren Trigeminusäste und der Nn. sphenopalatini.
M a t e r i a l : Wer nicht über einen Sprayapparat oder einen Taschenzerstäuber verfügt, kann ihn improvisieren: Auf ein stärkeres Reagenzglas oder einen kleinen Erlenmeyerkolben wird ein

2. Die Injektion an den Nervus infraorbitalis * *

Anatomie: Der Endausläufer des II. Trigeminusastes versorgt die Haut der vorderen Wangengegend, Nasenflügel, Unterlid, Oberlippe mit Schleimhaut und das Gebiet der Nn. alveolares für die Zähne des Oberkiefers.

Indikation: Trigeminusneuralgie, Gesichtsschmerzen, Wangenfurunkel, Kieferhöhlenerkrankungen, „rheumatische" Oberkieferschmerzen bei negativem Zahnbefund.

Material: Nadel: Kurz, mitteldick, zwischen Größe 12 und 16. Menge: 0,5 ml Procain-Lösung.

Gebührenordnung: GOÄ, BMÄ: 36, E-Adgo: 29, P-Adgo: 73.

Technik:

a) Durch die Haut: Wenn wir den unteren Orbitarand vom inneren Augenwinkel aus mit der Fingerkuppe nach unten abfahren, geht es eine Strecke lang glatt, um dann mit einer leichten Kurve zum lateralen Rand einzubiegen. Bevor diese Biegung einsetzt, fühlen wir eine Rauhigkeit. 7 mm senkrecht unter diesem Punkt an der Orbita ist das Foramen infraorbitale. Wir stechen etwas unterhalb davon ein und gehen mit Nadelrichtung schräg nach oben medial bis an den Knochen. Dort wird injiziert.

b) Vom Mund aus: Oberlippe anheben und oberhalb des ersten Prämolaren einstechen. Dann führen wir die Nadel nach oben an den unter a) beschriebenen Austrittspunkt des Nervs. Man kann durch die Haut fühlen, wie die Nadel liegt und vorschreitet.

Abb. 65: Injektion an den Nervus infraorbitalis. Orientierung am knöchernen Schädel.

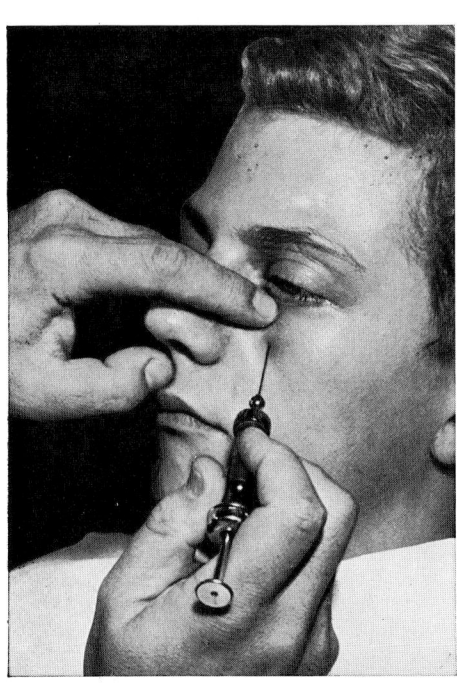

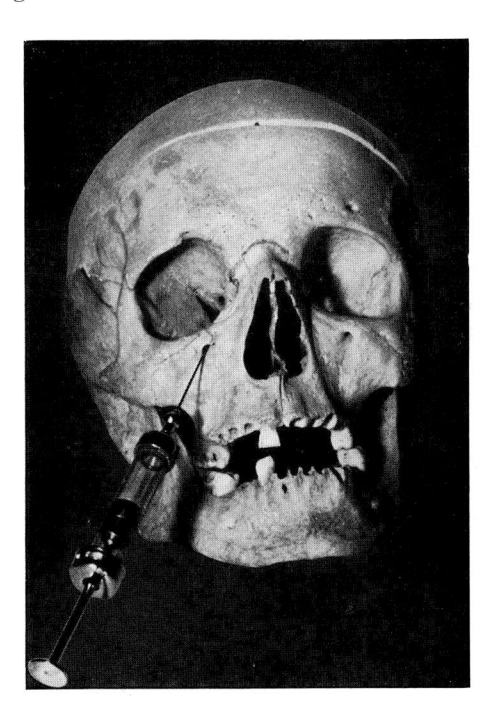

Abb. 66: Injektion an den Nervus infraorbitalis.

3. Nervus maxillaris: — (T) — Tuber maxillae, S. 323

4. Injektion an die Nervi palatini *

Indikation: Sie ergibt sich aus dem Versorgungsbereich: Der N. palatinus major versorgt fächerförmig den größten Teil der Schleimhaut einschließlich der Drüsen bis zur Eckzahnlinie nach vorn. Trigeminusneuralgie.

Material: Nadel: Größe 14 oder 16 bzw. entsprechende Nadel für die Carpulenspritze. Menge: 1 ml Procain-Lösung.

Gebührenordnung: GOÄ: 36, E-Adgo: 29, P-Adgo: 73.

Technik: Die Nerven treten aus dem Foramen palatinum majus aus, das als Grübchen in der Schleimhaut medial der Hinterkante des letzten Molaren (an der Grenze zwischen Alveolarfortsatz und Gaumendach) zu erkennen bzw. mit der Knopfsonde zu ertasten ist. Dort injizieren wir 0,5—1 ml *Procain*. Siehe Abb. 62.

5. Injektion an den Nervus alveolaris inferior und Nervus mentalis *

Indikation: Der Endausläufer des III. Trigeminusastes tritt am Foramen mentale zu Tage und versorgt dort Kinn und Unterlippe. Wir injizieren dorthin bei Trigeminusneuralgie, Kinn- und Unterlippenschmerzen, auch Furunkeln in diesem Gebiet. — Wenn wir, wie unter b) angegeben, peroral an die Lingula spritzen, erzielen wir damit eine Leitungsanästhesie der Zähne der entsprechenden Unterkieferhälfte.

Material: Nadel: Zwischen 12 und 16 oder längere Carpulennadel. Menge: 0,5—1 ml Procain-Lösung.

Gebührenordnung: GOÄ, BMÄ: 36, E-Adgo: 29, P-Adgo: 73.

Technik:
a) Der Nervenaustritt erfolgt am Foramen mentale, das unterhalb der unteren Prämolaren in der Mitte zwischen Alveolarrand und unterem Rand des Unterkiefers zu suchen ist. Da das Foramen nach hinten seitlich zeigt, muß es aus dieser Richtung entweder direkt durch die Haut oder von der Umschlagfalte der Unterlippenschleimhaut aus angegangen werden.

b) Man tastet mit dem Zeigefinger an der Bukkalseite der Zähne nach hinten, bis man die scharfe Kante vom Vorderrand des aufsteigenden Kieferastes (Linea obliqua) fühlt. An diesem Punkt liegt der Einstich, also etwa einen Zentimeter oberhalb und bukkal von der Zahnreihe. Die Richtung ergibt sich aus der Verbindung dieses Punktes zum Mundwinkel der anderen Seite. Nach Anästhesie der Schleimhaut gehen wir unter Knochenfühlung 1,5 cm vor und injizieren dort an die Lingula.

6. Injektion an die Nervi occipitales * * *

Anatomie und Indikation: Die Hinterkopfnerven versorgen die Haut bis zur Scheitelhöhe und nach seitwärts bis zur Schläfengegend und das hintere Ohr. Vor allem der N. occipitalis major kann der Sitz hartnäckiger Neuralgien sein. Als Zusatz bei Behandlung des Zervikalsyndroms.

Material: Nadel: Etwa Größe 12. Menge: 0,5 ml Procain-Lösung.

Gebührenordnung: GOÄ, BMÄ: 36, E-Adgo: 29, P-Adgo: 73.

Technik: Vor der Injektion ist der Austrittspunkt der Nerven durch Fingerdruck genau auszumachen. Der größere Hinterkopfnerv gelangt 2—4 cm von der Mittellinie entfernt zwischen den knöchernen Ansätzen der Mm. trapezius und semispinalis unter die Haut. Er liegt dicht medial der leicht tastbaren A. occipitalis. Der N. occipitalis minor entspringt etwa 2,5 cm lateral davon hinter dem Hinterrand des M. sternocleidomastoideus an dessen kranialem Ansatz. Man injiziert nach Auslösen von Parästhesien.

7. Die Injektionen an den Nervus laryngeus superior *

I n d i k a t i o n : Schmerzen und Schluckbeschwerden besonders bei Krebs und Tuberkulose des Kehlkopfes oder Neuralgien.

M a t e r i a l : Nadel: 6 cm × 0,8 mm. Menge: 5 ml Procain-Lösung.

G e b ü h r e n o r d n u n g : GOÄ, BMÄ: 36, E-Adgo: 29, P-Adgo: 73.

T e c h n i k : Der N. laryngeus sup. teilt sich in der Höhe des Zungenbeins in einen äußeren und inneren Ast. Hier kann er am besten erreicht werden. Da man in der Regel beide Seiten gleichzeitig ausschalten will, gehen wir in der Mitte durch eine Hautquaddel ein, die wir über der Incisura thyreoidea setzen. Die Injektionskanüle geht von hier aus subkutan unter Kontrolle des freien Zeigefingers schräg nach seitwärts und kranial auf das Cornu majus des Zungenbeins zu. Dicht kaudal davon werden 2 ml Lösung verteilt. Nach Zurückziehen der Nadel wird die gleiche Injektion auf der Gegenseite vorgenommen. Die Anästhesie erreicht den Kehldeckel und das ganze obere Kehlkopfinnere bis zur Glottis.

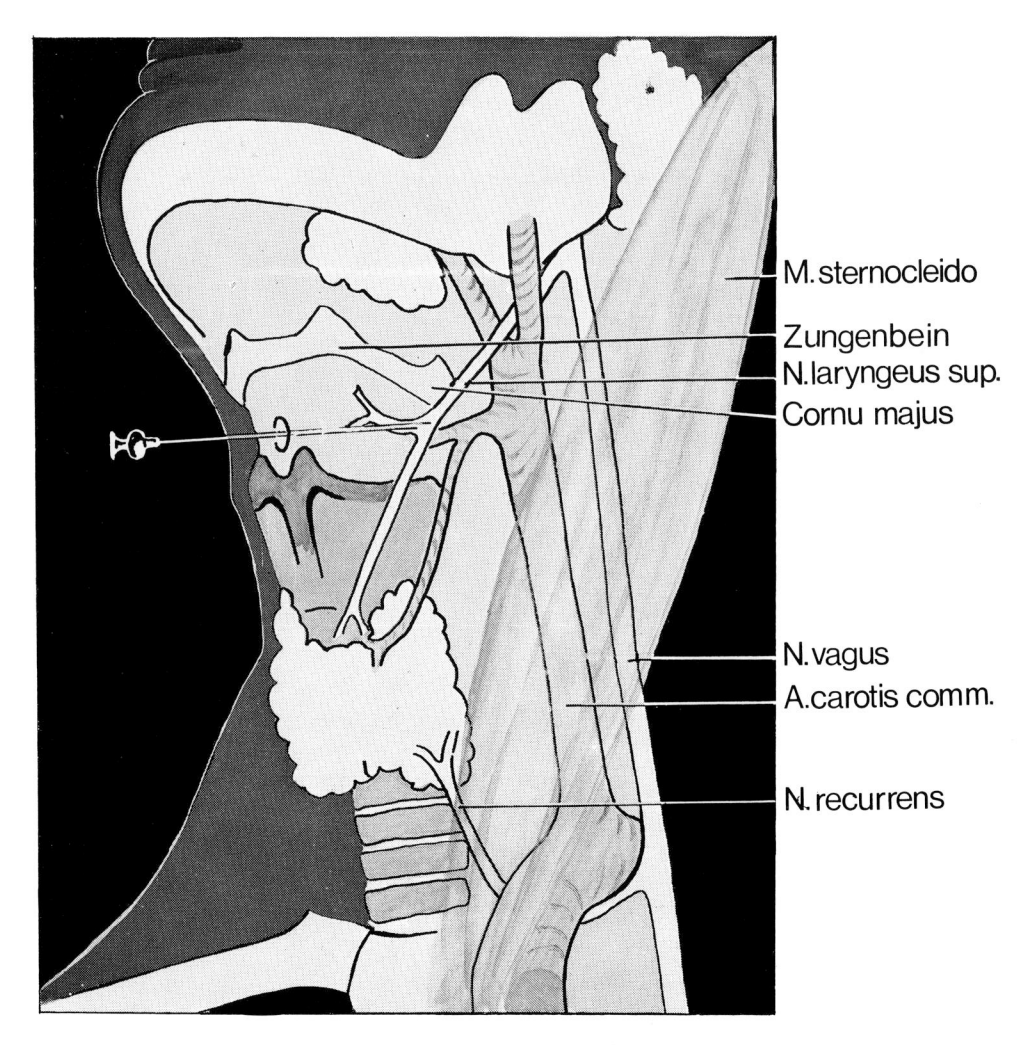

Abb. 67: Injektion an den Nervus laryngeus superior.

8. Die Injektion an den Nervus glossopharyngeus ✱

Anatomie: Der IX. Hirnnerv besteht aus sensorischen, motorischen und parasympathischen Anteilen. Er versorgt den Pharynx, den weichen Gaumen, die hintere Zungenoberfläche, die Gaumenmandel, die Tuba Eustachii und die Paukenhöhle. Außerdem ist er am Sinus caroticus und Glomus caroticum beteiligt.

Indikation: Alle Erkrankungen im Versorgungsbereich, wie Zungenerkrankungen, Glossopharyngeus-Neuralgie, atypische Trigeminus-Neuralgie, Schluckbeschwerden, Tonsillen-Karzinom.

Material: Nadel: 5—6 cm lang, 0,8 mm dick. Menge: 2—3 ml Procain-Lösung.

Gebührenordnung: GOÄ, BMÄ: 36, E-Adgo: 29, P-Adgo: 73.

Technik: Die Kanüle wird in der Mitte zwischen Mastoidspitze und Unterkieferwinkel senkrecht zur Haut bis zur Knochenberührung mit dem Proc. styloideus eingeführt und das Lokalanästhetikum in 3—4 cm Tiefe auf der anterioren Seite verteilt.

B) Obere Extremitäten

1. Plexus cervicalis, S. 299
2. Nervus phrenicus, S. 299
3. Plexus brachialis, S. 300
4. Nervus radialis, S. 301
5. Nervus medianus, S. 302
6. Nervus ulnaris, S. 302
7. Nervi intercostales: — (T) — Interkostalnerven, S. 276

1a. Die Injektion an den Plexus cervicalis profundus C 2 — C 4 ✱

Anatomie: Das 3. Zervikalsegment versorgt das vordere Halsgebiet, das 4. Segment das seitliche Halsdreieck und die Schultergegend. Mit einer Leitungsanästhesie des Plexus cervicalis können wir die sensible Versorgung der ganzen Halsgegend unterbrechen. Der obere Teil des Plexus enthält die Nn. occipitalis minor, auricularis magnus und cutaneus colli, der untere die Nn. supraclaviculares ant., med. et post. Die obere Gruppe erreichen wir an der Austrittsstelle des 3. Zervikalnervs in Höhe des Kieferwinkels auf dem Querfortsatz des 3. Halswirbels, die untere entsprechend auf dem Querfortsatz des 4. Halswirbels, den wir in Höhe des oberen Schildknorpelrandes aufsuchen. Da die Intervertebrallöcher im Halsbereich nicht wie sonst nach der Seite, sondern nach vorn ausmünden, ist hier eine Verletzung der Dura und des Halsmarkes beim Einstich von der Seite ausgeschlossen. Durch Seitwärtsdrehen des Kopfes weichen die A. carotis, die V. jugularis interna und der N. vagus zur Seite und geben die Querfortsätze frei.

Indikation: Zervikalsyndrom, Tortikollis, Nackenschmerzen, Schulterbrennen.

Material: Nadel: 4 cm lang. Menge: 2 ml Procain-Lösung.

Gebührenordnung: GOÄ, BMÄ: 31, E-Adgo: 24, P-Adgo: 69.

Technik: Der Patient liegt auf dem Rücken mit einer Rolle unter dem Nacken. Der Kopf wird auf die Gegenseite der Injektion gedreht. Mit den Fingern der linken Hand drängt man den dadurch erschlafften Kopfnickermuskel nach vorn und sticht an seinem Hinterrand in Höhe des Kieferwinkels ein. In höchstens 1 cm Tiefe bekommt man Knochenfühlung mit dem hinteren Höckerchen des 3. Querfortsatzes. Die Nadel wird — o h n e   t i e f e r   z u   g l e i t e n ! — einige Millimeter n a c h   d o r s a l - k a u d a l geführt, wobei der Patient Parästhesien und damit die richtige Lage der Nadel angibt. Nach Ansaugprobe (cave Blut, Liquor!) werden 2 ml *Procain* injiziert.

B) Obere Extremitäten, 1. Plexus cervicalis

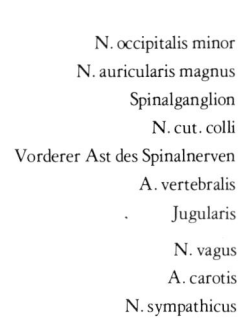

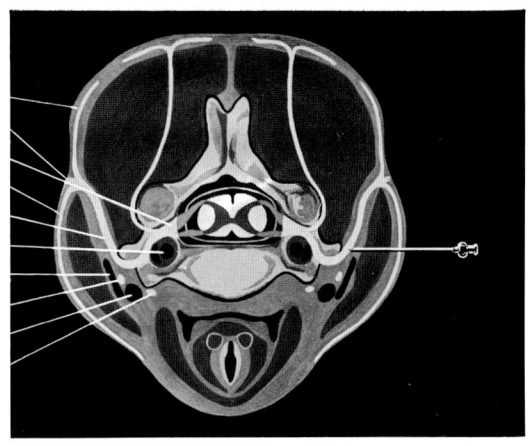

N. occipitalis minor
N. auricularis magnus
Spinalganglion
N. cut. colli
Vorderer Ast des Spinalnerven
A. vertebralis
. Jugularis
N. vagus
A. carotis
N. sympathicus

Abb. 68: Injektion an den Plexus cervicalis.

Die beste Gewähr zur Vermeidung von Komplikationen gibt die Vorsichtsmaßnahme, streng oberflächlich, das heißt in diesem Falle in Knochenhöhe, zu bleiben! Bei zu tiefem Infiltrieren könnte das *Procain* in die Nischen zwischen den Querfortsätzen und im ungünstigsten Falle zwischen die A. bzw. V. vertebralis oder in den Epiduralraum gelangen.

1b. Die Injektion an den Plexus cervicalis superficialis ✱ ✱

Vor der eben geschilderten paravertebralen Ausschaltung des Plexus cervicalis profundus ist die technisch einfachere Injektion an die oberflächlicher liegenden Endäste des Plexus cervicalis superficialis empfehlenswert und in vielen Fällen auch ausreichend. Besonders, wenn die tiefe Injektion bei kurzem gedrungenem Hals Schwierigkeiten bereitet.

T e c h n i k : Man zieht eine Verbindungslinie zwischen dem Ansatz des M. sternocleidomastoideus am Mastoid und am Schlüsselbein, halbiert diese Linie und sticht am Hinterrand des Muskels ein. In 2—3 cm Tiefe bekommt man Kontakt mit dem Querfortsatz des 2. oder 3. Halswirbelkörpers. Die Kanüle wird 0,5—1 cm zurückgezogen und ein Streifen von 1,5 × 3 cm mit 5 ml Procain-Lösung unter Ansaug-Kontrollen flächenhaft infiltriert.

2. Die Injektion an den Nervus phrenicus C 3 — C 5 ✱

A n a t o m i e : Der N. phrenicus ist der unterste Ast des Plexus cervicalis. In seinem extrathorakalen Verlauf liegt er zwischen M. sternocleidomastoideus und M. scalenus anterior. Der zur Injektion bevorzugte linke N. phrenicus umgreift den Aortabogen, geht an der Außenseite des Herzbeutels nach unten und mündet an der Herzspitze in das Zwerchfell. Über den N. phrenicus werden die Organschmerzen bei Herz- und Bauchraumerkrankungen auf Schulter, Hals, Nacken und Oberarme übertragen.

I n d i k a t i o n : Hartnäckiger Singultus, Versuch bei Zwerchfellhernie, starke Schmerzen bei abdominellen und thorakalen Organerkrankungen, die in Schulter-, Nacken- und Halsbereich ausstrahlen.

M a t e r i a l : Nadel: 4 cm lang, 0,6—0,8 mm dick. Menge: 2—5 ml Procain-Lösung.

G e b ü h r e n o r d n u n g : GOÄ, BMÄ: 31, E-Adgo: 24, P-Adgo: 69.

T e c h n i k : **Cave: Von einer beiderseitigen Anästhesie in einer Sitzung ist wegen der dann völligen Zwerchfell-Lähmung abzusehen!** Der Kopf wird auf die Gegenseite der Injektion gedreht und zur Injektionsseite hin geneigt. Dadurch entspannt der M. sternocleidomastoideus. Unser Einstichpunkt liegt am lateralen Rand des Muskels dicht oberhalb seines Schlüsselbein-Ansatzes. Der Kopfnickermuskel wird mit Daumen und Zeigefinger dicht oberhalb vom Schlüsselbein erfaßt und nach medial abgezogen, damit die A. carotis vom N. phrenicus abgedrängt wird. In der Tiefe kann man nun den M. scalenus anterior tasten. Die Kanüle muß nun unter dem weiter abgezogen bleibenden Sternocleido quer zur Körperachse, d. h. fast parallel zum Schlüsselbein schräg nach medial etwa 3 cm tief vorgeführt werden. Der am Kopfnickermuskel medial liegende Finger kann dabei den Nadelsitz kontrollieren, wenn die Spritze in genügendem Abstand von Luft- und Speiseröhre in die Scalenuslücke eindringt. Injektion erst nach negativer Ansaugprobe.

3. Die Injektion an den Plexus brachialis C 5 — Th 1 ✱ ✱

Indikation : Alle Formen von Plexus-Neuralgien und Brachialgien, Schmerzzustände im Arm (ab distalem Drittel des Oberarmes) wie Parästhesien, Durchblutungsstörungen, Sudeck, Kausalgien, Phlegmonen, Abszesse, Erfrierungen oder Verbrennungen der oberen Extremität. Versuch bei Schreibkrampf, Tortikollis. — Mit Hilfe der supraklavikulären Plexus-Anästhesie kann man eine Schulterluxation leichter reponieren.
Material : Nadel: 4 cm lang, dünn. Menge: 2 ml Procain-Lösung.
Gebührenordnung : GOÄ, BMÄ: 31, E-Adgo: 24, P-Adgo: 69.
Technik :

a) Supraklavikuläre Plexus-Anästhesie

Der Patient sitzt auf einem Stuhl mit Nackenstütze. Den Kopf hat er nach der Gegenseite der Injektion gedreht und etwas nach vorn gebeugt. Vor dem Nadeleinstich muß er unbedingt auf das Auftreten der Parästhesien vorbereitet sein, sonst könnte es zu unerwünschten reflexartigen Abwehrbewegungen kommen.

Einstich 1 cm oberhalb der Mitte des Schlüsselbeines ganz dicht lateral der pulsierenden Arteria subclavia (etwa in Richtung auf den 3. Brustwirbel-Dornfortsatz). Der Plexus zieht hier in etwa 1 cm Tiefe subfaszial über die erste Rippe. — Den Sitz der Nadel zeigen die vom

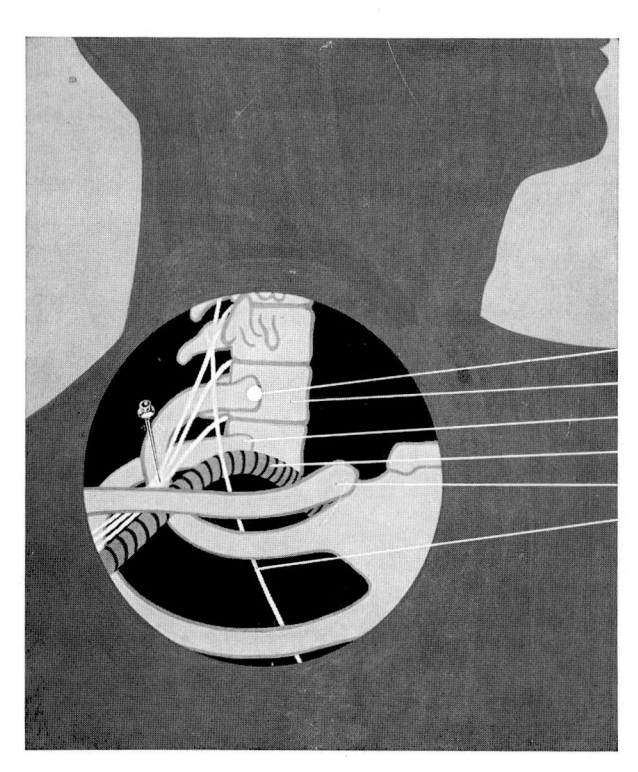

Abb. 69: Injektion an den Plexus brachialis. Einstich 1 cm oberhalb des Schlüsselbeines, unmittelbar lateral der ertasteten pulsierenden Arteria subclavia, in Richtung auf den Dornfortsatz des 3. Brustwirbels. Die 1. Rippe verhindert das Eindringen in den Pleuraraum. Injektion erst beim Auslösen von Parästhesien!

Ggl. stellatum
1. BWK
2. Rippe
A. subclavia
Clavicula
N. phrenicus

Patienten gemeldeten Parästhesien an. Die aus höheren Segmenten kommenden Bahnen liegen lateral, die Anteile aus den darunterliegenden Etagen mehr medial, so daß wir bei Berührung von lateral nach medial zuerst Parästhesien in der Schulter, dann der Radialseite des Oberarmes, Vorderarmes und der Hand, weiter medial der Ulnarseite der Hand, des Vorderarmes und Oberarmes und schließlich in der Achselhöhle gemeldet bekommen. Der Radialisanteil liegt dahinter. Erzielen wir also zum Beispiel zuerst im kleinen Finger Parästhesien, so liegt unsere Nadel etwa in der Mitte des Plexus. Es empfiehlt sich, dann noch links und rechts davon zu punktieren und zu infiltrieren. Oft müssen wir dazu mit der Nadel einige Male suchend hin- und herstechen, um wieder an einer anderen Stelle Parästhesien auszulösen.
E i n e   I n j e k t i o n   o h n e   P a r ä s t h e s i e n   i s t   z w e c k l o s !
Kommt die Nadel auf die erste Rippe, ohne daß es im Arm des Patienten zuckt, liegt die Nadel meist zu weit lateral! Wir müssen uns eng an die A. subclavia halten und praktisch an ihrem lateralen Rand bogenförmig entlanggleitend in die Tiefe gehen. Dann stoßen wir mit Sicherheit auf die erste Rippe, die uns davor bewahrt, daß wir in die Pleura oder in die Lungenspitze stechen. Die bei Rippenberührung erreichte Tiefe müssen wir uns merken bzw. markieren. Tiefer dürfen wir dann beim vorsichtigen Suchen nach den einzelnen Plexussträngen nicht gehen!
Will man bei Nacken- und Hinterkopfschmerzen nur die lateralen Stränge erreichen, kann man auch über der Schlüsselbeinmitte etwa drei Querfinger kranialwärts dort einstechen, wo sich der Sternocleido-Hinterrand und der Vorderrand der Nackenmuskulatur treffen.
Nach der richtig sitzenden Plexusanästhesie kommt es zu einem vorübergehenden sensiblen und motorischen Ausfall im Bereich des Armes. Da besonders bei Verwendung größerer Injektionsmengen auch der N. phrenicus mit angelähmt werden kann, wird von einer einzeitig doppelseitigen Anästhesie des Plexus abgeraten. Das Anstechen der Arteria subclavia ist ungefährlich. Selbst das Anstechen der Pleura, das beim vorsichtigen Arbeiten nach den oben gegebenen Hinweisen immer vermeidbar ist, ergibt in der Regel nur für Stunden, seltener 2—3 Tage ein vorübergehendes Druck- und Beklemmungsgefühl in der Brust. In der Literatur sind wenige Fälle von Spannungspneumothorax beschrieben, die dann natürlich stationärer Behandlung bedürften.

b) **Axilläre Plexus-Anästhesie**

A n d e r e   B e z e i c h n u n g : Axillarisblock.
Diese Methode ist bei adipösen Patienten weniger geeignet, allerdings ist sie dafür narrensicher. Man tastet sich am Oberarm die Arteria brachialis entlang so weit in Richtung auf die Achselhöhle vor, bis der Puls eben noch gefühlt werden kann. Nun verteilt man oberhalb und unterhalb der Arterie etwa 5 ml *Procain*. Man erreicht dabei: N. m e d i a n u s, N. u l n a r i s , N. r a d i a l i s   u n d N. m u s c u l o c u t a n e u s. Den Sitz der Kanüle zeigen die Parästhesien im Ausstrahlungsgebiet der drei großen Hauptnerven für Arm und Hand an. Ohne Parästhesien auszulösen, soll man nicht injizieren!
c) Vergleiche auch die Möglichkeit, die oberen Anteile des Plexus vom Hals aus anzugehen:
— (T) — Ganglion stellatum, Methode nach LERICHE.

4. Die Injektion an den Nervus radialis *

I n d i k a t i o n : Erkrankungen der Hand im Versorgungsbereich des N. radialis.
T e c h n i k :
a) Oberhalb des Ellenbogens finden wir den Radialisnerv, wenn wir 4 Querfinger proximal des lateralen Epikondylus durch eine Quaddel senkrecht zur Haut eingehen und den Nerv aufsuchen, der dort neben dem Humerus verläuft. Wird der Nerv berührt, gibt der Patient elek-

trisierende Schmerzen im Daumen und Handrücken an. Wenn wir ihn nicht gleich finden, gehen wir bis zur Knochenberührung vor und verteilen am Knochen entlang nach oben und unten bis zu 5 ml *Procain.*

b) Oder man tastet den Radialispuls etwa 3 Querfinger oberhalb der Handgelenksfurche und sticht radialwärts der Arterie ein. Eine intraarterielle Injektion wäre hier bei Mengen bis zu 2 ml unbedenklich. Wie immer, gehen wir infiltrierend vor, bis der Patient Parästhesien angibt und deponieren dort 1—2 ml.

c) Die Äste des Ramus superficialis nervi radialis schalten wir aus, wenn wir im dorsoradialen Handwurzelbereich in Höhe der Tabatière subkutan 1—2 ml Procainlösung verteilen.

5. Die Injektion an den Nervus medianus *

Indikation: Bei Erkrankungen der Hand (Schmerzen, vasospastische Zustände) im Versorgungsbereich des N. medianus.
Technik:

a) In der Ellenbeuge finden wir den Medianusnerv ulnarwärts der pulsierenden A. brachialis.

b) Im Handgelenkbereich spannt sich die Sehne des M. palmaris longus bei Dorsalflexion der Hand deutlich sichtbar an. Einstich radial davon mit dünner kurzer Kanüle über dem Canalis carpi. Sobald Parästhesien im Bereich des Medianus auftreten, infiltirieren wir mit 1—2 ml *Procain.*

6. Die Injektion an den Nervus ulnaris *

Technik:

a) Zwischen Epicondylus med. humeri und Olecranon ist ein leicht zu ertastendes Grübchen, der Sulcus ulnaris. In ihm ist der Nerv vor seiner Teilung in Ramus volaris und dorsalis in 1—2 cm Tiefe gut zu anästhesieren.

b) Den Ramus volaris finden wir bei Einstich etwa drei Querfinger breit oberhalb des Handgelenkes zwischen Arteria ulnaris und der ulnarwärts von ihr gelegenen Sehne des M. flexor carpi ulnaris. Wenn wir Parästhesien auslösen, injizieren wir 1—2 ml Procain.

7. Nervi intercostales: —(T) — Intercostalnerven, S. 276

C. Untere Extremitäten

1. — (T) — Abdominaler und lumbaler Grenzstrang, S. 264 ff.
2. — (T) — Epidurale Infiltration, S. 247
3. — (T) — Präsakrale Infiltration, S. 309
4. — (T) — Ischias, S. 280 ff.
5. — (T) — Frankenhäusersche Ganglien, S. 249

6. Die Injektion an den Nervus femoralis * *

Die Technik ist bei der Injektion an die — (T) — Arteria femoralis, mit der sie meist kombiniert wird, nachzulesen. Man tastet die pulsierende Arterie knapp unterhalb des Leistenbandes. Der Nerv liegt dann 1—2,5 cm lateral der Arterie. Er macht sich beim Anstechen durch Parästhesien in seinem Versorgungsbereich (Vorderfläche des Oberschenkels) bemerkbar. Die Indikation ergibt sich daraus: Neuralgien, Kausalgie, Gefäßerkrankungen, Durchblutungsstörungen. Siehe Abb. 40.

7. Die Injektion an den Nervus cutaneus femoris lateralis ∗

A n a t o m i e : Der N. cutaneus fem. lat. wird aus L 2 und L 3 gebildet. Er verläuft unter der Fascia lata und versorgt die Haut der Außenseite des Oberschenkels von der Leistengegend bis zum Knie. Bei Erkrankung des Hautnerven kommt es zu schmerzhaften Parästhesien mit dem Gefühl des Wundseins auf der Außenseite des Oberschenkels, die man Meralgia paraesthetica nennt.

I n d i k a t i o n : Meralgie.

M a t e r i a l : Nadel: 4 cm lang. Menge: 2—5 ml Procain-Lösung.

G e b ü h r e n o r d n u n g : GOÄ, BMÄ: 31, E-Adgo: 24, P-Adgo: 69.

T e c h n i k : Der Einstichpunkt liegt 1—2,5 cm medial und kaudal der Spina iliaca anterior superior. Die Kanüle wird bis zur Knochenberührung mit dem Becken in Richtung Spina infiltrierend vorgeführt. Bevor man den Knochen erreicht, muß man den Widerstand der Fascia lata überwinden. Da der Austritt aus der Faszie variabel ist, muß die Lösung subkutan und subfaszial verteilt werden. Parästhesien werden dabei nicht ausgelöst.

8. Die Injektion an den Nervus obturatorius ∗ ∗

A n a t o m i e : Der N. obturatorius (L 2—L 4) tritt durch den oberen Teil des Foramen obuturatum auf den Oberschenkel. Er versorgt Teile des Hüftgelenks, die Adduktoren, den M. gracilis und Teile des Kniegelenks. Er endet als N. cutaneus fem. med. und versorgt die Innenfläche des Oberschenkels sensibel.

I n d i k a t i o n : Hüft- und Kniearthrosis, Adduktoren-Spastik, Gracilis-Syndrom.

M a t e r i a l : Nadel: 8 cm × 1 mm. Menge: etwa 5 ml Procain-Lösung.

G e b ü h r e n o r d n u n g : GOÄ, BMÄ: 31, E-Adgo: 24, P-Adgo: 69.

T e c h n i k : Der in Rückenlage liegende Patient rotiert seinen Oberschenkel maximal nach außen. Man palpiert lateral der Symphyse das Tuberculum pubicum des Schambeins und sticht daumenbreit kaudal davon ein. Die Kanüle wird erst senkrecht zur Haut bis zum Knochenkon-

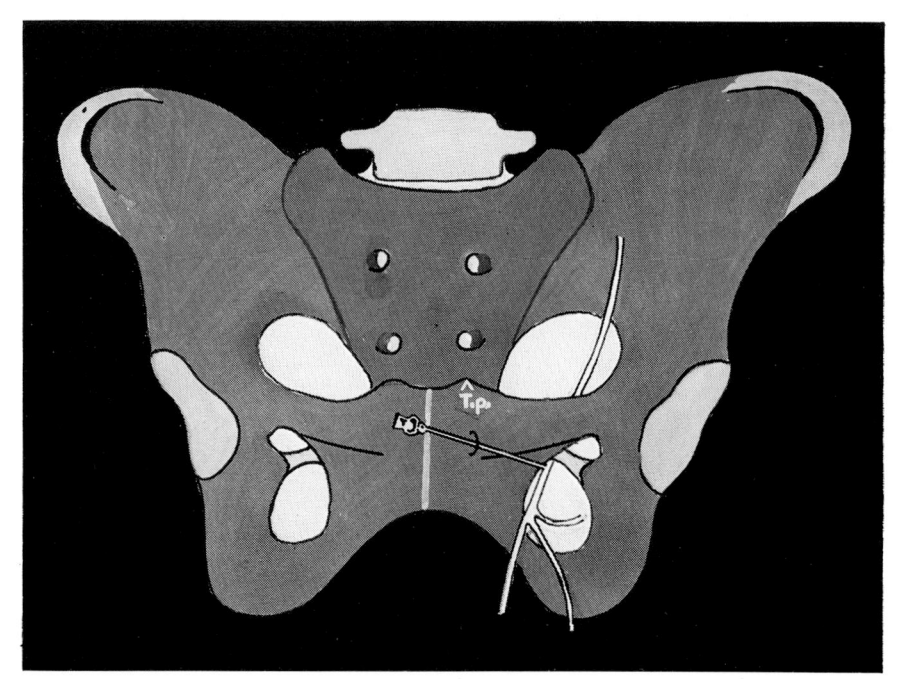

Abb. 70: Injektion an den Nervus obturatorius. T. p. = Tuberculum pubicum.

takt mit dem horizontalen Schambeinast eingeführt. Dann wird sie ein wenig zurückgeführt und weiter in lateral-kaudaler Richtung am Unterrand des horizontalen Schambeinastes entlang in das Foramen obturatum vorgeführt. Dort infiltriert man den Nerv mit etwa 5 ml Lösung. Typische Parästhesien im Innervierungsgebiet, vor allem der vorderen Hüftgelenksgegend und eine motorische Lähmung der Adduktoren zeigen den richtigen Sitz der Injektion an.

9. Die Injektion an den Nervus pudendus * *

A n a t o m i e : Der N. pudendus (S 2—S 4) ist der wichtigste sensible Nerv des Perineums. Er teilt sich lateral und dorsal der Spina ischiadica und des Lig. sacrospinale in die Nn. perineales und Nn. rectales inf. Vor seiner Aufteilung erreichen wir ihn an der Spina ischiadica.

I n d i k a t i o n : Pruritus ani et vulvae, Erkrankungen am Hodensack, Penis bzw. der Vulva und am Damm. Zur Schmerzbekämpfung in der Geburtshilfe während der Austreibungsperiode, auch vor tiefer Zange, Episiotomie und Dammnaht, Pudendus-Neuralgie.

M a t e r i a l : Nadel: 12 cm × 1 mm. Menge: 5—10 ml Procain-Lösung.

G e b ü h r e n o r d n u n g : GOÄ, BMÄ: 31, E-Adgo: 24, P-Adgo: 69.

T e c h n i k :

a) Einstich mit 12 cm langer Nadel, wie bei Injektion in den Plexus sacralis (— (T) — Ischias d)) und Vorgehen in Richtung auf die Symphyse, bis Parästhesien in der Genitalgegend ausgelöst werden.

b) Perinealer Weg: Lagerung auf dem gynäkologischen Stuhl in Steinschnittlage. Die Spina ischiadica wird von der Scheide oder vom Rektum aus (nach lateral) getastet. Der Finger bleibt liegen und leitet die neben der Vagina transkutan eingeführte Kanüle an diesen Punkt. Unter Ansaugkontrollen (A. pudendalis) wird die Spina besonders an der lateralen Seite infiltrierend umspritzt. Dann deponiert man noch etwas Lokalanästhetikum anal davon und infil-

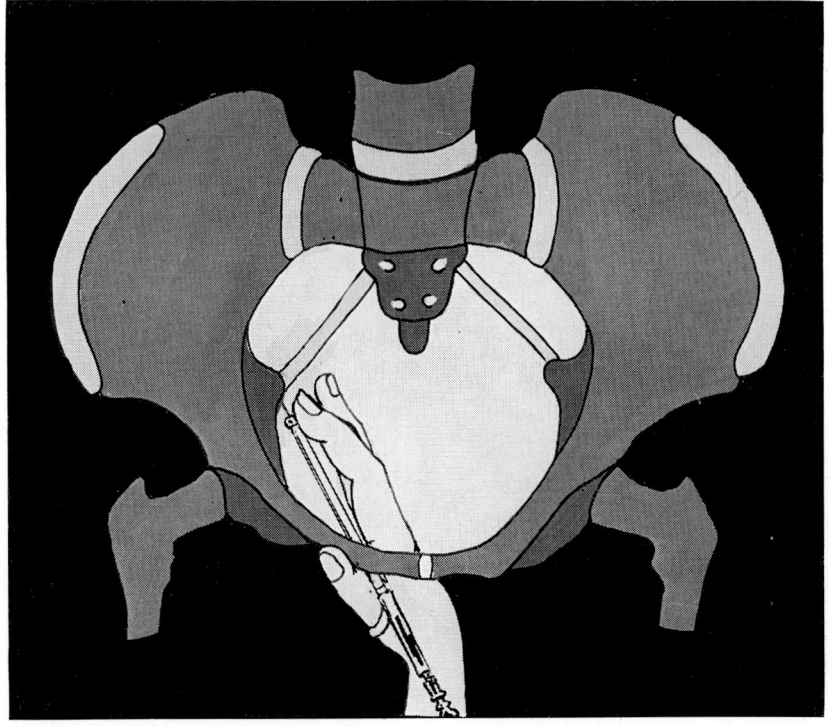

Abb. 71: Injektion an den Nervus pudendus. Der transvaginale Weg.

triert auch medial vom Tuber ischiadicum in die Fossa ischiorectalis. Bei lateral-dorsalem Vorgehen perforiert man das Lig. sacrospinale und deponiert 1 cm tiefer nochmal 5 ml. Bei diesem Vorgehen wird auch der N. cutaneus femoralis post. anästhesiert.

c) Transvaginale Technik: Lagerung wie bei b). Für diese Injektion gibt es Kanülen in einer Schutzhülse, damit die Nadel direkt an die Spina ischiadica geführt werden kann. Die Kanüle durchbohrt Schleimhaut und das unmittelbar neben der Spina gelegene Ligament. In 1,5 cm Tiefe werden nach Ansaugen 5—10 ml Procain-Lösung injiziert.

Die Firma Woelm, Eschwege, liefert zur Pudendus-Anästhesie eine PP-Nadel, das ist eine Führungshülse mit Injektionskanüle, deren Einstichtiefe auf 1 cm begrenzt ist.

10. Die peripheren Nerven im Fußgelenkbereich *

I n d i k a t i o n : Verletzungsfolgen, Schmerzen, Durchblutungsstörungen, Parästhesien, Juckreiz, Ekzeme im Versorgungsbereich.
M a t e r i a l : Nadel: 2-4 cm lang. Menge: 1—5 ml Procain-Lösung.
G e b ü h r e n o r d n u n g : GOÄ, BMÄ: 31, E-Adgo: 24, P-Adgo: 69.
A n a t o m i e u n d T e c h n i k :
Fußsohle und Ferse werden hauptsächlich vom N. tibialis und N. suralis versorgt.

a) N. t i b i a l i s : Der Patient liegt in Bauchlage. In Höhe des kranialen Endes des medialen Malleolus tastet man unmittelbar neben der Achillessehne die A. tibialis posterior. Durch eine Quaddel gehen wir senkrecht so ein, daß die Kanülenspitze dicht lateral der Arterie zu liegen kommt. Dort injizieren wir 2—4 ml Procain-Lösung.

b) N. s u r a l i s : Er entsteht durch die Vereinigung eines Astes des N. tibialis mit dem des N. fibularis communis und versorgt die Ferse und den anschließenden Teil der Fußsohle. Wir erreichen ihn, indem wir die Gegend zwischen der Achillessehne und dem lateralen Malleolus subkutan mit etwa 2 ml *Procain* infiltrieren.

c) N. f i b u l a r i s s u p e r f i c i a l i s : Wenn wir den Fußrücken bis zu den Zehen (mit Ausnahme der lat. Großzehenhälfte und die gegenüberliegende Hälfte der 2. Zehe, die vom N. fibularis profundus innerviert werden) ansprechen wollen, suchen wir den N. fibularis superficialis subkutan in Höhe des oberen Sprunggelenkes zwischen vorderer Tibiakante und lateralem Knöchel auf und verteilen dort etwa 2 ml Procain-Lösung.

d) N. s a p h e n u s : Dieser Endast des N. femoralis versorgt das Gebiet um den inneren Knöchel und den kranial davon gelegenen Unterschenkelbereich. Wir infiltrieren wieder nur subkutan das Gebiet um die Vena saphena magna dicht oberhalb des medialen Malleolus, wobei wir den Nerv mit ausschalten.

Die Oberstsche Anästhesie der Finger und Zehen *

I n d i k a t i o n : Panaritien, Gelenk- und andere Erkrankungen der Finger und Zehen.
M a t e r i a l : Nadel: Etwa Nr. 12. Menge: 2 ml Procain-Lösung.
G e b ü h r e n o r d n u n g : GOÄ, BMÄ: 36, E-Adgo: 29, P-Adgo: 73.
T e c h n i k : Einstiche an beiden Seitenrändern der Fingerbasis, mehr nach der Streckseite zu. Von dort aus werden auf der Beuge- und Streckseite je 1 ml eines geeigneten Lokalanästhetikums verteilt. Bei den Zehen ähnliches Vorgehen, hier empfiehlt sich noch ein dritter Einstich in der Mitte der Streckseite.

>Die paraarterielle Injektion: Injektion an die — (T) — Arterien, S. 243 ff.
>Die paravenöse Injektion: — (T) — intravenöse Injektion, S. 279
>Die parasakrale Anästhesie: — (T) — präsakrale Infiltration, S. 309
>Die paranephrale Injektion: Abdominaler — (T) — Grenzstrang, S. 264

Die Paravertebral-Anästhesie *

Andere Bezeichnung: „Blockade" der thorakalen bzw. lumbalen Spinalnerven.

Indikation:
   a) Diagnostisch: Diese Injektion gibt uns die Möglichkeit, die aus den Foramina intervertebralia austretenden Spinalnerven einschließlich der sympathischen Fasern zu unterbrechen. Damit haben wir eine differentialdiagnostisch verwertbare Handhabe, festzustellen, welchem Rückenmarksegment und damit welchem Organ der angegebene Schmerz zuzuordnen ist und die Möglichkeit einer Differentialdiagnose somatischer und vegetativer oder kardialer Schmerzen. Da die Dornfortsatzhöhe nicht der Segmenthöhe entsprechen muß, orientiere man sich auf der Abbildung 7, Seite ??. Die wichtigste Segmentversorgung der Bauchorgane: Magen: Th 7—8 links, Leber und Galle: Th 9—10 rechts, Pankreas: Th 8—10 links; Niere: Th 12 und L 1, Ureter: L 2—4.
   b) Therapeutisch: Die therapeutsichen Möglichkeiten der gezielten Organ-Segmenttherapie ergeben sich aus dem eben Gesagten. So wenden wir die Anästhesie im Bereich Th 12—L 1 bei Nierenerkrankungen wie Anurie oder Oligurie auf spastischer oder hypertonischer Grundlage an. Bei Nieren- und Harnleitersteinen kann eine Anästhesie bei L 2—4 den Steinabgang wesentlich fördern! Dann wenden wir die Anästhesie der Spinalnerven noch bei allen Schmerzzuständen im Interkostalbereich an, zum Beispiel bei Zoster-Neuralgien, nach Wirbel- oder Rippenfrakturen, Malignom-Schmerzen, auch bei postoperativen Schmerzen nach Bauchoperationen und Schmerzen im Lenden-, Nieren- oder Leistenbereich, wenn die Diagnostik keine anderen Maßnahmen fordert.

Material: Nadel: 10—12 cm × 1 mm. Menge: 5 ml Procain-Lösung.

Gebührenordnung: GOÄ, BMÄ: 39, E-Adgo: 30, P.-Adgo 70.

Technik: Man setzt pro Segment an den Einstichstellen je eine Quaddel 3—4 cm lateral der Dornfortsatzlinie. Der untere Rand der 12. Rippe gibt uns dabei eine gute Orientierungsmöglichkeit. Der Dornfortsatz des 7. Brustwirbels liegt auf der Verbindungslinie beider Schulterblattspitzen. Wir gehen vom Einstich genau sagittal nach vorn und halten uns dabei wegen der Interkostalarterie am Oberrand der Rippe bzw. des Querfortsatzes. Nach Aufhören der Knochenfühlung muß die Nadel noch 1—1,5 cm vorgeführt werden, damit wir das Spinalganglion und die Rami communicantes erreichen. In dieser Gegend verteilen wir unter Vor- und Zurückführen der Nadel pro Segment 4—5 ml *Procain*. Die Wahrscheinlichkeit, bei diesem Vorgehen in den Duralsack zu gelangen, ist sehr gering. Trotzdem saugen wir vor der Injektion nach jeder Veränderung der Nadellage, vor allem in medialer Richtung, an, um uns davon zu überzeugen, daß weder Blut noch Liquor in die Spritze gelangen. Siehe Abb. 65.

Paravertebrale Injektionen im Bereich der Halswirbelsäule sind nicht ungefährlich und besser zu unterlassen. In diesem Bereich ist die überlegenere Injektion an das — (T) — Ganglion stellatum nach LERICHE vorzuziehen.

Die Peridural-Anästhesie *

Diese Methode verwenden wir in der Neuraltherapie nach HUNEKE nur sehr selten. Sie sollte der Klinik vorbehalten bleiben. Der Vollständigkeit halber wird sie mit aufgeführt, ermöglicht sie doch dem Geübten, mit einer einzigen Injektion eine größere Anzahl von Segmenten beiderseitig zu erfassen. Das Anästhetikum erreicht nämlich mehrere oberhalb und unterhalb der Punktionsstelle gelegene Spinalnervenpaare, wenn es durch die Intervertebrallöcher austritt. Außerdem wirkt es auf die dazugehörigen Rami communicantes und die sympathischen Grenzstrangganglien!

Indikation: Ischias-Wurzelsyndrom, Phantomschmerzen, frische Erfrierungen, Arterien-Embolie, Sudeck, Ulcus cruris, Lumbago, Steinkoliken, Anurie, Durchblutungsstörungen usw.

Kontraindikation: Schwer kreislaufgeschädigte Patienten.

Material: Nadel: Lumbalpunktionskanüle mit Mandrin. Eine 5-ml-Spritze mit physiologischer Kochsalzlösung. Menge: 5 ml Procain-Lösung.

Gebührenordnung: GOÄ, BMÄ: 2017, E-Adgo: 29e, P-Adgo: 70.

Technik: Der Patient sitzt rittlings auf einem Stuhl und umfaßt eine Hilfsperson, an die er auch seinen Kopf anlehnt. Wie bei einer Lumbalpunktion sticht man durch eine Hautquaddel zwischen zwei Dornfortsätzen in der Medianebene ein. Unser Ziel ist der nur 1 mm breite zirkuläre Raum zwischen den beiden Durablättern des Rückenmarkskanals, der in der Mitte von lockerem Bindegewebe und an den Seiten von einem Venenplexus ausgefüllt wird. Wenn der Widerstand des Ligamentum interspinosum überwunden ist, wird die bereitgelegte 5-ml-Spritze mit physioliogischer Kochsalzlösung auf die Kanüle aufgesetzt. Jetzt schiebt man die Kanüle vorsichtig unter ständigem Stempeldruck weiter vor. Bei der Lumbalpunktion muß ein zweimaliger Widerstand (Ligamentum flavum und Dura) überwunden werden, bei der Periduralanästhesie dagegen muß die Nadel schon nach dem ersten Widerstand, also vor dem Liquorraum, stehenbleiben! Wenn wir das derbe Ligamentum flavum erreichen, wird der Widerstand fast unüberwindlich groß. Damit die Nadel nach Überwinden dieses Widerstandes nicht etwa zu weit bis durch die Dura stößt, müssen wir die linke Hand flach auf den Rücken des Patienten legen und den Konusteil der Spritze so führen, daß wir den Ruck nach Überwinden des Lig. flavum sofort abfangen können. Nach Durchstechen des Ligaments hat man das Gefühl, mit der Nadel in einen leeren Raum hineinzustoßen. Zur Kontrolle läßt man den Patienten husten und saugt dann an. Aspiriert man Blut oder Liquor (positive Eiweißreaktion!), zieht man die Nadel heraus und punktiert einen Wirbel höher oder tiefer noch einmal, oder man zieht die Nadel gerade bis zum Aufhören des Liquortropfens zurück. In den Liquorraum darf aber keinesfalls gespritzt werden. Liegt die Nadel richtig, wird die Spritze mit dem *Procain* aufgesetzt und der Inhalt von 5 ml nach nochmaligem Ansaugen langsam injiziert.

Lokalisation des Einstichs:

Oberbauch:	Zwischen Th 6—7 oder Th 7—8.
Mittelbauch:	Zwischen Th 10—11 oder Th 11—12.
Unterbauch:	Zwischen Th 12—L 1.
Untere Gliedmaßen:	L 2—3.
Genitalien, Anus:	L 4—5 oder L 5—S 1.

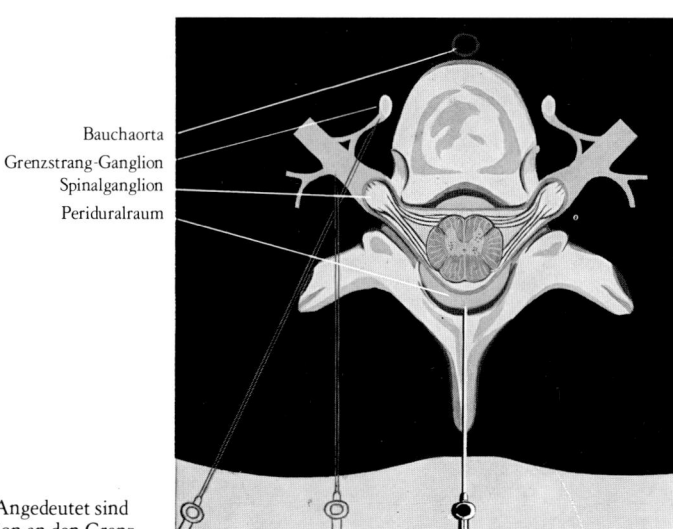

Abb. 72: Injektion in den Periduralraum. Angedeutet sind die Paravertebral-Anästhesie und die Injektion an den Grenzstrang.

Nach dem Eingriff soll der Patient eine Stunde liegen. Man kontrolliere zur Sicherheit den Blutdruck. Sollte er unter 90 mm Hg sinken, müssen blutdrucksteigernde Kreislaufmittel injiziert werden.

Perirenale Sympathikus-Anästhesie: Abdominaler — (T) — Grenzstrang, S. 264
    Injektion an den Peroneus-Nerv, S. 285
    Injektion an den Phrenicus-Nerv: — (T) — Nerven, zuführende, S. 299

Injektionen an die Plexus:

a) Plexus bifurcationis: — (T) — präsakrale Infiltration, S. 309
b) Plexus brachialis: — (T) — Nerven, zuführende, S. 300
c) Plexus cervicalis: — (T) — Nerven, zuführende, S. 299
d) Plexus coeliacus: — (T) — Grenzstrang, S. 264 ff.
e) Plexus hypogastricus: — (T) — präsakrale Infiltration, S. 309
f) Plexus lumbosacralis: — (T) — präsakrale Infiltration, S. 309
g) Plexus renalis: — (T) — Grenzstrang, S. 264 ff.
h) Plexus sacralis: — (T) — Ischias, S. 280 ff., — (T) — epidurale Infiltration, S. 247 f.
i) Plexus solaris: — (T) — Grenzstrang, S. 264 ff.
j) Plexus uterovaginalis: — (T) — Frankenhäusersche Ganglien, S. 249

Die Ponndorf-Impfung * * *

Indikation: Die Ponndorf-Impfung ist in unseren Augen auch eine unspezifische Reizkörper-Therapie. Sie hat sich als Ergänzung und Verstärkung der (in der Wirkung gleichgerichteten) Procain-Behandlung so bewährt, daß ihre häufigere Anwendung nur empfohlen werden kann. Bei Impfungen im Segment kann die lokale Procain-Therapie durch die zusätzliche Hyperämie und lokale Auflockerung noch verstärkt werden. Durch die allgemeine Umstimmung bis Desensibilisierung können Abwehrkräfte mobilisiert werden, unter Umständen so weit, daß die vorher bestehende Reaktionsschwäche gegenüber der Procain-Segmentbehandlung durchbrochen wird. Bei störfeldbedingten Krankheiten versagt allerdings auch die Ponndorf-Impfung im Segment.

Indikation: Alle Formen des Muskel- und Gelenkrheumatismus, vor allem die primär chronische Polyarthritis. Arthrosis deformans, Gicht, Neuralgien, Neuritiden und allgemeine Indikationen der Reizkörpertherapie wie Asthma, Heufieber, Dysmenorrhöe, chronische Schleimhautkatarrhe, chronische Ekzeme und Skrofulose, soweit sie nicht durch ein Störfeld hervorgerufen werden.

Kontraindikation: Organtuberkulose, Kachexie, schwere Nierenleiden.

Material: Spezial-Impfgabel, Impflanzette, notfalls Kanülenspitze oder Ampullenfeile.
    Alttuberkulin Koch oder Cutivaccine Dr. Paul (Streuli, Uznach/Schweiz).

Gebührenordnung: GOÄ, BMÄ: 67, E-Adgo: 49a, P-Adgo: 66.
    Zusätzlich kleiner Verband: GOÄ: 127, E-Adgo: 95, P-Adgo: 95.

Technik: Wir verwenden unverdünntes Alttuberkulin Koch oder Cutivaccine Dr. Paul. Letztere besteht aus einem Extrakt von Bact. subtilis mit einem Zusatz einer Emulsion von modifizierten Tuberkelbazillen und 0,5 % *Acid. phenol.* als Konservierungsmittel.

Man ritzt die Haut im Segmentbereich oder über besonders schmerzhaften Gelenken bzw. Haut- und Muskelpartien mit dem Impfinstrument oder einer Ampullenfeilen-Spitze ganz oberflächlich wie bei einer Pockenimpfung, also nur epithelial und unblutig, so daß das Kapillarblut gerade eben durchschimmert. Wir setzen über der ausgewählten Partie 4—5 Striche von ca. 5 cm Länge in 1—2 cm Abstand und reiben dann 1—5 Tropfen unverdünntes Alttuberkulin oder Cutivaccine Dr. Paul bis zum Eintrocknen ein. Ein Verband ist nicht nötig, evtl. wird etwas Mull oder Zellstoff aufgelegt und mit Leukoplast befestigt. Der Geimpfte darf diese Stelle zwei bis drei Tage nicht waschen! — Wiederholung der Impfung je nach Reaktion in Abständen von 8—14 Tagen, später etwa 4 Wochen, insgesamt 5 bis zu 10 Impfungen. Bei negativer Reaktion kann das Impffeld bei der Wiederholung vergrößert werden. — Normalerweise beginnt nach wenigen Stunden eine Reizentzündung mit geringen Herd- und Allgemeinreaktionen, die nach 24 Stunden wieder abklingen. Stärkere Reaktionen zeigen Blasen- und Papelbildung, die sich bis zu oberflächlichen Nekrosen ausbilden können und als Allgemeinreaktion Abgeschlagenheit, Kopfschmerz, eventuell Frösteln und Temperaturanstieg. Auch diese klingen ohne Behandlung (evtl. 0,3 *Pyramidon*) am nächsten Tag wieder ab. Je stärker die Reaktion, um so besser die Wirkung! Bei starker Reaktion erst Abklingen abwarten und dann das Hautfeld bei der Wiederholung nur ebensogroß oder etwas kleiner machen. Meist bringt die zweite Impfung die stärkste Reaktion. — Das Kantharidenpflaster hat uns in dieser Richtung oft gleichgute Dienste erwiesen (Kantharidenpflaster: GOÄ, BMÄ: 129, E-Adgo: 96, P-Adgo: 96).

Die Technik der präsakralen Infiltration nach Pendl * * *

A n d e r e B e z e i c h n u n g : Parasakrale Anästhesie.
A n a t o m i e : Die nach v e n t r a l aus den Wirbellöchern des Kreuzbeines austretenden Sakralnerven bilden einen Teil des Plexus lumbo-sacralis und stellen unter anderem Anteile zum Plexus pudendus. Wenn man die Sakralnerven ausschaltet, das Steißbein umspritzt und nach vorn zu neben After und Damm infiltriert, so anästhesiert man: After, After-Schließmuskel, Mastdarm, Damm, Harnröhre, Blase,
beim Mann: Penis, Hodensack, Prostata,
bei der Frau: Scheideneingang, Scheide, Portio uteri, Beckenboden, Parametrien und Teile des Beckenperitoneums.

Abb. 73: Präsakrale Infiltration nach PENDL (von ventral her gesehen).

Abb. 74: Präsakrale Infiltration nach PENDL (von der Seite gesehen).

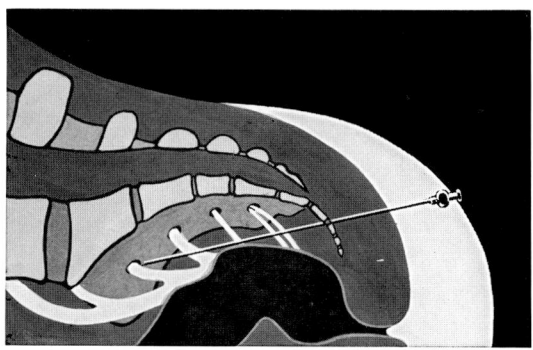

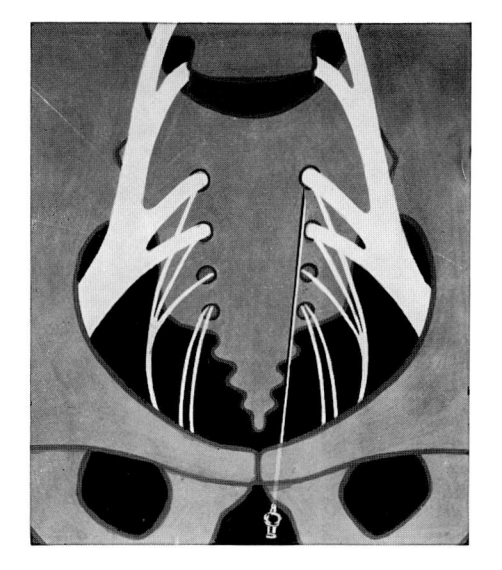

Indikation: Aus der Anatomie ist die Indikation abzulesen: Erkrankungen am Mastdarm und After, am Damm, Blase und Harnröhre, Pruritus ani et vulvae, gynäkologische Erkrankungen, Prostataerkrankungen, Obstipation durch Atonie des Enddarmes, Ischias, Claudicatio intermittens, Ulcus cruris und andere Durchblutungsstörungen der unteren Extremitäten.

Material: Nadel: 12—15 cm × 1 mm. Menge: Die Chirurgen benötigen zur Operations-Anästhesie 100—200 ml ½%ige Procainlösung. Für den von uns beabsichtigten neuraltherapeutischen Reiz genügen für jede Seite 5 ml *Procain*, die allerdings gut an die einzelnen Sakrallöcher verteilt werden müssen.

Gebührenordnung: GOÄ, BMÄ: 36, E-Adgo: 29, P-Adgo: 73.

Technik: Die Knie-Ellenbogen-Lage, die von manchem Patienten als indezent empfunden wird, ist nicht unbedingt erforderlich! Es genügt, wenn der Kranke dicht an einen Tisch herantritt und seinen Oberkörper rechtwinklig vorgebeugt auf den Tisch legt. Um Darmverletzungen zu vermeiden, sollte der weniger Geübte bei den ersten Injektionen den behandschuhten und mit Seife schlüpfrig gemachten linken Zeigefinger zur digitalen Kontrolle der Nadel ins Rectum einführen. Bei einiger Übung kann diese Vorsichtsmaßnahme entfallen. — Der Einstich erfolgt einen Querfinger breit seitlich und unterhalb der Steißbeinspitze. Die mindestens 12 cm lange Nadel soll neben dem Steißbein kranialwärts auf die V e n t r a l s e i t e   d e s   K r e u z b e i n e s dringen. Wenn wir die Nadel unter ständigem Stempeldruck fast parallel zur Medianebene auf der Vorderseite des Kreuzbeines nach oben gleiten lassen und im Knochenkontakt mit dem Kreuzbein bleiben, kommen wir mit dem Rektum nicht in Kollision. Entsprechend der Kreuzbeinwölbung muß die Nadel vor- und zurückgezogen und dabei infiltrierend gespritzt werden, damit sich das Mittel in der Gegend der Sakrallöcher verbreiten kann. Das oberste Sakralloch liegt 10—12 cm, das zweite 8—9 cm vom Einstich entfernt. Vor dem Herausziehen der Nadel geben wir noch einige Teilstriche seitwärts unter das Steißbein, um die kokzygealen Nerven mit anzusprechen. Diese Injektion kann natürlich ohne weiteres in einer Sitzung auf beiden Seiten vorgenommen werden.

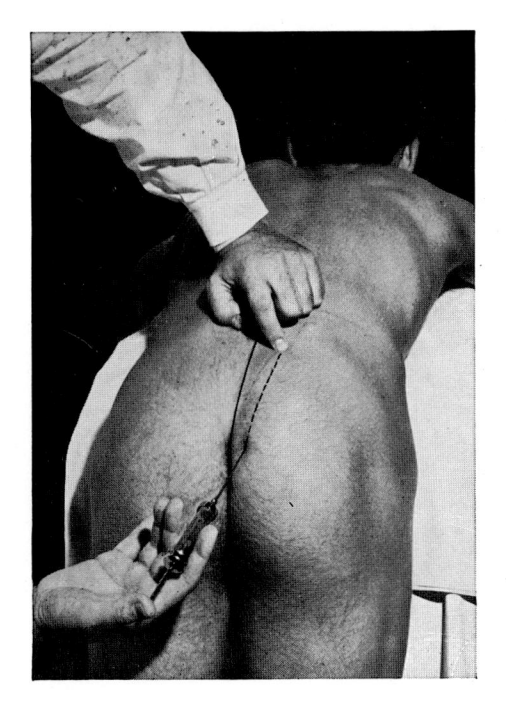

Abb. 75: Präsakrale Infiltration. Einstichpunkte und Injektionsrichtung.

Die Injektion an den Processus mastoideus * * *

Indikation:

a) Segmenttherapie: Otitis media acuta oder chronica, Otitis externa, Innenohrschwerhörigkeit, Ohrensausen und andere Ohrgeräusche, vestibulärer Schwindel. Die Akupunktur verwendet diesen Punkt auch bei Rhinitis und Sinusitis. Sein Anstechen erleichtert sofort die Nasenatmung.

b) Störfeldsuche: Als Testinjektion, wenn Ohrleiden in der Vorgeschichte angegeben werden.

Kontraindikation: Die chron. Mittelohrentzündung darf nur dann so behandelt werden, wenn kein Cholesteatom oder eine schwere Zerstörung des Mittelohres vorliegt, die fachärztlicher Behandlung bedarf!

Material: Nadel: Etwa Größe 12. Menge: Je 0,5 ml Procain-Lösung.

Gebührenordnung: GOÄ, BMÄ: 36, E-Adgo: 29, P-Adgo: 73.

Technik: Das Ohrläppchen wird nach oben umgeschlagen. Wir setzen eine — (T) — Quaddel über dem Vorderrand des Proc. mastoideus und gehen durch sie in die Tiefe bis an das Periost des Proc. mastoideus und geben noch einige Teilstriche ventral und dorsal vom Mastoid, um den N. auricularis magnus und den N. occipitalis minor mit zu erfassen. — Von der Akupunktur übernehmen wir dazu noch einen Punkt auf der Ventralseite des Ohres mit dem hinweisenden Namen „Tor des Ohres". Er liegt in dem Grübchen zwischen Tragus und oberem Ohrmuschelansatz. Außer den otologischen Indikationen wird er in der Akupunktur auch bei Fazialisparese, Trigeminus-Neuralgie, evtl. auch bei Tics und Trismen verwendet. — Eine zusätzliche — (T) — intra- und paravenöse Procain-Injektion in die gleichseitige Ellenbeuge kann die Wirkung bei der Segmenttherapie noch steigern. Ist das Ohrleiden segmentgebunden, wird es bei ausreichender Wiederholung der Injektionen ausheilen. Tut es das nicht, müssen alle Möglichkeiten, ein verursachendes Störfeld an anderer Stelle aufzudecken, ausgeschöpft werden. — Wir behandeln erst etwa wöchentlich einmal, später seltener, bei beiderseitiger Erkrankung beide Ohren in einer Sitzung, die zusätzliche intravenöse Injektion dann abwechselnd links und rechts, sonst nur auf der kranken Seite. Eine nach der Injektion auftretende stärkere Sekretion ist

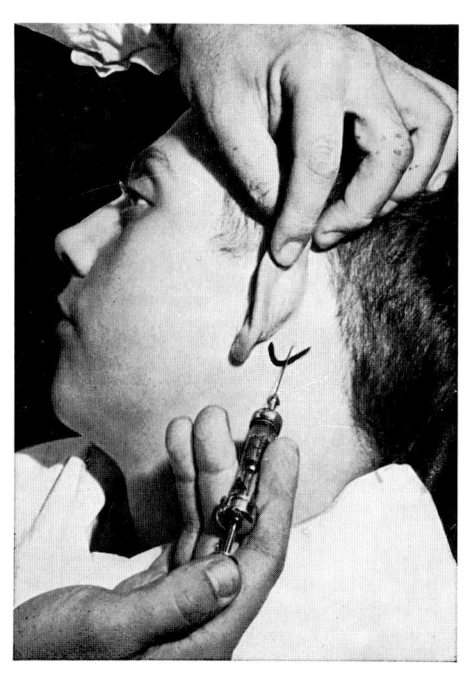

Abb. 76: Injektion an den Processus mastoideus.

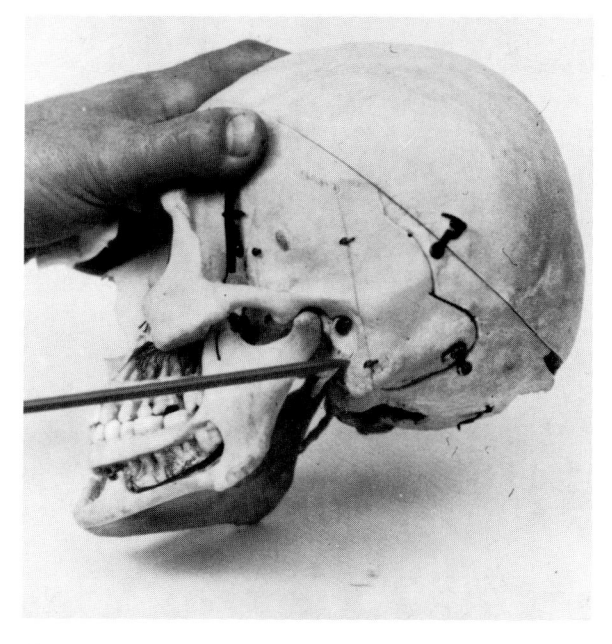

Abb. 77: Injektion an den Processus mastoideus. Orientierung am knöchernen Schädel.

als günstige Reaktion zu bewerten. — Die tiefeingezogene kraterförmige — (T) — Narbe nach einer Totaloperation wird nur umspritzt. Ein zu rigoroses Vorgehen in die Tiefe der Narbe ist nicht ratsam. — GROSS gibt zu der Injektion ans Mastoid zusätzlich noch eine Injektion unterhalb vom Tragus eingehend, dann am vorderen äußeren Gehörgang entlang bis zum Knochenkontakt, also an den knöchernen Gehörausgang ventral. — Man kann die Wirkung der Mastoid-Anästhesie eventuell durch eine Injektion an den N. auricularis magnus erhöhen. Er kommt am Hinterrand des M. sternocleidomastoideus etwa in dessen Mitte an die Oberfläche und ist dort oft als Schmerzpunkt tastbar. — Ohrnarben werden immer mitgespritzt, bei Frauen auch die Ohrringlöcher. Bei einer Patientin mit einer Polyarthritis fand ich dabei eine eingewachsene winzige silberne Flügelschraube, die 25 Jahre lang rezidivierende Abszesse unterhalten hatte und schließlich zur Störfeldbildung führte. Mit der Entfernung des Fremdkörpers wurde die pathogene Blockade im vegetativen Grundsystem beseitigt. Kleine Ursache, große Wirkung.

Die Injektion in die Prostata * * *

Indikation:
   a) Segmenttherapie: Prostatahypertrophie, akute und chronische Prostatitis, Miktionsbeschwerden, therapieresistenter Analpruritus, Versuch bei sexuellen Störungen.
   b) Störfeldsuche: Als Testinjektion, wenn in der Vorgeschichte eine Gonorrhöe, Prostatitis, Epididymitis, unspez. Urethritis u. dgl. angegeben wird, vor allem aber, wenn der Patient nachts öfter Wasser lassen muß oder entsprechende Miktionsbeschwerden angibt. — Geriatrie: Oft berichten Prostatiker nach der Procain-Behandlung ihrer Vorsteherdrüse spontan, daß sie sich jünger und leistungsfähiger fühlen und daß rheumatische Beschwerden, Koronarspasmen und andere Nebenbefunde unter der Behandlung verschwunden sind.

Material: Nadel: 8 cm × 0,8 mm. Menge: Je 1 ml Procain-Lösung für jeden Drüsenlappen.

Gebührenordnung: Nach dem Brück-Kommentar darf die Untersuchung der Prostata vor der Injektion nicht gesondert abgerechnet werden. Da die Infiltration der Drüse als Ganzes betrachtet wird, kann die Leistung für eine Sitzung mit zwei Einstichen nur einmal berechnet werden. Auch die massierende Verteilung des Medikamentes darf nicht als Prostatamassage angesetzt werden.
GOÄ, BMÄ: 2005, E-Adgo: 29c, P-Adgo: 58 + 29.

Technik: Der Patient wird mit entblößtem Unterleib auf einen gynäkologischen Untersuchungsstuhl gelagert. Mit einer Hand hält er seinen Hodensack nach oben. Der Arzt macht den Zeigefinger seiner behandschuhten linken Hand mit Seife schlüpfrig und führt ihn in das Rektum des Patienten ein. Das Endglied des Zeigefingers soll die Prostata etwas nach vorn der Injektionsnadel entgegendrücken. Die Nadel wird am Damm etwa 1 cm neben der Mittellinie eingestochen und unter Kontrolle des im Rektum liegenden Zeigefingers direkt in die Prostata eingeführt. Eine Verletzung des Mastdarmes ist auf alle Fälle zu vermeiden. Liegt die Nadelspitze in der Drüse, werden 1—2 ml infiltrierend verteilt. Danach geschieht das gleiche auf der anderen Seite. Große, harte Drüsen können dem Einlaufen des Mittels großen Widerstand entgegensetzen. Läßt man den Spritzenstempel nach der Injektion los, geht er oft auf die Ausgangsstellung zurück. Das heißt, dann liefe fast alles aus dem Stichkanal wieder heraus, wenn man die Kanüle zu schnell wieder herauszöge. Darum warte man damit einige Sekunden nach erfolgter Injektion und verteile die inzjizierte Flüssigkeit durch Massage mit dem im Darm liegenden Zeigefinger in der Drüse, bis der Stempelrücklauf aufhört. Die kurze Prostatamassage ist in jedem Fall ratsam, weil sich das Medikament so besser in der Drüse verteilt.

Man muß den so Behandelten darauf aufmerksam machen, daß es nach der Injektion zu einer harmlosen Blutung aus der Harnröhre kommen kann, die meist keiner Behandlung bedarf. Notfalls genügt ein orales Hämostyptikum. Auch der Samen kann beim nächsten Erguß blutig imbibiert sein. Wiederholung der Injektion nach einer Woche, bei Nachlassen der Beschwerden auch in größeren Abständen. Die Segmentbehandlung der Prostata darf nicht zu zeitig abgebrochen werden, wenn der erreichte Erfolg Bestand haben soll. Ist eine Injektion in die Prostata aus anatomischen Gründen (z. B. Hüftgelenkversteifung) nicht möglich, spritzen wir (wie bei der Injektion in den — (T) — gynäkologischen Raum) an den Oberrand des Pecten ossis pubis und dann weiter nach medial-kaudal in die Tiefe in Richtung auf die Prostata. Wenn die Kanülenspitze in die Drüse eintritt, gibt der Patient einen in die Glans ausstrahlenden Schmerz an (HOPFER). — Geht man hinter der Symphysenmitte ein und führt man die Kanüle parallel zur Symphysen-Hinterwand kaudalwärts, kommt man in die Pars praeurethralis der Prostata, die häufig im Alter isoliert hypertrophiert. Man kann die verschiedenen Prostata-Injektionen auch abwechselnd geben und den Patienten dann nach der für ihn optimalen Wirkung fragen.

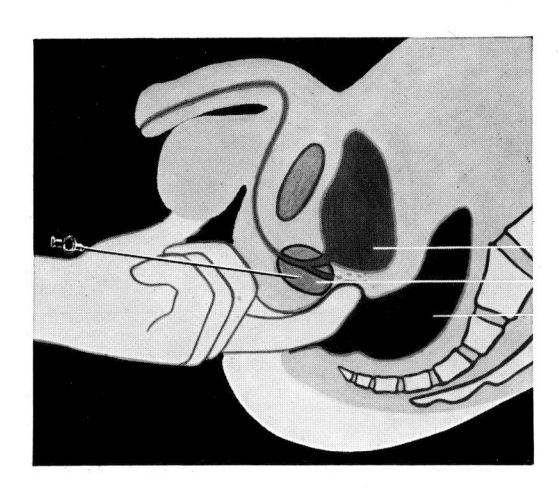

Abb. 78: Injektion in die Prostata. Unter digitaler Kontrolle vom Rektum aus wird die Nadel vom Damm aus direkt in die Vorsteherdrüse geführt.

Blase
Prostata
Rektum

Die Quaddeltherapie * * *

„Es gibt keine Erkrankung, die ohne Beteiligung der Haut geheilt werden könnte" (HUFELAND).

Nach W. SCHEIDT befinden sich etwa 90 % der gesamten vegetativen Nervensubstanz in der Haut! Der Reichtum der Körperoberfläche an sensiblen und vegetativen Nervenendigungen räumt ihr eine Sonderstellung ein, die wir uns für die Segmentbehandlung der gesunden wie der pathologisch veränderten Haut nutzbar machen. Die Abhängigkeit und Wechselwirkung der inneren Organe und der Haut sind uraltes Erfahrungsgut der Heilkunst.

Die Intrakutanquaddel hat eine u n w a h r s c h e i n l i c h e T i e f e n - u n d B r e i t e n w i r k u n g, so daß ihre gezielte Anwendung einen w e s e n t l i c h e n T e i l unserer therapeutischen Manipulationen einnimmt! — Jede Intrakutaninjektion löst eine ganze Reihe u n s p e z i f i s c h e r A l l g e m e i n r e a k t i o n e n aus, die vom Ort des Einstiches unabhängig sind. So fand man z. B.:

a) Leukozytensturz um etwa 26 % nach etwa 10 Minuten,
b) Blutdrucksenkung,
c) Verminderung der Säurenausscheidung im Urin und
d) Erhöhung der Durchlässigkeit der Kapillaren in der Umgebung der Quaddel mit Austritt kolloidaler Blutbestandteile, die normalerweise nicht in die Haut gelangen!

Zu dieser Allgemeinwirkung kommt die s p e z i f i s c h e, die durch den gezielten Einstich in besonders wirkungsvolle Punkte und im zugehörigen Segment auslösbar ist und die durch Verwendung von *Procain* noch wesentlich erhöht werden kann. Die Neurofibrillen haben in der Nähe ihrer Endaufzweigungen keine bindegewebigen Nervenscheiden mehr, so daß das Lokalanästhetikum auf sie direkt einwirken kann, ohne einen Widerstand überwinden zu müssen.

Ü b e r s i c h t :
- a) Kopfschwarte, S. 315
- b) Processus mastoideus, S. 315
- c) Parasternale Quaddeln, S. 315
- d) Quaddeln beiderseits der Brustwirbelsäule, S. 316
- e) Quaddeln über der Magengrube, S. 316
- f) Quaddeln in der Unterbauchgegend, S. 316
- g) Quaddeln über der Kreuzbeingegend, S. 317
- h) Quaddeln über erkrankten Gelenken, S. 317
- i) Quaddeln am Ober- und Unterschenkel, S. 317
- j) Quaddeln in die erkrankte Haut, S. 318

Vergleiche auch die Tafeln über die Headschen Zonen, S. 78

A n d e r e   B e z e i c h n u n g : Intradermale oder intrakutane Anästhesie.

M a t e r i a l : Nadel: Etwa Größe 20. Besondere Quaddelkanülen sind nicht erforderlich.
Menge: 0,2—0,4 ml Procain-Lösung pro Quaddel.

G e b ü h r e n o r d n u n g : Bei der Quaddelbehandlung werden im zeitlichen Zusammenhang mehrfache intrakutane Injektionen auch an mehreren Körperstellen in einer Sitzung verabfolgt. Unabhängig von der Menge der gesetzten Quaddeln und der Zahl verschiedener behandelter Örtlichkeiten darf die Ziffer n u r e i n m a l berechnet werden (BRÜCK).
GOÄ, BMÄ: 34, E-Adgo: 27, P-Adgo: 66.
Bei mehr als 2—3 Quaddeln mit tieferen Injektionen: GOÄ: 36, E-Adgo: 29, P-Adgo: 73.

T e c h n i k : Die Quaddel soll streng i n t r a kutan sitzen. Sie ist so wesentlich wirkungsvoller als eine subkutane Injektion! Man sticht die feine Nadel fast parallel zur Haut flach ein, bis die nach oben sehende Kanülenöffnung gerade unter der Epidermis verschwindet. Nun bildet sich auf Druck eine insektenstichähnliche blasse umschriebene Schwellung, deren Oberfläche an eine Apfelsinenhaut erinnert. Diese Schwellung bezeichnen wir als ,,Quaddel".
Die Wirkung läßt sich durch zusätzliches Einblasen von Luft noch erhöhen. Zieht man den Spritzenkolben der nicht ganz mit *Procain* gefüllten Spritze bis zum Anschlag zurück und hält sie so, daß die Nadelöffnung nach oben zeigt, dann muß auf Stempeldruck zuerst die Luft entweichen. Sie sprengt die Haut mit einem Ruck bis zu Fünfmarkstückgröße auf. Das danach ausfließende *Procain* kann sich nun leichter und weiter in die Umgebung verteilen. Solche kombinierten Emphysem-Procain-Quaddeln verwenden wir besonders gern bei Herz- und Lungenerkrankungen parasternal bzw. auch beiderseits der Wirbelsäule, in die Umgebung von Unterschenkelgeschwüren und bei Injektionen in die Headschen Zonen. — Spritzt man eine Procain-Quaddel in das zyanotisch verfärbte Hautgebiet z. B. in der Umgebung eines alten Ulcus cruris, wo die Kohlensäureüberladung des Blutes infolge venöser Stauung deutlich sichtbar ist, bildet sich in kürzester Zeit eine hellrote Zone etwa in Zehnpfennigstückgröße. Nach einer Procain-Luftquaddel hat diese Zone mindestens Fünfmarkstückgröße. — Ohne Zweifel hat die Quaddel eine Tiefenwirkung, die in den meisten Fällen ausreicht. Das sehen wir z. B. an der prompten Wirkung bei einer Lumbago, wo der Patient nach wenigen richtig gesetzten Quaddeln beglückt etwa 80 % Besserung angibt. Wer noch sicherergehen will, suche durch die Quaddeln hindurch das hyperalgetische Gewebe in entsprechender Tiefe auf und spritze es direkt an.

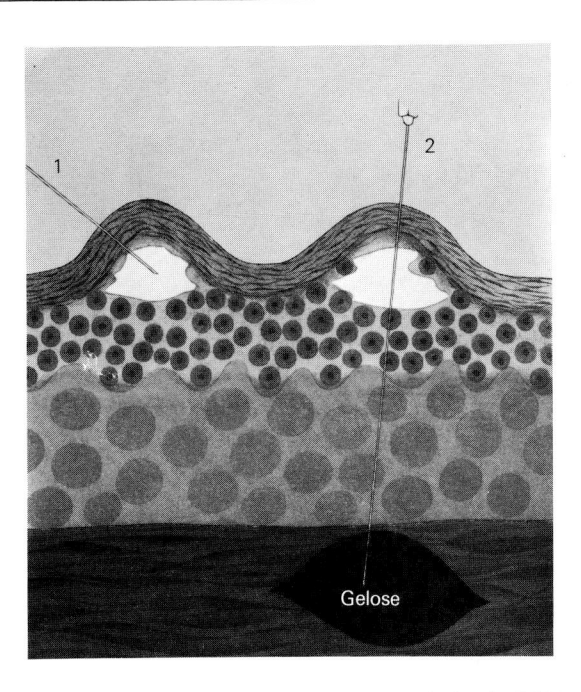

Abb. 79: 1 = Die Intrakutan-Quaddel, 2 = Die Injektion durch die Quaddel in die Gelose.

Vor den Injektionen sind bei jeder Erkrankung neben den bekannten, häufiger vorkommenden „Regelzonen" auch die im gerade vorliegenden Fall besonders bestehenden „persönlichen" hyperalgetischen Zonen und Punkte zu ertasten und mit Quaddeln zu bedenken. Der Erfolg der Quaddeltherapie hängt entscheidend von der richtigen Lokalisation und damit von der Voruntersuchung ab.

Entstehende Blutungen sind durch Tupferdruck zu stillen.

Die Verwendung des auf Seite 221 besprochenen Dermo-jet sollte möglichst auf Kinder und überängstliche Patienten beschränkt bleiben. Mikroskopisch besteht nämlich ein wesentlicher Unterschied zwischen einer mit der Injektionsnadel gesetzten und einer mit dem Dermo-jet geschossenen Quaddel. Erstere sitzt bei richtiger Technik intrakutan, also direkt subepithelial und im Korium. Die Dermo-jet-Quaddel dagegen sitzt nur zum geringeren Teil im Korium, der weitaus größere Teil der Flüssigkeit wird durch den mit hohem Druck gestanzten Kanal in die Subkutis gebracht, wo er sich flächenhaft ausbreitet. Der Dermo-jet setzt tiefergreifendere Gewebszerreißungen und eine meist stärker blutende Mikrowunde. Arteriolen weichen der mikroskopisch stumpfen Spitze einer Injektionsnadel in der Regel aus, der Dermo-jet-Strahl zerreißt sie.

a) **Kopfschwarte:** In Scheitelbeinhöhe oder der Schläfengegend intra- und subkutan bis an das daruntergelegene Periost, jedesmal in Verbindung mit einer — (T) — intravenösen Procain-Injektion bei:
Kopfschmerzen, Schlaflosigkeit, Schwindel, Contusio und Commotio cerebri und ihren Folgen, traumatische Epilepsie (zusätzlich alle Kopfnarben bis ans Periost!), bei präsklerotischen oder spastischen zerebralen Zirkulationsstörungen, Paralysis agitans, prä- und postapoplektischen Zuständen und Diabetes insipidus. Siehe Abb. 59.

b) **Processus mastoideus:** Über dem Warzenfortsatz in Verbindung mit Injektionen bis an das Periost und einer — (T) — intravenösen Injektion bei:
Ohrenerkrankungen wie Otitis media acuta und chronica (aber n i c h t bei Cholesteatomen und schweren Zerstörungen des Mittelohres, die in fachärztliche Behandlung gehören), Mastoiditis, Innenohrschwerhörigkeit, vestibulären Gleichgewichtsstörungen. Siehe Abb. 76.

c) **Parasternal:** Beiderseits neben das obere Brustbein je eine Quaddel, eine dritte über dem Winkel, den der Proc. xiphoideus links mit der untersten Rippe bildet. Frauen geben meist noch einen

Schmerzpunkt unter dem Ansatz der linken Brust an, über dem eine weitere Quaddel zu setzen ist. Bei Bedarf kann man durch die Quaddel auch an den Unterrand der Rippe bis ans Periost, an die Interkostalnerven oder bis an die Pleura vorgehen. Bei Herzkranken geben wir zusätzlich eine intravenöse Injektion links, bei Lungenerkrankungen abwechselnd links und rechts und dazu noch die unter d) beschriebenen Quaddeln neben die Wirbelsäule. Siehe Abb. 18 und 19.

d) **Beiderseits der Brustwirbelsäule:** Neben den unter c) angegebenen Brustquaddeln und der intravenösen Injektion setzen wir über die Schultern und 2—3 Querfinger neben der Interspinallinie auf jeder Seite 5—6 Quaddeln bei:
Lungenerkrankungen wie Asthma, Silikose, Keuchhusten. Siehe Abb. 18 und 19.

e) **Magengrube:** Über dem Ganglion coeliacum setzen wir drei Querfinger breit unterhalb des Processus xiphoideus eine Quaddel. Injektion am liegenden Patienten. Durch diese Quaddel spritzen wir dann an das Peritoneum der — (T) — Magengrube. Auch hier wieder zusätzliche Quaddeln über zu ertastenden Schmerzpunkten, z. B. über der Gallenblase, dem Leberrand, dem Magenausgang, den Vogler-Punkten am unteren Thoraxrand und in der dazugehörigen Headschen Zone auf den Schultern und zwischen den Schulterblättern. Genügt diese Behandlung im Oberbauchbereich nicht, kombinieren wir sie mit einer Injektion an den abdominalen — (T) — Grenzstrang.
Siehe Abb. 61.

f) **Unterbauch:** Wir verteilen etwa 4 Quaddeln über den ventralen Headschen Zonen des Unterleibes, also über der Blasengegend und dem Mons pubis bei:
Gynäkologischen Erkrankungen, z. B. Fluor, Dysmenorrhö, Endo- und Parametritis, Adnexitis, Meno- und Metrorrhagien, Sterilitas, mangelnde Libido und Erkrankungen des Urogenitaltraktes wie entzündlichen und dystrophischen Erkrankungen der Blase, Prostata und des Nierenbeckens. — Meist werden wir dazu noch die unter g) aufgeführten Quaddeln über dem Kreuzbein geben, eventuell kombiniert mit Injektionen in den — (T) — gynäkologischen Raum oder an die — (T) — Frankenhäuserschen Ganglien.

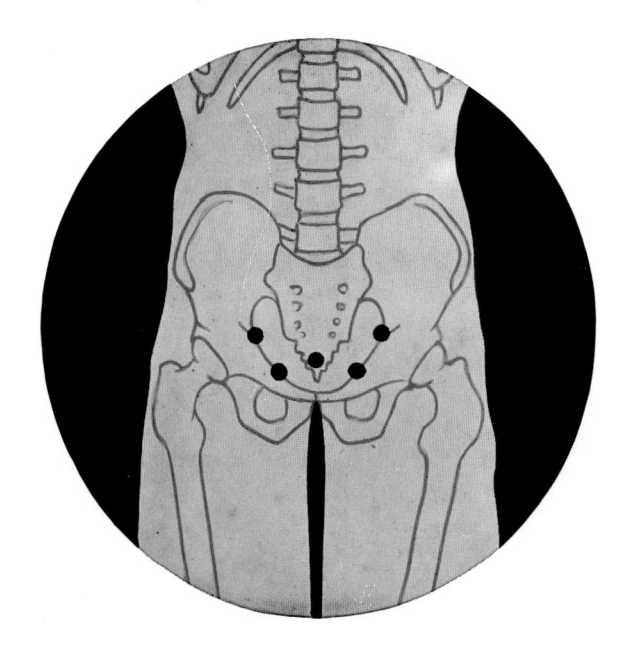

Abb. 80: Unterbauch-Quaddeln.

g) **Kreuzbeingegend:** Über dem Kreuzbein geben wir in die dorsalen Headschen Zonen des Unterleibes 6 Quaddeln. Die beiden obersten liegen über den seitlichen Grübchen der Michaelisschen Raute, die untersten beiden dicht am oberen Ausläufer der Rima ani etwa 2 cm auseinander. Die 4 oberen erfassen das Innervationsgebiet des Plexus hypogastricus, die beiden unteren die äußere Anal- und Vaginalzone S 4—5.

h) **Gelenke:** Über erkrankten Gelenken (besonders Schulter, Ellenbogen, Knie, Sprunggelenke) setzen wir eine Reihe von Quaddeln bei:
Arthrosis, Arthritis, Bursitis, Tendovaginitis, Sport- und anderen Verletzungen mit Hämatomen, Bänderzerrungen, -rissen und Infraktionen. Eventuell infiltriert man zusätzlich noch durch die Quaddeln hindurch fächerförmig in den Schmerzbereich und in die Tiefe an die Hauptschmerzpunkte. Das Knie umquaddelt man mit 2—3 ml *Procain*, indem man 5—6 Quaddeln in Höhe des Gelenkspaltes rings um das Kniegelenk verteilt.
Und zwar: Außenseite: Eine in Gelenkspalthöhe,
    Innenseite: Je eine über Tibiakopf, Gelenkspalt und Femurkopf im Dreieck (Abb. 82), schließlich noch eine in die
    Kniekehlenmitte (Akupunkturpunkt für Hautkrankheiten, Paresen der unteren Extremitäten, Gonarthrose und Ischias). Durch letztere kann man, wenn noch kein befriedigendes Ergebnis erzielt ist, bis in die Tiefe an die Gefäße, Nerven und an und in die Gelenkkapsel infiltrieren und so die Wirkung des Quaddelringes manchmal noch verstärken. Ergeben sich beim Abtasten des kranken Gelenkes andere Schmerzpunkte, gebührt diesen natürlich der Vorrang. — Die weitreichende Quaddelwirkung demonstriert in überzeugender Form folgender Versuch: Spritzt man bei einem Apoplektiker einige Quaddeln über der Streckseite der Fingergelenke seiner spastisch kontrahierten Hand, löst sich der Spasmus sofort und die Finger strecken sich während der Injektion.

i) **Ober- und Unterschenkel:** Die Akupunktur lehrte uns, eine Reihe von Einstichpunkten am Ober- und Unterschenkel zu übernehmen. Wir quaddeln am inneren Oberschenkel etwa in der Mitte des dorsalen Sartoriusrandes und an der Innenseite des Unterschenkels über der Arteria tibialis posterior und um den inneren Malleolus. Das hat sich bei Erkrankungen der Oberbauch- und Beckenorgane bewährt, besonders wenn sie von Durchblutungsstörungen und Stauungserschei-

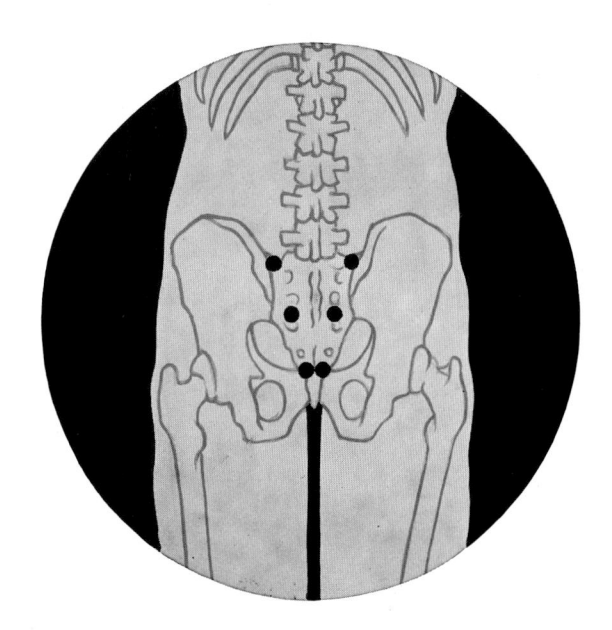

Abb. 81: Kreuzbein-Quaddeln.

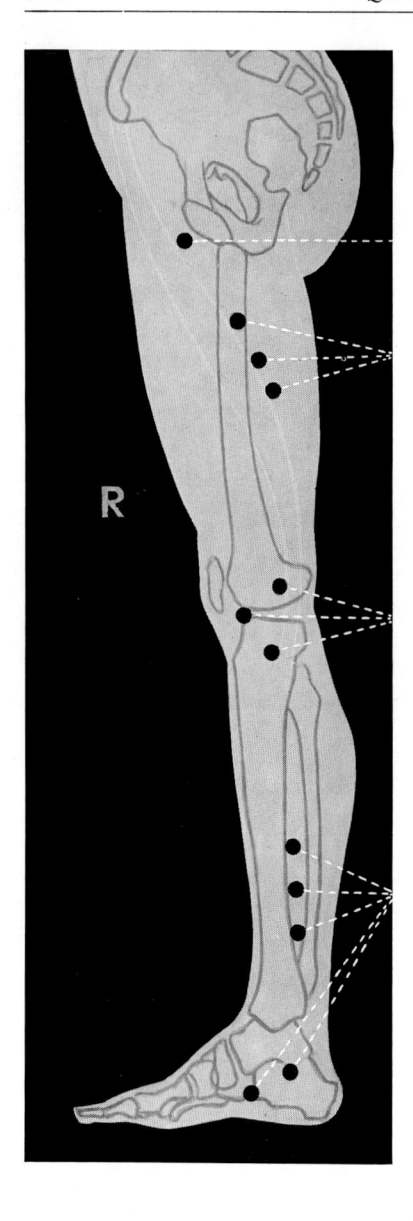

Abb. 82: Injektionsstellen an der unteren Extremität.

nungen in den Beinen begleitet sind. Ebenso bei Erkrankungen der Hüft- und Kniegelenke. Durch die Quaddeln geben wir am Oberschenkel — (T) — intramuskuläre Infiltrationen bis in 4—8 cm Tiefe. Am Unterschenkel versuchen wir, durch die Quaddeln an und in die — (T) — Arteria tibialis post. zu gelangen.

j) **Haut:** Wir setzen Quaddeln in die befallenen Hautbezirke bei Hauterkrankungen wie lokalisierten Ekzemen, Psoriasis, Herpes zoster, lokalem Pruritus, Sklerodermie usw. Hier ist auch eine subkutane Unterspritzung angezeigt. Rheumatische Zustände lassen sich oft mit einer oder wenigen Quaddeln über dem Schmerzbereich mit einer Dauerwirkung beseitigen, die pharmakologisch nicht erklärt werden kann. Das gilt auch für Juckreiz, Nässen usw. — Bei Insektenstichen und Schlangenbissen muß die Bißstelle möglichst bald ausgiebig infiltriert und umspritzt werden. Man unterbindet so toxische Reaktionen.

Retrobulbäre Injektion: — (T) — Ganglion ciliare, S. 253
Sakral-Anästhesie: — (T) — Epidural-Anästhesie, S. 247

Die Injektion in die Schilddrüse * * *

I n d i k a t i o n : Morbus Basedow, Thyreotoxikosen, Hypo- und Hyperthyreosen, Struma, Angstzustände, Druck- und Kloßgefühl im Hals, Herzklopfen, Zyklusstörungen, Versuch bei Alopezie, Tachykardien und Fieber unbekannter Genese, Gewichtsabnahme und Erschöpfungszuständen, Haarausfall, vermehrter Schweißabsonderung, vegetativer — (K) — Dystonie, „nervösen" Magen- und Darmstörungen, gesteigerter Nervosität und Erregbarkeit, besonders mit Zittern und Heulzwang. Die Akupunktur nadelt diese Punkte noch bei Stimmermüdung und Heiserkeit der Redner und Sänger. — Bei allen Indikationen ist dabei von untergeordneter Bedeutung, ob der Grundumsatz erhöht, normal oder erniedrigt ist. — Bei Störfeldbelastung der hypophysär-dienzephalen Zentren reagiert die Thyreoidea oft erheblich mit. Auch ein Störfeld im gynäkologischen Raum wirkt sich bei der gegenseitigen Abhängigkeit des hormonellen Systems gern auf die Schilddrüse aus. Eine Serie von Injektionen in die Drüse in erst einwöchigen, später größeren Abständen läßt die Frauen schnell subjektiv und objektiv merkbar ausgeglichener werden. — Wenn eine Strumitis ein Störfeld hinterlassen hat, kann die Injektion zur Sekundenheilung führen.

R e l a t i v e   K o n t r a i n d i k a t i o n : Die R a d i o j o d t h e r a p i e reduziert das Parenchym durch Strahlenwirkung. Der Erfolg ist erst nach Wochen bis Monaten zu beurteilen. In dieser Zeit sollte auch keine Procainbehandlung durchgeführt werden, weil die Regulation der strahlengeschädigten Schilddrüse ebenso lange blockiert ist. Die Procain-Injektion kann dann anders, als gewohnt, (oft sogar paradox) beantwortet werden. Das heißt, die Drüse kann bis zur Hyperthyreose „angeheizt" werden. In wenigen Fällen kam es zur Ausbildung einer S t r u m i t i s , die nach einer Woche wieder abklang. In einem Fall wurde mir von einer Abszeßbildung nach einer Procain-Injektion in eine kurz vorher Jod-131-behandelte Schilddrüse berichtet. In abgeschwächter Form gilt das wohl auch für die S z i n t i g r a f i e . Wenn man überhaupt etwas machen will, sollte man dann nur Akupunkturnadeln in die Schilddrüse links und rechts geben (M10) und eine dritte an den dorsalen Rand der Incisura jugularis des Sternums (KG21).

M a t e r i a l : Nadel: Möglichst fein, etwa Größe 18. Menge: 0,5—1 ml 1—2 %iges *Procain* (ohne Zusätze!) je Drüsenlappen.

G e b ü h r e n o r d n u n g : GOÄ, BMÄ: 36, E-Adgo: 29, P-Adgo: 73.
Bei Punktion einer Schilddrüsen-Zyste: GOÄ, BMÄ: 59, E-Adgo: 42, P-Adgo: 84.

T e c h n i k : Am besten spritzt man den liegenden Patienten, weil sich die Drüse dann am besten vorwölbt. Man läßt ihn schlucken und betrachtet und befühlt dabei die Lage und Größe der Schilddrüse. Mit feiner Nadel wird kurz eingestochen und in 1—2 cm Tiefe beiderseits je 0,5 ml, höchstens 1 ml *Procain* in das Parenchym der Drüse injiziert, nachdem man sich durch Ansaugen davon überzeugt hat, daß die Nadelspitze nicht in einem Gefäß liegt. Bei dem Gefäßreichtum der Schilddrüse kann das leicht passieren, es genügt, dann die Nadellage zu korrigieren und erst zu injizieren, wenn man sich außerhalb der Gefäße befindet. Ist der Isthmus auch deutlich vergrößert, wird dort ebenfalls die gleiche Menge oberflächlich injiziert. — Bekommt der Patient nach der Injektion einen Hornerschen Symptomenkomplex, so ist das die begrüßenswerte Nebenerscheinung einer zu tiefen Injektion. — Die Schilddrüseninjektionen sind anfangs in etwa einwöchigen Abständen zu wiederholen, bei Erfolg genügen größere Zwischenräume, die individuell festzulegen sind. Meist merkt der Patient von selbst an seinem Befinden, wann die Nachbehandlung erforderlich wird.

Bei Frauen wird häufig eine zusätzliche Behandlung des — (T) — gynäkologischen Raumes noch bessere Ergebnisse ermöglichen. Die Wechselwirkungen zwischen Schilddrüse und Ovar sind ja bekannt. Bei Schilddrüsenüberfunktion wirkt eine — (T) — intravenöse Procain-Injektion stoffwechselsenkend!

320 *Die Injektion in die Schilddrüse*

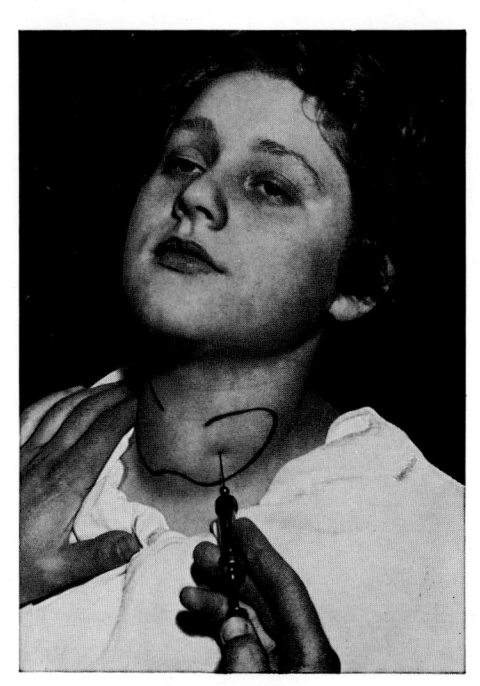

Abb. 83: Injektion in die Schilddrüse.

    Spinal-Anästhesie: — (T) — Epidural-Anästhesie, S. 247
Spray der Nasenschleimhaut: — (T) — Nasenspray, S. 291
Stellatum-Anästhesie: — (T) — Ganglion stellatum, S. 257
    Supraorbitalnerv: — (T) — Nervenaustrittspunkte, S. 293
Sympathikus-Anästhesie: — (T) — Grenzstrang und Ganglien, S. 264 ff.

Die Injektion an die Tonsillen

A) Tonsilla palatina * * *

Indikation: a) Segmenttherapie: Zur Therapie der chron. Tonsillitis, rezidivierenden Anginen und Peritonsillarabszessen, Fremdkörpergefühl im Hals.
   b) Störfeldsuche: Als Testinjektion, wenn der Patient in der Vorgeschichte angibt: Scharlach, Diphtherie, gehäufte oder schwere Anginen, Mandelabszesse, Tonsillotomien oder -ektomien.

Material: Nadel: 8 cm × 0,8 mm mit kurzgeschliffener Spitze. Es gibt auch eine Tonsillentest-Nadel nach STRUMANN, bei der ein aufgelöteter Teller ein Einstechen über 5 mm Tiefe verhindert. Normalerweise kommt man ohne sie aus. Menge: Je Mandelpol 0,5 ml Procain-Lösung.

Gebührenordnung:
   Als Test: GOÄ, BMÄ: 68, E-Adgo: 49b, P-Adgo: 66.
   Als Therapie: GOÄ, BMÄ: 36, E-Adgo: 29, P-Adgo: 73.
   Jeweils zweimal berechnungsfähig, wenn beide Tonsillen behandelt werden!

Die Injektion an die Tonsillen, A) Tonsilla palatina 321

Injektionsstelle für die Injektion an die Tonsilla pharyngea

Pole der Tonsilla palatina { oberer Pol / unterer Pol

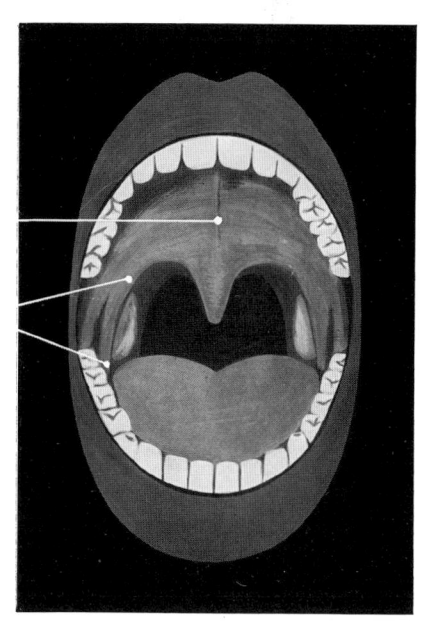

Abb. 84: Injektion an die Tonsillen.

Technik : Lose sitzende Zahnprothesen lasse man vor der Injektion herausnehmen. Der Patient soll möglichst auf einem Stuhl mit Nackenstütze sitzen (notfalls muß eine Hilfsperson den Kopf stützen. Oder der Patient legt den Hinterkopf an die Wand. Ist der Kopf nicht fixiert, sollte man die Injektion nicht vornehmen!). — Der Kranke soll den Mund weit aufmachen, die Zunge aber nicht herausstrecken! Der Spatel soll nicht zu weit hinten (etwa in der Mitte der Zunge) und nicht zu stark aufgesetzt werden. Wer den Patienten ablenkt, indem er ihn zwingt, nach Kommando tief ein- und auszuatmen, der verhindert weitgehend das lästige Würgen und macht sich die Arbeit leichter. Wenn das immer noch nicht geht, drücke man den Zungengrund in Höhe der Weisheitszähne nach medial zur Seite. — Gutes Licht ist eine weitere wesentliche Voraussetzung für den Erfolg.

Wir spritzen vor allem bei der ersten Testinjektion die oberen u n d u n t e r e n Mandelpole an, um möglichst viel Mandelgewebe mit der Injektion zu erfassen und die Versager auf ein Mindestmaß zu reduzieren. Und zwar geben wir das *Procain* dazu oberhalb und unterhalb der Tonsillenpole s u b m u k ö s. Für die Injektion an die unteren Pole drückt man den Zungengrund am Ende der Zahnleiste nach medial fort und gibt das Mittel zwischen Weisheitszahn und Zungenansatz submukös. Wir vermeiden dabei, das bakterienreiche Gewebe selbst anzustechen, um mögliche Abszedierungen zu umgehen. Vorbeilaufendes *Procain* darf ohne Bedenken heruntergeschluckt werden.

Hat der Patient eine T o n s i l l e k t o m i e durchgemacht, spritzen wir nicht an die Pole, sondern immer in die Mitte des Narbengewebes dicht unter die Oberfläche der Narbe. Bisweilen kann man nach einer Injektion unter eine harte Tonsillektomienarbe einen Hornerschen Symptomenkomplex beobachten, ein Zeichen dafür, daß die zahlreichen vegetativen Fasern dieses Gebietes enge Beziehungen zum — (T) — Ganglion stellatum haben! Die geschilderten Injektionen sind völlig ungefährlich und können selbst beim Säugling (Ekzem, Milchschorf!) vorgenommen werden. Man muß dabei nur die wichtigste Sicherheitsregel beachten, die wir kennen:
I n j e k t i o n e n p r o c a i n h a l t i g e r M i t t e l i n e i n z u m G e h i r n f ü h r e n d e s G e f ä ß (k r a n i a l w ä r t s v o m H e r z e n) k ö n n e n u n t e r U m s t ä n d e n z u b e d r o h l i c h e n K o m p l i k a t i o n e n f ü h r e n !

Das bedeutet: Vor jeder Injektion im Kopf-, Hals- und Brustbereich muß angesaugt werden, um sich davon zu überzeugen, daß die Nadelspitze extravasal liegt. Bei vorschriftsmäßig submukösem oder zumindest oberflächlichem Sitz der Nadel besteht diese Gefahr nicht! Die Karotis ist vom oberen Pol immerhin 4 cm, vom unteren fast 2 cm entfernt. Aber das entbindet nicht von der Verpflichtung, vor jeder Injektion kurz anzusaugen.

Manche Patienten machen uns mit der Angabe: ,,Bei mir spielt sich immer alles rechts (bzw. links) ab", auf eine vegetative Asymmetrie aufmerksam, die man aus dem Blutbild objektivieren kann (BERGSMANN, PISCHINGER). Die störfeldaktive rechte Tonsille stört vorwiegend (nicht immer!) auf die rechte Körperhälfte, die linke Tonsille auf die linke Seite. Bei der ersten Testinjektion empfehle ich trotzdem die beiderseitige Injektion an alle vier Mandelpole. Bei positiver Reaktion und erforderlicher Wiederholung kann man versuchen, mit der Injektion nur auf der Seite der Beschwerden und vielleicht nur an den oberen Pol auszukommen.

B) Tonsilla pharyngea und Rachendach-Hypophyse * * *

Anatomie: Die Injektion an die Rachenmandel und an die mehr kranial davon gelegene Rachendach-Hypophyse (RDH) gewinnt besondere Bedeutung durch deren direkte Verbindung zur intrakraniell gelegenen Hypophyse, die ja entwicklungsgeschichtlich ebenfalls aus der Gegend des Rachendaches stammt. Der Hauptteil der inkretorischen Rachendach-Hypophyse besteht aus aktivem Adenohypophysen-Gewebe und hat mit dem von ihr produzierten ACTH einen hormonell-steuernden Einfluß auf die Nebenniere, außerdem auf die Spermiogenese und die Follikelreifung. Sie bleibt bis ins hohe Alter erhalten und steht mit dem Vorderlappen der Hirn-Hypophyse in kompensatorischen Beziehungen, ebenso besteht Kontakt zum Hypothalamus.

Indikation: Die Indikationsliste für diese Injektionen ist wegen der zentralen Stellung der Rachendach-Hypophyse relativ weitreichend. Man kann sagen: Wo Kortikosteroide oder Keimdrüsen-Hormone indiziert wären, sind auch diese Injektionen angezeigt.

Adenoide Wucherungen, undulierendes Fieber bei Mundatmern mit Verdacht auf retronasale Angina. Inoperable Hypophysen-Tumoren und -Störungen, Rhinoallergose, Asthma bron-

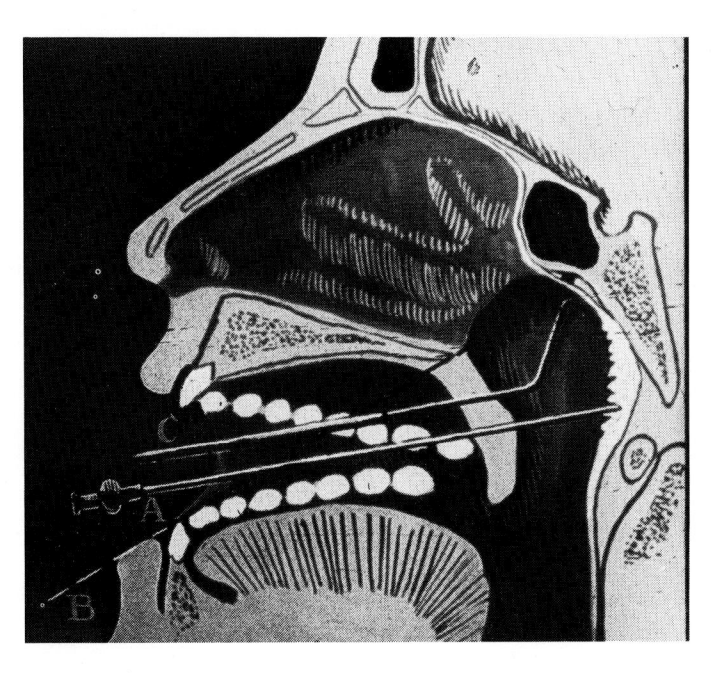

Abb. 85: Injektion in die Rachenmandel und RDH.
A = Injektion in die Rachenmandel (LÉGER),
B = Injektion an die RDH durch den weichen Gaumen,
C = Injektion an die RDH mit abgewinkelter Kanüle (SEITHEL)

chiale, Geruchs- und Geschmacksstörungen, Störungen der Salivation, Innenohrschwerhörigkeit, Fazialisparese, Trigeminusneuralgie, angioneurotisches Ödem, Arthrosen, Rheuma, pluriglanduläre Störungen und Störungen des Wasser- und Elektrolyt-Haushaltes, Dysregulationen im Klimakterium und Alter. Versuch bei Diabetes mellitus (SEITHEL).

M a t e r i a l : Nadel: 8 cm × 0,8 mm, kurz geschliffen. Für die direkte Injektion an die Rachendach-Hypophyse wird die Spitze der Nadel etwas abgewinkelt. Menge: 0,5—1 ml Procain-Lösung.

G e b ü h r e n o r d n u n g : Als Test: GOÄ, BMÄ: 68, E-Adgo: 49b, P-Adgo: 66. Als Therapie: GOÄ, BMÄ: 36, E-Adgo: 29, P-Adgo: 73.

T e c h n i k n a c h L É G E R : Wir stechen mit langer Nadel oberhalb der Uvula dicht an der Grenze zwischen knöchernem und weichen Gaumen ein und gehen in dieser Richtung bis zur Knochenberührung an die Rachen-Hinterwand weiter. Wenn wir die Rachendach-Hypophyse angehen wollen, biegen wir die Kanülenspitze etwas um, um so noch weiter nach kranial hinaufzugelangen, an die Vorderwand der Keilbeinhöhle. Nach Knochenberührung wird die Nadel etwa 1 mm zurückgezogen und nach negativer Ansaugprobe injiziert. Die Injektion ist nicht schmerzhafter, als die an die Gaumenmandel und bei angegebener Technik absolut ungefährlich.
— Siehe Abb. 84 und 85.

Injektion an die Trigeminusäste: — (T) — Nervenaustrittspunkte, S. 293

Injektion an die Trigeminuswurzel: — (T) — Ganglion Gasseri, S. 225

Die Injektion an den Trochanter major ✱ ✱ ✱

I n d i k a t i o n : Malum coxae senile, Koxitis, Koxalgie, Spondylitis, Bechterew. Die Akupunktur geht den Trochanter auch bei Ischias und Gonarthritis an.

M a t e r i a l : Nadel: Bei Dünnen Größe 1, bei Adipösen entsprechend längere. Menge: 2 ml Procain-Lösung.

G e b ü h r e n o r d n u n g : GOÄ, BMÄ: 36, E-Adgo: 29, P-Adgo: 73.

T e c h n i k : Der Trochanter ist im Stehen, noch besser am liegenden Patienten in der Regel leicht auszumachen. Wir stechen bis auf das Periost durch und geben dorthin 2 ml *Procain*. Diese Injektion ist bei Bedarf zu wiederholen. Die Wirkung pflegt sich dann zu steigern.
— Siehe Abb. 86.

Die Injektion an das Tuber maxillae ✱ ✱ ✱

I n d i k a t i o n : a) Segmenttherapie: Erkrankung der Nasennebenhöhlen und Siebbeine.
b) Störfeldsuche: Testinjektion bei Verdacht auf Nebenhöhlen-Störfeld.

M a t e r i a l : Nadel: 8 cm × 0,8 mm. Menge: 1 ml Procain-Lösung.

G e b ü h r e n o r d n u n g : GOÄ, BMÄ: 36, E-Adgo: 29, P-Adgo: 73.

T e c h n i k : Man geht am Ende der Oberkiefer-Zahnleiste außen und innen 1—1,5 cm weiter bis an die hinteren und seitlichen Flächen des Tuber maxillae und deponiert dort 1 ml Procain-Lösung. Man schaltet damit den N. maxillaris bzw. infraorbitalis aus.

Injektion an den Warzenfortsatz: — (T) —, Proc. mastoideus, S. 311

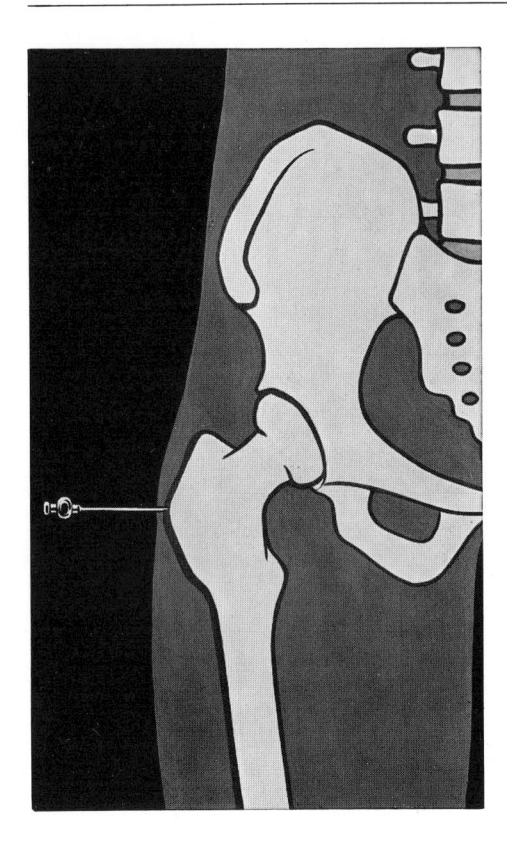

Abb. 86: Injektion an den Trochanter major.

Das Testen der Zähne * * *

So schwierig es sein kann, die verdächtigen Zähne herauszufinden, so einfach ist das Testen selbst:

I n d i k a t i o n : a) Segmenttherapie: Bei allen entzündlichen Prozessen im Zahn-, Mund- und Kieferbereich (neben der erforderlichen Lokalbehandlung wie Beseitigung überstehender Füllungsränder oder nicht einwandfreier Kronen, Zahnsteinbeseitigung, Einartikulation usw.) wie akuten und chronischen Periodontien, Alveolitis, Dolor post extractionem, Dentitio difficilis, Parodontopathien, pulpitischen Reizungen, Gangraena complicata, verzögerter Wundheilung, Stomatitis ulcerosa, rezidivierender Stomatitis aphthosa usw.

b) Störfeldsuche: Als Testinjektion bei toten, beherdeten oder verlagerten Zähnen, Zahntaschen, Entzündungen bei überstehenden Füllungen und am Rand von Kronen, Restostitis, Fremdkörpern, überbeanspruchten Klammerzähnen und Brückenpfeilern, Engstand, Extraktionsnarben und Narben nach Wurzelspitzenresektionen und Kieferhöhlenoperationen, Parodontosen, Wurzelresten, Zysten, Gingivitis und Stomatitis.

M a t e r i a l : Zum Betäuben der Einstichstellen empfiehlt sich der Gingicain-Spray (Farbwerke Hoechst) oder der „Dermo-jet" mit Zahnansatz. Zur Injektion bis ans Periost über der Zahnwurzel eine Carpulen-, Fischer- oder Tutocito-Spritze. Sonst eine fest aufgesetzte Injektionskanüle Größe 12.

Menge: Je Einstich nur etwa 0,2 ml Procain-Lösung bzw. *Xyloneural* aus Zylinderampullen.

G e b ü h r e n o r d n u n g : Als Test eines oder mehrerer Zähne GOZ: Z9, E-Adgo: 65, P-Adgo: 25.

Als Therapie GOÄ: 36, E-Adgo: 29, P-Adgo: 68.

Vitalitätsprüfung eines Zahnes GOZ: Z8b, mehrerer Zähne GOZ: Z8.

Der Elektroherdtest nach STANDEL und der Potentialtest bei Bimetall werden nach GOÄ Nr. 745 verrechnet.

T e c h n i k : Wir geben über jeder zu testenden Zahnwurzel bukkal und palatinal pro Einstich nur 0,2—0,3 ml Procain (submukös, intramuskulär und bis ans Periost infiltrierend). Ein Zusatz von Penizillin, Anthroposan o. dgl. erübrigt sich dabei.

Der Gedanke, statt der Injektion an mehrere nebeneinanderliegende Zähne eine Leitungsanästhesie vorzunehmen, ist verführerisch naheliegend, aber falsch. Die Leitungsanästhesie ist als Test ungeeignet, sie erfaßt nicht das Störfeld. Jeder Zahn muß einzeln getestet werden, alle verdächtigen in einer Sitzung! Neuraltherapie ist eben mehr, als eine „Heilanästhesie" oder „Therapeutische Lokalanästhesie": Der Ort der Injektion ist entscheidend, nicht die Anästhesie! — Die Zahnnarben müssen erst abgetastet werden. Beim Spritzen können Millimeter ausschlaggebend sein. Vor allem gehen wir mit der Nadelspitze in die schmerzhaften Punkte und in die Mitte der Narbenkrater nach Zahnextraktionen. Gelegentlich fällt man, ohne Widerstand zu finden, bis in die Kieferhöhle. An die Wichtigkeit der Restostitiden sei nochmals erinnert. Beim Zahntest Pausen einlegen, damit der Patient den eventuellen Erfolg feststellen und die Lokalisation abgrenzen kann.

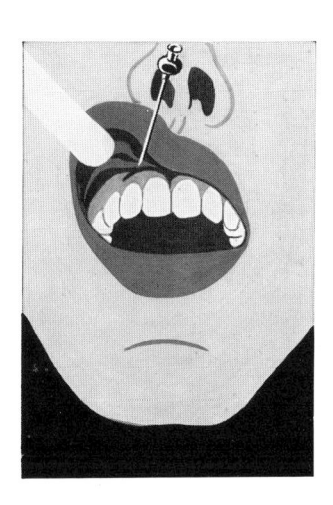

Abb. 87: Injektion an die Zahnwurzel (von bukkal aus).

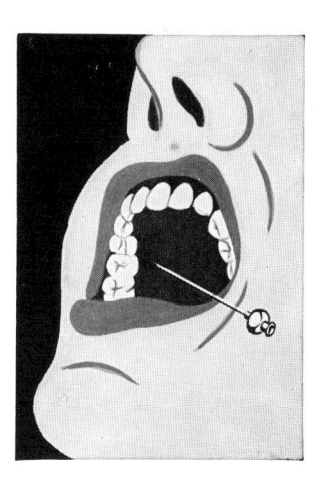

Abb. 88: Injektion an die Zahnwurzel (an das Periost des Kieferknochens von palatinal aus).

Abb. 89: Granulom
Abb. 90: Beherdeter Wurzelrest

Abb. 91: Fremdkörper
Abb. 92: Knochentaschen

Abb. 93: Tote Zähne
Abb. 94: Zyste

Abb. 95: Verbreiterter Periodontalspalt
Abb. 96: Restostitis

Abb. 97: Verlagerter Zahn

Abb. 89—97: Einige Störfeldmöglichkeiten im Zahnbereich.

Die zisternale Impletol-Injektion nach Reid *

I n d i k a t i o n : Diese Methode eignet sich nicht für die Allgemeinpraxis! Sie sollte nur erfahrenen Ärzten mit der Möglichkeit stationärer Behandlung vorbehalten bleiben. — Sie darf erst nach Versagen der Segmenttherapie und Störfeldsuche angewendet werden, und dann nur, wenn eine ausreichende Zahl subjektiver und objektiver Symptome auf ein mögliches Störfeld im zerebralen Bereich hinweist. Natürlich gilt auch für diese Injektion der Grundsatz: Die Schwere des Krankheitsbildes muß in ausreichender Relation zum Risiko eines therapeutischen Eingriffes stehen. Im Fall der zisternalen Injektion liegt das Risiko weniger in der Impletol-Injektion, als in der Subokzipital-Punktion. Der Prozentsatz der Heilungen, die wir ausschließlich der auf dieser D i a g n o s t i k basierenden Behandlung verdanken, ist sicher nicht hoch. Trotzdem erscheint das Risiko der diagnostischen SOP. gerechtfertigt. Vor HUNEKE hatten die Pharmakologen Todesfälle bei intravenöser Procain-Gabe vorausgesagt. Heute denkt keiner mehr daran und das zahlreiche Schrifttum über die intravenöse Procain-Anwendung lobt heute einstimmig deren mannigfaltigen therapeutischen Wirkungen. So wage ich die Prophezeiung, daß sich auch die zisternale Impletol-Injektion nach Überwinden theoretischer Bedenken und anderer Kinderkrankheiten einen festen Platz in der Therapie erobern wird.

S u b j e k t i v e S y m p t o m e :

Unter „zentraler Belastung" verstehen wir die verschiedenartigen Folgen einer grippe-virus-bedingten Enzephalitis, einer chronischen latenten Enzephalomyelitis oder eines anderen degenerativen Hirnprozesses. Die Schulmedizin belegt die darauf basierenden Ausfallserscheinungen mit den verschiedenartigsten Diagnosen, die diesen anspruchsvollen Namen jedoch nicht verdienen, weil sie nichts über die Ursache der Symptome aussagen können. So finden wir als Folge eines Hirn-Störfeldes unter anderem: Depressionen, Neurasthenie, vegetative Dystonie, chronische Kopfschmerzen mit und ohne Schwindel, Patienten, die nachts keinen Schlaf finden und tagsüber schläfrig sind, Asthma bronchiale, Angina pectoris vasomotorica, Brachialgia paraesthetica nocturna. Ferner Halbseitenstörungen wie Schulter-Arm- bzw. Lumbalsyndrom bei Osteochondrosis, Arthrosis deformans und andere Arthralgien, Torticollis spasticus, Trigeminusneuralgie, Kreislaufstörungen, Schwerhörigkeit, Psychasthenie, Neurosen u. a. m.

O b j e k t i v e S y m p t o m e :
  a) Romberg positiv,
  b) Konvergenzschwäche,
  c) Dysmetrie (Ataxiezeichen, Finger-Nasenspitzentest).
  d) Schnauzenreflex nach WARTENBERG („Babinski des Kopfes"):
     Bei positivem Reflex werden die locker gehaltenen Lippen nach dem Beklopfen mit einem Reflexhammer wie ein Rüssel vorgewölbt.
  e) REIDsches Blickwendephänomen: Der Patient muß bei geradeaus gerichtetem Kopf dem Finger des Arztes stark nach links, rechts, oben und unten nachfolgen. Bei positivem Reflex entsteht ein feinschlägiger Kopftremor, der mit Schwindel- oder Übelkeitsgefühl einhergehen kann.
  f) WARTENBERGS Head-retractor-Reflex: Der Patient beugt den Kopf leicht nach vorn. Nach Beklopfen der Oberlippe mit dem Reflexhammer wird der Kopf im positiven Falle reflexartig kurz zurückgezogen.
  g) Andere pathologische Reflexe, z. B. Ausfall der Bauchdeckenreflexe.

Finden sich gleichzeitig mehrere derartige Symptome, berechtigt das zur Vornahme der Zisterneninjektion.

A n a t o m i e : Die Zisterne ist der mit Liquor gefüllte Raum zwischen der Pia und Arachnoidea, der eine Kommunikation mit dem 4. Ventrikel besitzt. Am Boden des 4. Ventrikels liegen in der Rautengrube nahezu alle Hirnnervenkerne, auch die vegetativen Kerne von Vagus, Glossopharyngeus und Intermedius. Von dort aus kann das *Impletol* weiter in alle Hirnventrikel diffundieren, so auch in den 3., an dessen Boden sämtliche primären vegetativen Zentren liegen. Von hier aus besteht auch eine indirekte Verbindung zur Hypophyse.

Material: Nadel: Subokzipital-Punktionsnadel mit Mandrin oder eine Nadel 8 cm × 1 mm. Eine 10-ml-Spritze leer und eine 5-ml-Spritze mit 1 ml *Impletol* gefüllt.

Gebührenordnung: GOÄ, BMÄ: 53, E-Adgo: 38, P-Adgo: 86.

Technik: Der Patient, der möglichst einen leeren Magen haben soll, sitzt rittlings auf einem Stuhl und stützt seinen Kopf auf die Unterarme, die übereinandergelegt auf der Stuhllehne ruhen. Der so nach vorn gebeugte Kopf wird von einer Hilfskraft fixiert, damit er keine ruckartigen Bewegungen nach hinten ausführen kann. Die Haare werden über der Subokzipital-Einstichstelle zwischen dem fühlbaren Dornfortsatz des 2. Halswirbels und der Hinterhauptschuppe abgeschnitten, die Umgebung der Einstichstelle mit Seife gereinigt und mit Jodtinktur desinfiziert.

Die Nadel wird oberhalb des Dornfortsatzes des 2. Halswirbels ein bis zwei Querfinger unter der Hinterhauptschuppe erst genau in der Sagittalebene eingestochen. Dann wird sie schräg aufwärts durch das Ligamentum nuchae geführt, bis sie mit der Spitze an den Untergrund der Hinterhauptschuppe stößt, unter dem sie gerade vorbeigleiten soll. In etwa 7 cm Tiefe trifft man auf den elastischen Widerstand des Ligamentum atlanto-occipitale. Die Nadel darf nach Durchdringen der Membran nur noch 0,5 cm weit in die Zisterne eindringen, sonst besteht die Gefahr, daß die Medulla angestochen wird! Um den Ruck nach Aufhören des Widerstandes sicher abfangen zu können, legt man seine Hand flach auf den Kopf des Patienten und legt seinen linken Daumen so an den Konusteil der Nadel, daß er als Bremse wirken kann.

Nun wird der Mandrin entfernt. Fließt der Liquor unter Überdruck ab, so werten wir das ebenfalls als Belastungsmoment, das günstige Erfolgsaussichten andeutet. Der abfließende Liquor soll bei richtiger Nadellage frei von Blutbeimengungen sein. Dann werden etwa 10 ml Liquor entnommen. Darauf wird eine 5-ml-Spritze mit 1 ml *Impletol* aufgesetzt und bis zum Anschlag Liquor in die Spritze aufgesogen. Dieses *Impletol*-Liquor-Gemisch wird dann ohne besondere Verzögerung in den Zisternalraum eingespritzt. Die Nadel wird kurz herausgezogen und ein steriler Tupfer mit einem Heftpflasterstreifen auf der Einstichstelle fixiert. Der Patient wird nun sofort flach hingelegt, unter den Nacken kommt dabei ein Polster. Man muß den Patienten vor der Injektion auf eine Reihe zum Teil unangenehmer Reaktionen aufmerksam machen und etwa 20—30 Minuten bei ihm bleiben, bis diese Sensationen abgeklungen sind. Nach der Injektion tritt zunächst bei beschleunigtem Puls ein Übelkeitsgefühl mit Brechreiz auf, dem Wärmegefühl und ein Schweißausbruch folgen. Husten, Niesen oder starkes Gähnen, auch Geruchs- und Geschmackshalluzinationen können auftreten. Nach dieser Reaktion des sympathischen Nervensystems folgt eine parasympathische Phase mit Pulsverlangsamung, Blässe, Kälte- und Elendsgefühl. In extremen Fällen kann ein Analeptikum, bei tetanischer Reaktion mit Pfötchenstellung ein Kalziumpräparat erforderlich werden. Je nach der vegetativen Ausgangslage können Art, Stärke und Dauer dieser vegetativen Reaktionen verschieden stark sein. Sie sind nach einigen Minuten bis zu einer halben Stunde abgeklungen und der Patient ist dann wieder im Gleichgewicht. Manchmal kann die Injektion fast symptomlos verlaufen, ein andermal kann es bei demselben Patienten starke, ja überschießende Reaktionen geben. In keinem Fall kam es jedoch zu einem nachteiligen oder gar tödlichen Ausgang. — Der Patient soll nach dem Eingriff noch mindestens eine Stunde unter Kontrolle des Arztes liegen und auch dann nicht unbeobachtet entlassen werden. Wenn möglich, soll er zwei Tage Bettruhe einhalten. Deshalb ist eine stationäre Behandlung erwünscht. Wenn in dieser Zeit leichte meningitische Reizerscheinungen wie Temperaturanstieg, Kopfschmerzen und eine angedeutete Nackensteifigkeit auftreten, genügt die Verordnung schmerzstillender Zäpfchen.

Gegen die zisternale Impletol-Injektion sind z. T. erhebliche theoretische Bedenken erhoben worden (JANZEN, LENDLE, MÖLLHOFF, ZIPF) und die Bundesärztekammer hat daraufhin vor der Anwendung dieser Injektion gewarnt. LENDLE drohte massiv: „Bei Zwischenfällen hat der Urheber dieser Therapie jedenfalls keine Aussicht, in theoretisch-pharmakologischen Überlegungen Entlastungsgründe zu finden." Er hält es theoretisch für unmöglich, daß 1 ml *Impletol* in die Zisterne keine Atemzentrumslähmung, Kollaps usw. hervorrufen soll. Dem steht aber nun mal gegenüber, daß es in der Praxis bei mehreren hunderten derartigen Injektionen nie einen ernsthaften Zwischenfall oder gar einen Exitus gab, dafür aber Heilungen, die vorher durch nichts zu erzielen waren. Wenn theoretisch begründete Einwände früher immer gesiegt hätten, gäbe es heute unter anderem keine Eisenbahn, kein Flugzeug und keinen Atomreaktor, von vielen chirurgischen Eingriffen gar nicht zu reden.

Die Gefahr bei der zisternalen Injektion liegt lediglich in der Subokzipitalpunktion, bei der man ja nie vor Komplikationen von seiten von Kleinhirntumoren und Gefäßanomalien sicher ist. Trotzdem wird sie aber in der Neurologie täglich routinemäßig und fast unbedenklich lediglich aus diagnostischen Gründen vorgenommen. Das Einbringen von *Impletol* in die Zisterne stellt nach unseren Erfahrungen keine nennenswerte zusätzliche Gefährdung dar. Allerdings empfiehlt es sich, gegen evtl. auftretende Schockzustände ein intravenös anwendbares Kortisonpräparat (*Solu-Decortin H, Ultracorten H* wasserlöslich) bereitzuhalten.

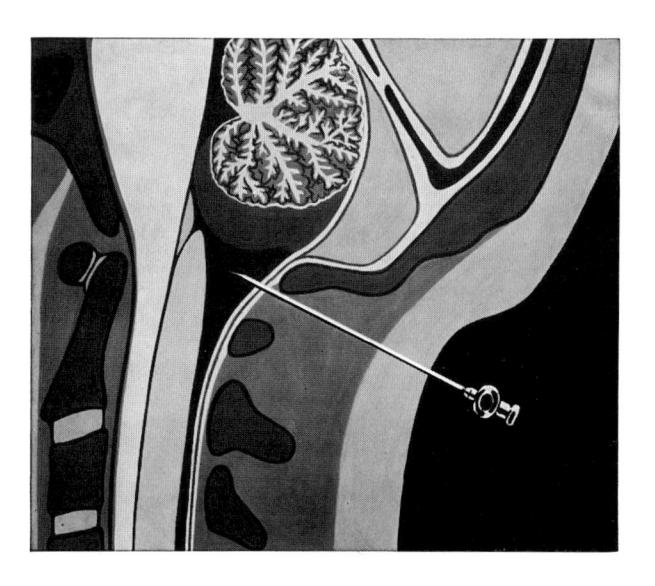

Abb. 98: Injektion in die Zisterne.

„Nur durch Nutzen kann der Wert einer bedeutenden Erscheinung erkannt werden. Daher geschieht es, daß offenbarte Wahrheiten, erst im stillen zugestanden, sich nach und nach verbreiten, bis dasjenige, was man hartnäckig geleugnet hat, endlich als etwas Natürliches erscheint."

GOETHE

Literatur-Auswahl

Über Impletol und Novocain als Therapeutika wurden bisher weit über 10 000 größere Arbeiten veröffentlicht. Dieses Buch ist als praktische Ergänzung zu F. HUNEKES empfehlenswerter Monographie: „Das Sekundenphänomen" gedacht, das im Karl F. Haug Verlag, Heidelberg, erschienen ist. Jeder Arzt und besonders jeder Neuraltherapeut sollte es gelesen haben.

ADLER, E.: Fokal-Neuralpathologie — Wirbelsäule-Organpathologie. Phys. Med. u. Reh. 4/1968.
— Neurale Geschehen der Stomatologie für die Allgemeinmedizin. Phys. Med. u. Reh. 12/1968.
— Erkrankungen durch Störfelder im Trigeminusbereich. Verlag für Medizin Dr. Ewald Fischer, Heidelberg 1973.
ALTHOFF, H.: Die therapeutische Novocainanwendung in der inneren Medizin. Th. Steinkopff Verlag, Dresden 1947.
ALTMANN, L.: Allergie und odontogener Fokus. Ärztl. Praxis 75/1973.
AMYES, E. W., und Perry: Ganglion Stellatumblockade in der Behandlung der akuten Hirnthrombose (J. Amer. Med. Ass. [1950], 15).
ANSELMINO, K. J.: Heilanästhesie (N. med. Welt, Stuttgart [1950], 38).
— Neue Wege der Eklampsie- und Präeklampsiebehandlung: Die Blockade des Nierenbereiches und des Gangl. stellatum (Schweiz. med. Wschr. [1950], 52).
ARNULF, G.: L'infiltration stellaire. Masson, Paris 1947.
ARVANITAKI, A.: Arch. int. Physiol. 52, 1942: 381.
ASLAN, A.: Novocain als eutrophischer Faktor und die Möglichkeit einer Verlängerung der Lebensdauer (Therap. Umschau, Bern [1956], 13).
— Eine neue Methode zur Prophylaxe und Behandlung des Alterns mit Procain — Gerovital H3 — Eutrophische und verjüngende Wirkung (Therap.woche, Karlsruhe [1956], 1—2).
ASSMUS, H.: Erfahrungen mit der Neuraltherapie (N. Th.). Indikationen und Erfolgsbeurteilung (Neuralmed. [1954], 2).
AUBERGER, H. G.: Praktische Lokalanästhesie. G. Thieme Verlag, Stuttgart 1967.
— Regionale Schmerztherapie. G. Thieme Verlag, Stuttgart 1971.

BAKO, E. E.: Das Sekundenphänomen in der Orthopädie (Neuralmed. [1954], 2).
BANGE, W.: Stellatumblockade und Pneumothorax (Med. Klin. 1951, 45).
— Das Asthma bronchiale im Blickpunkt vegetativer Dynamik (Acta neuroveget. [1952], 1—2).
BAUMANN, W.: Zur Pathogenese und zur Therapie des Herzinfarktes unter besonderer Berücksichtigung unserer Beobachtungen bei intravenösen Impletol-Strophantin-Injektionen (Ärztl. Wschr. [1951], 41).
BAYER, A. u. a.: Nasale Reflexe und ihre therapeutische Nutzung. Karl F. Haug Verlag, Ulm 1962.
BECKE, H.: Der gynäkologische Raum als Störfeld. Dtsch. Ges. Wes. 5/1971.
BENCE, G.: Die „Sympathikus-Therapie" im angloamerikanischen Schrifttum (siehe VOSS, H. F.: Deshalb Neuraltherapie).
BERGSMANN, O.: Herdwirkung in der Pulmologie (Therap.woche [1965], 24).
— Beziehungen zwischen Haut und Organ am Beispiel der Lunge (Dtsch. Ztschr. Akup. [1966], 2).
— Asymmetrische Leukozytenbefunde bei Lungentuberkulose. Wiener klin.Wschr. 37/1965.
— Neuraltherapie und ihr Einfluß bei Erkrankungen der Lunge. Phys. Med. u. Reh. 11/1970.
— Das Sekundenphänomen als Komplexreaktion. Pulmologisch-regulationspathologische Studie. In DOSCH, P.: Freudenstädter Vorträge, Band 2. Karl F. Haug Verlag, Heidelberg 1974.
BISCHKO, J.: Einführung in die Akupunktur. Karl F. Haug Verlag, Heidelberg 1974.
BODECHTEL, G.: Neuraltherapie, Betrachtungen eines Schulmediziners (Münch. med. Wschr. [1955], 97).
BONICA, J. J.: The management of Pain. V. Lea & Feabiger, Philadelphia 1953.
— Pain. Henry Kimpton Verlag, London 1953.
— Clinical applications of diagnostic and therapeutic nerve blocks. Blackwell Verlag, Oxford 1958.
BRABETZ, V.: Beitrag zur Neural- und Hormon-Therapie der Hautkrankheiten (Hippokrates [1952], 7).
BRAEMER, Ch.: Neuraltherapeutische Erfahrungen bei Mensch und Tier. Ehk. 3/1971.
BRAEUCKER, W.: Die Heilerfolge der gezielten neuroregulatorischen Sympathicus-Therapie. Karl F. Haug Verlag, Ulm 1958.
BRANDENBURG, K.: Behandlung des frischen Schlaganfalls mit Novocaininfiltration des Ganglion stellatum (Med. Klin. [1938], 29).
BRANKEL, O.: Die Neuraltherapie bei der Behandlung des Stotterns (Therap. Berichte [1958], 84).
BRAUN, H. und LÄWEN, A.: Die örtliche Betäubung. J. A. Barth Verlag, Leipzig 1951.
BRÜCK, D.: Zur Schizophrenie-Therapie (Hippokrates [1951], 13).
— Kommentar zur Gebührenordnung für Ärzte und Kommentar zum Bewertungsmaßstab für Ärzte. Deutscher Ärzte-Verlag, Köln-Berlin 1972.
BÜCK, F.: Novocaininfiltration des Sympathikus als Frühbehandlung der Erfrierungen der Gliedmaßen (Chirurg [1943], 347).
BURIAN, K.: Heilanästhesie im Hals-Nasen-Ohrenbereich (Mschr. Ohr.hk., Berlin [1952], 86).
BYKOW, K.: Pawlows Lehre (Dtsch. Gesd.wes. [1952], 28).
BYKOW, K. M. und KURZIN, I. T.: Kortiko-viszerale Pathologie. VEB Verlag Volk und Gesundheit, Berlin 1966.

CLARA, M.: Das Nervensystem des Menschen. J. A. Barth Verlag, Leipzig 1959.
CONE, C. D. jr.: 12. Kongreß der amerikanischen Krebsgesellschaft. Referiert in Medical Tribune 20/1970.

CORNELIUS, A.: Nervenpunkte. Karl F. Haug Verlag, Ulm 1958.
CROON, R.: Untersuchungen zur diagnostischen Brauchbarkeit der Elektro-Neural-Diagnostik CROONS.

DANN, T. C.: (University College of Swansea) Lancet 2/1969 referiert in Selecta 44/1969.
DESCOMPS, H.: Die therapeutische Wirkung anästhesierender Infiltrationen an vegetativen Nerven im retrostyloidalen Bereich (Siehe VOSS, H. F.: Deshalb Neuraltherapie).
DICKE, E. und LEUBE, H.: Massage reflektorischer Zonen im Bindegewebe. Fischer-Verlag, Jena 1951.
DITTMAR, F.: Die Untersuchung der reflektorischen und algetischen Krankheitszeichen. Karl F. Haug Verlag, Ulm 1949.
— Die kutiviszerale Reflexbahn bei der Anwendung therapeutischer Hautreize (Medizinische [1952], 7).
DITTMAR, F. und DOBNER, E.: Die neurotopische Diagnose und Therapie innerer Krankheiten. Karl F. Haug Verlag, Ulm 1964.
DORONIN, F. N.: Intrakarotide Novokaininjektion bei Schädel-Hirn-Verletzungen (Vestn. chir., Moskau/Leningrad [1960], 6).
DOSCH, P.: Günstige Erfolge mit Impletol in der täglichen Praxis (Hippokrates [1956], 7).
— Die Behandlung des Malum coxae senile mit Impletol (Münch. med. Wschr. [1956], 98).
— Heilung einer organischen Lähmung über das Sekundenphänomen (Münch. med. Wschr. [1956], 44).
— Narben und Neuraltherapie (Landarzt Stuttgart [1956], 32).
— Neuraltherapie bei Cholezystopathien (Hippokrates [1957], 28).
— „Der Weg zum Sekundenphänomen" in: Physikalische Therapie und Balneologie. VEB Verlag Volk und Gesundheit Berlin 1959, S. 150—155.
— Psycho- und Neuraltherapie — anders gesehen (Hippokrates [1960], 3).
— Noch einmal: Konservative oder operative Behandlung des Gallenleidens? — diesmal aus der Sicht der Neuraltherapie nach HUNEKE (Erfahr.hk. [1961], 9).
— Der Weg zum Sekundenphänomen. In: VOGEL-HAFERKAMP, Biologisch-Medizinisches Taschenjahrbuch. Hippokrates-Verlag, Stuttgart 1962 und 1963.
— Die Beseitigung von Commotio- und Contusio-cerebri-Folgen mit Impletol (Erfahr.hk. [1965], 3).
— Schulmediziner und Außenseiter (Erfahr.hk. [1965], 5).
— Die Anästhesie des Ganglion stellatum nach FONTAINE und DE SÈZE in der Neuraltherapie (Hippokrates [1965], 21).
— Die Neuraltherapie nach HUNEKE, demonstriert am Beispiel Asthma bronchiale (Landarzt [1966], 23).
— Gedanken über das Vegetativum und die Zelle und ihre Beeinflussung mit der Neuraltherapie nach HUNEKE (Erfahr.hk. [1966], 9).
— Endstation Diagnose? (Ars medici [1967], 6).
— Der Kopfschmerz und seine Behandlung (siehe VOSS, H. F.: Deshalb Neuraltherapie).
— Die gynäkologischen Organe als Störfeld für chronische Krankheiten (siehe VOSS, H. F.: Deshalb Neuraltherapie).
— Neues vom weichen Bindegewebe und vom Störfeld (Erfahr.hk. [1968], 5).
— Das therapeutische Stiefkind Schilddrüse und die Neuraltherapie (Phys. Med. u. Reh. [1969], 12).
— La terapéutica neural de HUNEKE en Medicina interna. In: ARASA, F.: Tratado de Pronóstico y Terapéutica en Medicina interna I/163—181. Editorial Cientifico-Medicina. Barcelona, Madrid, Lisboa, Rio de Janeiro, Mexico 1970.
— Heilung einer Dystrophia musculorum progressiva (ERB) über das Huneke-Phänomen (Erfahr.hk. [1970], 1).
— Die Schilddrüse — Sorgenkind und Stiefkind der Therapie? (Erfahr.hk. [1970], 2).
— Die Neuraltherapie nach HUNEKE beim bronchitischen Syndrom (Erfahr.hk. [1970], 3).
— Procain auch gegen Schlangengift? (Ztschr. Allgemeinmedizin / Der Landarzt [1970], 7).
— Von Krankheiten, die es eigentlich nicht gibt (Erfahr.hk. [1970], 4).
— Krebsgeschehen und Neuraltherapie (Ehk. 3/1971).
— Die Procain-Therapie als Zusatzbehandlung beim Krebsgeschehen. Krebsgeschehen 2/1971.
— Segmenttherapie und Störfeld. Landarzt 26/1971.
— Körpereigene Abwehr und Neuraltherapie. Phys. Med. u. Rehab. 6/1972.
— Trigeminusneuralgie, Postcholezystektomiesyndrom und andere neuraltherapeutische Referate. ML-Verlag, Uelzen 1972.
— Huneke-Therapie und Postcholezystektomiesyndrom. In DOSCH, P.: Trigeminusneuralgie usw. ML-Verlag, Uelzen 1972.
— GOÄ = Gebühren ohne Ärger? Selecta 42/1972.
— Die Neuraltherapie mit Lokalanästhetika und ihre Abrechnung. Ehk. 12/1972.
— Segmentdiagnostik und Störfeldsuche in der Praxis. Erfahr.hk. 9/1973.
— Beziehungen zwischen Neuraltherapie und Ozontherapie, demonstriert am Beispiel Krebsbehandlung. Erfahr.hk. 11/1973.
— Freudenstädter Vorträge 1974, Band 2. Karl F. Haug Verlag, Heidelberg 1974.
— Einführung in die Neuraltherapie mit Lokalanästhetika. Karl F. Haug Verlag, Heidelberg 1974.
— Umstimmung durch Neuraltherapie. Phys. Med. u. Rehab. 4/1974.
— Procaintherapie beim Krebsgeschehen. Phys. Med. u. Rehab. 5/1974.
— Neuraltherapie nach HUNEKE. Freudenstädter Vorträge 1971/72. Karl F. Haug Verlag, Heidelberg 1974.
— Wissenswertes über die Neuraltherapie nach Dr. HUNEKE, 12. Aufl. Karl F. Haug Verlag, Heidelberg 1975.
— Gewußt wo: Procain ins dauerdepolarisierte Gewebe. Ärztliche Praxis 51/1975.
— Einführung in die Therapie mit Lokalanästhetika. Karl F. Haug Verlag, Heidelberg 1975.

DOSCH, P.: Der Einstieg in die Neuraltherapie — besonders dankbare Indikationen in der Allgemeinpraxis. Mkurse ärztl. Fortbild. 2/1975.
— Die Neuraltherapie der Brüder HUNEKE. Der praktische Arzt, Wien 333/1975.
— Neuraltherapie als Krebsprophylaxe und -zusatztherapie. Biologische Medizin 1/1975.
— Aus der Geschichte der Neuraltherapie nach HUNEKE — Möglichkeiten der Objektivierung. Österr. med. Ges. f. Neuraltherapie n. H. 1975.
— 50 Jahre Neuraltherapie nach HUNEKE. Erfahr.hk. 2/1976, S. 45 ff.
DRUSCHKY, E.: Möglichkeiten der Diagnostik und Therapie über die HEADschen und MACKENZIEschen Zonen (Hippokrates [1950], 14).
— Das soziale Problem der Enzephalomyelopathien (Ärztl. Praxis [1962], 19).
— Antwort auf einen Artikel „Nebenwirkungen bei der intrazisternalen Therapie nach REID . . ." von MÖLLHOFF (Med. Sachverst. [1963], 59).
— Antwort zur Anfrage von Dr. K. in T. „Gefahren der subokzipitalen Impletolinjektion" (Med. Welt [1963], 989).
DWORAZEK, H.: Klinische Erfahrungen über die Halssympathikusblockade bei Ohrkrankheiten (Wien. klin. Wschr. [1949], 61).
EBNER, R., und LEY, H.: Überprüfung des Sekundenphänomens nach F. HUNEKE im doppelten Blindversuch (Münch. med. Wschr. [1956], 98).
EICHHOLTZ, F.: Die Anwendung von Novocain in der inneren Medizin.
  I. Zur Pharmakologie (Klin. Wschr. [1950], 45—46).
  II. Toxikologie der lokalanästhetischen Stoffe (Klin. Wschr. [1952], 5—6).
EMICH, R.: Neuraltherapie bei Herzkrankheiten. In DOSCH, P.: Freudenstädter Vorträge, Band 2. Karl F. Haug Verlag, Heidelberg 1974.
ERBSLÖH, F.: Acta neuroveget. (Wien) 1953:355.
ERIKSSON, E.: Atlas der Lokalanästhesie. G. Thieme Verlag, Stuttgart 1970.
ESSEN, K. W.: Kritische Bilanz der Herdlehre und ihres Wertes für die Therapie in der Inneren Medizin (Erg. Inn. Med. u. Kinderhk. [1966], 24).
FENZ, E.: Behandlung rheumatischer Erkrankungen durch Anästhesie. Th. Steinkopff Verlag, Dresden 1951.
FINDLAY, Th., und PATZER, R.: Behandlung des Herpes zoster mit paravertebraler Novocaininjektion (J. Amer. Med. Ass. [1945], 128).
FISCHER, G.: Die örtliche Betäubung in der Zahnheilkunde mit besonderer Berücksichtigung der Schleimhaut- und Leitungsanästhesie. J. A. Barth Verlag, Leipzig 1951.
FLECKENSTEIN, A., und HARDT, A.: Der Wirkungsmechanismus der Lokalanästhetika und Antihistaminkörper — ein Permeabilitätsproblem (Klin. Wschr. [1949], 21).
— Die periphere Schmerzauslösung und Schmerzausschaltung. D. Steinkopff Verlag, Frankfurt 1950.
FLEISCHHACKER, H.: Zur klinischen Bedeutung des Herdgeschehens (Österr. Zschr. Stomat. [1963], 10).
— Klinik der Herderkrankungen (Therap.woche [1965], 24).
FONTAINE, R.: Irradiation im vegetativen Nervensystem (Hippokrates [1965], 1).
FONTANA, G.: Zur Heilanästhesie bei primärem Glaukom (Progr. terap. Milano [1952], 6).
FRESENIUS, H.: Neuraltherapeutische Erfahrungen aus der täglichen Praxis. Karl F. Haug Verlag, Ulm 1958.
FRIEDRICH, R.: Medizin von morgen. Süddeutscher Verlag, München.
FUCHS, J.: Neuraltherapie am Auge (Therapiewoche [1955], 1—2).
— Therapie mit Lokalanästhetika in der Ophthalmologie (Hippokrates [1965], 1).
FUDALLA, S. G.: Die fokale Erkrankung des Körpers. Hippokrates Verlag, Stuttgart 1950.

GALIANA, J. C.: Alopecie und Impletol (Hautarzt [1960], 3).
GEHRING, M.: Fragen der Anwendung der Lehre Pawlows in der medizinischen Praxis. VEB Verlag Volk und Gesundheit, Berlin 1954.
GLÄSER, O.: Segmentmassage. G. Thieme Verlag, Leipzig 1952.
GOECKE, H.: Behandlung der Cervixhypersekretion (Ärztl. Praxis [1951], 25).
GOHRBANDT, E.: Über die Behandlung der Multiplen Sklerose durch Novocainblockade (Chirurg [1951], 6).
— Partielle Eingriffe am Nervus sympathicus mit Umstimmung des gesamten vegetativen Systems (Zbl. Chir. [1948], 73).
GOLDFEDER und MADIEVSKAJA: Beobachtungen über die Anwendung des Novocainblocks nach SPERANSKI-WISCHNEWSKI bei verschiedenen Augenerkrankungen (Vestn. oftalm. [1938], 13).
GRAD, W.: Neuer Weg zur Heufieber-Therapie (Zschr. Laryng. [1951], 189).
GRANIT, R. u. a.: Brain 67, 1944:125.
GRAUBARD: Clinical uses of intravenous Procain. Springfield, USA, 1950.
GROSS, D.: Die Nase als zentraler nervaler Rezeptor (Hippokrates [1951], 22).
— Therapeutische Lokalanästhesie. Hippokrates Verlag, Stuttgart 1972.
— Zur Anästhesietherapie der Tonsillen (Med. Klin. [1951], 11).
— Neuraltherapie (Münch. med. Wschr. [1952], 45).
— und NONNENBRUCH, W.: Die vasale Ordnung im vegetativen Nervensystem als Grundlage für die Neuraltherapie (Med. Klin. [1952], 16).
— Schriftenreihe Therapie über das Nervensystem Bd. I—V. Hippokrates-Verlag, Stuttgart 1966.

HANSEN und VON STAA: Reflektorische und algetische Krankheitszeichen der inneren Organe. G. Thieme Verlag, Leipzig 1938.
HANSEN, K. und SCHLIACK, H.: Segmentale Innervation. G. Thieme Verlag, Stuttgart 1962.
HARRER, G.: Kritische Bemerkungen zur zisternalen Impletoltherapie (siehe VOSS, H. F.: Deshalb Neuraltherapie).
— Die vegetativen Schmerzen. Wien. klin. Wschr. 77/1965.
— Kritisches zur Neuraltherapie aus neurologischer Sicht. Phys. diät. Therapie 2/1965.
HÄRTEL, F.: Die Lokalanästhesie. F. Enke Verlag, Stuttgart 1920.
HATSCHEK, G.: Die Augenkrankheiten in der täglichen Praxis. Hippokrates-Verlag, Stuttgart.
HEAD, H.: Die Sensibilitätsstörungen der Haut bei Viszeralerkrankungen. Berlin 1948.
HELLER, E. F.: Neuraltherapie mit physiologischer Kochsalzlösung (Die Medizinische [1954], 12).
HEPPNER, F.: Der postapoplektische Schmerz. Sandorama, Febr. 1970.
HERBERGER, W.: Behandlung und Pflege inoperabler Geschwulstkranker. Th. Steinkopff Verlag, Dresden 1960.
HERGET, R.: Eine einfache Technik zur zeitweiligen Ausschaltung des Ganglion stellatum Chirurg [1943], 680).
HESS, K. G.: Erfahrungen mit der Jenacainblockade bei entzündlichen Prozessen im Zahn-, Mund-, und Kieferbereich. (Dtsch. Stomat. [1963], 12).
HEUSTERBERG, K. H.: Neuraltherapeutische Ergebnisse bei Prostataerkrankungen (Erfahr.hk. [1965], 3).
HIRSCH, E.: Pharmakodynamische Wirkung der Lokalanästhesie (siehe VOSS, H. F.: Deshalb Neuraltherapie).
HIRSCHMANN, J.: Über das Zustandekommen trophischer Gewebsveränderungen nach Verletzungen peripherer Nerven. VEB C. Marhold Verlag, Halle/Saale 1951.
HOCHREIN, M.: Rheumatische Erkrankungen. Steinkopff-Verlag, Dresden-Leipzig 1942.
— Zur Frage der vertebragenen Genese der Angina pectoris (Med. Klin. [1953], 15).
— Klinik der Coronarerkrankungen (Med. Klin. [1949], 35).
HOFF, F.: Behandlung innerer Krankheiten. G. Thieme Verlag, Stuttgart 1960.
HOPFER, F.: Die Berechtigung der Neuraltherapie bei Herderkrankungen (Österr. Zschr. Stomat. [1963], 11).
— Neuraltherapie bei Herderkrankungen (Therapiewoche [1965], 24).
— Wechselwirkung zwischen Haut und Herd (Dtsch. Zschr. Akup. [1966], 3).
— Über die Postischialgische Durchblutungsstörung nach Reischauer (siehe VOSS, H. F.: Deshalb Neuraltherapie).
— und STACHER, A.: Zur Diagnose und Nachbehandlung von Herderkrankungen (Ärztl. Praxis [1963], 38).
— Asthma bronchiale und Neuraltherapie. Wiener klin. Wschr. 86/1974.
HUNEKE, F. und W.: Unbekannte Fernwirkungen der Lokalanästhesie (Med. Welt [1928], 27).
HUNEKE, F.: Krankheit und Heilung anders gesehen. Staufen-Verlag, Köln 1953.
— Das Sekundenphänomen, 3. Aufl. Karl F. Haug Verlag, Heidelberg 1970.
HUNEKE, W.: Impletoltherapie und andere neuraltherapeutische Verfahren, Hippokrates-Verlag, Stuttgart 1952.
— und KERN, B.: Verjüngung durch Novocain. Hippokrates-Verlag, Stuttgart 1959.
HUPER, P.: Die Neuraltherapie in der Hals-, Nasen-, Ohrenheilkunde. (HNO Wegweiser [1951], 3).

ISKRAUTH, H.: Neuraltherapie in der täglichen Praxis. Karl F. Haug Verlag, Ulm 1954.
ISOTOW, I. P.: Die Periduralanästhesie in Chirurgie, Gynäkologie und Urologie. VEB Verlag Volk und Gesundheit, Berlin 1955.

JANZEN, R.: Antwort zur Anfrage von Dr. K. in T. „Gefahren der subokzipitalen Impletolinjektion" (Med. Welt [1963], 4).
JASPER, H. H. und MONNIER, A. M.: J. Cellul. Comp. Physiol. (Philadelphia) 11, 1938:259.
JÄRVINNEN, K. A.: Über die Coronarinsuffizienz des Herzens als Ursache der Periarthritis humero-scapularis (Schweiz med. Wschr. [1952], 23).
JENKER, F. L.: Nervenblockaden. Springer-Verlag, Wien, New York 1975.
JORES, A.: Schulmedizin und Außenseitermethoden (Hippokrates [1955], 13).
— Magie und Zauber in der modernen Medizin (Dtsch. Med. Wschr. [1955], 24).
JUNG, A.: Die Stellatum-Infiltration bei schmerzhaftem Stumpf (Rev. Chir. [Paris], [1948], 67).

KALBFLEISCH, H.: Allgemeine Relationspathologie. Th. Steinkopff Verlag, Dresden-Leipzig 1954.
KATZ, B. und SCHMITT, O. H.: J. Physiol. (London) 94, 1940:471.
KELLNER, G.: Die Wirkung des Herdes auf die Labilität des humoralen Systems (Österr. Zschr. Stomat. (1963), 10).
— Nachweismethoden der Herderkrankungen und ihre Grundlagen (Therap.woche [1965], 24).
— Wundheilung und Wundheilungsstörung. Ehk. 6/1971.
KIBLER, M.: Segment-Therapie. Hippokrates-Verlag, Stuttgart 1950.
— Das Störungsfeld bei Gelenkerkrankungen und inneren Krankheiten. Hippokrates-Verlag, Stuttgart 1958.
KILLIAN, H.: Lokalanästhesie und Lokalanästhetika. G. Thieme Verlag, Stuttgart 1959.
KLOSE, H., und WITTIG, G.: Narkose und Anästhesie. W. de Gruyter Verlag, Berlin 1954.
KLUSSMANN, W.: Herdinfektion, Sekundenphänomen, das Problem der Wurzelbehandlung und ein Weg zu seiner Klärung (Zahnärztl. Welt [1952], 13—18).
KOBLANCK, A.: Die Nase als Reflexorgan des autonomen Nervensystems. Karl F. Haug Verlag, Ulm 1958.

KOTHBAUER, O.: Über die Druckpunktdiagnose und Neuraltherapie bei Tieren. Wien. tierärztl. Mschr. 48/1961:282.
— Die Provokation einer hyperalgetischen Zone der Haut und eines Schmerzpunktes durch Reizung eines Uterushornes beim Rind. Wien. tierärztl. Mschr. 53/1966:803.
— Die Provokation einer hyperalgetischen Zone der Haut und von Schmerzpunkten durch Reizung eines Ovars beim Rind. Wien. tierärztl. Mschr. 58/1969:23—26.
— und SCHUH, M.: Die Beeinflussung der Schilddrüse des Rindes durch procainhaltige Injektionen als Neuraltherapeutikum. Wien. tierärztl. Mschr. 60/1973:223—25.
KÖTSCHAU, K.: Medizin am Scheideweg. Karl F. Haug Verlag, Ulm 1960.
— Frühtherapie durch die Herdausschaltung. ML-Verlag, Uelzen 1973.
KOHLRAUSCH, W., und TEIRICH-LEUBE, H.: Lehrbuch der Krankengymnastik bei inneren Erkrankungen. VEB. G. Fischer Verlag, Jena 1954.
KRACMAR, F.: Zur Biophysik des vegetativen Nervensystems. Phys. Med. u. Rehab. 6/1971.
KRAUCHER, G. K.: Die intravenöse Anwendung von Lokalanästhetika in der Inneren Medizin. Springer Verlag, Wien.
KRAUSE, R.: Neuraltherapie bei Pockenschutzimpfungskomplikationen (siehe VOSS, H. F.: Deshalb Neuraltherapie).
KRETZSCHMAR, K.: Schwerhörigkeit und Neuraltherapie (Neuralmedizin [1953], 1).
— Neural therapy (Med. Times New York [1956], May and June).
KREUTZBERG, G. W.: Über Transportvorgänge in der Nervenzelle. Mitteilungen der Max-Planck-Gesellschaft 6/1973.
KUHLENKAMPFF, D.: Über die örtliche Betäubung zu Behandlungszwecken bei der akuten Epidydimitis (Münch. med. Wschr. [1949], 6).
— Die örtliche Betäubung als diagnostisches und Behandlungsmittel (Zbl. Chir. [1949], 6).

LAMPERT, H.: Fokus und Störungsfeld (Therap.woche [1950], 8).
— Störungsfeldbehandlung mit Novocain und Impletol (Heilkunst [1951], 8).
LAMBRET, O.: u. a.: Technique de la Chirurgie du sympathique. V. G. Doin, Paris.
LÉGER, V.: Neralthérapie, en particulier, celle d'après Huneke. Selbstverlag, Metz.
LEMKE, H.: Die Novocainbehandlung des Pylorospasmus im Säuglingsalter (Münch. med. Wschr. [1951], 48).
LENDLE, L.: Antwort zur Anfrage von Dr. K. in T. „Gefahren der subokzipitalen Impletolinjektion" (Med. Welt [1963], 4).
LEPRINCE, A.: L'acupuncture à la portée de tous. Paris 1945.
LERICHE, R.: Die Chirurgie des Schmerzes. Masson, Paris 1949, J. A. Barth Verlag, Leipzig 1958.
— Die Stellatumanästhesie bei der Lungenembolie (Rev. chir. Paris [1936], 55).
— Über die Stellatumanästhesie bei Hirnembolie, bei Gefäßspasmen, nach Hirnoperationen und bei Hemiplegien (Rev. chir. Paris [1936], 55).
— Stelläre Infiltration, Sympathektomien und Arteriektomien bei Embolien und Thrombosen der Cerebralarterien und nach Carotisverletzungen (Lyon. chir. [1949], 44).
LEUBE, H., und DICKE, E.: Massage reflektorischer Zonen im Bindegewebe. Piscator Verlag, Stuttgart 1951.
LIEK, E.: Irrwege der Chirurgie. J. F. Lehmann, München 1929.
— Das Wunder in der Heilkunde. J. F. Lehmann, München 1940.
LIVINGSTONE, W. K.: Pain mechanisms. The Macmillan Com., New York 1941.
LÖTHER, R.: Medizin in der Entscheidung. VEB Deutscher Verlag der Wissenschaften, Berlin 1967.
LÖWENSTEIN, W. R., und KANNO, Y.: Scientific American 222, Nr. 5/78, 1970.
LÜBBEN, H.: Das Herdproblem in der Sicht des Neuraltherapeuten (Thorraduran-Therap., Hüls [1962], 3).
LUZUY, M.: Les infiltrations du sympathique. Masson, Paris 1950.

MACKENZIE, J.: Krankheitszeichen und ihre Auslegung. Kabitzsch Verlag, Leipzig 1921.
MAKOWSKY, L.: Überanstrengungsperiostosen (Med. Klin. [1949], 1).
MANDL, F.: Blockade und Chirurgie des Sympathikus. Springer Verlag, Wien 1953.
MARTIN, E.: Die Bedeutung der Segment-Diagnose für den Praktiker. VEB C. Marhold Verlag, Halle/Saale 1954.
MARX, E.: Der heutige Stand der Procain-Therapie (K. H. 3). Fortschr. Med. 15/1961).
MERCKELBACH, F.: Die Bedeutung des Herdgeschehens in der Orthopädie (Herdtherap. [1955], 4).
— Neuraltherapie nach HUNEKE (Neuralmed. [1955], 3).
— Neuraltherapie in der Orthopädie (siehe VOSS, H. F.: Deshalb Neuraltherapie).
MINK, E.: Behebung der Therapieresistenz beim habituellen Abortus durch Neuraltherapie der Schilddrüse. Zbl. Gynäk. 33/1959.
— Neuraltherapie und Verwachsungen. Zbl. Gynäk. 23/1963.
— Pelvipathie, ihre Diagnose und Behandlung. Der Frauenarzt 6/1971.
— Grundbegriffe der gynäkologischen Procaintherapie. Der Frauenarzt 1 und 2/1972.
— Die Technik der gynäkologischen Procaintherapie. Der Frauenarzt 3 und 5/1972.
— Procaintherapie nach Huneke in der Gynäkologie. Karl F. Haug Verlag, Heidelberg 1973.
MOLDENSCHARDT, H.: Über die Neuraltherapie des Morbus Basedow (Zschr. ärztl. Fortbild. [1956], 50).
MÖLLHOFF, G.: Nebenwirkungen und Gefahren bei der intrazisternalen Therapie nach REID mit Procain-Coffein-Gemischen (Med. Sachverst. [1962], 58).
— Zwischenfälle bei der intrazisternalen Therapie nach REID mit Procain-Coffein-Gemischen (Med. Welt. [1963], 2401).
MORA, S.: Die Novocainblockade des vegetativen Nervensystems. VEB, G. Thieme Verlag, Leipzig 1962.

MÜCKE, R.: Ein Beitrag zur Behandlung organischer und funktioneller Herderkrankungen mit Impletol (Neuralmed. [1954], 2).
MUSCHAWEK, R.: Lokalanästhesie als Heilmethode in ihrer historischen Entwicklung (Hippokrates [1965], 22).

NAMBIAR, K. C.: Intra carotid injection of Novocaine. Stanley Hospital, Madras. Archiv-Mitt. Farbwerke Hoechst AG.
NONNENBRUCH, W.: Die doppelseitigen Nierenerkrankungen. F. Enke Verlag, Stuttgart 1949.
— Die Lehre von RICKER und SPERANSKI und ihre Anwendung auf eine Ganzheitsbetrachtung in der Nierenpathologie (Regensb. Jb. ärztl. Fortbg. [1949], 1).
— Das Sekundenphänomen (Med. Welt [1951], 35).

OLTERS, E.: Die Behandlung der Pankreopathie mit Novocaininjektionen (Medizinische [1956], S. 1088).

PARADA, J. F., u. MOLINA, F. J.: Intravenöse Procainanästhesie, eine argentinische Methode (Anästhesist [1963], 12).
PAWLOW, I. P.: Sämtliche Werke, VEB Verlag Volk und Gesundheit, Berlin.
PENDL, F.: Ischias und präsakrale Infiltration (Wien. klin. Wschr. [1949]).
PERGER, F.: Untersuchungen über den Wirkungsmechanismus der hochmolekularen Fettsäuren im Elpimed (Med. Klin. [1956], 31).
PETSCHKE, H.: Die Wirkung von Impletol-Injektionen an dem oberen Mandelpol (Ärztl. Sammelbl. [1953], 42).
PHILIPPIDES, D.: Die Technik der temporären Ausschaltung des lumbalen Grenzstranges (Chirurg. [1941], 17).
PIOTROWSKI, H.: Rheuma-Therapie einmal anders. Praxis-Kurier 31—35/1972.
PISCHINGER, A.: Neue Auffassung über das Vegetativum, seine Organisation und Bedeutung für das Herdgeschehen (Österr. Zschr. Stomat. [1956], 12).
— Die vegetativen Grundlagen des Herdgeschehens (Österr. Zschr. Stomat. [1963], 8).
— Theoretische Grundlagen der Herderkrankung (Therap.woche [1965], 24).
— Die Objektivierung des Sekundenphänomens. Phys. diät. Ther. 6/1965.
— Das Regulations- und Abwehrsystem mit Bezug auf die Herzmuskelfunktion und auf das Krebsproblem. Phys. Med. u. Rehab. 2/1971.
— Die Grundregulation. Ehk. 10 und 11/1971, 2/1972.
— Das System der Grundregulation. Karl F. Haug Verlag, Heidelberg 1975.
PLESTER, D.: Zur Klärung des Wirkungsmechanismus von Novocain bzw. Impletol bei Durchblutungsstörungen (Klin. Wschr. [1951], 12).
PLETNEWA und FRATKIN: Anwendung des Novocainblocks in der ophthalmologischen Praxis (Sovet. Vestn. oftalm. [1935], 7).
PREUSSER, W.: Die Gelosen-Massage (Hippokrates [1957], 14).
PUCK, T. T.: The use of x-irradiated HeLa cell giants to detect latent virus in Mammalian cells. Virology 3/1957.

RATSCHOW, M.: Kritisches zur Wirkungsbreite der Neuraltherapie (Dtsch. med. Wschr. [1951], 10).
REID, G.: Zysternale Therapie zentralbednter Störungen des Nervensystems bei enzephalen und perienzephalen Erkrankungen (Hippokrates [1958], 22).
— Zysternale Impletoltherapie zentraler Störungen des Nervensystems (Therap.woche Dez. [1958]).
— Zisternale Therapie bei Störungen des Zentralnervensystems (Ärztl. Praxis [1960], 12).
REINHARDT, P.: Anosmie und Neuraltherapie. Erfahr.hk. 3/1971.
REISCHAUER, F.: Untersuchungen über den lumbalen und zervikalen Bandscheibenvorfall. G. Thieme Verlag, Stuttgart 1949.
RICKER, G.: Pathologie als Naturwissenschaft, Relationspathologie. J. Springer Verlag, Berlin 1924.
— Allgemeine Pathophysiologie von A. D. SPERANSKY. Hippokrates-Verlag, Stuttgart 1948.
RITTER, R.: Therapie der fokalen Infektion unter der Theorie von RICKER und SPERANSKI (Zahnärztl. Welt [1950], 2).
v. ROQUES, R.: Die Behandlung schwerer Tonsillenerkrankungen mittels der Stellatumanästhesie (Münch. med. Wschr. [1950], 3).
— Die Stellung der Heilanästhesie in der Pathologie und Therapie (Münch. med. Wschr. [1940], 2).

SCHADÉ, J. P.: Die Funktion des Nervensystems. G. Fischer Verlag, Stuttgart 1969.
SCHAEFERS und GOECKE, H.: Erfahrungen mit der Neuraltherapie in der gynäkologischen Praxis (Med. Klin. [1954], 41).
SCHARFBILLIG, Ch.: Die Kantharidenblasenbehandlung. Hippokrates-Verlag, Stuttgart 1938.
SCHEIDT, C.: Problem- und Fragestellung bei Verdacht auf odontogene Herdkrankheiten. J. F. Lehmann's Verlag, München 1942.
SCHEIDT, W.: Das vegetative System. R. Hermes Verlag, Hamburg 1947.
SCHLEICH, K. L.: Schmerzlose Operationen. J. Springer Verlag, Berlin 1898.
SCHLIACK, H.: Neuraltherapie und Segmentbegriff (Ärztl. Mitt. [Köln-Berlin] [1960], 39).
SCHMELZER, H.: Die Neuraltherapie in der Augenheilkunde. VEB C. Marhold Verlag, Halle/Saale 1953.
SCHMID, J.: Neuraltherapie. Springer-Verlag, Wien 1960.
SCHMITT, W.: Die Novocainblockade des Ganglion Stallatum. J. A. Barth Verlag, Leipzig 1955.

SCHOELER, H.: Stellungnahme zu dem Aufsatz von G. BODECHTEL: „Neuraltherapie", Betrachtungen eines Schulmediziners (Münch. med. Wschr. [1955], 99).
— Elektrische Behandlungsmöglichkeit vegetativer Krankheiten und Regulationsstörungen (Medizinische [1957], 52).
— Die WEIHE'schen Druckpunkte, 7. Aufl. Karl F. Haug Verlag, Heidelberg 1976.
— Zur elektrischen Untersuchung von Narben. In GROSS, D.: Therapie über das Nervensystem, Band 2. Hippokrates-Verlag, Stuttgart 1965.
SCHULTZ, I. H.: Das autogene Training. G. Thieme Verlag, Stuttgart 1952.
SCHWAMM, E.: Bericht über das Infrarot-Symposium 1969 in Freudenstadt. Verlag für Physik. Medizin, Heidelberg 1971.
— Thermografische Störfelddiagnostik. In DOSCH, P.: Freudenstädter Vorträge, Band 2. Karl F. Haug Verlag, Heidelberg 1974.
SEEGER, P. G.: Eine gezielte Therapie des Krebses: Die Zehn-Wege-Therapie (Ars medici [1966], 3).
— Krebs — Problem ohne Ausweg? Verlag für Medizin, Heidelberg 1974.
SEITHEL, R.: Rachendachhypophyse und Nasenrachenraum. In DOSCH, P.: Freudenstädter Vorträge, Band 2. Karl F. Haug Verlag, Heidelberg 1974.
— Thermografische Störfelddiagnostik. In DOSCH, P.: Freudenstädter Vorträge, Band 2. Karl F. Haug Verlag, Heidelberg 1974.
SELYE, H.: Einführung in die Lehre vom Adaptionssyndrom. G. Thieme Verlag, Stuttgart 1953.
DE SÉZE et DURANT: Infiltration du sympathique cervical dans le traitement de la sclérodermie (Soc. Méd. Hôp. Paris Jul. [1944]).
SIEBEN, W.: Anaphylaktische Erscheinungen nach Novocaininjektionen (Schweiz. med. Wschr. [1952], 2).
SIEGEN, H.: Theorie und Praxis der Neuraltherapie mit Impletol. Staufen Verlag, Köln 1953.
— Das nervale Störfeld (siehe VOSS, H. F.: Deshalb Neuraltherapie).
— Die immunologische Ausgleichung von Spender- und Empfängerorganismus, eine klassisch-neuroregulative Aufgabe. In DOSCH, P.: Freudenstädter Vorträge, Band 2. Karl F. Haug Verlag, Heidelberg 1974.
SIEGERT, H.: Neuraltherapie nach Dr. HUNEKE in der Veterinärmedizin (Med. heute [1961], 3).
SIGGELKOW, H.: Die intravasale Procain-Therapie. Th. Steinkopff Verlag, Dresden 1970.
SIEGMUND, H.: Naturwissenschaftliches Denken in der modernen Pathologie (Dtsch. med. Wschr. [1954], 75:74).
SOLLMANN, A. H.: Kranio-kaudale Herdbezeichnungen im Organismus. Ehk. 4/1971.
SOMMER, M.: Über Beeinflussung von Spastik und Ataxie bei der multiblen Sklerose mittels temporärer Sympathikusausschaltung (Med. Wschr. [1952], 2).
SPANOPOULOS, G.: Neuraltherapeuthische Erfahrungen (Neuralmed. [1954], 2).
SPERANSKY, A. D.: Grundlage einer Theorie der Medizin. Sänger Verlag, Berlin 1950.
SPIESS, G.: Die Heilwirkung der Anästhetika (Zbl. inn. Med. [1902], 9).
— Die Bedeutung der Anästhesie in der Entzündungstheorie (Münch. med. Wschr. [1906], 8).
SPRUNG, H. B.: Grundlagen der Sympathikuschirurgie. Th. Steinkopff Verlag, Leipzig 1951.
STACHER, A.: Möglichkeiten der medikamentösen Steuerung von Herderkrankungen (Österr. Zschr. Stom. [1963], 10).
— Zur Therapie der Panmyelopathien (Schweiz. med. Wschr. [1964], 38).
— Die Therapie der Herderkrankungen (Therap.woche [1965], 24).
— Über das Huneke-(Sekunden-)Phänomen und seine Objektivierung (siehe VOSS, H. F.: Deshalb Neuraltherapie).
STERN, L. S.: Die direkte chemische Beeinflussung der Nervenzentren (Sowjetwissenschaft [1948], 3).
STIEFVATER, Erich W.: Praxis der Akupunktur. 4. Aufl. von „Akupunktur als Neuraltherapie". Verlag für Medizin Dr. Ewald Fischer, Heidelberg 1974.
STOEHR, Ph. jr.: Beobachtungen und Reflexionen zur pathologischen Histologie des vegetativen Nervensystems (Ärztl. Wschr. [1946], 8).
— Bemerkungen über die Endigungsweise des vegetativen Nervensystems (Acta Neuroveget. [1950], 1).
STURM, A.: Das neurovegetative Problem bei der Herdinfektion (N. med. Welt [1950], 29).
SUDECK, P.: Die sog. akute Knochenatrophie als Entzündungsvorgang (Chirurg [1942], 14).

TROSTDORF, E.: Die Kausalgie. G. Thieme Verlag, Stuttgart 1956.
TYPL, H.: Veränderungen im gynäkologischen Raum vor und nach neuraltherapeutischer Behandlung (siehe VOSS, H. F.: Deshalb Neuraltherapie).

UNGER, H.: Die intravenöse Novocainbehandlung (Pharmazie Berlin [1953], 1—2).
URI, J.: Die intravenöse Novocain-Therapie und ihre theoretischen Grundlagen (Pharmazie, Berlin [1957], 10).
VAN USSEL, E. M.: Die Stellatumblockade und ihre Anwendung beim Status asthmaticus (Kon. Vlaamse Acad. Geneesk. Brussels [1949], 11/5).

VARRO, J.: Ergebnisse und Beobachtungen in der Geschwulstbehandlung (Zschr. Internat. Med. Ges. Blut- u. Geschwulstkrkh. [1966], 13).
VEIL, W. H., und STURM, A.: Die Pathologie des Stammhirns. G. Fischer Verlag, Jena 1946.
VELHAGEN, K.: Klinisches und Theoretisches zur Neuralpathologie und -therapie des Auges (Graefes Arch. Ophth. [1950], 150).
VICHI, F. und FALDI, S.: Impletol als Diagnostikum bei fokalbedingten Gefäßspasmen in der Retina (Giorn. ital. oftalm. [1953], 3).

VODDER, E.: Die manuelle Lymphdrainage und ihre medizinischen Anwendungsgebiete (Erfahr.hk. [1966], 7).
VOGEL, M., und HAFERKAMP, H.: Biologisch-Medizinisches Taschenjahrbuch 1962 und 1963. Hippokrates-Verlag, Stuttgart.
VOGLER, P., und KRAUSS, H.: Periostbehandlung. G. Thieme Verlag, Leipzig 1953.
VOLL, R.: Wechselbeziehungen von Odontomen zu Organen und Gewebssystemen. In DOSCH, P.: Freudenstädter Vorträge, Band 2. Karl F. Haug Verlag, Heidelberg 1974.
VOSS, H. F.: Kongreßberichte der Int. Gesellschaft für Neuraltherapie, Freudenstadt 1959, 1960 und 1961.
— Deshalb Neuraltherapie. ML-Verlag Dr. Blume & Co., Uelzen 1968.
VOSSCHULTE, K.: Grundlagen der Schmerzbekämpfung durch Sympathikusausschaltung. Urban & Schwarzenberg, Berlin 1949.

WACHTER, H.: Subkutane Impletolinjektionen in die obere Bauchgegend bei schwer stillbarem Nasenbluten (Hippokrates [1951], 14).
WAGNER, G.: Neuraltherapie und Sekundenphänomen (Zahnärztl. Rdsch. [1956], 65).
WEDELL, G.: Brit. med. Bull. 3/1945:167.
WEINBERG, M. H.: Neural therapy (Indian Practioner 1957 März).
WENDLING, D.: Das Sekundenphänomen bei odontogenen Fokal-Erkrankungen (Zahnärztl. Praxis [1953], 4).
WERKMEISTER, H.: Neuraltherapie und Strahlenbehandlung Krebskranker. In DOSCH, P.: Freudenstädter Vorträge, Band 2. Karl F. Haug Verlag, Heidelberg 1974.
— Die Anwendung von Lokalanästhetika in der Nachsorge strahlenbehandelter Tumorkranker. Deutscher u. österr. Rö.-Kongreß Wien 1973. G. Thieme Verlag, Stuttgart 1974.
WISCHNEWSKI, A. W.: Der Novocainblock als eine Methode der Einwirkung auf die Gewebetrophik (Zbl. Chir. [1935], 13).
—, A. A., und A. W.: Die Novocainblockade und die Ölbalsam-Antiseptica als besondere Art der pathogenetischen Therapie. VEB Verlag Volk und Gesundheit, Berlin 1956.
WOJTEK, H.: Die Carotis-Sinus-Blockade im Rahmen der Schockbekämpfung (Zbl. Chir. [1952], 43a).

ZABEL, W.: Die zusätzliche Therapie der Geschwulstkrankheiten. Karl F. Haug Verlag, Heidelberg 1970.
ZIPF, H. R.: Die Allgemeinwirkung der Lokalanästhetika, S. 189. G. Thieme Verlag, Stuttgart 1959.
— Lokalanästhetika und Nervensystem (in Band 5: Therapie über das Nervensystem von GROSS, D.). Hippokrates-Verlag, Stuttgart 1966.
ZUKSCHWERDT, L. u. a.: Wirbelgelenk und Bandscheibe. Hippokrates-Verlag, Stuttgart 1955.

Namensregister

Adler	95	Gross	17, 18, 22, 45, 83, 84, 105, 229
Altmann	41	Gutzeit	16
Arvanitaki	38		
Aslan	28, 124, 130, 137, 138, 179, 209	Hansen	17, 67, 77
Auberger	229	Hardt	18, 31, 34
		Härtel	16
Baunscheidt	154	Head	15, 68, 77
Bavink	53	Heilmeyer	54, 120
Becke	127	Heppner	257
von Bergmann	222	Herget	259
Bergsmann	45, 56, 72, 173	von Hering	14, 15
Bischko	136	Herophilus	230
Boerhaave	142	Heusterberg	200
Bogolepow	132	Hippokrates	11, 18, 58
Bonica	11	Hirsch	22, 208, 233, 279
Botkin	22	Hochrein	140, 156, 159, 183
Bottyan	119	Hoff	14, 40, 45, 59, 88, 92, 105
Braeucker	17	Hopfer	40, 47, 56, 83, 105, 119, 190, 313
Braun	16	Hufeland	126, 313
Bruce	29	Huneke	16, 33, 51
Brück	242		
Bykow	17, 19, 22, 23, 26, 27, 48, 65, 132	Janzen	329
		Jasper	38
		Jores	54, 87
Carlile	190		
Cathelin	15	Kanno	66
Chipault	79	Katz	38
Clara	77	Keil	22, 234
Cornelius	16	Kellner	11, 41, 44, 46, 47, 56, 83, 84, 88, 104, 121
Dalichow	18	Kern	125
Descomps	181, 262, 264	Kibler	16, 17, 18, 69, 272
Dick	69	Kimball	37
Dicke	18, 73, 74	Kindling	122, 153
Dittmar	17, 68, 77, 173, 244, 262	Klussmann	61
Donzellini	40	Knaus	141
Doronin	244	Kneipp	20, 57, 154
Dosch	260	Kohlrausch	17
Druschky	116	Koller	15
		Kothbauer	69, 107, 207
Eichholtz	34, 83, 224, 226	Kötschau	88
Einhorn	15, 224	Kracmar	47
Essen	40	Krause	199
		Krauss	18, 73, 113
Fenner	119	von Krehl	55
Fleckenstein	18, 31, 32, 34, 83, 225	Kretzschmar	110, 194
Fleischhacker	11, 47, 56, 84, 136	Kuhlenkampff	223
Fließ	102	Kurzin	23, 26, 48, 132
Fontaine	17, 139, 260		
Förster	77	Lampert	178
Frank	15	Lange	22
Fuchs	135	Laotse	53
		Läwen	16
Gläser	18	Léger	323
Goecke	152	Lendle	329
Goethe	28, 51, 330	Leprince	102, 290
Gohrbandt	178	Leriche	12, 16, 17, 28, 51, 59, 63, 132, 146, 151, 195, 243, 258, 260
Goldflam	106		
Gotsch	118		
Granit	38		
Grekow	132	Leube	18, 73, 74

Lewit	113	Scheidt	18, 40, 66, 245, 313
Liek	59	Schellong	119
Lohmann	216	Schleich	12, 15, 16, 17, 56, 163
Löther	53	Schleicher	140
Löwenstein	66	Schmidt	38, 105
Luzuy	202, 225	Schmitt	251
		Schneider	22
Mackenzie	16, 68, 74	Schoeler	56, 83, 84, 104, 123, 214
Mandl	114, 132	Schwamm	83, 84, 122
Martin	77	Schweigart	209
Martius	170	Schweninger	221
Marx	130, 152	Seeger	169
Merckelbach	118, 162, 212	Seithel	323
Michal	162	Sellheim	16
Mikulicz	15	Selye	18, 45, 46, 263
Mink	127, 146, 277	Setschenow	
Möllhoff	329	de Séze	260
Morgenstern	58	Shwartzman-Sanarelli	22, 39, 84, 127
Monnier	38	Siegen	17, 21, 56, 83, 128, 208, 279
Much	30, 127	Siegmund	40
Muschawek	22, 226	Sollmann	93, 101
		Spanopoulos	184, 203
		Spengler	119
Nambiar	132, 244	Speranski	16, 17, 19, 21, 22, 23, 26, 27, 62, 75, 86, 93, 143, 238, 243, 287
Newton	51		
Nietzsche	26, 241		
Nonnenbruch	18, 65, 88, 105, 171	Spieß	12, 15, 17, 26, 29, 142, 166, 223, 226
Ognew	17	von Staa	17, 67, 77
Oltmanns	119	Stacher	11, 43, 44, 47, 56, 83, 103, 136
Pape	119	Standel	121
Paracelsus	70, 88, 232	Stender	213
Parada	279	Stern	114
Parade	16	Stockinger	66
Pässler	16	Stöhr	17, 20, 21, 29, 83
Pawlow	15, 19, 22, 26, 48, 58, 226	Strumann	221, 320
Pendl	18, 166, 309	Sturm	17
Penzoldt	123	Sunder-Plassmann	66
Perger	44, 45, 145		
Petkov	184	Tardieu	26
Pischinger	11, 18, 19, 29, 37, 40, 44, 46, 47, 56, 66, 83, 88, 104, 118, 136, 145, 225, 229	Thompson	37
		Trousseau	238
		Typl	152
Planck	60, 87	Unna	55
Plato	57	Uri	225
Plester	22		
Ponndorf	154	Varro	170
Porfirev	212	Veil	17
Prager	56	Virchow	21, 29, 55
Preusser	73	Vogler	18, 73, 113, 190
Puck	163	Volhard	70, 183
		Wagner von Jauregg	178
Rademacher	234	Wartenberg	115, 327
Ratschow	60, 69, 103, 138	Watt	51
Reid	25, 114, 115, 244	Wedell	38
Reilly	26	Wedenski	27
Remky	118	Weihe	15
Reischauer	112, 164, 226, 233, 248, 282	von Weizsäcker	76
Reitter	26	Wischnewski	16, 17, 18, 22, 26, 34, 70, 108, 147, 162, 198, 209, 264
Ricker	16, 17, 19, 20, 21, 22, 26, 27, 63, 128, 162		
		Wolkewitz	122
Ritter	26		
von Roques	12, 17	Zipf	133, 161, 232, 329

Sachregister

Abdomen	91
Abdomen, akutes	69, 184
Abhusten	161
Abnutzungserkrankungen	127
Abort	91, 110, 127, 249, 275, 277
Abrasio	91, 275
Abszeß	21, 90, 128
Abwehr	42, 44, 45, 46, 48, 63, 82, 124, 170, 176, 308
Acetylcholin	228
Achillodynie	128
ACTH	322
Adaptationskrankheit	263
Adaptationssyndrom	18, 45
Adduktoren-Spasmus	303
Adenoide Wucherungen	322
Aderhauterkrankungen	128
Aderlaß	47, 62
Adhäsionsbeschwerden	128
Adipositas	107, 128
Adnexe	77, 110, 128, 249, 275, 316
Adrenalin	103, 229, 234
After	129, 247, 309
Agrypnie	111, 129
Akne	129
Akrodermatitis	129
Akromioklavikulargelenk	272
Akroparästhesien	129
Akrozyanosen	129, 183, 258
Akupunktur	15, 20, 33, 52, 57, 68, 105, 109, 132, 153, 154, 230
Albuminwerte	125
Allergie	22, 39, 84, 108, 129, 145, 186, 216, 233
Alles-oder-Nichts-Gesetz	81
Allgemeinbefinden	225
Alopezie	129, 221, 319
Alter	124
Altersbeschwerden	130
Altersgangrän	264
Altschichtbild	18
Alttuberkulin Koch	221, 308
Alveolitis	324
Amaurose	130
Ambu-Beutel	222
Ameisensäure	33
Amenorrhö	130
Amputationsnarbe	107
Amputationsstumpf	266
Amputations-Stumpfschmerzen	130
Analerkrankungen	130
Analgetika	224
Analpruritus	312
Analschließmuskel	290
Analzone	317
Anämie	130, 136
Anamnese	89
Anästhesie	27
Anästhesie, Oberstsche	305
Anästhesiewirkung	30
Angiitis obliterans	131
Angina lacunaris	131
Angina pectoris	52, 58, 98, 111, 131, 156, 177, 258, 290, 292
Anginen	89, 90, 92, 176, 258, 320, 322
Angiospasmen	183
Angst	140, 177, 206, 291, 319
Ankylosen	62
Anodenblock	35, 352
Anonyma	280
Anosmie	131, 293
Anoxie	131
Antibiotika	47, 64, 70, 145
Antidepressiva	64
Antidromreflex	225
Antigen-Antikörper-Reaktion	22, 39, 84, 129
Antihistaminika	59
Antihistaminstoffe	224
Antikoagulantien	91, 235, 251
Antiphlogistika	59
Antipyretika	151
Antisepton	119
Anulus fibrosus	135
Anurie	131, 264, 306
Aorta	77, 265, 269
Aortenerkrankungen	131
Aortitis	156
Aphasie	131
Apoplexie	131
Appendektomie	71, 109, 110, 128
Appendix	46, 81, 109, 143
Appendizitis	24, 62, 102, 109, 132
Aqua bidest.	69, 187
Aqua dest.	228
Arm	79
Armplexus-Neuralgie	258
Armplexus-Neuritis	132
Arrhythmie des Herzens	132
Arsen	130
Arterenol	234
Arteria brachialis	244
Arteria carotis	181, 244
Arteria femoralis	245
Arteria subclavia	244
Arteria temporalis	245
Arteria tibialis posterior	246
Arteria vertebralis	177
Arterien	243, 258, 306
Arteriitis temporalis	133, 178
Arteriosklerose	125, 133, 285
Arthralgien	133
Arthritis	133, 270, 317
Arthropathien	133
Arthrosis	270, 317
Arthrosis deformans	258, 271
Arzneimittel-Allergie	133
Asepsis	223
Asthma	52, 89, 108, 111, 140, 177, 221, 287, 292, 308

Asthma bronchiale	101, 133, 258, 290, 322	Blinddarm	109
Asthma cardiale	133	Blinddarmreizung	91
Asymmetrie	45, 84, 322	Blindheit	62
Aszites	134	Blockade	33, 252
Atemnot	133	Blut	43, 225
Atemstillstand	234	Blutbild	21, 44, 71, 84, 136, 171
Atlas	219, 285	Blutbilduntersuchungen	19
Atmung	65	Blutbildveränderung	136
Atophan	224	Blutdruck	125, 161, 183, 224, 268, 313
Atophanyl	51	Blutegel	68
Augen	78, 111, 117, 256, 258	Bluterguß	137, 153
Augenerkrankungen	128, 134, 181, 244, 253	Bluthochdruck	137, 161
		Blut-Liquor-Schranke	25, 226, 287
Augenlicht	112	Blutungsanomalien	91, 152, 249
Augenlider	293	Blutzucker	103
Ausschabungen	110, 249	BMÄ	247
Außenseiter	54, 237	Bottyan-Test	119
Autogenes Training	58, 61	Brachialgia paraesthetica nocturna	71
Autonomie	24, 48, 62	Brachialgien	110, 137, 183, 258, 300
Avitaminose	61	Bronchialasthma	137
Axillarisblock	301	Bronchiektasien	116, 137, 262
Axonreflex	28	Bronchien	77
Azetylcholin	38, 41	Bronchitis	101, 137
		Bronchopneumonie	108
		Brustwirbelsäule	316
		Bürgersche Krankheit	258, 266
Bäckerasthma	108	Bursa subdeltoidea	272
Bakterien	24, 40, 43, 53, 145, 154, 223	Bursitis	137, 258, 271, 317
Balneologie	57		
Bandscheibenschaden	109, 113, 114, 135, 170, 280	Carbocain	229
Bandscheiben-Vorfall	112	Carbostesin	229
Bänder-Risse	139	Carotidynie	137
Bänder-Zerrung	317	Carotis-Sinus-Reflex	232
Basedow	135	Carpulen	229
Bauchaorta	244, 265	Carpulen-Spritzen	221, 324
Bauchdrüsen-Tuberkulose	135	Causat	227
Bauchoperation	135	Chalazion	293
Bauchschmerzen	177	Charlin-Syndrom	137
Bauchspeicheldrüse	108, 136, 185	Chemotherapeutika	47, 64, 70, 145
Baycain	229	Chipaultsche Regel	79
Bechterew	292, 323	Chirotherapie	20, 57, 113
Bechterewsche Krankheit	136	Chirurgen	63
Beckenboden	136, 248, 249, 275, 309	Cholangitis	137
		Cholelithiasis	137
Beckengrund	247	Cholera	91, 108, 264
Beingeschwüre	136	Cholesteatome	194, 311
Beschwerden, rheumatische	105	Cholesterin	45, 133
Beschwerden, zyklusgebundene	249	Cholezystektomie	128, 186
Bestrahlung	68	Cholezystitis	91, 137
Bestrahlungstherapie	57	Cholezystopathie	53, 69, 103, 106, 185, 186, 264, 293
Betablocker	159, 208		
Bettnässen	136		
Bewegungs-Test	119	Cholinesterase	224
Bezold-Jarisch-Reflex	279	Chorea	140
Bindegewebe	40, 41, 48, 66, 73	Chorea minor	137, 287
Bindehaut	135	Chorioretinitis disseminata	137
Blase	202, 290, 309, 310	Cisterna cerebellomedullaris	114
		Citrovorum-Faktor	224
Blasenerkrankungen	136	Claudicatio intermittens	137, 183, 282, 310
Blepharitis	136, 294		
Blepharospasmus	134, 136	Coffein	226, 234
Blickwendephänomen	327	Cofficain	227

Sachregister

Cofocain	226		245, 257, 258, 280, 300, 306
Colon	77	Durchfall	91, 108, 139, 264
Colopathie	137	Dysbakterie	116
Coma hepaticum	137	Dysbasia angiospastica	139, 245
Commotio	137, 140, 258	Dysbasie	281, 282
Commotio cerebri	315	Dyshidrosis	139
Contusio cerebri	137, 140, 315	Dyskinesien	186, 275
Coramin	222, 234	Dysmenorrhö	91, 102, 111, 139, 150, 152, 249, 275, 290, 292, 308, 316
Cortex	263		
Cortisol	91		
Cortison	63, 91, 97, 139, 222, 224, 234, 268		
Costen-Syndrom	137	Dysmetrie	115, 327
Cumadin	91	Dyspepsie der Säuglinge	140
Cutis marmorata	72	Dyspnö	140, 173
Cutivaccine Dr. Paul	308	Dysregulationen, vegetative	217
		Dystonie, neurovegetative	183
		Dystonie, neurozirkulatorische	183, 187
		Dystonie, orthostatische	195
Damm	247, 284, 304, 309	Dystonie, pulmonale	140
		Dystonie, vegetative	101, 115, 140, 206, 319
Dammriß	91, 104, 138, 290		
Dammschutz	148	Dystrophia musc. progressiva	199
Darm	97, 108, 116, 138, 166, 170, 187, 191, 264, 291, 319	Dystrophie	141
		EEG	39, 71
Dekompensation	258	Effortil	234
Dekubitalgeschwüre	266	Eigenblut	62, 152
Dentitio difficilis	324	Einartikulation	324
Depolarisation	31, 41, 84, 223, 225	Einmal-Spritzen	221
		Eiterung	90
Depot-Novanaesth	228	Ejaculatio praecox	141, 209
Depression	63, 115, 138, 327	Eklampsie	130, 141, 258, 264
Dercumsche Krankheit	128, 138		
Dermatitis	138	Ekthyma	91, 104, 141
Dermatom	65, 68	Ekzem	27, 52, 92, 101, 116, 141, 154, 262, 318, 321
Dermographismus	72, 156		
Dermo-jet	221, 315, 324		
Desensibilisierung	170, 308	Elastoplast	217
Diabetes	71, 138	Elektroakupunktur	99
Diabetes insipidus	138, 285	Elektro-Herd-Test	121, 290
Diaethyl-amino-aethanol	224	Elektrolyt	
Diagnose	54, 58, 70, 88, 89	Elektrolytwert	84
Diagnostik	73	Elektronenmikroskopie	41
Dickdarm	185, 245	Elektrophorese	
Dicumarol	91	Elektrophysiologie	76
Dienzephalon	225, 244	Elephantiasis	141
Diphtherie	90, 92, 140, 176, 208	Ellenbogen	272, 317
		Ellenbogen-Erkrankungen	142
Disposition	43, 82, 144	Elpimed-Injektionen	62, 64, 204
Distorsionen	116, 139	Elpimed-Test	44
Diurese	225	Embolie	142, 258, 266, 306
Dodecatol	227		
Dornfortsätze	74	Emphysem	130, 142
Dosierung	230	Emphyem	186
Dreiringspritze	221	Endarteriitis obliterans	142, 183
Dualzahlen	81	Endokarditis	91, 116, 142
Duhringsche Krankheit	139	Endokrinium	67
Dünndarm	77, 185	Endometritis	142, 152, 249, 275, 277, 316
Duodenum	77		
Duplaysche Krankheit	139	Endothelschranke	257
Dupuytrensche Kontraktur	71, 92, 104, 139, 290	Endotrachealtubus	222
		Energie	41, 84
Duralsack	79	Engstand	324
Durchblutungsstörungen	82, 101, 112, 139, 164, 183, 244,	Entbindungen	110, 142, 153, 249, 275

Enteritis necroticans	142	Fieber	110, 145, 322
Entschlackung	62	Fieber, rheumatische	40
Entzündung	28, 81, 82, 117, 142, 223, 228	Finger	91, 92, 146, 275
		Fischer-Spritzen	221, 324
Enuresis	221	Fissura ani	146
Enuresis nocturna	142	Fissuren	130
Enzephalitis	114, 140, 143, 327	Fisteln	90
		Flatulenz	146
Enzephalomalazie	143	Flügelgaumengrube	257
Enzephalomyelitis	114, 327	Fluor	91, 110, 140, 152, 249, 275, 316
Enzyme	225		
Eosinophilen	45, 103	Fluor vaginalis	146
Ephapsen	38	Foco-spot-Gerät	122
Epididymitis	143, 312	Föhn	146, 235
Epidural	79	Foetor ex ore	90
Epidural-Anästhesie	247	Folsäure	138, 224
Epigastrium	264	Fokus	18, 24, 52, 93, 119
Epikondylitis	71, 92, 143, 198, 258		
		Foramen ovale	255
Epilepsie	62, 143, 258, 285, 287, 315	Foramina sacralia	248
		Formatio reticularis	39, 263
Episkleritis	135, 144	Formicain	123
Erbkrankheiten	62	Fossa ovalis	246
Erbleid	143, 144	Fox-Fordycesche Krankheit	146
Erbrechen	101, 144, 177	Frankenhäusersche Ganglien	249
Erektionsschwäche	209	Frankenhäuserscher Plexus	47
Erfrierungen	91, 144, 257, 266, 300, 306	Frakturen	90, 91, 146, 164, 211, 257
Erkrankungen, allergische	101, 258, 262	Frakturstelle	104
Erkrankungen, funktionelle	147	Fremdkörper	72, 83, 95, 320
Erkrankungen, gynäkologische	151, 310, 316	Fremdkörper-Ganulome	104
Erkrankungen, psychogene	201	Frigidität	146, 249, 275
Erkrankungen, vertebragene	217	Frontal-Neuralgien	293
Erkrankungen, zyklusgebundene	275	Frostschäden	146
„Er-Reger"	24	Furunkel	90, 147
Ersatzkassen-Adgo	242	Furunkulose	27
Erscheinungen, allergische	140	Fuß	284
Erscheinungen, migräneartige	140	Füße, kalte	147
Ertaubung	194	Fußgelenk	305
Erysipel	144, 158	Fußpilze	179
Erythema fugax	72		
Erythrodermien	145	Gänsehaut	72
Erythromelalgie	145	Galle	52, 53, 110, 186, 291, 306
Esberitox-Test	119		
Etagen-Diagnostik	281	Gallenblase	69, 77, 81, 92, 106, 108, 147, 185, 264, 316
Eupaverin	159		
Euphorie	232		
Evipan	234	Gallenkolik	110, 190
Exanthemen	155	Gallensektor	70
Exodontismus	97	Ganglien	65, 251
Exophthalmus	145	Ganglion	147
Exostose	116	Ganglion cervicale	257, 262
Extrasystolie	145	Ganglion ciliare	253
Extradural-Anästhesie	247	Ganglion Gasseri	255
		Ganglion geniculi	182
Fasten	62	Ganglion pelvicum	250
Fazialislähmung	145, 258	Ganglion pterygopalatinum	181, 256
Fazialisparese	311	Ganglion sphenopalatinum	256, 292
Fazialisspasmus	145	Ganglion stellatum	16, 52, 101, 153, 257
Fehlgeburt	127, 145		
Ferment	83	Gangrän	144, 147, 245
Fernstörungskrankheit	37	Ganzheit	56, 65
Fersenbein-Sporn	145	Ganzheitsmedizin	15
Fettleber	185	Ganzheitstherapie	12, 56, 89
Fettsucht	145	Gastritis	147, 186
Fibrillen	31	Gastrische Krisen	147

Gaumen	92, 147, 256, 298	Grenzstrang	17, 66, 70, 108, 264
Gaumenmandel	298	Grippe	151
Gebärmutter-Erkrankungen	147	Großhirnrinde	23, 27, 48
Gebührenordnung	242	Großzehen-Test	118
Geburtshilfe	147, 247, 250, 304	Grundgewebe	41
Gefäße	29, 75, 148, 225, 258	Grundlagen, rechtliche	242
		Gürtelrose	151
Gegenregulation	62, 136	Gymnastik	114
Gehirn	148, 285	Gynäkologen	110
Gehörgang	79		
Gehörgangsfurunkel	91		
Geisteskrankheiten	148, 201	Haarausfall	24, 129, 153, 172, 319
Gelbsucht	148	Halbseitenstörungen	114
Gelenke	92, 228, 266, 270, 317	Hallux valgus	91, 104, 154, 204
Gelenkentzündungen	52	Hals	258, 299
Gelenkinjektion	270	Halssympathikus	77, 258
Gelenkmaus	116	Halswirbelsäule	71, 77, 258
Gelenkrheumatismus	89, 150, 204	Halswirbelsäulen-Syndrom	154
Gelenkversteifung	258	Hämatome	153, 255, 317
Gelosen	73, 150, 203, 219, 278	Hämaturien	269
		Hämoptoe	153, 262
Genitale	153, 247, 249, 275	Hämorrhoiden	154, 247
		Harnblase	77
Genitalschmerz	150	Harnflut	177
Geriatrie	28, 124, 312	Harninkontinenz	154
Gerstenkorn	151	Harnleiter	306
Geruchstörungen	151	Harnröhre	247, 309
Gesäßgegend	285	Harnverhaltung	154
Gesamtmilieu	37	Hartspann	73, 154, 219, 278
Gesamtumschaltung	45	Haut	68, 72, 75, 91, 101, 222, 317, 318
Geschlechtskrankheiten	91		
Geschwüre	27, 151	Hautdesinfektion	
Gesichtsödem	151, 258	Hauterkrankungen	154
Gesichtsschmerzen	151, 256, 293	Hautkrankheiten	27
Gestosen	151	Hautreizverfahren	57
Gewichtsabnahme	319	Hautschreibstift	74
Gicht	151, 270, 308	Hauttemperatur	45
Gingicain-Spray	324	Hautwiderstand	72
Gingvitis	151, 324	Headsche Zonen	69, 72, 102
Glaskörperblutungen	134, 151	Heilanästhesie	16, 26, 35, 52, 231
Glaukom	108, 111, 134, 135, 151, 244, 258	Heilkunst	53, 55
		Heiserkeit	319
Gleichgewichtsstörungen	151, 315	Hemikranie	155
Globularwert	137	Hemiplegie	116, 132, 155, 244
Globulinwert	125		
Glomerulonephritis	40, 151	Hepatitis	91, 108, 155, 185
Glossopharyngeus-Neuralgie	151, 298	Hepatopathie	120
Glukokortikoide	91	Herd	24, 40, 41, 42, 48, 94
Glukose	160		
Glykolyse	31	Herdnephritis	155
Glykoside	159	Herdprovokation	136
GOÄ	247	Herdprovokationsmethode	47
Gonarthritis	323	Herpes corneae	134, 182
Gonarthrose	151, 317	Herpes simplex	155
Gonorrhö	91, 110, 111, 249, 275, 312	Herpes zoster	71, 116, 135, 155, 215, 225, 244, 258, 318
Gracilis-Syndrom	151, 303		
Granatsplitter	105, 120	Herz	74, 77, 93, 105, 116, 155, 224, 258, 316
Granulom	95		
Granuloma anulare	151		
Granulozytopenie	44, 136		
Grenzflächen	31	Herz-Arrhytmien	159
Grenzflächenpotential	31	Herzerkrankungen	73, 155

Herzglykosid	61	Hyperämie	21
Herzinfarkt	159	Hyperästhesie	73
Herzinsuffizienz	258	Hyperazidität	187, 264
Herzjagen	140	Hyperazidität des Magens	161
Herzklopfen	206, 319	Hyperemesis gravidarum	161
Herzmassage	160	Hyperhidrosis	161, 258, 266
Herzneurose	156	Hyperkeratosen	154
Herzrhythmusstörungen	159	Hypermenorrhö	161
Herzstillstand	159	Hypersekretion der Zervix	161
Herzstörung	107	Hypersensibilität	73
Heufieber	160, 308	Hyperthyreose	101, 162, 206, 258, 319
Heulzwang	131, 319		
Heuschnupfen	91, 101, 160, 181, 256, 262	Hypertonie	161, 258
		Hypertonieform	93
Hexenschuß	160	Hyperventilations-Tetanie	233
Hiatushernie	160, 186	Hypnose	29, 58
Hiatus sacralis	79, 247	Hypnotika	64
Hinterkopf	296	Hypochonder	115
Hinterwand-Infarkt	159	Hypoglossus	262
H-Ionen	31	Hypopharynx-Karzinom	258
Hirnembolie	160	Hypophyse	92, 138, 147, 263, 322, 327
Hirnhautkrankheiten	160		
Hirnödem	160, 257	Hypophysenstörungen	162
Hirnrinde	23	Hypothalamus	24, 25, 162
Hirntumor	71, 160	Hypothyreose	162, 206, 319
Hirnverletzung	160		
Hirschsprungsche Krankheit	160, 264	Ichthyosis	154, 162
Histamin	225, 228	Ikterus	155, 162, 186, 264
Histamin-Bindehaut-Test	118		
Hitzschlag	160	Ileum	77
Hoden	77, 111, 209, 284, 304	Ileus	162, 264
		Ilioinguinal-Syndrom	162
Hodenerkrankungen	91, 160	Iliosakral-Insuffizienz	92
Hodensack	309	Immunologie	39
Homöopath	15	Impfgabel	221
Hordeolum	160, 293	Impfnarben	105
Hörminderung	194	Impletol	16, 52, 226
Hormon	70, 147, 161, 225, 322	Impotenz	162
		Inaktivitätsatrophie	162
Hormonal	66, 127, 209	Infarkt	116, 162
Hormonhaushalt	65	Infekte	83
Hormonmangel	61	Infektion	39, 223
Hornerscher Symptomenkomplex	261	Infektionskrankheiten	62, 162
Hornhaut	24, 161	Infiltrat	83, 104
Hornhauterkrankungen	135, 244	Infiltration, intramuskuläre	278
Hörstörungen	52, 161	Infiltration, retrobulbäre	253
Hostacain	224, 229, 233	Infiltration, präperitonale	288
Hüftarthrosis	303	Infiltration, präsakrale	309
Hüftgelenk	92, 272, 318	Infiltrations-Anästhesie	15
Hüftgelenkerkrankungen	161	Infiltration, transsakrale	248
Hühneraugen	104, 161, 290	Information	35
Humerusende	146	Infrarot	83, 122
Humoralpathologie	21	Infrarotabstrahlung	72
Huneke-Phänomen	44, 51, 59, 70, 81, 83, 84, 86, 87, 229	Infrarotdiagnostik	84
		Injektion, intramulare	152, 277
Huneke-Test	119	Injektion, intravenöse	279
Huntsche Fazialisneuralgie	161	Injektionskanülen	221
Huntsche Neuralgie	182	Injektion, paranephrale	264
Hustenreiz	161	Injektion, perirenale	264
Hyaluronidase	148, 198	Innenohr-Schwerhörigkeit	163, 191, 194, 258, 311, 315
Hydrocephalus internus	161		
Hydrocortison	198	Insektenstiche	163, 212, 318
Hydrops, kardialer	161	Inspektion	72
Hypazidität	187, 264	Insulin	47, 138
Hypazidität des Magens	161	Insulin-Lipodystrophie	163
Hyperalgesie	73	Interkostalbereich	306

Interkostal-Nerven	74, 163	Kieferhöhlenaffektionen	91
Interkostalneuralgie	15, 163, 277	Kinn	166, 296
Intermedius	328	Kinnbereich	79
Intermedius-Neuralgie	163	Klavikula	146
Interzellular-Flüssigkeit	41	Klima	83
Intrakutanquaddel	75, 314	Klimakterium	83, 152
Intubationsbesteck	222	Klimakterische Beschwerden	166
Ionenpermeabilität	34	Kloßgefühl	206, 319
Iridozyklitis	134, 163, 253	Kneippkur	62
Iritis	135, 163, 244	Kneippsche Anwendung	57
Irritationszentren	18, 45	Knie	93, 317
Ischämie	21, 112	Kniearthrose	100, 105, 150, 303
Ischias	52, 111, 135, 163, 273, 310, 317, 323	Kniegelenke	246, 274, 318
		Kniegelenks-Erkrankungen	166
Ischiasnerven	163, 280	Knöchelödeme	166
Ischiaswurzel	282, 306	Knochen	66, 73, 81, 91, 107, 172
		Knochenbrüche	74, 166
Jackson-Epilepsie	52, 143	Knochennekrose	166
Jecoffin	226	Kochsalz	47
Jejunum	77	Kochsalz-Umschläge	215
Jodometrie	19, 46, 64, 84	Kohabitationsbeschwerden	166, 249, 275
Jodstoffwechsel	207	Kokzygodynie	166, 182, 248
Juckreiz	35, 154, 168, 200, 318	Kohlenoxyd-Vergiftung	166
		Koliken	106, 160, 166, 184
Kaiserschnitt	152	Kolikschmerzen	69, 103, 293
Kaliumionen	31	Kolitis	166
Kallusbildung	146, 164, 211	Kollaps	167, 234
Kalzium	31, 45	Kolonspasmen	166
Kalziumsalz	224	Kolpitis	167
Kalziumwerte	84	Konisation	152
Kammerflimmern	164, 258	Konjunktiva	135, 233
Kanthariden	72	Konjunktival	118
Kanthariden-Pflaster	47, 309	Konjunktivitis	134, 167, 182, 294
Kanülen	221		
Kapillar-Test	118	Kontraktur	62, 167, 278
Kapselarthritis	52, 164, 258	Kontraktur, Dupuytrensche	71, 92, 104, 139, 290
Karbunkel	90, 164		
Karbunkelnarbe	104	Konvulsionen	233
Kardiospasmus	164	Konzentrationsschwäche	137, 167
Karotis-Sinus-Reflex	268	Kopf	258
Karpaltunnel-Syndrom	164	Kopfschmerz	52, 71, 111, 115, 140, 167, 249, 253, 255, 256, 285, 288, 290, 294, 315
Karzinom	71, 114, 164, 168, 278		
Kassenabrechnung	236		
Katarakta	165	Kopfschmerzformen	244, 258, 292
Katarrhe der oberen Luftwege	165	Kopfschwarte	137, 285, 315
Katecholamine	41	Korakoiditis	168
Kaudaler Block	247	Koronarinsuffizienz	168
Kausalgie	165, 258, 266, 300	Koronarsklerose	125, 156, 168
		Koronarspasmen	159, 168, 312
Kavernen	173	Kortex	27
Kehlkopf	165, 182, 296	Kortikoiden	136
Kehlkopfgegend	79	Kortikoidpräparate	139
Keloid	165, 289	Kortikosteroide	145
Keratitis	25, 134, 135, 165, 182, 253	Kontraindikation	235
		Koxalgie	323
17-Ketosteroiden	103	Koxarthrosis	168
Keuchhusten	166, 316	Koxitis	168, 323
Kiefer	79	Krampfader-Entzündung	168
Kieferbereich	324	Krankheit	169
Kiefergelenk	137	Krankheit, Bechterewsche	136
Kiefergelenk-Erkrankungen	166	Krankheit, Dercumsche	128, 138
Kieferhöhle	101, 166, 180, 293		

Krankheit, Duhringsche	139	Lokalanästhetika	229
Krankheit, Duplaysche	139	Lokastin	227
Krankheiten, psychogene	61	Lues	71
Kranzgefäß-Erkrankungen	168	Lues cerebri	171
Kraurosis vulvae	168	Luft	314
Krebs	39, 62, 168	Luftembolie	148, 171
Kreislauf	65	Lumbago	15, 52, 135, 163, 171, 235, 282, 306
Kreislaufkollaps	179		
Kreislaufstörungen	21		
Kreuzbeingegend	317	Lumbal-Anästhesie	138
Kreuzbeinkanal	247	Lumbalpunktion	172, 288
Kreuz-Lenden	92	Lumbal-Segment	65
Kreuzotterbiß	170	Lumbosakral-Neuralgie	172
Kreuzschmerzen	102, 110, 113, 170, 248, 249, 275	Luminalnatrium	159
		Lunatum-Malazie	172
		Lunge	77, 116, 173
Krisen, gastrische	147	Lungenbluten	24, 153, 258
Kropf	171	Lungenembolie	148, 172, 258, 277
Kulipunkt	218		
Kurzwellenbestrahlungen	70	Lungen-Erkrankungen	133, 172, 316
Kurzwellendurchflutungen	26, 287	Lungengangrän	27
Kurzwellentherapie	20	Lungenverletzungen	173
Kybernetik	65, 169	Lungenzone	102
		Lupus erythematodes	155
		Luxationen	173
Labyrinth-Schwindel	171, 191	Lymphadenitis	116
Lähmungen	79, 106, 171	Lymphdrüsen	96
Lähmungen, postdiphtherische	287	Lymphe	246
Langzeit-Antikoagulantien	235	Lymphgewebe	41
Laryngitis tuberculosa	258	Lymphödem	258
Laryngoskop	222	Lymphozyten	63
Larynx-Karzinom	258	Lymphozythose	44
Lasègue	281	Lymphstauungen	176
Lateralsklerose, amyotrophe	171	Lymphsystem	92
Lebensnerven	20, 58	Lymphweg	93
Leber	52, 53, 62, 77, 81, 103, 108, 185, 229, 264, 291, 306, 316	Lyssa	208
		Mackenziesche Zonen	69, 73
Leber-Erkrankungen	171	Magen	52, 53, 74, 77, 81, 108, 111, 185, 264, 291, 306, 316, 319
Leistenbereich	306		
Leistungsknick	90, 114		
Leitfadenringe	18		
Leitplasmodium	41	Magenerkrankungen	176, 293
Leitungs-Anästhesie	324	Magengeschwüre	24, 140, 190
Lenden	79	Magengrube	69, 288, 316
Lendenbereich	306	Magensektor	108
Lendenblockade	266	Magie	57
Leukämie	171	Magnesium	45
Leukoplakie	171	Makula	258
Leukotomie	114	Malignomschmerzen	277, 306
Leukozyten	44, 45, 72, 136, 173, 313	Mal perforant	176
		Malum coxae	105, 235
Libido	171, 209, 316	Malum coxae senile	111, 176, 323
Lichen	171	Mandelabszesse	90, 92, 320
Lichtscheu	171, 256	Mandelentzündung	176
Lider	135	Mandeln	81, 92
Lidocain	148, 229	Mandibulargelenk	181
Lidzucken	171	Mangelkrankheiten	61
Linsentrübung	171	Marcumar	91, 235, 251, 266
Lipodystrophia progressiva	171	Massagen	20, 33, 57, 68, 114
Liquor	114, 268, 269		
Liquorpumpe	25, 288	Mastdarm	176, 247, 310
Littlesche Erkrankung	171	Mastdarmstörungen	248
Lokaffin	227	Mastitis	116, 176
Lokalanästhesie	16, 31, 35	Mastodynie	176

Mastoiditis	177, 315
Mastopathie	176
Maximaldosis	232
McBurneyscher Punkt	109
Medianus-Parese	177
Medulla oblongata	101
Megakolon	177
Melancholie	177
Menbranleitung	37, 66
Membranpotentiale	26, 31, 34
Ménièresche Krankheit	244, 258
Ménièresches Syndrom	177
Meningitis	102, 140, 177
Menorrhagie	152, 177, 275, 316
Menstruation	83
Mensurnarben	105
Mepivacain	148
Meralgien	177, 303
Merkaptan	94
Mesenchym	41, 83
Mesenchymgewebe	73
Meteorismus	275
Metrorrhagie	177, 316
Migraine cervical	177, 258
Migräne	16, 48, 51, 177, 206, 239, 245
Migräneanfälle	103
Migräneformen	167, 258
Miktionsbeschwerden	91, 111, 125
Miktionsstörungen	178, 200, 312
Milchproduktion	207
Milchschorf	178, 321
Milieu	41
Milz	77
Mineralhaushalt	64
Mittelfuß	92
Mittelohr	315
Mittelohreiterungen	91, 258
Mittelohrentzündung	194, 311
Mittelohrerkrankungen	178
Mnemodermie	155
Monarthritis	178
Monozyten	44, 137
Morbus Basedow	319
Morbus Bechterew	92, 178
Morbus Boeck	178
Morbus Dercum	178
Morbus Little	178
Morbus Ménière	71, 178
Morbus Parkinson	178
Morbus Raynaud	178
Morbus Scheuermann	92
Morbus Sudeck	178
Morphium	63, 234
Moxa	68
Multiple Sklerose	178, 264
Mumps	179
Mund	324
Mundatmen	92, 322
Mundschleimhauterkrankungen	179
Musculus pterygoideus	138
Muskel	66, 112, 179
Muskeldystrophie	179
Muskelkater	179, 278
Muskelkrämpfe	179
Muskelparesen	179
Muskelrelaxans	222
Muskelrheumatismus	203, 308
Muskelschmerzen	179
Muskulatur	73, 225
Myalgia lumbalis	179
Myalgien	179, 278
Myelosen, funikuläre	179
Mykosen	179
Myogelosen	179
Myokarderkrankungen	179
Myokardinfarkt	159, 258
Myokarditis	91, 116
Myo-Melcain	227
Myometritis	152, 278
Myositis ossificans	179
Myotonia congenita	179, 212
Nabel	179
Nabelgegend	96
Nachbarschafts-Reaktion	240
Nachschmerz der Operation	179
Nacken	77, 180, 298
Nackenkarbunkel	180
Narben	72, 81, 82, 90, 103, 180
Narbenulzera	266
Nase	91, 180, 258, 290
Nasenflügel	293
Nasenmuschel	180, 290
Nasen-Nebenhöhlen	101, 180, 291, 323
Nasenspray	221, 291
Nasenwurzel	103
Natrium bicarbonicum	33
Natriumionen	31
Natriumwert	84
Navikulare-Malazie	181
Nebenhoden	77
Nebenhodenentzündung	116
Nebenhoden-Erkrankungen	91, 181
Nebenhöhlen	91, 133, 290, 323
Nebenhöhlenaffektionen	91
Nebenhöhleneiterungen	24, 258
Nebenhöhlenstörfelder	101
Nebennieren	93
Nebennieren-Insuffizienz	181
Nekrose	21, 83, 129, 181
Neoplasma	181
Nephrolithiasis	184
Nephropathien	181, 264
Nephrose	258
Nerven	75
Nerven-Austrittspunkte am Kopf	293
Nerven-Blockade	32, 34, 35, 229
Nerven-Erkrankungen	181
Nervenpunkt-Detektor	122, 153
Nervensystem	23, 65, 224
Nerven, zuführende	292
Nervi occipitales	296
Nervi palatini	296
Nervismus	15, 22
Nervosität, gesteigerte	319
Nervotest	123
Nervus alveolaris inferior	296

N. auricularis magnus	194, 195, 311	Oberbauch	108, 111, 277, 316, 317
N. auriculotemporalis	182		
Nervus cutaneus femorlis lateralis	182, 303	Oberbauchbeschwerden	120
Nervus facialis	145, 182	Oberbaucherkrankungen	69, 185, 288
Nervus femoralis	302	Oberkiefer	256, 293
N. fibularis	305	Oberlippe	293
Nervus glossopharyngeus	151, 182, 298	Oberlippen-Furunkel	191
Nervus infraorbitalis	293	Oberschenkel	303, 317
N. ilioinguinalis	162	Obstipation	70, 106, 108, 111, 190, 191, 264, 275, 310
Nervus intercostales	182		
Nervus intermedius	182		
Nervus laryngeus	182, 296	Ödeme	134, 145, 160, 191
Nervus mandibularis	255		
Nervus maxillaris	256	Oesophagus	77, 195
Nervus medianus	301, 302	Ohren	78, 91, 100, 181, 258, 291
Nervus mentalis	296		
Nervus nasociliaris	182	Ohren-Erkrankungen	191, 315
Nervus obturatorius	303	Ohrleiden	311
Nervus occipitalis	285	Okzipital-Neuralgien	195
Nervus peroneus	285	Olekranon	146
Nervus phrenicus	77, 299	Oligurie	306
Nervus pudendus	182, 304	Omarthrosis	195
Nervus radialis	301	Operation	83, 90
Nervus saphenus	305	Operationsfolgen	195
Nervus supraorbitalis	103, 182, 285	Operationsnarben	104
N. suralis	305	Operationsvorbereitung	195
Nervus tibialis	285, 305	Ophthalmie, sympathische	195
Nervus trigeminus	182	Optikus-Neuritis	134, 195
Nervus ulnaris	301, 302	Orabet	138
Netzhaut	181, 258	Orchitis	101, 195
Neuralgie	181, 219, 253, 258, 280, 296, 308	Organ-Transplantationen	39
		Os sacrum	74
		Osteochondrose	115
Neuralpathologie	23	Osteochondrosis	195, 258
Neuraltherapeutika	226	Osteomyelitis	52, 95, 196
Neuraltherapie	11, 12, 20, 35, 51, 57	Osteoporose	196, 266
		Otitis externa	101, 311
Neurasthenie	61, 115, 182, 287	Otitis media	27, 48, 52, 101, 140, 194, 196, 311, 315
Neuritiden	182, 308		
Neuritis nervi optici	134, 182		
Neurodermatitis	182	Otosklerose	194, 196
Neurodermitis	91	Ovar	152, 290, 319
Neurodystrophie	25	Ozaena	91, 180, 196, 258
Neuroleptika	64	Ozontherapie	170, 245
Neuro L 90	227		
Neurom	90, 182		
Neuropront	123	Palpation	72
Neuroretikulum	29, 66	Panaritium	196, 305
Neurose	111, 115	Pankreas	74, 77, 196, 264, 306
Neurotiker	63, 101, 115, 177		
Neuroton	123	Pankreatitis	91, 108, 264
Neurotropan Hy	227	Panmyelopathie	136
Neurovegetativum	41, 54, 57, 58, 66, 83, 117	Panophthalmie	196
		Pantocain	103
Niere	77, 93, 183, 264, 269, 306	Paraaminobenzoesäure	129, 133, 138
		Paralysis agitans	196, 285, 315
Nierenbecken	316	Parametritis	196, 249, 309, 316
Nierenpol	70, 264		
Nierensteine	91	Parametropathia spastica	196
Niesanfälle	210	Paraplegia spastica	197
Niesreiz	256	parasternal	314, 315
Noradrenalin	38, 234	Parästhesien	35, 101, 183, 197, 300
Novadral	234		
Novocain	16, 26, 27, 31, 224, 227, 232	Parasympathicus	65
		Paravertebral-Anästhesie	306
Nucleus pulposus	135, 185	Parazentese	91
Nystagmus	185		

Parazervikalblockade	249	Plexus carotideus	262
Paresen	179	Plexus cervicalis	271, 298, 299
Parkinsonismus	197	Plexus coccygeus	248
Parodontopathie	324	Plexus hypogastricus	317
Parodontose	24, 95, 116, 197	Plexus-Neuralgien	300
Parotitis epidemica	197	Plexus-Neuritis	199
PAS	224	Plexus pudendus	283
Pasconeural	228	Plexus sacralis	247, 248, 280, 283
Patella	146		
Paukenhöhle	298	Plexus tympanicus	182
Pectoralis-minor-Syndrom	277	Plexus utero-vaginalis	249
Peitschenschlag-Syndrom	197	Pneumonie	91, 116, 133, 179, 258, 277
Pelveoperitonitis	197		
Pelvipathia vegetativa	249, 275	Pneumothorax	268
Pemphigus	197	Pocken	212
Pendl-Infiltration	309	Pocken-Impfkomplikation	199
Penis	197, 247, 284, 309	Polarisierung	84
		Poliomyelitis	179, 200, 212
Penizillin-Test	119	Polyarthritis	62, 82, 97, 98, 108, 111, 150, 200, 204, 287, 308
Penthotal	234		
Periarthritis			
Periarthritis humeroscapularis	71, 92, 197, 258, 271		
		Polyneuritis	139, 182, 200
Peridural-Anästhesie	306	Polypragmasie	70, 216
Perikard-Erkrankungen	198	Polysklerose	178, 200
Perikarditis	91, 116	Ponndorf-Impfung	20, 26, 47, 62, 133, 142, 149, 221, 287, 308
Perineum	304		
Periode	111, 250, 285		
Periodenstörungen	110	Portio	250
Periodontien	324	Portio erosion	277
Periost	68, 73, 117, 190	Portio uteri	247, 309
Periost-Erkrankungen	91, 198	Postcholezystektomiesyndrom	110, 120, 200
Periost-Segmentreaktion	172	Postischialgische Durchblutungs-	
Periostitis	74	störungen	282
Periostose	198, 258	Potential	31, 41, 46, 49, 56, 83, 163, 225
Periphlebitis retinae	134, 198		
Peristaltik	154	Potentialentladungen	26
Periston	228	Potential-Test	122
Peritoneal-Tuberkulose	198	Potenzstörungen	200, 209
Peritoneum	75, 110, 288	PP-Nadel	221
Peritonitis	101, 109, 198	Präperitoneale Infiltration	288
Peritonsillarabszesse	320	Prästase	21
Perniziosa	70, 71	Präurämie	258
Pertussis	198, 221	Prednison	47, 62, 63, 91, 134
Petechien	118		
Phantomschmerzen	258, 266, 306	Prellungen	200
Pharyngea	92	Priapismus	200
Pharyngitis	199	Prilocain	230
Phenyl-Butazon	47, 64	Privat-Adgo	242
Phlebitis	199, 245	Procain	22, 26, 27, 31, 51, 52, 124, 144, 155, 165, 166, 177, 179, 184, 224, 232, 277, 308, 311
Phlegmasia alba dolens	199		
Phlegmone	186, 199, 300		
Phrenicus	77		
Photophobie	199		
Physiotherapie	55		
Placenta accreta	277	Procain-Bindehaut-Test	233
Plenosol	33, 149, 228	Procain-Blockade	35
Pleura	75, 277	Procaintherapie	12
Pleuraempyem	105	Procain-Zwischenfälle	232
Pleura-Schock	199, 208	Procainum hydrochloricum	227
Pleura-Schwarten	91, 116, 133	Processus mastoideus	101, 311, 314, 315
Pleuritis	91, 116, 133, 199, 258, 277		
		Progesteron	127
Plexus	65, 308	Prokopin	227
Plexus brachialis	271, 305	Proktalgia fugax	200
Plexus caroticus	181	Prontosil	222

Prophylaxe	75, 93
Prosopalgie	181
Prostata	81, 90, 91, 111, 125, 247, 309, 312, 316
Prostatahypertrophie	111, 312
Prostata-Erkrankungen	200
Prostatakarzinom	248
Provokation	47, 86, 119
Provokationsmethoden	117
Prurigo	200
Pruritus	200, 275, 304, 310, 318
Pseudarthrosen	146, 201
Pseudorheumatismus	203
Psoassyndrom	201
Psoriasis	27, 109, 201, 318
Psyche	29, 58
Psychogene Krankheiten	61
Psychopharmaka	64
Psychopath	101
Psychose	201, 287
Psychosomatik	27
Psychotherapie	55, 57, 59, 133
Pulmonal-Erkrankungen	201
Pulpitis	121
Pyelitis	201
Pyelonephritis	200
Pylorospasmus	187, 201, 264
Pyramidon	224, 233
Pyrifer-Test	119
Quaddel	75, 221
Quaddel-Therapie	313
Querschnittslähmung	202
Querschnittsläsion	135
Quetschungen	202
Quicktest	91, 235
Quickwerte	251, 268
Quinckesches Ödem	202
Rachendach	321
Rachenmandel	90, 92, 322
Rachenmandelentfernungen	90
Radikulärneuritis	219
Radialis-Lähmungen	202
Radialis-Parästhesien	202
Radikulitis	202
Radiojodtherapie	319
Raum, gynäkologischer	110, 275
Raum, retrostyloidaler	262
Raynaudsche Formenkreis	183, 202
Raynaudsche Gangrän	258
Raynaudsche Krankheit	257
Reaktion	46
Recofix	221
Reflex	67
Reflex-Anurie	202
Reflexzonen	101
Regelbereich	19
Regelkreise	83
Regelstörungen	202, 246
Regenbogenhaut-Entzündung	202
Regio retrostyloidea	263
Regulation	27, 37, 45
Regulation, neurovegetative	39
Regulations-Blocker	47, 64, 91
Regulationskreise	41
Regulationsstarre	45, 47, 62, 86, 118, 287
Regulationssystem	66
Regulations-Therapie	59
Regulierungs-Mechanismen	56, 83
Reithosen-Anästhesie	247
Reiz	44, 231
Reizblase	202
Reizgedächtnis	18, 25, 75, 116
Reizhusten	292
Reizknie	202
Reizkörper-Therapie	47, 59, 308
Reizleitungssystem	66
Reizschwelle	25
Reiztherapie	33, 68, 229
Reizung	27
Reizzentrum	82
Rekordspritzen	221
Rektrum	77
Relations-Pathologie	16, 20
Renten-Neurose	202
Repolarisation	32, 41
RES	47
Rezeption	26
Restostitis	95, 324
Retentionszyste	90
Retina	134
Retinitis	71, 202
Retrobulbär-Neuritis	202
Retrostyloidaler Raum	262
Rezeption	26
Rezeptoren	28
Rezidiv	25
Rhagaden	202
Rheomacrodex	222
Rheuma	52, 75, 77
Rheumakranke	104
Rheumatisch-neuralgisch	117
Rheumatismus	203
R.H.S.	41
Rhinitis	292, 311
Rhinitis atrophicans	204
Rhinitis vasomotorica	108, 181, 204, 256, 258
Rhythmus-Störungen	204
Riesenzelle	104
Rippen	91, 146
Rippen-Frakturen	204, 277, 306
Rippen-Resektion	104, 105
Risse, emmetsche	152
Roemheld-Komplex	205
Romberg	115, 327
Röntgenbestrahlung	63
Röntgenbestrahlung, therapeutische	154
Röntgen(bild)	113, 270
Röntgengeschwüre	266
Röntgen-Status	94
Röntgen-Test	119
Röntgen-Therapie	20
Rosazea	205
Rückenmark	65, 79

Rückenschmerzen	163, 170	Schweißdrüsen-Abszeß	209
Ruhr	91, 108, 264	Schwerhörigkeit	52, 71, 91, 108, 191, 209, 322
Rutin	224	Schwindel	52, 115, 137, 140, 191, 194, 209, 235, 285, 291, 311, 315
Sakral-Anästhesie	247		
Sakral-Segment	65	Scurocaine	224
Sakroiliakal-Gelenk	273	Sectio caesarea	277
Salyrgan	160	Sedativa	64, 140
Säuglings-Dyspepsie	91	Seele	59
Säuglings-Toxikose	205	Segment	37
Säure-Basen-Haushalt	22	Segmentan	69, 228, 233
Sartorius	184, 317	Segmentbereich	
Sauerstoff	169	Segmentdiagnostik	67, 76
Sauerstoff-Stoffwechsel	31, 45	Segment-Therapie	16, 52, 63, 69, 238
Scandicain	148, 224, 229, 233	Sehnen	75
Schädelbruch	115	Sehnenscheiden-Erkrankungen	209
Schambein-Ostitis	205	Sehnerven-Atrophie	134
Scharlach	90, 92, 140, 176	Seitenregel	76
Scharlach-Otitis	205	Sekunden-Phänomen	17, 44, 52, 71, 81, 86
Scheide	205, 247, 250, 309	Selbstheilungskräfte	33
Schenkelhals-Fraktur	205	Senkung	71
Scheuermannsche Erkrankungen	205	Sensibilisierung	25, 84, 129
Schiefhals	205, 213	Sensibilitätsprüfung	72
Schielen	135, 205	Sensibilitätsstörungen	79, 209
Schienbein-Entzündung	205	Sensiotin	228
Schilddrüse	127, 153, 205, 319	Sepsis	40, 209, 264
Schizophrenie	207	Septumverbiegungen	91
Schlaflosigkeit	52, 137, 182, 207, 235, 285, 315	Serotonin	31
		Serum	21, 84, 136
Schlafstörungen	114, 140	Serumexanthem	107, 129
Schlangenbiß	39, 170, 207, 318	Serumkrankheit	209, 212, 223
Schlattersche Krankheit	166, 208	Serumschock	279
Schläfe	78	Shwartzman-Sanarelli-Phänomen	22, 39, 84, 127, 129, 279
Schleimhaut	81, 101, 181, 208, 308	Siebbein	101, 290, 323
Schluckbeschwerden	208, 296, 298	Siebbeinzellen-Affektionen	293
Schlüsselbein	91	Siebbeinzellen-Erkrankungen	209
Schmerz	16, 28, 31, 82, 112, 183	Siebbeinzellenherd	103
Schmerzen, postoperative	200	Silberamalgam	95, 122
Schnupfen	91, 180, 208	Silikat	104
Schnauzenreflex	327	Silikose	209, 292, 316
Schock	27, 45, 47, 208, 234, 244	Simulant	115
		Singultus	187, 209, 292, 299
Schock, anaphylaktischer	131, 208	Sintrom	91, 235
Schreibkrampf	208, 300	Sinusitis	209, 292, 294, 311
Schreibmaschinen-Krankheit	208		
Schröpfköpfe	68	Skalenus-Syndrom	258
Schrumpfniere	62, 183, 208	Sklera	135
Schrunden	208	Skleritis	134, 182, 209
Schulmedizin	53	Sklerose	
Schulter-Arm-Syndrom	208, 258	Sklerödem	210
Schultergelenk	52, 271	Sklerodermie	210, 318
Schultergelenk-Erkrankungen	208	Skrotum	247
Schultern	77, 92, 298, 300, 317	Sludersche Neuralgie	210
		Solu-Decortin H	268, 329
Schulterrheuma	15	Spät-Phänomen	86
Schultersteife	208	Spannungs-Pneumothorax	269
Schwangerschaft	127, 275	Spasmen	35, 210
Schwangerschafts-Beschwerden	208	Spenglersan	47, 119
Schweiß	45, 319	Spengler-Test	119
Schweißausbrüche	101, 107, 209	Sphincter ani	247

Sphinkter	248	Sudecksche Dystrophie	266
Splanchnikus-Anästhesie	264	Sudecksche Erkrankung	258
Spondylarthritis ankylopoetica	210	Sudecksches Syndrom	146, 183, 211
Spondylarthrosis	210	Suggestion	57, 107, 218
Spondylitis	323	Suggestivwirkung	240
Spondylosis	135, 170	Suizidgedanken	114
Sportverletzungen	210, 317	Supraorbital-Neuralgie	91, 211
Sprachzentrum	116	Suprarenin	234
Spritzen	221	Sympathikus	29, 35, 63, 65, 71, 113, 183, 262
Spritzen-Abszesse	91, 104, 223		
Sprunggelenke	274, 317	Sympathikus-Chirurgie	59, 243
Star	165, 210, 253	Sympathikus-Grenzstrang	251
Starrkrampf	26, 210, 212	Symphyse	197
Stase	21	Symprocain	228
Statistik	59, 214, 258	Symptom	70
Status asthmaticus	108, 111	Symptomenkomplex, postcommotioneller	285
Status epilepticus	258		
Staublunge	210	Synacthen-Depot	64
Stauungsniere	210	Synapsen	19, 30, 37, 38, 46
Steißbeinprellungen	91, 116	Syringomyelie	211
Steißlagen	91	Szintigrafie	319
Steißschmerzen	210		
Stellatum	101		
Stellatumblockade	232	„Tabatière"	138
Stenose	210	Tabes	211
Sterilisator	221	Tachycholin	228
Sterilität	210, 249, 275, 316	Tachykardie	160, 177, 211, 258, 319
Sternum	91	Talkum	104, 290
Stiftzähne	90, 94	Tarsalgie	211
Stillsche Erkrankung	210	Taubheit	62, 212
Stirnhöhle	102	Tendinose	258
Stirnhöhlen-Affektionen	293	Tendovaginitis	212, 317
Stirnhöhlen-Erkrankungen	210	Tennisellenbogen	212
Stirnhöhlenherd	103	Terminalretikulum	17, 21
Stirnkopfschmerz	134, 293	Testmethoden	117
Stoffwechsel	23	Testator	94, 121
Stomatitis	90, 95, 210, 324	Testinjektion	76
Störungen, funktionelle	152	Tetanie	212
Störungen, hormonale	107, 161	Tetanus	25, 26, 39, 208, 212
Störungen, neurozirkulatorische	183		
Störungen, sexuelle	209, 247, 312	Thalamus	28, 131
Störfeld	18, 33, 37, 38, 53, 81, 82, 117, 207, 239	Therapie	
		Thermovision	122
		Thomsensche Erkrankungen	212
Störfeldcharakter	92	Thorakal-Segment	65
Störfeldsuche	91	Thorax	11, 91
Stottern	210	Thorax-Kontusion	212
Strabismus	210	Thrombo-Angitis	183, 212
Streptomycin	130	Thrombophlebitis	104, 116, 149, 179, 212, 264
Streß	83		
Strophantin	159	Thymoleptika	64
Struma	206, 211, 258, 319	Thymozyten	63
		Thymusdrüse	92
Strumitis	319	Thyreoidea	213
Stufengesetz	21	Thyreotoxikosen	319
Stumpfneuralgie	266	Tic	213, 311
Stumpfschmerzen	211	Toleranz	42, 234
Stuttgarter Hundeseuche	26	Tollwut	212, 213
Styloiditis	198, 211	Tolycain	229
Subkortex	27	Tonsilla palatina	320
Subokzipital-Neuralgien	211	Tonsilla pharyngea	322
Subokzipitalpunktion	329	Tonsillar-Abszeß	213, 258
Subtivakzin	47, 119	Tonsillektomie	62, 90, 92, 320
Succinylcholin	222	Tonsillen	41, 89, 90, 91, 140, 176, 321
Sudeck	71, 300, 306		

Tonsillotomie	90, 320	Urethritis	91, 111, 216, 312
Torsionsdystonie	213	Urina spastica	216
Torticollic rheum.	92	Urogenitalsystem	184, 246
Tortikollis	115, 213, 278, 298, 300	Urogenitaltrakt	316
		Urogenitalzone	102
Toxine	38, 40, 53, 154, 207, 212	Urtikaria	101, 155, 216, 262
Training, autogenes	58, 61	Uterus	77, 127, 147, 152, 225, 277, 279, 290
Transfusions-Schock	213		
Tränendrüsen-Erkrankungen	213		
Tränenträufeln	256		
Tranquilizer	64		
Transmittersubstanzen	46	Vagina	152, 317
Transsakrale Infiltration	248	Vaginal-Pruritus	239
Trigeminus	101, 213, 255, 293	Vaginismus	216
		Vagus	65, 262, 327
Trigeminusäste	290	Vakzine	62
Trigeminus-Neuralgie	16, 30, 60, 71, 97, 120, 213, 256, 293, 296, 298	Varizen	91, 150, 216
		Vasokonstriktoren	21
		Vasolabilität	140
Trigger points	137, 182, 213	Vasomotorik	45, 83
Trismen	255, 311	Vasoneurosen	217
Trochanter major	322	Vegetativum	17, 42, 45
Trophik	45	Vena anonyma	280
Trophoneurotische Ulzera	215	Venenentzündung	217
Tuba Eustachii	298	Verbrennungen	217, 257, 266, 300
Tuberkel	245		
Tuberkulose	62, 71, 91, 153, 173, 215, 258	Verbrennungsschock	264
		Verdauung	65, 108, 217
Tuber maxillae	323	Verjüngung	123, 130, 217
Turgor	72, 206	Verletzungen	90, 104, 117, 217, 317
Tutocito-Spritzen	221, 324		
Typhus	91, 108, 264	Verrenkungen	217
		Verrucae	217
		Verspannungen	68
		Verstauchungen	139, 217
Überdosierung	233	Verstopfung	91, 108, 217
Überempfindlichkeit	233	Vertigo	218
Übergangs-Segment	66, 245	Verwachsungen	186
Überwärmungsbäder	26, 164, 287	Verwachsungsbeschwerden	218
Ulcus corneae	134, 215	Verweildauer	242
Ulcus cruris	91, 104, 245, 266, 306, 310, 314	Verwundungen	72, 90, 104
		Verzögerungsphänomen	86
		Viren	43, 163, 184, 207, 215
Ulcus cruris varicosum	215		
Ulcus duodeni	186	Virgo	111
Ulcus trophicum	216	Virus-Erkrankungen	218
Ulcus ventriculi et duodeni	91, 108, 264	Virusinfektion	25
Ulnaris-Paresen	216	Vitalitätsprobe	94, 97
Ultracorten H	329	Vitalitätsprüfung	90, 121
Ultraschall-Therapie	20	Vitamin B 12	70, 227
Umstimmung	19, 24, 25, 141, 183, 308	Vitamin K	235, 251
		Vorsteherdrüse	218
Unfälle	83	Vulva-Erkrankungen	218, 304
Unfruchtbarkeit	216		
Unterbauch	316		
Unterhaut	91	Wadenkrämpfe	245, 281
Unterkiefer	296	Wadenschmerzen	218
Unterleib	91, 110, 162, 206	Wärmehaushalt	65
Unterleibsschmerz	275	Wärmeregulation	21
Unterlid	293	Wange	78
Unterlippe	296	Wangenfurunkel	293
Unterschenkel	284, 317	Warzen	218
Unterschenkelgeschwüre	90	Wasserhaushalt	65
Untersuchung	70, 75	Wasserstoff	31
Ureter	77, 184, 216	Wasserstoffwechsel	21

Wechseljahr-Blutungen	218	Zangen-Entbindungen	91
Weckamine	64	Zehen	91, 93, 146, 218, 275, 305
Wehen	147, 218, 248, 250	Zeitfaktor	25
Weisheitszahn	61, 79, 95, 165	Zellatmung	44, 84, 225
Wespenstich	218	Zelle-Milieu-System	40, 84
Wetter	83	Zellgrenzmembran-Potential	37, 83
Wetterfühligkeit	131, 218	Zellpotential	169, 225
Whiplash-Syndrom	218	Zellstoffwechsel	31, 169
Widerstand	83, 103, 290	Zellular-Pathologie	21
Wiederholungsregel	86	Zentralnervensystem	65
Wirbel	112, 277	Zerebralembolie	148
Wirbelfrakturen	306	Zerebralsklerose	219
Wirbelsäule	33, 71, 79, 92, 109, 112, 218	Zerebrum	114
		Zerrungen	219, 278
Wissenschaft	54	Zervikal-Segment	65
Wochenbett	89, 110, 249	Zervikalsyndrom	71, 96, 219, 258, 278, 296, 298
Wunden	258		
Wundrose	218	Zervikalzone	102
Wundschock	208, 218	Zervix	277
Wurmfortsatz	132	Zervixhypersekretion	197
Wurzel	238	Zervix-Katarrh	152, 219, 275
Wurzelbehandlung	78	Ziliarneuralgie	219
Wurzelfüllung	98	Zinkleim	215
Wurzelirritation	198	Zirkulationsstörungen	219, 266, 285
Wurzelresektion	90	Zisterne	327
Wurzelreste	90, 324	Zittern	319
Wurzelspitzen-Resektion	324	Zivilisationsschäden	219
Wurzelsyndrom	218	Zoekum	77
		Zonen, Headsche	
		Zonen, hyperalgetische	73
		Zonen, Mackenziesche	
Xiphoid	91	Zoster-Neuralgien	306
Xylocain	143, 148, 224, 229, 233	Zuckerkrankheit	219
		Zugpflaster	68
Xylonest	230	Zungen-Erkrankungen	219, 298
Xyloneural	13, 230, 270, 324	Zungenfaßzange	222
		Zustände, postapoplektische	285
		Zustände, präapoplektische	285
		Zweitschlag	25, 63, 75, 90
Zähne	62, 78, 81, 90, 214, 324	Zwerchfell	173, 299
		Zwerchfellhernie	219
Zahnextraktions-Nachschmerz	218	Zwischenfälle	234
Zahnfleisch	90, 95	Zwischenhirn	24, 27, 66, 101, 181
Zahnfleisch-Schwund	218		
Zahnfüllung	24, 214	Zwölffingerdarm	185
Zahngranulomen	82	Zwölffingerdarmgeschwür	219
Zahnschmerz	256	Zyklusstörungen	206, 219, 319
Zahnstein	324	Zysten	90, 95, 214, 324
Zahnwurzel	118	Zystitis	219